INGLESE

DIZIONARIO COMPATTO
INGLESE ITALIANO
ITALIANO INGLESE

a cura di EDIGEO

ZANICHELLI

Ideazione e realizzazione editoriale:
Edigeo s.r.l., via del Lauro 3, 20121 Milano

Copertina: Anna Zamboni

Prima edizione: ottobre 1993

Ristampe
6   5   4   3   2   1996   1997   1998   1999   2000

Stampato dalla Grafica Ragno
via Piemonte 26, Tolara di Sotto (Ozzano)
per conto di Zanichelli editore S.p.A.
via Irnerio 34, 40126 Bologna

SOMMARIO

Questo volume è stato concepito per un uso essenzialmente pratico, come ausilio per il viaggiatore, lo studente o il professionista che abbiano bisogno di un comodo prontuario della lingua inglese.

Il DIZIONARIO La scelta dei lemmi non è stata limitata al criterio della frequenza d'uso: accanto ai termini più comuni trovano posto quelli di utilizzo meno frequente ma interessanti per il viaggiatore attento e curioso.

In ambedue le sezioni, ogni lemma è indicato in colore, in carattere **neretto**; gli omografi costituiscono voci separate e sono contraddistinti da un numero cardinale tra parentesi tonde posto subito dopo il lemma. Nella struttura della voce al lemma seguono lo specificatore grammaticale in *corsivo* e uno o più traducenti, composti in carattere tondo chiaro, seguiti a loro volta da un eventuale specificatore grammaticale.

Qualora a un termine corrisponda più di una categoria grammaticale, ciascuna di esse è preceduta da una lettera maiuscola in carattere neretto (**A**, **B**, ...). Le varie accezioni del lemma, ovvero i suoi significati fondamentali, sono contraddistinte da un numero cardinale in neretto (**1**, **2**, ...).

Ove necessario, sono state indicate tra parentesi eventuali irregolarità relative all'uso del lemma (formazione del plurale, paradigma dei verbi irregolari, ecc.).

Una losanga nera (♦) precede la sezione contenente frasi idiomatiche, semplici costruzioni e forme composte – indicate in colore – in cui il lemma è sostituito dalla sua iniziale puntata.

Eventuali restrizioni d'uso sono indicate tra parentesi, in carattere *corsivo*, per esteso o abbreviate. Per il significato di tali abbreviazioni – così come per il significato degli specificatori grammaticali – si veda alle pagg. 4 e 5.

Nella sezione inglese-italiano, il lemma inglese è seguito dalla sua trascrizione nell'alfabeto fonetico, racchiusa tra parentesi quadre. Per il valore dei caratteri di questo alfabeto, si veda a pag. 6.

Nella sezione italiano-inglese è indicata l'accentazione tonica del lemma italiano, con segnaccenti in carattere chiaro. Gli accenti grafici obbligatori sono invece indicati nello stesso carattere neretto del lemma.

LA FRASEOLOGIA Questa sezione contiene alcune frasi di uso comune, raggruppate in situazioni nelle quali il turista può trovarsi frequentemente. Ogni frase in lingua italiana, composta in neretto, è seguita dalla corrispondente traduzione in lingua inglese, in carattere chiaro. Laddove necessario, le frasi sono seguite da un breve elenco di termini, ciascuno dei quali può essere sostituito alla parte mancante della frase.

A tale sezione seguono una tabella di numeri cardinali e ordinali e una lista delle unità di misura utilizzate in Gran Bretagna e negli Stati Uniti, con la conversione nelle corrispondenti unità metriche.

LE NOTE GRAMMATICALI L'ultima sezione è costituita da un riepilogo delle principali regole grammaticali della lingua inglese, con articoli, preposizioni, aggettivi, pronomi e le più comuni forme verbali.

ABBREVIAZIONI

abbr.	abbreviazione	*banca*	banca
acrt.	accorciativo	*biol.*	biologia
aer.	aeronautica	*bot.*	botanica
afferm.	affermativo	*card.*	cardinale
agg.	aggettivo	*chim.*	chimica
anat.	anatomia	*cin.*	cinematografia
arald.	araldica	*comm.*	commercio
arc.	arcaico	*comp.*	comparativo
arch.	architettura	*compl.*	complemento
archeol.	archeologia	*condiz.*	condizionale
art.	articolo	*cong.*	congiunzione
arte	arte	*cuc.*	cucina
astr.	astronomia, astrologia	*determ.*	determinativo
		difett.	difettivo
attr.	attributivo	*dimostr.*	dimostrativo
autom.	automobilismo	*dir.*	diritto
avv.	avverbio, avverbiale	*dubit.*	dubitativo
		econ.	economia

edil.	edilizia	*ogg.*	oggetto
elettr.	elettricità	*pass.*	passato
elettron.	elettronica	*pers.*	personale
enf.	enfatico	*pl.*	plurale
escl.	esclamativo	*pol.*	politica
est.	esteso	*pop.*	popolare
f.	femminile	*poss.*	possessivo
fam.	familiare	*p. p.*	participio passato
ferr.	ferrovia	*pred.*	predicato,
fig.	figurato		predicativo
fin.	finanza	*pref.*	prefisso
fis.	fisica	*prep.*	preposizione
fon.	fonologia	*pres.*	presente
fot.	fotografia	*pron.*	pronome,
fut.	futuro		pronominale
geogr.	geografia	*psic.*	psicologia
geol.	geologia	*q.c.*	qualche cosa
geom.	geometria	*qc.*	qualcuno
gramm.	grammatica	*radio*	radio
idiom.	idiomatico	*rec.*	reciproco
impers.	impersonale	*rel.*	relativo
ind.	indiretto	*relig.*	religione
indef.	indefinito	*rifl.*	riflessivo
indeterm.	indeterminativo	*s.*	sostantivo
inf.	infinito,	*sb.*	somebody
	informatica	*scient.*	scientifico
inter.	interiezione	*serv.*	servile
interr.	interrogativo	*sing.*	singolare
intr.	intransitivo	*sogg.*	soggetto
inv.	invariato	*sost.*	sostantivato
iron.	ironico	*spec.*	specialmente
letter.	letterario	*sport*	sport
loc.	locuzione	*spreg.*	spregiativo
m.	maschile	*st.*	something
mat.	matematica	*stor.*	storia
mecc.	meccanica	*sup.*	superlativo
med.	medicina	*teatro*	teatro
metall.	metallurgia	*tecnol.*	tecnologia
meteor.	meteorologia	*tel.*	telefonia
mil.	militare	*tess.*	industria tessile
miner.	mineralogia	*tip.*	tipografia
mitol.	mitologia	*tr.*	transitivo
mus.	musica	*TV*	televisione
naut.	nautica	*USA*	americano
neg.	negativo	*v.*	verbo
num.	numerale	*volg.*	volgare
ord.	ordinale	*zool.*	zoologia

FONETICA

L'alfabetico fonetico adottato è quello approvato dall'Associazione fonetica internazionale.

Vocali

[ɑː]	car, father
[æ]	and, man
[ɛ]	bed, yes
[ʌ]	cup, up
[ə]	a, mother
[ɜː]	girl, word
[ɪ]	pig, it
[iː]	tree, please
[ɒ]	box, not
[ɔː]	wall, horse
[ʊ]	book, full
[uː]	shoe, fool

Dittonghi

[aɪ]	five, fly
[aʊ]	how, house
[eɪ]	train, name
[ɛə]	there, care
[ɪə]	ear, here
[əʊ]	go, boat
[ɔɪ]	toy, oil
[ʊə]	poor, sure

Consonanti

[p]	pencil, stop
[b]	book, boy
[t]	train, pot
[d]	dog, kind
[k]	car, black
[g]	go, egg
[f]	floor, off
[v]	very, seven
[θ]	thin, mouth
[ð]	this, with
[s]	sun, place
[z]	zoo, noise
[ʃ]	fish, ship
[ʒ]	pleasure, measure
[tʃ]	church, chair
[dʒ]	judge, age
[l]	leg, full
[m]	match, him
[n]	name, pen
[ŋ]	ring, song
[r]	room, very
[j]	yes, you
[w]	wind, away
[h]	hat, hand
[x]	loch (in parole gaeliche)

Segni particolari

[ː]	indica un prolungamento della vocale che lo precede
[']	l'accento tonico principale cade sulla sillaba successiva
[ˌ]	l'accento tonico secondario cade sulla sillaba successiva
[ʳ]	indica la presenza di una r muta a fine parola

I caratteri posti tra parentesi tonde si riferiscono a suoni opzionali

ENGLISH-ITALIAN
INGLESE-ITALIANO

A

a [eɪ, ə] (**an** *davanti a vocale e 'h'muta*) *art. indeterm.* **1** uno, una (ES: **I see a man and a house** vedo un uomo e una casa; **Bob is an old man** Bob è un uomo anziano) **2** il, lo, la (ES: **a rose is a flower** la rosa è un fiore, **to smoke a pipe** fumare la pipa) **3** un certo, una certa, un tale, una tale (ES: **in a sense** in un certo senso, **do you know a Mrs Smith?** conosci una certa signora Smith?) **4** stesso, stessa (ES: **to be of a height** essere della stessa altezza) **5** (*distributivo*) per, al, ogni (ES: **once a year** una volta all'anno) **6** (*idiom.*) (ES: **what a pity!** che peccato!)

aback [ə'bæk] *avv.* all'indietro ♦ **to be taken a.** essere colto alla sprovvista

abacus ['æbəkəs] *s.* (*arch.*) abaco *m.*

abandon [ə'bændən] *s.* abbandono *m.*, effusione *f.*

to abandon [ə'bændən] *v. tr.* abbandonare, lasciare

to abash [ə'bæʃ] *v. tr.* confondere, sconcertare

abashed [ə'bæʃt] *agg.* confuso, imbarazzato

to abate [ə'beɪt] **A** *v. tr.* diminuire **B** *v. intr.* placarsi, calmarsi

abbey ['æbɪ] *s.* abbazia *f.*

abbot ['æbət] *s.* abate *m.*

to abbreviate [ə'briːvɪeɪt] *v. tr.* abbreviare

abbreviation [ə,briːvɪ'eɪʃ(ə)n] *s.* abbreviazione *f.*

to abdicate ['æbdɪkeɪt] *v. tr. e intr.* abdicare

abdication [,æbdɪ'keɪʃ(ə)n] *s.* abdicazione *f.*

abdomen ['æbdəmɛn] *s.* addome *m.*

abdominal [æb'dəmɪn(ə)l] *agg.* addominale

to abduct [æb'dʌkt] *v. tr.* rapire

abductor [æb'dʌktər] *s.* rapitore *m.*

aberration [,æbə'reɪʃ(ə)n] *s.* aberrazione *f.*

to abet [ə'bɛt] *v. tr.* appoggiare, spalleggiare ♦ **to aid and a. sb.** essere complice di qc.

abeyance [ə'bɛ(ɪ)əns] *s.* **1** sospensione *f.* **2** (*dir*) disuso *m.* ♦ **to be in a.** essere messo da parte, essere sospeso

to abide [ə'baɪd] (*pass. e p. p.* **abode**) *v. tr.*

1 sopportare **2** resistere a ♦ **to a. by** attenersi a, rispettare

ability [ə'bɪlɪtɪ] *s.* abilità *f.*

abject ['æbdʒɛkt] *agg.* abietto, spregevole

ablaze [ə'bleɪz] *agg.* **1** in fiamme **2** splendente

able ['eɪbl] *agg.* capace ♦ **a.-bodied** sano, robusto; **to be a. to** essere in grado di, potere, riuscire a

abnormal [æb'nɔːm(ə)l] *agg.* anormale

aboard [ə'bɔːd] **A** *avv.* a bordo **B** *prep.* a bordo di ♦ **to go a.** imbarcarsi

abode (1) [ə'bəʊd] *s.* dimora *f.*, domicilio *m.*

abode (2) [ə'bəʊd] *pass. e p. p. di* **to abide**

to abolish [ə'bəlɪʃ] *v. tr.* abolire, sopprimere

abolitionism [,æbə'lɪʃənɪz(ə)m] *s.* abolizionismo *m.*

abominable [ə'bəmɪn(ə)bl] *agg.* abominevole, pessimo

aboriginal [,æbə'rɪdʒənl] *agg. e s.* aborigeno *m.*

aborigine [,æbə'rɪdʒɪnɪ] *s.* aborigeno *m.*

to abort [ə'bɔːt] *v. tr. e intr.* abortire

abortion [ə'bɔːʃ(ə)n] *s.* aborto *m.*

abortive [ə'bɔːtɪv] *agg.* **1** abortivo **2** (*fig.*) fallito, mancato

to abound [ə'baʊnd] *v. intr.* abbondare ♦ **to a. in/with** avere in abbondanza

about [ə'baʊt] **A** *avv.* **1** quasi, circa, pressappoco **2** intorno, attorno **3** nei pressi **B** *prep.* **1** circa, riguardo a **2** intorno a **3** vicino a, nei pressi di ♦ **to be a. to** accingersi, prepararsi a; **a.-face/turn** dietrofront

above [ə'bʌv] **A** *avv.* **1** sopra, di sopra **2** precedentemente **B** *prep.* su, sopra, al di sopra di ♦ **a. all** soprattutto; **a.-mentioned** suddetto; **see a.** vedi sopra

abrasion [ə'breɪʒ(ə)n] *s.* abrasione *f.*

abrasive [ə'breɪzɪv] *agg. e s.* abrasivo *m.*

abreast [ə'brɛst] *avv.* a fianco ♦ **to keep a. of** tenersi aggiornato su

to abridge [ə'brɪdʒ] *v. tr.* ridurre, riassumere, accorciare ♦ **abridged edition** edizione ridotta, compendio

abroad [ə'brɔːd] *avv.* all'estero

to abrogate ['æbrɒ(ʊ)geɪt] *v. tr.* abrogare

abrupt [ə'brʌpt] *agg.* **1** improvviso **2** brusco, sbrigativo **3** ripido, scosceso

abscess ['æbsɪs] *s.* ascesso *m.*

to abscond [əb'skɔnd] *v. intr.* scappare

absconder [əb'skɔndər] *s.* fuggiasco *m.*, latitante *m. e f.*

absence ['æbs(ə)ns] *s.* **1** assenza *f.* **2** mancanza *f.* **3** contumacia *f.*

absent ['æbs(ə)nt] *agg.* assente ♦ **a.-minded** distratto; **a.-mindedly** distrattamente; **a.-mindedness** distrazione

absentee [,æbs(ə)n'tiː] *s.* assente *m. e f.*

absolute ['æbsəluːt] *agg.* assoluto, completo, totale

absolutely ['æbs(ə)luːtlɪ] *avv.* **1** assolutamente, completamente **2** senz'altro, certamente

to absolve [əb'zɔlv] *v. tr.* **1** assolvere **2** liberare da

to absorb [əb'sɔːb] *v. tr.* **1** assorbire **2** assimilare

absorbing [əb'sɔ(ː)bɪŋ] *agg.* **1** assorbente **2** avvincente

absorption [əb'sɔːpʃ(ə)n] *s.* **1** assorbimento *m.*, assimilazione *f.* **2** dedizione *f.*

to abstain [əb'steɪn] *v. intr.* astenersi

abstemious [æb'stiːmjəs] *agg.* astemio

abstinence ['æbstɪnəns] *s.* astinenza *f.*

abstract [æb'strækt] **A** *agg.* astratto **B** *s.* **1** estratto *m.*, riassunto *m.* **2** astrazione *f.*

to abstract [æb'strækt] *v. tr.* **1** astrarre **2** sottrarre **3** riassumere **4** rimuovere

abstraction [æb'strækʃ(ə)n] *s.* **1** astrazione *f.* **2** sottrazione *f.* **3** rimozione *f.*

abstractionism [æb'strækʃ(ə)nɪz(ə)m] *s.* astrattismo *m.*

abstractionist [æb'strækʃ(ə)nɪst] *s.* astrattista *m. e f.*

absurd [əb'sɜːd] *agg.* **1** assurdo **2** ridicolo

abundance [ə'bʌndəns] *s.* abbondanza *f.*

abundant [ə'bʌndənt] *agg.* abbondante

abuse [ə'bjuːs] *s.* **1** abuso *m.* **2** insulti *m. pl.*, ingiurie *f. pl.*

to abuse [ə'bjuːz] *v. tr.* **1** abusare di **2** insultare, ingiuriare

abusive [ə'bjuːsɪv] *agg.* offensivo, ingiurioso

abysmal [ə'bɪzm(ə)l] *agg.* abissale

abyss [ə'bɪs] *s.* abisso *m.*

acacia [ə'keɪʃə] *s.* acacia *f.*

academic [,ækə'demɪk] **A** *agg.* **1** accademico **2** formale **B** *s.* accademico *m.*

academy [ə'kædəmɪ] *s.* accademia *f.*

acanthus [ə'kænθəs] *s.* acanto *m.*

to accelerate [æk'seləreɪt] *v. tr. e intr.* accelerare

accelerator [æk'seləreɪtər] *s.* acceleratore *m.*

accent ['æks(ə)nt] *s.* **1** accento *m.* **2** enfasi *f.*, tono *m.*

to accept [ək'sept] *v. tr.* accettare

acceptable [ək'septəbl] *agg.* accettabile

acceptance [ək'sept(ə)ns] *s.* **1** accettazione *f.* **2** approvazione *f.*

access ['ækses] *s.* accesso *m.*

accessible [æk'sesəbl] *agg.* accessibile

accessory [æk'sesərɪ] *s.* **1** accessorio *m.* **2** (*dir*) complice *m. e f.*

accident ['æksɪd(ə)nt] *s.* **1** incidente *m.*, infortunio *m.* **2** caso *m.* ♦ **by a.** per caso

accidental [,æksɪ'dentl] *agg.* accidentale

accidentally [,æksɪ'dentlɪ] *avv.* accidentalmente, per caso

acclaim [ə'kleɪm] *s.* acclamazione *f.*

to acclaim [ə'kleɪm] *v. tr.* acclamare

to acclimatize [ə'klaɪmətaɪz] *v. tr.* ambientare, acclimatare ♦ **to get acclimatized** ambientarsi

accolade ['ækəleɪd] *s.* elogio *m.*

to accomodate [ə'kɔmədeɪt] *v. tr.* **1** alloggiare, sistemare **2** adattare **3** favorire

accomodating [ə'kɔmədeɪtɪŋ] *agg.* accomodante, compiacente

accomodation [ə,kɔmə'deɪʃ(ə)n] *s.* **1** alloggio *m.*, sistemazione *f.* **2** accordo *m.* **3** comodità *f.*

to accompany [ə'kʌmp(ə)nɪ] *v. tr.* **1** accompagnare **2** scortare

accomplice [ə'kɔmplɪs] *s.* complice *m. e f.*

to accomplish [ə'kɔmplɪʃ] *v. tr.* compiere, realizzare

accomplished [ə'kɔmplɪʃt] *agg.* **1** compiuto **2** esperto

accomplishment [ə'kɔmplɪʃmənt] *s.* **1** compimento *m.*, realizzazione *f.* **2** impresa *f.* **3** *al pl.* dote *f.*, talento *m.*

accord [ə'kɔːd] *s.* accordo *m.* ♦ **of one's own a.** spontaneamente, di propria iniziativa; **with one a.** di comune accordo

to accord [ə'kɔːd] *v. tr.* accordare, concedere

accordance [ə'kɔːd(ə)ns] *s.* concordanza *f.* ♦ **in a. with** in conformità con

accordingly [ə'kɔːdɪŋlɪ] *avv.* di conseguenza, perciò

according to [ə'kɔːdɪŋtuː] *prep.* secondo, in base a, in conformità con

accordion [ə'kɔːdjən] *s.* fisarmonica *f.*

to accost [ə'kɔst] *v. tr.* avvicinare, abbordare

account [ə'kaʊnt] s. 1 conto m. 2 (banca) conto m., deposito m. 3 acconto m. 4 relazione f., descrizione f. 5 vantaggio m., tornaconto m. 6 importanza f., considerazione f. ♦ **a. number** numero di conto; **by all accounts** a detta di tutti; **current a.** conto corrente; **of no a.** di nessuna importanza; **on a.** in acconto; **to take into a.** tener conto di

to account [ə'kaʊnt] v. tr. e intr. considerare ♦ **to a. for** spiegare, rendere conto di, influire, (fam.) distruggere

accountable [ə'kaʊntəbl] agg. responsabile

accountancy [ə'kaʊntənsɪ] s. contabilità f., ragioneria f.

accountant [ə'kaʊntənt] s. contabile m. e f.

accounting [ə'kaʊntɪŋ] s. contabilità f., ragioneria f.

to accrue [ə'kruː] v. intr. derivare, provenire ♦ **accrued interest** interesse maturato

to accumulate [ə'kjuːmjʊleɪt] v. tr. e intr. accumulare, accumularsi

accumulator [ə'kjuːmjʊleɪtər] s. accumulatore m.

accuracy ['ækjʊrəsɪ] s. accuratezza f., precisione f.

accurate ['ækjʊrɪt] agg. accurato, preciso, esatto

accusation [ˌækjʊ(ː)'zeɪʃ(ə)n] s. accusa f., incriminazione f.

to accuse [ə'kjuːz] v. tr. accusare, incriminare

to accustom [ə'kʌstəm] v. tr. abituare ♦ **to a. oneself to** abituarsi a

accustomed [ə'kʌstəmd] agg. 1 abituato, avvezzo 2 abituale ♦ **to become a. to doing st.** abituarsi a fare q.c.

ace [eɪs] s. asso m.

acephalous [ə'sɛfələs] agg. acefalo

ache [eɪk] s. dolore m.

to ache [eɪk] v. intr. 1 far male, dolere 2 (fam.) desiderare ardentemente

achievable [ə'tʃiːvəbl] agg. raggiungibile

to achieve [ə'tʃiːv] v. tr. 1 compiere 2 raggiungere, conseguire

achievement [ə'tʃiːvmənt] s. 1 risultato m. positivo, successo m. 2 impresa f., realizzazione f.

acid ['æsɪd] agg. e s. acido m.

acidulous [ə'sɪdjʊləs] agg. acidulo

acinus ['æsɪnəs] s. acino m.

to acknowledge [ək'nɒlɪdʒ] v. tr. 1 ammettere 2 riconoscere 3 mostrare apprezzamento per ♦ **to a. receipt** accusare ricevuta

acknowledg(e)ment [ək'nɒlɪdʒmənt] s. 1 riconoscimento m., ammissione f. 2 riconoscenza f. 3 ricevuta f.

acne ['ækni] s. acne f.

acorn ['eɪkɔːn] s. ghianda f.

acoustic [ə'kuːstɪk] agg. acustico

acoustics [ə'kuːstɪks] s. pl. (v. al sing.) acustica f.

to acquaint [ə'kweɪnt] v. tr. informare, mettere al corrente ♦ **to a. sb. with st.** informare qc. di q.c.; **to be acquainted with** conoscere

acquaintance [ə'kweɪnt(ə)ns] s. 1 conoscenza f. 2 conoscente m. e f.

to acquiesce [ˌækwɪ'ɛs] v. intr. acconsentire, aderire

to acquire [ə'kwaɪər] v. tr. acquisire, procurarsi

acquisition [ˌækwɪ'zɪʃ(ə)n] s. acquisizione f.

to acquit [ə'kwɪt] v. tr. assolvere ♦ **to a. oneself well** dare una buona prova di sé, comportarsi bene

acquittal [ə'kwɪtl] s. assoluzione f.

acquittance [ə'kwɪtəns] s. 1 pagamento m., saldo m. 2 quietanza f., ricevuta f.

acre ['eɪkər] s. acro m.

acrid ['ækrɪd] agg. acre, pungente

acrimonious [ˌækrɪ'məʊnjəs] agg. aspro, astioso

acrobat ['ækrəbæt] s. acrobata m. e f.

acrobatics [ˌækrə'bætɪks] s. pl. acrobazia f.

acropolis [ə'krɒpəlɪs] s. acropoli f.

across [ə'krɒs] A prep. 1 attraverso 2 dall'altro lato di, oltre B avv. da una parte all'altra, in larghezza ♦ **a. from** di fronte a; **to go a.** passare dall'altra parte

acrylic [ə'krɪlɪk] agg. acrilico

act [ækt] s. 1 atto m., azione f. 2 decreto m., legge f., documento m. 3 (teatro) atto m.

to act [ækt] A v. intr. 1 agire, comportarsi 2 funzionare 3 recitare 4 fingere B v. tr. recitare (la parte di) ♦ **to a. as/for** fungere da, agire per conto di; **to a. up** comportarsi male

acting ['æktɪŋ] A agg. facente funzione, sostituto B s. 1 recitazione f. 2 funzionamento m.

action ['ækʃ(ə)n] *s.* **1** azione *f.*, atto *m.* **2** funzionamento *m.*, moto *m.* **3** (*dir.*) processo *m.*, causa *f.* **4** (*mil.*) combattimento *m.* ♦ **out of a.** fuori uso, fuori combattimento, fuori servizio

to activate ['æktıveɪt] *v. tr.* attivare

active ['æktıv] *agg.* attivo, operoso

activity [æk'tıvıtı] *s.* attività *f.*

actor ['æktər] *s.* attore *m.*

actress ['æktrıs] *s.* attrice *f.*

actual ['æktjuəl] *agg.* reale, effettivo

actually ['æktjuəlɪ] *avv.* realmente, effettivamente

aculeus [ə'kju(:)lıəs] *s.* aculeo *m.*

acumen [ə'kju:men] *s.* acume *m.*

acupuncture ['ækju,pʌŋktʃər] *s.* agopuntura *f.*

acute [ə'kju:t] *agg.* acuto

ad [æd] *s.* (*abbr. di* advertisement) annuncio *m.* pubblicitario

adamant ['ædəmənt] *agg.* inflessibile, irremovibile

to adapt [ə'dæpt] *v. tr.* adattare ♦ **to a. oneself** adattarsi

adaptable [ə'dæptəbl] *agg.* **1** adattabile **2** che sa adattarsi

adaptation [,ædæp'teɪʃ(ə)n] *s.* adattamento *m.*

adapter [ə'dæptər] *s.* adattatore *m.*

to add [æd] **A** *v. tr.* **1** aggiungere **2** addizionare, sommare **B** *v. intr.* aggiungersi, aumentare ♦ **to a. in** includere; **to a. up** sommare, fare una somma; **to a. up to** ammontare a

adder ['ædər] *s.* vipera *f.*

addict ['ædıkt] *s.* **1** tossicomane *m. e f.* **2** fanatico *m.*, maniaco *m.*

addicted [ə'dıktıd] *agg.* dedito ♦ **to be a. to drugs** essere tossicodipendente

addiction [ə'dık∫(ɛ)n] *s.* dipendenza *f.* ♦ **drug a.** tossicodipendenza

addictive [ə'dıktıv] *agg.* che dà assuefazione

addition [ə'dıʃ(ə)n] *s.* **1** addizione *f.*, somma *f.* **2** aggiunta *f.*, supplemento *m.* ♦ **in a. inoltre**; **in a. to** oltre a

additional [ə'dıʃən(ə)l] *agg.* addizionale, supplementare

additive ['ædıtıv] *s.* additivo *m.*

address [ə'drɛs] *s.* **1** indirizzo *m.*, recapito *m.* **2** discorso *m.* ♦ **a. book** rubrica

to address [ə'drɛs] *v. tr.* **1** indirizzare **2** rivolgersi a, fare un discorso a

addressee [,ædrɛ'si:] *s.* destinatario *m.*

addresser [ə'drɛsər] *s.* mittente *m.*

adept [ə'dɛpt] *agg. e s.* esperto *m.*, perito *m.*

adequate ['ædıkwıt] *agg.* adeguato, sufficiente

to adhere [əd'hıər] *v. intr.* aderire

adherent [əd'hıərənt] **A** *agg.* aderente, attaccato **B** *s.* aderente *m. e f.*, seguace *m. e f.*

adhesive [əd'hi:sıv] *agg.* adesivo

adjacent [ə'dʒeɪs(ə)nt] *agg.* adiacente, attiguo

adjective ['ædʒıktıv] *s.* aggettivo *m.*

to adjoin [ə'dʒɔın] *v. tr.* confinare con

adjoining [ə'dʒɔınıŋ] *agg.* adiacente, contiguo

to adjourn [ə'dʒɜːn] **A** *v. tr.* aggiornare, rinviare **B** *v. intr.* aggiornarsi

to adjudicate [ə'dʒuːdıkeıt] **A** *v. intr.* (*dir.*) giudicare **B** *v. tr.* aggiudicare

to adjust [ə'dʒʌst] **A** *v. tr.* **1** sistemare, aggiustare **2** regolare, adattare **B** *v. intr.* adattarsi a

adjustable [ə'dʒʌstəbl] *agg.* adattabile, regolabile

adjustment [ə'dʒʌstmənt] *s.* **1** adattamento *m.*, sistemazione *f.* **2** modifica *f.* **3** conguaglio *m.*

to administer [əd'mınıstər] *v. tr.* **1** amministrare **2** somministrare

administration [əd,mınıs'treɪʃ(ə)n] *s.* **1** amministrazione *f.* **2** somministrazione *f.*

administrative [əd'mınıstrətıv] *agg.* amministrativo

administrator [əd'mınıstreıtər] *s.* amministratore *m.*

admirable ['ædm(ə)rəbl] *agg.* ammirevole

admiral ['ædm(ə)r(ə)l] *s.* ammiraglio *m.*

admiralty ['ædm(ə)r(ə)ltı] *s.* ammiragliato *m.*

admiration [,ædmə'reıʃ(ə)n] *s.* ammirazione *f.*

to admire [əd'maıər] *v. tr.* ammirare

admirer [əd'maıərər] *s.* ammiratore *m.*

admissible [əd'mısəbl] *agg.* ammissibile

admission [əd'mıʃ(ə)n] *s.* **1** ammissione *f.* **2** riconoscimento *m.*, confessione *f.* **3** ingresso *m.*, entrata *f.* ♦ **a. fee** prezzo del biglietto d'ingresso; **a. free** ingresso gratuito

to admit [əd'mıt] *v. tr.* **1** ammettere, far entrare **2** ammettere, riconoscere **3** contenere, aver posto per ♦ **to a. of** lasciar adito a

admittance [əd'mıt(ə)ns] *s.* ammissione

f., accesso *m.*, ingresso *m.* ♦ **no a.** vietato l'ingresso

admittedly [əd'mɪtɪdlɪ] *avv.* per ammissione generale

to admonish [əd'mɒnɪʃ] *v. tr.* ammonire, esortare

ado [ə'duː] *s.* rumore *m.*, confusione *f.*

adolescence [,ædə'lɛs(ə)ns] *s.* adolescenza *f.*

adolescent [,ædə'lɛs(ə)nt] **A** *agg.* adolescente, adolescenziale **B** *s.* adolescente *m. e f.*

to adopt [ə'dɒpt] *v. tr.* adottare

adoption [ə'dɒpʃ(ə)n] *s.* adozione *f.*

adoptive [ə'dɒptɪv] *agg.* adottivo

to adore [ə'dɔːr] *v. tr.* adorare

to adorn [ə'dɔːn] *v. tr.* adornare, imbellire

adrift [ə'drɪft] *avv. e agg. pred.* alla deriva

adult ['ædʌlt] *agg. e s.* adulto *m.*

to adulterate [ə'dʌltəreɪt] *v. tr.* adulterare, contraffare

adultery [ə'dʌltərɪ] *s.* adulterio *m.*

advance [əd'vɑːns] *s.* **1** avanzamento *m.*, progresso *m.* **2** aumento *m.* **3** acconto *m.*, anticipo *m.* ♦ **in a.** in acconto

to advance [əd'vɑːns] **A** *v. intr.* **1** avanzare, progredire **2** (*di prezzo*) aumentare, salire **B** *v. tr.* **1** anticipare **2** far avanzare, spostare avanti **3** avanzare, presentare **4** promuovere, far progredire **5** (*prezzo*) aumentare

advanced [əd'vɑːnst] *agg.* **1** avanzato, progredito **2** (*di studio*) superiore

advantage [əd'vɑːntɪdʒ] *s.* vantaggio *m.*, profitto *m.* ♦ **to take a. of** approfittare di

advantageous [,ædvən'teɪdʒəs] *agg.* vantaggioso

advent ['ædvənt] *s.* avvento *m.*

adventure [əd'vɛntʃər] *s.* avventura *f.*

adventurer [əd'vɛntʃ(ə)rər] *s.* avventuriero *m.*

adventurous [əd'vɛntʃ(ə)rəs] *agg.* avventuroso

adverb ['ædvɜːb] *s.* avverbio *m.*

adversary ['ædvəs(ə)rɪ] *s.* avversario *m.*

adverse ['ædvɜːs] *agg.* avverso, contrario

adversity [əd'vɜːsɪtɪ] *s.* avversità *f.*

to advertise ['ædvə,taɪz] **A** *v. tr.* fare pubblicità a **B** *v. intr.* fare un'inserzione pubblicitaria ♦ **to a. for** mettere un annuncio per

advertisement [əd'vɜːtɪsmənt] *s.* inserzione *f.*, annuncio *m.* pubblicitario

advertiser ['ædvə,taɪzər] *s.* inserzionista

m. e f.

advertising ['ædvə,taɪzɪŋ] *s.* pubblicità *f.*

advice [əd'vaɪs] *s.* **1** consiglio *m.* **2** consulenza *f.* **3** avviso *m.*, notizia *f.*

advisable [əd'vaɪzəbl] *agg.* consigliabile

to advise [əd'vaɪz] *v. tr.* **1** consigliare **2** avvisare, notificare

advisedly [əd'vaɪzɪdlɪ] *avv.* deliberatamente, di proposito

adviser [əd'vaɪzər] (o **advisor**) *s.* consigliere *m.*, consulente *m. e f.*

advisory [əd'vaɪz(ə)rɪ] *agg.* consultivo

advocate ['ædvəkɪt] *s.* difensore *m.*, sostenitore *m.*

to advocate ['ædvəkeɪt] *v. tr.* sostenere, patrocinare

to aerate ['ɛ(ɪ)əreɪt] *v. tr.* aerare, ventilare

aeration [,ɛ(ɪ)ə'reɪʃ(ə)n] *s.* aerazione *f.*, ventilazione *f.*

aerial (1) ['ɛərɪəl] *agg.* aereo ♦ **a. photography** aerofotografia

aerial (2) ['ɛərɪəl] *s.* antenna *f.*

aerobic [ɛər'ɒbɪk] *agg.* aerobico

aerobics [ɛər'ɒbɪks] *s. pl.* (*v. al sing.*) (ginnastica) aerobica *f.*

aerodrome ['ɛərədrɒm] *s.* aerodromo *m.*

aerodynamic ['ɛərɒ(ʊ)daɪ'næmɪk] *agg.* aerodinamico

aeronautic [,ɛərə'nɔːtɪk] *agg.* aeronautico

aeronautics [,ɛərə'nɔːtɪks] *s. pl.* (*v. al sing.*) aeronautica *f.*

aeroplane ['ɛərəpleɪn] *s.* aeroplano *m.*

aerosol ['ɛərɒ(ʊ),sɒl] *s.* aerosol *m.*

aerospace ['ɛərɒ(ʊ)speɪs] *agg.* aerospaziale

aesthetic [iːs'θɛtɪk] *agg.* estetico

aestheticism [iːs'θɛtɪsɪz(ə)m] *s.* estetismo *m.*

aesthetics [iːs'θɛtɪks] *s. pl.* (*v. al sing.*) estetica *f.*

afar [ə'fɑːr] *avv.* lontano ♦ **from a.** da lontano

affair [ə'fɛər] *s.* **1** faccenda *f.*, affare *m.* **2** relazione *f.* amorosa

to affect (1) [ə'fɛkt] *v. tr.* **1** riguardare, interessare, influenzare **2** (*di malattia*) colpire **3** commuovere

to affect (2) [ə'fɛkt] *v. tr.* **1** fingere, simulare **2** preferire

affectation [,æfɛk'teɪʃ(ə)n] *s.* affettazione *f.*, ostentazione *f.*

affected [ə'fɛktɪd] *agg.* **1** commosso, afflitto **2** affettato, lezioso **3** (*med.*) affetto

affection [ə'fɛkʃ(ə)n] *s.* affezione *f.*

affectionate [ə'fɛkʃnɪt] *agg.* affezionato, affettuoso

affective [ə'fɛktɪv] *agg.* affettivo

affinity [ə'fɪnɪtɪ] *s.* affinità *f.*

to affirm [ə'fɜːm] *v. tr.* 1 affermare 2 (*dir*) convalidare

affirmative [ə'fɜːmətɪv] *agg.* affermativo

affirmatory [ə'fɜːmət(ə)rɪ] *agg.* affermativo

to affix [ə'fɪks] *v. tr.* 1 affiggere, attaccare 2 apporre

to afflict [ə'flɪkt] *v. tr.* affliggere

affluence ['æfluəns] *s.* abbondanza *f.*, ricchezza *f.*

affluent ['æfluənt] *agg.* 1 ricco, opulento 2 abbondante ♦ **a. society** società del benessere

to afford [ə'fɔːd] *v. tr.* 1 permettersi 2 offrire, fornire

to afforest [æ'fɒrɪst] *v. tr.* imboschire

affront [ə'frʌnt] *s.* affronto *m.*, insulto *m.*

afield [ə'fiːld] *avv.* **far a.** lontano

afloat [ə'fləʊt] *avv.* 1 a galla 2 in mare

afoot [ə'fʊt] *avv.* 1 (*mil.*) in marcia 2 in atto

aforesaid [ə'fɔːsɛd] *agg.* predetto, suddetto

afraid [ə'freɪd] *agg. pred.* spaventato, pauroso ♦ **to be a.** temere, dispiacersi; **to be a. of st.** temere q.c.

afresh [ə'frɛʃ] *avv.* di nuovo, da capo

African ['æfrɪkən] *agg. e s.* africano *m.*

aft [ɑːft] *avv.* a poppa

after ['ɑːftər] **A** *agg.* 1 posteriore, successivo 2 di poppa **B** *prep.* 1 dopo 2 dietro, di seguito a 3 secondo, alla maniera di **C** *avv.* 1 dopo, in seguito, successivamente 2 dietro **D** *cong.* dopo che ♦ **a. all** dopotutto; **a. lunch** dopo pranzo; **ever a.** da allora in poi; **never a.** mai più; **the day a.** il giorno dopo

aftereffect ['ɑːftərɪˌfɛkt] *s.* effetto *m.* collaterale

aftermath ['ɑːftəmæθ] *s.* 1 conseguenza *f.* 2 (*med.*) postumi *m. pl.*

afternoon [ɑːftə'nuːn] *s.* pomeriggio *m.*

afters ['ɑːftəs] *s. pl.* (*fam.*) dessert *m. inv.*

aftershave ['ɑːftəʃeɪv] *s.* dopobarba *m. inv.*

afterthought ['ɑːftəθɔːt] *s.* ripensamento *m.*

afterwards ['ɑːftəwədz] *avv.* dopo, più tardi, successivamente

again [ə'gɛn] *avv.* 1 ancora, nuovamente 2 inoltre, d'altra parte ♦ **a. and a.** ripetutamente; **as much a.** altrettanto; **never**

a. mai più; **over a.** ancora una volta

against [ə'gɛnst] *prep.* 1 contro 2 in senso contrario 3 su, a contatto con 4 in previsione di ♦ **as a.** di fronte a, a paragone di; **over a.** in contrasto con; **to be a.** osteggiare

agave [ə'geɪvɪ] *s.* agave *f.*

age [eɪdʒ] *s.* 1 età *f.* 2 epoca *f.*, era *f.* ♦ **middle a.** mezz'età; **the Middle Ages** il Medioevo; **to be of a.** essere maggiorenne; **to come of a.** diventare maggiorenne

to age [eɪdʒ] *v. tr. e intr.* invecchiare

aged ['eɪdʒɪd] *agg.* 1 anziano 2 dell'età di 3 stagionato

ageing ['eɪdʒɪŋ] *s.* 1 invecchiamento *m.* 2 stagionatura *f.*

agency ['eɪdʒ(ə)nsɪ] *s.* 1 agenzia *f.*, ente *m.* 2 (*comm.*) rappresentanza *f.* 3 azione *f.*, agente *m.*, impulso *m.*

agenda [ə'dʒɛndə] *s.* agenda *f.*

agent ['eɪdʒ(ə)nt] *s.* 1 agente *m.* 2 concessionario *m.*, rappresentante *m.*

agglomerate [ə'glɒmərɪt] *s.* agglomerato *m.*

to aggravate ['ægrəveɪt] *v. tr.* aggravare

aggregate ['ægrɪgɪt] *agg. e s.* aggregato *m.*

aggressive [ə'grɛsɪv] *agg.* aggressivo

aggressiveness [ə'grɛsɪvnɪs] *s.* aggressività *f.*

aggressor [ə'grɛsər] *s.* aggressore *m.*

aggrieved [ə'griːvd] *agg.* addolorato, offeso

aghast [ə'gɑːst] *agg. pred.* 1 inorridito 2 stupefatto

agile ['ædʒaɪl] *agg.* agile

agility [ə'dʒɪlɪtɪ] *s.* agilità *f.*, scioltezza *f.*

to agitate ['ædʒɪteɪt] **A** *v. tr.* 1 agitare, scuotere 2 turbare **B** *v. intr.* agitarsi

agitation [ˌædʒɪ'teɪʃ(ə)n] *s.* agitazione *f.*

agnostic [æg'nɒstɪk] *agg.* agnostico

ago [ə'gəʊ] *avv.* fa, in passato, or sono ♦ **long a.** molto tempo fa

agog [ə'gɒg] *agg. pred.* impaziente, eccitato

agonistic(al) [ˌægə'nɪstɪk((ə)l)] *agg.* agonistico

agonizing ['ægənaɪzɪŋ] *agg.* angoscioso, straziante

agony ['ægənɪ] *s.* 1 agonia *f.* 2 tormento *m.*, supplizio *m.*, angoscia *f.*

agrarian [ə'grɛərɪən] *agg.* agrario, agricolo

to agree [ə'griː] **A** *v. tr.* accettare, ammettere **B** *v. intr.* 1 convenire, essere d'accordo 2 acconsentire 3 andare d'accordo 4 (*gramm.*) concordare **5** confarsi, andare bene per

agreeable [ə'griːbl] *agg.* **1** gradevole, simpatico **2** consenziente, ben disposto

agreed [ə'griː(ː)d] *agg.* convenuto, pattuito

agreement [ə'griːmənt] *s.* **1** accordo *m.*, patto *m.* **2** contratto *m.* **3** (*gramm.*) concordanza *f.*

agricultural [,ægrɪ'kʌltʃʊr(ə)l] *agg.* agricolo

agriculture ['ægrɪkʌltʃər] *s.* agricoltura *f.*

agronomics [,ægrə'nɔmɪks] *s. pl.* (*v. al sing.*) agronomia *f.*

aground [ə'graʊnd] *agg. pred.* arenato, in secco

ahead [ə'hed] **A** *avv.* **1** davanti, avanti **2** in anticipo **B** *agg. pred.* in vantaggio

aid [eɪd] *s.* **1** aiuto *m.*, soccorso *m.* **2** assistenza *f.*, sovvenzione *f.* ♦ **first a.** pronto soccorso

to aid [eɪd] *v. tr.* aiutare, assistere ♦ **to a. and abet sb.** essere complice di qc.

aide [eɪd] *s.* aiutante *m.* di campo

aileron ['eɪlərən] *s.* alettone *m.*

ailing ['eɪlɪŋ] *agg.* malaticcio, sofferente

ailment ['eɪlmənt] *s.* malattia *f.*, indisposizione *f.*

aim [eɪm] *s.* **1** mira *f.* **2** scopo *m.*, finalità *f.*

to aim [eɪm] **A** *v. tr.* **1** puntare **2** indirizzare **B** *v. intr.* **1** puntare, mirare **2** aspirare a, tendere a ♦ **to a. at st.** mirare a q.c., aspirare a q.c.

aimless ['eɪmlɪs] *agg.* senza scopo

air [ɛər] *s.* aria *f.* ♦ **a. conditioned** aria condizionata; **by a.** per via aerea; **on the a.** in onda

to air [ɛər] *v. tr.* **1** arieggiare, ventilare **2** rendere noto, diffondere

airborne ['ɛəbɔːn] *agg.* aerotrasportato

aircraft ['ɛəkrɑːft] *s.* velivolo *m.* ♦ **a.-carrier** portaerei

airfield ['ɛəfiːld] *s.* campo *m.* di aviazione

airforce ['ɛəfɔːs] *s.* aeronautica *f.* militare

airlift ['ɛəlɪft] *s.* ponte *m.* aereo

airline ['ɛəlaɪn] *s.* linea *f.* aerea

airliner ['ɛəlaɪnər] *s.* aereo *m.* di linea

airmail ['ɛəmeɪl] *s.* posta *f.* aerea

airplane ['ɛəpleɪn] *s.* aereo *m.*, aeroplano *m.*

airport ['ɛəpɔːt] *s.* aeroporto *m.*

airsickness ['ɛəsɪknɪs] *s.* mal *m.* d'aria

airspace ['ɛəspeɪs] *s.* spazio *m.* aereo

airtight ['ɛətaɪt] *agg.* ermetico

airway ['ɛəweɪ] *s.* **1** aerovia *f.* **2** compagnia *f.* aerea

airy ['ɛərɪ] *agg.* **1** arioso, ventilato **2** gaio, lieve **3** superficiale, noncurante

aisle [aɪl] *s.* **1** navata *f.* **2** passaggio *m.*, corridoio *m.*

ajar [ə'dʒɑːr] *agg. pred.* socchiuso

akin [ə'kɪn] *agg.* consanguineo, affine

alabaster ['æləbɑːstər] *s.* alabastro *m.*

alacrity [ə'lækrɪtɪ] *s.* alacrità *f.*

alarm [ə'lɑːm] *s.* allarme *m.* ♦ **a. clock** sveglia

alarming [ə'lɑːmɪŋ] *agg.* allarmante, inquietante

alarmism [ə'lɑːmɪzm] *s.* allarmismo *m.*

alas [ə'lɑːs] *inter.* ahimè

albeit [ɔːl'biːɪt] *cong.* sebbene

album ['ælbəm] *s.* album *m. inv.*

albumen ['ælbjʊmɪn] *s.* albume *m.*

alcohol ['ælkəhɔl] *s.* alcol *m.*

alcoholic [,ælkə'hɔlɪk] *agg.* **1** alcolico **2** alcolizzato

alcoholism ['ælkəhəlɪz(ə)m] *s.* alcolismo *m.*

ale [eɪl] *s.* birra *f.*

alert [ə'lɜːt] **A** *agg.* vigile, attento **B** *s.* allarme *m.*

to alert [ə'lɜːt] *v. tr.* mettere in guardia, avvertire

Alexandrian [,ælɪg'zɑːndrɪən] *agg.* alessandrino

alga ['ælgə] (*pl.* **algae**) *s.* alga *f.*

algebra ['ældʒɪbrə] *s.* algebra *f.*

alias ['eɪlɪæs] **A** *s.* pseudonimo *m.* **B** *avv.* alias, altrimenti detto

alibi ['ælɪbaɪ] *s.* alibi *m. inv.*

alien ['eɪljən] **A** *agg.* **1** straniero **2** alieno **B** *s.* **1** straniero *m.* **2** alieno *m.*, extraterrestre *m. e f.*

to alienate ['eɪljəneɪt] *v. tr.* alienare

alienation [,eɪljə'neɪʃ(ə)n] *s.* alienazione *f.*

alight [ə'laɪt] *agg. pred.* acceso

to alight [ə'laɪt] *v. intr.* scendere, smontare ♦ **to a. on** posarsi su

to align [ə'laɪn] *v. tr. e intr.* allineare, allinearsi

alike [ə'laɪk] **A** *agg. pred.* simile **B** *avv.* ugualmente, parimenti

alimentary [,ælɪ'mentərɪ] *agg.* alimentare

alimony ['ælɪmənɪ] *s.* (*dir.*) alimenti *m. pl.*

alive [ə'laɪv] *agg. pred.* **1** vivo, in vita **2** attivo, vivace **3** attuale ♦ **any man a.** chiunque; **to be a. to** essere consapevole di; **to be a. with** essere pieno di, brulicare di

all [ɔːl] **A** *agg.* **1** tutto, intero **2** ogni **3**

totale, completo **B** *pron.* **1** tutto, ogni cosa **2** *pl.* tutti **C** *avv.* del tutto, completamente **D** *s.* il tutto *m.* ♦ **above a.** soprattutto; **after a.** dopotutto; **a. but** pressoché; **a. clear** cessato allarme; **a. day** tutto il giorno; **a.-in** tutto compreso; **a. of us** tutti noi; **a. right** bene, va bene; **a. the better/more** tanto meglio/più; **a. up** senza speranza; **most of a.** soprattutto; **not at a.** niente affatto, non c'è di che

to allay [ə'leɪ] *v. tr.* diminuire, alleviare

allegation [ˌælɛ'geɪʃ(ə)n] *s.* asserzione *f.*

to allege [ə'lɛdʒ] *v. tr.* asserire, dichiarare

alleged [ə'lɛdʒd] *agg.* presunto

allegiance [ə'liːdʒ(ə)ns] *s.* fedeltà *f.*, devozione *f.*

allegory ['ælɪgərɪ] *s.* allegoria *f.*

allergic [ə'lɜːdʒɪk] *agg.* allergico

allergy ['ælədʒɪ] *s.* allergia *f.*

to alleviate [ə'liːvɪeɪt] *v. tr.* alleviare, lenire, attenuare

alley ['ælɪ] *s.* vicolo *m.*

alliance [ə'laɪəns] *s.* alleanza *f.*

allied ['ælaɪd] *agg.* **1** alleato **2** connesso, affine

alligator ['ælɪgeɪtər] *s.* alligatore *m.*

to allocate ['æləkeɪt] *v. tr.* distribuire, assegnare

to allot [ə'lɒt] *v. tr.* assegnare

allotment [ə'lɒtmənt] *s.* **1** assegnazione *f.* **2** porzione *f.* assegnata

all-out ['ɔːlaʊt] *agg.* (*fam.*) completo, totale

to allow [ə'laʊ] *v. tr.* **1** permettere **2** ammettere **3** concedere, accordare ♦ **to a. sb. to do st.** permettere a qc. di fare q.c.; **to a. for** tener conto di; **to be allowed** avere il permesso

allowance [ə'laʊəns] *s.* **1** indennità *f.*, assegno *m.* **2** concessione *f.* **3** sconto *m.*, detrazione *f.* **4** razione *f.* ♦ **to make allowances for st.** tenere conto di

alloy ['ælɔɪ] *s.* (*metall.*) lega *f.*

all-purpose ['ɔːlˌpɜːpəs] *agg.* per tutti gli usi

all-round ['ɔːlraʊnd] *agg.* completo, globale

all-time ['ɔːltaɪm] *agg.* massimo, assoluto

to allude [ə'luːd] *v. intr.* alludere

all-up ['ɔːlʌp] *agg. pred.* senza scampo, senza speranza

to allure [ə'ljʊər] *v. tr.* attrarre, affascinare

allurement [ə'ljʊəmənt] *s.* allettamento *m.*

allusion [ə'luːʒ(ə)n] *s.* allusione *f.*

alluvial [ə'luːvjəl] *agg.* alluvionale

alluvion [ə'luːvjən] *s.* alluvione *f.*

ally [ə'laɪ] *s.* alleato *m.*

almanac ['ɔːlmənæk] *s.* almanacco *f.*

almighty [ɔːl'maɪtɪ] *agg.* onnipotente

almond ['ɑːmənd] *s.* mandorla *f.*

almost ['ɔːlməʊst] *avv.* pressoché, quasi

alms [ɑːmz] *s. pl.* carità *f.*, elemosina *f.* ♦ **to give a.** fare l'elemosina

aloft [ə'lɒft] *agg. pred. e avv.* in alto

alone [ə'ləʊn] *agg. e avv.* **1** solo, da solo **2** soltanto ♦ **let a.** per non parlare di; **to leave a.** lasciare in pace

along [ə'lɒŋ] **A** *prep.* lungo, per **B** *avv.* **1** avanti, in avanti **2** insieme ♦ **all a.** per tutto il tempo, fin dall'inizio; **a. with** insieme con

alongside [ə,lɒŋ'saɪd] **A** *avv.* accanto **B** *prep.* **1** di fianco a, lungo **2** a fianco di, insieme a

aloof [ə'luːf] **A** *agg.* appartato, distaccato **B** *avv.* in disparte, a distanza, alla larga

aloud [ə'laʊd] *avv.* ad alta voce

alphabet ['ælfəbɪt] *s.* alfabeto *m.*

alpine ['ælpaɪn] *agg.* alpino

alpinism ['ælpɪnɪzəm] *s.* alpinismo *m.*

alpinist ['ælpɪnɪst] *s.* alpinista *m. e f.*

already [ɔːl'redɪ] *avv.* già

also ['ɔːlsəʊ] *avv.* anche, inoltre

altar ['ɔːltər] *s.* altare *m.* ♦ **a.-piece** pala d'altare

to alter ['ɔːltər] **A** *v. tr.* alterare, cambiare, modificare **B** *v. intr.* cambiare, modificarsi

alteration [ˌɔːltə'reɪʃ(ə)n] *s.* alterazione *f.*, cambiamento *m.*, modifica *f.*

altercation [ˌɔːltə'keɪʃ(ə)n] *s.* alterco *m.*, diverbio *m.*

alternate ['ɔːltɜːnɪt] *agg.* **1** alterno, alternato **2** alternativo, sostitutivo

to alternate ['ɔːltəneɪt] *v. tr. e intr.* alternare, alternarsi ♦ **alternating current** corrente alternata

alternation [ˌɔːltə'neɪʃ(ə)n] *s.* alternanza *f.*

alternative [ɔːl'tɜːnətɪv] **A** *agg.* alternativo **B** *s.* alternativa *f.*

alternator ['ɔːltɜːneɪtər] *s.* alternatore *m.*

although [ɔːl'ðəʊ] *cong.* benché, sebbene, nonostante

altitude ['æltɪtjuːd] *s.* altitudine *f.*

alto ['æltəʊ] *s.* (*mus.*) contralto *m.*

altogether [ˌɔːltə'geðər] *avv.* **1** del tutto, completamente **2** tutto considerato, nell'insieme

alto-rilievo [ˌæltɒrɪlɪ'eɪvʊ] s. altorilievo m.

altruism ['æltrʊɪz(ə)m] s. altruismo m.

aluminium [ˌæljʊ'mɪnjəm] (USA **aluminum**) s. alluminio m.

always ['ɔːlwəz] avv. sempre

to **amalgamate** [ə'mælɡəmeɪt] v. tr. e intr. amalgamare, amalgamarsi

to **amass** [ə'mæs] v. tr. ammassare, accumulare

amateur ['æmətɜːr] agg. dilettante

amateurish [ˌæmə'tɜːrɪʃ] agg. dilettantesco

to **amaze** [ə'meɪz] v. tr. meravigliare, sorprendere ♦ **to be amazed at st.** stupirsi di q.c.

amazement [ə'meɪzmənt] s. meraviglia f., stupore m.

amazing [ə'meɪzɪŋ] agg. sorprendente, sbalorditivo

ambassador [æm'bæsədər] s. ambasciatore m.

amber ['æmbər] s. ambra f.

ambergris ['æmbəɡriː(ː)s] s. ambra f. grigia

ambience ['æmbjəns] s. ambiente m., atmosfera f.

ambiguity [ˌæmbɪ'ɡjuːɪtɪ] s. ambiguità f.

ambiguous [æm'bɪɡjʊəs] agg. ambiguo

ambition [æm'bɪʃ(ə)n] s. ambizione f.

ambitious [æm'bɪʃəs] agg. ambizioso

amble ['æmbl] s. ambio m.

to **amble** ['æmbl] v. intr. **1** andare all'ambio **2** camminare lentamente

ambulance ['æmbjʊləns] s. ambulanza f.

ambulatory ['æmbjʊlətərɪ] **A** agg. ambulatorio **B** s. (arch.) ambulacro m.

ambush ['æmbʊʃ] s. imboscata f.

to **ambush** ['æmbʊʃ] v. tr. tendere un'imboscata a

amenable [ə'miːnəbl] agg. **1** responsabile **2** soggetto a **3** riferibile, riconducibile

to **amend** [ə'mɛnd] v. tr. emendare, correggere

amends [ə'mɛndz] s. pl. ammenda f.

amenity [ə'miːnɪtɪ] s. **1** amenità f. **2** al pl. attrattive f. pl.

American [ə'mɛrɪkən] agg. e s. americano m.

Amerind ['æmərɪnd] agg. e s. amerindio m.

amethyst ['æmɪθɪst] s. ametista f.

amiable ['eɪmjəbl] agg. affabile, simpatico

amiantus [æmɪ'æntəs] s. amianto m.

amicable ['æmɪkəbl] agg. amichevole

amid(st) [ə'mɪd(st)] prep. fra, tra, nel mezzo di

amiss [ə'mɪs] **A** agg. **1** sbagliato **2** fuori luogo, inopportuno **B** avv. **1** male, erroneamente **2** inopportunamente ♦ **to take it a.** aversene a male

ammonia [ə'mɒʊnjə] s. ammoniaca f.

ammunition [ˌæmjʊ'nɪʃ(ə)n] s. **1** (mil.) munizioni f. pl. **2** (fig.) materiale m.

amnesia [æm'niːzjə] s. amnesia f.

amnesty ['æmnɛstɪ] s. amnistia f.

among(st) [ə'mʌŋ(st)] prep. **1** fra, tra, in mezzo a **2** rispetto a

amoral [æ'mərəl] agg. amorale

amorous ['æmərəs] agg. amoroso

amortization [ə,mɔːtɪ'zeɪʃ(ə)n] s. ammortamento m.

to **amortize** [ə'mɔːtaɪz] v. tr. ammortizzare

amount [ə'maʊnt] s. **1** ammontare m., importo m. **2** quantità f.

to **amount** [ə'maʊnt] v. intr. **1** ammontare **2** equivalere

ampersand ['æmpəsænd] s. 'e' f. commerciale (&)

amphetamine [æm'fɛtəmiːn] s. anfetamina f.

amphibian [æm'fɪbɪən] agg. anfibio

amphitheatre ['æmfɪˌθɪətər] s. anfiteatro m.

amphora ['æmfərə] s. anfora f.

ample ['æmpl] agg. **1** ampio, spazioso **2** sufficiente, bastevole

amplifier ['æmplɪfaɪər] s. amplificatore m.

to **amplify** ['æmplɪfaɪ] v. tr. **1** aumentare, allargare **2** amplificare

to **amputate** ['æmpjʊteɪt] v. tr. amputare

amulet ['æmjʊlɪt] s. amuleto m.

to **amuse** [ə'mjuːz] v. tr. divertire

amusement [ə'mjuːzmənt] s. divertimento m., svago m. ♦ **a. arcade** sala giochi; **a. park** lunapark

amusing [ə'mjuːzɪŋ] agg. divertente

an [æn, ən] art. indeterm. → **a**

anachronism [ə'nækrənɪz(ə)m] s. anacronismo m.

anachronistic [əˌnækrə'nɪstɪk] agg. anacronistico

an(a)emia [ə'niːmjə] s. anemia f.

an(a)emic [ə'niːmɪk] agg. anemico

an(a)esthesia [ˌænɪs'θiːzjə] s. anestesia f.

an(a)esthetic [ˌænɪs'θɛtɪk] agg. e s. anestetico m.

to **an(a)esthetize** [æ'niːsθɪtaɪz] v. tr. anestetizzare

anagram ['ænəgræm] *s.* anagramma *m.*

analgesic [ˌænæl'dʒiːsɪk] *agg. e s.* analgesico *m.*, antidolorifico *m.*

analogous [ə'næləgəs] *agg.* analogo

analog(ue) ['ænəlæg] *agg.* analogico

analogy [ə'nælədʒɪ] *s.* analogia *f.*

to analyse ['ænəlaɪz] (*USA* **analyze**) *v. tr.* **1** analizzare **2** (*USA*) psicoanalizzare

analysis [ə'næləsɪs] (*pl.* **analyses**) *s.* analisi *f.*

analyst ['ænəlɪst] *s.* analista *m. e f.*

anarchism ['ænəkɪz(ə)m] *s.* anarchia *f.*

anarchist ['ænəkɪst] *s.* anarchico *m.*

anarchy ['ænəkɪ] *s.* anarchia *f.*

anathema [ə'næθɪmə] *s.* **1** anatema *m.* **2** cosa *f.* detestabile

anatomy [ə'nætəmɪ] *s.* anatomia *f.*

ancestor ['ænsɪstər] *s.* antenato *m.*

ancestry ['ænsɪstrɪ] *s.* ascendenza *f.*, schiatta *f.*

anchor ['æŋkər] *s.* ancora *f.* ◆ **to drop a.** ancorare, gettare l'ancora; **to weigh a.** salpare, levare l'ancora

to anchor ['æŋkər] *v. tr. e intr.* ancorare, ancorarsi

anchorage ['æŋkərɪdʒ] *s.* ancoraggio *m.*

anchovy ['æntʃɒvɪ] *s.* acciuga *f.*

ancient ['eɪnʃ(ə)nt] *agg.* antico ◆ **in a. times** anticamente

ancillary [æn'sɪlərɪ] *agg.* ausiliario, accessorio

and [ænd, ən(d)] *cong.* **1** e, ed **2** (*tra due comp.*) sempre più (ES: **farther a. farther** sempre più lontano) **3** (*tra due v.*) a, di (ES: **try a. come next Friday** cerca di venire venerdì) ◆ **a. so on** eccetera; **a. yet** eppure

anecdote ['ænɪkdɒʊt] *s.* aneddoto *m.*

anemometer [ˌænɪ'mɒmɪtər] *s.* anemometro *m.*

aneurism ['ænjʊ(ə)rɪz(ə)m] *s.* aneurisma *m.*

anew [ə'njuː] *avv.* di nuovo ◆ **to begin a.** ricominciare

angel ['eɪn(d)ʒ(ə)l] *s.* angelo *m.*

anger ['æŋgər] *s.* collera *f.*, rabbia *f.*

angina [æn'dʒaɪnə] *s.* angina *f.*

angle ['æŋgl] *s.* angolo *m.*

Anglican ['æŋglɪkən] *agg.* anglicano

anglicism ['æŋglɪsɪz(ə)m] *s.* anglicismo *m.*, inglesismo *m.*

angling ['æŋglɪŋ] *s.* pesca *f.* con la lenza

Anglo-Saxon [ˌæŋglɒ(ʊ)'sæks(ə)n] *agg. e s.* anglosassone *m. e f.*

angora [æŋ'gɔːrə] *s.* angora *f.*

angry ['æŋgrɪ] *agg.* arrabbiato, rabbioso ◆ **to be a. with sb., at st.** essere arrabbiato con qc., per q.c.; **to get a.** arrabbiarsi; **to make sb. a.** far arrabbiare qc.

anguish ['æŋgwɪʃ] *s.* angoscia *f.*

angular ['æŋgjʊlər] *agg.* angolare

animal ['ænɪm(ə)l] *agg. e s.* animale *m.*

animate ['ænɪmɪt] *agg.* animato

animated ['ænɪmeɪtɪd] *agg.* animato, movimentato

animator ['ænɪmeɪtər] *s.* animatore *m.*

anise ['ænɪs] *s.* anice *m.*

aniseed ['ænɪsiːd] *s.* semi *m. pl.* di anice

ankle ['æŋkl] *s.* caviglia *f.*

to annex [ə'nɛks] *v. tr.* **1** allegare **2** annettere

to annihilate [ə'naɪəleɪt] *v. tr.* annientare, annichilire

anniversary [ˌænɪ'vɜːs(ə)rɪ] *s.* anniversario *m.*

annotation [ˌænɒ(ʊ)'teɪʃ(ə)n] *s.* annotazione *f.*, nota *f.*

to announce [ə'naʊns] *v. tr.* annunciare

announcement [ə'naʊnsmənt] *s.* avviso *m.*, annuncio *m.*

announcer [ə'naʊnsər] *s.* annunciatore *m.*, presentatore *m.*

to annoy [ə'nɔɪ] *v. tr.* importunare, infastidire

annoyance [ə'nɔɪəns] *s.* seccatura *f.*, fastidio *m.*

annoyed [ə'nɔɪd] *agg.* infastidito ◆ **to get a.** infastidirsi, irritarsi

annoying [ə'nɔɪɪŋ] *agg.* fastidioso, molesto, seccante

annual ['ænjʊəl] **A** *agg.* annuale **B** *s.* **1** pianta *f.* annuale **2** annuario *m.*

annually ['ænjʊəlɪ] *avv.* annualmente

annuity [ə'njuːɪtɪ] *s.* annualità *f.*, rendita *f.* annua ◆ **life a.** vitalizio

to annul [ə'nʌl] *v. tr.* annullare

annulment [ə'nʌlmənt] *s.* annullamento *m.*

anomalous [ə'nɒmələs] *agg.* anomalo

anonymous [ə'nɒnɪməs] *agg.* anonimo

anorak ['ænəræk] *s.* giacca *f.* a vento

anorexia [ˌænɒ(ʊ)'rɛksɪə] *s.* anoressia *f.*

another [ə'nʌðər] **A** *agg.* **1** un altro, uno in più **2** diverso, differente **3** un altro simile, un secondo **B** *pron. indef.* **1** un altro, uno in più **2** un altro, differente ◆ **one a.** l'un l'altro, reciprocamente

answer ['ɑːnsər] *s.* risposta *f.*, responso *m.*

to answer ['ɑːnsər] *v. tr. e intr.* rispondere (a) ♦ **to a. back** controbattere; **to a. for** essere responsabile di; **to a. the telephone** rispondere al telefono; **answering machine** segreteria telefonica

answerable ['ɑːns(ə)rəbl] *agg. pred.* responsabile

ant [ænt] *s.* formica *f.*

antagonism [æn'tægəniz(ə)m] *s.* antagonismo *m.*

antagonist [æn'tægənist] *s.* antagonista *m. e f.*, avversario *m.*

antagonistic [æn,tægə'nistik] *agg.* antagonistico

to antagonize [æn'tægənaiz] *v. tr.* contrapporsi a, inimicarsi

Antarctic [ænt'ɑːktik] *agg.* antartico

antecedent [,ænti'siːd(ə)nt] *agg.* antecedente

antechamber ['ænti,tʃeimbər] *s.* anticamera *f.*

antelope ['æntiloup] *s.* antilope *f.*

antenatal [,ænti'neitl] *agg.* prenatale

anteroom ['æntirum] *s.* anticamera *f.*

anthem ['ænθəm] *s.* inno *m.*

anthology [æn'θɒlədʒi] *s.* antologia *f.*

anthropological [,ænθrəpə'lɒdʒik(ə)l] *agg.* antropologico

anthropologist [,ænθrə'pɒlədʒist] *s.* antropologo *m.*

anthropology [,ænθrə'pɒlədʒi] *s.* antropologia *f.*

anthropomorphous [,ænθrəpə'mɔːfəs] *agg.* antropomorfo

antiallergic [,ænti'lɜːdʒik] *agg. e s.* antiallergico *m.*

antibiotic [,æntibai'ɒtik] *agg. e s.* antibiotico *m.*

antibody ['ænti,bɒdi] *s.* anticorpo *m.*

to anticipate [æn'tisipeit] *v. tr.* **1** anticipare **2** prevedere, pregustare **3** prevenire, precedere

anticipation [æn,tisi'peiʃ(ə)n] *s.* anticipo *m.*

anticlerical [,ænti'klerikl] *agg.* anticlericale

anticlockwise [,ænti'klɒkwaiz] *agg. e avv.* in senso antiorario

anticonstitutional [,ænti,kɒnsti'tjuːʃən(ə)l] *agg.* anticostituzionale

antics ['æntiks] *s. pl.* buffonate *f. pl.*

anticyclone [,ænti'saikloun] *s.* anticiclone *m.*

antidepressant [,æntidi'pres(ə)nt] *agg. e*

s. antidepressivo *m.*

antifreeze [,ænti'friːz] *s.* antigelo *m.*

antifreezing [,ænti'friːziŋ] *agg.* anticongelante

antihistamine [,ænti'histəmiːn] *agg. e s.* antistaminico *m.*

antineuralgic [,æntinju'rældʒik] *agg e s.* antinevralgico *m.*

antiquarian [,ænti'kwɛəriən] *s.* antiquario *m.*

antiquated [ænti'kweitid] *agg.* antiquato

antique [æn'tiːk] **A** *agg.* antico **B** *s.* antichità *f.* ♦ **a. trade** antiquariato

antiquity [æn'tikwiti] *s.* antichità *f.*

antirabic [,ænti'ræbik] *agg.* antirabbico

antirheumatic [,æntiruː'mætik] *agg. e s.* antireumatico *m.*

antirust [,ænti'rʌst] *agg.* antiruggine

anti-Semitism [,ænti'semitiz(ə)m] *s.* antisemitismo *m.*

antiseptic [,ænti'septik] *agg.* antisettico

antisocial [,ænti'souʃ(ə)l] *agg.* antisociale

antonomasia [,æntənou'meiʃiə] *s.* antonomasia *f.*

anus ['einəs] *s.* ano *m.*

anvil ['ænvil] *s.* incudine *f.*

anxiety [æŋ'zaiəti] *s.* ansia *f.*

anxious ['æŋ(k)ʃəs] *agg.* ansioso

any ['eni] **A** *agg.* **1** (*in frasi neg., interr., dubit. e condiz.*) alcuno, alcuna, alcuni, alcune, dei, della, dei, delle, un po' di (ES: **have you got a. cigarettes?** hai delle sigarette?) **2** (*in frasi afferm.*) qualsiasi, qualunque (ES: **come at a. time** vieni in qualunque momento) **B** *pron. indef.* **1** (*in frasi neg., interr., dubit. e condiz.*) alcuno, qualcuno, nessuno, ne (ES: **I haven't a.** non ne ho) **2** (*in frasi afferm.*) chiunque, uno, una, qualunque (ES: **take a. of these books** prendi uno qualsiasi di questi libri) **C** *avv.* un po', in qualche misura (ES: **is he a. better today?** sta un po' meglio oggi?)

anybody ['eni,bɒdi] *pron. indef.* **1** (*in frasi neg., interr., dubit. e condiz.*) qualcuno, taluno, nessuno (ES: **is a. coming with me?** c'è qualcuno che viene con me?) **2** (*in frasi afferm.*) chiunque (ES: **a. can understand that** chiunque può capirlo)

anyhow ['enihau] *avv.* **1** comunque, non importa come **2** in ogni caso, a ogni modo

anyone ['eniwʌn] *pron. indef.* → **anybody**

anything ['eniθiŋ] *pron. indef.* **1** (*in frasi neg., interr., dubit. e condiz.*) qualche cosa, alcuna cosa, niente (ES: **can you hear a.?**

senti niente?) **2** (*in frasi afferm.*) qualunque cosa, qualsiasi cosa (ES: **a. is better than nothing** qualunque cosa è meglio di niente)

anytime ['ɛnɪtaɪm] *avv.* in qualsiasi momento

anyway ['ɛnɪweɪ] *avv.* → **anyhow**

anywhere ['ɛnɪwɛəʳ] *avv.* **1** (*in frasi neg., interr., dubit. e condiz.*) in qualche luogo, da qualche parte, in nessun luogo, da nessuna parte (ES: **are you going a.?** stai andando da qualche parte?) **2** (*in frasi afferm.*) dovunque, in qualsiasi luogo (ES: **you can stay a.** puoi stare ovunque)

apart [ə'pɑːt] *avv.* **1** a parte, a una certa distanza **2** separatamente ♦ **a. from** oltre a; **to take a machine a.** smontare una macchina; **to tell a.** distinguere

apartment [ə'pɑːtmənt] *s.* appartamento *m.*, camera *f.* ♦ **a. building** condominio

apathetic [ˌæpə'θɛtɪk] *agg.* apatico

ape [eɪp] *s.* scimmia *f.*

aperitif [ɑ(ː)pərɪ(ː)'tiːf] *s.* aperitivo *m.*

aperture ['æpətjʊəʳ] *s.* apertura *f.*

apex ['eɪpɛks] *s.* apice *m.*

aphorism ['æfərɪz(ə)m] *s.* aforisma *m.*

aphrodisiac [ˌæfrɒ(ʊ)'dɪzɪæk] *agg. e s.* afrodisiaco *m.*

apiculture ['eɪpɪkʌltʃəʳ] *s.* apicoltura *f.*

apiece [ə'piːs] *avv.* a testa, per ciascuno

apnea [æp'nɪə] *s.* apnea *f.*

apocryphal [ə'pɒkrɪfəl] *agg.* apocrifo

apologetic [ˌə,pɒlə'dʒɛtɪk] *agg.* di scusa

to apologize [ə'pɒlədʒaɪz] *v. intr.* scusarsi, chiedere scusa

apology [ə'pɒlədʒɪ] *s.* scusa *f.* ♦ **to make an a.** fare le proprie scuse

apostle [ə'pɒsl] *s.* apostolo *m.*

apostrophe [ə'pɒstrəfɪ] *s.* apostrofo *m.*

to appal [ə'pɔːl] *v. tr.* atterrire, spaventare

appalling [ə'pɔːlɪŋ] *agg.* orrendo, terribile

apparatus [ˌæpə'reɪtəs] *s.* apparato *m.*

apparel [ə'pær(ə)l] *s.* **1** paramenti *m. pl.* **2** (*USA*) abbigliamento *m.*, vestiti *m. pl.*

apparent [ə'pær(ə)nt] *agg.* **1** evidente, manifesto **2** apparente

apparently [ə'pær(ə)ntlɪ] *avv.* **1** evidentemente, ovviamente **2** apparentemente

apparition [ˌæpə'rɪʃ(ə)n] *s.* apparizione *f.*

appeal [ə'piːl] *s.* **1** appello *m.*, supplica *f.* **2** attrattiva *f.*

to appeal [ə'piːl] *v. intr.* **1** fare appello **2** attrarre, piacere

to appear [ə'pɪəʳ] *v. intr.* **1** apparire, sembrare **2** (*dir*) comparire, presentarsi (in giudizio) **3** apparire, mostrarsi

appearance [ə'pɪər(ə)ns] *s.* **1** apparizione *f.*, comparsa *f.* **2** parvenza *f.*, aspetto *m.*

to appease [ə'piːz] *v. tr.* calmare, placare

to append [ə'pɛnd] *v. tr.* **1** apporre **2** aggiungere, allegare, attaccare

appendicitis [ə,pɛndɪ'saɪtɪs] *s.* appendicite *f.*

appendix [ə'pɛndɪks] (*pl.* **appendices**, **appendixes**) *s.* appendice *f.*

appetite ['æpɪtaɪt] *s.* appetito *m.*

appetizer ['æpɪtaɪzəʳ] *s.* antipasto *m.*

appetizing ['æpɪtaɪzɪŋ] *agg.* appetitoso

to applaud [ə'plɔːd] *v. tr. e intr.* applaudire

applause [ə'plɔːz] *s.* applauso *m.*

apple ['æpl] *s.* mela *f.* ♦ **a.-pie** torta di mele

appliance [ə'plaɪəns] *s.* apparecchio *m.*, strumento *m.* ♦ **household a.** elettrodomestico

applicant ['æplɪkənt] *s.* candidato *m.*

application [ˌæplɪ'keɪʃ(ə)n] *s.* **1** applicazione *f.* **2** richiesta *f.*, istanza *f.* ♦ **a. form** modulo di domanda

applied [ə'plaɪd] *agg.* applicato

to apply [ə'plaɪ] **A** *v. tr.* **1** applicare **2** azionare **B** *v. intr.* **1** rivolgersi, inoltrare domanda **2** riguardare, concernere ♦ **to a. for** fare domanda per; **to a. to** rivolgersi a, riferirsi a; **to a. oneself** applicarsi, indirizzarsi

to appoint [ə'pɔɪnt] *v. tr.* **1** designare, nominare, eleggere **2** stabilire, fissare **3** prescrivere, ordinare

appointee [əpɔɪn'tɪ] *s.* incaricato *m.*

appointment [ə'pɔɪntmənt] *s.* **1** appuntamento *m.* **2** nomina *f.* **3** incarico *m.*, carica *f.* **4** prescrizione *f.*, decreto *m.*

appraisal [ə'preɪz(ə)l] *s.* perizia *f.*, stima *f.*

to appraise [ə'preɪz] *v. tr.* valutare, stimare

to appreciate [ə'priːʃɪeɪt] **A** *v. tr.* **1** apprezzare, stimare **2** rendersi conto di **B** *v. intr.* aumentare di valore

appreciation [ə,priːʃɪ'eɪʃ(ə)n] *s.* **1** apprezzamento *m.*, valutazione *f.* **2** (*fin.*) rivalutazione *f.*

to apprehend [ˌæprɪ'hɛnd] *v. tr.* **1** arrestare **2** afferrare, comprendere

apprehension [ˌæprɪ'hɛnʃ(ə)n] *s.* apprensione *f.*

apprehensive [ˌæprɪ'hɛnsɪv] *agg.* apprensivo

apprentice [ə'prɛntɪs] *s.* apprendista *m.*

e f.

apprenticeship [ə'prentɪʃɪp] *s.* apprendistato *m.*, tirocinio *m.*

approach [ə'prəʊtʃ] *s.* **1** avvicinamento *m.*, approccio *m.* **2** accesso *m.*

to approach [ə'prəʊtʃ] **A** *v. intr.* avvicinarsi **B** *v. tr.* **1** avvicinare, accostare **2** rivolgersi a

approachable [ə'prəʊtʃəbl] *agg.* **1** accessibile, avvicinabile **2** disponibile

appropriate [ə'prəʊprɪɪt] *agg.* appropriato, opportuno

to appropriate [ə'prəʊprɪeɪt] *v. tr.* **1** appropriarsi, impadronirsi di **2** accantonare, stanziare

approval [ə'pru:v(ə)l] *s.* **1** approvazione *f.* **2** prova *f.*, esame *m.*

to approve [ə'pru:v] *v. tr. e intr.* approvare

approximate [ə'prəks(ɪ)mɪt] *agg.* **1** approssimato **2** approssimativo

approximately [ə'prəksɪmɪtlɪ] *avv.* approssimativamente, circa

après-ski [ˌæpreɪ'ski:] *agg.* doposcì

apricot ['eɪprɪkət] *s.* albicocca *f.*

April ['eɪpr(ə)l] *s.* aprile *m.*

apron ['eɪpr(ə)n] *s.* **1** grembiule *m.* **2** (*teatro*) ribalta *f.*

apse [æps] *s.* abside *f.*

apt [æpt] *agg.* **1** adatto **2** pronto, intelligente **3** propenso, soggetto

apterous ['æptərəs] *agg.* aptero

aptitude ['æptɪtjuːd] *s.* **1** abilità *f.* **2** attitudine *f.*, propensione *f.* **3** prontezza *f.*

aqualung ['ækwəlʌŋ] *s.* autorespiratore *m.*

aquamarine [ˌækwəmə'ri:n] *s.* acquamarina *f.*

aquarium [ə'kweərɪəm] *s.* acquario *m.*

Aquarius [ə'kweərɪəs] *s.* (*astr.*) acquario *m.*

aquatic [ə'kwætɪk] *agg.* acquatico

aqueduct ['ækwɪdʌkt] *s.* acquedotto *m.*

Arab ['ærəb] *agg. e s.* arabo *m.*

arabesque [ˌærə'besk] *s.* arabesco *m.*

Arabian [ə'reɪbjən] *agg.* arabo, arabico

Arabic ['ærəbɪk] **A** *agg.* arabo, arabico **B** *s.* arabo *m.* (*lingua*) ♦ **A. numerals** numeri arabi

arbiter ['ɑːbɪtər] *s.* arbitro *m.*

arbitrary ['ɑːbɪtrərɪ] *agg.* arbitrario

to arbitrate ['ɑːbɪtreɪt] *v. tr. e intr.* arbitrare

arboreal [ɑː'bɔːrɪəl] *agg.* arboreo

arboriculture ['ɑːbərɪˌkʌltʃər] *s.* arboricoltura *f.*

arc [ɑːk] *s.* arco *m.*

arcade [ɑː'keɪd] *s.* **1** arcata *f.* **2** galleria *f.*, porticato *m.*

Arcadian [ɑː'keɪdjən] *agg.* arcadico

arcane [ɑː'keɪn] *agg.* arcano

arch (1) [ɑːtʃ] *s.* arco *m.*, arcata *f.*

arch (2) [ɑːtʃ] *agg.* **1** arci-, principale, superiore **2** astuto, malizioso

archaeologic [ˌɑːkɪə'lədʒɪk] *agg.* archeologico

archaeologist [ˌɑːkɪ'ələdʒɪst] *s.* archeologo *m.*

archaeology [ˌɑːkɪ'ələdʒɪ] *s.* archeologia *f.*

archaic [ɑː'keɪɪk] *agg.* arcaico

archangel ['ɑːkˌeɪn(dʒ)(ə)l] *s.* arcangelo *m.*

archbishop [ˌɑːtʃ'bɪʃəp] *s.* arcivescovo *m.*

archer ['ɑːtʃər] *s.* arciere *m.*

archery ['ɑːtʃərɪ] *s.* tiro *m.* con l'arco

archetype ['ɑːkɪtaɪp] *s.* archetipo *m.*

archipelago [ˌɑːkɪ'peligəʊ] *s.* arcipelago *m.*

architect ['ɑːkɪtekt] *s.* architetto *m.*

architectonic [ˌɑːkɪtek'tənɪk] *agg.* architettonico

architecture ['ɑːkɪtektʃər] *s.* architettura *f.*

architrave ['ɑːkɪtreɪv] *s.* architrave *m.*

archive ['ɑːkaɪv] *s.* archivio *m.*

archivolt ['ɑːkɪvəʊlt] *s.* archivolto *m.*

Arctic ['ɑːktɪk] *agg.* artico

ardent ['ɑːdənt] *agg.* ardente, appassionato, fervente

arduous ['ɑːdjʊəs] *agg.* arduo, difficile

are [ɑːr] *s.* (*misura*) ara *f.*

area ['eərɪə] *s.* area *f.*, zona *f.* ♦ **a. code** prefisso telefonico

arena [ə'ri:nə] *s.* arena *f.*

argil ['ɑːdʒɪl] *s.* argilla *f.*

arguable ['ɑːgjʊəb(ə)l] *agg.* sostenibile, discutibile

to argue ['ɑːgjuː] **A** *v. intr.* **1** ragionare, argomentare **2** disputare, discutere, litigare **B** *v. tr.* **1** provare, dimostrare **2** persuadere ♦ **to a. sb. into doing st.** persuadere qc. a fare q.c.

argument ['ɑːgjʊmənt] *s.* **1** argomento *m.* **2** contesa *f.*, disputa *f.*

argumentative [ˌɑːgjʊ'mentətɪv] *agg.* polemico, litigioso

arid ['ærɪd] *agg.* arido

Aries ['eərɪːz] *s.* (*astr.*) ariete *m.*

to arise [ə'raɪz] (*pass.* **arose**, *p. p.* **arisen**) *v. intr.* **1** sorgere, alzarsi, levarsi **2** risultare, derivare **3** presentarsi

aristocracy [ˌærɪsˈtɒkrəsɪ] *s.* aristocrazia *f.*

aristocrat [ˈærɪstə‚kræt] *s.* aristocratico *m.*

aristocratic(al) [ˌærɪstəˈkrætɪk((ə)l)] *agg.* aristocratico

arithmetic [ˌərɪθˈmətɪk] *s.* aritmetica *f.*

arithmetic(al) [ˌærɪθˈmetɪk((ə)l)] *agg.* aritmetico

ark [aːk] *s.* arca *f.*

arm (1) [aːm] *s.* **1** braccio *m.* **2** bracciolo *m.* **3** manica *f.*

arm (2) [aːm] *s.* **1** *al pl.* armi *f. pl.*, armamenti *m. pl.* **2** arma *f.* (*dell'esercito*) ♦ **to bear arms** essere sotto le armi; **to take up arms** prendere le armi

to arm [aːm] *v. tr. e intr.* armare, armarsi

armament [ˈaːməmənt] *s.* armamento *m.*

armchair [ˈaːm‚tʃeəʳ] *s.* poltrona *f.*

armed [aːmd] *agg.* armato ♦ **a. robbery** rapina a mano armata

armful [ˈaːmfʊl] *s.* bracciata *f.*

armistice [ˈaːmɪstɪs] *s.* armistizio *m.*

armour [ˈaːmɔʳ] *s.* armatura *f.*, corazza *f.*

to armour [ˈaːmɔʳ] *v. tr.* corazzare, blindare ♦ **armoured car** autoblindo

armoury [ˈaːmɔrɪ] *s.* armeria *f.*

armpit [ˈaːmpɪt] *s.* ascella *f.*

armrest [ˈaːm‚rest] *s.* bracciolo *m.*

army [ˈaːmɪ] *s.* esercito *m.* ♦ **a. corps** corpo d'armata

aroma [əˈrəʊmə] *s.* aroma *m.*

aromatic [ˌærəʊ(ʊ)ˈmætɪk] *agg.* aromatico

arose [əˈrəʊz] *pass. di* **to arise**

around [əˈraʊnd] **A** *avv.* **1** intorno, da ogni parte **2** in giro **3** circa **B** *prep.* attorno a, intorno a ♦ **all a.** tutt'intorno

to arouse [əˈraʊz] *v. tr.* **1** svegliare **2** provocare, suscitare

to arrange [əˈreɪn(d)ʒ] **A** *v. tr.* **1** ordinare, sistemare **2** preparare, disporre, stabilire **3** (*mus.*) arrangiare **B** *v. intr.* accordarsi ♦ **to a. to do st.** accordarsi per fare q.c.

arrangement [əˈreɪn(d)ʒmənt] *s.* **1** sistemazione *f.*, disposizione *f.*, ordinamento *m.* **2** piano *m.*, progetto *m.*, preparativo *m.* **3** accordo *m.* **4** (*mus.*) arrangiamento *m.*

array [əˈreɪ] *s.* **1** assortimento *m.* **2** (*mil.*) schieramento *m.*, spiegamento *m.* **3** schiera *f.* **4** insieme *m.*

to array [əˈreɪ] *v. tr.* **1** ordinare, disporre, schierare **2** adornare, addobbare

arrear [əˈrɪəʳ] **A** *agg.* arretrato **B** *s.* **1** *al pl.*

arretrati *m. pl.* **2** lavoro *m.* arretrato

arrest [əˈrest] *s.* **1** arresto *m.*, fermo *m.* **2** fermata *f.* ♦ **under a.** in arresto

to arrest [əˈrest] *v. tr.* **1** arrestare, catturare **2** fermare **3** attirare (l'attenzione)

arrival [əˈraɪv(ə)l] *s.* arrivo *m.*

to arrive [əˈraɪv] *v. intr.* **1** arrivare, giungere **2** raggiungere il successo, arrivare

arrogant [ˈærəgənt] *agg.* arrogante, prepotente

arrow [ˈærəʊ] *s.* freccia *f.*

arsenal [ˈaːsɪnl] *s.* arsenale *m.*

arson [ˈaːs(ə)n] *s.* (*dir.*) incendio *m.* doloso

art [aːt] *s.* arte *f.* ♦ **a. gallery** galleria d'arte; **Arts** lettere; **a. school** scuola d'arte

artefact [ˌaːtɪˈfækt] (*USA* **artifact**) *s.* manufatto *m.*

arterial [aːˈtɪərɪəl] *agg.* arterioso

arteriosclerosis [aːˌtɪərɪɒʊsklɪəˈrɒʊsɪs] *s.* arteriosclerosi *f.*

artery [ˈaːtərɪ] *s.* arteria *f.*

artful [ˈaːtf(ʊ)l] *agg.* **1** astuto, furbo **2** abile

arthritis [aːˈθraɪtɪs] *s.* artrite *f.*

artichoke [ˈaːtɪtʃəʊk] *s.* carciofo *m.*

article [ˈaːtɪkl] *s.* **1** articolo *m.* **2** *spec. al pl.* regolamenti *m. pl.*, statuto *m.*

articulate [aːˈtɪkjʊlət] *agg.* **1** articolato **2** (*di parola*) distinto **3** (*di persona*) eloquente

to articulate [aːˈtɪkjʊleɪt] *v. tr.* **1** articolare **2** pronunciare distintamente, scandire

articulated [aːˈtɪkjʊleɪtɪd] *agg.* articolato

artifact [ˈaːtɪfækt] *s.* (*USA*) → **artefact**

artifice [ˈaːtɪfɪs] *s.* artificio *m.*, stratagemma *m.*

artificial [ˌaːtɪˈfɪʃ(ə)l] *agg.* artificiale

artillery [aːˈtɪlərɪ] *s.* artiglieria *f.*

artisan [ˌaːtɪˈzæn] *s.* artigiano *m.*

artist [ˈaːtɪst] *s.* artista *m. e f.*

artistic [aːˈtɪstɪk] *agg.* artistico

artless [ˈaːtlɪs] *agg.* semplice, ingenuo

as [æz, əz] **A** *avv. e cong.* **1** (*in frasi comp.*) come **2 as ... as, so ... as** così ... come, tanto ... quanto **B** *cong.* **1** (*temporale*) quando, mentre (ES: **as he was eating** mentre mangiava) **2** (*causale*) poiché, dal momento che (ES: **as it was raining, we caught a bus** poiché pioveva, prendemmo l'autobus) **3** (*concessiva*) sebbene (ES: **handsome as he is, he is not happy** sebbene sia bello, non è felice) **4** (*modale*) come, secondo (ES: **do as I did** fa' come me) **5** in qualità di, come (ES: **I'm talking**

to you as a friend ti parlo come amico)
6 (*relativo*) che, quale (ES: **you have the
same chances as I had** hai le stesse possibilità che ho avuto io) ♦ **as far as** fino
a, per quanto; **as if** come se; **as long as**
per tutto il tempo che; **as many** altrettanti;
as much altrettanto; **as soon as** appena; **as usual** come al solito; **as well as**
come pure

to **ascend** [ə'sɛnd] *v. tr.* **1** salire, ascendere
2 risalire

ascending [ə'sɛndɪŋ] *agg.* ascendente

ascent [ə'sɛnt] *s.* **1** ascensione *f.*, ascesa
f. **2** salita *f.*, pendio *m.*

to **ascertain** [ˌæsə'teɪn] *v. tr.* accertare, constatare

asceticism [ə'sɛtɪsɪz(ə)m] *s.* asceti-
smo *m.*

ascribable [əs'kraɪbəbl] *agg.* attribuibile

to **ascribe** [əs'kraɪb] *v. tr.* attribuire

ash (1) [æʃ] *s.* frassino *m.*

ash (2) [æʃ] *s.* cenere *f.* ♦ **A. Wednesday**
mercoledì delle ceneri

ashamed [ə'ʃeɪmd] *agg.* vergognoso ♦ **to
be a. of st.** vergognarsi di q.c.

ashen ['æʃn] *agg.* cinereo, livido

ashlar ['æʃlər] *s.* (*arch.*) bugnato *m.*

ashore [ə'ʃɔːr] *avv.* a riva, a terra

ashtray ['æʃtreɪ] *s.* portacenere *m. inv.*

Asian ['eɪʒ(ə)n] *agg. e s.* asiatico *m.*

Asiatic [ˌeɪʒɪ'ætɪk] *agg. e s.* asiatico *m.*

aside [ə'saɪd] **A** *avv.* da parte, a parte **B**
s. digressione *f.* ♦ **a. from** a parte, eccetto

to **ask** [ɑːsk] *v. tr.* **1** domandare, chiedere **2**
invitare ♦ **to a. after/for sb.** chiedere di
qc.; **to a. a question** fare una domanda;
to a. for st. chiedere (per avere) q.c.; **to
a. sb. to dinner** invitare qc. a pranzo;
to a. sb. st. chiedere q.c. a qc.

askance [əs'kæns] *avv.* sospettosamente,
di traverso

askew [əs'kjuː] **A** *agg.* storto, obliquo **B**
avv. di traverso

asleep [ə'sliːp] *agg. pred.* addormentato ♦
to be a. dormire; **to fall a.** addormentarsi

asparagus [əs'pærəgəs] *s.* asparago *m.*

aspect ['æspɛkt] *s.* **1** aspetto *m.*, appare-
za *f.* **2** (*di edificio*) esposizione *f.*

aspersion [əs'pɜːʃ(ə)n] *s.* diffamazione *f.*

asphalt ['æsfælt] *s.* asfalto *m.*

to **asphalt** ['æsfælt] *v. tr.* asfaltare

to **asphyxiate** [æs'fɪksɪeɪt] *v. intr.* asfissiare

asphyxiation [æsˌfɪksɪ'eɪʃ(ə)n] *s.* asfis-
sia *f.*

to **aspire** [əs'paɪər] *v. intr.* aspirare

aspirin [əs'p(ə)rɪn] *s.* aspirina *f.*

ass [æs] *s.* asino *m.*, somaro *m.* ♦ **to make
an a. of oneself** rendersi ridicolo

to **assail** [ə'seɪl] *v. tr.* assalire, attaccare

assailant [ə'seɪlənt] *s.* assalitore *m.*

assassin [ə'sæsɪn] *s.* assassino *m.*

to **assassinate** [ə'sæsɪneɪt] *v. tr.* assassinare

assassination [əˌsæsɪ'neɪʃ(ə)n] *s.* assassinio *m.*

assault [ə'sɔːlt] *s.* attacco *m.*, assalto *m.*,
aggressione *f.*

to **assault** [ə'sɔːlt] *v. tr.* assaltare, aggredire

to **assemble** [ə'sɛmbl] **A** *v. tr.* **1** riunire
2 montare, assemblare **B** *v. intr.* riunirsi

assembly [ə'sɛmblɪ] *s.* **1** assemblea *f.*, riunione *f.* **2** montaggio *m.*

assent [ə'sɛnt] *s.* assenso *m.*, approvazione *f.*

to **assent** [ə'sɛnt] *v. intr.* acconsentire, as-
sentire

to **assert** [ə'sɜːt] *v. tr.* **1** asserire, affermare,
sostenere **2** rivendicare, far valere ♦ **to
a. oneself** far valere i propri diritti

assertion [ə'sɜːʃ(ə)n] *s.* **1** asserzione *f.* **2**
rivendicazione *f.*

to **assess** [ə'sɛs] *v. tr.* **1** accertare **2** gravare d'imposta **3** valutare

assessment [ə'sɛsmənt] *s.* accertamento
m., valutazione *f.*

asset ['æsɛt] *s.* **1** bene *m.*, vantaggio *m.*,
risorsa *f.* **2** al pl. (*econ.*) attivo *m.*

assiduous [ə'sɪdjuəs] *agg.* assiduo

to **assign** [ə'saɪn] *v. tr.* **1** assegnare **2** designare, incaricare **3** stabilire, fissare

assignment [ə'saɪnmənt] *s.* **1** assegnazione *f.* **2** designazione *f.* **3** compito *m.*

to **assist** [ə'sɪst] *v. tr.* assistere, aiutare

assistance [ə'sɪst(ə)ns] *s.* assistenza *f.*,
soccorso *m.*

assistant [ə'sɪst(ə)nt] *s.* assistente *m. e f.*
♦ **shop a.** commesso

associate [ə'souʃɪɪt] **A** *agg.* associato **B**
s. socio *m.*, collega *m. e f.*

to **associate** [ə'souʃɪeɪt] **A** *v. tr.* **1** associare **2** unire, congiungere **B** *v. intr.* associarsi ♦ **to a. with sb.** frequentare
qc.

association [əˌsousɪ'eɪʃ(ə)n] *s.* associazione *f.*

assorted [ə'sɔːtɪd] *agg.* assortito

assortment [ə'sɔːtmənt] *s.* assortimento *m.*

to **assume** [ə'sju:m] *v. tr.* **1** supporre **2** assumere, prendere

assumption [ə'sʌm(p)ʃ(ə)n] *s.* **1** supposizione *f.* **2** premessa *f.*, ipotesi *f.* **3** assunzione *f.*

assurance [ə'ʃuər(ə)ns] *s.* **1** assicurazione *f.* **2** fiducia *f.*, certezza *f.*

to **assure** [ə'ʃuə'] *v. tr.* assicurare

asthma ['æsmə] *s.* asma *f. o m.*

asthmatic [æs'mætɪk] *agg.* asmatico

astigmatic [ˌæstɪg'mætɪk] *agg.* astigmatico

astir [ə'stɜ:'] *avv. e agg. pred.* **1** in agitazione, in moto **2** in piedi

to **astonish** [əs'tɒnɪʃ] *v. tr.* meravigliare, sorprendere, stupire

astonished [əs'tɒnɪʃt] *agg.* stupito ♦ **to be a. at st.** stupirsi di q.c.

astonishing [əs'tɒnɪʃɪŋ] *agg.* stupefacente

astonishment [əs'tɒnɪʃmənt] *s.* stupore *m.*, meraviglia *f.*

to **astound** [əs'taund] *v. tr.* sbalordire

astounding [əs'taundɪŋ] *agg.* sbalorditivo

astragal ['æstrəg(ə)l] *s.* (arch.) astragalo *m.*

astragalus [æs'trægələs] *s.* (anat., bot.) astragalo *m.*

astray [əs'treɪ] *avv. e agg. pred.* fuori strada

astride [əs'traɪd] **A** *avv.* a cavalcioni **B** *prep.* a cavalcioni di

astringent [əs'trɪn(d)ʒ(ə)nt] *agg.* astringente

astrolabe ['æstrʊ(ʊ)leɪb] *s.* astrolabio *m.*

astrologer [əs'trɒlədʒə'] *s.* astrologo *m.*

astrologic [ˌæstrə'lɒdʒɪk] *agg.* astrologico

astrology [əs'trɒlədʒɪ] *s.* astrologia *f.*

astronaut ['æstrənɔ:t] *s.* astronauta *m. e f.*

astronautical [ˌæstrə'nɔ:tɪk(ə)l] *agg.* astronautico

astronautics [ˌæstrə'nɔ:tɪks] *s. pl.* (v. al sing.) astronautica *f.*

astronomer [əs'trɒnəmə'] *s.* astronomo *m.*

astronomic(al) [ˌæstrə'nɒmɪk((ə)l)] *agg.* astronomico

astronomy [əs'trɒnəmɪ] *s.* astronomia *f.*

astute [əs'tju:t] *agg.* astuto

asylum [ə'saɪləm] *s.* **1** asilo *m.*, rifugio *m.* **2** casa *f.* di ricovero ♦ **lunatic a.** manicomio

asymmetric [ˌæsɪ'metrɪk] *agg.* asimmetrico

at [æt, ət] *prep.* **1** (luogo, direzione) a, in, da, presso, verso, contro (ES: **at school** a scuola,

he **threw a shoe at the cat** tirò una scarpa al gatto) **2** (tempo) a, di (ES: **at night** di notte) **3** (condizione) a, in (ES: **at work** al lavoro) **4** (misura, valore) a (ES: **at a low price** a basso prezzo) **5** (modo) a, con (ES: **at leisure** con comodo) **6** (causa) per (ES: **surprised at st.** sorpreso per q.c.) ♦ **at all** affatto; **at best** nella migliore delle ipotesi; **at first** dapprima; **at hand** a portata di mano; **at last** finalmente; **at least** almeno; **at most** al massimo; **at once** subito; **at times** a volte

atavic [ə'tævɪk] *agg.* atavico

ate [ɛt] *pass. di* **to eat**

atheism ['eɪθɪɪz(ə)m] *s.* ateismo *m.*

atheist ['eɪθɪɪst] *s.* ateo *m.*

athlete ['æθli:t] *s.* atleta *m. e f.*

athletic [æθ'letɪk] *agg.* atletico

athletics [æθ'letɪks] *s. pl.* (v. al sing.) atletica *f.*

athwart [ə'θwɔ:t] **A** *prep.* attraverso **B** *avv.* di traverso

Atlantic [ət'læntɪk] *agg.* atlantico

atlas ['ætləs] *s.* atlante *m.*

atmosphere ['ætməsfɪə'] *s.* atmosfera *f.*

atmospheric [ˌætməs'ferɪk] *agg.* atmosferico

atoll ['ætɒl] *s.* atollo *m.*

atom ['ætəm] *s.* atomo *m.*

atomic [ə'tɒmɪk] *agg.* atomico

atomizer ['ætəmaɪzə'] *s.* vaporizzatore *m.*, nebulizzatore *m.*

to **atone** [ə'təʊn] *v. intr.* espiare

atop [ə'tɒp] *avv. e prep.* in cima (a)

atrocious [ə'trəʊʃəs] *agg.* **1** atroce **2** (fam.) pessimo, orribile

atrocity [ə'trɒsɪtɪ] *s.* atrocità *f.*

to **attach** [ə'tætʃ] *v. tr.* **1** attaccare, unire **2** allegare **3** apporre

attaché [ə'tæʃeɪ] *s.* addetto *m.*

attached [ə'tætʃt] *agg.* **1** attaccato, unito **2** legato, devoto **3** addetto, assegnato

attachment [ə'tætʃmənt] *s.* **1** attaccatura *f.* **2** attaccamento *m.*, devozione *f.* **3** (mecc.) accessorio *m.*

attack [ə'tæk] *s.* attacco *m.* ♦ **heart a.** attacco cardiaco

to **attack** [ə'tæk] *v. tr.* **1** attaccare **2** iniziare **3** aggredire

attacker [ə'tækə'] *s.* **1** aggressore *m.* **2** attaccante *m.*

to **attain** [ə'teɪn] *v. tr.* ottenere, raggiungere, conseguire ♦ **to a. to** arrivare a

attainable [ə'teɪnəbl] *agg.* raggiungibile

attainment [ə'teɪnmənt] s. **1** risultato m., conseguimento m. **2** al pl. cognizioni f. pl., cultura f.

attempt [ə'tɛm(p)t] s. **1** tentativo m., sforzo m. **2** attentato m.

to attempt [ə'tɛm(p)t] v. tr. **1** osare, tentare, provare **2** attentare a

to attend [ə'tɛnd] **A** v. tr. **1** assistere a, frequentare, partecipare a **2** assistere, curare **3** accompagnare **B** v. intr. **1** occuparsi di, prendersi cura di **2** badare, prestare attenzione

attendance [ə'tɛndəns] s. **1** frequenza f., presenza f. **2** servizio m. **3** assistenza f. **4** pubblico m., spettatori m. pl.

attendant [ə'tɛndənt] **A** agg. **1** connesso, concomitante **2** dipendente, al servizio di **3** presente **B** s. guardiano m., custode m. e f., inserviente m. e f.

attention [ə'tɛnʃ(ə)n] s. attenzione f.

attentive [ə'tɛntɪv] agg. **1** attento **2** premuroso

to attest [ə'tɛst] v. tr. attestare, testimoniare

attic ['ætɪk] s. **1** (arch.) attico m. **2** soffitta f.

attitude ['ætɪtjuːd] s. **1** atteggiamento m. **2** opinione f. **3** assetto m.

attorney [ə'tɜːnɪ] s. **1** procuratore m. **2** avvocato m.

to attract [ə'trækt] v. tr. attirare, attrarre

attraction [ə'trækʃən] s. **1** attrattiva f. **2** attrazione f.

attractive [ə'træktɪv] agg. attraente

attributable [ə'trɪbjutəbl] agg. attribuibile

attribute ['ætrɪbjuːt] s. attributo m.

to attribute [ə'trɪbju(ː)t] v. tr. attribuire, ascrivere

attrition [ə'trɪʃ(ə)n] s. attrito m., logoramento m.

atypical [ə'tɪpɪk(ə)l] agg. atipico

aubergine ['ɒbəʒiːn] s. melanzana f.

auction ['ɔːkʃ(ə)n] s. asta f.

to auction ['ɔːkʃ(ə)n] v. tr. vendere all'asta

auctioneer [ˌɔːkʃə'nɪər] s. banditore m.

audible ['ɔːdɪbl] agg. udibile

audience ['ɔːdjəns] s. **1** pubblico m., spettatori m. pl. **2** udienza f.

audio ['ɔːdɪʊ] agg. e s. audio m. inv.

audiovisual [ˌɔːdɪʊ(ʊ)'vɪzʊəl] agg. audiovisivo

audit ['ɔːdɪt] s. (comm.) revisione f. (dei conti)

to audit ['ɔːdɪt] v. tr. (comm.) rivedere, verificare

audition [ɔː'dɪʃ(ə)n] s. audizione f.

auditor ['ɔːdɪtər] s. (di società) sindaco m., (dei conti) revisore m.

auditorium [ˌɔːdɪ'tɔːrɪəm] s. auditorio m.

to augment [ɔːg'mɛnt] v. tr. aumentare

to augur ['ɔːgər] v. intr. essere di auspicio

August ['ɔːgəst] s. agosto m.

aunt [aːnt] s. zia f.

auricle ['ɔːrɪkl] s. (anat.) padiglione m.

aurora [ɔː'rɔːrə] s. aurora f. ♦ **a. borealis** aurora boreale

auspicious [ɔːs'pɪʃəs] agg. propizio, fausto

austere [ɒs'tɪər] agg. austero

austerity [ɒs'tɛrɪtɪ] s. austerità f.

austral ['ɔːstr(ə)l] agg. australe

Australian [ɒs'treɪljən] agg. e s. australiano m.

Austrian ['ɒstrɪən] agg. e s. austriaco m.

authentic [ɔː'θɛntɪk] agg. autentico, genuino

to authenticate [ɔː'θɛntɪkeɪt] v. tr. autenticare, vidimare

authenticity [ˌɔːθɛn'tɪsɪtɪ] s. autenticità f.

author ['ɔːθər] s. autore m.

authoritarian [ɔːˌθɒrɪ'tɛərɪən] agg. autoritario

authoritative [ɔː'θɒrɪtətɪv] agg. **1** autorevole **2** autoritario

authority [ɔː'θɒrɪtɪ] s. **1** autorità f. **2** autorizzazione f.

authorization [ˌɔːθ(ə)raɪ'zeɪʃ(ə)n] s. autorizzazione f.

to authorize ['ɔːθəraɪz] v. tr. autorizzare

auto ['ɔ(ː)tʊ] **A** agg. automobilistico **B** s. (USA) automobile f.

autobiographic(al) [ˌɔːtɒ(ʊ),baɪɒ(ʊ)'græfɪk((ə)l)] agg. autobiografico

autobiography [ˌɔːtɒ(ʊ)baɪ'ɒgrəfɪ] s. autobiografia f.

autograph ['ɔːtəgraːf] agg. e s. autografo m.

to autograph ['ɔːtəgraːf] v. tr. firmare

automatic [ˌɔːtə'mætɪk] agg. automatico

automation [ˌɔːtə'meɪʃ(ə)n] s. automazione f.

automaton [ɔː'təmət(ə)n] s. automa m.

autonomous [ɔː'tɒnəməs] agg. autonomo

autonomy [ɔː'tɒnəmɪ] s. autonomia f.

autumn ['ɔːtəm] s. autunno m.

autumnal [ɔː'tʌmnəl] agg. autunnale

auxiliary [ɔːg'zɪljərɪ] agg. ausiliario, di riserva

to avail [ə'veɪl] *v. intr.* servire, favorire ♦ **to a. oneself of** servirsi di

availability [ə,veɪlə'bɪlɪtɪ] *s.* disponibilità *f.*

available [ə'veɪlǝbl] *agg.* **1** disponibile, utilizzabile **2** libero

avalanche ['ævǝlɑːnʃ] *s.* valanga *f.*

avant-garde [,ævɑːŋ'gɑːd] *s.* avanguardia *f.*

to avenge [ə'ven(d)ʒ] *v. tr.* vendicare

avenue ['ævɪnjuː] *s.* **1** viale *m.* **2** via *f.*, strada *f.*

average ['ævǝrɪdʒ] **A** *agg.* medio, comune **B** *s.* **1** (*mat.*) media *f.* **2** (*naut.*) avaria *f.*

to average ['ævǝrɪdʒ] *v. tr.* **1** calcolare la media **2** fare in media ♦ **to a. out at** aggirarsi su

averse [ə'vɜːs] *agg.* contrario

aversion [ə'vɜːʃ(ə)n] *s.* riluttanza *f.*

to avert [ə'vɜːt] *v. tr.* **1** distogliere **2** evitare

aviary ['eɪvjǝrɪ] *s.* voliera *f.*

aviation [,eɪvɪ'eɪʃ(ə)n] *s.* aviazione *f.*

aviculture ['eɪvɪkʌltʃǝr] *s.* avicoltura *f.*

avid ['ævɪd] *agg.* avido, bramoso

avifauna [,eɪvɪ'fɔːnǝ] *s.* avifauna *f.*

avocado [,ævǝ'kɑːdʊ] *s.* avocado *m. inv.*

to avoid [ə'vɔɪd] *v. tr.* evitare, fuggire, scansare

avoidable [ə'vɔɪdǝbl] *agg.* evitabile

avowal [ə'vaʊǝl] *s.* ammissione *f.*

avuncular [ə'vʌŋkjʊlǝr] *agg.* di zio

to await [ə'weɪt] *v. tr.* aspettare, attendere

to awake [ə'weɪk] (*pass.* **awoke, awaked**, *p. p.* **awoken, awaked**) *v. tr. e intr.* svegliare, svegliarsi

awakening [ə'weɪk(ə)nɪŋ] *s.* risveglio *m.*

award [ə'wɔːd] *s.* **1** premio *m.* **2** risarcimento *m.*

to award [ə'wɔːd] *v. tr.* assegnare, attribuire, aggiudicare

aware [ə'wɛǝr] *agg. pred.* **1** consapevole **2** informato ♦ **to be a. of st.** rendersi conto di q.c.

awash [ə'wɒʃ] *avv.* a galla

away [ə'weɪ] *avv.* **1** via **2** lontano **3** da parte **4** continuamente, via via **5** (*sport*) fuori casa ♦ **far and a.** moltissimo; **right a.** subito

awe [ɔː] *s.* timore *m.*

awesome ['ɔːsǝm] *agg.* imponente

awful ['ɔːfʊl] *agg.* terribile, tremendo

awhile [ə'waɪl] *avv.* per un po'

awkward ['ɔːkwǝd] *agg.* **1** goffo **2** scomodo **3** inopportuno

awning ['ɔːnɪŋ] *s.* tendone *m.*

awoke [ə'wʊk] *pass. di* **to awake**

awoken [ə'wʊkǝn] *p. p. di* **to awake**

awry [ə'raɪ] **A** *agg. pred.* storto, bieco **B** *avv.* di traverso

axe [æks] *s.* scure *f.*, ascia *f.*

axis ['æksɪs] (*pl.* **axes**) *s.* (*mat., fis.*) asse *m.*

axle ['æksl] *s.* asse *f.* ♦ **a.-shaft** (*autom.*) semiasse

ay(e) [aɪ] **A** *avv.* sì **B** *s.* voto *m.* favorevole

azalea [ə'zeɪljǝ] *s.* azalea *f.*

azimuth ['æzɪmǝθ] *s.* azimut *m. inv.*

azote [ə'zɒʊt] *s.* azoto *m.*

B

to baa [baː] (*pass. e p. p.* **baaed**) *v. intr.* belare
to babble ['bæbl] **A** *v. tr.* balbettare, farfugliare **B** *v. intr.* **1** balbettare, farfugliare **2** cianciare, parlare a vanvera
baboon [bə'buːn] *s.* babbuino *m.*
baby ['beɪbɪ] *s.* neonato *m.*, bambino *m.* ♦ **b. carriage** carrozzina
babyhood ['beɪbɪhʊd] *s.* prima infanzia *f.*
to baby-sit ['beɪbɪˌsɪt] *v. intr.* fare da baby-sitter
baby-sitter ['beɪbɪˌsɪtər] *s.* baby-sitter *f. e m. inv.*
bachelor ['bætʃ(ə)lər] *s.* **1** scapolo *m.* **2** laureato *m.*
back [bæk] **A** *agg.* **1** posteriore **2** remoto, lontano **3** arretrato **B** *s.* **1** dorso *m.*, schiena *f.* **2** schienale *m.* **3** retro *m.*, parte *f.* posteriore **4** fondo *m.*, sfondo *m.* **C** *avv.* **1** indietro **2** di ritorno **3** prima **4** di rimando ♦ **b. to front** alla rovescia; **to be b.** essere di ritorno
to back [bæk] **A** *v. tr.* **1** far indietreggiare **2** sostenere, spalleggiare **3** puntare su, scommettere su **4** sottoscrivere, controfirmare **B** *v. intr.* indietreggiare, fare marcia indietro ♦ **to b. down** indietreggiare; **to b. out of st.** ritirarsi da q.c.; **to b. up** appoggiare, sostenere
backache ['bækeɪk] *s.* mal *m.* di schiena
backbone ['bækbʊn] *s.* colonna *f.* vertebrale
backcloth ['bækklɒθ] *s.* **1** (*teatro*) fondale *m.* **2** sfondo *m.*
to backdate [ˌbæk'deɪt] *v. tr.* retrodatare
backfire ['bækfaɪər] *s.* ritorno *m.* di fiamma
background ['bækgraʊnd] **A** *s.* **1** sfondo *m.* **2** ambiente *m.*, retroterra *m. inv.* **3** antefatto *m.* **B** *agg.* di fondo
backhand ['bækˌhænd] *s.* (*tennis*) rovescio *m.*
backhanded ['bækˌhændɪd] *agg.* **1** (*tennis*) dato di rovescio **2** ambiguo, a doppio senso
backing ['bækɪŋ] *s.* **1** rinforzo *m.* (posteriore) **2** sostegno *m.*, appoggio *m.* **3** (*mus.*) sottofondo *m.*
backlash ['bæklæʃ] *s.* **1** (*mecc.*) rinculo *m.* **2** ripercussione *f.*
backlog ['bæklɒg] *s.* (lavoro) arretrato *m.*

backpack [ˌbæk'pæk] *s.* zaino *m.*
backside [ˌbæk'saɪd] *s.* parte *f.* posteriore
backstage [ˌbæk'steɪdʒ] *s.* retroscena *f.*
backstairs [ˌbæk'stɛəz] *s. pl.* scala *f.* di servizio
back-stitch ['bækstɪtʃ] *s.* impuntura *f.*
backstroke ['bækˌstrəʊk] *s.* **1** contraccolpo *m.* **2** nuoto *m.* sul dorso
backup ['bækʌp] **A** *s.* **1** riserva *f.* **2** supporto *m.*, appoggio *m.* **B** *agg. attr.* di riserva
backward ['bækwəd] *agg.* **1** volto all'indietro, a rovescio **2** arretrato **3** ritardato, sottosviluppato
backwards ['bækwədz] *avv.* indietro, all'indietro
backwash ['bækwɒʃ] *s.* risacca *f.*
bacon ['beɪk(ə)n] *s.* pancetta *f.*
bacterium [bæk'tɪərɪəm] *s.* batterio *m.*
bad [bæd] (*comp.* **worse**, *sup. rel.* **worst**) **A** *agg.* **1** cattivo **2** brutto **3** dannoso **4** andato a male, guasto **B** *s.* male *m.*, rovina *f.* ♦ **b. luck** sfortuna; **b. mood** malumore; **b. weather** maltempo; **to feel b.** sentirsi male; **to go b.** andare a male; **to go to the b.** andare in rovina
bade [beɪd] *pass. di* **to bid**
badge ['bædʒ] *s.* distintivo *m.*, insegna *f.*
badger ['bædʒər] *s.* (*zool.*) tasso *m.*
badly ['bædlɪ] *avv.* **1** male, malamente **2** duramente **3** grandemente ♦ **b.-off** povero, spiantato
bad-tempered ['bædˌtɛmpəd] *agg.* irritabile, irascibile
to baffle ['bæfl] *v. tr.* **1** sconcertare, confondere **2** frustrare, impedire **3** (*tecnol.*) deviare
bag [bæg] *s.* **1** sacco *m.*, sacchetto *m.* **2** borsa *f.*, borsetta *f.* **3** carniere *m.* ♦ **bags of** un sacco di; **sleeping b.** sacco a pelo; **shoulder b.** borsa a tracolla
to bag [bæg] *v. tr.* **1** insaccare **2** (*fam.*) intascare **3** (*fam.*) accaparrare
baggage ['bægɪdʒ] *s.* bagaglio *m.* ♦ **b. car** bagagliaio; **b. claim** ritiro bagagli; **b. room** deposito bagagli
baggy ['bægɪ] *agg.* gonfio, cascante
bagpipe ['bægpaɪp] *s.* cornamusa *f.*
bail [beɪl] *s.* cauzione *f.* ♦ **to be on b.** essere in libertà provvisoria (su cauzione)

to bail (1) [beɪl] v. tr. dar garanzia per ♦ **to b. sb. out** ottenere la libertà provvisoria di qc.

to bail (2) [beɪl] v. tr. (naut.) sgottare

bailer ['beɪlər] s. (naut.) sassola f.

bailiff ['beɪlɪf] s. ufficiale m. giudiziario

bain-marie [ˌbæn'mɑːriː] s. bagnomaria m.

bait [beɪt] s. esca f.

to bait [beɪt] v. tr. **1** fornire di esca **2** adescare, lusingare

to bake [beɪk] v. tr. e intr. cuocere al forno

baker ['beɪkər] s. fornaio m. ♦ **b.'s (shop)** panetteria

bakery ['beɪkərɪ] s. panificio m., panetteria f.

baking ['beɪkɪŋ] s. cottura f. al forno ♦ **b. pan** stampo; **b. powder** lievito in polvere; **b. tin** teglia, tortiera

balance ['bæləns] s. **1** bilancia f. **2** equilibrio m. **3** bilancio m., saldo m. **4** contrappeso m. ♦ **b. of trade** bilancia commerciale; **b. sheet** bilancio di esercizio

to balance ['bæləns] **A** v. tr. **1** bilanciare, equilibrare **2** pesare, valutare **3** pareggiare, saldare **B** v. intr. **1** stare in equilibrio **2** (comm.) quadrare, essere in pareggio

balanced ['bælənst] agg. bilanciato, equilibrato

balancing ['bælənsɪŋ] s. equilibratura f.

balcony ['bælkənɪ] s. **1** balcone m. **2** (teatro) balconata f., galleria f.

bald [bɔːld] agg. **1** calvo, pelato **2** spoglio, disadorno **3** esplicito, immediato

baldachin ['bɔːldəkɪn] s. baldacchino m.

baldly ['bɔːldlɪ] avv. chiaramente, schiettamente

baldness ['bɔːldnɪs] s. **1** calvizie f. **2** nudità f. **3** schiettezza f.

baldric ['bɔːldrɪk] s. bandoliera f.

bale [beɪl] s. (di merce) balla f.

baleful ['beɪlf(ʊ)l] agg. funesto

ball (1) [bɔːl] s. **1** palla f., pallone m. **2** sfera f. **3** gomitolo m. ♦ **b. bearings** cuscinetti a sfere; **b.-pen** penna a sfera

ball (2) [bɔːl] s. ballo m.

ballad ['bæləd] s. ballata f.

ballast ['bæləst] s. **1** zavorra f. **2** equilibrio m. **3** massicciata f.

ballet ['bæleɪ] s. balletto m. ♦ **b. dancer** ballerino

balloon [bə'luːn] s. pallone m. ♦ **hot-air b.** mongolfiera

ballot ['bælət] s. **1** scheda f. (per votazione) **2** voto m. ♦ **b. box** urna elettorale

ballroom ['bɔːlrʊm] s. sala f. da ballo

balm [baːm] s. balsamo m.

balmy ['baːmɪ] agg. **1** balsamico **2** (pop.) svanito, sventato

balsam ['bɔːlsəm] s. balsamo m.

balsamic [bɔːl'sæmɪk] agg. balsamico

balustrade [ˌbæləs'treɪd] s. balaustra f.

bamboo [bæm'buː] s. bambù m.

ban [bæn] s. **1** bando m., proclama m. **2** interdizione f.

to ban [bæn] v. tr. proibire, interdire

banal [bə'naːl] agg. banale

banana [bə'naːnə] s. banana f.

band (1) [bænd] s. **1** benda f., fascia f., nastro m. **2** (radio) banda f.

band (2) [bænd] s. (mus.) banda f., orchestra f.

bandage ['bændɪdʒ] s. benda f., fascia f.

to bandage ['bændɪdʒ] v. tr. bendare

bandaging ['bændɪdʒɪŋ] s. bendaggio m., fasciatura f.

bandit ['bændɪt] s. bandito m.

bandy ['bændɪ] agg. arcuato ♦ **b.-legged** con le gambe storte

to bandy ['bændɪ] v. tr. scambiare (parole, accuse, colpi)

bang (1) [bæŋ] s. **1** colpo m., botta f. **2** scoppio m.

bang (2) [bæŋ] s. (di capelli) frangia f.

to bang [bæŋ] **A** v. tr. **1** colpire, battere **2** sbattere **B** v. intr. **1** scoppiare, esplodere **2** sbattere

bangle ['bæŋgl] s. braccialetto m.

to banish ['bænɪʃ] v. tr. bandire

banisters ['bænɪstəz] s. pl. balaustra f.

bank (1) [bæŋk] s. **1** argine m., riva f., sponda f. **2** banco m., cumulo m.

bank (2) [bæŋk] s. **1** banca f., banco m. **2** (gioco) banco m. ♦ **b. holiday** giorno di festa; **b. note** banconota; **b. robber** scassinatore; **b. statement** estratto conto; **b. transfer** bonifico bancario

to bank (1) [bæŋk] **A** v. tr. ammucchiare, ammassare **B** v. intr. **1** ammucchiarsi, ammassarsi **2** (aer.) inclinarsi in virata

to bank (2) [bæŋk] **A** v. tr. depositare in banca **B** v. intr. **1** avere un conto in banca **2** (gioco) tenere il banco ♦ **to b. on** fare affidamento su

banker ['bæŋkər] s. banchiere m.

banking ['bæŋkɪŋ] **A** agg. bancario **B** s. attività f. bancaria ♦ **b. hours** orario di banca

bankrupt ['bæŋkrʌpt] *agg.* fallito ♦ **to go b.** fallire

bankruptcy ['bæŋkrʌptsɪ] *s.* bancarotta *f.*, fallimento *m.*

banner ['bænər] *s.* **1** bandiera *f.*, stendardo *m.* **2** striscione *m.*, insegna *f.*

banns [bænz] *s. pl.* pubblicazioni *f. pl.* di matrimonio

banquet ['bæŋkwɪt] *s.* banchetto *m.*

to banter ['bæntər] *v. tr.* stuzzicare, canzonare

baptism ['bæptɪz(ə)m] *s.* battesimo *m.*

baptismal [bæp'tɪzm(ə)l] *agg.* battesimale

baptistery ['bæptɪst(ə)rɪ] *s.* battistero *m.*

to baptize [bæp'taɪz] *v. tr.* battezzare

bar (1) [ba:r] *s.* **1** barra *f.*, spranga *f.*, tavoletta *f.* **2** ostacolo *m.*, restrizione *f.* **3** barra *f.* (di sabbia) **4** banco *m.*, bar *m. inv.* **5** (dir) sbarra *f.*, tribunale *m.* ♦ **b. code** codice a barre; **the Bar** professione forense

bar (2) [ba:r] *prep.* eccetto, tranne

to bar [ba:r] *v. tr.* **1** sbarrare, chiudere **2** ostacolare, impedire **3** vietare

barbarian [ba:'beərɪən] *agg. e s.* barbaro *m.*

barbaric [ba:'bærɪk] *agg.* barbaro, barbarico

barbarization [,ba:bəraɪ'zeɪʃ(ə)n] *s.* imbarbarimento *m.*

barbarous ['ba:b(ə)rəs] *agg.* barbaro

barbecue ['ba:bɪkju:] *s.* barbecue *m. inv.*

barbed wire [,ba:bd'waɪər] *s.* filo *m.* spinato

barber ['ba:bər] *s.* barbiere *m.* ♦ **b.'s shop** barbiere (bottega)

barbiturate [ba:'bɪtjʊrɪt] *s.* barbiturico *m.*

bare [beər] *agg.* **1** nudo, spoglio, brullo **2** vuoto, privo di **3** semplice

to bare [beər] *v. tr.* **1** scoprire, denudare **2** (fig.) rivelare, mostrare

bareback ['beəbæk] *agg.* senza sella

barefaced ['beəfeɪst] *agg.* sfacciato

barefoot ['beəfut] *agg.* scalzo

barely ['beəlɪ] *avv.* **1** appena **2** chiaramente, apertamente **3** poveramente

bargain ['ba:gɪn] *s.* **1** affare *m.* **2** accordo *m.*, transazione *f.* ♦ **into the b.** per di più

to bargain ['ba:gɪn] *v. tr. e intr.* trattare, contrattare ♦ **to b. for** aspettarsi

barge [ba:dʒ] *s.* chiatta *f.*

to barge [ba:dʒ] **A** *v. tr.* trasportare su chiatta **B** *v. intr.* muoversi pesantemente ♦ **to b. in** intromettersi a sproposito

baritone ['bærɪtʊn] *s.* baritono *m.*

bark (1) [ba:k] *s.* corteccia *f.*

bark (2) [ba:k] *s.* abbaio *m.*, latrato *m.*

to bark [ba:k] *v. intr.* abbaiare

barley ['ba:lɪ] *s.* orzo *m.*

barmaid ['ba:meɪd] *s.* barista *f.*

barman ['ba:mən] *s.* (pl. **barmen**) barista *m.*

barn [ba:n] *s.* fienile *m.*, granaio *m.*

barometer [bə'rɒmɪtər] *s.* barometro *m.*

baron ['bær(ə)n] *s.* barone *m.*

baroness ['bær(ə)nɪs] *s.* baronessa *f.*

baroque [bə'rɒuk] *agg. e s.* barocco *m.*

barracks ['bærəks] *s. pl.* caserma *f.*

barrage ['bæra:ʒ] *s.* **1** sbarramento *m.* **2** serie *f.* continua

barred [ba:d] *agg.* **1** sbarrato, ostruito **2** vietato

barrel ['bær(ə)l] *s.* **1** barile *m.*, botte *f.* **2** (di fucile) canna *f.* **3** (di rivoltella) tamburo *m.* ♦ **b. vault** volta a botte

barren ['bær(ə)n] *agg.* **1** sterile **2** arido

barrenness ['bær(ə)nnɪs] *s.* **1** sterilità *f.* **2** aridità *f.*

barricade ['bærɪkeɪd] *s.* barricata *f.*

barrier ['bærɪər] *s.* barriera *f.*, transenna *f.* ♦ **sound b.** muro del suono

barrister ['bærɪstər] *s.* avvocato *m.*

barrow (1) ['bærʊ] *s.* **1** carriola *f.* **2** barella *f.*

barrow (2) ['bærʊ] *s.* **1** altura *f.* **2** tumulo *m.*

bartender ['ba:,tɛndər] *s.* (USA) barista *m. e f.*

barter ['ba:tər] *s.* baratto *m.*, permuta *f.*

to barter ['ba:tər] *v. tr.* barattare, scambiare

base [beɪs] **A** *s.* **1** base *f.* **2** zoccolo *m.*, basamento *m.* **B** *agg.* basso, ignobile, vile

to base [beɪs] *v. tr.* basare, fondare

baseball ['beɪsbɔːl] *s.* baseball *m. inv.*

basement ['beɪsmənt] *s.* **1** seminterrato *m.* **2** basamento *m.*

to bash [bæʃ] *v. tr.* colpire con violenza

bashful ['bæʃf(ʊ)l] *agg.* timido

basic ['beɪsɪk] *agg.* fondamentale, essenziale, di base

basically ['beɪsɪklɪ] *avv.* fondamentalmente

basil ['bæzl] *s.* basilico *m.*

basilica [bə'zɪlɪkə] *s.* basilica *f.*

basin ['beɪsn] *s.* **1** bacino *m.* **2** bacinella *f.*, vasca *f.*

basis ['beɪsɪs] *s.* (pl. **bases**) base *f.*

to bask [ba:sk] *v. intr.* crogiolarsi

basket ['ba:skɪt] *s.* cestino *m.*, canestro *m.*

basketball ['ba:skɪt,bɔːl] *s.* pallacanestro *f.*

bas-relief ['bæsrɪ,liːf] *s.* bassorilievo *m.*

bass [bæs] *s.* (*mus.*) basso *m.*

bassoon [bə'su:n] *s.* (*mus.*) fagotto *m.*

bastard ['bæ:stəd] *agg.* bastardo

to baste [beɪst] *v. tr.* **1** imbastire **2** (*cuc.*) ungere **3** (*fam.*) battere

bastion ['bæstɪən] *s.* bastione *m.*

bat (1) [bæt] *s.* pipistrello *m.*

bat (2) [bæt] *s.* **1** racchetta *f.* **2** mazza *f.*

to bat [bæt] *v. tr.* battere (le palpebre)

batch [bætʃ] *s.* **1** infornata *f.* **2** (*di merce*) gruppo *m.*, partita *f.*

to bate [beɪt] *v. tr.* **1** diminuire **2** trattenere
♦ **with bated breath** col fiato sospeso

bath [ba:θ] *s.* **1** bagno *m.* **2** al *pl.* bagni *m. pl.* pubblici, terme *f. pl.* ♦ **b. towel** asciugamano; **b. tub** vasca da bagno; **bubble b.** bagnoschiuma; **to have a b.** fare il bagno

to bathe [beɪð] **A** *v. tr.* bagnare **B** *v. intr.* nuotare

bather ['beɪðəʳ] *s.* bagnante *m. e f.*

bathing ['beɪðɪŋ] *s.* il bagnarsi, i bagni *m. pl.* ♦ **b. hut** cabina; **b. suit** costume da bagno

bathrobe ['ba:θ,rəʊb] *s.* accappatoio *m.*

bathroom ['ba:θrʊm] *s.* stanza *f.* da bagno

baton ['bæt(ə)n] *s.* **1** sfollagente *m. inv.*, bastone *m.* **2** bacchetta *f.*

to batter ['bætəʳ] *v. tr. e intr.* battere, picchiare ♦ **to b. down** abbattere; **battered** sformato, malconcio

battery ['bætərɪ] *s.* batteria *f.*, pila *f.*

battle ['bætl] *s.* battaglia *f.* ♦ **b.-field** campo di battaglia; **b.-ship** nave da guerra

bawdy ['bɔ:dɪ] *agg.* osceno

bawl [bɔ:l] *s.* urlo *m.*

to bawl [bɔ:l] *v. tr. e intr.* **1** urlare **2** piangere ♦ **to b. out** sgridare

bay (1) [beɪ] *s.* baia *f.*

bay (2) [beɪ] *s.* **1** (*arch.*) campata *f.* **2** recesso *m.*

bay (3) [beɪ] *s.* (*bot.*) alloro *m.*

bay-window [,beɪ'wɪndəʊ] *s.* bovindo *m.*

to be [bi:, bɪ] (*pass.* **was**, *p. p.* **been**) *v.* **1** (*copula, ausiliare nelle forme passive*) essere (ES: **this is a dictionary** questo è un dizionario, **he was not chosen** non fu prescelto) **2** essere, esistere, stare, trovarsi, andare, venire, fare (ES: **to be or not to be** essere o non essere, **to be at school** essere a scuola, **he has been to Paris twice** è stato a Parigi due volte, **has anyone been here?** è venuto qualcuno?, **it is five o'clock** sono le cinque) **3** (*seguito da gerundio*) stare (ES: **what are**

you drinking? cosa stai bevendo?) **4** (*preceduto da 'there'*) esserci (ES: **there was no one** non c'era nessuno) **5** stare (di salute) (ES: **how are you?** come stai?) **6** costare (ES: **how much is it?** quanto costa?) **7** avvenire, avere luogo (ES: **the party is tomorrow** la festa avrà luogo domani) **8** essere, fare (*di professione*) (ES: **he's a doctor** fa il medico) **9** (*seguito da inf.*) dovere, essere da (ES: **you are not to see him again** non devi vederlo più)

beach [bi:tʃ] *s.* spiaggia *f.*, lido *m.* ♦ **b. umbrella** ombrellone

to beach [bi:tʃ] *v. tr.* (*naut.*) tirare in secco

beacon ['bi:k(ə)n] *s.* **1** segnale *m.* **2** faro *m.*, meda *f.* ♦ **radio b.** radiofaro

bead [bi:d] *s.* perlina *f.*, grano *m.*

beak [bi:k] *s.* **1** becco *m.* **2** rostro *m.*

beam [bi:m] *s.* **1** trave *f.* **2** raggio *m.* **3** (*naut.*) baglio *m.*

to beam [bi:m] *v. intr.* sfavillare, brillare

beaming ['bi:mɪŋ] *agg.* splendente

bean [bi:n] *s.* fagiolo *m.* ♦ **French b.** fagiolino

bear [beəʳ] *s.* **1** orso *m.* **2** (*Borsa*) ribassore *m.*

to bear [beəʳ] (*pass.* **bore**, *p. p.* **borne**, **born**) *v. tr.* **1** portare, reggere **2** tollerare, sopportare **3** generare, partorire, produrre ♦ **to b. away** portar via; **to be born** nascere; **to b. down** premere, sconfiggere; **to b. on** influire; **to b. oneself** comportarsi; **to b. out** convalidare; **to b. up** farsi forza

bearable ['beərəbl] *agg.* sopportabile

beard [bɪəd] *s.* barba *f.*

bearded ['bɪədəd] *agg.* barbuto

bearer ['beərəʳ] *s.* portatore *m.*, latore *m.*

bearing ['beərɪŋ] *s.* **1** rapporto *m.*, attinenza *f.* **2** condotta *f.*, comportamento *m.* **3** (*naut.*) rilevamento *m.* **4** supporto *m.* **5** (*mecc.*) cuscinetto *m.*

beast [bi:st] *s.* bestia *f.*, animale *m.*

beastly ['bi:s(t)lɪ] *agg.* **1** bestiale **2** orribile, abominevole

beat [bi:t] *s.* **1** colpo *m.* **2** battito *m.* **3** (*mus.*) battuta *f.*, ritmo *m.*

to beat [bi:t] (*pass.* **beat**, *p. p.*, **beaten**, **beat**) *v. tr.* battere, colpire, percuotere ♦ **to b. about** perlustrare; **to b. off** respingere; **to b. up** picchiare (*una persona*), sbattere (*le uova*)

beaten ['bi:tn] **A** *p. p. di* **to beat B** *agg.* **1** battuto, picchiato **2** abbattuto

beating ['bi:tɪŋ] *s.* **1** percosse *f. pl.* **2** sconfitta f.

beautician [bjuː'tɪʃ(ə)n] s. estetista m. e f.

beautiful ['bjuːtəf(ʊ)l] agg. bello, piacevole

beauty ['bjuːtɪ] s. bellezza f.

beaver ['biːvəʳ] s. castoro m.

became [bɪ'keɪm] pass. di **to become**

because [bɪ'kɒz] cong. perché, poiché ♦ **b. of** a causa di

beck (1) [bɛk] s. cenno m., segno m.

beck (2) [bɛk] s. ruscello m.

to beckon ['bɛk(ə)n] v. tr. chiamare con un cenno

to become [bɪ'kʌm] (pass. **became**, p. p. **become**) **A** v. intr. **1** diventare **2** accadere **B** v. tr. adattarsi a

becoming [bɪ'kʌmɪŋ] agg. adatto, conveniente

bed [bɛd] s. **1** letto m. **2** fondo m., fondamento m., strato m. sottostante **3** aiuola f. ♦ **b. and board** vitto e alloggio; **b. and breakfast** alloggio e prima colazione; **b. clothes** biancheria da letto; **b. cover** copriletto; **double b.** letto matrimoniale; **single b.** letto a una piazza

bedding ['bɛdɪŋ] s. biancheria f. da letto

bedlam ['bɛdləm] s. pandemonio m.

bedridden ['bɛd‚rɪdn] agg. costretto a letto

bedroom ['bɛdrʊm] s. camera f. da letto

bedside ['bɛdsaɪd] s. capezzale m. ♦ **b. carpet** scendiletto; **b. table** comodino

bedsitter [‚bɛd'sɪtəʳ] s. monolocale m.

bedspread ['bɛdsprɛd] s. copriletto m.

bedtime ['bɛdtaɪm] s. ora f. di andare a letto

bee [biː] s. ape f.

beech [biːtʃ] s. faggio m.

beef [biːf] s. manzo m.

beehive ['biːhaɪv] s. alveare m.

beeline ['biːlaɪn] s. linea f. retta

been [biːn] p. p. di **to be**

beep [biːp] s. trillo m., bip m. inv.

beeper [biːpəʳ] s. cicalino m.

beer [bɪəʳ] s. birra f. ♦ **draught b.** birra alla spina

beet [biːt] s. barbabietola f.

beetle ['biːtl] s. scarafaggio m.

beetroot ['biːtruːt] s. barbabietola f. rossa

before [bɪ'fɔːʳ] **A** avv. prima, in passato, già **B** prep. **1** prima di **2** davanti a, di fronte a **C** cong. prima che, prima di ♦ **b. long** presto, prossimamente

beforehand [bɪ'fɔːhænd] **A** avv. in anticipo, prima **B** agg. precipitoso

to beg [bɛg] **A** v. tr. **1** pregare, supplicare

2 chiedere **B** v. intr. chiedere l'elemosina ♦ **I b. your pardon** chiedo scusa

began [bɪ'gæn] pass. di **to begin**

beggar ['bɛgəʳ] s. **1** accattone m., mendicante m. e f. **2** (fam.) individuo m.

to begin [bɪ'gɪn] (pass. **began**, p. p. **begun**) v. tr. e intr. cominciare, incominciare, iniziare ♦ **to b. again** ricominciare; **to b. with** per cominciare, anzitutto

beginner [bɪ'gɪnəʳ] s. principiante m. e f.

beginning [bɪ'gɪnɪŋ] s. inizio m., principio m.

begonia [bɪ'gəʊnjə] s. begonia f.

to begrudge [bɪ'grʌdʒ] v. tr. **1** lesinare **2** invidiare

to beguile [bɪ'gaɪl] v. tr. ingannare, illudere

begun [bɪ'gʌn] p. p. di **to begin**

behalf [bɪ'hɑːf] s. **1 on b. of** per conto di **2 in b. of** a favore di

to behave [bɪ'heɪv] v. intr. **1** comportarsi **2** funzionare

behaviour [bɪ'heɪvjəʳ] (USA **behavior**) s. **1** comportamento m., condotta f. **2** funzionamento m.

to behead [bɪ'hɛd] v. tr. decapitare

beheld [bɪ'hɛld] pass. e p. p. di **to behold**

behind [bɪ'haɪnd] **A** avv. **1** dietro, indietro **2** in ritardo **B** prep. dietro a

to behold [bɪ'həʊld] (pass. e p. p. **beheld**) v. tr. vedere, scorgere, guardare

being ['biːɪŋ] s. l'essere m., esistenza f.

belated [bɪ'leɪtɪd] agg. tardivo, tardo

to belay [bɪ'leɪ] v. tr. (naut.) legare, assicurare ♦ **belaying pin** caviglia

to belch [bɛltʃ] **A** v. tr. eruttare **B** v. intr. ruttare

belfry ['bɛlfrɪ] s. campanile m.

Belgian ['bɛldʒ(ə)n] agg. e s. belga m. e f.

to belie [bɪ'laɪ] v. tr. smentire

belief [bɪ'liːf] s. **1** credenza f., fede f. **2** opinione f., parere m. ♦ **beyond b.** incredibile

believable [bɪ'liːvəbl] agg. credibile

to believe [bɪ'liːv] **A** v. tr. **1** credere, prestar fede a **2** ritenere, pensare **B** v. intr. credere, aver fede, aver fiducia

believer [bɪ'liːvəʳ] s. credente m. e f.

belittle [bɪ'lɪtl] v. tr. sminuire

bell [bɛl] s. **1** campana f. **2** campanello m. ♦ **b. tower** campanile

belligerent [bɪ'lɪdʒər(ə)nt] agg. e s. belligerante m.

bellow ['bɛləʊ] s. **1** muggito m. **2** urlo m. **3** fragore m.

bellows ['bɛləʊz] s. pl. soffietto m.

belly ['bɛlɪ] *s.* pancia *f.*, ventre *m.* ♦ **b. ache** mal di pancia

bellyful ['bɛlɪfʊl] *s.* mangiata *f.*, scorpacciata *f.*

to belong [bɪ'lɒŋ] *v. intr.* **1** appartenere, far parte di **2** concernere, spettare **3** stare di posto

belongings [bɪ'lɒŋɪŋz] *s. pl.* roba *f.*, effetti *m. pl.* personali

beloved [bɪ'lʌvd] *agg.* adorato

below [bɪ'ləʊ] **A** *avv.* sotto, in basso, giù **B** *prep.* sotto, al di sotto di ♦ **see b.** vedi oltre

belt [bɛlt] *s.* **1** cintura *f.*, cinghia *f.* **2** fascia *f.*, zona *f.* ♦ **safety b.** cintura di sicurezza

to belt [bɛlt] *v. tr.* **1** cingere con una cinghia **2** (*fam.*) percuotere, picchiare

beltway ['bɛltweɪ] *s.* (*USA*) circonvallazione *f.*

to bemuse [bɪ'mjuːz] *v. tr.* confondere, stupire

bench [bɛn(t)ʃ] *s.* **1** panca *f.*, panchina *f.* **2** banco *m.* **3** seggio *m.* ♦ **the B.** la magistratura

bend [bɛnd] *s.* curva *f.*

to bend [bɛnd] (*pass. e p. p.* bent) **A** *v. tr.* **1** curvare, flettere, piegare **2** sottomettere **B** *v. intr.* piegarsi, curvarsi

beneath [bɪ'niːθ] **A** *avv.* sotto, di sotto **B** *prep.* **1** sotto a **2** inferiore a, indegno di

benediction [ˌbɛnɪ'dɪkʃ(ə)n] *s.* benedizione *f.*

benefactor ['bɛnɪfæktər] *s.* benefattore *m.*

beneficence [bɪ'nɛfɪs(ə)ns] *s.* beneficenza *f.*

beneficial [bɛnɪ'fɪʃəl] *agg.* che giova, che fa bene, vantaggioso

benefit ['bɛnɪfɪt] *s.* **1** beneficio *m.*, giovamento *m.* **2** indennità *f.*

to benefit ['bɛnɪfɪt] *v. tr.* giovare a, beneficare ♦ **to b. by** giovarsi di, trarre vantaggio da

benevolent [bɪ'nɛvələnt] *agg.* **1** benevolo **2** benefico

benign [bɪ'naɪn] *agg.* benigno, benevolo

bent (1) [bɛnt] *s.* tendenza *f.*, attitudine *f.*

bent (2) [bɛnt] **A** *p. p. di* **to bend B** *agg.* **1** piegato, curvo **2** propenso **3** corrotto, disonesto **4** (*pop.*) omosessuale ♦ **to be b. on doing st.** essere propenso a fare q.c.

bequest [bɪ'kwɛst] *s.* (*dir*) lascito *m.*

bereavement [bɪ'riːvmənt] *s.* perdita *f.*, lutto *m.*

beret ['bɛreɪ] *s.* berretto *m.*

berry ['bɛrɪ] *s.* **1** bacca *f.* **2** chicco *m.*

berth [bɜːθ] *s.* **1** cuccetta *f.* **2** ancoraggio *m.*, ormeggio *m.*

to berth [bɜːθ] *v. tr. e intr.* attraccare, ormeggiare

to beseech [bɪ'siːtʃ] (*pass. e p. p.* besought) *v. tr.* supplicare

to beset [bɪ'sɛt] (*pass. e p. p.* beset) *v. tr.* **1** circondare **2** assalire

beside [bɪ'saɪd] *prep.* presso, accanto ♦ **to be b. oneself** essere fuori di sé

besides [bɪ'saɪdz] **A** *avv.* inoltre **B** *prep.* oltre a

to besiege [bɪ'siːdʒ] *v. tr.* **1** assediare **2** importunare, tempestare

besought [bɪ'sɔːt] *pass. e p. p. di* **to beseech**

bespoke [bɪ'spəʊk] *agg.* fatto su misura

best [bɛst] **A** *agg.* (*sup. di* good) (il) migliore **B** *avv.* (*sup. di* well) meglio **C** *s.* il meglio *m.* ♦ **at b.** nella migliore delle ipotesi, tutt'al più; **b. man** testimone (dello sposo); **the b.** il migliore, il meglio; **the b. part of** la maggior parte di

bestiary ['bɛstɪərɪ] *s.* bestiario *m.*

to bestow [bɪ'stəʊ] *v. tr.* concedere, conferire

bestowal [bɪ'stəʊ(ʊ)əl] *s.* concessione *f.*

bet [bɛt] *s.* **1** scommessa *f.* **2** puntata *f.*

to bet [bɛt] (*pass. e p. p.* bet) *v. tr. e intr.* **1** scommettere **2** puntare

to betray [bɪ'treɪ] *v. tr.* tradire

betrayal [bɪ'tre(ɪ)əl] *s.* tradimento *m.*

betrayer [bɪ'treɪər] *s.* traditore *m.*

better (1) ['bɛtər] **A** *agg.* (*comp. di* good) migliore, meglio **B** *avv.* (*comp. di* well) **1** meglio **2** di più **C** *s.* il meglio *m.* ♦ **all the b.** tanto meglio; **b. and b.** sempre meglio; **b. still** ancora meglio; **I had b.** farei meglio a; **to get b.** migliorare; **to have the b. of** avere la meglio su; **to like b.** preferire; **you had b.** ti converrebbe

better (2) ['bɛtər] *s.* scommettitore *m.*

to better ['bɛtər] *v. tr. e intr.* migliorare, migliorarsi

betting ['bɛtɪŋ] *s.* scommesse *f. pl.* ♦ **b. shop** sala corse

between [bɪ'twiːn] **A** *prep.* fra, tra **B** *avv.* **1** nel mezzo **2** nel frattempo

beverage ['bɛvərɪdʒ] *s.* bevanda *f.*

to beware [bɪ'wɛər] *v. tr. e intr.* guardarsi da, stare attento a ♦ **b. the dog** attenti al cane

to bewilder [bɪ'wɪldər] *v. tr.* disorientare,

confondere

bewilderment [bɪ'wɪldəmənt] s. confusione f., perplessità f.

to bewitch [bɪ'wɪtʃ] v. tr. incantare, affascinare

bewitching [bɪ'wɪtʃɪŋ] agg. affascinante

beyond [bɪ'jənd] **A** prep. oltre, al di là di, al di sopra di **B** avv. oltre, al di là ♦ **b. belief** incredibile; **b. doubt** senza dubbio

bias ['baɪəs] s. pregiudizio m., prevenzione f.

bias(s)ed ['baɪəst] agg. prevenuto, parziale

bib [bɪb] s. bavaglino m.

Bible ['baɪbl] s. bibbia f.

biblical ['bɪblɪk(ə)l] agg. biblico

bibliographic(al) [ˌbɪblɪə'græfɪk((ə)l)] agg. bibliografico

bibliography [ˌbɪblɪ'əgrəfɪ] s. bibliografia f.

bibliophile ['bɪblɪʊ(ʊ)faɪl] s. bibliofilo m.

bicarbonate [baɪ'ka:bənɪt] s. bicarbonato m.

to bicker ['bɪkər] v. intr. litigare

bicoloured [ˌbaɪ'kʌləd] agg. bicolore

bicycle ['baɪsɪkl] s. bicicletta f.

bid [bɪd] s. **1** offerta f. **2** tentativo m.

to bid [bɪd] (pass. **bid, bade**, p. p. **bidden, bid**) **A** v. tr. **1** dire, augurare **2** ordinare **B** v. intr. (a un'asta) fare un'offerta ♦ **to b. sb. farewell** dire addio a qc.; **to b. up** fare un'offerta superiore

bidder ['bɪdər] s. offerente m. e f.

to bide [baɪd] (pass. **bode**, p. p. **bided**) v. tr. (letter.) aspettare

biennial [baɪ'enɪəl] agg. biennale

bifocal [baɪ'fʊk(ə)l] agg. bifocale

big [bɪg] agg. **1** grande, grosso **2** importante ♦ **b. dipper** montagne russe; **b. toe** alluce; **b. top** tendone da circo

bigamist ['bɪgəmɪst] s. bigamo m.

bigamy ['bɪgəmɪ] s. bigamia f.

big-headed [ˌbɪg'hedɪd] agg. presuntuoso

big-hearted [ˌbɪg'ha:tɪd] agg. generoso

bike [baɪk] s. bicicletta f.

bilberry ['bɪlb(ə)rɪ] s. mirtillo m.

bilge [bɪldʒ] s. sentina f.

bilingual [baɪ'lɪŋgw(ə)l] agg. bilingue

bilingualism [baɪ'lɪŋgwəlɪz(ə)m] s. bilinguismo m.

bill (1) [bɪl] s. **1** conto m., fattura f., parcella f. **2** manifesto m., locandina f. **3** (USA) banconota f. **4** (comm.) effetto m., cambiale f. **5** bolla f., bolletta f., documento m. ♦ **b. of credit** lettera di credito; **b. of fare** lista delle vivande; **b. of sale** atto di vendita; **to ask for the b.** chiedere il conto

bill (2) [bɪl] s. becco m.

to bill [bɪl] v. tr. **1** (comm.) fatturare **2** mettere in programma

billboard ['bɪl,bɔ:d] s. tabellone m.

billet ['bɪlɪt] s. (mil.) alloggio m.

billfold ['bɪl,fəʊld] s. (USA) portafoglio m.

billiards ['bɪljədz] s. pl. (v. al sing.) biliardo m. sing.

billion ['bɪljən] s. **1** bilione m. **2** (USA) miliardo m.

billionaire [ˌbɪljən'eər] s. (USA) miliardario m.

bimonthly [baɪ'mʌnθlɪ] **A** agg. bimestrale **B** avv. ogni due mesi

bin [bɪn] s. bidone m., recipiente m.

to bind [baɪnd] (pass. e p. p. **bound**) **A** v. tr. **1** legare, fissare **2** rilegare **3** obbligare, impegnare **B** v. intr. **1** legare **2** (mecc.) grippare ♦ **to b. oneself to do st.** impegnarsi a fare q.c.

binder ['baɪndər] s. **1** rilegatore m. **2** cartella f., fascetta f.

binding ['baɪndɪŋ] **A** agg. **1** legante **2** impegnativo, obbligatorio **B** s. **1** copertina f., rilegatura f. **2** legame m., legatura f.

binge [bɪndʒ] s. (pop.) baldoria f.

binoculars [bɪ'nəkjʊləz] s. pl. binocolo m.

biochemistry [ˌbaɪə(ʊ)'kemɪstrɪ] s. biochimica f.

biodegradable [ˌbaɪə(ʊ)dɪ'greɪdəb(ə)l] agg. biodegradabile

biographer [baɪ'əgrəfər] s. biografo m.

biographical [ˌbaɪə(ʊ)'græfɪk(ə)l] agg. biografico

biography [baɪ'əgrəfɪ] s. biografia f.

biological [ˌbaɪə'lədʒɪk(ə)l] agg. biologico

biologist [baɪ'ələdʒɪst] s. biologo m.

biology [baɪ'ələdʒɪ] s. biologia f.

birch [bɜ:tʃ] s. betulla f.

bird [bɜ:d] s. uccello m., volatile m. ♦ **b.'s eye view** veduta dall'alto; **to be an early b.** essere in anticipo

biro ['baɪrəʊ] s. biro f. inv.

birth [bɜ:θ] s. **1** nascita f. **2** origine f. ♦ **b. control** controllo delle nascite; **b. rate** indice di natalità; **to give b. to** partorire, procreare, causare

birthday ['bɜ:θdeɪ] s. compleanno m.

birthplace ['bɜ:θpleɪs] s. luogo m. di nascita

biscuit ['bɪskɪt] s. biscotto m.

to bisect [baɪ'sɛkt] v. tr. tagliare in due

bisexual [baɪ'sɛksjʊəl] agg. bisessuale

bishop ['bɪʃəp] s. **1** vescovo m. **2** (scacchi) alfiere m.

bishopric ['bɪʃəprɪk] s. vescovado m.

bison ['baɪsn] s. bisonte m.

bistoury ['bɪstʊrɪ] s. bisturi m.

bit (1) [bɪt] s. **1** morso m., boccone m. **2** pezzo m., pezzetto m., un poco m. **3** (inf.) bit m. inv. ♦ **b. by b.** a poco a poco; **not a b.** niente affatto

bit (2) [bɪt] pass. di **to bite**

bitch [bɪtʃ] s. **1** cagna f., lupa f. **2** (volg.) puttana f.

bite [baɪt] s. **1** morso m., puntura f. **2** boccone m., spuntino m.

to bite [baɪt] (pass. **bit**, p. p. **bitten**) **A** v. tr. mordere, pungere **B** v. intr. abboccare ♦ **to get bitten** farsi imbrogliare

biting ['baɪtɪŋ] agg. pungente, tagliente

bitten ['bɪtn] p. p. di **bite**

bitter ['bɪtər] **A** agg. **1** amaro **2** pungente **3** aspro, duro **4** accanito **B** s. al pl. amaro m. ♦ **b.-sweet** agrodolce

bitterness ['bɪtənɪs] s. amarezza f., gusto m. amaro

biweekly [baɪ'wiːklɪ] **A** agg. bisettimanale **B** avv. ogni due settimane

biyearly [baɪ'jɪəlɪ] **A** agg. biennale **B** avv. ogni due anni

bizarre [bɪ'zaːr] agg. bizzarro

to blab [blæb] **A** v. tr. spifferare **B** v. intr. fare la spia

black [blæk] agg. **1** nero, buio, scuro **2** clandestino, sommerso **3** lugubre, triste

blackberry ['blækb(ə)rɪ] s. mora f.

blackbird ['blækbɜːd] s. merlo m.

blackboard ['blækbɔːd] s. lavagna f.

blackcurrant [,blæk'kʌrənt] s. ribes m. nero

to blacken ['blæk(ə)n] v. tr. annerire, oscurare

blackleg ['blæklɛg] s. **1** imbroglione m. **2** crumiro m.

blackmail ['blækmeɪl] s. ricatto m.

to blackmail ['blækmeɪl] v. tr. ricattare

blackmailer ['blækmeɪlər] s. ricattatore m.

blackout ['blækaʊt] s. **1** oscuramento m. **2** svenimento m. **3** interruzione f. di corrente

blacksmith ['blæksmɪθ] s. fabbro m. ferraio, maniscalco m.

blackthorn ['blækθɜːn] s. pruno m.

bladder ['blædər] s. vescica f.

blade [bleɪd] s. **1** lama f., lametta f. **2** pala f. **3** filo m. d'erba ♦ **b.-bone** scapola f.

blame [bleɪm] s. **1** riprovazione f. **2** colpa f., responsabilità f.

to blame [bleɪm] v. tr. **1** biasimare **2** incolpare ♦ **to be to b.** essere colpevole

bland [blænd] agg. **1** gentile **2** blando

blank [blæŋk] agg. **1** vuoto, in bianco, non riempito **2** vacuo **3** totale, completo **B** s. **1** lacuna f., spazio m. vuoto **2** (USA) modulo m.

blanket ['blæŋkɪt] s. coperta f.

blare [bleər] s. squillo m.

blasphemous ['blæsfɪməs] agg. blasfemo

blasphemy ['blæsfɪmɪ] s. bestemmia f.

blast [blaːst] s. **1** raffica f. **2** scoppio m., esplosione f.

to blast [blaːst] v. tr. **1** far esplodere **2** rovinare, distruggere **3** inaridire

blasted ['blaːstɪd] agg. maledetto

blatant ['bleɪtənt] agg. **1** chiassoso **2** vistoso, plateale

blaze [bleɪz] s. **1** fiammata f., vampata f. **2** incendio m. **3** splendore m.

to blaze [bleɪz] v. intr. ardere, bruciare, sfavillare, risplendere

blazer ['bleɪzər] s. blazer m. inv.

bleach [bliːtʃ] s. candeggio m.

to bleach [bliːtʃ] v. tr. candeggiare

bleaching ['bliːtʃɪŋ] s. candeggio m.

bleak [bliːk] agg. **1** brullo **2** squallido, triste

bleary ['blɪərɪ] agg. offuscato, ottenebrato ♦ **b.-eyed** con lo sguardo annebbiato

to bleat [bliːt] v. intr. **1** belare **2** piagnucolare

to bleed [bliːd] (pass. e p. p. **bled**) v. intr. sanguinare

bleeding ['bliːdɪŋ] s. dissanguamento m., emorragia f.

bleeper ['bliːpər] s. cicalino m.

blemish ['blɛmɪʃ] s. macchia f., imperfezione f.

blend [blɛnd] s. mescolanza f., miscela f.

to blend [blɛnd] **A** v. tr. mescolare, fondere **B** v. intr. mescolarsi, fondersi

blending ['blɛndɪŋ] s. miscela f., mescolanza f.

to bless [blɛs] (pass. e p. p. **blessed**, **blest**) v. tr. benedire

blessing ['blɛsɪŋ] s. benedizione f.

blew [bluː] pass. di **to blow**

to blight [blaɪt] v. tr. **1** danneggiare **2** deludere

blimey ['blaɪmɪ] inter. (pop.) accidenti

blind [blaɪnd] **A** agg. **1** cieco **2** chiuso, nascosto, senza aperture **B** s. cortina f., persiana f.

to blind [blaɪnd] v. tr. **1** accecare **2** oscurare

blindfold ['blaɪn(d)fəʊld] **A** agg. con gli occhi bendati **B** avv. a occhi bendati, alla cieca **C** s. benda f.

to blindfold ['blaɪn(d)fəʊld] v. tr. bendare gli occhi a

blindness ['blaɪndnɪs] s. cecità f.

to blink [blɪŋk] v. intr. **1** ammiccare **2** lampeggiare

bliss [blɪs] s. beatitudine f.

blister ['blɪstər] s. vescica f., bolla f.

blithe [blaɪð] agg. allegro

blizzard ['blɪzəd] s. bufera f. di neve

to bloat [bləʊt] v. tr. e intr. gonfiare, gonfiarsi

blob [bləb] s. **1** goccia f. **2** macchia f., grumo m.

block [blək] s. **1** blocco m. **2** ingorgo m., intasamento m. **3** grande edificio m., isolato m. ♦ **b. letters** stampatello; **b. of flats** caseggiato; **road b.** posto di blocco

to block [blək] v. tr. bloccare, ostruire

to blockade [blə'keɪd] s. blocco m.

to blockade [blə'keɪd] v. tr. bloccare ♦ **to run the b.** forzare il blocco

blockhouse ['bləkhaʊs] s. fortino m.

bloke [bləʊk] s. (fam.) individuo m., tipo m.

blond [blɒnd] agg. biondo

blood [blʌd] s. sangue m. ♦ **b. group** gruppo sanguigno; **b. heat** temperatura corporea; **b. poisoning** setticemia; **b. test** analisi del sangue

bloodhound ['blʌdhaʊnd] s. segugio m.

bloodshed ['blʌdʃed] s. spargimento m. di sangue, massacro m.

bloodshot ['blʌdʃət] agg. iniettato di sangue

bloody ['blʌdɪ] agg. **1** sanguinante **2** sanguinoso, cruento **3** sanguinario **4** (fam.) dannato, maledetto ♦ **b.-minded** scontroso, indisponente

bloom [blu:m] s. fiore m., fioritura f.

to bloom [blu:m] v. intr. fiorire

blooming ['blu:mɪŋ] agg. fiorente

blossom ['bləsəm] s. fiore m., fioritura f.

to blossom ['bləsəm] v. intr. fiorire, essere in fiore

blot [blət] s. **1** macchia f. **2** difetto m.

to blot [blət] v. tr. **1** macchiare **2** assorbire, asciugare ♦ **blotting-paper** carta assorbente; **to b. out** offuscare, nascondere; **to b. up** prosciugare

blotch [blətʃ] s. macchia f.

to blotch [blətʃ] **A** v. tr. macchiare **B** v. intr. coprirsi di macchie

blouse [blaʊz] s. camicetta f.

blow (1) [bləʊ] s. soffio m., raffica f. ♦ **b.-dry** asciugatura dei capelli con il fon

blow (2) [bləʊ] s. colpo m., percossa f., pugno m.

to blow [bləʊ] (pass. **blew**, p. p. **blown**) **A** v. intr. **1** soffiare **2** ansimare **3** (di pneumatico) scoppiare **B** v. tr. **1** soffiare, spingere (soffiando) **2** far saltare **3** (strumento a fiato) suonare ♦ **to b. away** volare via; **to b. down** abbattere; **to b. out** spegnere, scoppiare; **to b. over** esaurirsi; **to b. up** esplodere, far saltare in aria, gonfiare, (fot.) ingrandire

blue [blu:] **A** agg. **1** azzurro, blu **2** depresso, triste (fam.) (di film) osceno, pornografico **B** s. **1** blu m. **2** al pl. (fam.) tristezza f., depressione f. ♦ **out of the b.** all'improvviso

bluebell ['blu:bel] s. campanula f.

bluebottle ['blu:bɒtl] s. **1** (zool.) moscone m. **2** (bot.) fiordaliso m.

bluff (1) [blʌf] **A** agg. **1** ripido, scosceso **2** brusco **B** s. **1** scogliera f. **2** promontorio m.

bluff (2) [blʌf] s. bluff m. inv.

to bluff [blʌf] v. tr. bluffare, ingannare

blunder ['blʌndər] s. errore m., strafalcione m.

blunt [blʌnt] agg. **1** smussato, spuntato **2** ottuso **3** brusco

blur [blɜːr] s. apparenza f. confusa

blurb [blɜːb] s. (fam.) **1** trafiletto m. pubblicitario **2** (di libro) fascetta f.

to blurt [blɜːt] v. tr. lasciarsi sfuggire, dire senza riflettere

blush [blʌʃ] s. rossore m.

to blush [blʌʃ] v. intr. arrossire

blustering ['blʌst(ə)rɪŋ] agg. **1** rumoroso **2** infuriato

boar [bɔːr] s. cinghiale m.

board [bɔːd] s. **1** asse f., tavola f. **2** cartellone m. **3** mensa f., vitto m. **4** comitato m., consiglio m. **5** (naut.) bordo m. **6** al pl. (teatro) palcoscenico m. ♦ **b. and lodging** vitto e alloggio; **full b.** pensione completa; **half b.** mezza pensione; **ironing b.** asse da stiro; **on b.** a bordo

to board [bɔːd] **A** v. tr. **1** ospitare **2** imbarcarsi su **B** v. intr. **1** essere a pensione **2** imbarcarsi

boarding ['bɔːdɪŋ] *s.* **1** tavolato *m.* **2** imbarco *m.* ♦ **b. card/pass** carta d'imbarco; **b. house** pensione; **b. school** collegio

boast [bəʊst] *s.* vanto *m.*

to **boast** [bəʊst] *v. tr. e intr.* vantare, vantarsi

boaster ['bəʊstər] *s.* gradasso *m.*, spaccone *m.*, sbruffone *m.*

boat [bəʊt] *s.* barca *f.*, battello *m.*, imbarcazione *f.*, nave *f.* ♦ **b. race** regata; **fishing b.** peschereccio; **motor b.** barca a motore; **row(ing) b.** barca a remi; **sail(ing) b.** barca a vela

boating ['bəʊtɪŋ] *s.* canottaggio *m.*

boatman ['bəʊtmən] *s.* (*pl.* **boatmen**) barcaiolo *m.*

boatswain ['bəʊs(ə)n] *s.* nostromo *m.*

to **bob** [bɒb] *v. tr. e intr.* muovere, muoversi avanti e indietro ♦ **to b. for** cercare di afferrare; **to b. up** saltar fuori

bobby ['bɒbɪ] *s.* (*fam.*) poliziotto *m.*

to **bode** [bəʊd] *v. intr.* presagire ♦ **to b. well** essere di buon augurio

bodily ['bɒdɪlɪ] **A** *agg.* fisico, corporale **B** *avv.* **1** in persona **2** in massa **3** interamente

body ['bɒdɪ] *s.* **1** corpo *m.*, struttura *f.* **2** busto *m.*, tronco *m.* **3** massa *f.* **4** carrozzeria *f.*, fusoliera *f.* **5** corporazione *f.*, società *f.* **6** (*miner.*) giacimento *m.* ♦ (**dead**) **b.** cadavere; **b. work** carrozzeria

bodyguard ['bɒdɪɡɑːd] *s.* guardia *f.* del corpo

bog [bɒg] *s.* acquitrino *m.*, palude *f.*

to **bog** [bɒg] *v. intr.* impantanarsi

to **boggle** ['bɒgl] *v. intr.* **1** trasalire **2** esitare

boggy ['bɒgɪ] *agg.* paludoso

bogus ['bəʊgəs] *agg.* artefatto, finto

to **boil** [bɔɪl] *v. tr. e intr.* bollire, lessare ♦ **boiled beef** lesso; **to b. away** evaporare bollendo; **to b. down** ridursi; **to b. over** traboccare bollendo; **to b. up** riscaldare

boiler ['bɔɪlər] *s.* caldaia *f.*, scaldabagno *m.* ♦ **b. suit** tuta da lavoro

boiling ['bɔɪlɪŋ] **A** *agg.* bollente **B** *s.* ebollizione *f.* ♦ **b. point** punto di ebollizione

boisterous ['bɔɪst(ə)rəs] *agg.* **1** chiassoso **2** turbolento

bold [bəʊld] *agg.* **1** baldo, audace **2** sfacciato

boldface ['bəʊldfeɪs] *s.* neretto *m.*

bollard ['bɒləd] *s.* bitta *f.*

to **bolster** ['bəʊlstər] *v. tr.* sostenere ♦ **to b. up** rinforzare

bolt [bəʊlt] *s.* **1** chiavistello *m.*, spranga *f.*

2 bullone *m.* **3** freccia *f.* **4** fulmine *m.* **5** balzo *m.* **6** rotolo *m.*

to **bolt** [bəʊlt] **A** *v. tr.* **1** sprangare **2** imbullonare **3** (*USA*) disertare, abbandonare **B** *v. intr.* scappare ♦ **to b. down** tranguggiare

bomb [bɒm] *s.* bomba *f.*

bombardment [bəm'bɑːdmənt] *s.* bombardamento *m.*

bombastic [bəm'bæstɪk] *agg.* ampolloso

bomber ['bɒmər] *s.* bombardiere *m.*

bombing ['bɒmɪŋ] *s.* bombardamento *m.*

bombshell ['bɒmʃel] *s.* **1** bomba *f.* **2** (*fig.*) notizia *f.* esplosiva

bond [bɒnd] *s.* **1** legame *m.*, vincolo *m.* **2** impegno *m.*, accordo *m.* **3** (*econ.*) obbligazione *f.* **4** cauzione *f.* ♦ **goods in b.** merci in attesa di sdoganamento

bondage ['bɒndɪdʒ] *s.* schiavitù *f.*

bone [bəʊn] *s.* **1** osso *m.* **2** lisca *f.*, spina *f.* **3** al *pl.* scheletro *m.*, ossatura *f.* ♦ **b. china** porcellana

to **bone** [bəʊn] *v. tr.* **1** disossare **2** togliere le spine a ♦ **to b. up** (*USA, fam.*) sgobbare

bonfire ['bɒnfaɪər] *s.* falò *m.*

bonnet ['bɒnɪt] *s.* **1** cuffia *f.* **2** cofano *m.*

bonus ['bəʊnəs] *s.* **1** indennità *f.*, premio *m.* **2** (*econ.*) dividendo *m.* straordinario

bony ['bəʊnɪ] *agg.* **1** osseo **2** ossuto **3** pieno di lische

to **boo** [buː] *v. tr. e intr.* fischiare, disapprovare

booby ['buːbɪ] *s.* sciocco ♦ **b. trap** trappola, scherzo

book [bʊk] *s.* **1** libro *m.*, volume *m.* **2** registro *m.* **3** blocchetto *m.* ♦ **b. mark** segnalibro; **b. reset** leggio; **note b.** quaderno per appunti

to **book** [bʊk] *v. tr.* **1** annotare **2** prenotare, fissare **3** multare ♦ **b. a seat on a train** prenotare un posto in treno; **to b. in** riservare una stanza (*in albergo*)

bookbindery ['bʊk,baɪndərɪ] *s.* legatoria *f.*

bookcase ['bʊkkeɪs] *s.* libreria *f.*, scaffale *m.* per libri

booking ['bʊkɪŋ] *s.* prenotazione *f.* ♦ **b. office** biglietteria, ufficio prenotazioni; **to cancel a b.** annullare una prenotazione

bookish ['bʊkɪʃ] *agg.* libresco

book-keeper ['bʊk,kiːpər] *s.* contabile *m.* e *f.*

booklet ['bʊklɪt] *s.* libretto *m.*, opuscolo *m.*

bookmaker ['bʊk,meɪkər] *s.* allibratore *m.*

bookseller ['bʊk,selər] *s.* libraio *m.*

bookshop ['bʊkʃəp] s. libreria f.
bookstall ['bʊk,stɔːl] s. edicola f.
bookstore ['bʊk,stɔː] s. (USA) libreria f.
boom (1) [buːm] s. **1** (econ.) boom m. inv. **2** aumento m. improvviso
boom (2) [buːm] s. **1** (naut.) boma m. **2** (TV) giraffa f.
boom (3) [buːm] s. rimbombo m.
to boom (1) [buːm] v. intr. prosperare, espandersi
to boom (2) [buːm] v. intr. rimbombare
boon [buːn] s. vantaggio m.
boor [bʊəʳ] agg. maleducato, cafone
boorish ['bʊərɪʃ] agg. maleducato, cafone
boost [buːst] s. **1** spinta f., impulso m. **2** aumento m.
boot [buːt] s. **1** stivale m., scarpone m. **2** (autom.) bagagliaio m.
booth [buːð] s. **1** cabina f. **2** bancarella f.
booty ['buːtɪ] s. bottino f.
booze ['buːz] s. (pop.) bevanda f. alcolica
boozer ['buːzəʳ] s. (pop.) bevitore m.
border ['bɔːdəʳ] s. **1** bordo m., confine m., orlo m. **2** frontiera f.
to border ['bɔːdəʳ] v. tr. **1** orlare, delimitare **2** confinare con ♦ **to b. on** rasentare
borderline ['bɔːdəlaɪn] A s. linea f. di demarcazione B agg. **1** di confine, ai limiti del consentito **2** incerto
bore (1) [bɔːʳ] s. **1** foro m. **2** (mecc.) alesaggio m.
bore (2) [bɔːʳ] s. scocciatore m.
bore (3) [bɔːʳ] pass. di **to bear**
to bore (1) [bɔːʳ] v. tr. trivellare, perforare, trapanare
to bore (2) [bɔːʳ] v. tr. seccare, annoiare ♦ **to be bored** annoiarsi
boredom ['bɔːdəm] s. noia f., uggia f.
boring ['bɔːrɪŋ] agg. noioso, seccante
born [bɔːn] A p. p. di **to bear** B agg. nato, generato
borne [bɔːn] p. p. di **to bear**
borough ['bʌrə] s. **1** borgo m., cittadina f. **2** (di città) circoscrizione f. amministrativa
to borrow ['bɔrʊ] v. tr. prendere in prestito
bosom ['bʊzəm] s. **1** seno m. **2** affetto m.
boss [bɔs] s. padrone m., capo m.
bossy ['bɔsɪ] agg. prepotente, autoritario
botanic(al) [bə'tænɪk((ə)l)] agg. botanico
both [bəʊθ] agg. e pron. entrambi, entrambe ♦ **b. ... and** sia ... sia, insieme
bothany ['bɔtənɪ] s. botanica f.
bother ['bɔðəʳ] s. disturbo m., seccatura f.
to bother ['bɔðəʳ] A v. tr. assillare, distur-

bare B v. intr. disturbarsi, preoccuparsi
bothersome ['bɔðəsəm] agg. fastidioso
bottle ['bɔtl] s. **1** bottiglia f. **2** bombola f. **3** biberon m. inv. ♦ **b. feeding** allattamento artificiale; **b. neck** collo di bottiglia, strozzatura; **b. opener** apribottiglie
to bottle ['bɔtl] v. tr. imbottigliare ♦ **to b. up** bloccare (il traffico), contenere
bottom ['bɔtəm] A agg. inferiore, ultimo (in basso) B s. **1** fondo m., parte f. inferiore **2** carena f. **3** (fam.) sedere m.
bottomless ['bɔtəmlɪs] agg. sfondato
bough [baʊ] s. ramo m.
bought [bɔːt] pass. e p. p. di **to buy**
bouillon ['buːjəŋ] s. brodo m. ♦ **b. cube** dado da brodo
boulder ['bəʊldəʳ] s. masso m.
boulevard ['buːl(ə)vaːd] s. viale m.
boulter ['bəʊltəʳ] s. palamito m.
to bounce [baʊns] A v. tr. **1** far rimbalzare **2** respingere B v. intr. **1** rimbalzare **2** balzare **3** (di assegno) essere respinto
bound (1) [baʊnd] A pass. e p. p. di **to bind** B agg. **1** legato **2** costretto, obbligato **3** rilegato ♦ **b. to** destinato a; **to be b. for** essere diretto a
bound (2) [baʊnd] s. limite m., confine m.
bound (3) [baʊnd] s. salto m., balzo m.
boundary ['baʊnd(ə)rɪ] s. confine m., frontiera f., contorno m.
boundless ['baʊndlɪs] agg. illimitato
bouquet [buː'keɪ] s. mazzetto m.
bourgeois ['bʊəʒwaː] agg. borghese
bourgeoisie [ˌbʊəʒwaː'ziː] s. borghesia f.
bout [baʊt] s. **1** prova f. **2** (med.) attacco m. **3** incontro m., gara f.
bovine ['bəʊvaɪn] agg. bovino
bow (1) [bəʊ] s. **1** arco m. **2** (mus.) archetto m. **3** fiocco m., nodo m. ♦ **b. tie** cravatta a farfalla
bow (2) [bəʊ] s. inchino m.
bow (3) [bəʊ] s. (naut.) prua f.
to bow [bəʊ] A v. tr. piegare, curvare B v. intr. **1** chinarsi, curvarsi **2** sottomettersi
bowel ['baʊəl] s. intestino m.
bower ['baʊəʳ] s. pergolato m.
bowl [bəʊl] s. **1** coppa f., ciotola f., scodella f. **2** boccia f. ♦ **game of bowls** gioco delle bocce
bowler ['bəʊləʳ] s. bombetta f.
bowling ['bəʊlɪŋ] s. bowling m. inv. ♦ **b. green** bocciodromo
bowman ['bəʊmən] s. (pl. **bowmen**) arciere m.

bowsprit ['bɒʊsprɪt] *s.* bompresso *m.*

box (1) [bɒks] *s.* **1** cassa *f.*, cassetta *f.* **2** scatola *f.* **3** palco *m.* **4** riquadro *m.*, casella *f.* **5** cabina *f.* **6** (*USA, fam.*) televisione *f.* ♦ **b. office** botteghino; **letter b.** cassetta per le lettere; **P.O. b.** casella postale

box (2) [bɒks] *s.* pugno *m.*, schiaffo *m.*

box (3) [bɒks] *s.* bosso *m.*

to box (1) [bɒks] *v. tr.* inscatolare

to box (2) [bɒks] *v. intr.* **1** fare a pugni **2** fare il pugile

boxer ['bɒksər] *s.* pugile *m.*

boxing (1) ['bɒksɪŋ] *s.* imballaggio *m.*, inscatolamento *m.*

boxing (2) ['bɒksɪŋ] *s.* pugilato *m.*

boy [bɔɪ] *s.* **1** ragazzo *m.* **2** figlio *m.* **3** garzone *m.* ♦ **little b.** bambino

to boycott ['bɔɪkət] *v. tr.* boicottare

boyfriend ['bɔɪfrend] *s.* ragazzo *m.*, fidanzato *m.*

boyhood ['bɔɪhʊd] *s.* fanciullezza *f.*

bra [braː] *s.* reggiseno *m.*

brace [breɪs] *s.* **1** sostegno *m.* **2** *al pl.* bretelle *f. pl.*

to brace [breɪs] *v. tr.* **1** sostenere **2** rinforzare ♦ **to b. oneself** farsi coraggio

bracelet ['breɪslɪt] *s.* braccialetto *m.*

bracing ['breɪsɪŋ] *agg.* tonificante

bracken ['brækən] *s.* felce *f.*

bracket ['brækɪt] *s.* **1** parentesi *f.* **2** supporto *m.*, mensola *f.*

bradyseism ['brædɪsaɪz(ə)m] *s.* bradisismo *m.*

to brag [bræ] *v. tr. e intr.* vantare, vantarsi

to braid [breɪd] *v. tr.* intrecciare

brain [breɪn] *s.* **1** cervello *m.* **2** *al pl.* ingegno *m.*

brainchild ['breɪntʃaɪld] *s.* (*fam.*) idea *f.*, creazione *f.*

brainwashing ['breɪnˌwɒʃɪŋ] *s.* lavaggio *m.* del cervello

braise [breɪz] *v. tr.* brasare

brake [breɪk] *s.* freno *m.*

to brake [breɪk] *v. tr.* frenare

bramble ['bræmbl] *s.* rovo *m.*

bran [bræn] *s.* crusca *f.*

branch [braːn(t)ʃ] *s.* **1** ramo *m.* **2** diramazione *f.* **3** sezione *f.*, succursale *f.*

to branch [braːn(t)ʃ] *v. intr.* **1** ramificare **2** diramarsi ♦ **to b. out** intraprendere una nuova attività

brand [brænd] *s.* **1** marca *f.* **2** marchio *m.* ♦ **b. new** nuovo di zecca

to brand [brænd] *v. tr.* marcare

to brandish ['brændɪʃ] *v. tr.* brandire

brandy ['brændɪ] *s.* acquavite *f.*

brash [bræʃ] *agg.* insolente, arrogante

brass [braːs] **A** *agg.* di ottone **B** *s.* **1** ottone *m.* **2** *al pl.* (*mus.*) ottoni *m. pl.* ♦ **b. band** fanfara

brassiere ['bræsɪeər] *s.* reggiseno *f.*

brat [bræt] *s.* (*spreg.*) marmocchio *m.*

brave [breɪv] *agg.* coraggioso, valoroso

to brave [breɪv] *v. tr.* sfidare, affrontare

brawl [brɔːl] *s.* rissa *f.*, tafferuglio *m.*

to brawl [brɔːl] *v. intr.* litigare, schiamazzare

brawny ['brɔːnɪ] *agg.* muscoloso

bray [breɪ] *s.* raglio *m.*

to bray [breɪ] *v. intr.* ragliare

brazen ['breɪzn] *agg.* sfacciato, sfrontato

brazier ['breɪzjər] *s.* braciere *m.*

breach [briːtʃ] *s.* **1** rottura *f.*, breccia *f.* **2** violazione *f.*, infrazione *f.*

bread [bred] *s.* pane *m.* ♦ **wholemeal b.** pane integrale

to bread [bred] *v. tr.* (*cuc.*) impanare

breadstick ['bredstɪk] *s.* grissino *m.*

breadth [bredθ] *s.* larghezza *f.*, ampiezza *f.*

breadwinner ['bredˌwɪnər] *s.* il sostegno *m.* della famiglia

break [breɪk] *s.* **1** rottura *f.* **2** interruzione *f.*, intervallo *m.*, pausa *f.* **3** (*fam.*) opportunità *f.* **4** violazione *f.*, irregolarità *f.*

to break [breɪk] (*pass.* **broke**, *p. p.* **broken**) **A** *v. tr.* **1** rompere, spezzare **2** infrangere, venir meno a **3** (*un record*) battere, superare **4** interrompere **5** rovinare **B** *v. intr.* **1** rompersi, spezzarsi **2** interrompersi, fare una pausa **3** diffondersi **4** (*di tempesta*) scoppiare ♦ **to b. away** allontanarsi; **to b. down** (*mecc.*) guastarsi, fallire, abbattere, crollare; **to b. even** chiudere in pareggio; **to b. in** irrompere, interrompere; **to b. off** staccare, interrompere; **to b. out** scoppiare, liberarsi da; **to b. through** sfondare, superare; **to b. up** distruggere, fare a pezzi, disperdere

breakage ['breɪkɪdʒ] *s.* **1** rottura *f.* **2** danni *m. pl.*

breakdown ['breɪkdaʊn] *s.* **1** (*mecc.*) guasto *m.*, (*naut.*) avaria *f.* **2** collasso *m.*, esaurimento *m.* **3** insuccesso *m.*, rottura *f.*

breakfast ['brekfəst] *s.* (prima) colazione *f.*

break-in ['breɪkɪn] *s.* irruzione *f.*

breaking ['breɪkɪŋ] *s.* **1** rottura *f.*, frattura *f.* **2** infrazione *f.* ♦ **b. and entering** violazione di domicilio con effrazione; **b.-**

point punto di rottura

breakthrough ['breɪkθru:] *s.* **1** (*mil.*) sfondamento *m.* **2** passo *m.* in avanti

breakup ['breɪk'ʌp] *s.* disfacimento *m.*

breakwater ['breɪk,wɔ:tər] *s.* frangiflutti *m. inv.*

breast [brest] *s.* petto *m.*, seno *m.* ♦ **b. pocket** taschino

to breast [brest] *v. tr.* **1** affrontare, tener testa a **2** scalare

breastbone ['bres(t)bəʊn] *s.* sterno *m.*

to breast-feed ['bres(t)fi:d] (*pass. e p. p.* **breast-fed**) *v. tr.* allattare al seno

breaststroke ['bres(t),strəʊk] *s.* nuoto *m.* a rana

breath [breθ] *s.* **1** fiato *m.*, respiro *m.* **2** soffio *m.* **3** mormorio *m.* ♦ **to be out of b.** essere senza fiato

to breathe [bri:ð] *v. tr. e intr.* respirare ♦ **to b. in/out** inspirare/espirare

breathing ['bri:ðɪŋ] *s.* respirazione *f.*, respiro *m.*

breathless ['breθlɪs] *agg.* **1** senza fiato, ansante **2** esanime

breathtaking ['breθ,teɪkɪŋ] *agg.* mozzafiato

bred [bred] *pass. e p. p. di* **to breed**

breed [bri:d] *s.* (*zool.*) razza *f.*, (*bot.*) varietà *f.*

to breed [bri:d] (*pass. e p. p.* **bred**) **A** *v. tr.* **1** generare, riprodurre **2** allevare, educare **B** *v. intr.* **1** (*di animali*) riprodursi, generare **2** originarsi

breeding ['bri:dɪŋ] *s.* **1** allevamento *m.* **2** procreazione *f.*, riproduzione *f.* **3** educazione *f.*

breeze [bri:z] *s.* brezza *f.*

breezy ['bri:zɪ] *agg.* **1** ventilato **2** allegro

brew [bru:] *s.* **1** infuso *m.*, miscela *f.* **2** (*di birra*) fermentazione *f.*

to brew [bru:] **A** *v. tr.* **1** fare un infuso **2** fare la birra **3** preparare il tè **B** *v. intr.* **1** essere in fermentazione, essere in infusione **2** prepararsi

brewer ['bru:ər] *s.* birraio *m.*

briar ['braɪər] *s.* **1** erica *f.* **2** pipa *f.* di radica

bribe [braɪb] *s.* bustarella *f.*, tangente *f.*

bribery ['braɪbərɪ] *s.* corruzione *f.*

brick [brɪk] *s.* mattone *m.*, laterizio *m.*

bricklayer ['brɪk,leɪ(r)ər] *s.* muratore *m.*

bridal ['braɪdl] *agg.* nuziale

bride [braɪd] *s.* sposa *f.* ♦ **b.'s cake** torta nuziale

bridegroom ['braɪdgrʊm] *s.* sposo *m.*

bridesmaid ['braɪdzmeɪd] *s.* damigella *f.* d'onore

bridge [brɪdʒ] *s.* **1** ponte *m.* **2** (*gioco*) bridge *m. inv.* ♦ **swing b.** ponte girevole

to bridge [brɪdʒ] *v. tr.* **1** costruire un ponte su, collegare con un ponte **2** (*fig.*) colmare ♦ **to b. over** essere d'aiuto a

bridle ['braɪdl] *s.* briglia *f.*

brief [bri:f] **A** *agg.* breve **B** *s.* **1** riassunto *m.* **2** (*dir.*) memoria *f.*, fascicolo *m.* **3** direttive *f. pl.*, istruzioni *f. pl.* **4** *al pl.* mutande *f. pl.*

to brief [bri:f] *v. tr.* **1** riassumere **2** dare istruzioni a, ragguagliare

briefcase ['bri:fkeɪs] *s.* cartella *f.* (portadocumenti)

briefing ['bri:fɪŋ] *s.* briefing *m. inv.*

brig [brɪg] *s.* (*naut.*) brigantino *m.*

bright [braɪt] *agg.* **1** luminoso, brillante **2** vivace, sveglio (*fig.*)

to brighten ['braɪtn] **A** *v. tr.* **1** ravvivare, far brillare **2** rallegrare **B** *v. intr.* **1** illuminarsi, schiarirsi **2** rallegrarsi

brightness ['braɪtnɪs] *s.* **1** luminosità *f.* **2** vivacità *f.*, intelligenza *f.*

brights [braɪts] *s. pl.* (*USA*) (*autom.*) abbaglianti *m. pl.*

brilliance ['brɪljəns] *s.* **1** brillantezza *f.*, splendore *m.* **2** vivacità *f.*

brilliant ['brɪljənt] *agg.* **1** brillante **2** splendido

brim [brɪm] *s.* **1** orlo *m.*, margine *m.* **2** (*di cappello*) falda *f.*

brine [braɪn] *s.* salamoia *f.*

to bring [brɪŋ] (*pass. e p. p.* **brought**) *v. tr.* **1** portare, prendere con sé **2** causare, produrre **3** persuadere ♦ **to b. about** causare, determinare; **to b. along** condurre con sé; **to b. back** riportare, restituire; **to b. down** far calare, abbattere; **b. forward** anticipare, avanzare (*proposte*); **to b. off** portare a termine; **to b. out** tirare fuori, far uscire (*un prodotto, un libro*); **to b. round** convincere; **b. up** allevare, educare, sollevare (*una questione*)

brink [brɪŋk] *s.* orlo *m.*, margine *m.*

brisk [brɪsk] *agg.* svelto, vivace

bristle ['brɪsl] *s.* setola *f.*

British ['brɪtɪʃ] *agg.* britannico

brittle ['brɪtl] *agg.* fragile

broach [brəʊtʃ] *s.* **1** spiedo *m.* **2** guglia *f.*

to broach [brəʊtʃ] *v. tr.* **1** (*una botte*) spillare **2** (*una bottiglia*) stappare **3** (*un argomento*) affrontare

broad [brɔːd] *agg.* **1** largo, esteso **2** evidente, chiaro **3** marcato, spiccato **4** generale, essenziale ♦ **b.-minded** tollerante

broadcast ['brɔːdkɑːst] *s.* (*radio*, *TV*) trasmissione *f.*

to broadcast ['brɔːdkɑːst] (*pass. e p. p.* **broadcast**) *v. tr.* (*radio*, *TV*) trasmettere

to broaden ['brɔːdn] **A** *v. tr.* allargare **B** *v. intr.* allargarsi

broadness ['brɔːdnɪs] *s.* larghezza *f.*

brocade [brə'keɪd] *s.* broccato *m.*

broccoli ['brɒkəlɪ] *s.* broccolo *m.*

brochure ['brəʊʃjʊər] *s.* opuscolo *m.*

to broil [brɔɪl] **A** *v. tr.* cuocere (*allo spiedo, alla griglia*) **B** *v. intr.* bruciare, arrostirsi

broken ['brəʊk(ə)n] **A** *p. p. di* **to break** **B** *agg.* **1** rotto, spezzato **2** interrotto **3** indebolito ♦ **b. ground** terreno accidentato; **b.-hearted** dal cuore spezzato; **b. sleep** sonno agitato

broker ['brəʊkər] *s.* mediatore *m.*, agente *m.*, broker *m. inv.*

brolly ['brɒlɪ] *s.* (*pop.*) ombrello *m.*

bronchitis [brɒŋ'kaɪtɪs] *s.* bronchite *f.*

bronchopneumonia [ˌbrɒŋkəʊ(ʊ)njuː(ː)'məʊnjə] *s.* broncopolmonite *f.*

bronze [brɒnz] *s.* bronzo *m.*

brooch [brəʊtʃ] *s.* spilla *f.*

brood [bruːd] *s.* nidiata *f.*, covata *f.*

to brood [bruːd] *v. tr. e intr.* **1** covare **2** (*fig.*) meditare, rimuginare

brook [brʊk] *s.* ruscello *m.*

broom [brʊm] *s.* **1** ginestra *f.* **2** ramazza *f.*, scopa *f.*

broth [brɒθ] *s.* brodo *m.*

brothel ['brɒθl] *s.* postribolo *m.*

brother ['brʌðər] *s.* fratello *m.* ♦ **b.-in-law** cognato

brought [brɔːt] *pass. e p. p. di* **to bring**

brow [braʊ] *s.* **1** fronte *f.* **2** *al pl.* sopracciglia *f. pl.* **3** orlo *m.*

brown [braʊn] **A** *agg.* bruno, castano **B** *s.* marrone *m.* ♦ **b. bread** pane nero

to browse [braʊz] *v. intr.* **1** brucare **2** girellare

bruise [bruːz] *s.* ammaccatura *f.*, contusione *f.*, livido *m.*

to bruise [bruːz] *v. tr. e intr.* ammaccare, farsi un livido

brunt [brʌnt] *s.* urto *m.*

brush [brʌʃ] *s.* **1** spazzola *f.*, spazzolino *m.* **2** pennello *m.* **3** boscaglia *f.* ♦ **hair b.** spazzola per capelli; **shaving b.** pennello da barba

to brush [brʌʃ] *v. tr.* **1** spazzolare **2** sfiorare ♦ **to b. away/aside** cacciar via, scostare; **to b. off** rifiutare seccamente, ignorare; **to b. up** dare una ripassata

brusque [bruː(ː)sk] *agg.* brusco

Brussels sprouts [ˌbrʌs(ə)lz'spraʊts] *s. pl.* cavolini *m. pl.* di Bruxelles

brutal ['bruːtl] *agg.* brutale

brute [bruːt] *agg.* bruto

bubble ['bʌbl] *s.* bolla *f.* ♦ **b. bath** bagno schiuma

to bubble ['bʌbl] *v. intr.* gorgogliare, spumeggiare

buck [bʌk] *s.* **1** (maschio di) daino *m.*, cervo *m.*, antilope *f.*, coniglio *m.*, lepre *f.* **2** (*USA, fam.*) dollaro *m.*

to buck [bʌk] *v. intr.* **1** (*di cavallo*) impennarsi **2** fare resistenza ♦ **to b. off** disarcionare; **to b. up** rallegrare, rianimarsi

bucket ['bʌkɪt] *s.* secchiello *m.*

buckle ['bʌkl] *s.* fibbia *f.*

to buckle ['bʌkl] **A** *v. tr.* allacciare (*con fibbia*) **B** *v. intr.* (*mecc.*) deformarsi, piegarsi

buckskin ['bʌkskɪn] *s.* pelle *f.* di camoscio

bucolic [bjuː(ː)'kɒlɪk] *agg.* bucolico

bud [bʌd] *s.* **1** bocciolo *m.* **2** gemma *f.*

to bud [bʌd] *v. intr.* **1** sbocciare **2** germogliare

Buddhism ['bʊdɪz(ə)m] *s.* buddismo *m.*

budding ['bʌdɪŋ] *agg. attr.* in erba

buddy ['bʌdɪ] *s.* (*USA, fam.*) amico *m.*, compagno *m.*

to budge [bʌdʒ] **A** *v. tr.* spostare, muovere **B** *v. intr.* spostarsi, scostarsi

budget ['bʌdʒɪt] *s.* bilancio *m.* preventivo

to budget ['bʌdʒɪt] **A** *v. tr.* preventivare, programmare **B** *v. intr.* fare un bilancio preventivo

buff [bʌf] *s.* **1** pelle *f.* scamosciata **2** (*fam.*) appassionato *m.*

buffalo ['bʌfələʊ] *s.* bufalo *m.*

buffer ['bʌfər] *s.* **1** (*ferr.*) respingente *m.* **2** (*mecc., inf.*) tampone *m.*

buffet (1) ['bʌfɪt] *s.* **1** credenza *f.* **2** buffet *m. inv.* ♦ **b. car** vagone ristorante

buffet (2) ['bʌfɪt] *s.* schiaffo *m.*, colpo *m.*

to buffet ['bʌfɪt] *v. tr.* **1** colpire, schiaffeggiare **2** urtare

buffoon [bʌ'fuːn] *s.* buffone *m.*

bug [bʌg] *s.* **1** cimice *f.* **2** (*USA*) insetto *m.* **3** (*fam.*) microbo *m.*, germe *m.* **4** (*fam.*) problema *m.* **5** (*inf.*) errore *m.*, difetto *m.*

6 (*fam.*) microspia *f.*

buggy ['bʌgɪ] *s.* **1** carrozzino *m.* **2** passeggino *m.*

bugle ['bju:gl] *s.* corno *m.* da caccia, tromba *f.*

build [bɪld] *s.* **1** struttura *f.* **2** corporatura *f.*

to build [bɪld] (*pass. e p. p.* **built**) *v. tr.* costruire, edificare ♦ **to b. in** incassare, incorporare; **to b. up** aumentare, sviluppare, accumulare

builder ['bɪldər] *s.* costruttore *m.*

building ['bɪldɪŋ] ·**A** *s.* **1** costruzione *f.* **2** edificio *m.* **B** *agg.* edile, edilizio ♦ **b. code** regolamento edilizio

built [bɪlt] *pass. e p. p. di* **to build** ♦ **b.-in** incassato, incorporato; **b.-up** costruito

bulb [bʌlb] *s.* **1** (*bot.*) bulbo *m.* **2** lampadina *f.* ♦ **b. socket** portalampada

Bulgarian [bʌl'geərɪən] *agg.* bulgaro

bulge [bʌldʒ] *s.* rigonfiamento *m.*

to bulge [bʌldʒ] *v. tr. e intr.* gonfiare, gonfiarsi

bulk [bʌlk] *s.* **1** mole *f.*, volume *m.* **2** la maggior parte *f.*

bulkhead ['bʌlkhed] *s.* (*naut.*) paratia *f.*

bulky ['bʌlkɪ] *agg.* massiccio, voluminoso

bull (1) [bul] *s.* **1** toro *m.* **2** (*di grandi mammiferi*) maschio *m.* **3** (*Borsa*) rialzo *m.*

bull (2) [bul] *s.* bolla *f.*, editto *m.*

bulldozer ['bul,dəʊzər] bulldozer *m. inv.*

bullet ['bulɪt] *s.* proiettile *m.*

bulletin ['bulɪtɪn] *s.* bollettino *m.*

bulletproof ['bulɪt,pru:f] *agg.* antiproiettile, blindato

bullfight ['bulfaɪt] *s.* corrida *f.*

bullion ['buljən] *s.* oro *m.* (in lingotti), argento *m.* (in lingotti)

bullock ['bulək] *s.* manzo *m.*

bully ['bulɪ] *agg.* prepotente

bulwark ['bulwək] *s.* **1** baluardo *m.* **2** frangiflutti *m. inv.* **3** (*naut.*) murata *f.*

bum [bʌm] *s.* (*volg.*) sedere *m.*

to bum [bʌm] (*pass. e p. p.* **bummed**) **A** *v. intr.* (*USA*) oziare, fare il vagabondo **B** *v. tr.* (*USA, fam.*) scroccare

bump [bʌmp] *s.* **1** urto *m.*, colpo *m.*, scossone *m.* **2** protuberanza *f.*, bernoccolo *m.*

to bump [bʌmp] *v. tr. e intr.* **1** urtare, collidere **2** tamponare ♦ **to b. into** sbattere contro, imbattersi in

bumper [bʌmpər] **A** *s.* paraurti *m. inv.*, respingente *m.* **B** *agg.* eccezionale, abbondante

bumptious ['bʌm(p)ʃəs] *agg.* presuntuoso

bumpy ['bʌmpɪ] *agg.* accidentato, dissestato

bun [bʌn] *s.* focaccia *f.*, ciambella *f.*, panino *m.* dolce

bunch [bʌn(t)ʃ] *s.* **1** mazzo *m.*, grappolo *m.* **2** gruppo *m.*

bundle ['bʌndl] *s.* **1** fascio *m.* **2** involto *m.*, fagotto *m.*

to bundle ['bʌndl] *v. tr.* **1** affastellare, impacchettare **2** spingere a forza ♦ **to b. off** spingere via

bungalow ['bʌŋgələʊ] *s.* bungalow *m. inv.*

to bungle ['bʌŋgl] *v. tr.* pasticciare, abborracciare

bunion ['bʌnjən] *s.* callo *m.* (*al piede*)

bunk [bʌŋk] *s.* cuccetta *f.* ♦ **b. bed** letto a castello

bunker ['bʌŋkər] *s.* **1** serbatoio *m.* di combustibile **2** bunker *m. inv.*

bunny ['bʌnɪ] *s.* coniglietto *m.*

bunting ['bʌntɪŋ] *s.* pavese *m.*

buoy [bɔɪ] *s.* boa *f.*, gavitello *m.*

to buoy [bɔɪ] *v. tr.* **1** far galleggiare, tenere a galla **2** sostenere

buoyancy ['bɔɪənsɪ] *s.* galleggiabilità *f.*

buoyant ['bɔɪənt] *agg.* **1** galleggiante **2** allegro, vivace

burden ['bɜ:dn] *s.* peso *m.*, carico *m.*

to burden ['bɜ:dn] *v. tr.* caricare, gravare

burdensome ['bɜ:dnsəm] *agg.* gravoso, oneroso

bureau ['bjʊə(ə)rəʊ] *s.* (*pl.* **bureaux**) **1** ufficio *m.* **2** scrittoio *m.*, scrivania *f.* **3** (*USA*) dipartimento *m.*

bureaucracy [bjʊə(ə)'rɒkrəsɪ] *s.* burocrazia *f.*

bureaucratic [,bjʊərɒ(ʊ)'krætɪk] *agg.* burocratico

burglar ['bɜ:glər] *s.* scassinatore *m.* ♦ **b. alarm** (allarme) antifurto

burglary ['bɜ:glərɪ] *s.* furto *m.* con scasso

to burgle ['bɜ:gl] *v. tr.* scassinare, svaligiare

burial ['berɪəl] *s.* sepoltura *f.* ♦ **b. ground** cimitero

burlesque [bɜ:'lesk] *agg.* burlesco

burly ['bɜ:lɪ] *agg.* corpulento

burn [bɜ:n] *s.* scottatura *f.*, ustione *f.*

to burn [bɜ:n] (*pass. e p. p.* **burnt**, *raro* **burned**) **A** *v. tr.* **1** bruciare, incendiare **2** ustionare, scottare **B** *v. intr.* **1** bruciare, incendiarsi **2** scottare **3** divampare ♦ **to b. down** distruggere col fuoco; **to b. out** estinguersi, consumarsi

burner ['bɜ:nər] *s.* bruciatore *m.*

burning ['bɜ:nɪŋ] **A** s. bruciore m., bruciatura f. **B** agg. rovente, scottante

burnt [bɜ:nt] pass. e p. p. di **to burn**

burrow ['bʌrɒʊ] s. tana f.

to burrow ['bʌrɒʊ] **A** v. tr. scavare (una tana) **B** v. intr. rintanarsi, nascondersi

burst [bɜ:st] s. esplosione f., scoppio m.

to burst [bɜ:st] (pass. e p. p. **burst**) v. intr. esplodere, scoppiare, saltare in aria ♦ **to b. in** interrompere; **to b. into, to b. out** scoppiare a (ridere, piangere)

to bury ['bɛrɪ] v. tr. seppellire ♦ **to b. away** nascondere

bus [bʌs] s. autobus m. inv. ♦ **b. line** autolinea; **b.-stop** fermata d'autobus

bush [bʊʃ] s. 1 cespuglio m. 2 boscaglia f.

busily ['bɪzɪlɪ] avv. alacremente

business ['bɪznɪs] s. 1 affare m., affari m. pl. 2 lavoro m., occupazione f. 3 commercio m. ♦ **b. consultant** commercialista; **b.-like** efficiente; **b. trip** viaggio d'affari

businessman ['bɪznɪsm(ə)n] s. (pl. businessmen) uomo m. d'affari

busker ['bʌskər] s. suonatore m. ambulante

bust (1) [bʌst] s. busto m.

bust (2) [bʌst] **A** s. (fam.) fallimento m., rovina f. **B** agg. rotto ♦ **to go b.** fallire

bustle ['bʌsl] s. trambusto m.

to bustle ['bʌsl] v. intr. agitarsi, darsi da fare

busy ['bɪzɪ] agg. 1 attivo, indaffarato 2 (di telefono) occupato

busybody ['bɪzɪ,bɒdɪ] s. intrigante m., ficcanaso m.

but [bʌt, bət] **A** cong. ma, però, tuttavia, eppure **B** prep. eccetto, tranne **C** avv. soltanto ♦ **b. for** se non fosse stato per

butcher ['bʊtʃər] s. macellaio m. ♦ **b.'s shop** macelleria

butler ['bʌtlər] s. maggiordomo m.

butt (1) [bʌt] s. botte f.

butt (2) [bʌt] s. 1 impugnatura f., estremità f. 2 mozzicone m. 3 bersaglio m.

to butt [bʌt] v. tr. e intr. cozzare, urtare ♦ **to b. in** intromettersi

butter ['bʌtər] s. burro m.

to butter ['bʌtər] v. tr. imburrare

buttercup ['bʌtəkʌp] s. ranuncolo m.

butterfly ['bʌtəflaɪ] s. farfalla f.

buttock ['bʌtək] s. natica f.

button ['bʌtn] s. 1 bottone m. 2 pulsante m. 3 (USA) distintivo m. 4 germoglio m.

to button ['bʌtn] v. tr. abbottonare

buttonhole ['bʌtnhəʊl] s. asola f., occhiello m.

buttress ['bʌtrɪs] s. 1 sostegno m. 2 contrafforte m.

buxom ['bʌksəm] agg. (di donna) formosa

to buy [baɪ] (pass. e p. p. **bought**) v. tr. comprare ♦ **to b. back** ricomprare; **to b. by instalments** comprare a rate; **to b. out** rilevare; **to b. up** accaparrarsi

buyer ['baɪər] s. compratore m.

to buzz [bʌz] v. intr. ronzare

buzzer ['bʌzər] s. cicalino m.

by [baɪ] **A** prep. 1 (luogo) presso, davanti, accanto a, attraverso, per, via, verso (ES: **by the river** presso il fiume) 2 (tempo) di, da, entro (**by night** di notte, **by tomorrow** entro domani) 3 (mezzo) con, a, per, per mezzo di, in (ES: **by train** in treno, **by cheque** con assegno) 4 (modo) per, di, a, secondo, da (ES: **to judge by appearances** giudicare dalle apparenze) 5 (agente) da (ES: **Penicillin was discovered by Fleming** la penicillina fu scoperta da Fleming) 6 (misura) per, a, di (ES: **2 feet by 3** 2 piedi per 3) **B** avv. 1 vicino, accanto 2 da parte, in disparte ♦ **by chance** per caso; **by hand** a mano; **by all means** senz'altro; **by now** ormai; **by the way** a proposito, incidentalmente; **by then** allora; **one by one** uno per volta

bye(-bye) ['baɪbaɪ] inter. ciao

bygone ['baɪgɒn] agg. passato, antico

bylaw ['baɪlɔ:] s. (dir) legge f. locale

bypass ['baɪpɑ:s] s. 1 tangenziale f., circonvallazione f. 2 derivazione f. 3 deviazione f., by-pass m. inv.

by-product ['baɪprɒdəkt] s. 1 sottoprodotto m. 2 effetto m. secondario

byroad ['baɪrɒʊd] s. strada f. secondaria

bystander ['baɪstændər] s. spettatore m.

by-way ['baɪweɪ] s. 1 strada f. appartata 2 scorciatoia f.

by-word ['baɪwɜ:d] s. 1 detto m., proverbio m. 2 personificazione f.

by-work ['baɪwɜ:k] s. lavoro m. secondario

C

cab [kæb] *s.* **1** (*USA*) taxi *m. inv.* **2** (*ferr., di camion*) cabina *f.*

cabal [kə'bæl] *s.* **1** congiura *f.*, intrigo *m.* **2** combriccola *f.*

cabaret ['kæbə,reɪ] *s.* cabaret *m. inv.*

cabbage ['kæbɪdʒ] *s.* cavolo *m.*

cab(b)ala [kə'bɑːlə] *s.* cabala *f.*

cab(b)alistic [,kæbə'lɪstɪk] *agg.* cabalistico

cabin ['kæbɪn] *s.* **1** cabina *f.* **2** capanna *f.* ♦ **c. boy** mozzo

cabinet ['kæbɪnɪt] *s.* **1** stipo *m.*, mobiletto *m.* **2** (*pol.*) gabinetto *m.*, consiglio *m.* dei ministri

cable ['keɪbl] *s.* **1** cavo *m.* **2** cablogramma *m.* ♦ **c. car** funivia; **c. television** televisione via cavo

cableway ['keɪblweɪ] *s.* **1** teleferica *f.* **2** funivia *f.*

cabman ['kæbmən] *s.* (*USA*) tassista *m. e f.*

cabotage ['kæbətɪdʒ] *s.* cabotaggio *m.*

cacao [kə'kɑːʊ] *s.* cacao *m.*

cache [kæʃ] *s.* nascondiglio *m.*

to cache [kæʃ] *v. tr.* nascondere

to cackle ['kækl] *v. intr.* schiamazzare

cactus ['kæktəs] *s.* cactus *m. inv.*

cad [kæd] *s.* mascalzone *m.*

cadastre [kə'dæstrər] *s.* catasto *m.*

cadence ['keɪd(ə)ns] *s.* cadenza *f.*

cadet [kə'det] *s.* cadetto *m.*

to cadge [kædʒ] **A** *v. intr.* mendicare **B** *v. tr.* scroccare

cadre ['kɑːdrə] *s.* **1** (*pol., mil.*) quadro *m.* **2** schema *m.*

café ['kæfeɪ] *s.* caffè *m. inv.*

cafeteria [,kæfɪ'tɪərɪə] *s.* tavola *f.* calda, mensa *f.*, self-service *m. inv.*

caffeine ['kæfiːn] *s.* caffeina *f.*

cage [keɪdʒ] *s.* **1** gabbia *f.* **2** recinto *m.*

cagey ['keɪdʒɪ] *agg.* (*fam.*) cauto, riluttante

cake [keɪk] *s.* **1** torta *f.*, focaccia *f.*, pasticcino *m.* **2** tavoletta *f.* ♦ **c. of soap** saponetta

to cake [keɪk] *v. tr. e intr.* incrostare, incrostarsi

calamity [kə'læmɪtɪ] *s.* calamità *f.*

calcareous [kæl'kɛərɪəs] *agg.* calcareo

calcium ['kælsɪəm] *s.* (*chim.*) calcio *m.*

to calculate ['kælkjuleɪt] **A** *v. tr.* calcolare **B** *v. intr.* **1** fare affidamento su **2** (*USA*) credere, ritenere

calculation [,kælkjʊ'leɪʃ(ə)n] *s.* **1** (*mat.*) calcolo *m.*, conto *m.* **2** congettura *f.*

calculator ['kælkjuleɪtər] *s.* calcolatrice *f.*

calculus ['kælkjʊləs] *s.* (*med., mat.*) calcolo *m.*

calendar ['kælɪndər] *s.* calendario *m.* ♦ **c. year** anno civile

calf (1) [kɑːf] (*pl.* **calves**) *s.* vitello *m.*

calf (2) [kɑːf] (*pl.* **calves**) *s.* polpaccio *m.*

to calibrate ['kælɪbreɪt] *v. tr.* calibrare

calibre ['kælɪbər] (*USA* **caliber**) *s.* **1** (*mecc.*) calibro *m.* **2** (*fig.*) importanza *f.*

calix ['kælɪks] *s.* calice *m.*

call [kɔːl] *s.* **1** richiamo *m.* **2** chiamata *f.*, telefonata *f.*, comunicazione *f.* **3** breve visita *f.* **4** scalo *m.*, (*di treno*) fermata *f.* **5** richiesta *f.* **6** necessità *f.*, motivo *m.* ♦ **c. box** cabina telefonica; **charge c.** (*USA* **collect c.**) telefonata a carico del destinatario; **self-dialled c.** chiamata in teleselezione; **trunk c.** (*USA* **long distance c.**) telefonata interurbana

to call [kɔːl] **A** *v. tr.* **1** chiamare **2** annunciare **3** telefonare a **4** convocare, far venire **B** *v. intr.* **1** chiamare, gridare **2** telefonare **3** fare una visita, passare **4** fare scalo, fare una fermata ♦ **to c. attention** richiamare l'attenzione; **to c. back** richiamare; **to c. for** passare a prendere, richiedere; **to c. in** far intervenire, richiamare; **to c. off** disdire, annullare; **to c. on** fare una visita a; **to c. out** urlare, chiamare a voce alta; **to c. up** telefonare a, richiamare alle armi

caller ['kɔːlər] *s.* visitatore *m.*

calligraphy [,kæl'ɪgrəfɪ] *s.* calligrafia *f.*

calling ['kɔːlɪŋ] *s.* **1** occupazione *f.*, professione *f.* **2** vocazione *f.* ♦ **c. card** biglietto da visita

callous ['kæləs] *agg.* **1** calloso **2** (*fig.*) insensibile

callus ['kæləs] *s.* callo *m.*

calm [kɑːm] **A** *agg.* calmo, tranquillo **B** *s.* calma *f.*

to calm [kɑːm] *v. tr.* calmare, placare ♦ **to c. down** calmarsi, calmare

calmative ['kælmətɪv] *agg. e s.* tranquillante *m.*

calmly ['ka:mlɪ] *avv.* con calma

caloric [kə'lɒrɪk] *agg.* calorico

calorie ['kælərɪ] *s.* caloria *f.*

Calvinism ['kælvɪnɪz(ə)m] *s.* calvinismo *m.*

Calvinist ['kælvɪnɪst] *s.* calvinista *m. e f.*

camber ['kæmbər] *s.* (*tecnol.*) curvatura *f.*

came [keɪm] *pass. di* **to come**

camel ['kæməl] *s.* cammello *m.*

camellia [kə'mi:ljə] *s.* camelia *f.*

cameo ['kæmɪəʊ] *s.* cammeo *m.*

camera ['kæmərə] *s.* **1** macchina *f.* fotografica **2** cinepresa *f.*, telecamera *f.*

camisole ['kæmɪsəʊl] *s.* maglietta *f.*

camomile ['kæməmaɪl] *s.* camomilla *f.*

camouflage ['kæmʊfla:ʒ] *s.* travestimento *m.*, mimetizzazione *f.*

to camouflage ['kæmʊfla:ʒ] *v. tr.* mimetizzare, camuffare

camp (1) [kæmp] *s.* **1** (*mil.*) campo *m.*, accampamento *m.* **2** campeggio *m.* **3** (*fig.*) campo *m.*, partito *m.*

camp (2) [kæmp] *agg.* (*fam.*) affettato, effeminato

to camp [kæmp] *v. intr.* **1** accamparsi **2** campeggiare

campaign [kæm'peɪn] *s.* campagna *f.*

to campaign [kæm'peɪn] *v. intr.* fare una campagna

camper ['kæmpər] *s.* **1** campeggiatore *m.* **2** camper *m. inv.*

camping ['kæmpɪŋ] *s.* (il fare) campeggio *m.*

campsite ['kæmpsaɪt] *s.* campeggio *m.* (*luogo*)

campus ['kæmpəs] *s.* campus *m. inv.*

campy ['kæmpɪ] *agg.* effeminato

can (1) [kæn, k(ə)n] (*congiuntivo pass. e condiz.* **could**; *forme neg.* **cannot, can not, can't, couldn't, could not**) *v. difett.* **1** (*possibilità, capacità*) potere, riuscire a, essere in grado di, sapere (ES: **I can write the report today** posso scrivere la relazione oggi, **can he speak Italian?** sa parlare italiano?) **2** (*permesso*) potere, essere permesso (ES: **you cannot go outside Europe without your passport** non puoi uscire dall'Europa senza il passaporto) **3** (*per chiedere informazioni, permesso e sim.*) potere (ES: **can I use the phone?** posso usare il telefono?, **could you open the window?** potresti aprire la finestra?) **4** (*supposizione*) essere possibile (ES: **c. it be true?** possibile che sia vero?) **5**

(*idiom.*) (ES: **can you see that woman at the window?** vedi quella donna alla finestra?)

can (2) [kæn] *s.* barattolo *m.*, latta *f.*, lattina *f.*, tanica *f.*, scatola *f.* ♦ **c. opener** apriscatole

to can [kæn] *v. tr.* inscatolare

Canadian [kə'neɪdjən] *agg.* canadese

canal [kə'næl] *s.* canale *m.*

canalization [ˌkænəlaɪ'zeɪʃ(ə)n] *s.* canalizzazione *f.*

to canalize ['kænəlaɪz] *v. tr.* **1** canalizzare **2** incanalare

canary [kə'nɛərɪ] *s.* canarino *m.*

canasta [kə'næstə] *s.* canasta *f.*

to cancel ['kæns(ə)l] *v. tr.* **1** cancellare **2** annullare, disdire

cancellation [ˌkænsə'leɪʃ(ə)n] *s.* cancellazione *f.*, annullamento *m.*

cancer ['kænsər] *s.* cancro *m.*

candelabrum [ˌkændɪ'la:brəm] *s.* candelabro *m.*

candid ['kændɪd] *agg.* sincero, schietto

candidate ['kændɪdɪt] *s.* candidato *m.*

candidature ['kændɪdɪtʃər] *s.* candidatura *f.*

candied ['kændɪd] *agg.* candito

candle ['kændl] *s.* candela *f.*

candlelight ['kændllaɪt] *s.* lume *m.* di candela

candlestick ['kændlstɪk] *s.* candeliere *m.*, bugia *f.*

candour ['kændər] (*USA* **candor**) *s.* franchezza *f.*, candore *m.*

candy ['kændɪ] *s.* **1** zucchero *m.* candito **2** (*USA*) caramella *f.*, dolciume *m.* ♦ **c. floss** zucchero filato

cane [keɪn] *s.* **1** canna *f.*, giunco *m.* **2** bastone *m.* (*da passeggio*) **3** verga *f.*

to cane [keɪn] *v. tr.* bastonare, fustigare

canine ['kænaɪn] *agg. e s.* canino *m.*

canister ['kænɪstər] *s.* scatola *f.* metallica

canna ['kænə] *s.* (*bot.*) canna *f.*

canned [kænd] *agg.* in scatola ♦ **c. food** scatolame

cannibal ['kænɪb(ə)l] *s.* cannibale *m.*

cannibalism ['kænɪbəlɪz(ə)m] *s.* cannibalismo *m.*

cannon ['kænən] *s.* cannone *m.*

cannot ['kænət] → **can (1)**

canny ['kænɪ] *agg.* circospetto, astuto

canoe [kə'nu:] *s.* canoa *f.*

canon ['kænən] *s.* **1** canone *m.* **2** canonico *m.*

canonical [kə'nɒnɪk(ə)l] *agg.* canonico

canopy ['kænəpɪ] *s.* baldacchino *m.*

to cant [kænt] *v. intr.* inclinarsi, curvarsi

cantankerous [kən'tæŋk(ə)rəs] *agg.* (*fam.*) irascibile, litigioso

cantata [kæn'tɑ:tə] *s.* (*mus.*) cantata *f.*

canteen [kæn'ti:n] *s.* 1 mensa *f.* 2 posto *m.* di ristoro 3 servizio *m.* di posate

canter ['kæntər] *s.* piccolo galoppo *m.*

cantilever ['kæntɪˌliːvər] *s.* mènsola *f.*, trave *f.* a sbalzo ♦ **c. roof** pensilina

canvas ['kænvəs] *s.* tela *f.*

canvass ['kænvəs] *s.* 1 propaganda *f.* elettorale, sollecitazione *f.* (di voti) 2 analisi *f.*

to canvass ['kænvəs] *v. tr.* 1 sollecitare voti, fare propaganda 2 esaminare a fondo

canyon ['kænjən] *s.* canyon *m. inv.*

cap [kæp] *s.* 1 berretto *m.* 2 tappo *m.*, cappuccio *m.* 3 (*di fungo*) cappella *f.*

to cap [kæp] *v. tr.* 1 tappare, coprire 2 coronare 3 superare

capability [ˌkeɪpə'bɪlɪtɪ] *s.* capacità *f.*, facoltà *f.*

capable ['keɪpəbl] *agg.* 1 capace, abile 2 suscettibile di

capacious [kə'peɪʃəs] *agg.* capiente, spazioso

capacity [kə'pæsɪtɪ] *s.* 1 capacità *f.*, capienza *f.*, portata *f.* 2 capacità *f.*, abilità *f.*

cape [keɪp] *s.* 1 capo *m.*, promontorio *m.* 2 cappa *f.*, mantellina *f.*

caper (1) ['keɪpər] *s.* cappero *m.*

caper (2) ['keɪpər] *s.* 1 capriola *f.*, salto *m.* 2 monelleria *f.*

to caper ['keɪpər] *v. intr.* saltellare, fare capriole

capillarity [ˌkæpɪ'lærɪtɪ] *s.* capillarità *f.*

capillary [kə'pɪlərɪ] *agg.* capillare

capital (1) ['kæpɪt(ə)l] **A** *agg.* 1 capitale 2 (*econ.*) relativo al capitale 3 (*di lettera*) maiuscolo **B** *s.* 1 (*di città*) capitale *f.* 2 (lettera) maiuscola *f.* 3 (*econ.*) capitale *m.* ♦ **c. punishment** pena capitale; **share c.** capitale azionario

capital (2) ['kæpɪt(ə)l] *s.* (*arch.*) capitello *m.*

capitalism ['kæpɪtəlɪz(ə)m] *s.* capitalismo *m.*

capitalist ['kæpɪtəlɪst] *s.* capitalista *m. e f.*

to capitalize [kə'pɪtəlaɪz] **A** *v. tr.* capitalizzare **B** giovarsi di

to capitulate [kə'pɪtjʊleɪt] *v. intr.* capitolare, arrendersi

caprice [kə'priːs] *s.* capriccio *m.*

caprine ['kæpraɪn] *agg.* caprino

to capsize [kæp'saɪz] *v. tr. e intr.* capovolgere, capovolgersi

capsule ['kæpsjuːl] *s.* capsula *f.*

captain ['kæptɪn] *s.* capitano *m.*, comandante *m.*

caption ['kæpʃ(ə)n] *s.* didascalia *f.*, titolo *m.*

to captivate ['kæptɪveɪt] *v. tr.* avvincere, attrarre

captive ['kæptɪv] *agg. e s.* prigioniero *m.*

captivity [kæp'tɪvɪtɪ] *s.* cattività *f.*

capture ['kæptʃər] *s.* 1 cattura *f.* 2 preda *f.*, bottino *m.*

to capture ['kæptʃər] *v. tr.* catturare

Capuchin ['kæpjʊʃɪn] *s.* (frate) cappuccino *m.*

car [kɑːr] *s.* 1 automobile *f.*, macchina *f.*, vettura *f.* 2 vagone *m.* ♦ **c. body repairer** carrozziere; **c. electrician** elettrauto; **c. hire** autonoleggio; **c. park** parcheggio; **c. wash** autolavaggio; **sleeping c.** vagone letto

carafe [kə'rɑːf] *s.* caraffa *f.*

caramel ['kærəmel] *s.* 1 caramello *m.* 2 caramella *f.*

caravan ['kærəvæn] *s.* 1 carovana *f.* 2 roulotte *f. inv.*

carbohydrate [ˌkɑːbɒ(ʊ)'haɪdreɪt] *s.* carboidrato *m.*

carbon ['kɑːbən] *s.* carbonio *m.*

to carbonize ['kɑːbənaɪz] *v. tr.* carbonizzare

carburettor [ˌkɑːbju'retər] (*USA* **carburator**) *s.* carburatore *m.*

carcinogenic [ˌkɑːsɪnɒ(ʊ)'dʒenɪk] *agg.* cancerogeno

card [kɑːd] *s.* 1 scheda *f.*, tessera *f.* 2 biglietto *m.* da visita ♦ **c. holder** schedario; **c. member** tesserato; **identity c.** carta d'identità; **playing cards** carte da gioco; **post c.** cartolina

cardboard ['kɑːdbɔːd] *s.* cartone *m.*

cardiac ['kɑːdɪæk] *agg.* cardiaco

cardigan ['kɑːdɪgən] *s.* cardigan *m. inv.*

cardinal ['kɑːdɪn(ə)l] *agg. e s.* cardinale *m.*

cardiogram ['kɑːdɪʊɡræm] *s.* cardiogramma *m.*

cardiologist [ˌkɑːdɪ'ələdʒɪst] *s.* cardiologo *m.*

cardiopath ['kɑːdɪɒ(ʊ)pɑːθ] *s.* cardiopatico *m.*

care [keər] *s.* 1 cura *f.*, attenzione *f.* 2 vigilanza *f.*, custodia *f.* 3 preoccupazione *f.*

♦ **c. of** (*abbr* **c/o**) (*negli indirizzi*) presso; **to take c. of** curare, occuparsi di

to care [keər] *v. intr.* **1** preoccuparsi, importare, interessarsi **2** voler bene ♦ **to c. for** prendersi cura di, piacere

career [kə'rɪər] *s.* carriera *f.*

carefree ['keəfriː] *agg.* spensierato

careful ['keəf(ʊ)l] *agg.* **1** accurato **2** attento, sollecito ♦ **be c.!** attenzione!

carefully ['keəflɪ] *avv.* attentamente

careless ['keəlɪs] *agg.* **1** disattento, incurante **2** spensierato

carelessness ['keəlɪsnɪs] *s.* **1** disattenzione *f.* **2** incuria *f.*

caress [kə'res] *s.* carezza *f.*

to caress [kə'res] *v. tr.* accarezzare

caretaker ['keə,teɪkər] *s.* custode *m.* e *f.*

caricature [,kærɪkə'tjʊər] *s.* caricatura *f.*

caries ['keəriːz] *s. inv.* carie *f.*

caring ['keərɪŋ] *agg.* premuroso, altruista

carnation [kaː'neɪʃ(ə)n] *s.* garofano *m.*

carnival ['kaːnɪv(ə)l] *s.* carnevale *m.*

carnivorous [kaː'nɪv(ə)rəs] *agg.* carnivoro

carol ['kær(ə)l] *s.* canto *m.* (*gioioso, religioso*) ♦ **Christmas c.** canzone di Natale

to carp [kaːp] *v. intr.* cavillare, trovare da ridire

carpenter ['kaːpɪntər] *s.* falegname *m.*, carpentiere *m.*

carpet ['kaːpɪt] *s.* tappeto *m.*, moquette *f. inv.* ♦ **c.-slippers** ciabatte; **c. sweeper** battitappeto

carriage ['kærɪdʒ] *s.* **1** carrozza *f.*, vettura *f.* **2** trasporto *m.* **3** carrello *m.* **4** portamento *m.* ♦ **c. way** carreggiata

carrier ['kærɪər] *s.* **1** corriere *m.*, spedizioniere *m.* **2** portapacchi *m. inv.* **3** supporto *m.*, sostegno *m.* **4** (*med.*) portatore *m.* ♦ **c. bag** sacchetto; **c. pigeon** piccione viaggiatore

carrot ['kærət] *s.* carota *f.*

to carry ['kærɪ] (*pass. e p. p.* **carried**) **A** *v. tr.* **1** portare, trasportare **2** (*malattie*) trasmettere, diffondere **3** comportare **B** *v. intr.* raggiungere, farsi sentire ♦ **to be carried away** lasciarsi trascinare dall'entusiasmo; **to c. back** riportare, ricordare; **to c. off** rapire, cavarsela; **to c. on** proseguire, mandare avanti; **to c. out** effettuare, eseguire; **to c. through** portare a termine

carry-on [,kærɪ'ɒn] *s.* (*fam.*) confusione *f.*

cart [kaːt] *s.* carro *m.*, carrozzino *m.*

cartilage ['kaːtɪlɪdʒ] *s.* cartilagine *f.*

cartographic(al) [,kaːtə'græfɪk((ə)l)] *agg.* cartografico

cartography [kaː'tɒgrəfɪ] *s.* cartografia *f.*

carton ['kaːtən] *s.* **1** cartone *m.*, scatola *f.* di cartone **2** (*di sigarette*) stecca *f.*

cartoon [kaː'tuːn] *s.* **1** vignetta *f.*, fumetto *m.* **2** cartone *m.* animato

cartoonist [kaː'tuːnɪst] *s.* vignettista *m.* e *f.*, disegnatore *m.* (*di fumetti, cartoni animati*)

cartridge ['kaːtrɪdʒ] *s.* **1** cartuccia *f.* **2** (*di registratore*) cassetta *f.*

to carve [kaːv] *v. tr.* **1** incidere, intagliare **2** scolpire **3** trinciare, affettare ♦ **to c. out** ottenere con sforzo; **to c. up** suddividere

carving ['kaːvɪŋ] *s.* intaglio *m.*

caryatid [,kærɪ'ætɪd] *s.* cariatide *f.*

cascade [kæs'keɪd] *s.* cascata *f.*

case (1) [keɪs] *s.* **1** caso *m.*, fatto *m.*, avvenimento *m.* **2** (*dir.*) causa *f.*, processo *m.* ♦ **c. history** anamnesi, casistica; **in any c.** in ogni caso; **in c. of** in caso di

case (2) [keɪs] *s.* **1** cassa *f.* **2** astuccio *m.*, custodia *f.*

cash [kæʃ] *s.* **1** cassa *f.* **2** (*denaro*) contante *m.*, moneta *f.* ♦ **c. desk** cassa; **c. dispenser** cassa di prelievo automatico; **c. register** registratore di cassa

to cash [kæʃ] *v. tr.* incassare, riscuotere

cashmere [kæʃ'mɪər] *s.* cachemire *m. inv.*

cashew [kæ'ʃuː] *s.* anacardio *m.*

cashier [kæ'ʃɪər] *s.* cassiere *m.*

casing ['keɪsɪŋ] *s.* involucro *m.*, rivestimento *m.*

cask [kaːsk] *s.* barile *m.*, botte *f.*

casket ['kaːskɪt] *s.* scrigno *m.*, cofanetto *m.*

casserole ['kæsərəʊl] *s.* casseruola *f.*, tegame *m.*

cassette [kæ'set] *s.* cassetta *f.* ♦ **c. player** mangianastri; **c. recorder** registratore a cassetta

cassock ['kæsək] *s.* tonaca *f.*

cast [kaːst] *s.* **1** tiro *m.*, lancio *m.* **2** (*teatro*) cast *m. inv.*

to cast [kaːst] (*pass. e p. p.* **cast**) *v. tr. e intr.* **1** lanciare, buttare **2** (*teatro*) assegnare una parte ♦ **to c. off** liberarsi di; **to c. out** buttare fuori

castaway ['kaːstəweɪ] *s.* naufrago *m.*

casting vote ['kaːstɪŋvəʊt] *s.* voto *m.* decisivo

cast iron [,kaːst'aɪən] *s.* ghisa *f.*

castle ['ka:sl] *s.* **1** castello *m.* **2** (*scacchi*) torre *f.*

castor oil [,ka:stər'ɔil] *s.* olio *m.* di ricino

to **castrate** [kæs'treit] *v. tr.* castrare

casual ['kæʒjʊəl] *agg.* **1** casuale, accidentale, occasionale **2** indifferente, noncurante **3** informale, disinvolto

casually ['kæʒjʊəli] *avv.* **1** casualmente **2** con noncuranza

casualty ['kæʒjʊəlti] *s.* **1** ferito *m.*, vittima *f.* **2** infortunio *m.*, incidente *m.* ♦ **c. ward** pronto soccorso

cat [kæt] *s.* gatto *m.* ♦ **c.'s eye** catarifrangente

cataclysm ['kætəkliz(ə)m] *s.* cataclisma *m.*

catacomb ['kætəkɒum] *s.* catacomba *f.*

catalogue ['kætələg] (*USA* **catalog**) *s.* catalogo *m.*

to **catalogue** ['kætələg] (*USA* to **catalog**) *v. tr.* catalogare

catalyst ['kætəlist] *s.* catalizzatore *m.*

catamaran [,kætəmə'ræn] *s.* catamarano *m.*

catapult ['kætəpʌlt] *s.* **1** catapulta *f.* **2** fionda *f.*

cataract ['kætərækt] *s.* cateratta *f.*

catarrh [kə'ta:r] *s.* catarro *m.*

catastrophe [kə'tæstrəfi] *s.* catastrofe *f.*

catastrophic [,kætə'strɒfik] *agg.* catastrofico

catch [kætʃ] *s.* **1** presa *f.*, cattura *f.* **2** pesca *f.*, retata *f.* **3** gancio *m.*, fermo *m.* **4** inganno *m.*, trucco *m.*

to **catch** [kætʃ] (*pass. e p. p.* **caught**) **A** *v. tr.* **1** prendere, afferrare, sorprendere **2** attirare, attrarre **3** agganciare **4** raggiungere **B** *v. intr.* **1** impigliarsi, restar preso **2** far presa **3** essere contagioso ♦ **to c. a cold** raffreddarsi; **to c. on** capire, diventare di moda; **to c. out** cogliere in fallo; **to c. up** catturare, mettersi in pari

catching ['kætʃiŋ] *agg.* **1** contagioso, infettivo **2** attraente

catchphrase ['kætʃfreiz] *s.* slogan *m. inv.*, frase *f.* fatta

catchy ['kætʃi] *agg.* orecchiabile

catechism ['kætikiz(ə)m] *s.* catechismo *m.*

category ['kætigəri] *s.* categoria *f.*

to **cater** ['keitər] *v. intr.* **1** fornire (*cibi, bevande*), organizzare il servizio (*per ricevimenti*) **2** provvedere a, considerare

caterpillar ['kætə,pilər] *s.* bruco *m.*

cathedral [kə'θi:dr(ə)l] *s.* cattedrale *f.*

Catherine-wheel ['kæθ(ə)rinwi:l] *s.* girandola *f.*

catholic ['kæθəlik] *agg.* **1** universale, generale **2** cattolico

Catholicism [kə'θəlisiz(ə)m] *s.* cattolicesimo *m.*

catlike ['kætlaik] *agg.* felino

cattle ['kætl] *s.* **1** bestiame *m.* **2** (*spreg.*) marmaglia *f.*

catty ['kæti] *agg.* dispettoso, malizioso

caucus ['kɔ:kəs] *s.* comitato *m.* (politico)

caught [kɔ:t] *pass. e p. p.* di **to catch**

cauliflower ['kɔliflauər] *s.* cavolfiore *m.*

causal ['kɔ:z(ə)l] *agg.* causale

cause [kɔ:z] *s.* causa *f.*, ragione *f.*

to **cause** [kɔ:z] *v. tr.* causare, procurare, produrre ♦ **to c. sb. to do st.** far fare q.c. a qc.

caustic ['kɔ:stik] *agg.* caustico

caution ['kɔ:ʃ(ə)n] *s.* **1** cautela *f.*, circospezione *f.* **2** cauzione *f.* **3** avvertimento *m.*

to **caution** ['kɔ:ʃ(ə)n] *v. tr.* mettere in guardia, avvertire

cautious ['kɔ:ʃəs] *agg.* prudente, cauto

cavalier [,kævə'liər] *agg.* superbo, altezzoso

cavalry ['kæv(ə)lri] *s.* cavalleria *f.*

cave [keiv] *s.* caverna *f.*, grotta *f.*

to **cave** [keiv] *v. tr.* incavare, scavare ♦ **to c. in** sprofondare, crollare

caveman ['keivmæn] (*pl.* **cavemen**) *s.* uomo *m.* delle caverne

cavern ['kæv(ə)n] *s.* caverna *f.*, grotta *f.*

caviar(e) ['kævia:r] *s.* caviale *m.*

cavil ['kævil] *s.* cavillo *m.*

cavity ['kæviti] *s.* cavità *f.*

to **cavort** [kə'vɔ:t] *v. intr.* saltellare, fare capriole

to **cease** [si:s] *v. tr. e intr.* cessare

cease-fire ['si:sfaiər] *s.* cessate il fuoco *m.*

ceaseless ['si:slis] *agg.* incessante

cedar ['si:dər] *s.* cedro *m.*

ceiling ['si:liŋ] *s.* **1** soffitto *m.* **2** (*fig.*) tetto *m.*, plafond *m. inv.*

celebrant ['selibr(ə)nt] *s.* celebrante *m.*

to **celebrate** ['selibreit] *v. tr. e intr.* **1** celebrare **2** festeggiare

celebrated ['selibreitid] *agg.* celebre

celebration [,seli'breiʃ(ə)n] *s.* celebrazione *f.*, festeggiamento *m.*

celebrity [si'lebriti] *s.* celebrità *f.*

celery ['seləri] *s.* sedano *m.*

celestial [sɪ'lɛstjəl] *agg.* **1** celeste **2** celestiale

cell [sɛl] *s.* **1** cella *f.* **2** cellula *f.* **3** (*elettr*) pila *f.*

cellar ['sɛlər] *s.* **1** cantina *f.* **2** scantinato *m.*, sotterraneo *m.*

cellular ['sɛljulər] *agg.* cellulare

Celtic ['kɛltɪk] *agg.* celtico

cement [sɪ'mɛnt] *s.* cemento *m.*

cemeterial [,sɛmɪ'tɪərɪəl] *agg.* cimiteriale

cemetery ['sɛmɪtrɪ] *s.* cimitero *m.*

censor ['sɛnsər] *s.* **1** censura *f.* **2** censore *m.*

to censor ['sɛnsər] *v. tr.* censurare

censorship ['sɛnsəʃɪp] *s.* censura *f.*

to censure ['sɛnʃər] *v. tr.* riprovare, biasimare

census ['sɛnsəs] *s.* censimento *m.*

cent [sɛnt] *s.* (*USA*) centesimo *m.* (*di dollaro*) ♦ **per c.** per cento

centaur ['sɛntɔːr] *s.* centauro *m.*

centenarian [,sɛntɪ'nɛərɪən] *agg. e s.* (*di persona*) centenario *m.*

centenary [sɛn'tiːnərɪ] *agg. e s.* centenario *m.*

centennial [sɛn'tɛnjəl] **A** *agg.* centennale **B** *s.* centenario *m.* (*anniversario*)

center ['sɛntər] → **centre**

centigrade ['sɛntɪgreɪd] *agg.* centigrado

centimetre ['sɛntɪ,miːtər] (*USA* **centimeter**) *s.* centimetro *m.*

central ['sɛntr(ə)l] *agg.* centrale

to centralize ['sɛntrəlaɪz] *v. tr.* accentrare, centralizzare

centre ['sɛntər] (*USA* **center**) *s.* centro *m.* ♦ **c. field** centrocampo; **c. forward** centravanti, centrattacco; **c. piece** centrotavola

to centre ['sɛntər] **A** *v. tr.* **1** centrare **2** incentrare, concentrare **B** *v. intr.* **1** convergere, concentrarsi **2** basarsi, imperniarsi

centreboard ['sɛntəbɔːd] *s.* (*naut.*) deriva *f.* mobile

centrifugal [sɛn'trɪfjʊg(ə)l] *agg.* centrifugo

centrifuge ['sɛntrɪfjuːdʒ] *s.* centrifuga *f.*

centring ['sɛntrɪŋ] *s.* **1** centina *f.* **2** centraggio *m.*, centratura *f.*

centripetal [sɛn'trɪpɪt(ə)l] *agg.* centripeto

century ['sɛntʃʊrɪ] *s.* secolo *m.*

cephalalgy [,səfə'lædʒɪ] *s.* cefalea *f.*

ceramics [sɪ'ræmɪks] *s. pl.* (*v. al sing.*) ceramica *f.*

ceramist [sɪ'ræmɪst] *s.* ceramista *m. e f.*

cereal ['sɪərɪəl] *s.* cereale *m.*

cerebellum [,sɛrɪ'bɛləm] *s.* cervelletto *m.*

cerebral ['sɛrɪbr(ə)l] *agg.* cerebrale

ceremony ['sɛrɪmənɪ] *s.* cerimonia *f.*

certain ['sɜːtn] *agg.* certo, sicuro ♦ **for c.** di sicuro; **to make c. of st.** accertarsi di q.c.

certainly ['sɜːtɪnlɪ] *avv.* certamente

certainty ['sɜːtɪntɪ] *s.* certezza *f.*, sicurezza *f.*

certificate [sə'tɪfɪkɪt] *s.* certificato *m.*, diploma *m.*

certified ['sɜːtɪfaɪd] *agg.* certificato, attestato

to certify ['sɜːtɪfaɪ] *v. tr.* **1** certificare, attestare, dichiarare **2** autenticare

cervical ['sɜːvɪk(ə)l] *agg.* cervicale

cervix ['sɜːvɪks] *s.* cervice *f.*

to chafe [tʃeɪf] **A** *v. tr.* **1** sfregare, logorare **2** irritare **B** *v. intr.* **1** sfregarsi, logorarsi **2** irritarsi

chaff [tʃaːf] *s.* pula *f.*, paglia *f.*

chafing-dish ['tʃeɪfɪŋdɪʃ] *s.* scaldavivande *m. inv.*

chagrin ['ʃægrɪn] *s.* imbarazzo *m.*, disappunto *m.*

chain [tʃeɪn] *s.* catena *f.* ♦ **c. reaction** reazione a catena

to chain [tʃeɪn] *v. tr.* incatenare

chair [tʃɛər] *s.* **1** sedia *f.* **2** seggio *m.*, cattedra *f.* ♦ **c. lift** seggiovia; **to take the c.** assumere la presidenza

chairman ['tʃɛəmən] (*pl.* **chairmen**) *s.* presidente *m.*

chairmanship ['tʃɛəmənʃɪp] *s.* presidenza *f.*

chalet ['ʃæleɪ] *s.* chalet *m.*, villetta *f.*

chalice ['tʃælɪs] *s.* calice *m.*

chalk [tʃɔːk] *s.* gesso *m.*

challenge ['tʃælɪn(d)ʒ] *s.* sfida *f.*

to challenge ['tʃælɪn(d)ʒ] *v. tr.* **1** sfidare, provocare **2** contestare

challenging ['tʃælɪn(d)ʒɪŋ] *agg.* **1** sfidante **2** impegnativo, stimolante

chamber ['tʃeɪmbər] *s.* **1** sala *f.*, aula *f.* **2** camera *f.* **3** cavità *s.* ♦ **c. maid** cameriera d'albergo; **c. music** musica da camera

chamois ['ʃæmwɑ] *s.* camoscio *m.*

champion ['tʃæmpjən] *agg. e s.* campione *m.*

championship ['tʃæmpjənʃɪp] *s.* campionato *m.*

chance [tʃɑːns] **A** *s.* **1** caso *m.*, combinazione *f.*, fortuna *f.*, probabilità *f.* **2** occasione f., opportunità f. **B** agg. casuale, fortuito, occasionale ♦ **by c.** per caso; **to take a c.** correre un rischio

to chance [tʃaːns] v. tr. rischiare, arrischiare

chancellery ['tʃaːnsələrɪ] s. cancelleria f. (ufficio)

chancellor ['tʃaːnsələr] s. cancelliere m.

chandelier [ˌʃændɪ'lɪər] s. lampadario m.

change [tʃeɪn(d)ʒ] s. **1** cambiamento m., cambio m. **2** spiccioli m. pl., resto m.

to change [tʃeɪn(d)ʒ] v. tr. e intr. **1** cambiare, modificare **2** sostituire ♦ **to c. into** trasformarsi in; **to c. over** passare a, scambiarsi i ruoli

changeable ['tʃeɪn(d)ʒəbl] agg. variabile, instabile

changeover ['tʃeɪn(d)ʒ,ʊʊvər] s. cambiamento m., trasformazione f.

changing ['tʃeɪn(d)ʒɪŋ] agg. mutevole, cangiante ♦ **c. room** camerino, spogliatoio

channel ['tʃænl] s. **1** canale m., stretto m. **2** alveo m. **3** condotto m. **4** (TV radio) canale m. **5** scanalatura f. ♦ **English Channel** la Manica

chant [tʃaːnt] s. canto m. (liturgico)

chaos [keɪ(ɪ)əs] s. caos m.

chaotic [keɪ(ɪ)'ɒtɪk] agg. caotico

chap (1) [tʃæp] s. screpolatura f.

chap (2) [tʃæp] s. (zool.) mascella f.

chap (3) [tʃæp] s. (fam.) tipo m., individuo m.

to chap [tʃæp] v. tr. e intr. screpolare, screpolarsi

chapel ['tʃæp(ə)l] s. cappella f.

chaplain ['tʃæplɪn] s. cappellano m.

chappy ['tʃæpɪ] agg. screpolato

chapter ['tʃæptər] s. capitolo m.

to char (1) [tʃaːr] v. tr. carbonizzare

to char (2) [tʃaːr] v. intr. lavorare a ore, a giornata

character ['kærɪktər] s. **1** carattere m. **2** personaggio m.

characteristic [ˌkærɪktə'rɪstɪk] **A** s. caratteristica f. **B** agg. caratteristico

to characterize ['kærɪktəraɪz] v. tr. caratterizzare

charade [ʃə'raːd] s. sciarada f.

charcoal ['tʃaːkəʊl] s. **1** carbonella f. **2** carboncino m.

chard [tʃaːd] s. bietola f.

charge [tʃaːdʒ] s. **1** carica f., incarico m., onere m. **2** cura f., sorveglianza f. **3** addebito m., spesa f., prezzo m. richiesto **4** (dir)

accusa f. **5** (elettr) carica f.

to charge [tʃaːdʒ] **A** v. tr. **1** addebitare, far pagare **2** accusare **3** caricare **4** incaricare **B** v. intr. **1** lanciarsi, precipitarsi **2** andare alla carica

chariot ['tʃærɪət] s. cocchio m.

charioteer [ˌtʃærɪə'tɪər] s. auriga m.

charismatic [ˌkærɪz'mætɪk] agg. carismatico

charitable ['tʃærɪtəbl] agg. caritatevole

charity ['tʃærɪtɪ] s. **1** carità f., elemosina f. **2** beneficenza f., istituzione f. benefica

charlady ['tʃaː,leɪdɪ] s. domestica f. a ore

charlatan ['ʃaːlətən] s. ciarlatano m.

charm [tʃaːm] s. **1** incantesimo m. **2** fascino m. ♦ **lucky c.** portafortuna

to charm [tʃaːm] v. tr. incantare, affascinare

charming ['tʃaːmɪŋ] agg. affascinante, avvincente, incantevole

chart [tʃaːt] s. **1** diagramma m., grafico m. **2** carta f. nautica **3** al pl. hit-parade f.

charter ['tʃaːtər] **A** s. statuto m. **B** agg. a noleggio ♦ **c. flight** volo charter

to charter ['tʃaːtər] v. tr. noleggiare

charterer ['tʃaːtərər] s. noleggiatore m.

chartreuse [ʃaː'trɜːz] s. certosa f.

chase [tʃeɪs] s. caccia f., inseguimento m.

to chase [tʃeɪs] **A** v. tr. cacciare, inseguire **B** v. intr. affrettarsi

chasm ['kæz(ə)m] s. baratro m., voragine f.

chassis ['ʃæsɪ] s. châssis m. inv., telaio m.

chaste [tʃeɪst] agg. castigato

chastity ['tʃæstɪtɪ] s. castità f.

chat [tʃæt] s. chiacchierata f.

to chat [tʃæt] v. intr. chiacchierare

chatter ['tʃætər] s. **1** chiacchiera f., ciarla f. **2** cinguettio m. **3** il battere i denti

to chatter ['tʃætər] v. intr. **1** chiacchierare **2** cinguettare **3** battere i denti

chatterbox ['tʃætəbɒks] s. chiacchierone m.

chatty ['tʃætɪ] agg. **1** chiacchierone **2** familiare, amichevole

chauvinism ['ʃʊvɪnɪz(ə)m] s. sciovinismo m.

cheap [tʃiːp] **A** agg. **1** economico, conveniente **2** dozzinale, grossolano **3** meschino, volgare **B** avv. a basso prezzo

cheapish ['tʃiːpɪʃ] agg. dozzinale

cheat [tʃiːt] s. **1** imbroglione m., truffatore m. **2** imbroglio m., truffa f.

to cheat [tʃiːt] v. tr. e intr. imbrogliare, truffare

check [tʃɛk] s. **1** controllo m., verifica f.,

ispezione *f.* **2** ostacolo *m.*, arresto *m.* **3** (*USA*) assegno *m.* **4** (*USA*) (al ristorante) conto *m.* **5** scontrino *m.* **6** scacco *m.*

to **check** [tʃɛk] **A** *v. tr.* **1** controllare, verificare **2** frenare, impedire **3** contrassegnare **4** depositare, lasciare in custodia **B** *v. intr.* concordare ♦ **to c. in** (*in albergo, aeroporto*) registrarsi; **to c. out** controllare, saldare il conto dell'albergo; **to c. up** verificare, controllare

checkmate ['tʃɛk,meɪt] *s.* scaccomatto *m.*

to **checkmate** ['tʃɛk,meɪt] *v. tr.* dare scaccomatto a

cheek [tʃiːk] *s.* **1** guancia *f.* **2** sfacciataggine *f.*

cheekbone ['tʃiːkbʊn] *s.* zigomo *m.*

cheeky ['tʃiːkɪ] *agg.* impertinente, sfacciato

to **cheep** [tʃiːp] *v. intr.* pigolare

cheer ['tʃɪəʳ] *s.* grido *m.* di incoraggiamento, evviva *m. inv.*

to **cheer** ['tʃɪəʳ] **A** *v. tr.* rallegrare **B** *v. intr.* applaudire, incoraggiare ♦ **c. up!** coraggio!; **to c. up** rallegrarsi

cheerful ['tʃɪəf(ʊ)l] *agg.* allegro, contento

cheerfulness ['tʃɪəf(ʊ)lnɪs] *s.* allegria *f.*, contentezza *f.*

cheering ['tʃɪərɪŋ] *s.* applauso *m.*

cheese [tʃiːz] *s.* formaggio *m.* ♦ **c. factory** caseificio *m.*

cheetah ['tʃiːtə] *s.* ghepardo *m.*

chemical ['kɛmɪk(ə)l] **A** *agg.* chimico **B** *s.* prodotto *m.* chimico

chemist ['kɛmɪst] *s.* **1** chimico *m.* **2** farmacista *m. e f.* ♦ **c.'s shop** farmacia

chemistry ['kɛmɪstrɪ] *s.* chimica *f.*

cheque [tʃɛk] *s.* assegno *m.* ♦ **blank c.** assegno in bianco; **c. book** libretto degli assegni; **c. card** carta assegni; **uncovered c.** assegno scoperto

to **cherish** ['tʃɛrɪʃ] *v. tr.* aver caro, curare

cherry ['tʃɛrɪ] *s.* ciliegia *f.*

chess [tʃɛs] *s.* scacchi *m. pl.* ♦ **c. board** scacchiera

chest [tʃɛst] *s.* **1** cassa *f.*, cassapanca *f.* **2** scatola *f.* **3** torace *m.*, petto *m.* ♦ **c. of drawers** cassettone *m.*

chestnut ['tʃɛsnʌt] *s.* castagna *f.*

to **chew** [tʃuː] *v. tr.* masticare

chewing gum ['tʃʊ(ː)ɪŋgʌm] *s.* gomma *f.* da masticare

chick [tʃɪk] *s.* pulcino *m.*

chicken ['tʃɪkɪn] *s.* pollo *m.* ♦ **c. pox** varicella; **roast c.** pollo arrosto

chickpea ['tʃɪkpiː] *s.* cece *m.*

chicory ['tʃɪkərɪ] *s.* cicoria *f.*

chief [tʃiːf] **A** *s.* capo *m.*, comandante *m.* **B** *agg.* principale ♦ **c. town** capoluogo

chiefly ['tʃiːflɪ] *avv.* principalmente

child [tʃaɪld] (*pl.* **children**) bambino *m.*, figlio *m.* ♦ **c. birth** parto; **only c.** figlio unico

childhood ['tʃaɪldhʊd] *s.* infanzia *f.*

childish ['tʃaɪldɪʃ] *agg.* puerile

chill [tʃɪl] *agg. e s.* freddo *m.*

to **chill** [tʃɪl] *v. tr. e intr.* raffreddare, raffreddarsi

chilli ['tʃɪlɪ] *s.* peperoncino *m.*

chilly ['tʃɪlɪ] *agg.* **1** freddo **2** freddoloso

to **chime** [tʃaɪm] *v. intr.* scampanare, rintoccare

chimney ['tʃɪmnɪ] *s.* camino *m.*, comignolo *m.*, ciminiera *f.* ♦ **c.-sweep(er)** spazzacamino

chimpanzee [,tʃɪmpən'ziː] *s.* scimpanzé *m.*

chin [tʃɪn] *s.* mento *m.*

china ['tʃaɪnə] *s.* porcellana *f.* ♦ **c. clay** caolino

chinaware ['tʃaɪnəwɛəʳ] *s.* stoviglie *f. pl.* di porcellana

Chinese [tʃaɪ'niːz] *agg. e s.* cinese *m. e f.*

chip [tʃɪp] *s.* **1** scheggia *f.*, scaglia *f.*, pezzetto *m.* **2** *al pl.* patatine *f. pl.* fritte **3** gettone *m.* **4** (*elettron.*) chip *m. inv.*

to **chip** [tʃɪp] **A** *v. tr.* scalpellare, scheggiare **B** *v. intr.* scheggiarsi ♦ **to c. in** interloquire, contribuire

chiromancer ['kaɪərəmænsəʳ] *s.* chiromante *m. e f.*

chiropodist [kɪ'rəpədɪst] *s.* pedicure *m. e f. inv.*

to **chirp** [tʃɜːp] *v. intr.* cinguettare, frinire

to **chirrup** ['tʃɪrəp] *v. intr.* cinguettare, frinire

chisel ['tʃɪzl] *s.* cesello *m.*, scalpello *m.*

to **chisel** ['tʃɪzl] *v. tr.* cesellare, scalpellare

chit [tʃɪt] *s.* (*fam.*) biglietto *m.*

chivalrous ['ʃɪv(ə)l(r)əs] *agg.* cavalleresco

chivalry ['ʃɪv(ə)lrɪ] *s.* cavalleria *f.*

chive [tʃaɪv] *s.* erba *f.* cipollina

chlorine ['klɔːriːn] *s.* cloro *m.*

chlorophyl ['klɔrəfɪl] *s.* clorofilla *f.*

chock-a-block [,tʃɒkə'blɒk] *agg.* pieno zeppo

chocolate ['tʃɒk(ə)lɪt] **A** *agg.* di cioccolato **B** *s.* cioccolato *m.*, cioccolata *f.*, cioccolatino *m.* ♦ **milk c.** cioccolato al latte; **plain c.** cioccolato fondente

choice [tʃɔɪs] **A** agg. scelto **B** s. scelta f.
♦ **at c.** a volontà

choir ['kwaɪər] s. coro m.

choke [tʃoʊk] s. **1** soffocamento m. **2** ingorgo m., intasamento m. **3** (autom.) valvola f. dell'aria

to choke [tʃoʊk] **A** v. tr. **1** soffocare, strozzare **2** intasare, ingolfare **B** v. intr. soffocare

choking ['tʃoʊkɪŋ] **A** agg. soffocante **B** s. soffocamento m.

cholera ['kɔlərə] s. colera m.

cholesterol [kə'lestərəl] s. colesterolo m.

to choose [tʃuːz] (pass. **chose**, p. p. **chosen**) v. tr. e intr. **1** scegliere **2** gradire, preferire

choosy [tʃuːzɪ] agg. (fam.) schizzinoso

chop (1) [tʃɔp] s. **1** costata f. **2** taglio m.
♦ **lamb c.** costata d'agnello; **pork c.** costata di maiale

chop (2) [tʃɔp] s. mascella f.

to chop [tʃɔp] v. tr. **1** tagliare, fare a pezzi **2** tritare ♦ **to c. off** recidere

chopping-board ['tʃɔpɪŋ,bɔːd] s. tagliere m.

choppy ['tʃɔpɪ] agg. (di mare) increspato

choral ['kɔːr(ə)l] agg. corale

chord [kɔːd] s. (mus.) accordo m.

choreography [,kɔrɪ'ɔgrəfɪ] s. coreografia f.

chorister ['kɔrɪstər] s. corista m. e f.

chorus ['kɔːrəs] s. **1** coro m. **2** corpo m. di ballo ♦ **c. girl** ballerina di fila

chose [tʃoʊz] pass. di **to choose**

chosen ['tʃoʊzn] p. p. di **to choose**

chowder ['tʃaʊdər] s. zuppa f. (di pesce)
♦ **clam c.** zuppa di vongole

to christen ['krɪsn] v. tr. battezzare

Christendom ['krɪsndəm] s. cristianità f.

Christian ['krɪstjən] agg. cristiano ♦ **C. name** nome (di battesimo)

Christianity [,krɪstɪ'ænɪtɪ] s. cristianesimo m.

Christmas ['krɪsməs] s. Natale m. ♦ **C. Eve** vigilia di Natale; **merry C.** buon Natale

chromatic [krə'mætɪk] agg. cromatico

chrome [kroʊm] s. cromo m.

chromium ['kroʊmjəm] s. cromo m. ♦ **c. plating** cromatura

chronic ['krɔnɪk] agg. cronico

chronicle ['krɔnɪkl] s. cronaca f., cronistoria f.

chronicler ['krɔnɪklər] s. cronista m. e f.

chronologic(al) [,krɔnə'lɔdʒɪk((ə)l)] agg.
cronologico

chronometer [krə'nɔmɪtər] s. cronometro m.

chubby ['tʃʌbɪ] agg. paffuto

to chuck [tʃʌk] v. tr. gettare, buttare ♦ **to c. out** sbattere fuori

to chuckle ['tʃʌkl] v. intr. ridacchiare, sogghignare

chum [tʃʌm] s. compagno m., amico m.

chunk [tʃʌŋk] s. pezzo m. (grosso)

church [tʃɜːtʃ] s. chiesa f. ♦ **c.-officer** sagrestano; **c. tower** campanile

churchyard ['tʃɜːtʃjɑːd] s. **1** cimitero m. (presso una chiesa) **2** sagrato m.

churlish ['tʃɜːlɪʃ] agg. villano, rozzo

churn [tʃɜːn] s. **1** zangola f. **2** bidone m. (per latte)

chute [ʃuːt] s. **1** scivolo m. **2** canale m. di scarico **3** cascata f.

cicada [sɪ'kɑːdə] s. cicala f.

cicerone [,tʃɪtʃə'roʊnɪ] s. cicerone m.

cider ['saɪdər] s. sidro m.

cigar [sɪ'gɑːr] s. sigaro m.

cigarette [,sɪgə'ret] s. sigaretta f. ♦ **c. end** mozzicone; **c. holder** bocchino

cinecamera ['sɪnɪ,kæm(ə)rə] s. cinepresa f.

cinema ['sɪnɪmə] s. cinema m. inv.

cinematographic [,sɪnɪ,mætə'græfɪk] agg. cinematografico

cinerary ['sɪnərərɪ] agg. cinerario

cinnabar ['sɪnəbɑːr] s. cinabro m.

cinnamon ['sɪnəmən] s. cannella f.

circle ['sɜːkl] s. **1** cerchio m. **2** circolo m., anello m. **3** (teatro) galleria f. **4** cerchia f.

to circle ['sɜːkl] **A** v. tr. **1** circondare **2** girare intorno a **B** v. intr. muoversi in cerchio

circuit ['sɜːkɪt] s. **1** circuito m. **2** giro m.

circuitous [sə(ː)'kjuːɪtəs] agg. tortuoso, indiretto

circular ['sɜːkjʊlər] **A** agg. circolare **B** s. (lettera) circolare f.

to circulate ['sɜːkjʊleɪt] **A** v. intr. **1** circolare **2** diffondersi **B** v. tr. far circolare

circulation [,sɜːkjʊ'leɪʃ(ə)n] s. **1** circolazione f. **2** diffusione f.

circumcision [,sɜːkəm'sɪʒ(ə)n] s. circoncisione f.

circumference [sə'kʌmf(ə)r(ə)ns] s. circonferenza f.

to circumscribe ['sɜːkəmskraɪb] v. tr. circoscrivere

circumstance ['sɜːkəmstəns] s. circostanza f.

to circumvent [ˌsɜːkəm'vɛnt] *v. tr.* **1** circuire **2** eludere

circus ['sɜːkəs] *s.* circo m.

Cistercian [sɪs'tɜːʃən] *agg.* cistercense

cistern ['sɪstən] *s.* cisterna f., serbatoio m.

citadel ['sɪtədl] *s.* cittadella f.

citation [saɪ'teɪʃ(ə)n] *s.* citazione f.

to cite [saɪt] *v. tr.* citare

citizen ['sɪtɪzn] *s.* cittadino m.

citizenship ['sɪtɪz(ə)nʃɪp] *s.* cittadinanza f.

citron ['sɪtr(ə)n] *s.* cedro m. (*frutto*)

city ['sɪtɪ] *s.* città f. ♦ **c. planner** urbanista; **c. planning** urbanistica

civic ['sɪvɪk] *agg.* civico

civil ['sɪvl] *agg.* civile ♦ **c. servant** impiegato statale; **c. service** pubblica amministrazione

civility [sɪ'vɪlɪtɪ] *s.* civiltà f., educazione f.

civilization [ˌsɪvɪlaɪ'zeɪʃ(ə)n] *s.* civiltà f., civilizzazione f.

clad [klæd] *agg.* (*arc.*) vestito, rivestito

claim [kleɪm] *s.* **1** richiesta f., rivendicazione f. **2** reclamo m. **3** affermazione f.

to claim [kleɪm] *v. tr.* **1** pretendere, rivendicare **2** reclamare **3** sostenere

claimant [kleɪmənt] *s.* richiedente m. e f.

clam [klæm] *s.* **1** vongola f. **2** mollusco m. (bivalve)

to clamber ['klæmbə'] *v. intr.* arrampicarsi (*con mani e piedi*)

clammy ['klæmɪ] *agg.* viscido, appiccicaticcio

clamorous ['klæm(ə)rəs] *agg.* clamoroso

clamour ['klæmə'] (*USA* **clamor**) *s.* **1** clamore m. **2** rimostranza f.

to clamour ['klæmə'] (*USA* **to clamor**) *v. intr.* **1** strepitare **2** chiedere a gran voce

clamp [klæmp] *s.* morsetto m., pinza f.

clan [klæn] *s.* clan m. inv.

clandestine [klæn'dɛstɪn] *s.* clandestino m.

to clang [klæŋ] *v. intr.* produrre un suono metallico

to clap [klæp] **A** *v. tr.* **1** applaudire **2** dare un colpo con la mano **3** (*fam.*) mandare **B** *v. intr.* applaudire ♦ **to c. on** infilarsi

to clarify ['klærɪfaɪ] *v. tr.* **1** chiarire **2** (*tecnol.*) raffinare

clarinet [ˌklærɪ'nɛt] *s.* clarinetto m.

clarity ['klærɪtɪ] *s.* chiarezza f.

clash [klæʃ] *s.* **1** cozzo m., urto m., rumore m. metallico **2** (*fig.*) scontro m.

to clash [klæʃ] *v. intr.* **1** cozzare, urtare, stridere **2** (*fig.*) scontrarsi

clasp [klaːsp] *s.* **1** fermaglio m., fibbia f. **2** stretta f.

to clasp [klaːsp] *v. tr.* **1** affibbiare, agganciare **2** stringere, serrare

class [klaːs] *s.* **1** classe f., categoria f. **2** corso m., lezione f. ♦ **first c.** prima classe; **middle c.** ceto medio

to class [klaːs] *v. tr.* classificare

classic ['klæsɪk] *agg. e s.* classico m.

classical ['klæsɪkl] *agg.* classico

classicism ['klæsɪsɪz(ə)m] *s.* classicismo m.

classicist ['klæsɪsɪst] *s.* classicista m. e f.

classification [ˌklæsɪfɪ'keɪʃ(ə)n] *s.* classificazione f.

classified ['klæsɪfaɪd] *agg.* **1** (*di documento*) segreto, riservato **2** classificato

to classify ['klæsɪfaɪ] *v. tr.* classificare

classmate ['klaːsmeɪt] *s.* compagno m. di classe

classroom ['klaːsrʊm] *s.* aula f.

clatter ['klætə'] *s.* **1** acciottolio m. **2** scalpitio m.

clause [klɔːz] *s.* **1** clausola f. **2** (*gramm.*) proposizione f.

claustrophobia [ˌklɔːstrə'fəʊbjə] *s.* claustrofobia f.

clavicle ['klævɪkl] *s.* clavicola f.

claw [klɔː] *s.* **1** artiglio m. **2** chela f., pinza f. **3** zampa f.

to claw [klɔː] *v. tr.* artigliare ♦ **to c. at** afferrarsi a; **to c. off** prendere il largo

clay [kleɪ] *s.* argilla f., creta f.

clean [kliːn] **A** *agg.* **1** pulito, puro, limpido **2** armonioso **3** accurato, preciso **B** *avv.* completamente

to clean [kliːn] *v. tr. e intr.* pulire, pulirsi ♦ **to c. out** ripulire; **to c. up** pulire, raccogliere

clean-cut [ˌkliːn'kʌt] *agg.* **1** ben delineato, marcato **2** (*di persona*) pulito, per bene

cleaner ['kliːnə'] *s.* **1** addetto m. alle pulizie **2** depuratore m. ♦ **c.'s** tintoria

cleaning ['kliːnɪŋ] *s.* pulizia f.

to cleanse [klɛnz] *v. tr.* **1** pulire, detergere **2** (*fig.*) purificare

clean-shaven [ˌkliːn'ʃeɪvn] *agg.* ben rasato

cleansing ['klɛnzɪŋ] *agg.* detergente

clear [klɪə'] *agg.* **1** chiaro, limpido, nitido **2** aperto, libero, sgombro **3** (*di somma*) netto **4** sicuro

to **clear** [klɪəʳ] **A** v. tr. **1** chiarire, schiarire **2** discolpare **3** liberare, svuotare sgomberare **4** superare **5** sdoganare **B** v. intr. diventare chiaro, rasserenarsi ♦ **to c. off** squagliarsela; **to c. out** andarsene; **to c. up** chiarire, ripulire

clearing [ˈklɪərɪŋ] s. radura f.

clearly [ˈklɪəlɪ] avv. chiaramente

clearness [ˈklɪənɪs] s. limpidezza f.

clearway [ˈklɪəweɪ] s. strada f. con divieto di sosta

to **cleave** [kliːv] (pass. e p. p. **cleaved, cleft**) v. tr. fendere, spaccare

cleaver [ˈkliːvəʳ] s. mannaia f.

clef [klɛf] s. (mus.) chiave f.

cleft [klɛft] **A** pass. e p. p. di to **cleave B** s. crepaccio m., fessura f.

to **clench** [klɛn(t)ʃ] v. tr. stringere, serrare

clepsydra [ˈklɛpsɪdrə] s. clessidra f.

clergy [ˈklɜːdʒɪ] s. clero m.

clergyman [ˈklɜːdʒɪmən] s. ecclesiastico m.

cleric [ˈklɛrɪk] s. chierico m.

clerical [ˈklɛrɪkl] agg. **1** clericale **2** di impiegato, di scrivano

clerk [klɑːk] s. **1** impiegato m. **2** (USA) commesso

clever [ˈklɛvəʳ] agg. **1** bravo, abile, intelligente **2** eseguito con abilità

cleverness [ˈklɛvənɪs] s. ingegnosità f., abilità f., intelligenza f.

clew [kluː] s. **1** gomitolo m. **2** (naut.) bugna f.

click [klɪk] s. scatto m.

to **click** [klɪk] v. tr. e intr. **1** battere, far scattare, schioccare **2** (fam.) riuscire

client [ˈklaɪənt] s. cliente m. e f.

cliff [klɪf] s. rupe f., scogliera f.

climate [ˈklaɪmɪt] s. clima m.

climatic [klaɪˈmætɪk] agg. climatico

climax [ˈklaɪmæks] s. culmine m., apice m.

climb [klaɪm] s. salita f., arrampicata f.

to **climb** [klaɪm] v. tr. e intr. arrampicarsi, scalare, salire ♦ **to c. down** scendere

climber [ˈklaɪməʳ] s. **1** scalatore m., arrampicatore m. **2** (bot.) rampicante m.

climbing [ˈklaɪmɪŋ] **A** agg. rampicante **B** s. **1** alpinismo m. **2** arrampicata f. ♦ **free c.** arrampicata libera

to **clinch** [klɪn(t)ʃ] v. tr. concludere

to **cling** [klɪŋ] (pass. e p. p. **clung**) v. intr. aggrapparsi, attaccarsi

clinging [ˈklɪŋɪŋ] agg. **1** attillato, aderente **2** appiccicoso

clinic [ˈklɪnɪk] s. clinica f.

clinical [ˈklɪnɪk(ə)l] agg. clinico

clip [klɪp] s. **1** fermaglio m., molletta f. **2** spilla f.

to **clip** (1) [klɪp] v. tr. unire, attaccare

to **clip** (2) [klɪp] v. tr. **1** tosare **2** (una siepe) potare

clipper [ˈklɪpəʳ] s. **1** al pl. forbici f. pl., cesoie f. pl. **2** (naut.) clipper m. inv.

clipping [ˈklɪpɪŋ] s. **1** taglio m., tosatura f. **2** (di giornale) ritaglio m.

clique [kliːk] s. conventicola f.

cloak [kləʊk] s. mantello m. ♦ **c. room** guardaroba (in locale pubblico), gabinetti

to **cloak** [kləʊk] v. tr. avvolgere, nascondere

clock [klɒk] s. orologio m. ♦ **alarm c.** sveglia

to **clock** [klɒk] v. tr. cronometrare ♦ **to c. in (on)/off (out)** timbrare il cartellino all'entrata/uscita

clockwise [ˈklɒkwaɪz] avv. in senso orario

clog [klɒg] s. **1** zoccolo m. **2** impedimento m., ostacolo m.

to **clog** [klɒg] **A** v. tr. **1** inceppare, impedire **2** ostruire **B** v. intr. intasarsi, otturarsi

cloister [ˈklɔɪstəʳ] s. chiostro m.

close [kləʊs] **A** agg. **1** vicino **2** intimo **3** chiuso, serrato, ristretto **4** nascosto, riservato, appartato **5** afoso **B** avv. vicino ♦ **c. on** quasi; **c. to** vicino a

to **close** [kləʊz] **A** v. tr. **1** chiudere **2** concludere **B** v. intr. **1** chiudere, chiudersi **2** finire ♦ **to c. about/around** avvolgere; **to c. down** chiudere, cessare l'attività; **to c. up** ostruire, serrare; **closing time** ora di chiusura

closely [ˈkləʊslɪ] avv. **1** strettamente **2** attentamente

closet [ˈklɒzɪt] s. stanzino m., bugigattolo m., armadio m.

close-up [ˈkləʊsʌp] s. (fot., cine.) primo piano m.

closure [ˈkləʊʒəʳ] s. chiusura f.

clot [klɒt] s. **1** grumo m., coagulo m. **2** (pop.) stupido m.

to **clot** [klɒt] v. tr. e intr. coagulare, coagularsi

cloth [klɒθ] s. **1** stoffa f., tela f. **2** straccio m. ♦ **table c.** tovaglia

clothes [kləʊðz] s. pl. **1** abbigliamento m., vestiti m. pl. **2** biancheria f. (da letto) ♦ **c. hanger** gruccia; **c. hook** attaccapanni; **c. peg** molletta per panni

clothing [ˈkləʊðɪŋ] s. abbigliamento m.,

vestiario *m*.
cloud [klaʊd] *s*. **1** nube *f.*, nuvola *f.* **2** macchia *f.* ♦ **c. burst** nubifragio
to cloud [klaʊd] *v. intr.* **1** annuvolarsi **2** macchiarsi, intorbidarsi
cloudy ['klaʊdɪ] *agg.* **1** nuvoloso **2** di cattivo umore **3** torbido
clove (1) [kləʊv] *s.* chiodo *m.* di garofano
clove (2) [kləʊv] *s.* (*di aglio*) spicchio *m.*
clover ['kləʊvər] *s.* trifoglio *m.*
clown [klaʊn] *s.* clown *m. inv.*, pagliaccio *m.*
to cloy [kləɪ] *v. tr.* saziare, stuccare, nauseare
club [klʌb] *s.* **1** mazza *f.*, randello *m.* **2** club *m. inv.*, circolo *m.*, associazione *f.* **3** (carta di) fiori *m. pl.*
to club [klʌb] **A** *v. tr.* bastonare **B** *v. intr.* raccogliersi in un circolo ♦ **to c. with** associarsi
to cluck [klʌk] *v. intr.* chiocciare
clue [kluː] *s.* **1** indizio *m.*, indicazione *f.* **2** (*di cruciverba*) definizione *f.* **3** (*naut.*) bugna *f.*
clumsy ['klʌmzɪ] *agg.* goffo, maldestro
clung [klʌŋ] *pass. e p. p. di* **to cling**
cluster ['klʌstər] *s.* **1** grappolo *m.*, mazzo *m.*, ammasso *m.* **2** sciame *m.*
to cluster ['klʌstər] *v. intr.* raggrupparsi
clutch [klʌtʃ] *s.* **1** presa *f.*, stretta *f.* **2** (*mecc.*) frizione *f.*
to clutch [klʌtʃ] **A** *v. tr.* afferrare, stringere **B** *v. intr.* aggrapparsi
to clutter ['klʌtər] *v. tr.* ingombrare, mettere in disordine
coach [kəʊtʃ] *s.* **1** carrozza *f.*, pullman *m.*, vettura *f.* **2** insegnante *m.* privato **3** (*sport*) allenatore *m.*
coagulant [kə(ʊ)'æɡjʊlənt] *s.* coagulante *m.*
coal [kəʊl] *s.* carbone *m.*
coalition [,kə(ʊ)ə'lɪʃən] *s.* coalizione *f.*
coalmine ['kəʊlmaɪn] *s.* miniera *f.* di carbone
coarse [kɔːs] *agg.* **1** grossolano, volgare **2** (*di tessuto e sim.*) ruvido, grezzo
coast [kəʊst] *s.* costa *f.*, litorale *m.*
to coast [kəʊst] *v. intr.* costeggiare
coastal ['kəʊstl] *agg.* costiero
coat [kəʊt] *s.* **1** giacca *f.*, soprabito *m.*, mantello *m.* **2** pelo *m.*, pelliccia *f.* **3** rivestimento *m.* **4** (*di vernice*) mano *f.* ♦ **c. hanger** attaccapanni; **c. of arms** stemma
to coat [kəʊt] *v. tr.* rivestire
coating ['kəʊtɪŋ] *s.* **1** rivestimento *m.* **2** (*di vernice*) mano *f.* **3** tessuto *m.*

coauthor [kəʊ'ɔːθər] *s.* coautore *m.*
to coax [kəʊks] *v. tr. e intr.* persuadere, indurre
cob [kəb] *s.* pannocchia *f.*
cobble ['kɒbl] *s.* ciottolo *m.*
cocaine [kəʊ'keɪn] *s.* cocaina *f.*
cock [kək] *s.* **1** gallo *m.* **2** (*di uccelli*) maschio *m.*
cockerel ['kɒk(ə)r(ə)l] *s.* galletto *m.*
cockeyed ['kɒkaɪd] *agg.* **1** strabico **2** strampalato
cockpit ['kɒkpɪt] *s.* **1** abitacolo *m.*, cabina *f.* di pilotaggio **2** (*naut.*) pozzetto *m.*
cockroach ['kɒkrəʊtʃ] *s.* scarafaggio *m.*
cocktail ['kɒkteɪl] *s.* cocktail *m. inv.*
cocoa ['kəʊkəʊ] *s.* cacao *m.* (in polvere)
coconut ['kəʊkənʌt] *s.* (noce di) cocco *m.*
cocoon [kə'kuːn] *s.* bozzolo *m.*
cod [kəd] *s.* merluzzo *m.* ♦ **dried c.** stoccafisso; **salted c.** baccalà
code [kəʊd] *s.* **1** codice *m.* **2** prefisso *m.* ♦ **dialling c.** (*USA* **area c.**) prefisso telefonico; **postal c.** (*USA* **zip c.**) codice postale
codification [,kədɪfɪ'keɪʃ(ə)n] *s.* codifica *f.*
coefficient [,kə(ʊ)ɪ'fɪʃ(ə)nt] *s.* coefficiente *m.*
to coerce [kə(ʊ)'ɜːs] *v. tr.* costringere
coercion [kəʊ'ɜːʃ(ə)n] *s.* coercizione *f.*
coeval [kə(ʊ)'iːv(ə)l] *agg.* coevo
coexistent [kə(ʊ)ɪɡ'zɪstənt] *agg.* coesistente
coffee ['kɒfɪ] *s.* caffè *m.* ♦ **black c.** caffè nero; **c. break** pausa per il caffè; **c. cup** tazzina; **c. table** tavolino (*da salotto*); **instant c.** caffè solubile; **strong c.** caffè ristretto; **weak c.** caffè lungo
coffeepot ['kɒfɪpət] *s.* caffettiera *f.*
coffer ['kɒfər] *s.* **1** cofano *m.*, forziere *m.*, scrigno *m.* **2** (*arch.*) cassettone *m.*
coffin ['kɒfɪn] *s.* bara *f.*
cog [kəɡ] *s.* (*mecc.*) dente *m.*, ingranaggio *m.*
cogent ['kəʊdʒ(ə)nt] *agg.* persuasivo, convincente
to cohabit [kə(ʊ)'hæbɪt] *v. intr.* convivere
cohabitation [,kə(ʊ)hæbɪ'teɪʃ(ə)n] *s.* coabitazione *f.*
to cohere [kə(ʊ)'hɪər] *v. tr.* aderire a
coherent [kə(ʊ)'hɪərənt] *agg.* coerente
coil [kəɪl] *s.* **1** spira *f.* **2** (*elettr.*) avvolgimento *m.*
to coil [kəɪl] *v. tr.* avvolgere, attorcigliare

coin [kɔɪn] *s.* moneta *f.*
to coin [kɔɪn] *v. tr.* coniare
to coincide [ˌkəʊ(ʊ)ɪn'saɪd] *v. intr.* coincidere, concordare
coincidence [kɒ(ʊ)'ɪnsɪd(ə)ns] *s.* coincidenza *f.*, combinazione *f.*
coke [kəʊk] **1** (carbone) coke *m. inv.* **2** Coca-Cola *f.* **3** cocaina *f.*
colander ['kʌləndəʳ] *s.* colino *m.*
cold [kəʊld] **A** *agg.* freddo **B** *s.* **1** freddo *m.* **2** raffreddore *m.*, infreddatura *f.* ◆ **in c. blood** a sangue freddo; **to be c.** aver freddo, far freddo; **to catch a c.** prendere un raffreddore
coldly ['kəʊldlɪ] *avv.* freddamente
cole [kəʊl] *s.* ravizzone *m.*
colic ['kɒlɪk] *s.* colica *f.*
colitis [kə'laɪtɪs] *s.* colite *f.*
to collaborate [kə'læbəreɪt] *v. intr.* cooperare, collaborare
collaboration [kəˌlæbə'reɪʃ(ə)n] *s.* collaborazione *f.*
collaborator [kə'læbəˌreɪtəʳ] *s.* collaboratore *m.*
collapse [kə'læps] *s.* **1** crollo *m.* **2** (*med.*) collasso *m.*
to collapse [kə'læps] *v. intr.* **1** crollare, franare, sprofondare **2** (*med.*) avere un collasso
collar ['kɒləʳ] *s.* **1** colletto *m.* **2** collare *m.*
collarbone ['kɒləbəʊn] *s.* clavicola *f.*
collateral [kɒ'læt(ə)r(ə)l] *agg.* collaterale
colleague ['kɒliːg] *s.* collega *m. e f.*
collect [kə'lekt] *agg. e avv.* (*USA*) con tassa a carico ◆ **c. call** telefonata a carico del destinatario
to collect [kə'lekt] **A** *v. tr.* **1** raccogliere, radunare **2** riscuotere, incassare **3** collezionare **B** *v. intr.* **1** raccogliersi, radunarsi **2** raccogliere offerte, fare una colletta ◆ **to c. up** riunire
collection [kə'lekʃ(ə)n] *s.* **1** collezione *f.*, raccolta *f.* **2** colletta *f.*
collective [kə'lektɪv] *agg.* collettivo
collectivity [ˌkɒlek'tɪvɪtɪ] *s.* collettività *f.*
collector [kə'lektəʳ] *s.* **1** collezionista *m. e f.* **2** esattore *m.*
college ['kɒlɪdʒ] *s.* **1** istituto *m.*, scuola *f.* secondaria **2** (*USA*) università *f.* **3** collegio *m.* (*edificio*)
to collide [kə'laɪd] *v. intr.* urtare, scontrarsi
colliery ['kɒljərɪ] *s.* miniera *f.* di carbone
collision [kə'lɪʒ(ə)n] *s.* **1** collisione *f.*, scontro *m.* **2** conflitto *m.*

colloquial [kə'lɒkwɪəl] *agg.* colloquiale
colon (1) ['kəʊlən] *s.* colon *m. inv.*
colon (2) ['kəʊlən] *s.* due punti *m. pl.* (*segno di punteggiatura*)
colonel ['kɜːnl] *s.* colonnello *m.*
colonial [kə'ləʊnjəl] *agg.* coloniale
colonialism [kə'ləʊnjəlɪz(ə)m] *s.* colonialismo *m.*
colonialist [kə'ləʊnjəlɪst] *s.* colonialista *m. e f.*
to colonize ['kɒlənaɪz] *v. tr.* colonizzare
colonnade [ˌkɒlə'neɪd] *s.* colonnato *m.*
colony ['kɒlənɪ] *s.* colonia *f.*
colour ['kʌləʳ] (*USA* **color**) *s.* colore *m.* ◆ **c. bar** segregazione razziale; **c. blind** daltonico; **in (full) c.** a colori
to colour ['kʌləʳ] (*USA* **to color**) *v. tr. e intr.* colorare, colorarsi
coloured ['kʌləd] *agg.* **1** colorato **2** (*di persona*) di colore
colourful ['kʌləf(ʊ)l] *agg.* **1** colorato **2** colorito, pittoresco
colt [kəʊlt] *s.* puledro *m.*
column ['kɒləm] *s.* **1** colonna *f.* **2** (*di giornale*) rubrica *f.*
columnist ['kɒləmnɪst] *s.* giornalista *m. e f.* (*che cura una rubrica*), cronista *m.* mondano
coma ['kəʊmə] *s.* coma *m. inv.*
comb [kəʊm] *s.* pettine *m.*
to comb [kəʊm] *v. tr.* **1** pettinare **2** perlustrare
combat ['kɒmbæt] *s.* combattimento *m.*
to combat ['kɒmbæt] *v. tr. e intr.* combattere
combination [ˌkɒmbɪ'neɪʃ(ə)n] *s.* combinazione *f.*, associazione *f.*
combine [kəm'baɪn] *s.* associazione *f.*
to combine [kəm'baɪn] **A** *v. tr.* **1** combinare, unire **2** associare **B** *v. intr.* **1** combinarsi, unirsi **2** associarsi
to come [kʌm] (*pass.* **came**, *p. p.* **come**) *v. intr.* **1** venire **2** arrivare, giungere **3** provenire **4** accadere ◆ **to c. about** accadere; **to c. across** imbattersi in; **to c. along** presentarsi; **to c. away** venir via; **to c. back** ritornare; **to c. by** procacciarsi; **to c. before** precedere; **to c. down** scendere, crollare; **to c. forward** farsi avanti; **to c. from** derivare; **to c. in** entrare; **to c. into** entrare, ereditare; **to c. off** staccarsi, venir via; **to c. on** affrettarsi, progredire, sopraggiungere, entrare in campo, entrare in azione; **to c. out** uscire, risultare; **to c. round** ritornare in sé; **to**

c. up salire, spuntare

comedian [kə'mi:djən] *s.* comico *m.*, commediante *m.* e *f.*

comedy ['kɔmıdı] *s.* commedia *f.*

comet ['kɔmıt] *s.* cometa *f.*

comfort ['kʌmfət] *s.* **1** comfort *m. inv.*, comodità *f.* **2** conforto *m.*, consolazione *f.*

to comfort ['kʌmfət] *v. tr.* confortare, consolare

comfortable ['kʌmf(ə)təbl] *agg.* **1** confortevole, accogliente **2** agiato

comforting ['kʌmfətıŋ] *agg.* confortante

comic ['kɔmık] **A** *agg.* comico **B** *s.* **1** comico *m.* **2** (attore) comico *m.* **3** giornale *m.* a fumetti, *al pl.* fumetti *m. pl.* ♦ **comics strip** striscia (di fumetti)

comicality [,kɔmı'kælıtı] *s.* comicità *f.*

coming ['kʌmıŋ] **A** *agg.* prossimo, futuro **B** *s.* arrivo *m.* ♦ **c. and going** viavai

comma ['kɔmə] *s.* virgola *f.*

command [kə'ma:nd] *s.* **1** comando *m.* **2** padronanza *f.*

to command [kə'ma:nd] **A** *v. tr.* **1** comandare, ordinare **2** disporre di **B** *v. intr.* avere il comando

commander [kə'ma:ndər] *s.* comandante *m.* ♦ **c. in chief** comandante in capo

to commemorate [kə'meməreıt] *v. tr.* commemorare

commemoration [kə,memə'reıʃ(ə)n] *s.* commemorazione *f.*

to commence [kə'mɛns] *v. tr.* e *intr.* cominciare

to commend [kə'mɛnd] *v. tr.* **1** lodare **2** raccomandare

comment ['kɔmɛnt] *s.* **1** commento *m.* **2** critica *f.*

to comment ['kɔmɛnt] *v. tr.* **1** commentare **2** criticare

commentary ['kɔmənt(ə)rı] *s.* **1** commento *m.* **2** (*radio, TV*) cronaca *f.*

commentator ['kɔmɛnteıtər] *s.* **1** commentatore *m.* **2** (*radio, TV*) cronista *m.* e *f.*

commercial [kə'mɜːʃ(ə)l] **A** *agg.* commerciale **B** *s.* annuncio *m.* pubblicitario

to commiserate [kə'mızəreıt] **A** *v. tr.* commiserare **B** *v. intr.* dolersi

commission [kə'mıʃ(ə)n] *s.* **1** commissione *f.* **2** (*mil.*) grado *m.* da ufficiale ♦ **out of c.** (*di nave*) in disarmo, fuori servizio

to commit [kə'mıt] *v. tr.* **1** commettere **2** affidare

commitment [kə'mıtmənt] *s.* **1** impegno

m. **2** responsabilità *f.*

committee [kə'mıtı] *s.* comitato *m.*, commissione *f.*

commodity [kə'mɔdıtı] *s.* **1** merce *f.*, prodotto *m.* **2** *al pl.* comodità *f. pl.*

common ['kɔmən] **A** *agg.* **1** comune, usuale, corrente **2** generale, condiviso **3** ordinario **B** *s.* **1** (ciò che è) comune *m.* **2** terreno *m.* demaniale ♦ **c. law** diritto consuetudinario; **c. sense** buon senso

commoner ['kɔmənər] *s.* cittadino *m.* (*non nobile*)

commonly ['kɔmənlı] *avv.* comunemente

commonplace ['kɔmənpleıs] **A** *agg.* banale **B** *s.* banalità *f.*, luogo *m.* comune

commotion [kə'mɔʊʃ(ə)n] *s.* confusione *f.*, tumulto *m.*

communal ['kɔmjʊnl] *agg.* comunale, della comunità

to commune [kə'mju:n] *v. intr.* comunicare, essere in comunione (spirituale)

to communicate [kə'mju:nıkeıt] **A** *v. tr.* comunicare, trasmettere **B** *v. intr.* essere in comunicazione

communication [kə,mju:nı'keıʃ(ə)n] *s.* comunicazione *f.* ♦ **c. cord** (*ferr.*) segnale d'allarme

communion [kə'mju:njən] *s.* **1** comunione *f.*, comunanza *f.* **2** (*relig.*) comunione *f.*, eucaristia *f.*

communism ['kɔmjʊnız(ə)m] *s.* comunismo *m.*

communist ['kɔmjʊnıst] *agg.* e *s.* comunista *m.* e *f.*

community [kə'mju:nıtı] *s.* comunità *f.*, collettività *f.* ♦ **c. center** centro ricreativo

to commute [kə'mju:t] **A** *v. tr.* commutare **B** *v. intr.* fare il pendolare

commuter [kə'mju:(:)tər] *s.* pendolare *m.* e *f.*

compact [kəm'pækt] *agg.* compatto ♦ **c. car** utilitaria

companion [kəm'pænjən] *s.* compagno *m.*

companionship [kəm'pænjənʃıp] *s.* compagnia *f.*, amicizia *f.*

company ['kʌmp(ə)nı] *s.* **1** compagnia *f.* **2** società *f.* ♦ **insurance c.** compagnia d'assicurazioni; **to keep sb. c.** tenere compagnia a qc.

comparable ['kɔmp(ə)rəbl] *agg.* comparabile, paragonabile

comparative [kəm'pærətıv] *agg.* **1** relativo **2** (*gramm.*) comparativo **3** compara-

to
to compare [kəm'pɛər] **A** v. tr. confrontare, paragonare **B** v. intr. reggere il confronto

comparison [kəm'pærɪsn] s. **1** paragone m. **2** (gramm.) comparazione f.

compartment [kəm'pa:tmənt] s. compartimento m., scompartimento m.

compass ['kʌmpəs] s. **1** bussola f. **2** al pl. compasso m. **3** ambito m., portata f. ◆ **c. card** rosa dei venti

compassion [kəm'pæʃ(ə)n] s. compassione f.

compatible [kəm'pætəbl] agg. compatibile

to compel [kəm'pɛl] v. tr. costringere, forzare, obbligare

compelling [kəm'pɛlɪŋ]' agg. irresistibile, attraente

to compensate ['kɔmpɛnseɪt] v. tr. compensare, ricompensare

compensation [ˌkɔmpɛn'seɪʃ(ə)n] s. compensazione f., risarcimento m.

compere ['kɔmpɛər] s. (radio, TV) presentatore m.

to compete [kəm'pi:t] v. intr. competere, gareggiare

competence ['kɔmpɪtəns] s. competenza f.

competent ['kɔmpɪtənt] agg. competente

competition [ˌkɔmpɪ'tɪʃ(ə)n] s. **1** competizione f., gara f. **2** concorrenza f.

competitive [kəm'pɛtɪtɪv] agg. **1** competitivo **2** concorrenziale

competitiveness [kəm'pɛtɪtɪvnɪs] s. competitività f.

competitor [kəm'pɛtɪtər] s. concorrente m. e f.

compilation [ˌkɔmpɪ'leɪʃ(ə)n] s. compilazione f.

to compile [kəm'paɪl] v. tr. compilare, redigere

complacence [kəm'pleɪsns] s. compiacimento m.

to complain [kəm'pleɪn] v. intr. **1** lagnarsi, lamentarsi **2** reclamare **3** (dir.) citare in giudizio

complaint [kəm'pleɪnt] s. **1** lagnanza f., lamentela f. **2** reclamo m., protesta f. **3** (dir.) citazione f., denuncia f. **4** malattia f.

complement ['kɔmplɪmənt] s. complemento m.

complementary [ˌkɔmplɪ'mɛnt(ə)rɪ] agg. complementare

complete [kəm'pli:t] agg. completo

to complete [kəm'pli:t] v. tr. **1** completare,

finire **2** riempire

to completely [kəm'pli:tlɪ] avv. completamente

completion [kəm'pli:ʃ(ə)n] s. completamento m., compimento m.

complex ['kɔmplɛks] agg. e s. complesso m.

complexion [kəm'plɛkʃ(ə)n] s. carnagione f., colorito m.

complexity [kəm'plɛksɪtɪ] s. complessità f.

compliance [kəm'plaɪəns] s. **1** condiscendenza f., conformità f. **2** sottomissione f. ◆ **in c. with** in conformità di

to complicate ['kɔmplɪkeɪt] v. tr. e intr. complicare, complicarsi

complicated ['kɔmplɪkeɪtɪd] agg. complicato

compliment ['kɔmplɪmənt] s. **1** complimento m. **2** al pl. ossequi m. pl., omaggi m. pl. ◆ **to pay a c.** fare un complimento

to compliment ['kɔmplɪmənt] v. tr. congratularsi con, complimentarsi con

complimentary [ˌkɔmplɪ'mɛnt(ə)rɪ] agg. **1** complimentoso **2** gratuito, in omaggio

to comply [kəm'plaɪ] v. intr. accondiscendere, conformarsi a

component [kəm'pəʊnənt] agg. e s. componente m. e f.

to compose [kəm'pəʊz] v. tr. **1** comporre, costituire, disporre **2** (mus., letter.) comporre **3** calmare

composer [kəm'pəʊzər] s. compositore m.

composite ['kɔmpəzɪt] agg. composito

composition [ˌkɔmpə'zɪʃ(ə)n] s. componimento m., composizione f.

compost ['kɔmpəst] s. concime m.

compound (1) ['kɔmpaʊnd] **A** agg. composto **B** s. miscuglio m., composto m.

compound (2) ['kɔmpaʊnd] s. recinto m.

to compound [kəm'paʊnd] **A** v. tr. **1** comporre, mescolare **2** (una vertenza) conciliare **B** v. intr. accordarsi, effettuare una transizione

comprehend [ˌkɔmprɪ'hɛnd] v. tr. comprendere

comprehension [ˌkɔmprɪ'hɛnʃ(ə)n] s. comprensione f.

comprehensive [ˌkɔmprɪ'hɛnsɪv] agg. comprensivo, globale

compress ['kɔmprɛs] s. compressa f. (di garza)

to compress [kəm'prɛs] v. tr. comprimere

compressor [kəm'prɛsər] s. compressore m.

to comprise [kəm'praɪz] v. tr. comprendere

compromise ['kɒmprəmaɪz] s. compromesso m.

to compromise ['kɒmprəmaɪz] **A** v. tr. **1** compromettere **2** transigere **B** v. intr. venire a un compromesso

compulsion [kəm'pʌlʃ(ə)n] s. costrizione f.

compulsive [kəm'pʌlsɪv] agg. **1** coercitivo **2** incontrollabile

compulsory [kəm'pʌls(ə)rɪ] agg. obbligatorio

to compute [kəm'pjuːt] v. tr. calcolare

computer [kəm'pjuːtər] s. computer m. inv.
♦ **c. science** informatica

comrade ['kɒmrɪd] s. compagno m., camerata m.

comradely ['kɒmrɪdlɪ] agg. cameratesco

con [kɒn] (pop.) truffa f.

concatenation [kɒn,kætɪ'neɪʃ(ə)n] s. concatenazione f.

concave [kɒn'keɪv] agg. concavo

to conceal [kɒn'siːl] v. tr. nascondere

to concede [kɒn'siːd] v. tr. **1** concedere **2** ammettere, riconoscere

conceit [kɒn'siːt] s. presunzione f., vanità f.

conceited [kɒn'siːtɪd] agg. presuntuoso, vanitoso

conceivable [kɒn'siːvəbl] agg. concepibile, plausibile

to conceive [kɒn'siːv] **A** v. tr. **1** concepire, generare **2** ideare, immaginare **B** v. intr. immaginare

to concentrate ['kɒnsentreɪt] v. tr. e intr. concentrare, concentrarsi

concentration [,kɒnsen'treɪʃ(ə)n] s. concentrazione f.

concentric [kɒn'sentrɪk] agg. concentrico

concept ['kɒnsept] s. concetto m.

conception [kɒn'sepʃ(ə)n] s. **1** concezione f., concetto m. **2** concepimento m.

conceptual [kɒn'septjʊəl] agg. concettuale

concern [kɒn'sɜːn] s. **1** affare m., interesse m. **2** ansietà f., preoccupazione f.

to concern [kɒn'sɜːn] v. tr. **1** concernere, riguardare **2** preoccupare

concerning [kɒn'sɜːnɪŋ] prep. riguardo a

concert ['kɒnsət] s. **1** (mus.) concerto m. **2** accordo m.

concerted [kɒn'sɜːtɪd] agg. convenuto

concertina [,kɒnsə'tiːnə] s. piccola fisarmonica f.

concerto [kɒn'tʃɜːtʊʊ] s. (mus.) concerto m.

concession [kɒn'sɛʃ(ə)n] s. concessione f.

concessionaire [kɒn,sɛʃə'nɛər] s. concessionario m.

conch [kɒŋk] s. conchiglia f.

to conciliate [kɒn'sɪlɪeɪt] v. tr. **1** conciliare **2** accattivarsi

concise [kɒn'saɪs] agg. conciso, sintetico

to conclude [kɒn'kluːd] v. tr. e intr. concludere, concludersi

conclusion [kɒn'kluːʒ(ə)n] s. conclusione f.

conclusive [kɒn'klʊsɪv] agg. conclusivo

to concoct [kɒn'kɒkt] v. tr. **1** mescolare, mettere insieme **2** ordire, architettare

concoction [kɒn'kɒkʃ(ə)n] s. **1** miscuglio m. **2** macchinazione f.

concomitant [kɒn'kɒmɪtənt] agg. concomitante

concourse ['kɒŋkɜːs] s. **1** concorso m., affluenza f. **2** (USA) atrio m.

concrete ['kɒnkriːt] **A** agg. **1** concreto, reale **2** di calcestruzzo **B** s. calcestruzzo m.

concreteness [kɒn'kriːtnɪs] s. concretezza f.

to concur [kɒn'kɜːr] v. intr. **1** concordare, essere d'accordo **2** concorrere, contribuire

concurrent [kɒn'kʌr(ə)nt] agg. **1** concorrente, simultaneo **2** concordante

concurrently [kɒn'kʌr(ə)ntlɪ] avv. simultaneamente

concussion [kɒn'kʌʃ(ə)n] s. **1** (med.) commozione f. cerebrale **2** (dir.) concussione f.

to condemn [kɒn'dem] v. tr. **1** condannare **2** dichiarare inagibile

condemnation [,kɒndem'neɪʃ(ə)n] s. condanna f. ♦ **c. by default** condanna in contumacia

condensation [,kɒnden'seɪʃ(ə)n] s. condensazione f.

to condense [kɒn'dens] v. tr. e intr. condensare, condensarsi

condescending [,kɒndɪ'sendɪŋ] agg. condiscendente

condescension [,kɒndɪ'senʃ(ə)n] s. condiscendenza f.

condiment ['kɒndɪmənt] s. condimento m.

condition [kən'dɪʃ(ə)n] *s.* condizione *f.* ♦ **on c. that** a condizione che

to condition [kən'dɪʃ(ə)n] *v. tr.* **1** pattuire, stipulare **2** condizionare, influenzare

conditional [kən'dɪʃənl] *agg.* condizionale

conditioner [kən'dɪʃ(ə)nə'] *s.* **1** condizionatore *m.* **2** (*per capelli*) balsamo *m.* **3** (*per tessuti*) ammorbidente *m.*

conditioning [kən'dɪʃ(ə)nɪŋ] *s.* condizionamento *m.*

condolence [kən'dɒʊləns] *s.* condoglianza *f.*

condom ['kɒndəm] *s.* preservativo *m.*

condominium [ˌkɒndə'mɪnɪəm] *s.* **1** condominio *m.* **2** (*USA*) appartamento *m.*

to condone [kən'dɒʊn] *v. tr.* condonare

condor ['kɒndɔː'] *s.* condor *m. inv.*

conducive [kən'djuːsɪv] *agg.* tendente

conduct ['kɒndʌkt] *s.* **1** condotta *f.* **2** gestione *f.*

to conduct [kən'dʌkt] *v. tr.* **1** condurre, guidare **2** (*un'orchestra*) dirigere ♦ **to c. oneself** comportarsi

conductor [kən'dʌktə'] *s.* **1** (*d'orchestra*) direttore *m.* **2** (*su mezzi pubblici*) bigliettaio *m.*, controllore *m.* **3** accompagnatore *m.* (turistico) **4** (*fis.*) conduttore *m.*

conduit ['kɒndɪt] *s.* **1** condotto *m.*, tubazione *f.* **2** passaggio *m.*

cone [kɒʊn] *s.* cono *m.*

confectioner [kən'fɛkʃənə'] *s.* pasticciere *m.* ♦ **c.'s shop** pasticceria

confectionery [kən'fɛkʃən(ə)rɪ] *s.* **1** confetteria *f.*, pasticceria *f.* **2** dolci *m. pl.*

confederation [kənˌfɛdə'reɪʃ(ə)n] *s.* confederazione *f.*

to confer [kən'fɜː'] **A** *v. tr.* conferire, accordare **B** *v. intr.* conferire, consultarsi

conference ['kɒnf(ə)r(ə)ns] *s.* conferenza *f.*

to confess [kən'fɛs] *v. tr.* confessare

confessional [kən'fɛʃənl] *agg. e s.* confessionale *m.*

confetti [kən'fɛtɪ(ː)] *s.* coriandoli *m. pl.*

to confide [kən'faɪd] *v. tr.* **1** confidare **2** affidare ♦ **to c. in** confidare in, confidarsi con

confidence ['kɒnfɪd(ə)ns] *s.* **1** fiducia *f.* **2** confidenza *f.*, familiarità *f.* **3** sicurezza *f.* (di sé) ♦ **c. trick** truffa; **no-c.** (*pol.*) sfiducia

confident ['kɒnfɪdənt] *agg.* **1** fiducioso **2** sicuro di sé

confidential [ˌkɒnfɪ'dɛnʃ(ə)l] *agg.* confidenziale, riservato

configuration [kənˌfɪgjʊ'reɪʃ(ə)n] *s.* configurazione *f.*, composizione *f.*

to confine [kən'faɪn] *v. tr.* **1** confinare, relegare, imprigionare **2** limitare

confined [kən'faɪnd] *agg.* ristretto, limitato

confinement [kən'faɪnmənt] *s.* reclusione *f.*, prigionia *f.*

to confirm [kən'fɜːm] *v. tr.* **1** confermare **2** (*relig.*) cresimare

confirmation [ˌkɒnfə'meɪʃ(ə)n] *s.* **1** conferma *f.* **2** (*relig.*) cresima *f.*

confirmed [kən'fɜːmd] *agg.* **1** inveterato, cronico **2** (*relig.*) cresimato

confiscable [kən'fɪskəbl] *agg.* confiscabile

to confiscate ['kɒnfɪskeɪt] *v. tr.* confiscare

confiscation [ˌkɒnfɪs'keɪʃ(ə)n] *s.* confisca *f.*

conflict ['kɒnflɪkt] *s.* conflitto *m.*

to conflict [kən'flɪkt] *v. intr.* essere in conflitto

conflicting [kən'flɪktɪŋ] *agg.* contraddittorio, contrastante

confluence ['kɒnfluəns] *s.* confluenza *f.*

to conform [kən'fɜːm] **A** *v. tr.* conformare, adattare **B** *v. intr.* conformarsi, adeguarsi, concordare

conformism [kən'fɜːmɪz(ə)m] *s.* conformismo *m.*

to confound [kən'faʊnd] *v. tr.* confondere

to confront [kən'frʌnt] *v. tr.* **1** affrontare **2** stare di fronte a **3** mettere a confronto, paragonare

confrontation [ˌkɒnfrən'teɪʃ(ə)n] *s.* confronto *m.*, scontro *m.*

to confuse [kən'fjuːz] *v. tr.* confondere ♦ **to get confused** confondersi

confusion [kən'fjuːʒ(ə)n] *s.* confusione *f.*

to confute [kən'fjuːt] *v. tr.* confutare

to congeal [kən'dʒiːl] *v. tr. e intr.* **1** congelare, congelarsi **2** coagulare, coagularsi

congenial [kən'dʒiːnjəl] *agg.* **1** congeniale, affine **2** simpatico

to congest [kən'dʒɛst] *v. tr.* congestionare

congestion [kən'dʒɛstʃ(ə)n] *s.* congestione *f.*

to conglobate ['kɒnglɒ(ʊ)beɪt] *v. tr.* conglobare

conglomerate [kən'glɒmərɪt] *agg. e s.* conglomerato *m.*

to congratulate [kən'grætjʊleɪt] *v. tr.* congratularsi, felicitarsi, complimentarsi

congratulations [kənˌgrætjʊ'leɪʃ(ə)nz] s. pl. congratulazioni f. pl., felicitazioni f. pl.

to congregate ['kɒŋgrɪgeɪt] v. tr. e intr. riunire, riunirsi

congregation [ˌkɒŋgrɪ'geɪʃ(ə)n] s. **1** congregazione f. **2** riunione f.

congress ['kɒŋgrɛs] s. congresso m.

congruency ['kɒŋgruənsɪ] s. congruenza f.

conical ['kɒnɪkl] agg. conico

conifer ['kɒ(ʊ)nɪfə] s. conifera f.

conjecture [kən'dʒɛktʃər] s. congettura f.

to conjugate ['kɒn(d)ʒʊgeɪt] v. tr. coniugare

conjunction [kən'dʒʌŋkʃ(ə)n] s. congiunzione f.

conjunctivitis [kənˌdʒʌŋktɪ'vaɪtɪs] s. congiuntivite f.

to conjure ['kʌn(d)ʒər] v. intr. fare giochi di prestigio ♦ **to c. up** evocare, rievocare, far apparire

conjurer ['kʌn(d)ʒərər] s. prestigiatore m.

to conk [kɒŋk] v. tr. (pop.) dare un colpo in testa a ♦ **to c. out** incepparsi, guastarsi

to connect [kə'nɛkt] **A** v. tr. connettere, collegare **B** v. intr. **1** connettersi, collegarsi **2** (di mezzi di trasporto) fare coincidenza ♦ **to be connected with** essere imparentato con, aver rapporti con

connected [kə'nɛktɪd] agg. **1** connesso, collegato **2** imparentato

connection [kə'nɛkʃ(ə)n] s. **1** collegamento m., connessione f. **2** relazione f., rapporto m. **3** (di mezzi di trasporto) coincidenza f. **4** (elettr) contatto m.

to connive [kə'naɪv] v. intr. essere connivente

connoisseur [ˌkɒnɪ'sɜːr] s. conoscitore m., intenditore m.

to conquer ['kɒŋkər] **A** v. tr. conquistare **B** v. intr. vincere

conquest ['kɒŋkwɛst] s. conquista f.

conscience ['kɒnʃ(ə)ns] s. coscienza f.

conscientious [ˌkɒnʃɪ'ɛnʃəs] agg. coscienzioso ♦ **c. objector** obiettore di coscienza

conscious ['kɒnʃəs] agg. cosciente, consapevole

consciousness ['kɒnʃəsnɪs] s. coscienza f., consapevolezza f.

conscription [kən'skrɪpʃ(ə)n] s. **1** coscrizione f. **2** precettazione f.

to consecrate ['kɒnsɪkreɪt] v. tr. consacrare

consecutive [kən'sɛkjʊtɪv] agg. consecutivo

consent [kən'sɛnt] s. consenso m.

to consent [kən'sɛnt] v. intr. acconsentire

consequence ['kɒnsɪkwəns] s. **1** conseguenza f. **2** importanza f.

consequent ['kɒnsɪkwənt] agg. conseguente

conservation [ˌkɒnsə(ː)'veɪʃ(ə)n] s. conservazione f.

conservative [kən'sɜːv(ə)tɪv] agg. **1** conservatore **2** prudente

conservatory [kən'sɜːvətrɪ] s. **1** serra f. **2** conservatorio m.

conserve ['kɒnsɜːv] s. conserva f. (di frutta)

to consider [kən'sɪdər] v. tr. **1** considerare **2** tener conto di ♦ **to c. doing st.** pensare di fare q.c.

considerable [kən'sɪd(ə)rəbl] agg. considerevole

considerably [kən'sɪd(ə)rəblɪ] avv. considerevolmente, notevolmente

considerate [kən'sɪd(ə)rɪt] agg. premuroso

consideration [kənˌsɪdə'reɪʃ(ə)n] s. **1** considerazione f., riflessione f. **2** riguardo m. **3** rimunerazione f.

considering [kən'sɪdərɪŋ] **A** prep. in considerazione di, tenendo conto di, in vista di **B** cong. considerato che

to consign [kən'saɪn] v. tr. **1** consegnare, spedire **2** affidare **3** relegare

to consist [kən'sɪst] v. intr. consistere, constare

consistency [kən'sɪst(ə)nsɪ] s. **1** coerenza f. **2** compattezza f.

consistent [kən'sɪstənt] agg. **1** coerente, conforme **2** costante

consolation [ˌkɒnsə'leɪʃ(ə)n] s. consolazione f.

console ['kɒnsɒʊl] s. **1** (arch.) mensola f. **2** console f. inv., quadro m. di comando

to console [kən'sɒʊl] v. tr. consolare

to consolidate [kən'sɒlɪdeɪt] v. tr. e intr. consolidare, consolidarsi

consolidation [kənˌsɒlɪ'deɪʃ(ə)n] s. consolidamento m.

consonant ['kɒnsənənt] s. consonante f.

consort ['kɒnsɔːt] s. consorte m. e f.

consortium [kən'sɔːtjəm] s. consorzio m.

conspicuous [kən'spɪkjʊəs] agg. cospicuo

conspiracy [kən'spɪrəsɪ] s. cospirazione *f.*

conspirator [kən'spɪrətər] *s.* cospiratore *m.*

constable ['kʌnstəbl] *s.* **1** agente *m.* di polizia **2** (*stor*) conestabile *m.*, governatore *m.*

constabulary [kən'stæbjʊləri] *s.* corpo *m.* di polizia

constant ['kɒnst(ə)nt] **A** *agg.* **1** costante, invariabile **B** *s.* (*mat., fis.*) costante *f.*

constellation [ˌkɒnstə'leɪʃ(ə)n] *s.* costellazione *f.*

constipated ['kɒnstɪpeɪtɪd] *agg.* stitico

constipation [ˌkɒnstɪ'peɪʃ(ə)n] *s.* costipazione *f.*, stitichezza *f.*

constituency [kən'stɪtjʊənsɪ] *s.* collegio *m.* elettorale

constituent [kən'stɪtjʊənt] **A** *agg.* costituente **B** *s.* elettore *m.*

to constitute ['kɒnstɪtjuːt] *v. tr.* costituire

constitution [ˌkɒnstɪ'tjuːʃ(ə)n] *s.* costituzione *f.*

constitutional [ˌkɒnstɪ'tjuːʃənl] *agg.* costituzionale

to constrain [kən'streɪn] *v. tr.* costringere

constraint [kən'streɪnt] *s.* costrizione *f.*

to constrict [kən'strɪkt] *v. tr.* costringere, comprimere

constriction [kən'strɪkʃ(ə)n] *s.* costrizione *f.*, compressione *f.*

to construct [kən'strʌkt] *v. tr.* costruire, edificare

construction [kən'strʌkʃ(ə)n] *s.* costruzione *f.*

constructive [kən'strʌktɪv] *agg.* costruttivo

consul ['kɒns(ə)l] *s.* console *m.*

consulate ['kɒnsjʊlɪt] *s.* consolato *m.*

to consult [kən'sʌlt] *v. tr. e intr.* consultare, consultarsi

consultant [kən'sʌltənt] *s.* **1** consulente *m.* **2** medico *m.* specialista

consultation [ˌkɒns(ə)l'teɪʃ(ə)n] *s.* consultazione *f.*, consulto *m.*

to consume [kən'sjuːm] *v. tr.* consumare

consumer [kən'sjuːmər] *s.* **1** consumatore *m.* **2** utente *m.* e *f.* ♦ **c. goods** beni di consumo

consummation [ˌkɒnsə'meɪʃ(ə)n] *s.* compimento *m.*, completamento *m.*

consumption [kən'sʌm(p)ʃ(ə)n] *s.* consumo *m.*

contact ['kɒntækt] *s.* **1** contatto *m.*, relazione *f.* **2** conoscenza *f.* ♦ **c. lenses** lenti a contatto

to contact ['kɒntækt] *v. tr.* mettere in contatto, contattare

contagion [kən'teɪdʒ(ə)n] *s.* contagio *m.*

contagious [kən'teɪdʒəs] *agg.* contagioso

to contain [kən'teɪn] *v. tr.* **1** contenere, comprendere **2** trattenere, reprimere

container [kən'teɪnər] *s.* **1** contenitore *m.*, recipiente *m.* **2** container *m. inv.*

to contaminate [kən'tæmɪneɪt] *v. tr.* contaminare

contamination [kən,tæmɪ'neɪʃ(ə)n] *s.* contaminazione *f.*

to contemplate ['kɒntempleɪt] *v. tr.* **1** contemplare **2** prevedere

contemplative [kən'templətɪv] *agg.* contemplativo

contemporary [kən'temp(ə)rərɪ] **A** *agg.* contemporaneo **B** *s.* coetaneo *m.*, contemporaneo *m.*

contempt [kən'tem(p)t] *s.* **1** disprezzo *m.* **2** (*dir*) inosservanza *f.*

contemptible [kən'tem(p)təbl] *agg.* spregevole

to contend [kən'tend] **A** *v. intr.* contendere, combattere **B** *v. tr.* asserire

contender [kən'tendər] *s.* contendente *m.* e *f.*, concorrente *m.* e *f.*

content (1) ['kɒntent] *s.* contenuto *m.* (**table of) contents** (*di libro*) indice

content (2) [kən'tent] **A** *agg.* contento, soddisfatto **B** *s.* **1** contentezza *f.* **2** voto *m.* favorevole

contention [kən'tenʃ(ə)n] *s.* **1** contesa *f.*, controversia *f.* **2** opinione *f.*

contest ['kɒntest] *s.* competizione *f.*, concorso *m.*

to contest [kən'test] *v. tr.* **1** contestare **2** contendere, disputare **3** (*dir*) impugnare

contestant [kən'testənt] *s.* concorrente *m.* e *f.*

context ['kɒntekst] *s.* contesto *m.*

continent ['kɒntɪnənt] *s.* continente *m.*

continental [ˌkɒntɪ'nentl] *agg.* continentale

contingency [kən'tɪn(d)ʒ(ə)nsɪ] *agg.* contingenza *f.*, eventualità *f.*

continual [kən'tɪnjʊəl] *agg.* continuo

continually [kən'tɪnjʊəlɪ] *avv.* continuamente

continuation [kən,tɪnjʊ'eɪʃ(ə)n] *s.* continuazione *f.*

to continue [kən'tɪnjʊ(ː)] *v. tr. e intr.* continuare, proseguire

continuity [ˌkɒntɪ'njuːɪtɪ] s. **1** continuità f. **2** (cine.) sceneggiatura f.

continuous [kən'tɪnjʊəs] agg. continuo

to contort [kən'tɔːt] v. tr. contorcere

contortion [kən'tɔːʃ(ə)n] s. contorcimento m., contorsione f.

contour ['kɒntʊər] s. contorno m. ◆ **c. lines** curve di livello

contraband ['kɒntrəbænd] s. contrabbando m.

contraceptive [ˌkɒntrə'septɪv] agg. e s. contraccettivo m.

contract ['kɒntrækt] s. contratto m.

to contract [kən'trækt] **A** v. tr. contrarre, restringere **B** v. intr. **1** contrarsi, restringersi **2** impegnarsi **3** prendere in appalto ◆ **to c. in/out** associarsi/dissociarsi

contraction [kən'trækʃ(ə)n] s. contrazione f.

contractor [kən'træktər] s. **1** contraente m. e f. **2** imprenditore m., appaltatore m.

to contradict [ˌkɒntrə'dɪkt] v. tr. e intr. contraddire

contradiction [ˌkɒntrə'dɪkʃ(ə)n] s. contraddizione f.

contraindication [ˌkɒntrəˌɪndɪ'keɪʃ(ə)n] s. controindicazione f.

contraposition [ˌkɒntrəpə'zɪʃ(ə)n] s. contrapposizione f.

contraption [kən'træpʃ(ə)n] s. (fam.) congegno m.

contrary ['kɒntrərɪ] agg. e s. contrario m., opposto m. ◆ **on the c.** al contrario; **c. to** contrariamente a

contrast ['kɒntrɑːst] s. contrasto m.

to contrast [kən'trɑːst] **A** v. tr. mettere in contrasto **B** v. intr. contrastare

contravention [ˌkɒntrə'venʃ(ə)n] s. contravvenzione f.

to contribute [kən'trɪbjʊt] **A** v. intr. **1** contribuire **2** (con un giornale) collaborare **B** v. tr. **1** contribuire con **2** scrivere (un articolo)

contribution [ˌkɒntrɪ'bjuːʃ(ə)n] s. **1** contributo m. **2** (con un giornale) collaborazione f.

contrivance [kən'traɪv(ə)ns] s. **1** espediente m. **2** congegno m.

to contrive [kən'traɪv] **A** v. tr. **1** escogitare **2** fare in modo di **B** v. intr. fare piani

control [kən'trɒl] s. **1** controllo m. **2** (dispositivo di) comando m. ◆ **to be in c. of** avere il controllo di

to control [kən'trɒl] v. tr. **1** controllare,

dirigere **2** trattenere, dominare

controller [kən'trɒlər] s. **1** sovrintendente m. **2** (USA) direttore m. amministrativo

controversial [ˌkɒntrə'vɜːʃ(ə)l] agg. **1** controverso **2** polemico

controversy ['kɒntrəvɜːsɪ] s. **1** controversia f., polemica f. **2** (dir.) vertenza f.

to convalesce [ˌkɒnvə'les] v. intr. essere in convalescenza

convalescence [ˌkɒnvə'lesns] s. convalescenza f.

convalescent [ˌkɒnvə'les(ə)nt] agg. e s. convalescente m. e f.

convection [kən'vekʃ(ə)n] s. (fis.) convezione f.

to convene [kən'viːn] **A** v. tr. convocare, adunare **B** v. intr. convenire, adunarsi

convenience [kən'viːnjəns] s. **1** convenienza f., vantaggio m. **2** comodità f.

convenient [kən'viːnjənt] agg. **1** conveniente, comodo **2** (di luogo) vicino

convent ['kɒnv(ə)nt] s. convento m.

convention [kən'venʃ(ə)n] s. **1** convenzione f., accordo m. **2** convegno m.

conventional [kən'venʃənl] agg. convenzionale, comune

to converge [kən'vɜːdʒ] v. intr. convergere, confluire

convergence [kən'vɜːdʒ(ə)ns] s. convergenza f.

conversant [kən'vɜːs(ə)nt] agg. pratico, al corrente

conversation [ˌkɒnvə'seɪʃ(ə)n] s. conversazione f., discorso m.

conversational [ˌkɒnvə'seɪʃənl] agg. **1** loquace **2** discorsivo

converse ['kɒnvɜːs] agg. contrario

to converse [kən'vɜːs] v. intr. conversare

conversely [kən'vɜːslɪ] avv. invece, al contrario, per converso

conversion [kən'vɜːʃ(ə)n] s. conversione f.

to convert [kən'vɜːt] v. tr. convertire

convertible [kən'vɜːtəbl] agg. convertibile

convex [ˌkɒn'veks] agg. convesso

to convey [kən'veɪ] v. tr. **1** trasmettere **2** trasportare

conveyance [kən'veɪ(ɪ)əns] s. trasmissione f.

conveyor [kən'veɪər] s. trasportatore m. ◆ **c. belt** nastro trasportatore

convict ['kɒnvɪkt] s. condannato m., detenuto *m.*

to **convict** [kən'vɪkt] *v. tr.* condannare, dichiarare colpevole

conviction [kən'vɪkʃ(ə)n] *s.* **1** condanna *f.*, verdetto *m.* di colpevolezza **2** convinzione *f.*

to **convince** [kən'vɪns] *v. tr.* convincere

convincing [kən'vɪnsɪŋ] *agg.* convincente

convocation [,kɒnvə'keɪʃ(ə)n] *s.* convocazione *f.*

convoluted ['kɒnvəljuːtɪd] *agg.* **1** ritorto **2** involuto, contorto

convoy ['kɒnvɔɪ] *s.* scorta *f.*, convoglio *m.*

convulsion [kən'vʌlʃ(ə)n] *s.* convulsione *f.*

to **coo** [kuː] *v. intr.* tubare

cook [kʊk] *s.* cuoco *m.*

to **cook** [kʊk] *v. tr. e intr.* cucinare, cuocere

cookbook ['kʊkbʊk] *s.* ricettario *m.*

cooker ['kʊkəʳ] *s.* **1** fornello *m.*, cucina *f.* **2** pentola *f.* ♦ **pressure c.** pentola a pressione

cookery ['kʊkərɪ] *s.* arte *f.* culinaria, gastronomia *f.*

cookie ['kʊkɪ] *s.* (*USA*) biscotto *m.*

cooking ['kʊkɪŋ] *s.* **1** cottura *f.* **2** cucina *f.*, arte *f.* culinaria

cool [kuːl] *agg.* **1** fresco **2** (*di persona*) tranquillo, freddo, compassato **3** impudente, sfacciato

to **cool** [kuːl] *v. tr.* **1** raffreddare, rinfrescare **2** calmare ♦ **to c. down** raffreddarsi; **cool it!** calma!

coolness ['kuːlnɪs] *s.* **1** fresco *m.* **2** freddezza *f.*

coop [kuːp] *s.* stia *f.*

to **coop** [kuːp] *v. tr.* rinchiudere

to **cooperate** [kɒ(ʊ)'ɒpəreɪt] *v. intr.* cooperare, collaborare

cooperation [kɒ(ʊ),ɒpə'reɪʃ(ə)n] *s.* cooperazione *f.*, collaborazione *f.*

cooperative [kɒ(ʊ)'ɒp(ə)rətɪv] *s.* cooperativa *f.*

coordinate [kɒ(ʊ)'ɔːdnɪt] **A** *agg.* **1** uguale **2** coordinato **B** *s.* coordinata *f.*

coordination [kɒ(ʊ),ɔːdɪ'neɪʃ(ə)n] *s.* coordinazione *f.*

coordinator [kɒ(ʊ)'ɔːdɪneɪtəʳ] *s.* coordinatore *m.*

coowner [kɒ(ʊ)'ɒʊnəʳ] *s.* comproprietario *m.*

to **cope** [kɒʊp] *v. intr.* tener testa, far fronte

copper ['kɒpəʳ] *s.* rame *m.*

coppice ['kɒpɪs] *s.* bosco *m.* ceduo

copse [kɒps] *s.* bosco *m.* ceduo

copy ['kɒpɪ] *s.* copia *f.* ♦ **c. book** quaderno

to **copy** ['kɒpɪ] *v. tr.* **1** copiare **2** imitare **3** riprodurre ♦ **to c. down** trascrivere

copyright ['kɒpɪraɪt] *s.* copyright *m. inv.*, diritto *m.* d'autore

coral ['kɒr(ə)l] **A** *s.* corallo *m.* **B** *agg.* corallino ♦ **c. reef** barriera corallina

cord [kɔːd] *s.* **1** corda *f.* **2** filo *m.*, cordone *m.* **3** velluto *m.* a coste

cordial ['kɔːdjəl] *agg.* cordiale

cordiality [,kɔːdɪ'ælɪtɪ] *s.* cordialità *f.*

cordon ['kɔːdn] *s.* cordone *m.*

core [kɔːʳ] *s.* **1** nucleo *m.*, centro *m.* **2** torsolo *m.*

coriaceous [,kɒrɪ'eɪʃəs] *agg.* coriaceo

Corinthian [kə'rɪnθɪən] *agg.* corinzio

cork [kɔːk] *s.* **1** sughero *m.* **2** tappo *m.* ♦ **c. oak** quercia da sughero; **c. skrew** cavatappi

to **cork** [kɔːk] *v. tr.* tappare, turare

cormorant ['kɔːm(ə)r(ə)nt] *s.* cormorano *m.*

corn (1) [kɔːn] *s.* **1** cereale *m.*, granaglie *f. pl.* **2** grano *m.* **3** (*USA*) mais *m.* ♦ **c. cob** pannocchia; **c.-flakes** fiocchi di mais

corn (2) [kɔːn] *s.* callo *m.*

to **corn** [kɔːn] *v. tr.* conservare (sotto sale), salare ♦ **corned beef** carne in scatola

cornea ['kɔːnɪə] *s.* cornea *f.*

corner ['kɔːnəʳ] *s.* **1** angolo *m.*, spigolo *m.* **2** (*di merce*) accaparramento *m.*

to **corner** ['kɔːnəʳ] **A** *v. intr.* curvare, svoltare **B** *v. tr.* **1** mettere alle strette **2** accaparrare, imboscare

cornet ['kɔːnɪt] *s.* **1** (*mus.*) cornetta *f.* **2** cartoccio *m.* (*a cono*) **3** cono *m.* gelato

cornflower ['kɔːn,flaʊəʳ] *s.* fiordaliso *m.*

cornice ['kɔːnɪs] *s.* (*arch.*) cornicione *m.*

cornucopia [,kɔːnjuː'kɒʊpjə] *s.* cornucopia *f.*

corny ['kɔːnɪ] *agg.* **1** di grano, ricco di grano **2** trito, banale

corolla [kə'rɒlə] *s.* corolla *f.*

coronary ['kɒrənərɪ] **A** *agg.* coronario **B** *s.* trombosi *f.* coronaria

coronation [,kɒrə'neɪʃ(ə)n] *s.* incoronazione *f.*

coronet ['kɒrənɪt] *s.* corona *f.*, diadema *m.*

corporal (1) ['kɔːp(ə)r(ə)l] *agg.* corporale

corporal (2) ['kɔːp(ə)r(ə)l] *s.* (*mil.*) caporale *m.*

corporate ['kɔːp(ə)rɪt] *agg.* **1** corporativo **2** societario, aziendale ♦ **c. name** ragione sociale

corporation [ˌkɔːpəˈreɪʃ(ə)n] s. compagnia f., società f. ♦ **municipal c.** consiglio comunale

corps [kɔːr] s. inv. **1** (mil.) corpo m. **2** (di persone) gruppo m.

corpse [kɔːps] s. cadavere m.

corpuscle [ˈkɔːpʌsl] s. corpuscolo m.

corral [kəˈrɑːl] s. recinto m. per bestiame

correct [kəˈrɛkt] agg. **1** corretto, giusto **2** adatto, opportuno

to **correct** [kəˈrɛkt] v. tr. correggere

correction [kəˈrɛkʃ(ə)n] s. correzione f.

correctly [kəˈrɛktlɪ] avv. **1** correttamente, giustamente **2** opportunamente

correlation [ˌkɒrɪˈleɪʃ(ə)n] s. correlazione f.

to **correspond** [ˌkɒrɪsˈpɒnd] v. intr. corrispondere

correspondence [ˌkɒrɪsˈpɒndəns] s. **1** corrispondenza f., carteggio m. **2** accordo m.

corresponding [ˌkɒrɪsˈpɒndɪŋ] agg. e s. corrispondente m. e f.

corridor [ˈkɒrɪdɔːr] s. corridoio m.

to **corroborate** [kəˈrɒb(ə)reɪt] v. tr. corroborare, avvalorare

to **corrode** [kəˈrəʊd] v. tr. e intr. corrodere, corrodersi

corrosive [kəˈrəʊsɪv] agg. corrosivo

corrugated [ˈkɒrʊgeɪtɪd] agg. corrugato, increspato ♦ **c. iron** lamiera ondulata

to **corrupt** [kəˈrʌpt] v. tr. **1** corrompere **2** alterare

corruption [kəˈrʌpʃ(ə)n] s. corruzione f.

corset [ˈkɔːsɪt] s. busto m.

cortisone [ˈkɔːtɪzəʊn] s. cortisone m.

corvée [ˈkɔːveɪ] s. corvè f. inv.

cosh [kɒʃ] s. manganello m.

cosmetic [kəzˈmɛtɪk] **A** agg. **1** cosmetico **2** apparente, superficiale **B** s. cosmetico m.

cosmic [ˈkɒzmɪk] agg. cosmico

cosmopolitan [ˌkɒzməˈpɒlɪt(ə)n] agg. cosmopolita

cosmos [ˈkɒzməs] s. cosmo m.

to **cosset** [ˈkɒsɪt] v. tr. vezzeggiare, coccolare

cost [kɒst] s. costo m., prezzo m. ♦ **at all costs** a ogni costo; **c.-effective** efficace, conveniente; **c. price** prezzo di costo

to **cost** [kɒst] (pass. e p. p. **cost**) **A** v. intr. costare **B** v. tr. valutare i costi

costly [ˈkɒstlɪ] agg. costoso, caro

costume [ˈkɒstjuːm] s. **1** costume m. **2** tailleur m. inv. ♦ **c. ball** ballo in costume; **c. jewellery** bigiotteria; **swimming c.** costume da bagno

cosy [ˈkəʊzɪ] (USA **cozy**) agg. accogliente, confortevole

cot [kɒt] s. **1** culla f., lettino f. **2** branda f.

coterie [ˈkəʊtərɪ] s. circolo m., cenacolo m.

cottage [ˈkɒtɪdʒ] s. casetta f., villetta f.

cotton [ˈkɒtn] s. cotone m. ♦ **c. wool** cotone idrofilo

to **cotton** [ˈkɒtn] v. intr. fraternizzare ♦ **to c. on** afferrare, iniziare a capire

couch [kaʊtʃ] s. divano m.

couchette [kuːˈʃɛt] s. cuccetta f.

cough [kɒf] s. tosse f. ♦ **c.-drop** pasticca per la tosse

to **cough** [kɒf] v. intr. tossire

could [kʊd, kəd] pass. di **can**

council [ˈkaʊnsl] s. **1** (adunanza di persone) consiglio m. **2** (relig.) concilio m. ♦ **city/town c.** consiglio comunale; **c. house** casa popolare; **c. estate** quartiere popolare

councillor [ˈkaʊnsɪlər] s. consigliere m.

counsel [ˈkaʊns(ə)l] s. **1** consiglio m., consultazione f. **2** (dir.) avvocato m., consulente m. e f.

to **counsel** [ˈkaʊns(ə)l] v. tr. consigliare

counsellor [ˈkaʊnsələr] s. **1** consigliere m., consulente m. e f. **2** (USA) avvocato m.

count (1) [kaʊnt] s. conto m., conteggio m.

count (2) [kaʊnt] s. conte m.

to **count** [kaʊnt] **A** v. tr. **1** contare, calcolare **2** considerare, annoverare **B** v. intr. **1** contare **2** avere importanza ♦ **to c. down** fare il conto alla rovescia; **to c. in** includere; **to c. on** fare assegnamento

countenance [ˈkaʊntɪnəns] s. **1** espressione f., aria f. **2** approvazione f., appoggio m.

to **countenance** [ˈkaʊntɪnəns] v. tr. approvare, appoggiare

counter (1) [ˈkaʊntər] s. (tecnol.) contatore m., misuratore m.

counter (2) [ˈkaʊntər] s. **1** gettone m. **2** banco m., cassa f. ♦ **telephone c.** gettone telefonico

counter (3) [ˈkaʊntər] avv. contrariamente

to **counter** [ˈkaʊntər] v. tr. e intr. **1** opporsi a **2** respingere, mandare a vuoto **3** replicare

to **counteract** [ˌkaʊntəˈrækt] v. tr. **1** agire contro **2** contrastare

counterclockwise [ˌkaʊntə'klɒkwaɪs] *agg.* antiorario

countercurrent [ˌkʌntə'kʌrənt] *s.* controcorrente *f.*

counterfeit ['kaʊntəfɪt] **A** *agg.* falso, contraffatto **B** *s.* contraffazione *f.*, falsificazione *f.*

to counterfeit ['kaʊntəfiːt] *v. tr.* contraffare, falsificare

counterfoil ['kaʊntəfɔɪl] *s.* matrice *f.*

countermand [ˌkaʊntə'maːnd] *s.* contrordine *m.*

to countermand ['kaʊntə,maːnd] *v. tr.* annullare, revocare

counterpart ['kaʊntəpaːt] *s.* **1** controparte *f.* **2** duplicato *m.*, copia *f.*

counterproductive ['kaʊntəprə,dʌktɪv] *agg.* controproducente

Counter-Reformation ['kaʊntərefə,meɪʃ(ə)n] *s.* controriforma *f.*

countersign ['kaʊntəsaɪn] *s.* contrassegno *m.*, controfirma *f.*

to countersign ['kaʊntəsaɪn] *v. tr.* contrassegnare, controfirmare

countess ['kaʊntɪs] *s.* contessa *f.*

countless ['kaʊntlɪs] *agg.* innumerevole

country ['kʌntrɪ] **A** *s.* **1** paese *m.*, nazione *f.*, regione *f.* **2** patria *f.* **3** campagna *f.* **B** *agg.* di campagna

countryman ['kʌntrɪmən] (*pl.* **countrymen**) *s.* **1** campagnolo *m.*, contadino *m.* **2** compatriota *m.*

countryside ['kʌntrɪsaɪd] *s.* campagna *f.*

countrywide ['kʌntrɪwaɪd] *agg.* esteso a tutto il territorio nazionale

county ['kaʊntɪ] *s.* contea *f.*

couple ['kʌpl] *s.* coppia *f.*, paio *m.*

to couple ['kʌpl] *v. tr.* **1** accoppiare, abbinare **2** unire insieme

coupon ['kuːpən] *s.* buono *m.*, scontrino *m.*, tagliando *m.*

courage ['kʌrɪdʒ] *s.* coraggio *m.*

courageous [kə'reɪdʒəs] *agg.* coraggioso

courgette [ˌkʊə'ʒet] *s.* zucchino *m.*

courier ['kʊrɪər] *s.* **1** corriere *m.*, messaggero *m.* **2** guida *f.* (turistica)

course [kɔːs] *s.* **1** corso *m.*, decorso *m.* **2** direzione *f.*, rotta *f.* **3** pietanza *f.*, portata *f.* **4** (*sport*) campo *m.*, percorso *m.* **5** al pl. mestruazioni *f. pl.* ♦ **of c.** naturalmente, senz'altro

court [kɔːt] *s.* **1** corte *f.*, cortile *m.* **2** (*dir*) corte *f.*, tribunale *m.* **3** castello *m.*, dimora

f. **4** (*sport*) campo *m.* (di gioco) **5** corteggiamento *m.* ♦ **c.-martial** corte marziale; **c. of inquiry** commissione d'inchiesta; **c. room** aula di tribunale

to court [kɔːt] *v. tr.* corteggiare

courteous ['kɜːtjəs] *agg.* cortese

courtesy ['kɜːtɪsɪ] *s.* cortesia *f.* ♦ **by c. of** per gentile concessione di

courtier ['kɜːtjər] *s.* cortigiano *m.*

courtyard ['kɔːt,jaːd] *s.* cortile *m.*

cousin ['kʌzn] *s.* cugino *m.*

cove [kəʊv] *s.* baia *f.*, caletta *f.*

covenant ['kʌvɪnənt] *s.* convenzione *f.*, accordo *m.*

cover ['kʌvər] *s.* **1** copertura *f.*, coperchio *m.*, coperta *f.*, fodera *f.* **2** (*di libro, giornale*) copertina *f.* **3** riparo *m.* **4** (*econ.*) copertura *f.* **5** coperto *m.* ♦ **c. charge** prezzo del coperto; **c. girl** fotomodella; **to take c.** mettersi al riparo

to cover ['kʌvər] *v. tr.* **1** coprire **2** ricoprire, rivestire **3** comprendere ♦ **to c. up** coprire, nascondere

coverage ['kʌvərɪdʒ] *s.* **1** copertura *f.* **2** (*radio, TV*) zona *f.* di ricezione **3** servizio *m.* d'informazione

covering ['kʌvərɪŋ] *s.* rivestimento *m.*

to covet ['kʌvɪt] *v. tr.* agognare, bramare

cow [kaʊ] *s.* mucca *f.* ♦ **c. house** stalla

to cow [kaʊ] *v. tr.* intimorire

coward ['kaʊəd] *agg.* vigliacco

cowardice ['kaʊədɪs] *s.* vigliaccheria *f.*

cowl [kaʊl] *s.* **1** cappuccio *m.* **2** tonaca *f.*

cowslip ['kaʊslɪp] *s.* primula *f.*

cox(wain) ['kɒks(weɪn)] *s.* timoniere *m.*

coy [kɔɪ] *agg.* schivo, riservato

cozy ['kəʊzɪ] *agg.* (*USA*) → **cosy**

crab (1) [kræb] *s.* granchio *m.*

crab (2) [kræb] *s.* melo *m.* selvatico

crack [kræk] **A** *agg.* di prim'ordine, scelto **B** *s.* **1** rottura *f.*, crepa *f.* **2** schianto *m.*, esplosione *f.* **3** crollo *m.*, tracollo *m.*

to crack [kræk] **A** *v. tr.* **1** rompere, incrinare **2** schioccare **3** (*fam.*) decifrare **4** (*pop.*) scassinare **B** *v. intr.* **1** rompersi, incrinarsi **2** schioccare ♦ **to c. a joke** dire una barzelletta; **to c. on** darci dentro; **to c. up** rompere, andare in mille pezzi

cracker ['krækər] *s.* **1** cracker *m. inv.* **2** petardo *m.*

to crackle ['krækl] *v. intr.* **1** crepitare, scricchiolare **2** screpolarsi

cradle ['kreɪdl] *s.* culla *f.* ♦ **c. song** ninnananna

craft [kra:ft] *s.* **1** mestiere *m.* **2** corporazione *f.*, categoria *f.* **3** abilità *f.* **4** imbarcazione *f.*

craftsman ['kra:ftsmən] (*pl.* **craftsmen**) *s.* artigiano *m.*

crafty ['kra:ftɪ] *agg.* astuto

crag [kræg] *s.* picco *m.*, dirupo *m.*

to cram [kræm] **A** *v. tr.* riempire, rimpinzare **B** *v. intr.* **1** rimpinzarsi, ingozzarsi **2** ammassarsi

cramp [kræmp] *s.* crampo *m.*

cramped [kræmpt] *agg.* **1** ristretto, limitato **2** contratto

crampon ['kræmpən] *s.* rampone *m.*

crane [kreɪn] *s.* (*zool., mecc.*) gru *f. inv.* ♦ **bridge c.** carroponte

cranial ['kreɪnjəl] *agg.* cranico

cranium ['kreɪnjəm] *s.* cranio *m.*

crank [kræŋk] *s.* **1** manovella *f.* **2** (*fam.*) persona *f.* eccentrica ♦ **c. shaft** albero a gomiti

crash [kræʃ] *s.* **1** fragore *m.*, schianto *m.* **2** scontro *m.*, collisione *f.* **3** crollo *m.*, caduta *f.* ♦ **c. barrier** guardrail; **c. helmet** casco di protezione; **c. landing** atterraggio di fortuna; **c.-proof** a prova d'urto

to crash [kræʃ] **A** *v. tr.* rompere, fracassare **B** *v. intr.* **1** schiantarsi, precipitare **2** (*autom.*) scontrarsi **3** crollare, precipitare

crate [kreɪt] *s.* cassa *f.*, cesta *f.*

crater ['kreɪtər] *s.* cratere *m.*

to crave [kreɪv] **A** *v. intr.* desiderare fortemente **B** *v. tr.* scongiurare, chiedere con insistenza

craving ['kreɪvɪŋ] *s.* desiderio *m.*, brama *f.*

crawl [krɔ:l] *s.* crawl *m. inv.*

to crawl [krɔ:l] *v. intr.* **1** strisciare **2** avanzare carponi

crayfish ['kreɪ,fɪʃ] *s.* **1** gambero *m.* **2** aragosta *f.*

crayon ['kreɪ(ɪ)ən] *s.* pastello *m.*

craze [kreɪz] *s.* mania *f.*

crazy ['kreɪzɪ] *agg.* **1** matto **2** entusiasta, maniaco **3** (*pop.*) fantastico

creak [kri:k] *s.* scricchiolio *m.*

cream [kri:m] *s.* **1** panna *f.* **2** crema *f.* ♦ **whipped c.** panna montata

creamy ['kri:mɪ] *agg.* cremoso

crease [kri:s] *s.* piega *f.*, grinza *f.*

to crease [kri:s] *v. tr.* stropicciare, spiegazzare

to create [kri:'eɪt] *v. tr.* creare

creation [kri:'eɪʃ(ə)n] *s.* creazione *f.*

creative [krɪ(:)'eɪtɪv] *agg.* creativo

creature ['kri:tʃər] *s.* creatura *f.*

crèche [kreɪʃ] *s.* asilo *m.* infantile

credence ['kri:d(ə)ns] *s.* credenza *f.*, credito *m.* ♦ **to give c. to st.** prestar fede a q.c.

credentials [krɪ'denʃ(ə)lz] *s. pl.* credenziali *f. pl.*

credit ['kredɪt] *s.* **1** credito *m.* **2** merito *m.* ♦ **c. card** carta di credito; **to give c. to** prestar fede a; **to place c. in** aver fiducia in

to credit ['kredɪt] *v. tr.* **1** prestar fede **2** attribuire **3** accreditare ♦ **to c. sb. with st.** attribuire q.c. a qc.

creditor ['kredɪtər] *s.* creditore *m.*

creed [kri:d] *s.* (*relig.*) credo *m.*

creek [kri:k] *s.* **1** insenatura *f.* **2** (*USA*) torrente *m.*

to creep [kri:p] (*pass. e p. p.* **crept**) *v. intr.* **1** strisciare **2** avanzare furtivamente **3** rabbrividire, avere la pelle d'oca ♦ **to c. away** allontanarsi furtivamente; **to c. in** prendere piede; **to c. up** salire lentamente, insinuarsi

creeper ['kri:pər] *s.* **1** verme *m.* **2** (*bot.*) rampicante *m.* **3** (*naut.*) grappino *m.*

creeping ['kri:pɪŋ] *agg.* rampicante

creepy ['kri:pɪ] *agg.* **1** strisciante **2** che fa accapponare la pelle

to cremate [krɪ'meɪt] *v. tr.* cremare

cremation [krɪ'meɪʃ(ə)n] *s.* cremazione *f.*

crematorium [,kremə'tɔ:rɪəm] *s.* forno *m.* crematorio

crepe [kreɪp] *s.* crespo *m.*

crept [krept] *pass. e p. p. di* **to creep**

crepuscular [krɪ'pʌskjʊlər] *agg.* crepuscolare

crescendo [krɪ'ʃendoʊ] *s.* crescendo *m.*

crescent ['kresnt] **A** *agg.* **1** crescente **2** a mezzaluna **3** a semicerchio **B** *s.* **1** luna *f.* crescente, falce *f.* di luna **2** mezzaluna *f.*

cress [kres] *s.* crescione *m.*

crest [krest] *s.* **1** cresta *f.*, ciuffo *m.* **2** (*arald.*) cimiero *m.* **3** crinale *m.*

crestfallen ['krest,fɔ:lən] *agg.* abbattuto, mortificato

crevasse [krɪ'væs] *s.* crepaccio *m.*

crevice ['krevɪs] *s.* crepa *f.*, fenditura *f.*

crew [kru:] *s.* equipaggio *m.*

crewman [kru:mən] (*pl.* **crewmen**) *s.* membro *m.* dell'equipaggio

crew-neck ['kru:nek] *agg.* (a) girocollo

crib [krɪb] *s.* **1** greppia *f.* **2** presepe *m.* **3** (*USA*) culla *f.*

to **crib** [krɪb] *v. tr.* (*fam.*) copiare (*i compiti*)

crick [krɪk] *s.* crampo *m.*

cricket (1) ['krɪkɪt] *s.* (*sport*) cricket *m. inv.*

cricket (2) ['krɪkɪt] *s.* grillo *m.*

crime [kraɪm] *s.* crimine *m.*, delitto *m.*

criminal ['krɪmɪnl] *agg. e s.* criminale *m. e f.*

crimson ['krɪmzn] *agg.* cremisi

to **cringe** [krɪndʒ] *v. intr.* **1** acquattarsi, farsi piccolo **2** umiliarsi, essere servile

crinkle ['krɪŋkl] *s.* crespa *f.*, grinza *f.*

to **crinkle** ['krɪŋkl] *v. tr. e intr.* increspare, incresparsi

cripple ['krɪpl] *s.* zoppo *m.*, mutilato *m.*

to **cripple** ['krɪpl] *v. tr.* azzoppare, menomare

crisis ['kraɪsɪs] (*pl.* **crises**) *s.* crisi *f.*

crisp [krɪsp] *agg.* **1** croccante **2** fresco, frizzante

crisscross ['krɪskrɔs] *agg.* incrociato

criterion [kraɪ'tɪ(ə)rɪən] (*pl.* **criteria**) *s.* criterio *m.*

critic ['krɪtɪk] *s.* critico *m.*

critical ['krɪtɪk(ə)l] *agg.* critico

criticism ['krɪtɪsɪz(ə)m] *s.* critica *f.*

criticizable ['krɪtɪsaɪzəbl] *agg.* criticabile

to **criticize** ['krɪtɪsaɪz] *v. tr.* criticare, fare la critica

to **croak** [krəʊk] *v. intr.* gracchiare, gracidare

crochet ['krəʊʃeɪ] *s.* uncinetto *m.*

crockery ['krɒkərɪ] *s.* terraglie *f. pl.*, vasellame *m.*

crocodile ['krɒkədaɪl] *s.* coccodrillo *m.*

crook [krʊk] *s.* **1** uncino *m.*, gancio *m.* **2** bastone *m.* **3** (*pop.*) truffatore *m.*

to **crook** [krʊk] *v. tr.* piegare, curvare

crooked ['krʊkɪd] *agg.* **1** storto **2** disonesto

crop [krɒp] *s.* **1** raccolto *m.*, messe *f.* **2** (*di uccello*) gozzo *m.* **3** frustino *m.* **4** (*di capelli*) rapata *f.*

to **crop** [krɒp] *v. tr.* **1** spuntare, tosare **2** coltivare ♦ **to c. up** spuntare, presentarsi

croquette [krɒ(ʊ)'ket] *s.* crocchetta *f.*

cross [krɒs] **A** *agg.* **1** trasversale, obliquo **2** seccato, di cattivo umore **3** opposto, contrario **B** *s.* **1** croce *f.* **2** contrarietà *f.* **3** (*biol.*) incrocio *m.*

to **cross** [krɒs] **A** *v. tr.* **1** attraversare, intersecare **2** incrociare **3** ostacolare **4** sbarrare **B** *v. intr.* **1** incrociarsi **2** compiere una traversata ♦ **to c. off/out** cancellare; **to c. over** attraversare

crossbar ['krɒsbɑːr] *s.* asticella *f.*

crossbow ['krɒsbəʊ] *s.* balestra *f.*

crossbreed ['krɒsbriːd] *s.* incrocio *m.* (di razze)

cross-country [ˌkrɒs'kʌntrɪ] *agg.* campestre

cross-eyed ['krɒsaɪd] *agg.* strabico

crossfire ['krɒsˌfaɪər] *s.* fuoco *m.* incrociato

crossing ['krɒsɪŋ] *s.* **1** attraversamento *m.*, incrocio *m.* **2** traversata *f.* ♦ **level c.** passaggio a livello

cross-purposes [ˌkrɒs'pɜːpəsɪz] *s. pl.* scopi *m. pl.* contrastanti ♦ **to be at c.** fraintendersi

cross-reference [ˌkrɒs'ref(ə)rəns] *s.* rinvio *m.*, rimando *m.*

crossroad ['krɒsrəʊd] *s.* **1** traversa *f.* **2** crocevia *m. inv.*, crocicchio *m.*

cross-section ['krɒsˌsekʃ(ə)n] *s.* **1** sezione *f.* trasversale **2** gruppo *m.* rappresentativo

crosswalk ['krɒswɔːk] *s.* (*USA*) attraversamento *m.* pedonale

crosswise ['krɒswaɪz] *avv.* attraverso

crossword ['krɒswɜːd] *s.* cruciverba *m. inv.*

crotchet ['krɒtʃɪt] *s.* **1** gancio *m.* **2** mania *f.* **3** (*mus.*) semiminima *f.*

to **crouch** [kraʊtʃ] *v. intr.* rannicchiarsi

crouton ['kruːtən] *s.* crostino *m.*

crow (1) [krəʊ] *s.* corvo *m.*, cornacchia *f.*

crow (2) [krəʊ] *s.* canto *m.* del gallo

crowd [kraʊd] *s.* calca *f.*, folla *f.*, moltitudine *f.*

to **crowd** [kraʊd] *v. intr.* affollarsi, accalcarsi

crowded ['kraʊdɪd] *agg.* affollato

crowding ['kraʊdɪŋ] *s.* affollamento *m.*

crown [kraʊn] *s.* **1** corona *f.* **2** calotta *f.* ♦ **c. cap** tappo a corona

to **crown** [kraʊn] *v. tr.* incoronare

crucial ['kruːʃəl] *agg.* cruciale, decisivo

cruciate ['kruːʃɪeɪt] *agg.* (*bot.*) cruciforme

crucifix ['kruːsɪfɪks] *s.* crocifisso *m.*

crucifixion [ˌkruːsɪ'fɪkʃ(ə)n] *s.* crocifissione *f.*

cruciform ['kruːsɪfɔːm] *agg.* cruciforme

crude [kruːd] **A** *agg.* **1** grezzo **2** rozzo, grossolano **B** *s.* (*petrolio*) greggio *m.*

cruel [krʊəl] *agg.* crudele

cruelty ['krʊəltɪ] *s.* crudeltà *f.*

cruise [kruːz] *s.* crociera *f.*

cruiser ['kruːzər] *s.* incrociatore *m.*

crumb [krʌm] *s.* **1** briciola *f.* **2** mollica *f.*

to **crumb** [krʌm] *v. tr.* **1** sbriciolare **2** impanare

to crumble ['krʌmbl] *v. tr. e intr.* sbriciolare, sbriciolarsi

to crumple ['krʌmpl] *v. tr.* stropicciare

crunch [krʌntʃ] *s.* **1** lo sgranocchiare **2** scricchiolio *m.* **3** (*fam.*) momento *m.* cruciale

to crunch [krʌn(t)ʃ] *v. tr.* sgranocchiare

crusade [kru:'seɪd] *s.* crociata *f.*

crush [krʌʃ] *s.* **1** calca *f.*, folla *f.* **2** (*fam.*) cotta *f.*

to crush [krʌʃ] *v. tr.* **1** schiacciare **2** stroncare, annientare

crust [krʌst] *s.* crosta *f.*

crustacean [krʌs'teɪʃən] *s.* crostaceo *m.*

crutch [krʌtʃ] *s.* **1** gruccia *f.*, stampella *f.* **2** biforcazione *f.*

crux [krʌks] *s.* punto *m.* cruciale

cry [kraɪ] *s.* **1** grido *m.* **2** (*di animale*) verso *m.* **3** lamento *m.*, pianto *m.*

to cry [kraɪ] *v. tr. e intr.* **1** gridare **2** piangere ♦ **to c. down** denigrare; **to c. for** chiedere a gran voce; **to c. off** tirarsi indietro

crying ['kraɪɪŋ] *s.* pianto *m.*

crypt [krɪpt] *s.* cripta *f.*

cryptic ['krɪptɪk] *agg.* criptico

crystal ['krɪstl] *s.* cristallo *m.* ♦ **c. clear** limpido, cristallino

crystalline ['krɪstəlaɪn] *agg.* cristallino

to crystallize ['krɪstəlaɪz] *v. tr.* cristallizzare

cub [kʌb] *s.* cucciolo *m.*

cube [kju:b] *s.* cubo *m.*

cubic ['kju:bɪk] *agg.* cubico

cubism ['kju:bɪz(ə)m] *s.* cubismo *m.*

cubital ['kju:bɪtl] *agg.* (*anat.*) cubitale

cuckoo ['kuku:] *s.* cuculo *m.* ♦ **c. clock** orologio a cucù

cucumber ['kju:kəmbər] *s.* cetriolo *m.*

to cuddle ['kʌdl] *v. tr.* abbracciare, coccolare ♦ **to c. up** raggomitolarsi

cudgel ['kʌdʒ(ə)l] *s.* randello *m.*

cue (1) [kju:] *s.* **1** (*teatro, mus.*) battuta *f.* d'entrata, attacco *m.* **2** imbeccata *f.*

cue (2) [kju:] *s.* (*biliardo*) stecca *f.*

cuff (1) [kʌf] *s.* **1** polsino *m.* **2** risvolto *m.* **3** *al pl.* manette *f. pl.* ♦ **c. links** gemelli (*per polsino*)

cuff (2) [kʌf] *s.* schiaffo *m.*

to cuff [kʌf] *v. tr.* schiaffeggiare

culinary ['kʌlɪnərɪ] *agg.* culinario

to cull [kʌl] *v. tr.* scegliere, selezionare

to culminate ['kʌlmɪneɪt] *v. intr.* culminare

culmination [ˌkʌlmɪ'neɪʃ(ə)n] *s.* culmine *m.*

culprit ['kʌlprɪt] *s.* colpevole *m. e f.*

cult [kʌlt] *s.* culto *m.*

cultivable ['kʌltɪvəbl] *agg.* coltivabile

to cultivate ['kʌltɪveɪt] *v. tr.* coltivare

cultivated ['kʌltɪveɪtɪd] *agg.* **1** coltivato **2** colto

cultivation [ˌkʌltɪ'veɪʃ(ə)n] *s.* coltura *f.*

cultural ['kʌltʃ(ə)r(ə)l] *agg.* culturale

culture ['kʌltʃər] *s.* **1** cultura *f.*, istruzione *f.* **2** civiltà *f.* **3** coltura *f.*, coltivazione *f.*

cumbersome ['kʌmbəsəm] *agg.* ingombrante

cumulus ['kju:mjuləs] *s.* (*meteor.*) cumulo *m.*

cuneiform ['kju:nɪɪfɔ:m] *agg.* cuneiforme

cunning ['kʌnɪŋ] **A** *agg.* astuto, furbo **B** *s.* astuzia *f.*, furberia *f.*

cup [kʌp] *s.* **1** tazza *f.*, tazzina *f.* **2** coppa *f.* ♦ **paper c.** bicchiere di carta

cupboard ['kʌbəd] *s.* armadio *m.*

curable ['kjuərəbl] *agg.* curabile

curate ['kjuərɪt] *s.* curato *m.*, cappellano *m.*

curator [kjuə'reɪtər] *s.* (*di museo, biblioteca*) direttore *m.*, sovrintendente *m. e f.*

curb [kɜ:b] *s.* freno *m.*, ostacolo *m.*

cure [kjuər] *s.* cura *f.*, rimedio *m.*

to cure [kjuər] **A** *v. tr.* **1** guarire, curare **2** (*un materiale*) trattare **3** (*un alimento*) affumicare, salare **B** *v. intr.* (*di alimento*) conservarsi

curfew ['kɜ:fju:] *s.* coprifuoco *m.*

curia ['kjuərɪə] *s.* curia *f.*

curio ['kju(ə)rɪəu] *s.* curiosità *f.*, oggetto *m.* da collezione

curiosity [ˌkjuərɪ'ɒsɪtɪ] *s.* curiosità *f.*

curious ['kjuərɪəs] *agg.* curioso

curl [kɜ:l] *s.* riccio *m.*, ricciolo *m.*

to curl [kɜ:l] *v. tr. e intr.* arricciare, arricciarsi ♦ **to c. up** raggomitolarsi, accartocciarsi

curler ['kɜ:lər] *s.* bigodino *m.*

curly ['kɜ:lɪ] *agg.* **1** ricciuto **2** increspato

currant ['kʌr(ə)nt] *s.* **1** ribes *m.* **2** uva *f.* sultanina

currency ['kʌr(ə)nsɪ] *s.* **1** valuta *f.*, moneta *f.* **2** circolazione *f.*, diffusione *f.*

current ['kʌr(ə)nt] **A** *agg.* corrente, attuale **B** *s.* corrente *f.*

currently ['kʌr(ə)ntlɪ] *avv.* attualmente

curriculum [kə'rɪkjuləm] *s.* curriculum *m.*

curry ['kʌrɪ] *s.* curry *m. inv.*

to curry ['kʌrɪ] *v. tr.* **1** strigliare **2** (*pelli*) conciare **3** adulare

curse [kɜ:s] *s.* **1** maledizione *f.* **2** imprecazione f., bestemmia f.

to curse [kə(ː)s] **A** v. tr. maledire **B** v. intr. imprecare, bestemmiare

cursed ['kɜːsɪd] agg. maledetto

cursor ['kɜːsəʳ] s. cursore m.

curt [kɜːt] agg. brusco, secco, conciso

to curtail [kɜːˈteɪl] v. tr. **1** accorciare, abbreviare **2** ridurre, limitare

curtain ['kɜːt(ə)n] s. **1** tenda f. **2** (teatro) sipario m. ◆ **behind the c.** dietro le quinte

curts(e)y ['kɜːtsɪ] s. inchino m., riverenza f.

curve [kɜːv] s. curva f.

to curve [kɜːv] v. tr. e intr. curvare, curvarsi

curvilinear [ˌkɜːvɪˈlɪnɪəʳ] agg. curvilineo

cushion ['kʊʃ(ə)n] s. cuscino m.

to cushion ['kʊʃ(ə)n] v. tr. **1** imbottire **2** smorzare, attutire

custard ['kʌstəd] s. crema f. pasticciera

custodian [kʌsˈtɒʊdjən] s. custode m.

custody ['kʌstədɪ] s. **1** custodia f., sorveglianza f. **2** detenzione f.

custom ['kʌstəm] s. **1** costume m., abitudine f., usanza f. **2** al pl. dogana f. **3** clientela f. ◆ **c.-made** su ordinazione, su misura; **customs officer** doganiere

customary ['kʌstəm(ə)rɪ] agg. consueto, usuale

customer ['kʌstəməʳ] s. cliente m. e f.

customized ['kʌstəmaɪzd] agg. fuori serie, su misura

cut [kʌt] s. **1** taglio m. **2** riduzione f.

to cut [kʌt] (pass. e p. p. **cut**) **A** v. tr. **1** tagliare **2** incidere **3** ridurre **B** v. intr. tagliare, tagliarsi ◆ **to c. a tooth** mettere un dente; **to c. back** ridurre; **to c. down**

abbattere, ridurre; **to c. in** interloquire; **to c. off** troncare, recidere; **to c. out** ritagliare; **to c. up** tagliare a pezzetti

cutaneous [kjʊ(ː)ˈteɪnjəs] agg. cutaneo

cute [kjuːt] agg. (fam.) carino

cutis ['kjuːtɪs] s. cute f.

cutlery ['kʌtlərɪ] s. posate f. pl.

cutlet ['kʌtlɪt] s. costoletta f.

cutoff ['kʌtəf] s. **1** limite m. estremo **2** (USA) scorciatoia f. **3** (mecc.) otturatore m. **4** (elettr.) apertura f. di circuito

cut-out ['kʌtaʊt] s. **1** (di giornale) ritaglio m. **2** (elettr.) interruttore m.

cut-price ['kʌtpraɪs] agg. a prezzo ridotto

cutthroat ['kʌtθrɒʊt] s. assassino m.

cutting ['kʌtɪŋ] **A** agg. **1** tagliente **2** sferzante **B** s. **1** taglio m. **2** ritaglio m. **3** (bot.) talea f. **4** (cine.) montaggio m.

cuttlefish ['kʌtlfɪʃ] s. seppia f.

cyanide ['saɪənaɪd] s. cianuro m.

cycle ['saɪkl] s. **1** ciclo m. **2** bicicletta f. ◆ **c. track** velodromo

cyclic ['sɪklɪk] agg. ciclico

cycling ['saɪklɪŋ] s. ciclismo m.

cyclist ['saɪklɪst] s. ciclista m. e f.

cyclopean [saɪˈklɒʊpjən] agg. ciclopico

cylinder ['sɪlɪndəʳ] s. **1** cilindro m. **2** bombola f.

cylindrical [ˌsɪˈlɪndrɪk(ə)l] agg. cilindrico

cynical ['sɪnɪkl] agg. cinico

cynicism ['sɪnɪsɪz(ə)m] s. cinismo m.

cypress ['saɪprɪs] s. cipresso m.

cyst [sɪst] s. cisti f.

cystitis [sɪsˈtaɪtɪs] s. cistite f.

czar [zaːʳ] s. zar m. inv.

Czech [tʃɛk] agg. e s. ceco m.

D

to dab [dæb] *v. tr.* **1** picchiettare, tamponare **2** applicare, spalmare

to dabble ['dæbl] **A** *v. tr.* schizzare, bagnare **B** *v. intr.* sguazzare ◆ **to d. in/at** occuparsi da dilettante di (q.c.)

dabbler ['dæblər] *s.* dilettante *m. e f.*

dad [dæd] *s.* (*fam.*) papà *m.*

Dadaism ['dɑdɑɪz(ə)m] *s.* dadaismo *m.*

daddy ['dædɪ] *s.* (*fam.*) papà *m.*

daffodil ['dæfədɪl] *s.* giunchiglia *f.*

daft [dɑːft] *agg.* (*fam.*) sciocco

dagger ['dægər] *s.* pugnale *m.*

daily ['deɪlɪ] **A** *agg.* giornaliero, quotidiano **B** *s.* quotidiano *m.* **C** *avv.* giornalmente, quotidianamente

daintiness ['deɪntɪnɪs] *s.* delicatezza *f.*, raffinatezza *f.*

dainty ['deɪntɪ] *agg.* **1** delicato, fine **2** prelibato

dairy ['dɛərɪ] *s.* **1** caseificio *m.* **2** latteria *f.* ◆ **d. products** latticini

dais ['deɪɪs] *s.* predella *f.*, palco *m.*

daisy ['deɪzɪ] *s.* margherita *f.*

dale [deɪl] *s.* vallata *f.*

dam [dæm] *s.* diga *f.*

to dam [dæm] *v. tr.* sbarrare, arginare

damage ['dæmɪdʒ] *s.* **1** avaria *f.*, danno *m.*, guasto *m.* **2** *al pl.* danni *m. pl.*, risarcimento *m.* ◆ **claim for damages** richiesta di risarcimento

to damage ['dæmɪdʒ] *v. tr.* danneggiare, lesionare

damask ['dæməsk] *s.* damasco *m.*

damn [dæm] *inter.* maledizione!

to damn [dæm] *v. tr.* **1** dannare, condannare **2** maledire, imprecare **3** rovinare

damned [dæmd] *agg.* **1** dannato **2** (*pop.*) maledetto

damp [dæmp] **A** *agg.* umido, bagnato **B** *s.* umidità *f.*, umido *m.*

to damp [dæmp] *v. tr.* **1** inumidire, bagnare **2** soffocare, estinguere **3** deprimere

to dampen ['dæmp(ə)n] *v. tr.* inumidire

damper ['dæmpər] *s.* **1** freno *m.* **2** (*autom.*) ammortizzatore *m.*

damson ['dæmz(ə)n] *s.* susino *m.* selvatico

dance [dɑːns] *s.* ballo *m.*, danza *f.* ◆ **d. hall** sala da ballo

to dance [dɑːns] *v. tr. e intr.* ballare, danzare

dancer ['dɑːnsər] *s.* ballerino *m.*, ballerina *f.*

dancing ['dɑːnsɪŋ] *s.* la danza *f.*, il ballo *m.* ◆ **d. school** scuola di danza

dandelion ['dændɪlaɪən] *s.* (*bot.*) tarassaco *m.*, dente *m.* di leone

dandruff ['dændrəf] *s.* forfora *f.*

dandy ['dændɪ] *agg.* elegante, affettato

Dane [deɪn] *s.* danese *m. e f.*

danger ['deɪn(d)ʒər] *s.* pericolo *m.*

dangerous ['deɪn(d)ʒrəs] *agg.* pericoloso

to dangle ['dæŋgl] **A** *v. intr.* penzolare, dondolare **B** *v. tr.* **1** far penzolare, far dondolare **2** far balenare

Danish ['deɪnɪʃ] **A** *agg.* danese **B** *s.* (*lingua*) danese *m.*

dapper ['dæpər] *agg.* azzimato

dapple ['dæpl] *agg.* maculato, pezzato

dare [dɛər] *s.* sfida *f.*

to dare [dɛər] (*pass.* **dared, durst**, *p. p.* **dared**) **A** *v. intr.* osare **B** *v. tr.* **1** sfidare **2** atterrire ◆ **I d. say** suppongo; **to d. sb. to do st.** sfidare qc. a fare q.c.

daredevil ['dɛə‚devl] **A** *agg.* audace, temerario **B** *s.* scavezzacollo *m.*

daring ['dɛərɪŋ] **A** *agg.* ardito, audace **B** *s.* audacia *f.*

dark [dɑːk] **A** *agg.* **1** buio, scuro **2** (*di colore*) cupo **3** (*fig.*) nero, tetro, triste **B** *s.* buio *m.*, oscurità *f.* ◆ **to get d.** oscurare, farsi notte

to darken ['dɑːk(ə)n] **A** *v. tr.* oscurare, offuscare **B** *v. intr.* **1** oscurarsi, offuscarsi **2** imbrunire

darkness [dɑːknɪs] *s.* buio *m.*, oscurità *f.*

darling ['dɑːlɪŋ] **A** *agg.* caro, diletto **B** *s.* caro *m.*, tesoro *m.*

to darn [dɑːn] *v. tr.* rammendare

darnel ['dɑːnl] *s.* loglio *m.*

darning ['dɑːnɪŋ] *s.* rammendo *m.*

dart [dɑːt] *s.* **1** frecccetta *f.* **2** (*letter.*) dardo *m.* **3** pungiglione *m.* **4** pince *f. inv.*

to dart [dɑːt] **A** *v. tr.* scagliare **B** *v. intr.* **1** dardeggiare, saettare **2** scagliarsi in avanti

dash [dæʃ] *s.* **1** balzo *m.*, scatto *m.* **2** slancio *m.*, impeto *m.* **3** tonfo *m.*, urto *m.* **4** piccola quantità *f.*, goccia *f.* **5** trattino *m.*, lineetta *f.*

to dash [dæʃ] **A** *v. tr.* **1** gettare, lanciare,

sbattere **2** infrangere **3** cospargere, spruzzare **B** *v. intr.* **1** precipitarsi, scagliarsi **2** cozzare, urtare ♦ **to d. off** scappare via

dashboard ['dæʃbɔːd] *s.* cruscotto *m.*

dashing ['dæʃɪŋ] *agg.* **1** impetuoso, focoso **2** vivace, vistoso

data ['deɪtə] *s. pl.* dati *m. pl.* ♦ **d. bank** banca dati; **d. processing** elaborazione di dati

date (1) [deɪt] *s.* **1** data *f.* **2** scadenza *f.* **3** appuntamento *m.*, impegno *m.* ♦ **at long/short d.** a lunga/breve scadenza; **to d.** fino a oggi; **up to d.** aggiornato

date (2) [deɪt] *s.* dattero *m.*

to date [deɪt] **A** *v. tr.* **1** datare, mettere la data **2** attribuire la data, far risalire a **3** (*USA, fam.*) frequentare **B** *v. intr.* datare, risalire a

dated ['deɪtɪd] *agg.* datato, sorpassato

daub [dɔːb] *s.* (*fam.*) sgorbio *m.*

to daub [dɔːb] *v. tr.* impiastricciare, imbrattare

daughter ['dɔːtər] *s.* figlia *f.* ♦ **d.-in-law** nuora

to daunt [dɔːnt] *v. tr.* **1** intimidire **2** scoraggiare

to dawdle ['dɔːdl] *v. intr.* gingillarsi

dawn [dɔːn] *s.* **1** alba *f.* **2** (*fig.*) principio *m.*

to dawn [dɔːn] *v. intr.* **1** albeggiare **2** apparire ♦ **to d. on** venire in mente, rendersi conto di

day [deɪ] *s.* **1** giorno *m.*, giornata *f.* **2** tempo *m.*, epoca *f.* ♦ **by d.** di giorno; **d. by d.** giorno per giorno; **d. return** biglietto di andata e ritorno in giornata; **d. time** diurno; **d.-to-d.** quotidiano; **every other d.** un giorno sì e uno no; **the d. before yesterday** l'altro ieri; **the d. after tomorrow** dopodomani

daybreak ['deɪbreɪk] *s.* alba *f.*

to daydream ['deɪdriːm] *v. intr.* sognare a occhi aperti

daylight ['deɪlaɪt] *s.* luce *f.* del giorno

daze [deɪz] *s.* stupore *m.*, stordimento *m.* ♦ **to be in a d.** essere sbalordito

to daze [deɪz] *v. tr.* stordire

to dazzle ['dæzl] *v. tr.* abbagliare

dead [ded] *agg.* **1** morto **2** fuori uso **3** completo, perfetto **4** spento, insensibile ♦ **d. and gone** morto e sepolto; **d. end** vicolo cieco; **d. heat** (*in gara*) arrivo alla pari; **d. letter** lettera giacente; **d.-shot** tiratore scelto; **d. wood** ramo secco; **to**

come to a d. stop fermarsi di colpo

to deaden ['dedn] *v. tr.* **1** attutire, smorzare **2** insonorizzare

deadline ['dedlaɪn] *s.* scadenza *f.*

deadlock ['dedlɔk] *s.* punto *m.* morto

deadly ['dedlɪ] *agg.* micidiale, letale

deadpan ['dedpæn] *agg.* (*fam.*) impassibile

deaf [def] *agg.* sordo ♦ **d.-and-dumb** sordomuto

deafness ['defnɪs] *s.* sordità *f.*

deal (1) [diːl] *s.* quantità *f.* ♦ **a great d. of** un bel po' di

deal (2) [diːl] *s.* **1** accordo *m.*, affare *m.* **2** trattamento *m.* **3** (*giocando a carte*) mano *f.*

to deal [diːl] (*pass. e p. p.* **dealt**) **A** *v. tr.* **1** distribuire, fornire **2** dare le carte **B** *v. intr.* fare affari ♦ **to d. in** commerciare in; **to d. with** trattare con, fare affari con, trattare di

dealer ['diːlər] *s.* commerciante *m. e f.*, distributore *m.*

dealing ['diːlɪŋ] *s.* **1** *al pl.* rapporti *m. pl.* **2** commercio *m.* **3** distribuzione *f.*

dealt [delt] *pass. e p. p. di* **to deal**

deambulatory [dɪ'æmbjʊlətərɪ] *s.* deambulatorio *m.*

dean [diːn] *s.* **1** (*relig.*) decano *m.* **2** (*di facoltà universitaria*) preside *m. e f.*

dear [dɪər] *agg.* **1** caro, amato **2** caro, costoso

dearly ['dɪəlɪ] *avv.* **1** caramente **2** ardentemente, intensamente **3** a caro prezzo

death [deθ] *s.* morte *f.* ♦ **d. duty** tassa di successione; **d. rate** indice di mortalità; **d. toll** vittime

to debar [dɪ'baːr] *v. tr.* escludere, impedire, privare di ♦ **to d. sb. from doing st.** impedire a qc. di fare q.c.

to debase [dɪ'beɪs] *v. tr.* **1** avvilire, degradare **2** adulterare **3** deprezzare

debatable [dɪ'beɪtəbl] *agg.* discutibile

debate [dɪ'beɪt] *s.* dibattito *m.*, discussione *f.*

to debate [dɪ'beɪt] *v. tr. e intr.* **1** dibattere, discutere **2** considerare, pensare

debauched [dɪ'bɔːtʃt] *agg.* dissoluto

debauchery [dɪ'bɔːtʃ(ə)rɪ] *s.* dissolutezza *f.*, pervertimento *m.*

debit ['debɪt] *s.* (*comm.*) debito *m.*, addebito *m.*

to debit ['debɪt] *v. tr.* (*comm.*) addebitare

debris ['debriː] *s. inv.* detriti *m. pl.*, macerie *f. pl.*

debt [dɛt] *s.* debito *m.* ♦ **to be in d. to** essere indebitato con; **to get out of d.** sdebitarsi

debtor ['dɛtər] *s.* debitore *m.*

to debug [dɪ'bʌg] *v. tr.* **1** mettere a punto **2** (*inf.*) eliminare errori

debunk [ˌdiː'bʌŋk] *v. tr.* (*fam.*) ridimensionare

debut ['deɪbuː] *s.* debutto *m.*

decade ['dɛkeɪd] *s.* decade *f.*, decennio *m.*

decadence ['dɛkəd(ə)ns] *s.* decadenza *f.*

decadent ['dɛkədənt] *agg.* decadente

decadentism ['dɛkədəntɪz(ə)m] *s.* decadentismo *m.*

to decaffeinate [diː'kæfɪˌneɪt] *v. tr.* decaffeinare

decalogue ['dɛkələg] *s.* decalogo *m.*

to decant [dɪ'kænt] *v. tr.* travasare

decanter [dɪ'kæntər] *s.* caraffa *f.*

to decapitate [dɪ'kæpɪteɪt] *v. tr.* decapitare

decay [dɪ'keɪ] *s.* **1** decadenza *f.*, degrado *m.* **2** disfacimento *m.*, putrefazione *f.*

to decay [dɪ'keɪ] *v. intr.* **1** andare in rovina, crollare **2** decadere, deperire **3** marcire, imputridire

to decease [dɪ'siːs] *v. intr.* decedere

deceased [dɪ'siːst] *s.* defunto *m.*

deceit [dɪ'siːt] *s.* **1** inganno *m.* **2** falsità *f.*

deceitful [dɪ'siːtf(ʊ)l] *agg.* ingannevole, perfido

to deceive [dɪ'siːv] *v. tr.* **1** ingannare, raggirare **2** deludere

deceleration [diːˌsɛlə'reɪʃ(ə)n] *s.* decelerazione *f.*, rallentamento *m.*

December [dɪ'sɛmbər] *s.* dicembre *m.*

decency ['diːsnsɪ] *s.* **1** decenza *f.*, pudore *m.* **2** decoro *m.*

decennium [dɪ'sɛnɪəm] *s.* decennio *m.*

decent ['diːs(ə)nt] *agg.* **1** decente, dignitoso **2** discreto, soddisfacente **3** (*fam.*) simpatico, carino

decentralization [diːˌsɛntrəlaɪ'zeɪʃ(ə)n] *s.* decentramento *m.*

deception [dɪ'sɛpʃ(ə)n] *s.* inganno *m.*

deceptive [dɪ'sɛptɪv] *agg.* ingannevole

to decide [dɪ'saɪd] **A** *v. tr.* **1** decidere, risolvere **2** indurre **B** *v. intr.* prendere una decisione, decidersi ♦ **to d. on** decidere su; **to d. (not) to do st.** decidere di (non) fare q.c.

decided [dɪ'saɪdɪd] *agg.* **1** deciso, risoluto **2** indubbio

deciduous [dɪ'sɪdjʊəs] *agg.* deciduo

decilitre ['dɛsɪˌliːtər] *s.* decilitro *m.*

decimal ['dɛsɪm(ə)l] *agg.* decimale

to decimate ['dɛsɪmeɪt] *v. tr.* decimare

to decipher [dɪ'saɪfər] *v. tr.* decifrare

decision [dɪ'sɪʒ(ə)n] *s.* decisione *f.*

decisive [dɪ'saɪsɪv] *agg.* **1** decisivo **2** deciso, risoluto

deck [dɛk] *s.* **1** (*naut.*) ponte *m.*, coperta *f.* **2** (*di autobus*) piano *m.* **3** (*fam.*) mazzo *m.* di carte ♦ **d. house** tuga

to deck [dɛk] *v. tr.* adornare

deckchair ['dɛktʃɛər] *s.* sedia *f.* a sdraio

to declaim [dɪ'kleɪm] *v. tr.* declamare

declaration [ˌdɛklə'reɪʃ(ə)n] *s.* dichiarazione *f.*

to declare [dɪ'klɛər] *v. tr.* dichiarare, proclamare

decline [dɪ'klaɪn] *s.* declino *m.*, decadenza *f.*

to decline [dɪ'klaɪn] **A** *v. tr.* declinare, rifiutare, evitare **B** *v. intr.* declinare, diminuire, deperire

decoction [dɪ'kəkʃ(ə)n] *s.* decotto *m.*

to decode [ˌdiː'kəʊd] *v. tr.* decifrare, decodificare

decolorization [diːˌkʌləraɪ'zeɪʃ(ə)n] *s.* decolorazione *f.*

decomposable [ˌdɪ(ː)kəm'pəʊzəbl] *agg.* scomponibile

to decompose [ˌdiːkəm'pəʊz] *v. tr.* decomporre, scomporre

decomposition [ˌdiːkəmpə'zɪʃ(ə)n] *s.* decomposizione *f.*, scomposizione *f.*

to decongest [ˌdiːkən'dʒɛst] *v. tr.* decongestionare

decor ['deɪkɔːr] *s.* **1** arredamento *m.* **2** decorazione *f.*

to decorate ['dɛkəreɪt] *v. tr.* **1** decorare **2** imbiancare **3** arredare

decoration [ˌdɛkə'reɪʃ(ə)n] *s.* **1** decorazione *f.*, ornamento *m.* **2** onorificenza *f.*

decorative ['dɛk(ə)rətɪv] *agg.* decorativo

decorator ['dɛkəreɪtər] *s.* decoratore *m.*

decoy [dɪ'kɔɪ] *s.* esca *f.*, richiamo *m.*

decrease ['diːkriːs] *s.* diminuzione *f.*

to decrease [diː'kriːs] *v. tr. e intr.* diminuire

decree [dɪ'kriː] *s.* decreto *m.*, sentenza *f.*

to decree [dɪ'kriː] *v. tr.* decretare

decrepit [dɪ'krɛpɪt] *agg.* decrepito

to dedicate ['dɛdɪkeɪt] *v. tr.* dedicare

dedication [ˌdɛdɪ'keɪʃ(ə)n] *s.* **1** dedica *f.* **2** dedizione *f.*

to deduce [dɪ'djuːs] *v. tr.* dedurre, desumere

deducible [dɪ'djuːsəbl] *agg.* deducibile

to deduct [dɪ'dʌkt] *v. tr.* dedurre, detrarre

deductible [dɪ'dʌktəbl] *agg.* deducibile

deduction [dɪ'dʌkʃ(ə)n] *s.* deduzione *f.*, detrazione *f.*

deed [diːd] *s.* **1** atto *m.*, azione *f.* **2** (*dir*) atto *m.* (legale)

to deem [diːm] *v. tr.* credere, ritenere

deep [diːp] **A** *agg.* **1** fondo, profondo **2** largo **3** (*di suono*) grave, (*di colore*) intenso **B** *avv.* in profondità

to deepen ['diːp(ə)n] **A** *v. tr.* **1** approfondire **2** rendere più cupo, rendere più intenso **B** *v. intr.* **1** approfondirsi **2** incupirsi, farsi più intenso, farsi più grave

deep-freeze [ˌdiːp'friːz] *s.* congelatore *m.*, freezer *m. inv.*

to deep-freeze [ˌdiːp'friːz] *v. tr.* surgelare

deep-sea [ˌdiːp'siː] **A** *agg.* abissale **B** *s.* alto mare *m.*

deep-seated [ˌdiːp'siːtɪd] *agg.* inveterato, radicato

deer [dɪər] *s.* cervo *m.*, daino *m.*, capriolo *m.*

deerskin ['dɪəˌskɪn] *s.* pelle *f.* di daino

to deface [dɪ'feɪs] *v. tr.* deturpare, sfregiare

defacement [dɪ'feɪsmənt] *s.* deturpazione *f.*, sfregio *m.*

defamation [ˌdefə'meɪʃ(ə)n] *s.* diffamazione *f.*

default [dɪ'fɔːlt] *s.* **1** difetto *m.*, mancanza *f.* **2** inadempienza *f.* **3** (*dir*) contumacia *f.* **4** (*sport*) abbandono *m.*

defeat [dɪ'fiːt] *s.* sconfitta *f.*, insuccesso *m.*

to defeat [dɪ'fiːt] *v. tr.* **1** sconfiggere **2** far fallire

defeatist [dɪ'fiːtɪst] *s.* disfattista *m. e f.*

defect [dɪ'fɛkt] *s.* difetto *m.*, imperfezione *f.*

to defect [dɪ'fɛkt] *v. intr.* disertare

defection [dɪ'fɛkʃ(ə)n] *s.* defezione *f.*, diserzione *f.*

defective [dɪ'fɛktɪv] *agg.* difettoso

defence [dɪ'fɛns] (*USA* **defense**) *s.* difesa *f.* ♦ **self d.** autodifesa

to defend [dɪ'fɛnd] *v. tr.* difendere

defendant [dɪ'fɛndənt] *s.* imputato *m.*

defender [dɪ'fɛndər] *s.* difensore *s.*

defensive [dɪ'fɛnsɪv] **A** *agg.* **1** difensivo **2** diffidente **B** *s.* difensiva *f.*

to defer [dɪ'fɜːr] *v. tr.* differire, prorogare

deferential [ˌdefə'rɛnʃ(ə)l] *agg.* deferente, rispettoso

defiance [dɪ'faɪəns] *s.* sfida *f.* ♦ **in d. of** a dispetto di

defiant [dɪ'faɪənt] *agg.* provocatorio, insolente

deficiency [dɪ'fɪʃ(ə)nsɪ] *s.* **1** deficienza *f.*, difetto *m.*, mancanza *f.*, carenza *f.* **2** (*comm.*) disavanzo *m.*

deficient [dɪ'fɪʃ(ə)nt] *agg.* deficiente, difettoso, insufficiente

deficit ['dɛfɪsɪt] *s.* deficit *m. inv.*

to defile [dɪ'faɪl] *v. tr.* **1** contaminare, lordare **2** profanare

to define [dɪ'faɪn] *v. tr.* definire, determinare

definite ['dɛfɪnɪt] *agg.* **1** definito, preciso **2** sicuro, determinato **3** (*gramm.*) determinativo

definitely ['dɛfɪnɪtlɪ] *avv.* senza dubbio

definition [ˌdefɪ'nɪʃ(ə)n] *s.* definizione *f.*

definitive [dɪ'fɪnɪtɪv] *agg.* definitivo, decisivo

deflagration [ˌdeflə'greɪʃ(ə)n] *s.* deflagrazione *f.*

to deflate [diː'fleɪt] *v. tr.* **1** sgonfiare **2** (*econ.*) deflazionare

to deflect [dɪ'flɛkt] *v. intr.* deviare, deflettere

to deforest [diː'fɒrɪst] *v. tr.* disboscare

to deform [dɪ'fɔːm] *v. tr.* deformare

deformation [ˌdiːfɔː'meɪʃ(ə)n] *s.* deformazione *f.*

deformed [dɪ'fɔːmd] *agg.* deforme

deformity [dɪ'fɔːmɪtɪ] *s.* deformità *f.*

to defraud [dɪ'frɔːd] *v. tr.* defraudare

to defrost [diː'frɒst] *v. tr.* **1** sgelare, scongelare **2** sbrinare

defroster [diː'frɒstər] *s.* sbrinatore *m.*

deft [dɛft] *agg.* abile, destro

defunct [dɪ'fʌŋkt] *agg.* **1** defunto **2** liquidato

to defuse [diː'fjuːz] *v. tr.* disinnescare

to defy [dɪ'faɪ] *v. tr.* **1** sfidare **2** resistere a ♦ **to d. solution** essere insolubile

degenerate [dɪ'dʒen(ə)rət] *agg. e s.* degenerato *m.*

to degenerate [dɪ'dʒenəreɪt] *v. intr.* degenerare

degeneration [dɪˌdʒenə'reɪʃ(ə)] *s.* degenerazione *f.*

to degrade [dɪ'greɪd] *v. tr.* degradare, avvilire

degrading [dɪ'greɪdɪŋ] *agg.* degradante

to degrease [diː'griːs] *v. tr.* sgrassare

degree [dɪ'griː] *s.* **1** grado *m.* **2** livello *m.*, condizione *f.* **3** laurea *f.* ♦ **by degrees** gradatamente; **honorary d.** laurea ad honorem; **to take one's d.** laurearsi

to dehydrate [diː'haɪdreɪt] *v. tr.* disidratare

dehydration [ˌdiːhaɪ'dreɪʃ(ə)n] *s.* disidratazione *f.*

to deign [deɪn] **A** v. intr. degnarsi **B** v. tr. degnarsi di dare, concedere

deism ['diːɪz(ə)m] s. deismo m.

deity ['diːɪtɪ] s. divinità f.

to deject [dɪ'dʒɛkt] v. tr. abbattere, deprimere

dejection [dɪ'dʒɛkʃ(ə)n] s. **1** depressione f., abbattimento m. **2** deiezione f.

delation [dɪ'leɪʃ(ə)n] s. delazione f.

delay [dɪ'leɪ] s. **1** ritardo m., indugio m. **2** dilazione f.

to delay [dɪ'leɪ] **A** v. tr. ritardare, rimandare, prorogare **B** v. intr. tardare, indugiare

delectable [dɪ'lɛktəbl] agg. delizioso

to delegate ['dɛlɪgeɪt] v. tr. delegare

delegation [ˌdɛlɪ'geɪʃ(ə)n] s. **1** delega f. **2** delegazione f.

to delete [dɪ'liːt] v. tr. **1** cancellare **2** annullare

deleterious [ˌdɛlɪ'tɪərɪəs] agg. deleterio

deletion [dɪ'liːʃ(ə)n] s. cancellazione f., soppressione f.

deliberate [dɪ'lɪbərɪt] agg. **1** deliberato, intenzionale **2** cauto, prudente

to deliberate [dɪ'lɪbəreɪt] **A** v. tr. deliberare **B** v. intr. **1** deliberare **2** riflettere, ponderare

delicacy ['dɛlɪkəsɪ] s. **1** delicatezza f. **2** manicaretto m.

delicate ['dɛlɪkɪt] agg. delicato

delicatessen [ˌdɛlɪkə'tɛsn] s. negozio m. di gastronomia, salumeria f.

delicious [dɪ'lɪʃəs] agg. delizioso, squisito

delight [dɪ'laɪt] s. **1** delizia f., diletto m. **2** gioia f. ♦ **to take d. in doing st.** provare piacere nel fare q.c.

to delight [dɪ'laɪt] **A** v. tr. deliziare, rallegrare **B** v. intr. rallegrarsi, compiacersi

delighted [dɪ'laɪtɪd] agg. **1** ammirato **2** lietissimo, molto felice

delightful [dɪ'laɪtf(ʊ)l] agg. delizioso

to delimit [diː'lɪmɪt] v. tr. delimitare

delimitation [dɪˌlɪmɪ'teɪʃ(ə)n] s. delimitazione f.

delinquent [dɪ'lɪŋkwənt] s. delinquente m. e f., malfattore m.

delirious [dɪ'lɪrɪəs] agg. delirante

delirium [dɪ'lɪrɪəm] s. delirio m.

to deliver [dɪ'lɪvər] **A** v. tr. **1** consegnare, recapitare, distribuire **2** far partorire **3** pronunciare **B** v. intr. **1** fare consegne a domicilio **2** partorire

delivery [dɪ'lɪv(ə)rɪ] s. **1** consegna f., distribuzione f. **2** parto m. **3** dizione f. ♦

cash on d. pagamento alla consegna; **home d.** consegna a domicilio; **d. room** sala parto

delta ['dɛltə] s. delta m. inv.

to delude [dɪ'luːd] v. tr. illudere, ingannare

deluge ['dɛljuːdʒ] s. diluvio m.

delusion [dɪ'luːʒ(ə)n] s. illusione f.

to delve [dɛlv] v. tr. e intr. fare ricerche, scavare, rivangare

demagogy ['dɛməgəgɪ] s. demagogia f.

demand [dɪ'maːnd] s. **1** domanda f., richiesta f. **2** esigenza f. **3** rivendicazione f.

to demand [dɪ'maːnd] v. tr. **1** domandare, richiedere **2** esigere **3** rivendicare

demanding [dɪ'maːndɪŋ] agg. **1** impegnativo, gravoso **2** (di persona) esigente

to demean [dɪ'miːn] v. tr. avvilire ♦ **to d. oneself** umiliarsi, abbassarsi

demented [dɪ'mɛntɪd] agg. demente

dementia [dɪ'mɛnʃɪə] s. (med.) demenza f.

demise [dɪ'maɪz] s. **1** decesso m. **2** (dir.) trasferimento m.

democracy [dɪ'mɒkrəsɪ] s. democrazia f.

democratic [ˌdɛmə'krætɪk] agg. democratico

demographic [ˌdɛːmə'græfɪk] agg. demografico

demography [dɪ'mɒgrəfɪ] s. **1** demografia f.

to demolish [dɪ'mɒlɪʃ] v. tr. demolire

demolition [ˌdɛmə'lɪʃ(ə)n] s. demolizione f.

demon ['diːmən] s. demone m.

demonstrable [dɪ'mɒnstrəbl] agg. dimostrabile

to demonstrate ['dɛmənstreɪt] **A** v. tr. **1** dimostrare, spiegare **2** mostrare **B** v. intr. manifestare

demonstration [ˌdɛmən'streɪʃ(ə)n] s. **1** dimostrazione f. **2** manifestazione f.

demonstrator ['dɛmən,streɪtər] s. **1** dimostratore m. **2** dimostrante m. e f.

to demoralize [dɪ'mɒrəlaɪz] v. tr. demoralizzare, scoraggiare

to demote [dɪ(ː)'məʊt] v. tr. retrocedere (di grado)

to demount [dɪ(ː)'maʊnt] v. tr. (mecc.) smontare

demur [dɪ'mɜːr] s. **1** esitazione f. **2** (dir.) obiezione f.

demure [dɪ'mjʊər] agg. contegnoso, schivo

demystification [diːˌmɪstɪfɪ'keɪʃ(ə)n] s. demistificazione f.

den [dɛn] s. **1** tana f. **2** covo m., rifugio m.

to **denature** [di:'neɪtʃər] v. tr. (chim.) denaturare

denial [dɪ'naɪ(ə)l] s. 1 rifiuto m., diniego m. 2 smentita f.

to **denigrate** ['dɛnɪgreɪt] v. tr. denigrare

denomination [dɪˌnəmɪ'neɪʃ(ə)n] s. 1 denominazione f. 2 (econ.) valore m. nominale, (di banconote) taglio m. 3 (relig.) setta f., confessione f.

to **denote** [dɪ'nəʊt] v. tr. denotare

to **denounce** [dɪ'naʊns] v. tr. denunciare

dense [dɛns] agg. 1 denso, fitto, spesso 2 ottuso

density ['dɛns(ɪ)tɪ] s. densità f.

dent [dɛnt] s. 1 ammaccatura f. 2 (tecnol.) tacca f.

dental ['dɛntl] agg. dentale

dentist ['dɛntɪst] s. dentista m. e f.

denture ['dɛn(t)ʃər] s. dentiera f.

denunciation [dɪˌnʌnsɪ'eɪʃ(ə)n] s. denuncia f.

to **deny** [dɪ'naɪ] v. tr. 1 negare, smentire 2 rinnegare 3 rifiutare ♦ to d. oneself st. privarsi di q.c.

deodorant [di:'əʊdərənt] agg. e s. deodorante m.

to **depart** [dɪ'pɑːt] v. intr. 1 partire, allontanarsi 2 venir meno a, derogare

department [dɪ'pɑːtmənt] s. 1 dipartimento m., reparto m. 2 ministero m. ♦ d. store grande magazzino

departure [dɪ'pɑːtʃər] s. 1 partenza f. 2 allontanamento m., deviazione f. 3 tendenza f., direzione f. ♦ time of d. ora di partenza

to **depend** [dɪ'pɛnd] v. intr. 1 dipendere 2 essere a carico 3 fare assegnamento su ♦ depending on a seconda; to d. on dipendere da; d. on it! non c'è dubbio!

dependable [dɪ'pɛndəbl] agg. fidato, affidabile

dependent [dɪ'pɛndənt] agg. dipendente ♦ to be d. on essere a carico di

to **depict** [dɪ'pɪkt] v. tr. dipingere, rappresentare

depilation [ˌdɛpɪ'leɪʃ(ə)n] s. depilazione f.

depilatory [dɛ'pɪlət(ə)rɪ] agg. depilatorio

to **deplete** [dɪ'pliːt] v. tr. esaurire, vuotare

deplorable [dɪ'plɔːrəbl] agg. deplorevole

to **deploy** [dɪ'plɔɪ] v. tr. (mil.) schierare, dispiegare

depollution [ˌdiːpə'luːʃ(ə)n] s. disinquinamento m.

depopulation [diːˌpɔpjʊ'leɪʃ(ə)n] s. spopolamento m.

to **deport** [dɪ'pɔːt] v. tr. deportare, esiliare

deportment [dɪ'pɔːtmənt] s. 1 portamento m. 2 comportamento m., condotta f.

to **depose** [dɪ'pəʊz] v. tr. 1 deporre, destituire 2 (dir.) deporre, testimoniare

deposit [dɪ'pɔzɪt] s. 1 deposito m. 2 acconto m., caparra f., cauzione f. 3 giacimento m., sedimento m.

to **deposit** [dɪ'pɔzɪt] v. tr. 1 depositare 2 versare come acconto

depot ['dɛpəʊ] s. 1 deposito m., magazzino m. 2 (USA) rimessa f. (di autobus), stazione f. ferroviaria

depravity [dɪ'prævɪtɪ] s. depravazione f.

deprecable ['dɛprɪkəbl] agg. deprecabile

to **depreciate** [dɪ'priːʃɪeɪt] v. tr. e intr. 1 svalutare 2 ammortizzare

depreciation [dɪˌpriːʃɪ'eɪʃ(ə)n] s. 1 svalutazione f., deprezzamento m. 2 ammortamento m.

to **depress** [dɪ'prɛs] v. tr. 1 deprimere, rattristare 2 abbassare, premere 3 (comm.) indebolire, ridurre

depressant [dɪ'prɛsənt] agg. e s. sedativo m.

depressed [dɪ'prɛst] agg. 1 depresso, abbattuto 2 (econ.) depresso, in crisi

depressing [dɪ'prɛsɪŋ] agg. deprimente

depression [dɪ'prɛʃ(ə)n] s. depressione f.

deprivation [ˌdɛprɪ'veɪʃ(ə)n] s. privazione f.

to **deprive** [dɪ'praɪv] v. tr. privare

deprived [dɪ'praɪvd] agg. deprivato, svantaggiato

depth [dɛpθ] s. 1 profondità f. 2 fondo m., fondale m. 3 (di colore) intensità f., (di suono) altezza f. 4 al pl. abisso m. ♦ d. finder profondimetro; in the depths of nel profondo di

to **depurate** ['dɛpjʊreɪt] v. tr. depurare

depurator ['dɛpjʊreɪtər] s. depuratore m.

to **deputize** ['dɛpjʊtaɪz] v. intr. fare le veci di

deputy ['dɛpjʊtɪ] s. 1 deputato m., delegato m. 2 sostituto m., vice m. inv. ♦ by d. per procura

to **derail** [dɪ'reɪl] v. intr. deragliare

derailment [dɪ(ː)'reɪlmənt] s. deragliamento m.

to **derange** [dɪ'reɪn(d)ʒ] v. tr. sconvolgere, turbare, guastare

deranged [dɪ'reɪn(d)ʒd] agg. squilibrato ♦ to become d. diventare pazzo

deratization [dɪ(:),rætaɪ'zeɪʃ(ə)n] *s.* derattizzazione *f.*

derby ['daːbɪ] *s.* **1** (*sport*) derby *m. inv.* **2** (*USA*) bombetta *f.*

deregulation [diː,regjʊ'leɪʃ(ə)n] *s.* deregolamentazione *f.*, liberalizzazione *f.*

derelict ['derɪlɪkt] *agg.* derelitto, abbandonato

to deride [dɪ'raɪd] *v. tr.* deridere

derisive [dɪ'raɪsɪv] *agg.* **1** derisorio **2** irrisorio

derivation [,derɪ'veɪʃ(ə)n] *s.* derivazione *f.*

to derive [dɪ'raɪv] *v. tr. e intr.* derivare

dermatitis [,dɜːmə'taɪtɪs] *s.* dermatite *f.*

dermatologist [,dɜːmə'tələdʒɪst] *s.* dermatologo *m.*

derogation [,derə'geɪʃ(ə)n] *s.* **1** deroga *f.* **2** detrimento *m.*

derogatory [dɪ'rəgət(ə)rɪ] *agg.* sprezzante, spregiativo

derv [dɜːv] *s.* gasolio *m.*

desalter [diː'sɔːltər] *s.* dissalatore *m.*

to descend [dɪ'send] *v. tr. e intr.* scendere, discendere

descendant [dɪ'sendənt] *s.* discendente *m. e f.*

descent [dɪ'sent] *s.* **1** discesa *f.* **2** discendenza *f.*, lignaggio *m.*

to describe [dɪs'kraɪb] *v. tr.* descrivere

description [dɪs'krɪpʃ(ə)n] *s.* **1** descrizione *f.* **2** (*fam.*) genere *m.*, sorta *f.*

descriptive [dɪs'krɪptɪv] *agg.* descrittivo

to desecrate ['desɪkreɪt] *v. tr.* **1** sconsacrare **2** profanare

desert ['dezət] *agg. e s.* deserto *m.*

to desert [dɪ'zɜːt] **A** *v. tr.* abbandonare **B** *v. intr.* (*mil.*) disertare

deserted [dɪ'zɜːtɪd] *agg.* **1** deserto **2** abbandonato

deserter [dɪ'zɜːtə] *s.* disertore *m.*

desertion [dɪ'zɜːʃ(ə)nr] *s.* **1** diserzione *f.*, defezione *f.* **2** (*dir.*) abbandono *m.*

deserts [dɪ'zɜːts] *s. pl.* meriti *m. pl.* ♦ **to get one's d.** avere quel che ci si merita

to deserve [dɪ'zɜːv] *v. tr.* meritare

deserving [dɪ'zɜːvɪŋ] *agg.* meritevole

design [dɪ'zaɪn] *s.* **1** disegno *m.*, motivo *m.* **2** piano *m.*, progetto *m.* **3** design *m. inv.*, progettazione *f.* **4** proposito *m.*, intento *m.*, mira *f.*

to design [dɪ'zaɪn] *v. tr.* **1** progettare, ideare **2** disegnare, fare il progetto di

to designate ['dezɪgneɪt] *v. tr.* designare,

nominare

designer [dɪ'zaɪnər] *s.* designer *m. inv.*, progettista *m. e f.*

desinence ['desɪnəns] *s.* desinenza *f.*

desirable [dɪ'zaɪərəbl] *agg.* desiderabile

desire [dɪ'zaɪər] *s.* desiderio *m.*

to desire [dɪ'zaɪər] *v. tr.* desiderare

to desist [dɪ'zɪst] *v. intr.* desistere

desk [desk] *s.* **1** scrivania *f.* **2** cattedra *f.* **3** banco *m.*, cassa *f.*

desolate ['desəlɪt] *agg.* desolato

desolation [,desə'leɪʃ(ə)n] *s.* desolazione *f.*

despair [dɪs'peər] *s.* disperazione *f.*

to despair [dɪs'peər] *v. intr.* disperare, disperarsi

desperate ['desp(ə)rɪt] *agg.* disperato

desperation [,despə'reɪʃ(ə)n] *s.* disperazione *f.*

despicable ['despɪkəbl] *agg.* disprezzabile, spregevole

to despise [dɪs'paɪz] *v. tr.* disprezzare

despite [dɪs'paɪt] *prep.* malgrado, a dispetto di

to despond [dɪs'pənd] *v. intr.* abbattersi, perdersi d'animo

despondent [dɪs'pəndənt] *agg.* scoraggiato, abbattuto

despotic [des'pətɪk] *agg.* dispotico

dessert [dɪ'zɜːt] *s.* dessert *m. inv.*

destination [,destɪ'neɪʃ(ə)n] *s.* destinazione *f.*, meta *f.*

to destine ['destɪn] **A** *v. tr.* destinare **B** *v. intr.* avere come destinazione

destiny ['destɪnɪ] *s.* destino *m.*, sorte *f.*

destitute ['destɪtjuːt] *agg.* **1** indigente, bisognoso **2** destituito, privo

to destroy [dɪs'trɔɪ] *v. tr.* distruggere

destroyer [dɪs'trɔɪər] *s.* (*mil.*) cacciatorpediniere *m.*

destruction [dɪs'trʌkʃ(ə)n] *s.* distruzione *f.*

to detach [dɪ'tætʃ] *v. tr.* **1** staccare, separare **2** (*mil.*) distaccare

detachable [dɪ'tætʃəbl] *agg.* staccabile

detached [dɪ'tætʃt] *agg.* **1** distaccato, disinteressato **2** separato, isolato ♦ **d. house** casa unifamiliare

detachment [dɪ'tætʃmənt] *s.* **1** distacco *m.* **2** (*mil.*) distaccamento *m.*

detail [dɪ'teɪl] *s.* dettaglio *m.*, particolare *m.* ♦ **in d.** dettagliatamente

to detail ['diːteɪl] *v. tr.* esporre dettagliatamente

detailed ['di:teɪld] *agg.* dettagliato, particolareggiato

to detain [dɪ'teɪn] *v. tr.* trattenere, detenere

to detect [dɪ'tɛkt] *v. tr.* **1** scoprire **2** individuare, percepire, discernere **3** *(fis.)* rivelare

detection [dɪ'tɛkʃ(ə)n] *s.* **1** scoperta *f.* **2** investigazione *f.* **3** *(fis.)* rivelazione *f.*

detective [dɪ'tɛktɪv] *s.* investigatore *m.*

detector [dɪ'tɛktər] *s.* **1** scopritore *m.* **2** *(fis.)* rivelatore *m.* ◆ **lie d.** macchina della verità

detention [dɪ'tɛnʃ(ə)n] *s.* detenzione *f.*

to deter [dɪ'tɜːr] *v. tr.* dissuadere, trattenere

detergent [dɪ'tɜːdʒ(ə)nt] *agg. e s.* detergente *m.*

to deteriorate [dɪ'tɪərɪəreɪt] *v. tr. e intr.* deteriorare, deteriorarsi

to determine [dɪ'tɜːmɪn] *v. tr.* **1** determinare, definire **2** decidere, risolvere **3** *(dir)* porre termine

determined [dɪ'tɜːmɪnd] *agg.* **1** fissato, stabilito **2** risoluto, determinato

detersive [dɪ'tɜːsɪv] *s.* detersivo *m.*

to detest [dɪ'tɛst] *v. tr.* detestare

detestable [dɪ'tɛstəbl] *agg.* detestabile, odioso

detour ['di:tʊər] *s.* deviazione *f.*

detoxication [di:‚tɒksɪ'keɪʃ(ə)n] *s.* disintossicazione *f.*

to detract [dɪ'trækt] **A** *v. tr.* detrarre **B** *v. intr.* diminuire

detraction [dɪ'trækʃ(ə)n] *s.* **1** detrazione *f.* **2** diffamazione *f.*

devaluation [‚di:vælju'eɪʃ(ə)n] *s.* svalutazione *f.*

to devalue [di:'vælju:] *v. tr.* svalutare

to devastate ['dɛvəsteɪt] *v. tr.* devastare, rovinare

devastating ['dɛvəsteɪtɪŋ] *agg.* **1** devastante, rovinoso **2** sconvolgente

to develop [dɪ'vɛləp] **A** *v. intr.* svilupparsi, evolversi, trasformarsi **B** *v. tr.* **1** sviluppare **2** potenziare, valorizzare **3** generare ◆ **developing countries** paesi in via di sviluppo

developer [dɪ'vɛləpər] *s.* **1** *(fot.)* sviluppatore *m.* **2** costruttore *m.* edile, società *f.* immobiliare

development [dɪ'vɛləpmənt] *s.* **1** sviluppo *m.* **2** valorizzazione *f.*

to deviate ['di:vɪeɪt] *v. intr.* deviare

deviation [‚di:vɪ'eɪʃ(ə)n] *s.* deviazione *f.*

device [dɪ'vaɪs] *s.* **1** congegno *m.*, dispo-

sitivo *m.* **2** espediente *m.*, stratagemma *m.*

devil ['dɛvl] *s.* diavolo *m.*

devilish ['dɛvlɪʃ] *agg.* diabolico, infernale

devious ['di:vjəs] *agg.* **1** tortuoso **2** ambiguo, subdolo

to devise [dɪ'vaɪz] *v. tr.* **1** escogitare **2** *(dir)* lasciare per testamento

devoid [dɪ'vɔɪd] *agg.* destituito, privo

to devote [dɪ'vəʊt] *v. tr.* dedicare, consacrare

devotion [dɪ'vəʊʃ(ə)n] *s.* devozione *f.*, dedizione *f.*

to devour [dɪ'vaʊər] *v. tr.* divorare

devout [dɪ'vaʊt] *agg.* **1** devoto **2** fervente, leale

dew [dju:] *s.* rugiada *f.*

dexterity [dɛks'tɛrɪtɪ] *s.* destrezza *f.*

dexterous ['dɛkst(ə)rəs] *agg.* destro, abile

diabetes [‚daɪə'bi:ti:z] *s.* diabete *m.*

diabetic [‚daɪə'bɛtɪk] *agg. e s.* diabetico *m.*

diabolical [‚daɪə'bɒlɪk(ə)l] *agg.* diabolico

diadem ['daɪədɛm] *s.* diadema *m.*

to diagnose ['daɪəgnəʊz] *v. tr.* diagnosticare

diagnosis [‚daɪəg'nəʊsɪs] *s.* diagnosi *f.*

diagonal [daɪ'ægənl] *agg. e s.* diagonale *f.*

diagram ['daɪəgræm] *s.* diagramma *m.*, schema *m.*

dial ['daɪ(ə)l] *s.* **1** *(di strumento, orologio)* quadrante *m.* **2** *(di telefono)* disco *m.* combinatore

to dial ['daɪ(ə)l] *v. tr.* **1** comporre *(un numero telefonico)*, chiamare al telefono **2** sintonizzarsi su *(una stazione)*

dialect ['daɪəlɛkt] *s.* dialetto *m.*

dialectal [‚daɪə'lɛktl] *agg.* dialettale

dialectic [‚daɪə'lɛktɪk] **A** *agg.* dialettico **B** *s.* dialettica *f.*

dialling ['daɪ(ə)lɪŋ] *s.* selezione *f.* (telefonica) ◆ **d. code** *(USA* **dial code**) prefisso telefonico; **d. tone** *(USA* **dial tone**) segnale di linea libera; **direct d.** teleselezione

dialogue ['daɪəlɒg] *(USA* **dialog**) *s.* dialogo *m.*

dialysis [daɪ'ælɪsɪs] *s.* dialisi *f.*

diameter [daɪ'æmɪtər] *s.* diametro *m.*

diamond ['daɪəmənd] *s.* **1** diamante *f.* **2** rombo *m.* **3** *al pl.* *(carte da gioco)* quadri *m. pl.*

diaper ['daɪəpər] *s.* *(USA)* pannolino *m.*

diarrh(o)ea [‚daɪə'rɪə] *s.* diarrea *f.*

diary ['daɪərɪ] *s.* **1** diario *m.* **2** agenda *f.*

dice [daɪs] *s. inv.* dado *m.*, gioco *m.* dei dadi

to dice [daɪs] **A** *v. tr.* tagliare a cubetti **B** *v. intr.* giocare a dadi ♦ **to d. away** perdere ai dadi

to dictate [dɪk'teɪt] *v. tr.* dettare

dictation [dɪk'teɪʃ(ə)n] *s.* dettato *m.*

dictator [dɪk'teɪtər] *s.* dittatore *m.*

dictatorship [dɪk'teɪtəʃɪp] *s.* dittatura *f.*

diction ['dɪkʃ(ə)n] *s.* dizione *f.*

dictionary ['dɪkʃ(ə)nrɪ] *s.* dizionario *m.*, vocabolario *m.*

did [dɪd] *pass. di* **to do**

didactic [dɪ'dæktɪk] *agg.* didattico

didactics [dɪ'dæktɪks] *s. pl.* (*v. al sing.*) didattica *f.*

die [daɪ] *s.* 1 dado *m.* 2 stampo *m.*

to die [daɪ] *v. intr.* morire ♦ **to d. away** smorzarsi; **to d. down** affievolirsi, appassire; **to d. out** estinguersi; **to be dying to do st.** morire dalla voglia di fare q.c.

diesel ['diːz(ə)l] *s.* diesel *m. inv.* ♦ **d. engine** motore diesel; **d. oil** gasolio

diet [daɪ] *s.* dieta *f.*, alimentazione *f.* ♦ **to be on d.** essere a dieta

to diet ['daɪət] *v. intr.* essere a dieta

dietetic [ˌdaɪə'tetɪk] *agg.* dietetico

dietician [ˌdaɪə'tɪʃ(ə)n] *s.* dietologo *m.*

to differ ['dɪfər] *v. intr.* 1 differire, essere diverso 2 dissentire

difference ['dɪfr(ə)ns] *s.* 1 differenza *f.* 2 divergenza *f.*, dissapore *m.*

different ['dɪfr(ə)nt] *agg.* differente, diverso

differential [ˌdɪfə'renʃ(ə)l] *agg. e s.* differenziale *m.*

to differentiate [ˌdɪfə'renʃɪeɪt] *v. tr.* 1 differenziare 2 distinguere

difficult ['dɪfɪk(ə)lt] *agg.* difficile

difficulty ['dɪfɪk(ə)ltɪ] *s.* difficoltà *f.*

diffident ['dɪfɪd(ə)nt] *agg.* timido, sfiduciato

diffuse [dɪ'fjuːs] *agg.* 1 diffuso 2 prolisso

to diffuse [dɪ'fjuːz] *v. tr.* diffondere

diffused [dɪ'fjuːzd] *agg.* diffuso

diffusion [dɪ'fjuːʒ(ə)n] *s.* 1 (*fis.*) diffusione *f.* 2 prolissità *f.*

dig [dɪg] *s.* 1 scavo *m.*, sterro *m.* 2 (*pop.*) spintone *m.* 3 (*fig.*) frecciata *f.* 4 *al pl.* (*fam.*) camera *f.* ammobiliata

to dig [dɪg] (*pass. e p. p.* **dug**) **A** *v. tr.* 1 scavare 2 (*pop.*) dare uno spintone **B** *v. intr.* scavare, zappare 2 (*fam.*) sgobbare ♦ **to d. in** affondare; **to d. out** scovare, scoprire

digest ['daɪdʒest] *s.* riassunto *m.*

to digest [daɪ'dʒest] *v. tr.* 1 digerire, assimilare 2 riassumere

digester [dɪ'dʒestər] *s.* digestivo *m.*

digestible [dɪ'dʒestəbl] *agg.* digeribile

digestion [dɪ'dʒestʃ(ə)n] *s.* digestione *f.*

digestive [dɪ'dʒestɪv] **A** *agg.* 1 digestivo 2 digerente **B** *s.* digestivo *m.*

digger ['dɪgər] *s.* 1 scavatrice *f.* 2 zappatore *m.*, sterratore *m.* ♦ **gold d.** cercatore d'oro

digit ['dɪdʒɪt] *s.* 1 numero *m.*, cifra *f.* 2 dito *m.*

digital ['dɪdʒɪtl] *agg.* digitale

dignified ['dɪgnɪfaɪd] *agg.* dignitoso

dignitary ['dɪgnɪt(ə)rɪ] *s.* dignitario *m.*

dignity ['dɪgnɪtɪ] *s.* dignità *f.*, decoro *m.*

to digress [daɪ'gres] *v. intr.* fare una digressione, divagare ♦ **to d. from** allontanarsi da

digression [daɪ'greʃ(ə)n] *s.* digressione *f.*

dike [daɪk] (o **dyke**) *s.* argine *m.*, diga *f.*

dilapidated [dɪ'læpɪdeɪtɪd] *agg.* decrepito, cadente

dilatation [ˌdaɪlə'teɪʃ(ə)n] *s.* dilatazione *f.*

to dilate [daɪ'leɪt] *v. tr. e intr.* dilatare, dilatarsi

dilemma [dɪ'lemə] *s.* dilemma *m.*

dilettante [ˌdɪlɪ'tæntɪ] *s.* dilettante *m. e f.*

diligence ['dɪlɪdʒ(ə)ns] *s.* diligenza *f.*

diligent ['dɪlɪdʒ(ə)nt] *agg.* diligente

to dilute [daɪ'ljuːt] *v. tr.* 1 diluire 2 (*fig.*) attenuare

dim [dɪm] *agg.* 1 debole, fioco 2 incerto, indistinto 3 (*fam.*) ottuso

to dim [dɪm] *v. tr.* offuscare, oscurare

dimension [dɪ'menʃ(ə)n] *s.* dimensione *f.*

to diminish [dɪ'mɪnɪʃ] *v. tr. e intr.* diminuire

diminutive [dɪ'mɪnjutɪv] **A** *agg.* (*fam.*) minuscolo **B** *s.* diminutivo *m.*

dimmer ['dɪmər] *s.* (*autom.*) commutatore *m.* delle luci

din [dɪn] *s.* fracasso *m.*

to din [dɪn] *v. tr.* assordare

to dine [daɪn] *v. intr.* cenare, pranzare ♦ **to d. in/out** cenare a casa/fuori

diner ['daɪnər] *s.* 1 commensale *m.*, (*di ristorante*) cliente *m. e f.* 2 (*USA*) tavola *f.* calda

dinghy ['dɪŋgɪ] *s.* (*naut.*) canotto *m.*

dingy ['dɪn(d)ʒɪ] *agg.* 1 nerastro, grigio 2 sporco, squallido

dining-car ['daɪnɪŋkaːr] *s.* carrozza *f.* ristorante

dining-room ['daɪnɪŋrʊm] *s.* sala *f.* da pranzo

dinner ['dɪnə^r] s. cena f., pasto m. (principale) ♦ **d. jacket** smoking; **d. set** servizio da tavola; **to ask sb. to d.** invitare
qc. a cena; **to be at d.** essere a tavola; **to
have d.** cenare

dinosaur ['daɪnəsɔːr] s. dinosauro m.

dint [dɪnt] s. **1** tacca f., segno m. **2** (arc.)
forza f. ♦ **by d. of** a forza di

diocese ['daɪəsɪs] s. diocesi f.

dioptre [daɪ'əptər] (USA **diopter**) s. diot-
tria f.

dip [dɪp] s. **1** immersione f., tuffo m. **2** inclinazione f., avvallamento m. **3** flessione
f. **4** (cuc.) salsa f.

to dip [dɪp] **A** v. tr. **1** immergere, tuffare **2**
abbassare **B** v. intr. **1** immergersi, bagnarsi
2 abbassarsi **3** scendere ♦ **to d. into** at-
tingere

diploma [dɪ'pləʊmə] s. diploma m.

diplomacy [dɪ'pləʊməsɪ] s. diplomazia f.

diplomat ['dɪpləmæt] s. diplomatico m.

diplomatic [ˌdɪplə'mætɪk] agg. diplomatico

dipper ['dɪpər] s. mestolo m.

dipstick ['dɪpstɪk] s. asta f. di livello

dipswitch ['dɪpswɪtʃ] s. (autom.) commutatore m. delle luci

dire [daɪər] agg. atroce, terribile

direct [dɪ'rɛkt] **A** agg. **1** diretto, immediato **2** franco, esplicito **B** avv. direttamente

to direct [dɪ'rɛkt] v. tr. **1** indirizzare, inviare
2 rivolgere **3** indicare (la strada) **4** dirigere, ordinare

direction [dɪ'rɛkʃ(ə)n] s. **1** direzione f.,
senso m. **2** istruzione f., indicazione f. **3**
regia f., direzione f.

directional [dɪ'rɛkʃənl] agg. direzionale

directly [dɪ'rɛktlɪ] avv. **1** direttamente **2**
immediatamente

director [dɪ'rɛktər] s. **1** direttore m., dirigente m. e f. **2** amministratore m. **3** regista
m. e f. ♦ **board of directors** consiglio di
amministrazione

directory [dɪ'rɛkt(ə)rɪ] s. elenco m. ♦ **telephone d.** elenco telefonico

dirt [dɜːt] s. **1** sporcizia f., immondizia f. **2**
terra f. ♦ **d.-cheap** a due soldi; **d. road**
strada sterrata

dirty ['dɜːtɪ] agg. **1** sporco, sudicio **2** (del
tempo) brutto, orribile **3** grossolano, scon-
cio

to dirty ['dɜːtɪ] v. tr. e intr. sporcare, sporcarsi

disability [ˌdɪsə'bɪlɪtɪ] s. **1** incapacità f. **2**

invalidità f.

disabled [dɪs'eɪbld] agg. e s. disabile m. e
f., invalido m.

disadvantage [ˌdɪsəd'vaːntɪdʒ] s. svantaggio m.

disadvantegeous [ˌdɪsædvaːn'teɪdʒəs]
agg. svantaggioso

disaffected [ˌdɪsə'fɛktɪd] agg. disaffezio-
nato, maldisposto, ostile

to disagree [ˌdɪsə'griː] v. tr. **1** dissentire **2**
discordare, non coincidere **3** non confarsi

disagreeable [ˌdɪsə'grɪəbl] agg. sgradevole, antipatico

disagreement [ˌdɪsə'griːmənt] s. **1** disaccordo m., discordia f. **2** discordanza f.

to disallow [ˌdɪsə'laʊ] v. tr. respingere, rifiutare

to disappear [ˌdɪsə'pɪər] v. intr. scomparire,
svanire

disappearance [ˌdɪsə'pɪər(ə)ns] s. spari-
zione f., scomparsa f.

to disappoint [ˌdɪsə'pɔɪnt] v. tr. deludere

disappointed [ˌdɪsə'pɔɪntɪd] agg. deluso,
insoddisfatto

disappointment [ˌdɪsə'pɔɪntmənt] s. de-
lusione f., disappunto m.

disapproval [ˌdɪsə'pruːv(ə)l] s. disapprovazione f.

to disapprove [ˌdɪsə'pruːv] v. tr. disapprovare ♦ **to d. of** trovare da ridire su

to disarm [dɪs'aːm] v. tr. disarmare

disarmament [dɪs'aːməmənt] s. disarmo m.

disarray [ˌdɪsə'reɪ] s. disordine m., scompiglio m.

to disassemble [ˌdɪsə'sɛmbl] v. tr. smontare

disassembly [ˌdɪsə'sɛmblɪ] s. smontag-
gio m.

disaster [dɪ'zaːstər] s. disastro m., sciagu-
ra f.

disastrous [dɪ'zaːstrəs] agg. disastroso

to disband [dɪs'bænd] v. tr. disperdere,
sciogliere, congedare

disbandment [dɪs'bændmənt] s. **1** sbandamento m., dispersione f. **2** congedo m.

disbelief [ˌdɪsbɪ'liːf] s. incredulità f.

to disbelieve [ˌdɪsbɪ'liːv] v. tr. e intr. non
credere

disbursement [dɪs'bɜːsmənt] s. esborso
m., pagamento m.

disc [dɪsk] s. disco m.

discard ['dɪskaːd] s. scarto m.

to discard [dɪs'kaːd] v. tr. **1** scartare **2** abbandonare

to discern [dɪ'sɜ:n] *v. tr.* discernere, distinguere

discerning [dɪ'sɜ:nɪŋ] *agg.* perspicace, oculato

discharge [dɪs'tʃa:dʒ] *s.* **1** scarico *m.* **2** (*elettr., arma da fuoco*) scarica *f.* **3** congedo *m.*, licenziamento *m.* **4** (*dir*) assoluzione *f.*, liberazione *f.* **5** (*med.*) emissione *f.*, suppurazione *f.* **6** (*di debito*) pagamento *m.* **7** adempimento *m.*

to discharge [dɪs'tʃa:dʒ] *v. tr.* **1** scaricare **2** congedare, licenziare **3** emettere **4** (*dir*) liberare, assolvere **5** (*un debito*) saldare **6** (*un dovere*) compiere

disciple [dɪ'saɪpl] *s.* discepolo *m.*

discipline ['dɪsɪplɪn] *s.* disciplina *f.*

to discipline ['dɪsɪplɪn] *v. tr.* **1** disciplinare **2** punire

to disclaim [dɪs'kleɪm] *v. tr.* **1** (*dir*) rinunciare **2** disconoscere, rinnegare **3** negare

to disclose [dɪs'kləʊz] *v. tr.* **1** scoprire, svelare **2** rivelare

disclosure [dɪs'kləʊʒər] *s.* rivelazione *f.*, scoperta *f.*

disco ['dɪskəʊ] *s.* discoteca *f.*

to discolour [dɪs'kʌlər] (*USA* **to discolor**) *v. tr. e intr.* scolorire, scolorirsi

discomfort [dɪs'kʌmfət] *s.* **1** disagio *m.* **2** scomodità *f.*

to discomfort [dɪs'kʌmfət] *v. tr.* mettere a disagio

to disconcert [ˌdɪskən'sɜ:t] *v. tr.* **1** sconcertare, turbare **2** sconvolgere

to disconnect [ˌdɪskə'nɛkt] *v. tr.* **1** sconnettere, staccare **2** interrompere un collegamento

disconnected [ˌdɪskə'nɛktɪd] *agg.* **1** sconnesso **2** disinserito, scollegato

disconsolate [dɪs'kəns(ə)lɪt] *agg.* sconsolato, sconfortato

discontent [ˌdɪskən'tɛnt] *s.* scontentezza *f.*, scontento *m.*

to discontinue [ˌdɪskən'tɪnjuː] *v. tr. e intr.* cessare, interrompere, interrompersi

discontinuous [ˌdɪskən'tɪnjʊəs] *agg.* discontinuo, intermittente

discord ['dɪskɔ:d] *s.* **1** discordia *f.*, contrasto *m.* **2** (*mus.*) dissonanza *f.*

discordant [dɪs'kɔ:d(ə)nt] *agg.* discordante

discotheque ['dɪskətɛk] *s.* discoteca *f.*

discount ['dɪskaʊnt] *s.* sconto *m.*, ribasso *m.*, riduzione *f.*

to discount ['dɪskaʊnt] *v. tr.* **1** scontare **2** tenere in poco conto, non dar credito a

discountable [dɪs'kaʊntəbl] *agg.* scontabile

to discourage [dɪs'kʌrɪdʒ] *v. tr.* **1** scoraggiare **2** dissuadere

discouragement [dɪs'kʌrɪdʒmənt] *s.* **1** scoraggiamento *m.*, sconforto *m.* **2** disapprovazione *f.*

discourteous [dɪs'kɜ:tjəs] *agg.* scortese

to discover [dɪs'kʌvər] *v. tr.* scoprire

discoverer [dɪs'kʌvərər] *s.* scopritore *m.*

discovery [dɪs'kʌv(ə)rɪ] *s.* scoperta *f.*

discredit [dɪs'krɛdɪt] *s.* **1** discredito *m.* **2** dubbio *m.*

to discredit [dɪs'krɛdɪt] *v. tr.* **1** discreditare **2** mettere in dubbio

discreet [dɪs'kri:t] *agg.* discreto, riservato

discrepancy [dɪs'krɛp(ə)nsɪ] *s.* discrepanza *f.*, divario *m.*

discretion [dɪs'krɛʃ(ə)n] *s.* **1** discrezione *f.*, discernimento *m.* **2** riservatezza *f.*

to discriminate [dɪs'krɪmɪneɪt] **A** *v. tr.* discriminare, distinguere **B** *v. intr.* fare discriminazioni

discriminating [dɪs'krɪmɪneɪtɪŋ] *agg.* **1** acuto, perspicace **2** distintivo

discrimination [dɪsˌkrɪmɪ'neɪʃ(ə)n] *s.* **1** discernimento *m.* **2** discriminazione *f.*

discus ['dɪskəs] *s.* (*sport*) disco *m.*

to discuss [dɪs'kʌs] *v. tr.* discutere

discussion [dɪs'kʌʃ(ə)n] *s.* discussione *f.*

disdain [dɪs'deɪn] *s.* sdegno *m.*, disprezzo *m.*

disease [dɪ'zi:z] *s.* malattia *f.*

diseased [dɪ'zi:zd] *agg.* malato

to disembark [ˌdɪsɪm'ba:k] *v. tr. e intr.* sbarcare

to disengage [ˌdɪsɪn'geɪdʒ] *v. tr.* **1** districare, liberare **2** (*mecc.*) disinnestare

to disentangle [ˌdɪsɪn'tæŋgl] *v. tr.* sbrogliare, districare

to disfigure [dɪs'fɪgər] *v. tr.* sfigurare, deturpare

disgrace [dɪs'greɪs] *s.* **1** disonore *m.*, vergogna *f.* **2** disgrazia *f.* sfavore *m.*

to disgrace [dɪs'greɪs] *v. tr.* **1** disonorare **2** discreditare, far cadere in disgrazia

disgraceful [dɪs'greɪsf(ʊ)l] *agg.* disonorevole, vergognoso

disgruntled [dɪs'grʌntld] *agg.* scontento, di cattivo umore

disguise [dɪs'gaɪz] *s.* travestimento *m.*

to disguise [dɪs'gaɪz] *v. tr.* **1** mascherare,

travestire **2** dissimulare

disgust [dɪs'gʌst] *s.* disgusto *m.*, schifo *m.*, nausea *f.*

to disgust [dɪs'gʌst] *v. tr.* disgustare, nauseare

disgusting [dɪs'gʌstɪŋ] *agg.* disgustoso, nauseante

dish [dɪʃ] *s.* **1** piatto *m.* **2** pietanza *f.*

to dish [dɪʃ] *v. tr.* scodellare, servire ♦ **to d. up** servire, presentare

dishcloth ['dɪʃklɒθ] *s.* strofinaccio *m.*

to dishearten [dɪs'hɑːtn] *v. tr.* scoraggiare, sconfortare

disheartening [dɪs'hɑːtnɪŋ] *agg.* sconsolante

to dishevel [dɪ'ʃɛv(ə)l] *v. tr.* scompigliare

dishevelled [dɪ'ʃɛv(ə)ld] *agg.* arruffato, scarmigliato

dishonest [dɪs'ɒnɪst] *agg.* disonesto

dishonour [dɪs'ɒnər] (*USA* **dishonor**) *s.* disonore *m.*

to dishonour [dɪs'ɒnər] (*USA* **to dishonor**) *v. tr.* **1** disonorare **2** venir meno a **3** (*comm.*) rifiutare di pagare, far andare in protesto

dishtowel ['dɪʃtaʊəl] *s.* strofinaccio *m.*

dishwasher ['dɪʃ͵wɒʃər] *s.* lavastoviglie *f.*

disillusion [͵dɪsɪ'luːʒ(ə)n] *s.* disillusione *f.*

to disillusion [͵dɪsɪ'luːʒ(ə)n] *v. tr.* disilludere, disingannare

disincentive [͵dɪsɪn'sɛntɪv] *s.* disincentivo *m.*

to disinfect [͵dɪsɪn'fɛkt] *v. tr.* disinfettare

disinfectant [͵dɪsɪn'fɛktənt] *agg. e s.* disinfettante *m.*

to disinfest [͵dɪsɪn'fɛst] *v. tr.* disinfestare

disinhibited [͵dɪsɪn'hɪbɪtɪd] *agg.* disinibito

to disintegrate [dɪs'ɪntɪgreɪt] *v. tr. e intr.* disintegrare, disintegrarsi

disinterested [dɪs'ɪntrɪstɪd] *agg.* **1** disinteressato **2** imparziale

to disjoint [dɪs'dʒɔɪnt] *v. tr.* disgiungere, smembrare

disjointed [dɪs'dʒɔɪntɪd] *agg.* **1** disgiunto, smembrato **2** sconnesso

disk [dɪsk] *s.* disco *m.*

diskette [dɪs'kɛt] *s.* dischetto *m.*, disco *m.*

dislike [dɪs'laɪk] *s.* avversione *f.*, antipatia *f.*

to dislike [dɪs'laɪk] *v. tr.* **1** non piacere **2** provare avversione per

to dislocate ['dɪsləkeɪt] *v. tr.* slogare, lussare

dislocation [͵dɪslə'keɪʃ(ə)n] *s.* slogatura *f.*, lussazione *f.*

to dislodge [dɪs'lɒdʒ] *v. tr.* **1** sloggiare **2** rimuovere

disloyal [dɪs'lɔɪəl] *agg.* sleale

dismal ['dɪzm(ə)l] *agg.* lugubre, tetro

to dismantle [dɪs'mæntl] *v. tr.* smontare, smantellare

dismay [dɪs'meɪ] *s.* sgomento *m.*

to dismay [dɪs'meɪ] *v. tr.* sgomentare, costernare

to dismiss [dɪs'mɪs] *v. tr.* **1** congedare, licenziare, destituire **2** abbandonare, scartare **3** (*dir*) respingere

to dismount [dɪs'maʊnt] *v. intr.* smontare, scendere

disobedient [͵dɪsə'biːdjənt] *agg.* disobbediente

to disobey [͵dɪsə'beɪ] *v. intr.* disubbidire

disorder [dɪs'ɔːdər] *s.* **1** disordine *m.*, confusione *f.* **2** tumulto *m.* **3** (*med.*) disturbo *m.*

disorderly [dɪs'ɔːdəlɪ] *agg.* **1** disordinato **2** tumultuoso

disorganization [dɪs͵ɔːgənaɪ'zeɪʃ(ə)n] *s.* disorganizzazione *f.*

disorientation [dɪs͵ɔrɪən'teɪʃ(ə)n] *s.* disorientamento *m.*

disparaging [dɪs'pærɪdʒɪŋ] *agg.* spregiativo, sprezzante

disparate ['dɪspərət] *agg.* disparato

dispassionate [dɪs'pæʃnɪt] *agg.* spassionato, imparziale

dispatch [dɪs'pætʃ] *s.* **1** invio *m.*, spedizione *f.* **2** messaggio *m.*

to dispatch [dɪs'pætʃ] *v. tr.* **1** spedire, inviare **2** espletare, sbrigare

to dispel [dɪs'pɛl] *v. tr.* disperdere, scacciare

to dispense [dɪs'pɛns] *v. tr.* **1** dispensare, distribuire **2** esentare **3** amministrare **4** somministrare ♦ **to d. with** fare a meno di

dispenser [dɪs'pɛnsər] *s.* distributore *m.*

to disperse [dɪs'pɜːs] *v. tr. e intr.* disperdere, disperdersi

dispersion [dɪs'pɜːʃ(ə)n] *s.* dispersione *f.*

to dispirit [dɪ'spɪrɪt] *v. tr.*, scoraggiare

dispirited [dɪ'spɪrɪtɪd] *agg.* scoraggiato, abbattuto

to displace [dɪs'pleɪs] *v. tr.* **1** spostare **2** sostituire, rimpiazzare **3** (*naut.*) dislocare

displacement [dɪs'pleɪsmənt] *s.* (*naut.*) dislocamento *m.*

display [dɪ'spleɪ] *s.* **1** mostra *f.*, esibizione *f.* **2** manifestazione *f.* **3** schermo *m.*, display *m. inv.*

to display [dɪ'spleɪ] *v. tr.* **1** esporre, mostrare **2** manifestare

to displease [dɪs'pliːz] *v. tr.* scontentare, dispiacere a ♦ **to be displeased with** essere scontento di

displeasure [dɪs'plɛʒəʳ] *s.* dispiacere *m.*, malcontento *m.*

disposable [dɪs'pɒuzəbl] *agg.* **1** disponibile **2** monouso, usa e getta

disposal [dɪs'pɒuz(ə)l] *s.* **1** disposizione *f.* **2** eliminazione *f.*, smaltimento *m.* **3** (*comm.*) cessione *f.*

to dispose [dɪs'pɒuz] *v. tr. e intr.* disporre ♦ **to d. of** disfarsi di, risolvere

disposed [dɪs'pɒuzd] *agg.* disposto, incline ♦ **to be d. to** essere portato a

disposition [ˌdɪspə'zɪʃ(ə)n] *s.* **1** disposizione *f.* **2** inclinazione *f.*, attitudine *f.* **3** prescrizione *f.*

disproportion [ˌdɪsprə'pɔːʃ(ə)n] *s.* sproporzione *f.*

disproportionate [ˌdɪsprə'pɔːʃnɪt] *agg.* sproporzionato

to disprove [dɪs'pruːv] *v. tr.* confutare

dispute [dɪs'pjuːt] *s.* disputa *f.*, vertenza *f.*, controversia *f.*

to dispute [dɪs'pjuːt] *v. intr.* disputare, discutere

disqualification [dɪsˌkwɒlɪfɪ'keɪʃ(ə)n] *s.* squalifica *f.*

to disqualify [dɪs'kwɒlɪfaɪ] *v. tr.* **1** squalificare, escludere **2** interdire

disquiet [dɪs'kwaɪət] **A** *agg.* inquieto **B** *s.* inquietudine *f.*, ansia *f.*

to disregard [ˌdɪsrɪ'gaːd] *v. tr.* trascurare, non badare a

disrepair [ˌdɪsrɪ'pɛəʳ] *s.* sfacelo *m.*, rovina *f.*

disreputable [dɪs'rɛpjutəbl] *agg.* sconveniente, disonorevole

disrepute [ˌdɪsrɪ'pjuːt] *s.* discredito *m.*

disrespect [ˌdɪsrɪs'pɛkt] *s.* irriverenza *f.*

disrespectful [ˌdɪsrɪs'pɛktf(ʊ)l] *agg.* irriverente

to disrupt [dɪsr'ʌpt] **1** disgregare **2** disturbare

dissatisfaction [dɪ(s)ˌsætɪs'fækʃ(ə)n] *s.* insoddisfazione *f.*, scontentezza *f.*

to dissatisfy [dɪ(s)'sætɪsfaɪ] *v. tr.* scontentare

to dissect [dɪ'sɛkt] *v. tr.* **1** sezionare, dissezionare **2** sviscerare

to disseminate [dɪ'sɛmɪneɪt] *v. tr.* disseminare

dissent [dɪ'sɛnt] *s.* dissenso *m.*

to dissent [dɪ'sɛnt] *v. intr.* dissentire

dissertation [ˌdɪsə(ː)'teɪʃ(ə)n] *s.* dissertazione *f.*

disservice [dɪs'sɜːvɪs] *s.* cattivo servizio *m.*, danno *m.*

dissident ['dɪsɪd(ə)nt] *agg.* dissidente

dissimilar [dɪ'sɪmɪləʳ] *agg.* dissimile

dissimilarity [ˌdɪsɪmɪ'lærɪt] *s.* difformità *f.*, diversità *f.*

to dissimulate [dɪ'sɪmjʊleɪt] *v. tr.* dissimulare

to dissipate ['dɪsɪpeɪt] *v. tr.* dissipare, disperdere

to dissociate [dɪ'sɒʊʃɪeɪt] *v. tr. e intr.* dissociare, dissociarsi

dissolute ['dɪsəluːt] *agg.* dissoluto

dissolution [ˌdɪsə'luːʃ(ə)n] *s.* dissoluzione *f.*, scioglimento *m.*

to dissolve [dɪ'zɒlv] **A** *v. tr.* **1** dissolvere, sciogliere **2** annullare **B** *v. intr.* **1** dissolversi, sciogliersi **2** disperdersi **3** svanire

dissonant ['dɪsənənt] *agg.* dissonante

to dissuade [dɪ'sweɪd] *v. tr.* dissuadere, distogliere

distance ['dɪst(ə)ns] *s.* distanza *f.*

distant ['dɪst(ə)nt] *agg.* **1** distante, lontano **2** riservato

distaste [dɪs'teɪst] *s.* avversione *f.*, disgusto *m.*

distasteful [dɪs'teɪstf(ʊ)l] *agg.* repellente, sgradevole

distension [dɪs'tɛnʃ(ə)n] *s.* (*med.*) dilatazione *f.*, gonfiore *m.*

to distil(l) [dɪs'tɪl] *v. tr.* distillare

distillate ['dɪstɪlɪt] *s.* distillato *m.*

distillery [dɪs'tɪlərɪ] *s.* distilleria *f.*

distinct [dɪs'tɪŋ(k)t] *agg.* **1** distinto, definito **2** separato, diverso

distinction [dɪs'tɪŋ(k)ʃ(ə)n] *s.* **1** distinzione *f.* **2** caratteristica *f.* **3** onorificenza *f.*

distinctive [dɪs'tɪŋ(k)tɪv] *agg.* distintivo

to distinguish [dɪs'tɪŋgwɪʃ] *v. tr.* **1** distinguere, discernere **2** caratterizzare

distinguished [dɪs'tɪŋgwɪʃt] *agg.* **1** distinto, raffinato **2** famoso, illustre

distinguishing [dɪ'stɪŋgwɪʃɪŋ] *agg.* distinto, peculiare

to distort [dɪs'tɜːt] *v. tr.* **1** distorcere **2** travisare

distortion [dɪs'tɜːʃ(ə)n] *s.* **1** distorsione *f.*

2 deformazione *f.*

to distract [dɪs'trækt] *v. tr.* distrarre

distraction [dɪs'trækʃ(ə)n] *s.* 1 distrazione *f.* 2 diversivo *m.*

to distrain [dɪs'treɪn] *v. tr.* pignorare

distraught [dɪs'trɔːt] *agg.* sconvolto, turbato

distress [dɪs'tres] *s.* 1 pena *f.*, angoscia *f.* 2 pericolo *m.* ♦ **d. signal** segnale di soccorso

to distress [dɪs'tres] *v. tr.* affliggere, angustiare

distressing [dɪs'tresɪŋ] *agg.* doloroso, penoso

to distribute [dɪs'trɪbju(ː)t] *v. tr.* distribuire, assegnare

distribution [ˌdɪstrɪ'bjuːʃ(ə)n] *s.* distribuzione *f.*

distributor [dɪs'trɪbjʊtər] *s.* 1 distributore *m.* 2 spinterogeno *m.*

district ['dɪstrɪkt] *s.* 1 distretto *m.*, circondario *m.* 2 regione *f.*, territorio *m.*

distrust [dɪs'trʌst] *s.* diffidenza *f.*, sospetto *m.*

to distrust [dɪs'trʌst] *v. tr.* diffidare di, non avere fiducia in

to disturb [dɪs'tɜːb] *v. tr.* disturbare

disturbance [dɪs'tɜːb(ə)ns] *s.* 1 disordine *m.*, confusione *f.*, disturbo *m.* 3 perturbazione *f.*

disturbed [dɪs'tɜːbd] *agg.* disturbato, turbato

disuse [dɪs'juːs] *s.* disuso *m.*

ditch [dɪtʃ] *s.* fossato *m.*, canale *m.*

to ditch [dɪtʃ] *v. tr.* 1 scavare, prosciugare 2 *(fam.)* piantare in asso

to dither ['dɪðər] *v. intr.* 1 tremare 2 oscillare, vacillare

ditto ['dɪtʊ] *s.* idem *pron. e avv.*

diuretic [ˌdaɪjʊə'retɪk] *agg. e s.* diuretico *m.*

divan [dɪ'væn] *s.* divano *m.*

dive [daɪv] *s.* 1 tuffo *m.* 2 immersione *f.* 3 *(aer)* picchiata *f.*

to dive [daɪv] *v. intr.* 1 tuffarsi 2 immergersi 3 *(aer)* lanciarsi in picchiata ♦ **to d. in** farsi avanti

diver ['daɪvər] *s.* 1 tuffatore *m.* 2 palombaro *m.*, sommozzatore *m.*

to diverge [daɪ'vɜːdʒ] *v. intr.* divergere

diverse [daɪ'vɜːs] *agg.* diverso

diversion [daɪ'vɜːʃ(ə)n] *s.* 1 diversione *f.*, deviazione *f.* 2 passatempo *m.*

diversity [daɪ'vɜːsɪtɪ] *s.* diversità *f.*

to divert [daɪ'vɜːt] *v. tr.* deviare

to divide [dɪ'vaɪd] **A** *v. tr.* 1 dividere, separare 2 ripartire **B** *v. intr.* 1 dividersi, separarsi 2 divergere

dividend ['dɪvɪdend] *s.* dividendo *m.*

divine [dɪ'vaɪn] *agg.* divino

diving ['daɪvɪŋ] *s.* 1 tuffo *m.* 2 immersione *f.* 3 *(aer)* picchiata *f.* ♦ **d. board** trampolino; **d. suit** scafandro

divinity [dɪ'vɪnɪtɪ] *s.* 1 divinità *f.* 2 teologia *f.*

divisible [dɪ'vɪzəbl] *agg.* divisibile

division [dɪ'vɪʒ(ə)n] *s.* 1 divisione *f.* 2 suddivisione *f.*, ripartizione *f.* 3 sezione *f.*

divorce [dɪ'vɜːs] *s.* divorzio *m.*

to divorce [dɪ'vɜːs] *v. intr.* divorziare

divorcee [dɪˌvɜː'siː] *s.* divorziato *m.*

to divulge [daɪ'vʌldʒ] *v. tr.* divulgare

dizzy ['dɪzɪ] *agg.* 1 vertiginoso 2 che ha le vertigini

do [duː] *s.* 1 ciò che si deve fare 2 *(fam.)* truffa *f.* 3 *(fam.)* festa *f.*

to do [duː, dʊ, də] *(pass.* **did**, *p. p.* **done)** **A** *v. ausiliare* 1 *(nella forma interr.)* (ES: **do you understand?** capisci?) 2 *(nella forma neg.)* (ES: **I don't understand** non capisco) 3 *(enf.)* (ES: **I did see him** l'ho visto davvero) 4 *(in sostituzione di un altro v.)* (ES: **who took my book? I did** chi ha preso il mio libro? io) **B** *v. tr.* 1 fare, compiere, eseguire, portare a termine 2 causare, procurare 3 visitare 4 ingannare, imbrogliare **C** *v. intr.* 1 comportarsi, agire 2 finire, smettere 3 stare, passarsela 4 bastare, andar bene ♦ **to do away with** abolire, sopprimere; **to do by st.** trattare qc., comportarsi con qc.; **to do for** arrangiarsi, fare le faccende, rovinare; **to do out** riordinare; **to do out of** portare via; **to do up** rinnovare, incartare; **to do with** aver bisogno di, avere a che fare con, andar bene

dock (1) [dɔk] *s.* 1 bacino *m.* 2 *al pl.* zona *f.* portuale

dock (2) [dɔk] *s.* banco *m.* degli imputati

to dock [dɔk] *v. intr.* entrare in bacino, attraccare

docking ['dɔkɪŋ] *s.* attracco *m.*

dockyard ['dɔkjɑːd] *s.* arsenale *m.*, cantiere *m.* navale

doctor ['dɔktər] *s.* dottore *m.*, medico *m.*

to doctor ['dɔktər] *v. tr.* 1 curare, medicare 2 aggiustare 3 adulterare, falsificare 4 conferire una laurea a

doctrine ['dəktrın] *s.* dottrina *f.*

document ['dəkjumənt] *s.* documento *m.*

to document ['dəkjument] *v. tr.* documentare

documentary [,dəkju'ment(ə)rı] *s.* documentario *m.*

dodge [dədʒ] *s.* **1** balzo *m.* **2** espediente *m.*, trucco *m.*

to dodge [dədʒ] *v. tr.* **1** schivare, scansare **2** abbindolare

dodgem ['dədʒəm] *s.* autoscontro *m.*

doe [dəu] *s.* femmina *f.* di cervo, daino, lepre, coniglio

dog [dəg] *s.* cane *m.* ◆ **d. catcher** accalappiacani; **d. collar** collare; **d. days** canicola; **d.-fancier** allevatore di cani

dogged ['dəgıd] *agg.* ostinato, tenace

dogma ['dəgmə] *s.* dogma *m.*

dogmatic [dəg'mætık] *agg.* dogmatico

doings ['du:ıŋz] *s. pl.* fatti *m. pl.* azioni *f. pl.*

do-it-yourself ['du:ıtjɔ:,sɛlf] *s.* bricolage *m. inv.*, fai-da-te *m. inv.*

doldrums ['dəldrəmz] *s. pl.* **1** zona *f.* delle calme equatoriali **2** *(fig.)* depressione *f.* ◆ **to be in the d.** essere depresso

dole [dəul] *s.* sussidio *m.* di disoccupazione

doleful ['dəulf(u)l] *agg.* triste

doll [dəl] *s.* bambola *f.*

dollar ['dələr] *s.* dollaro *m.*

to doll up [dəl,ʌp] *v. tr. e intr. (fam.)* agghindare, agghindarsi

dolly ['dəlı] *s.* **1** bambola *f.* **2** piattaforma *f.*, carrello *m.* ◆ **d. shot** *(cine.)* carrellata

dolphin ['dəlfın] *s.* delfino *m.*

doltish ['dəultıʃ] *agg.* sciocco

domain [də'meın] *s.* dominio *m.*

dome [dəum] *s.* cupola *f.*

domestic [də'mɛstık] *agg.* **1** domestico, casalingo **2** nazionale

to domesticate [də'mɛstıkeıt] *v. tr.* addomesticare

domicile ['dəmısaıl] *s.* domicilio *m.*

dominant ['dəmınənt] *agg.* dominante

to dominate ['dəmıneıt] *v. tr. e intr.* dominare

domination [,dəmı'neıʃ(ə)n] *s.* dominazione *f.*

dominator ['dəmıneıtər] *s.* dominatore *m.*

domineering [,dəmı'nıərıŋ] *agg.* dispotico

dominion [də'mınjən] *s.* **1** dominio *m.*, autorità *f.* **2** *(paese)* dominion *m. inv.*

dominoes ['dəmınəuz] *s. pl.* (gioco del) domino *m.*

to donate [də(u)'neıt] *v. tr.* donare, elargire

donation [də(u)'neıʃ(ə)n] *s.* donazione *f.*, elargizione *f.*

done [dʌn] **A** *p. p. di* **to do B** *agg.* **1** fatto, finito **2** giusto **3** cotto ◆ **well d.** ben cotto

donjon ['dən(d)ʒən] *s.* torrione *m.*

donkey ['dəŋkı] *s.* asino *m.*

donor ['dəunər] *s.* donatore *m.* ◆ **blood d.** donatore di sangue

to doodle ['du:dl] *v. intr. (fam.)* scarabocchiare

door [dɔ:r] *s.* **1** porta *f.* **2** sportello *m.* ◆ **d.-to-d.** porta a porta

doorbell ['dɔ:bɛl] *s.* campanello *m.*

doorkeeper ['dɔ:,ki:pər] *s.* portiere *m.*

doormat ['dɔ:mæt] *s.* zerbino *m.*

doorway ['dɔ:weı] *s.* vano *m.* della porta

dope [dəup] *s. (fam.)* droga *f.*

to dope [dəup] *v. tr.* drogare, somministrare stupefacenti

doping ['dəupıŋ] *s. (sport)* doping *m. inv.*

dopy ['dəupı] *agg.* inebetito *(da alcol, stupefacenti)*

Doric ['dərık] *agg.* dorico

dormant ['dɔ:mənt] *agg.* **1** inattivo **2** in letargo

dormitory ['dɔ:mıtrı] *s.* **1** dormitorio *m.* **2** *(USA)* casa *f.* per studenti

dormouse ['dɔ:maus] *(pl.* **dormice)** *s.* ghiro *m.*

dosage ['dəusıdʒ] *s.* dosaggio *m.*, posologia *f.*

dose [dəus] *s.* dose *f.*

to dose [dəus] *v. tr.* **1** somministrare **2** mescolare

dosshouse ['dəshaus] *s.* dormitorio *m.* pubblico

dot [dət] *s.* punto *m.*

to dot [dət] *v. tr.* punteggiare

to dote [dəut] *v. intr.* essere rimbambito ◆ **to d. on sb. one** amare qc. alla follia

double ['dʌbl] **A** *agg.* doppio, duplice **B** *avv.* doppio, doppiamente, in due **C** *s.* **1** doppio *m.* **2** controfigura *f.* ◆ **d. bed** letto matrimoniale

to double ['dʌbl] **A** *v. tr.* **1** raddoppiare **2** piegare in due **3** *(naut.)* doppiare **B** *v. intr.* raddoppiare ◆ **to d. up with** dividere la stanza con

double-bass [,dʌbl'beıs] *s.* contrabbasso *m.*

double-breasted [,dʌbl'brɛstıd] *agg.* (a) doppio petto

double-cross [,dʌbl'krɔs] *s.* doppio gioco *m.*

double-decker [,dʌbl'dɛkər] *s.* autobus *m. inv.* a due piani

doublet ['dʌblɪt] *s.* doppione *m.*

doubling ['dʌblɪŋ] *s.* raddoppio *m.*

doubly ['dʌblɪ] *avv.* doppiamente

doubt [daʊt] *s.* dubbio *m.*

to doubt [daʊt] **A** *v. tr.* dubitare di **B** *v. intr.* dubitare

doubtful ['daʊtf(ʊ)l] *agg.* **1** incerto, dubbio **2** dubbioso

doubtless ['daʊtlɪs] *avv.* indubbiamente

dough [dəʊ] *s.* **1** impasto *m.*, pasta *f.* per pane **2** *al pl.* (*fam.*) quattrini *m. pl.*

to douse [daʊs] *v. tr.* **1** immergere in acqua **2** gettare acqua su **3** (*fam.*) spegnere

dove [dʌv] *s.* colomba *f.*, colombo *m.*

dovetail ['dʌvteɪl] *s.* (*tecnol.*) incastro *m.* a coda di rondine

dowdy ['daʊdɪ] *agg.* sciatto, trasandato

down (1) [daʊn] *s.* collina *f.*

down (2) [daʊn] *s.* piuma *f.*, piumino *m.*

down (3) [daʊn] **A** *avv.* giù, in basso, di sotto **B** *agg.* **1** diretto verso il basso, inferiore, discendente **2** abbattuto, depresso **3** fuori uso

down-and-out [,daʊnənd'aʊt] *agg.* **1** squattrinato **2** malandato, malconcio

down-at-heel [,daʊnət'hi:l] *agg.* scalcagnato, scalcinato

downcast ['daʊnkɑ:st] *agg.* abbattuto, depresso

downfall ['daʊnfɔ:l] *s.* **1** caduta *f.*, crollo *m.* **2** (*di pioggia*) rovescio *m.*

to downgrade ['daʊngreɪd] *v. tr.* degradare, retrocedere

downhill [,daʊn'hɪl] **A** *agg. e avv.* in discesa, in pendio **B** *s.* **1** (*sport*) discesa *f.* **2** declino *m.* ♦ **to go d.** andare declinando, peggiorare

downhiller [,daʊn'hɪlər] *s.* discesista *m. e f.*

downpour ['daʊnpɔ:r] *s.* acquazzone *m.*

downright ['daʊnraɪt] **A** *agg.* **1** schietto, sincero **2** assoluto **B** *avv.* assolutamente, del tutto

downstairs [,daʊn'stɛəz] *avv.* giù, disotto, al piano inferiore

downtown [,daʊn'taʊn] *s.* centro *m.* (di città)

downward ['daʊnwəd] *agg. e avv.* verso il basso

downwind [,daʊn'wɪnd] *avv.* sottovento

dowry ['daʊərɪ] *s.* dote *f.*

doze [dəʊz] *s.* pisolino *m.*

to doze [dəʊz] *v. intr.* sonnecchiare ♦ **to d. off** appisolarsi

dozen ['dʌzn] *s.* dozzina *f.*

drab [dræb] *agg.* **1** grigiastro **2** scialbo, incolore

draft [drɑ:ft] (anche **draught**) *s.* **1** tiro *m.*, trazione *f.* **2** schema *m.*, abbozzo *m.* **3** (*tip.*) bozza *f.* **4** (*USA, mil.*) leva *f.* **5** (*naut.*) immersione *f.*, pescaggio *m.* **6** (*comm.*) tratta *f.*

to draft [drɑ:ft] *v. tr.* **1** tirare **2** abbozzare **3** (*USA*) arruolare

draftsman ['drɑ:ftsmən] (*pl.* **draftsmen**) *s.* disegnatore *m.*

drag [dræg] *s.* **1** draga *f.* **2** rete *f.* a strascico **3** (*fis.*) resistenza *f.* **4** impedimento *m.*, ostacolo *m.* **5** seccatura *f.* ♦ **a man in d.** un uomo travestito da donna

to drag [dræg] *v. tr.* **1** trascinare, tirare **2** pescare a strascico ♦ **to d. on** protrarsi, andare avanti; **to d. out** tirare fuori a forza

dragon ['dræg(ə)n] *s.* drago *m.*

dragonfly ['dræg(ə)nflaɪ] *s.* libellula *f.*

drain [dreɪn] *s.* **1** tubo *m.* di scarico, fogna *f.* **2** (*fig.*) salasso *m.* **3** (*fam.*) goccio *m.*

to drain [dreɪn] *v. tr.* **1** far scolare **2** prosciugare **3** (*fig.*) dissanguare

drainage ['dreɪnɪdʒ] *s.* **1** scolo *m.*, scarico *m.*, fognatura *f.* **2** drenaggio *m.*

drama ['drɑ:mə] *s.* dramma *m.*

dramatic [drə'mætɪk] *agg.* **1** drammatico **2** sensazionale

dramatist ['dræmətɪst] *s.* drammaturgo *m.*

dramatization [,dræmətaɪ'zeɪʃ(ə)n] *s.* drammatizzazione *f.*

to dramatize ['dræmətaɪz] *v. tr.* **1** drammatizzare **2** adattare alla rappresentazione

drank [dræŋk] *pass. di* **to drink**

to drape [dreɪp] *v. tr.* drappeggiare

draper ['dreɪpər] *s.* negoziante *m. e f.* di tessuti

drapery ['dreɪpərɪ] *s.* **1** tessuti *m. pl.*, tendaggi *m. pl.* **2** drappeggio *m.* ♦ **d. store** negozio di tessuti

drastic ['dræstɪk] *agg.* energico

draught [drɑ:ft] *s.* → **draft** ♦ **d. beer** birra alla spina

draughtboard [drɑ:ftbɔ:d] *s.* scacchiera *f.*

draughts [drɑ:fts] *s. pl.* (gioco della) dama *f.*

draw [drɔ:] *s.* **1** tiro *m.*, strattone *m.* **2** estrazione *f.*, sorteggio *m.* **3** pareggio *m.*

to draw [drɔ:] (*pass.* **drew**, *p. p.* **drawn**) **A**

v. tr. **1** tirare, tendere, trascinare **2** attirare **3** estrarre, prelevare, spillare **4** tracciare, disegnare **5** (*naut.*) (*di imbarcazione*) pescare **B** *v. intr.* **1** avanzare **2** (*di camino*) tirare **3** disegnare **4** (*sport*) pareggiare ♦ **to d. away/back** tirarsi indietro; **to d. on** incitare; **to d. up** avvicinarsi, accostare, redigere

drawback ['drɔːbæk] *s.* inconveniente *m.*, svantaggio *m.*

drawbridge ['drɔːbrɪdʒ] *s.* ponte *m.* levatoio

drawer [drɔːr] *s.* cassetto *m.*

drawing ['drɔːɪŋ] *s.* disegno *m.* ♦ **d. board** tavolo da disegno; **d. room** salotto

to drawl [drɔːl] *v. intr.* strascicare le parole

drawn [drɔːn] *p. p. di* **to draw**

dread [drɛd] *s.* paura *f.*, timore *m.*

to dread [drɛd] *v. tr.* temere

dreadful ['drɛdf(ʊ)l] *agg.* terribile, spaventoso

dream [driːm] *s.* sogno *m.*

to dream [driːm] (*pass. e p. p.* **dreamt, dreamed**) *v. tr. e intr.* sognare

dreamy ['driːmɪ] *agg.* **1** sognante **2** vago

dreary ['drɪərɪ] *agg.* tetro

dredge [drɛdʒ] *s.* draga *f.*

to dredge [drɛdʒ] *v. tr.* dragare

dress [drɛs] *s.* **1** abito *m.*, vestito *m.* (*da donna*) **2** abbigliamento *m.* ♦ **d. hanger** gruccia

to dress [drɛs] **A** *v. tr.* **1** vestire, abbigliare **2** allestire, preparare, adornare **3** (*cuc.*) condire, guarnire **4** medicare **B** *v. intr.* vestirsi, abbigliarsi

dresser ['drɛsər] *s.* **1** credenza *f.* **2** (*USA*) cassettone *m.* **3** (*teatro, cine.*) costumista *m. e f.*

dressing ['drɛsɪŋ] *s.* **1** abbigliamento *m.* **2** allestimento *m.* **3** (*cuc.*) condimento *m.* **4** medicazione *f.*, bendaggio *m.* ♦ **d. gown** vestaglia; **d. room** spogliatoio; **d. table** toilette; **d.-up** travestimento; **salad d.** condimento per insalata

dressmaker ['drɛsˌmeɪkər] *s.* sarta *f.*, sarto *m.*

dressy ['drɛsɪ] *agg.* elegante

drew [druː] *pass. di* **to draw**

to dribble ['drɪbl] *v. intr.* **1** sgocciolare **2** sbavare **3** (*sport*) dribblare

dried [draɪd] *agg.* secco ♦ **d. milk** latte in polvere

drier ['draɪər] → **dryer**

drift [drɪft] *s.* **1** moto *m.*, corso *m.* spostamento *m.* **2** tendenza *f.* **3** cumulo *m.*, ammasso *m.*, mucchietto *m.* **4** deriva *f.* **5** turbine *m.*, raffica *f.* **6** senso *m.*, significato *m.*

to drift [drɪft] *v. intr.* **1** essere trasportato, andare alla deriva **2** ammucchiarsi

drill [drɪl] *s.* **1** trapano *m.* **2** esercitazione *f.*

to drill [drɪl] *v. tr.* **1** trapanare, trivellare **2** addestrare, esercitare

drink [drɪŋk] *s.* **1** bevanda *f.* **2** bevuta *f.*, sorso *m.*

to drink [drɪŋk] (*pass.* **drank**, *p. p.* **drunk**) *v. tr. e intr.* bere

drinkable ['drɪŋkəbl] *agg.* bevibile, potabile

drinker ['drɪŋkər] *s.* bevitore *m.*

drip [drɪp] *s.* **1** gocciolamento *m.* **2** (*arch.*) gocciolatoio *m.* **3** fleboclisi *f.*

to drip [drɪp] *v. tr. e intr.* gocciolare

drip-dry [ˌdrɪp'draɪ] *agg.* da non stirare

drive [draɪv] *s.* **1** giro *m.* in automobile **2** strada *f.* d'accesso **3** spinta *f.*, impulso *m.* **4** (*autom.*) trazione *f.* **5** (*autom.*) guida *f.* **6** (*inf.*) drive *m. inv.* ♦ **four-wheel d.** quattro ruote motrici; **left-hand/right-hand d.** guida a sinistra/destra

to drive [draɪv] (*pass.* **drove**, *p. p.* **driven**) **A** *v. tr.* **1** (*un veicolo*) guidare **2** azionare, far funzionare **3** conficcare **4** spingere **B** *v. intr.* **1** guidare **2** andare in automobile **3** avanzare ♦ **to d. away** scacciare; **to d. back** respingere; **to d. off** partire, portare via (*su un'automobile*)

driver ['draɪvər] *s.* conducente *m.*, guidatore *m.* ♦ **d.'s license** (*USA*) patente di guida; **screw d.** cacciavite

driving ['draɪvɪŋ] *s.* guida *f.* ♦ **d. mirror** specchietto retrovisore; **d. school** scuola guida

to drizzle ['drɪzl] *v. intr.* piovigginare

droll [drɒʊl] *agg.* buffo

dromedary ['drʌməd(ə)rɪ] *s.* dromedario *m.*

drone [drɒʊn] *s.* **1** fuco *m.* **2** (*fam.*) fannullone *m.* **3** ronzio *m.*

to drool [druːl] *v. intr.* sbavare

to droop [druːp] *v. intr.* afflosciarsi, ripiegarsi

drop [drɒp] *s.* **1** goccia *f.* **2** pasticca *f.* **3** sorso *m.* **4** caduta *f.*, diminuzione *f.* **5** dislivello *m.*

to drop [drɒp] **A** *v. intr.* **1** cadere **2** diminuire **3** abbassarsi **B** *v. tr.* **1** far cadere **2** abbassare **3** (*da un veicolo*) far scendere

4 omettere, sopprimere ♦ **to d. in** far visita; **to d. off** diminuire, addormentarsi; **to d. out** ritirarsi

dropper ['drɒpə*r*] *s.* contagocce *m. inv.*

droppings ['drɒpɪŋz] *s. pl.* sterco *m.*

drought [draʊt] *s.* siccità *f.*

drove [drɒʊv] *pass. di* **to drive**

to drown [draʊn] **A** *v. tr.* **1** affogare, annegare **2** soffocare, offuscare **B** *v. intr.* affogare, annegare

drowsiness ['draʊzɪnɪs] *s.* sonnolenza *f.*

drowsy ['draʊzɪ] *agg.* sonnolento

drudge [drʌdʒ] *s.* sgobbone *m.*

to drudge [drʌdʒ] *v. intr.* sgobbare

drug [drʌg] *s.* **1** farmaco *m.* **2** droga *f.* ♦ **d. addict** tossicodipendente; **hard d.** droga pesante

drugstore ['drʌgstɔː*r*] *s.* drugstore *m. inv.*

drum [drʌm] *s.* **1** tamburo *m.*, *al pl.* batteria *f.* **2** bidone *m.* ♦ **ear d.** timpano

to drum [drʌm] *v. intr.* **1** suonare il tamburo **2** tamburellare

drunk [drʌŋk] **A** *p. p. di* **to drink B** *agg.* ubriaco ♦ **dead d.** ubriaco fradicio; **to get d.** sbronzarsi

drunkenness ['drʌŋk(ə)nnɪs] *s.* ubriachezza *f.*

dry [draɪ] *agg.* asciutto, arido, secco ♦ **d. cleaning** lavaggio a secco; **d. cleaner's** tintoria; **d. goods** (*USA*) tessuti

to dry [draɪ] *v. tr. e intr.* asciugare, seccare ♦ **to d. up** prosciugarsi

dryer ['draɪə*r*] *s.* **1** essiccatore *m.* **2** asciugacapelli *m.*

drying ['draɪɪŋ] *s.* asciugatura *f.*

dryness ['draɪnɪs] *s.* siccità *f.*

dual ['djuːəl] *agg.* doppio, duplice

dualism ['djuː(ː)əlɪz(ə)m] *s.* dualismo *m.*

to dub [dʌb] *v. tr.* (*cine.*) doppiare

dubber ['dʌbə*r*] *s.* doppiatore *m.*

dubbing ['dʌbɪŋ] *s.* doppiaggio *m.*

dubious ['djuːbjəs] *agg.* **1** dubbio **2** dubbioso, incerto

duchess ['dʌtʃɪs] *s.* duchessa *f.*

duchy ['dʌtʃɪ] *s.* ducato *m.*

duck [dʌk] *s.* anatra *f.*

to duck [dʌk] **A** *v. tr.* **1** tuffare, immergere rapidamente **2** piegare **B** *v. intr.* **1** tuffare la testa **2** piegare la testa

duct [dʌkt] *s.* condotto *m.*, canale *m.*

ductile ['dʌktaɪl] *agg.* duttile

dud [dʌd] **A** *s.* **1** cosa *f.* che non funziona, bidone *m.* (*fam.*) **2** (*di persona*) incapace *m. e f.* **B** *agg.* falso ♦ **d. cheque** assegno a vuoto

due [djuː] **A** *agg.* **1** dovuto, da pagarsi **2** doveroso, adatto, adeguato **B** *avv.* (esattamente) in direzione **C** *s.* **1** il dovuto *m.* **2** *al pl.* tasse *f. pl.*, diritti *m. pl.* ♦ **d. to** a causa di; **to be d. to do** dover fare; **to be d. to** essere causato da

duel ['djuː(ː)əl] *s.* duello *m.*

duet [djuː(ː)'et] *s.* (*mus.*) duetto *m.*

duffel ['dʌf(ə)l] *s.* tessuto *m.* pesante ♦ **d. bag** sacca da viaggio; **d. coat** montgomery

dug [dʌg] *pass. e p. p. di* **to dig**

duke [djuːk] *s.* duca *m.*

dukedom ['djuːkdəm] *s.* ducato *m.*

dull [dʌl] *agg.* **1** tardo, ottuso, lento **2** sordo, soffocato **3** depresso **4** monotono **5** smorto, fosco, pallido

to dull [dʌl] *v. tr.* **1** intorpidire **2** smussare **3** attenuare, smorzare

duly ['djuːlɪ] *avv.* **1** debitamente **2** puntualmente

dumb [dʌm] *agg.* **1** muto **2** (*fam.*) stupido

to dumbfound [dʌm'faʊnd] *v. tr.* stupire, stordire

dummy ['dʌmɪ] **A** *agg.* **1** muto **2** falso, fittizio **B** *s.* **1** manichino *m.* **2** prestanome *m.* **3** tettarella *f.* **4** (*tip.*) menabò *m.*

dump [dʌmp] *s.* **1** discarica *f.* **2** mucchio *m.*, ammasso *m.* **3** vendita *f.* sottocosto **4** tonfo *m.*

to dump [dʌmp] **A** *v. tr.* **1** scaricare **2** abbandonare **3** vendere sottocosto **B** *v. intr.* **1** scaricare rifiuti **2** vendere sottocosto

dumpy [dʌmpɪ] *agg.* tarchiato

dunce [dʌns] *s.* (*fam.*) somaro *m.*, ignorante *m. e f.*

dune [djuːn] *s.* duna *f.*

dung [dʌŋ] *s.* letame *m.*

dungarees [ˌdʌŋgə'riːz] *s. pl.* tuta *f.* da lavoro

dungeon ['dʌn(d)ʒən] *s.* segreta *f.*, prigione *f.*

duo ['djuː(ː)ʊ] *s.* duo *m. inv.*, duetto *m.*

dupe [djuːp] *s.* gonzo *m.*, zimbello *m.*

to dupe [djuːp] *v. tr.* ingannare, abbindolare

duplex ['djuːpleks] **A** *agg.* duplice, doppio **B** *s.* **1** (*USA*) casa *f.* bifamiliare **2** (*USA*) appartamento *m.* su due livelli

to duplicate ['djuːplɪkeɪt] *v. tr.* duplicare

duplication [ˌdjuːplɪ'keɪʃ(ə)n] *s.* duplicazione *f.*, raddoppio *m.*

durable ['djʊərəbl] *agg.* durevole

duration [djʊ(ə)'reɪʃ(ə)n] *s.* durata *f.*

duress [djʊəˈrɛs] *s.* costrizione *f.*

during [ˈdjʊərɪŋ] *prep.* durante

dusk [dʌsk] *s.* crepuscolo *m.*

dust [dʌst] *s.* **1** polvere *f.*, pulviscolo *m.* **2** polline *m.* **3** spazzatura *f.*

to dust [dʌst] *v. tr.* **1** spolverare **2** cospargere

dustbin [ˈdʌs(t)bɪn] *s.* pattumiera *f.*

duster [ˈdʌstər] *s.* straccio *m.* per la polvere

dustman [ˈdʌs(t)mən] (*pl.* **dustmen**) *s.* netturbino *m.*

dustpan [ˈdʌs(t)pæn] *s.* paletta *f.* (*per la spazzatura*)

dusty [ˈdʌstɪ] *agg.* polveroso

Dutch [dʌtʃ] *agg.* olandese ♦ **to go d.** pagare alla romana

Dutchman [ˈdʌtʃmən] (*pl.* **Dutchmen**) *s.* olandese *m.*

Dutchwoman [ˈdʌtʃˌwʊmən] (*pl.* **Dutchwomen**) *s.* olandese *f.*

dutiful [ˈdjuːtɪf(ʊ)l] *agg.* rispettoso, deferente

duty [ˈdjuːtɪ] *s.* **1** dovere *m.* **2** compito *m.*, incarico *m.* **3** servizio *m.* **4** dazio *m.*, imposta *f.* ♦ **d.-free** esente da dazio; **har-**

bour duties diritti portuali; **to be on/off d.** essere in servizio/fuori servizio

dwarf [dwɔːf] *s.* nano *m.*, gnomo *m.*

to dwell [dwɛl] (*pass. e p. p.* **dwelt, dwelled**) *v. intr.* (*letter*) dimorare, risiedere

dwelling [ˈdwɛlɪŋ] *s.* dimora *f.*

to dwindle [ˈdwɪndl] *v. intr.* diminuire, rimpicciolire

dye [daɪ] *s.* colorante *m.*, tinta *f.* ♦ **hair d.** tintura per capelli

to dye [daɪ] *v. tr.* tingere

dyeing [ˈdaɪɪŋ] *s.* tintura *f.*

dyer [ˈdaɪər] *s.* tintore *m.*

dying [ˈdaɪɪŋ] *agg.* morente, moribondo

dyke [daɪk] *s.* → **dike**

dynamic [daɪˈnæmɪk] *agg.* dinamico

dynamics [daɪˈnæmɪks] *s. pl.* (*v. al sing.*) dinamica *f.*

dynamism [ˈdaɪnəmɪz(ə)n] *s.* dinamismo *m.*

dynamite [ˈdaɪnəmaɪt] *s.* dinamite *f.*

dynamo [ˈdaɪnəmoʊ] *s.* dinamo *f. inv.*

dynasty [ˈdɪnəstɪ] *s.* dinastia *f.*

dysentery [ˈdɪsntrɪ] *s.* dissenteria *f.*

dystrophy [ˈdɪstrəfɪ] *s.* distrofia *f.*

E

each [iːtʃ] **A** agg. ciascuno, ogni **B** pron. ognuno, ciascuno ♦ **e. other** l'un l'altro

eager ['iːgəʳ] agg. **1** appassionato, entusiasta **2** desideroso, avido ♦ **to be e. to do st.** essere impaziente di fare q.c.

eagle ['iːgl] s. aquila f.

ear (1) [iəʳ] s. orecchio m.

ear (2) [iəʳ] s. (bot.) spiga f., pannocchia f.

earache ['iəreɪk] s. mal m. d'orecchio

eardrum ['iədrʌm] s. (anat.) timpano m.

earl [ɜːl] s. conte m.

early ['ɜːlɪ] **A** agg. **1** mattiniero, mattutino **2** primo, della prima parte, iniziale **3** precoce, prematuro, primaticcio **4** (nel tempo) prossimo **5** remoto, antico **B** avv. **1** presto, di buon'ora **2** al principio ♦ **to be e.** essere in anticipo; **to get up e.** alzarsi presto

to earmark ['iəmaːk] v. tr. **1** marchiare **2** contrassegnare **3** destinare

to earn [ɜːn] v. tr. **1** guadagnare **2** ottenere, meritare ♦ **to e. one's living** mantenersi

earnest ['ɜːnɪst] agg. **1** serio, zelante **2** ardente, pressante ♦ **in e.** sul serio

earnings ['ɜːnɪŋz] s. pl. guadagno m., stipendio m.

earphone ['iəfəʊn] s. auricolare m.

earring ['iərɪŋ] s. orecchino m.

earshot ['iəʃɒt] s. portata f. d'orecchio

earth [ɜːθ] s. **1** terra f., globo m. terrestre **2** suolo m., terreno m. **3** covo m., tana f. **4** (elettr.) terra f., massa f.

earthenware ['ɜːθənwɛəʳ] s. terraglia f., terracotta f.

earthly ['ɜːθlɪ] agg. **1** terrestre **2** (fam.) concepibile

earthquake ['ɜːθkweɪk] s. terremoto m.

earthy ['ɜːθɪ] agg. **1** terroso **2** grossolano

ease [iːz] s. **1** agio m., comodo m., comodità f. **2** sollievo m. ♦ **to take one's e.** mettersi a proprio agio

to ease [iːz] v. tr. **1** alleviare, calmare **2** alleggerire, liberare **3** attenuare ♦ **to e. off** rallentare, diminuire

easel ['iːzl] s. cavalletto m.

easily ['iːzɪlɪ] avv. **1** facilmente **2** comodamente

east [iːst] **A** s. est m. inv. **B** agg. orientale

Easter ['iːstəʳ] s. Pasqua f. ♦ **E. Monday** pasquetta; **E. holidays** vacanze pasquali

easterly ['iːstəlɪ] **A** agg. dall'est, orientale **B** avv. verso est

eastern ['iːstən] agg. orientale

easy ['iːzɪ] **A** agg. **1** facile **2** comodo, agiato **3** tranquillo **4** disinvolto **B** avv. **1** facilmente **2** comodamente, con calma ♦ **e. chair** poltrona; **take it e.!** calma!; **to make e.** facilitare

easygoing ['iːzɪ,gəʊɪŋ] agg. accomodante, compiacente

to eat [iːt] (pass. **ate**, p. p. **eaten**) **A** v. tr. **1** mangiare **2** corrodere, consumare **B** v. intr. mangiare, consumare i pasti ♦ **to e. into** corrodere, intaccare; **to e. up** divorare, rodere

eatable ['iːtəbl] agg. commestibile, mangiabile

eaten ['iːtn] p. p. di **to eat**

eaves [iːvz] s. pl. gronda f., cornicione m.

to eavesdrop ['iːvzdrɒp] v. intr. **1** origliare **2** (comunicazioni) intercettare

ebb [ɛb] s. riflusso m. ♦ **e. tide** bassa marea

to ebb [ɛb] v. intr. **1** (di marea) rifluire **2** decadere, scemare

ebony ['ɛbənɪ] s. ebano m.

ebullition [,ɛbə'lɪʃ(ə)n] s. ebollizione f.

eccentric [ɪk'sɛntrɪk] agg. eccentrico

ecchymosis [,ɛkɪ'məʊsɪs] s. ecchimosi f.

ecclesiastic [ɪ,kliːzɪ'æstɪk] agg. e s. ecclesiastico m.

echo ['ɛkəʊ] s. eco m. e f. ♦ **e. sounder** ecoscandaglio

to echo ['ɛkəʊ] v. tr. e intr. echeggiare

eclectic [ɛk'lɛktɪk] agg. eclettico

eclecticism [ɛk'lɛktɪsɪz(ə)m] s. eclettismo m.

eclipse [ɪ'klɪps] s. eclissi f.

to eclipse [ɪ'klɪps] v. tr. eclissare

ecliptic [ɪ'klɪptɪk] agg. eclittico

ecological [,iːkə'lədʒɪk(ə)l] agg. ecologico

ecology [iː'kɒlədʒɪ] s. ecologia f.

economic [,iːkə'nɒmɪk] agg. economico

economical [,iːkə'nɒmɪk(ə)l] agg. **1** economico, parsimonioso **2** che fa risparmiare

economics [,iːkə'nɒmɪks] s. pl. (v. al sing.) economia f., scienze f. pl. economiche

economist [iː'kɒnəmɪst] s. economista m. e f.

to economize [iː'kɒnəmaɪz] v. intr. economizzare, risparmiare

economy [ɪ'kɒnəmɪ] s. **1** economia f., sistema m. economico **2** risparmio m. ♦ **e. size** formato risparmio

ecosystem ['iːkɒʊˌsɪstəm] s. ecosistema m.

ecstasy ['ɛkstəsɪ] s. estasi f.

eczema ['ɛksɪmə] s. eczema m.

eddy ['ɛdɪ] s. gorgo m., vortice m.

edge [ɛdʒ] s. **1** bordo m., estremità f., orlo m. **2** spigolo m. **3** taglio m., filo m.

to edge [ɛdʒ] **A** v. tr. **1** bordare **2** affilare, arrotare **B** v. intr. muoversi lentamente ♦ **to e. away** allontanarsi

edgeways ['ɛdʒweɪz] avv. di taglio, di traverso

edgy ['ɛdʒɪ] agg. **1** affilato, tagliente **2** irritabile

edible ['ɛdɪbl] agg. commestibile

edict ['iːdɪkt] s. editto m.

to edit ['ɛdɪt] v. tr. **1** (una pubblicazione, una trasmissione) curare **2** (un giornale) dirigere **3** correggere, rivedere ♦ **edited by** a cura di

editing ['ɛdɪtɪŋ] s. **1** redazione f. **2** (di giornale e sim.) direzione f.

edition [ɪ'dɪʃ(ə)n] s. edizione f.

editor ['ɛdɪtər] s. **1** curatore m. **2** (di giornale) direttore m., redattore m.

editorial [ˌɛdɪ'tɔːrɪəl] **A** agg. editoriale, redazionale **B** s. editoriale m.

to educate ['ɛdjʊ(ː)keɪt] v. tr. istruire, educare

education [ˌɛdjʊ(ː)'keɪʃ(ə)n] s. educazione f., istruzione f.

educational [ˌɛdjʊ(ː)'keɪʃənl] agg. educativo

eel [iːl] s. anguilla f.

eerie ['ɪərɪ] agg. **1** fantastico, soprannaturale **2** che fa rabbrividire

effect [ɪ'fɛkt] s. **1** effetto m., conseguenza f. **2** senso m., tenore m. ♦ **in e.** effettivamente; **of no e.** senza risultato; **to take e.** entrare in vigore

to effect [ɪ'fɛkt] v. tr. **1** effettuare, compiere **2** causare, determinare

effective [ɪ'fɛktɪv] agg. **1** efficace **2** effettivo, reale **3** che fa effetto **4** (USA) vigente, operante

effectively [ɪ'fɛktɪvlɪ] avv. **1** efficacemente **2** effettivamente

effectiveness [ɪ'fɛktɪvnɪs] s. efficacia f.

effeminate [ɪ'fɛmɪneɪt] agg. effeminato

efficiency [ɪ'fɪʃ(ə)nsɪ] s. efficienza f., rendimento m.

efficient [ɪ'fɪʃənt] agg. efficiente

effigy ['ɛfɪdʒɪ] s. effigie f.

effluvium [ɛ'fluːvjəm] s. effluvio m.

effort ['ɛfət] s. sforzo m., fatica f.

effrontery [ɛ'frʌntərɪ] s. sfrontatezza f.

effusion [ɪ'fjuːʒ(ə)n] s. effusione f.

effusive [ɪ'fjuːsɪv] agg. espansivo

egg [ɛg] s. uovo m. ♦ **e. plant** melanzana; **e. cup** portauovo; **fried/hard-boiled/soft-boiled e.** uovo fritto/sodo/alla coque; **scrambled eggs** uova strapazzate

to egg [ɛg] v. tr. **to e. on** incitare

ego ['ɛgɒʊ] s. (psic.) Ego m. inv., Io m. inv.

egocentric [ˌɛgɒ(ʊ)'sɛntrɪk] agg. egocentrico

egoist ['ɛgɒ(ʊ)ɪst] s. egoista m. e f.

Egyptian [ɪ'dʒɪpʃ(ə)n] agg. egiziano, egizio

Egyptology [ˌiːdʒɪp'tɒlədʒɪ] s. egittologia f.

eiderdown ['aɪdəˌdaʊn] s. **1** piumino m. (d'oca) **2** piumino m., trapunta f.

eight [eɪt] agg. num. card. e s. otto m. inv.

eighteen [eɪ'tiːn] agg. num. card. e s. diciotto m. inv.

eighth [eɪtθ] agg. num. ord. ottavo

eighty ['eɪtɪ] agg. num. card. e s. ottanta m. inv.

either ['aɪðər] **A** agg. e pron. **1** l'uno o l'altro, uno e l'altro, entrambi **2** (in frasi neg.) né l'uno né l'altro, nessuno dei due **B** avv. (in frasi neg.) neanche, nemmeno, neppure **C** cong. o ♦ **e. ... or** o ... o

to eject [ɪ(ː)'dʒɛkt] v. tr. espellere, gettare fuori, emettere

to eke [iːk] v. tr. **to e. out** integrare, arrotondare

to elaborate [ɪ'læbəreɪt] **A** v. tr. elaborare **B** v. intr. sviluppare un concetto, fornire particolari

to elapse [ɪ'læps] v. intr. (del tempo) trascorrere

elastic [ɪ'læstɪk] agg. e s. elastico m.

elasticity [ˌiːlæs'tɪsɪtɪ] s. elasticità f.

elated [ɪ'leɪtɪd] agg. esultante, euforico

elbow ['ɛlbɒʊ] s. gomito m.

elder (1) ['ɛldər] **A** agg. (comp. di old) (di età tra due) maggiore, più vecchio **B** s. (di età tra due) il maggiore m., anziano m.

elder (2) ['ɛldər] s. sambuco m.

elderly [ˈɛldəlɪ] *agg.* anziano, attempato

eldest [ˈɛldɪst] *agg.* (*sup. di* **old**) (*tra fratelli*) il maggiore

elect [ɪˈlɛkt] *agg.* eletto, designato

to elect [ɪˈlɛkt] *v. tr.* **1** eleggere **2** decidere, scegliere

election [ɪˈlɛkʃ(ə)n] *s.* elezione *f.*

electioneering [ɪˌlɛkʃəˈnɪərɪŋ] *s.* propaganda *f.* elettorale

elector [ɪˈlɛktər] *s.* elettore *m.*

electoral [ɪˈlɛkt(ə)r(ə)l] *agg.* elettorale

electorate [ɪˈlɛkt(ə)rɪt] *s.* elettorato *m.*

electric [ɪˈlɛktrɪk] *agg.* elettrico

electrical [ɪˈlɛktrɪk(ə)l] *agg.* elettrico

electrician [ɪlɛkˈtrɪʃ(ə)n] *s.* elettricista *m.*

electricity [ɪlɛkˈtrɪsɪtɪ] *s.* elettricità *f.*

to electrify [ɪˈlɛktrɪfaɪ] *v. tr.* **1** elettrificare **2** elettrizzare

electrocardiogram [ɪˌlɛktrɒ(ʊ)ˈkɑːdjɒɡræm] *s.* elettrocardiogramma *m.*

to electrocute [ɪˈlɛktrəkjuːt] *v. tr.* fulminare

electrocution [ɪˌlɛktrəˈkjuːʃ(ə)n] *s.* elettrocuzione *f.*, folgorazione *f.*

electroencephalogram [ɪˌlɛktrɒ(ʊ)ɛnˈsɛfələɡræm] *s.* elettroencefalogramma *m.*

electromagnetic [ɪˌlɛktrɒ(ʊ)mæɡˈnɛtɪk] *agg.* elettromagnetico

electronic [ɪlɛkˈtrɒnɪk] *agg.* elettronico

electronics [ɪlɛkˈtrɒnɪks] *s. pl.* (*v. al sing.*) elettronica *f.*

electrotechnician [ɪˌlɛktrɒ(ʊ)tɛkˈnɪʃ(ə)n] *s.* elettrotecnico *m.*

elegance [ˈɛlɪɡəns] *s.* eleganza *f.*

elegant [ˈɛlɪɡənt] *agg.* elegante, raffinato

elegiac [ˌɛlɪˈdʒaɪək] *agg.* elegiaco

element [ˈɛlɪmənt] *s.* elemento *m.*

elemental [ˌɛlɪˈmənt(ə)l] *agg.* **1** elementare **2** fondamentale, essenziale

elementary [ˌɛlɪˈment(ə)rɪ] *agg.* elementare, rudimentale

elephant [ˈɛlɪfənt] *s.* elefante *m.*

to elevate [ˈɛlɪveɪt] *v. tr.* elevare, innalzare

elevated [ˈɛlɪveɪtɪd] *agg.* elevato

elevation [ˌɛlɪˈveɪʃ(ə)n] *s.* elevazione *f.*

elevator [ˈɛlɪveɪtər] *s.* **1** (*USA*) ascensore *m.* **2** elevatore *m.*, montacarichi *m. inv.*

eleven [ɪˈlɛvn] *agg. num. card. e s.* undici *m. inv.*

eleventh [ɪˈlɛvɛnθ] *agg. num. ord.* undicesimo

elf [ɛlf] *s.* elfo *m.*

to elicit [ɪˈlɪsɪt] *v. tr.* **1** provocare, suscitare

2 cavar fuori

eligible [ˈɛlɪdʒəbl] *agg.* eleggibile, idoneo, che ha i requisiti per

to eliminate [ɪˈlɪmɪneɪt] *v. tr.* eliminare

elitist [eɪˈliːtɪst] *agg.* elitario

Elizabethan [ɪˌlɪzəˈbiːθ(ə)n] *agg.* elisabettiano

elk [ɛlk] *s.* alce *m.*

ellipse [ɪˈlɪps] *s.* ellisse *f.*

elliptic [ɪˈlɪptɪk] *agg.* ellittico

elm [ɛlm] *s.* olmo *m.*

to elongate [ˈiːlɒŋɡeɪt] *v. tr. e intr.* allungare, allungarsi

to elope [ɪˈlɒʊp] *v. intr.* scappare (*con un amante*)

elopement [ɪˈlɒʊpmənt] *s.* fuga *f.* (*con un amante*)

eloquent [ˈɛləkw(ə)nt] *agg.* eloquente

else [ɛls] **A** *agg. pred. e avv.* altro **B** *cong.* oppure, altrimenti ♦ **everybody e.** tutti gli altri; **everything e.** tutto il resto; **nothing e.** nient'altro; **what e.?** che altro?

elsewhere [ˌɛlsˈwɛər] *avv.* altrove

to elucidate [ɪˈluːsɪdeɪt] *v. tr.* delucidare

elucidation [ɪˌluːsɪˈdeɪʃ(ə)n] *s.* delucidazione *f.*

to elude [ɪˈluːd] *v. tr.* eludere, schivare

elusive [ɪˈluːsɪv] *agg.* elusivo

emaciated [ɪˈmeɪʃɪeɪtɪd] *agg.* emaciato

to emanate [ˈɛməneɪt] *v. intr.* emanare, provenire

to emancipate [ɪˈmænsɪpeɪt] *v. tr.* emancipare

emancipation [ɪˌmænsɪˈpeɪʃ(ə)n] *s.* emancipazione *f.*

to embalm [ɪmˈbɑːm] *v. tr.* imbalsamare

embankment [ɪmˈbæŋkmənt] *s.* argine *m.*, terrapieno *m.*

embargo [ɛmˈbɑːɡɒʊ] *s.* embargo *m. inv.*

to embark [ɪmˈbɑːk] *v. tr. e intr.* imbarcare, imbarcarsi ♦ **to e. on** intraprendere, imbarcarsi in

embarkation [ˌɛmbɑːˈkeɪʃ(ə)n] *s.* imbarco *m.*

to embarrass [ɪmˈbærəs] *v. tr.* imbarazzare

embarrassing [ɪmˈbærəsɪŋ] *agg.* imbarazzante

embarrassment [ɪmˈbærəsmənt] *s.* imbarazzo *m.*, disagio *m.*

embassy [ˈɛmbəsɪ] *s.* ambasciata *f.*

to embed [ɪmˈbɛd] *v. tr.* incassare, incastrare

to embellish [ɪmˈbɛlɪʃ] *v. tr.* abbellire

ember ['ɛmbər] *s.* **1** tizzone *m.* **2** *al pl.* brace *f.*

to embezzle [ɪm'bɛzl] *v. tr.* impossessarsi (indebitamente)

to embitter [ɪm'bɪtər] *v. tr.* amareggiare, inasprire

emblematic(al) [ˌɛmblə'mætɪk(l)] *agg.* emblematico

to embody [ɪm'bədɪ] *v. tr.* **1** incarnare **2** incorporare

embolism ['ɛmbəlɪz(ə)m] *s.* embolia *f.*

embolus ['ɛmbələs] *s.* embolo *m.*

to emboss [ɪm'bəs] *v. tr.* **1** lavorare a sbalzo **2** stampare in rilievo

embossed [ɪm'bəst] *agg.* **1** sbalzato **2** stampato in rilievo

embrace [ɪm'breɪs] *s.* **1** abbraccio *m.*, stretta *f.* **2** amplesso *m.*

to embrace [ɪm'breɪs] *v. tr.* **1** abbracciare, stringere **2** dedicarsi a

to embroider [ɪm'brɔɪdər] *v. tr.* ricamare

embroidery [ɪm'brɔɪd(ə)rɪ] *s.* ricamo *m.*

embryo ['ɛmbrɪɒʊ] *s.* embrione *m.*

emerald ['ɛmər(ə)ld] *s.* smeraldo *m.*

to emerge [ɪ'mɜːdʒ] *v. intr.* emergere

emergency [ɪ'mɜːdʒ(ə)nsɪ] *s.* emergenza *f.* ♦ **e. cord** segnale di allarme; **e. exit** uscita di sicurezza

emergent [ɪ'mɜːdʒənt] *agg.* emergente

emersion [ɪ(ː)'mɜːs(ə)n] *s.* emersione *f.*

emery ['ɛmərɪ] *s.* smeriglio *m.* ♦ **e. board** limetta per unghie

emigrant ['ɛmɪgrənt] *agg. e s.* emigrante *m. e f.*

to emigrate ['ɛmɪgreɪt] *v. intr.* emigrare

emigration [ˌɛmɪ'greɪʃ(ə)n] *s.* emigrazione *f.*

eminent ['ɛmɪnənt] *agg.* eminente

emir [ɛ'mɪər] *s.* emiro *m.*

emirate [ɛ'mɪərɪt] *s.* emirato *m.*

emission [ɪ'mɪʃ(ə)n] *s.* emissione *f.*

to emit [ɪ'mɪt] *v. tr.* emettere

emitter [ɪ'mɪtər] *s.* emettitore *m.*

emotion [ɪ'məʊʃ(ə)n] *s.* emozione *f.*

emotional [ɪ'məʊʃ(ə)nl] *agg.* **1** emotivo **2** emozionante, commovente

emperor ['ɛmpərər] *s.* imperatore *m.*

emphasis ['ɛmfəsɪs] (*pl.* **emphases**) *s.* **1** accentuazione *f.*, rilievo *m.*, evidenza *f.* **2** enfasi *f.*

to emphasize ['ɛmfəsaɪz] *v. tr.* **1** accentuare, dare rilievo, mettere in evidenza **2** pronunciare con enfasi, enfatizzare

emphatic [ɪm'fætɪk] *agg.* **1** accentuato,

enfatico **2** chiaro, netto

emphysema [ˌɛmfɪ'siːmə] *s.* enfisema *m.*

empire ['ɛmpaɪər] *s.* impero *m.*

empiric [ɛm'pɪrɪk] *agg.* empirico

to employ [ɪm'plɔɪ] *v. tr.* **1** impiegare, assumere **2** adoperare

employee [ˌɛmplɔɪ'iː] *s.* impiegato *m.*, dipendente *m. e f.*

employer [ɪm'plɔɪər] *s.* datore *m.* di lavoro, principale *m.*

employment [ɪm'plɔɪmənt] *s.* impiego *m.*, occupazione *f.*

to empower [ɪm'paʊər] *v. tr.* autorizzare

empty ['ɛm(p)tɪ] *agg.* **1** vuoto **2** vano, vacuo ♦ **e.-handed** a mani vuote

to empty ['ɛm(p)tɪ] *v. tr.* vuotare

to emulate ['ɛmjʊleɪt] *v. tr.* emulare

emulator ['ɛmjʊˌleɪtər] *s.* emulo *m.*

emulsion [ɪ'mʌlʃ(ə)n] *s.* emulsione *f.*

to enable [ɪ'neɪbl] *v. tr.* permettere, rendere capace di, mettere in grado di

to enact [ɪ'nækt] *v. tr.* **1** (*dir.*) decretare, promulgare **2** (*teatro*) recitare, rappresentare

enamel [ɪ'næm(ə)l] *s.* **1** smalto *m.* **2** pittura *f.* a smalto

enamelling [ɪ'næməlɪŋ] *s.* smaltatura *f.*

to encase [ɪn'keɪs] *v. tr.* **1** racchiudere **2** rivestire, ricoprire

to enchain [ɪn'tʃeɪn] *v. tr.* incatenare

to enchant [ɪn'tʃɑːnt] *v. tr.* incantare, affascinare

enchanting [ɪn'tʃɑː(ː)ntɪŋ] *agg.* incantevole, affascinante

enchantment [ɪn'tʃɑː(ː)ntmənt] *s.* incanto *m.*, incantesimo *f.*

to encircle [ɪn'sɜːkl] *v. tr.* circondare

to enclose [ɪn'kləʊz] *v. tr.* **1** chiudere, circondare, avvolgere **2** allegare, accludere

enclosure [ɪn'kləʊʒər] *s.* **1** recinto *m.*, recinzione *f.* **2** allegato *m.*

to encompass [ɪn'kʌmpəs] *v. tr.* **1** attorniare, circondare, racchiudere **2** compiere

encore ['ɒŋkɔːr] *s. e inter.* (*teatro*) bis *m. inv.*

encounter [ɪn'kaʊntər] *s.* **1** incontro *m.* **2** scontro *m.*

to encounter [ɪn'kaʊntər] *v. tr.* **1** incontrare **2** affrontare

to encourage [ɪn'kʌrɪdʒ] *v. tr.* incoraggiare

encouragement [ɪn'kʌrɪdʒmənt] *s.* incoraggiamento *m.*

to encroach [ɪn'krəʊtʃ] *v. intr.* **to e. (up)on** intaccare, ledere, abusare, usurpare

encrustation [ˌɪnkrʌs'teɪʃ(ə)n] *s.* incrostazione *f.*

to encumber [ɪn'kʌmbər] *v. tr.* **1** ingombrare, intralciare, impedire **2** gravare

encyclopaedia [ɛn,saɪklə(ʊ)'pi:djə] *s.* enciclopedia *f.*

end [ɛnd] *s.* **1** fine *f.*, estremità *f.*, limite *m.* **2** fine *f.*, termine *m.*, conclusione *f.* **3** (*fig.*) morte *f.*, distruzione *f.* **4** fine *m.*, scopo *m.*, mira *f.*, finalità *f.* **5** residuo *m.*, avanzo *m.* ♦ **at the e.** infine; **in the e.** in fondo; **on e.** di seguito, (*di oggetto*) diritto

to end [ɛnd] *v. tr. e intr.* finire, terminare, concludere ♦ **to e. up** concludersi

to endanger [ɪn'deɪn(d)ʒər] *v. tr.* mettere in pericolo

endearing [ɪn'dɪərɪŋ] *agg.* affettuoso, avvincente

endeavour [ɪn'dɛvər] (*USA* **endeavor**) *s.* sforzo *m.*, tentativo *m.*

to endeavour [ɪn'dɛvər] (*USA* **to endeavor**) *v. tr.* cercare, sforzarsi, tentare di

endemic [ɛn'dɛmɪk] *agg.* endemico

ending ['ɛndɪŋ] *s.* **1** fine *f.*, finale *m.* **2** (*gramm.*) desinenza *f.*

endive ['ɛndaɪv] *s.* indivia *f.*

endless ['ɛndlɪs] *agg.* **1** infinito, senza fine **2** interminabile

endocrinologist [,ɛndɒ(ʊ)krɪ'nɒlədʒɪst] *s.* endocrinologo *m.*

endocrinology [,ɛndɒ(ʊ)krɪ'nɒlədʒɪ] *s.* endocrinologia *f.*

to endorse [ɪn'dɔːs] *v. tr.* **1** (*assegno, cambiale*) girare **2** approvare

endorsement [ɪn'dɔ(:)smənt] *s.* **1** (*di assegno, cambiale*) girata *f.* **2** approvazione *f.*, appoggio *m.*

to endow [ɪn'daʊ] *v. tr.* dotare, assegnare, fornire

endowment [ɪn'daʊmənt] *s.* **1** dotazione *f.*, assegnazione *f.* **2** (*fig.*) dote *f.*

endurable [ɪn'djʊərəbl] *agg.* sopportabile

endurance [ɪn'djʊər(ə)ns] *s.* **1** resistenza *f.*, sopportazione *f.* **2** (*mecc.*) durata *f.*

to endure [ɪn'djʊər] *v. intr.* sopportare, tollerare, resistere

enemy ['ɛnɪmɪ] *s.* nemico *m.*

energetic [,ɛnə'dʒɛtɪk] *agg.* energetico

energy ['ɛnədʒɪ] *s.* energia *f.*

to enforce [ɪn'fɔːs] *v. tr.* **1** imporre, far valere **2** (*dir*) applicare, mettere in vigore

to engage [ɪn'geɪdʒ] **A** *v. tr.* **1** ingaggiare, assumere **2** impegnare, impegnarsi **3** attirare **4** (*mecc.*) ingranare, innestare **B** *v. intr.* **1** (*mil.*) attaccare **2** (*mecc.*) innestarsi,

ingranare ♦ **to e. in** dedicarsi a

engaged [ɪn'geɪdʒd] *agg.* **1** impegnato **2** fidanzato **3** occupato, riservato

engagement [ɪn'geɪdʒmənt] *s.* **1** impegno *m.*, appuntamento *m.* **2** fidanzamento *m.* **3** assunzione *f.*, reclutamento *m.* ♦ **e. ring** anello di fidanzamento

engaging [ɪn'geɪdʒɪŋ] *agg.* attraente, affascinante

engine ['ɛn(d)ʒɪn] *s.* **1** motore *m.*, macchina *f.* **2** (*ferr*) locomotiva *f.*

engineer [,ɛn(d)ʒɪ'nɪər] *s.* **1** ingegnere *m.* **2** tecnico *m.* **3** (*ferr*) macchinista *m.*

engineering [,ɛn(d)ʒɪ'nɪərɪŋ] *s.* ingegneria *f.*

English ['ɪŋglɪʃ] *agg. e s.* inglese *m.* (*lingua*)

Englishman ['ɪŋglɪʃmən] (*pl.* **Englishmen**) *s.* inglese *m.*

Englishwoman ['ɪŋglɪʃ,wʊmən] (*pl.* **Englishwomen**) *s.* inglese *f.*

to engrave [ɪn'greɪv] *v. tr.* incidere

engraver [ɪn'greɪvər] *agg.* incisore

engraving [ɪn'greɪvɪŋ] *s.* incisione *f.*

to enhance [ɪn'hɑːns] *v. tr.* aumentare, accrescere, intensificare

enhancement [ɪn'hɑːnsmənt] *s.* aumento *m.*, accrescimento *m.*, rinforzo *m.*

enigma [ɪ'nɪgmə] *s.* enigma *m.*

enigmatic [,ɛnɪg'mætɪk] *agg.* enigmatico

to enjoy [ɪn'dʒɔɪ] *v. tr.* godere, gustare, provar piacere di ♦ **e. your meal!** buon appetito!; **to e. oneself doing st.** divertirsi a fare q.c.

enjoyable [ɪn'dʒɔɪəbl] *agg.* gradevole, piacevole

enjoyment [ɪn'dʒɔɪmənt] *s.* gioia *f.*, piacere *m.*, godimento *m.*

to enlarge [ɪn'lɑːdʒ] *v. tr.* **1** allargare, ampliare **2** (*fot.*) ingrandire ♦ **to e. on** dilungarsi su

enlargement [ɪn'lɑːdʒmənt] *s.* **1** allargamento *m.*, ampliamento *m.* **2** (*fot.*) ingrandimento *m.*

to enlighten [ɪn'laɪtn] *v. tr.* **1** illuminare **2** chiarire

to enlist [ɪn'lɪst] **A** *v. tr.* **1** (*mil.*) arruolare **2** procurarsi **B** *v. intr.* **1** (*mil.*) arruolarsi **2** aderire, dare il proprio appoggio a

enmity ['ɛnmɪtɪ] *s.* inimicizia *f.*, ostilità *f.*

enormous [ɪ'nɔːməs] *agg.* enorme

enough [ɪ'nʌf] **A** *agg.* sufficiente, bastante **B** *avv.* abbastanza, sufficientemente ♦ **that's e.!** basta!; **to be e.** bastare

to enounce [ɪ(:)'naʊns] *v. tr.* enunciare

to **enrage** [ɪn'reɪdʒ] *v. tr.* irritare, far infuriare

enraged [ɪn'reɪdʒd] *agg.* furibondo

to **enrich** [ɪn'rɪtʃ] *v. tr.* arricchire

to **enrol(l)** [ɪn'rɒul] **A** *v. tr.* **1** arruolare, ingaggiare, iscrivere **2** registrare **B** *v. intr.* arruolarsi, iscriversi

enrol(l)ment [ɪn'rɒulmənt] *s.* **1** iscrizione *f.*, arruolamento *m.* **2** registrazione *f.*

ensemble [ən'sɔmbl] *s.* complesso *m.*

ensign ['ɛnsaɪn] *s.* insegna *f.*, bandiera *f.*

to **ensue** [ɪn'sjuː] *v. intr.* conseguire, derivare

to **ensure** [ɪn'ʃuəʳ] *v. tr.* assicurare, garantire

to **entail** [ɪn'teɪl] *v. tr.* comportare, implicare

to **entangle** [ɪn'tæŋgl] *v. tr.* impigliare, intrappolare

to **enter** ['ɛntəʳ] **A** *v. tr.* **1** entrare in, penetrare in **2** entrare a far parte di **3** iscrivere, partecipare **4** (*comm.*) registrare **B** *v. intr.* **1** entrare **2** iscriversi ♦ **to e. into** iniziare, avviare, entrare in, far parte di

enterprise ['ɛntəpraɪz] *s.* **1** impresa *f.*, avventura *f.* **2** iniziativa *f.* **3** impresa *f.*, azienda *f.*

to **entertain** [,ɛntə'teɪn] **A** *v. tr.* **1** ricevere, ospitare **2** intrattenere, divertire **3** avere (in mente), nutrire **4** prendere in considerazione **B** *v. intr.* ricevere, dare ricevimenti

entertainer [,ɛntə'teɪnəʳ] *s.* intrattenitore *m.*, showman *m. inv.*

entertaining [,ɛntə'teɪnɪŋ] *agg.* divertente

entertainment [,ɛntə'teɪnmənt] *s.* **1** divertimento *m.* **2** spettacolo *m.* **3** ricevimento *m.*

to **enthral(l)** [ɪn'θrɔːl] *v. tr.* affascinare, incantare

enthusiasm [ɪn'θjuːzɪæz(ə)m] *s.* entusiasmo *m.*

enthusiast [ɪn'θjuːzɪæst] *s.* entusiasta *m. e f.*, appassionato *m.*

enthusiastic [ɪn,θjuːzɪ'æstɪk] *agg.* entusiasta

enthusiastically [ɪn,θjuːzɪ'æstɪk(ə)lɪ] *avv.* entusiasticamente

to **entice** [ɪn'taɪs] *v. tr.* sedurre, adescare, allettare

enticement [ɪn'taɪsmənt] *s.* adescamento *m.*, allettamento *m.*

entire [ɪn'taɪəʳ] *agg.* intero, completo

entirely [ɪn'taɪəlɪ] *avv.* interamente, completamente

entirety [ɪn'taɪətɪ] *s.* interezza *f.*, complesso *m.*

to **entitle** [ɪn'taɪtl] *v. tr.* **1** (*un libro*) intitolare **2** concedere un titolo, riconoscere un diritto ♦ **to be entitled to** avere diritto a

entrails ['ɛntreɪlz] *s. pl.* interiora *f. pl.*

entrance ['ɛntr(ə)ns] *s.* **1** entrata *f.*, accesso *m.*, ingresso *m.* **2** ammissione *f.* ♦ **e. fee** tassa d'iscrizione, biglietto d'ingresso; **free e.** ingresso libero; **main/side e.** entrata principale/laterale; **no e.** vietato l'ingresso

entrant ['ɛntr(ə)nt] *s.* **1** partecipante *m. e f.*, concorrente *m. e f.* **2** debuttante *m. e f.*

to **entreat** [ɪn'triːt] *v. tr.* implorare, supplicare

entrenched [ɪn'trɛntʃt] *agg.* trincerato

entrepreneur [,ɑntrəprə'nɜːʳ] *s.* **1** imprenditore *m.* **2** (*teatro*) impresario *m.*

to **entrust** [ɪn'trʌst] *v. tr.* affidare, consegnare

entry ['ɛntrɪ] *s.* **1** entrata *f.*, accesso *m.*, ingresso *m.* **2** iscrizione *f.* **3** (*di dizionario*) voce *f.* **4** (*comm.*) registrazione *f.*, annotazione *f.* ♦ **no e.** vietato l'accesso

to **enumerate** [ɪ'njuːməreɪt] *v. tr.* enumerare

enuresis [,ɛnjuə'riː(ː)sɪs] *s.* enuresi *f.*

to **envelop** [ɪn'vɛləp] *v. tr.* avvolgere, avviluppare

envelope ['ɛnvɪlɒup] *s.* **1** busta *f.* **2** involucro *m.*

envious ['ɛnvɪəs] *agg.* invidioso

environment [ɪn'vaɪəʳ(ə)nmənt] *s.* **1** ambiente *m.*, condizioni *f. pl.* ambientali **2** territorio *m.* circostante

environmental [ɪn,vaɪərən'mɛnt(ə)l] *agg.* ambientale

to **envisage** [ɪn'vɪzɪdʒ] *v. tr.* immaginare

envoy ['ɛnvɔɪ] *s.* inviato *m.*, delegato *m.*

envy ['ɛnvɪ] *s.* invidia *f.*

to **envy** ['ɛnvɪ] *v. tr.* invidiare ♦ **to e. sb. st.** invidiare q.c. a qc.

ephebic [ɛ'fiːbɪk] *agg.* efebico

ephemeral [ɪ'fɛmər(ə)l] *agg.* effimero

ephemeris [ɪ'fɛm(ə)rɪs] *s.* (*pl.* **ephemerides**) *s.* effemeride *f.*

epic ['ɛpɪk] **A** *agg.* epico **B** *s.* poema *m.* epico, epopea *f.*

epicentre ['ɛpɪsɛntəʳ] (*USA* **epicenter**) *s.* epicentro *m.*

Epicureanism [,ɛpɪkjuə'rɪ(ː)ənɪz(ə)m] *s.* epicureismo *m.*

epidemic [,ɛpɪ'dɛmɪk] **A** *agg.* epidemico **B** *s.* epidemia *f.*

epidermic [ˌɛpɪˈdɜːmɪk] *agg.* epidermico
epigraph [ˈɛpɪɡɑːf] *s.* epigrafe *f.*
epigraphy [ɛˈpɪɡrəfɪ] *s.* epigrafia *f.*
epilepsy [ˈɛpɪlɛpsɪ] *s.* epilessia *f.*
epilogue [ˈɛpɪlɒɡ] *s.* epilogo *m.*
Epiphany [ɪˈpɪfənɪ] *s.* epifania *f.*
episcopal [ɪˈpɪskəp(ə)l] *agg.* episcopale, vescovile
episode [ˈɛpɪsɒʊd] *s.* episodio *m.*
epistaxis [ˌɛpɪˈstæksɪs] *s.* epistassi *f.*
epistle [ɪˈpɪsl] *s.* epistola *f.*
epitaph [ˈɛpɪtɑːf] *s.* epitaffio *m.*
epithet [ˈɛpɪθɛt] *s.* epiteto *m.*
epitome [ɪˈpɪtəmɪ] *s.* **1** epitome *f.*, compendio *m.* **2** personificazione *f.*, quintessenza *f.*
to epitomize [ɪˈpɪtəmaɪz] *v. tr.* **1** epitomare, compendiare **2** personificare, incarnare
epoch [ˈiːpək] *s.* epoca *f.*
eponym [ˈɛpɒ(ʊ)nɪm] *s.* eponimo *m.*
eponymous [ɪˈpɒnɪməs] *agg.* eponimo
equable [ˈɛkwəbl] *agg.* **1** uniforme **2** equilibrato, sereno
equal [ˈiːkw(ə)l] *agg.* **1** uguale, pari **2** calmo, fermo
to equal [ˈiːkw(ə)l] *v. tr.* uguagliare, equivalere
equality [ɪ(ː)ˈkwɒlɪtɪ] *s.* uguaglianza *f.*, parità *f.*
to equalize [ˈiːkwəlaɪz] *v. tr.* **1** uguagliare, equiparare **2** pareggiare
equally [ˈɪ(ː)kwəlɪ] *avv.* **1** ugualmente **2** allo stesso modo
equation [ɪˈkweɪʃ(ə)n] *s.* equazione *f.*
equator [ɪˈkweɪtər] *s.* equatore *m.*
equatorial [ˌɛkwəˈtɜːrɪəl] *agg.* equatoriale
equestrian [ɪˈkwɛstrɪən] *agg.* equestre
equidistant [ˌiːkwɪˈdɪst(ə)nt] *agg.* equidistante
equilibrium [ˌiːkwɪˈlɪbrɪəm] *s.* equilibrio *m.*
equine [ˈiːkwaɪn] *agg. e s.* equino *m.*
equinox [ˈiːkwɪnɒks] *s.* equinozio *m.*
to equip [ɪˈkwɪp] *v. tr.* equipaggiare, allestire, attrezzare ♦ **to be equipped with** essere fornito di
equipment [ɪˈkwɪpmənt] *s.* equipaggiamento *m.*, attrezzatura *f.*
equitable [ˈɛkwɪtəbl] *agg.* equo, giusto
equity [ˈɛkwɪtɪ] *s.* **1** equità *f.* **2** (*econ.*) azione *f.* ordinaria
equivalent [ɪˈkwɪvələnt] *agg. e s.* equivalente *m.*

equivocal [ɪˈkwɪvək(ə)l] *agg.* equivoco
era [ˈɪərə] *s.* era *f.*
to eradicate [ɪˈrædɪkeɪt] *v. tr.* sradicare
to erase [ɪˈreɪz] *v. tr.* cancellare
eraser [ɪˈreɪzər] *s.* gomma *f.* (*per cancellare*)
erect [ɪˈrɛkt] *agg.* eretto
to erect [ɪˈrɛkt] *v. tr.* erigere
erection [ɪˈrɛkʃ(ə)n] *s.* erezione *f.*
to erode [ɪˈrəʊd] *v. tr.* erodere, corrodere
erosion [ɪˈrəʊʒ(ə)n] *s.* erosione *f.*
erotic [ɪˈrɒtɪk] *agg.* erotico
erotism [ˈɪrətɪz(ə)m] *s.* erotismo *m.*
to err [ɜːr] *v. intr.* **1** errare, sbagliare **2** vagabondare
errand [ˈɛr(ə)nd] *s.* commissione *f.* ♦ **e. boy** fattorino
erratic [ɪˈrætɪk] *agg.* **1** irregolare, incostante **2** eccentrico **3** (*geol.*) erratico
error [ˈɛrər] *s.* **1** errore *m.*, sbaglio *m.* **2** colpa *f.*
to erupt [ɪˈrʌpt] **A** *v. intr.* **1** eruttare, entrare in eruzione **2** scoppiare **B** *v. tr.* eruttare
eruption [ɪˈrʌpʃ(ə)n] *s.* **1** eruzione *f.* **2** scoppio *m.*
erythema [ˌɛrɪˈθiːmə] *s.* eritema *m.*
to escalate [ˈɛskəˌleɪt] *v. tr. e intr.* intensificare, aumentare
escalation [ˌɛskəˈleɪʃ(ə)n] *s.* escalation *f. inv.*, intensificazione *f.*
escalator [ˈɛskəleɪtər] *s.* scala *f.* mobile
escalope [ˈɛskələp] *s.* scaloppina *f.*
escapade [ˌɛskəˈpeɪd] *s.* scappatella *f.*
escape [ɪsˈkeɪp] *s.* **1** fuga *f.*, evasione *f.* **2** scampo *m.* **3** scarico *m.*, scappamento *m.*
to escape [ɪsˈkeɪp] *v. intr.* **1** fuggire, sfuggire, evadere **2** scamparla **3** fuoriuscire
escapism [ɪsˈkeɪpɪz(ə)m] *s.* evasione *f.* (dalla realtà)
escarpment [ɪsˈkɑːpmənt] *s.* scarpata *f.*
eschatological [ˌɛskətəˈlɒdʒɪk(ə)l] *agg.* escatologico
escort [ˈɛskɜːt] *s.* **1** scorta *f.* **2** accompagnatore *m.*, cavaliere *m.*
to escort [ɪsˈkɜːt] *v. tr.* scortare, accompagnare
Eskimo [ˈɛskɪmɒʊ] *agg. e s.* eschimese *m. e f.*
esoteric [ˌɛsɒʊˈtɛrɪk] *agg.* esoterico
especial [ɪsˈpɛʃ(ə)l] *agg.* speciale, particolare
espionage [ˌɛspɪəˈnɑːʒ] *s.* spionaggio *m.*
esplanade [ˌɛspləˈneɪd] *s.* passeggiata *f.*, spianata *f.*

essay ['esei] *s.* **1** saggio *m.*, prova *f.*, tentativo *m.* **2** saggio *m.* (*libro*), composizione *f.* (*scolastica*)

essayist ['eseiist] *s.* saggista *m. e f.*

essence ['esns] *s.* essenza *f.*

essential [ɪ'senʃ(ə)l] *agg.* essenziale

essentially [ɪ'senʃ(ə)lɪ] *avv.* essenzialmente

to establish [ɪs'tæblɪʃ] **A** *v. tr.* **1** stabilire, costituire, fondare, impiantare **2** insediare, nominare **3** stabilire, dimostrare **B** *v. intr.* installarsi

established [ɪs'tæblɪʃt] *agg.* **1** istituito, fondato **2** provato, dimostrato **3** affermato, stabilito

establishment [ɪs'tæblɪʃmənt] *s.* **1** istituzione *f.*, fondazione *f.* **2** azienda *f.*, impresa *f.* **3** establishment *m. inv.*, classe *f.* dirigente

estate [ɪs'teɪt] *s.* **1** proprietà *f.*, tenuta *f.* **2** patrimonio *m.*, beni *m. pl.* **3** stato *m.*, condizione *f.* ♦ **e. agency** agenzia immobiliare; **real e.** beni immobili

esteem [ɪs'tiːm] *s.* stima *f.*

to esteem [ɪs'tiːm] *v. tr.* stimare

estimate ['estɪmeɪt] *s.* **1** stima *f.*, valutazione *f.* **2** (*comm.*) preventivo *m.*

to estimate ['estɪmeɪt] *v. tr.* **1** stimare, valutare **2** preventivare

estimation [ˌestɪ'meɪʃ(ə)n] *s.* **1** stima *f.*, apprezzamento *m.* **2** opinione *f.*

estimator ['estɪmeɪtəʳ] *s.* (*comm.*) estimatore *m.*

to estrange [ɪs'treɪn(d)ʒ] *v. tr.* alienare, allontanare

estuary ['estjʊərɪ] *s.* estuario *m.*

etching ['etʃɪŋ] *s.* acquaforte *f.*

eternal [ɪ(ː)'tɜːnl] *agg.* eterno

eternity [ɪ(ː)'tɜːnɪtɪ] *s.* eternità *f.*

ether ['iːθəʳ] *s.* etere *m.*

ethereal [ɪ(ː)'θɪərɪəl] *agg.* etereo

ethical ['eθɪkl] *agg.* etico

ethics ['eθɪks] *s. pl.* (*v. al sing.*) etica *f.*

ethnic ['eθnɪk] *agg.* etnico

ethnology [eθ'nɒlədʒɪ] *s.* etnologia *f.*

etiquette [etɪ'ket] *s.* etichetta *f.*, cerimoniale *m.*

Etruscan [ɪ'trʌskən] *agg. e s.* etrusco *m.*

etymology [ˌetɪ'mɒlədʒɪ] *s.* etimologia *f.*

euphemism ['juːfɪmɪz(ə)m] *s.* eufemismo *m.*

euphemistic [ˌjuːfɪ'mɪstɪk] *agg.* eufemistico

euphoria [juː(ː)'fɔːrɪə] *s.* euforia *f.*

European [ˌjʊərə'pɪ(ː)ən] *agg. e s.* europeo *m.*

Europeanism [ˌjʊərə'pɪ(ː)ənɪz(ə)m] *s.* europeismo *m.*

euthanasia [ˌjuːθə'neɪzjə] *s.* eutanasia *f.*

to evacuate [ɪ'vækjʊeɪt] *v. tr. e intr.* evacuare

to evade [ɪ'veɪd] *v. tr.* evitare, eludere

to evaluate [ɪ'væljʊeɪt] *v. tr.* valutare

evaluation [ɪˌvæljʊ'eɪʃ(ə)n] *s.* valutazione *f.*

evangelical [ˌiːvæn'dʒelɪk(ə)l] *agg.* evangelico

to evaporate [ɪ'væpəreɪt] *v. intr.* evaporare

evaporation [ɪˌvæpə'reɪʃ(ə)n] *s.* evaporazione *f.*

evasion [ɪ'veɪʒ(ə)n] *s.* **1** evasione *f.* **2** pretesto *m.*, scappatoia *f.* ♦ **tax e.** evasione fiscale

evasive [ɪ'veɪsɪv] *agg.* evasivo

eve [iːv] *s.* vigilia *f.*

even ['iːv(ə)n] **A** *agg.* **1** uguale, piano, uniforme **2** costante, regolare **3** pari, equo **4** (*mat.*) pari **B** *avv.* perfino, addirittura ♦ **e. if** anche se; **e. more** ancora di più; **e. so** ciò nonostante; **e. then** anche allora; **not e.** neppure

to even ['iːv(ə)n] *v. tr.* **1** appianare, livellare **2** uguagliare ♦ **to e. out** distribuire; **to e. up** pareggiare

evening ['iːvnɪŋ] *s.* sera *f.*, serata *f.* ♦ **last e.** ieri sera

event [ɪ'vent] *s.* **1** caso *m.*, eventualità *f.* **2** avvenimento *m.*, fatto *m.* **3** (*sport*) prova *f.* ♦ **at all events** in ogni caso; **in the e.** di fatto; **in the e. of** in caso di

eventful [ɪ'ventfʊl] *agg.* pieno d'eventi, movimentato

eventual [ɪ'ventjʊəl] *agg.* finale, conclusivo

eventuality [ɪˌventjʊ'ælɪtɪ] *s.* eventualità *f.*, evenienza *f.*

eventually [ɪ'ventjʊəlɪ] *avv.* infine, col tempo

ever ['evəʳ] *avv.* **1** (*in frasi neg. e interr.*) mai **2** sempre ♦ **as e.** come sempre; **e. after** da allora; **e. since** sin da (quando), da allora in poi; **for e.** per sempre; **hardly e.** quasi sempre

evergreen ['evəgriːn] *agg.* sempreverde

everlasting [ˌevə'lɑːstɪŋ] *agg.* perenne, eterno

every ['evrɪ] *agg.* ogni, ciascuno ♦ **e. bit** tutto, del tutto; **e. day** tutti i giorni; **e. one** ciascuno, ognuno; **e. other day** un giorno sì e uno no; **e. time** ogni volta; **in e. way** in tutto e per tutto

everybody ['εvrɪbədɪ] *pron. indef.* ciascuno, ognuno, tutti

everyday ['εvrɪdeɪ] *agg.* giornaliero, quotidiano, comune

everyone ['εvrɪwʌn] *pron. indef.* ciascuno, ognuno, tutti

everything ['εvrɪθɪŋ] *pron. indef.* tutto, ogni cosa

everywhere ['εvrɪweər] *avv.* dovunque

to **evict** [ɪ(ː)'vɪkt] *v. tr.* sfrattare

eviction [ɪ(ː)'vɪkʃ(ə)n] *s.* sfratto *m.*

evidence ['εvɪd(ə)ns] *s.* 1 prova *f.*, dimostrazione *f.* 2 evidenza *f.* ♦ **to be called in e.** (*dir.*) essere chiamato a testimoniare

evident ['εvɪd(ə)nt] *agg.* evidente

evil ['iːvl] **A** *agg.* 1 cattivo, malvagio 2 spiacevole **B** *s.* 1 male *m.*, malvagità *f.* 2 danno *m.*

evocative [ɪ'vɔkətɪv] *agg.* suggestivo

to **evoke** [ɪ'vɒuk] *v. tr.* 1 evocare 2 suscitare

evolution [ˌiːvəˈluːʃ(ə)n] *s.* evoluzione *f.*

evolutive ['εvəlu(ː)tɪv] *agg.* evolutivo

to **evolve** [ɪ'vɒlv] **A** *v. tr.* evolvere, sviluppare **B** *v. intr.* evolversi, svilupparsi

ewe [juː] *s.* pecora *f.* femmina

to **exacerbate** [εks'æsə(ː)beɪt] *v. tr.* esacerbare, inasprire

exact [ɪg'zækt] *agg.* esatto

to **exact** [ɪg'zækt] *v. tr.* 1 esigere, estorcere 2 pretendere, richiedere

exacting [ɪg'zæktɪŋ] *agg.* 1 esigente 2 impegnativo

exactly [ɪg'zæktlɪ] *avv.* esattamente, precisamente, proprio così

to **exaggerate** [ɪg'zædʒəreɪt] *v. tr. e intr.* esagerare

exaggeration [ɪgˌzædʒəˈreɪʃ(ə)n] *s.* esagerazione *f.*

to **exalt** [ɪg'zɔːlt] *v. tr.* 1 innalzare, elevare 2 esaltare

exam [ɪg'zæm] *s.* esame *m.*

examination [ɪgˌzæmɪ'neɪʃ(ə)n] *s.* 1 esame *m.* 2 ispezione *f.*, verifica *f.* 3 (*med.*) controllo *m.*, visita *f.*

to **examine** [ɪg'zæmɪn] *v. tr.* 1 esaminare, controllare 2 interrogare 3 (*med.*) visitare

example [ɪg'zaːmpl] *s.* esempio *m.* ♦ **for e.** ad esempio

to **exasperate** [ɪg'zaːspə(ː)reɪt] *v. tr.* 1 esasperare 2 peggiorare, aggravare

exasperation [ɪgˌzaːspə'reɪʃ(ə)n] *s.* 1

esasperazione *f.* 2 peggioramento *m.*, aggravamento *m.*

to **excavate** ['εkskəveɪt] *v. tr.* scavare

excavation [ˌεkskə'veɪʃ(ə)n] *s.* scavo *m.*

excavator ['εkskəveɪtər] *s.* scavatrice *f.*

to **exceed** [ɪk'siːd] *v. tr.* eccedere, oltrepassare, superare **B** *v. intr.* eccedere, esagerare

to **excel** [ɪk'sεl] **A** *v. intr.* eccellere, primeggiare **B** *v. tr.* essere superiore a

excellent ['εksələnt] *agg.* eccellente, ottimo

except [ɪk'sεpt] *prep.* eccetto, escluso, fuorché ♦ **e. for** fatta eccezione per; **e. that** salvo che; **e. when** tranne quando

exception [ɪk'sεpʃ(ə)n] *s.* 1 eccezione *f.* 2 obiezione *f.*

exceptional [ɪk'sεpʃənl] *agg.* eccezionale

excerpt ['εksɜːpt] *s.* estratto *m.*, passo *m.* scelto

excess [ɪk'sεs] **A** *s.* 1 eccesso *m.*, abuso *m.* 2 eccedenza *f.* **B** *agg.* eccedente, in eccesso ♦ **e. fare** supplemento di tariffa

excessive [ɪk'sεsɪv] *agg.* eccessivo

exchange [ɪks'tʃeɪn(d)ʒ] *s.* 1 scambio *m.* 2 (*econ.*) cambio *m.* 3 Borsa *f.*, mercato *m.* 4 (*tel.*) centralino *m.* ♦ **e. rate** tasso di cambio; **Stock E.** Borsa valori

to **exchange** [ɪks'tʃeɪn(d)ʒ] *v. tr.* 1 cambiare, scambiare, permutare 2 (*valuta*) cambiare

excise [εk'saɪz] *s.* dazio *m.*, imposta *f.*

excitable [ɪk'saɪtəbl] *agg.* eccitabile

to **excite** [ɪk'saɪt] *v. tr.* 1 eccitare, animare 2 suscitare

exciting [ɪk'saɪtɪŋ] *agg.* eccitante, emozionante, stimolante

to **exclaim** [ɪks'kleɪm] *v. tr. e intr.* esclamare

exclamation [ˌεksklə'meɪʃ(ə)n] *s.* esclamazione *f.*, grido *m.* ♦ **e. mark** punto esclamativo

to **exclude** [ɪks'kluːd] *v. tr.* escludere

exclusion [ɪks'kluːʒ(ə)n] *s.* esclusione *f.*

exclusive [ɪks'kluːsɪv] *agg.* esclusivo ♦ **e. of** a esclusione di, escluso

to **excommunicate** [ˌεkskə'mjuːnɪkeɪt] *v. tr.* scomunicare

excommunication ['εkskəˌmjuːnɪ'keɪʃ(ə)n] *s.* scomunica *f.*

to **excoriate** [εks'kɔːrɪeɪt] *v. tr.* escoriare, scorticare

excoriation [εksˌkɔːrɪ'eɪʃ(ə)n] *s.* escoriazione *f.*

excruciating [ɪks'kruː(ː)ʃɪeɪtɪŋ] *agg.* straziante, atroce

to exculpate ['ɛkskʌlpeɪt] v. tr. discolpare, scagionare

excursion [ɪks'kɜːʃ(ə)n] s. escursione f., gita f.

excursionist [ɪks'kɜːʃnɪst] s. escursionista m. e f., gitante m. e f.

excuse [ɪks'kjuːs] s. **1** scusa f., giustificazione f. **2** pretesto m.

to excuse [ɪks'kjuːz] v. tr. **1** scusare, perdonare **2** giustificare **3** dispensare ◆ **e. me!** (mi) scusi!

to execute ['ɛksɪkjuːt] v. tr. **1** giustiziare **2** eseguire, mettere in atto **3** interpretare

execution [ˌɛksɪ'kjuːʃ(ə)n] s. **1** esecuzione f. capitale **2** esecuzione f.

executioner [ˌɛksɪ'kjuːʃnə] s. boia m.

executive [ɪg'zɛkjʊtɪv] **A** agg. **1** esecutivo **2** direttivo **B** s. **1** (potere) esecutivo m. **2** dirigente m. e f., funzionario m.

exedra [ɛk'sɪ(ː)drə] s. esedra f.

exemplary [ɪg'zɛmpləri] agg. esemplare

exemplification [ɪgˌzɛmplɪfɪ'keɪʃ(ə)n] s. esemplificazione f.

to exemplify [ɪg'zɛmplɪfaɪ] v. tr. esemplificare

exempt [ɪg'zɛm(p)t] agg. esente, dispensato

to exempt [ɪg'zɛm(p)t] v. tr. esentare, dispensare

exemption [ɪg'zɛm(p)ʃ(ə)n] s. esenzione f., dispensa f.

exercise ['ɛksəsaɪz] s. **1** esercizio m., pratica f. **2** moto m., esercizio m. fisico **3** esercizio m., compito m., esercitazione f. ◆ **e. book** quaderno

to exercise ['ɛksəsaɪz] **A** v. tr. **1** esercitare, praticare **2** allenare **3** preoccupare **B** v. intr. esercitarsi, allenarsi

to exert [ɪg'zɜːt] v. tr. impiegare, esercitare

exertion [ɪg'zɜːʃ(ə)n] s. **1** esercizio m., impiego m. **2** sforzo m.

exhalation [ˌɛks(h)ə'leɪʃ(ə)n] s. esalazione f.

to exhale [ɛks'heɪl] **A** v. tr. esalare, emanare **B** v. intr. evaporare

exhaust [ɪg'zɔːst] s. scarico m., scappamento m. ◆ **e. pipe** tubo di scarico

to exhaust [ɪg'zɔːst] v. tr. **1** esaurire **2** vuotare **3** aspirare **4** scaricare

exhausted [ɪg'zɔ(ː)stɪd] agg. esausto, esaurito

exhaustion [ɪg'zɔːstʃ(ə)n] s. **1** esaurimento m. **2** spossatezza f.

exhaustive [ɪg'zɔːstɪv] agg. esauriente

to exhibit [ɪg'zɪbɪt] v. tr. esibire

exhibition [ˌɛksɪ'bɪʃ(ə)n] s. esposizione f., mostra f.

exhilaration [ɪgˌzɪlə'reɪʃ(ə)n] s. euforia f.

to exhort [ɪg'zɔːt] v. tr. esortare

exhortation [ˌɛgzɔ:'teɪʃ(ə)n] s. esortazione f.

to exhume [ɛks'hjuːm] v. tr. esumare

exiguous [ɛg'zɪgjʊəs] agg. esiguo

exile ['ɛksaɪl] s. **1** esilio m. **2** esule m. e f., esiliato m.

to exile ['ɛksaɪl] v. tr. esiliare

to exist [ɪg'zɪst] v. intr. esistere

existence [ɪg'zɪst(ə)ns] s. esistenza f.

existing [ɪg'zɪstɪŋ] agg. esistente

exit ['ɛksɪt] s. uscita f. ◆ **emergency e.** uscita di sicurezza

exodus ['ɛksədəs] s. esodo m.

to exonerate [ɪg'zɒnəreɪt] v. tr. **1** esonerare **2** discolpare

exorbitant [ɪg'zɔːbɪtənt] agg. esorbitante

to exorcize ['ɛksɔːsaɪz] v. tr. esorcizzare

exotic [ɛg'zɒtɪk] agg. esotico

to expand [ɪks'pænd] **A** v. tr. **1** espandere, dilatare **2** estendere, ingrandire **B** v. intr. **1** espandersi, dilatarsi **2** ingrandirsi, ampliarsi

expanse [ɪks'pæns] s. **1** distesa f., estensione f. **2** espansione f.

expansion [ɪks'pænʃ(ə)n] s. **1** espansione f., dilatazione f. **2** sviluppo m., crescita f.

expansive [ɪks'pænsɪv] agg. **1** espansibile, dilatabile **2** (di persona) espansivo

to expatriate [ɛks'pætrɪeɪt] v. intr. espatriare

to expect [ɪks'pɛkt] v. tr. **1** aspettare, aspettarsi, prevedere **2** esigere, pretendere **3** supporre

expectancy [ɪks'pɛkt(ə)nsɪ] s. aspettativa f., attesa f.

expectant [ɪks'pɛkt(ə)nt] agg. speranzoso, in attesa ◆ **e. mother** gestante

expectation [ˌɛkspɛk'teɪʃ(ə)n] s. aspettativa f., attesa f.

expedience [ɪks'piːdjəns] s. **1** opportunità f., convenienza f. **2** opportunismo m.

expedient [ɪks'piːdjənt] **A** agg. conveniente, opportuno **B** s. espediente m., ripiego m.

expedition [ˌɛkspɪ'dɪʃ(ə)n] s. spedizione f.

expeditious [ˌɛkspɪ'dɪʃəs] agg. sbrigativo

to expel [ɪks'pɛl] *v. tr.* **1** espellere, scacciare **2** emettere

to expend [ɪks'pɛnd] *v. tr.* **1** spendere, impiegare **2** consumare

expendable [ɪks'pɛndəbl] *agg.* **1** spendibile **2** sacrificabile

expenditure [ɪks'pɛndɪtʃər] *s.* **1** dispendio *m.*, consumo *m.* **2** spesa *f.*

expense [ɪks'pɛns] *s.* **1** spesa *f.*, costo *m.* **2** *al pl.* spese *f. pl.*, indennità *f.*

expensive [ɪks'pɛnsɪv] *agg.* costoso, caro

experience [ɪks'pɪərɪəns] *s.* esperienza *f.*

to experience [ɪks'pɪərɪəns] *v. tr.* esperimentare, provare

experiment [ɪks'pɛrɪmənt] *s.* esperimento *m.*, prova *f.*

to experiment [ɪks'pɛrɪment] *v. intr.* sperimentare, fare esperimenti

experimental [ɛks,pɛrɪ'mɛntl] *agg.* sperimentale

expert ['ɛkspɜːt] **A** *agg.* esperto, competente **B** *s.* esperto *m.*, perito *m.*

expertise [,ɛkspə(ː)'tiː(ː)z] *s.* **1** abilità *f.*, competenza *f.* **2** *(arte)* perizia *f.*

to expiate ['ɛkspɪeɪt] *v. tr.* espiare

expiration [,ɛkspɪ'reɪʃ(ə)n] *s.* **1** espirazione *f.* **2** scadenza *f.*

to expire [ɪks'paɪər] **A** *v. intr.* **1** scadere, finire **2** morire, svanire **B** *v. tr.* espirare

expiry [ɪks'paɪərɪ] *s.* scadenza *f.*, termine *m.*

to explain [ɪks'pleɪn] *v. tr.* spiegare, chiarire

explanation [,ɛksplə'neɪʃ(ə)n] *s.* spiegazione *f.*

explanatory [ɪks'plænət(ə)rɪ] *agg.* esplicativo

explicative [ɛks'plɪkətɪv] *agg.* esplicativo

explicit [ɪks'plɪsɪt] *agg.* esplicito

to explode [ɪks'pləʊd] **A** *v. tr.* **1** far esplodere **2** screditare, smontare **B** *v. intr.* esplodere, scoppiare

exploit ['ɛksplɔɪt] *s.* impresa *f.*, prodezza *f.*

to exploit [ɪks'plɔɪt] *v. tr.* sfruttare

exploitation [,ɛksplɔɪ'teɪʃ(ə)n] *s.* sfruttamento *m.*

exploiter [ɪks'plɔɪtər] *s.* sfruttatore *m.*

exploration [,ɛksplɔː'reɪʃ(ə)n] *s.* esplorazione *f.*

to explore [ɪks'plɔːr] *v. tr.* **1** esplorare **2** analizzare

explorer [ɪks'plɔːrər] *s.* esploratore *m.*

explosion [ɪks'pləʊʒ(ə)n] *s.* esplosione *f.*, scoppio *m.*

explosive [ɪks'pləʊsɪv] *agg. e s.* esplosivo *m.*

exponent [ɛks'pəʊnənt] *s.* esponente *m. e f.*

export ['ɛkspɔːt] *s.* **1** esportazione *f.* **2** prodotto *m.* d'esportazione

to export [ɛks'pɔːt] *v. tr.* esportare

exporter [ɛks'pɔ(ː)tər] *s.* esportatore *m.*

to expose [ɪks'pəʊz] *v. tr.* **1** esporre **2** svelare, smascherare

exposition [,ɛkspə'zɪʃ(ə)n] *s.* **1** esposizione *f.* **2** spiegazione *f.*

exposure [ɪks'pəʊʒər] *s.* **1** esposizione *f.* **2** mostra *f.* **3** *(fot.)* (tempo di) esposizione *f.* ♦ **e. meter** esposimetro

to expound [ɪks'paʊnd] *v. tr.* esporre, spiegare

express [ɪks'prɛs] **A** *agg.* **1** chiaro, esplicito **2** espresso, rapido **3** esatto, fedele **B** *s.* **1** *(corrispondenza)* espresso *m.* **2** (treno) espresso *m.*

to express [ɪks'prɛs] *v. tr.* **1** esprimere **2** mandare per espresso

expression [ɪks'prɛʃ(ə)n] *s.* espressione *f.*

expressionism [ɪks'prɛʃnɪz(ə)m] *s.* espressionismo *m.*

expressive [ɪks'prɛsɪv] *agg.* espressivo, significativo

expressly [ɪks'prɛslɪ] *avv.* espressamente

expressway [ɪks'prɛsweɪ] *s.* *(USA)* autostrada *f.*

expropriation [ɛks,prəʊprɪ'eɪʃ(ə)n] *s.* esproprio *m.*, espropriazione *f.*

expulsion [ɪks'pʌlʃ(ə)n] *s.* espulsione *f.*

exquisite ['ɛkskwɪzɪt] *agg.* squisito

extemporary [ɪks'tɛmp(ə)rərɪ] *agg.* estemporaneo

to extend [ɪks'tɛnd] **A** *v. tr.* **1** estendere, allargare, ampliare **2** prorogare, protrarre, prolungare **3** offrire, porgere **B** *v. intr.* **1** estendersi, allungarsi **2** protrarsi

extension [ɪks'tɛnʃ(ə)n] *s.* **1** estensione *f.*, prolungamento *m.*, ampliamento *m.* **2** proroga *f.* **3** *(di edificio)* prolunga *f.*, ampliamento *m.* **4** *(tel.)* interno *m.*

extensive [ɪks'tɛnsɪv] *agg.* **1** esteso, vasto **2** estensivo

extent [ɪks'tɛnt] *s.* **1** estensione *f.*, ampiezza *f.* **2** limite *m.*, grado *m.*

to extenuate [ɛks'tɛnjʊeɪt] *v. tr.* attenuare

exterior [ɛks'tɪərɪər] **A** *agg.* esterno, esteriore **B** *s.* **1** esterno *m.* **2** esteriorità *f.*

to exterminate [ɛks'tɜːmɪneɪt] *v. tr.* sterminare, distruggere

extermination [ɛks,tɜːmɪ'neɪʃ(ə)n] *s.* sterminio *m.*, distruzione *f.*

external [ɛks'tɜ:nl] *agg.* **1** esterno, esteriore **2** estero **3** superficiale

extinct [ɪks'tɪŋkt] *agg.* estinto

extinction [ɪks'tɪŋkʃ(ə)n] *s.* estinzione *f.*

to extinguish [ɪks'tɪŋgwɪʃ] *v. tr.* estinguere, spegnere

extinguisher [ɪks'tɪŋguɪʃər] *s.* estintore *m.*

to extirpate ['ɛkstɜ:peɪt] *v. tr.* estirpare

to extort [ɪks'tɜ:t] *v. tr.* estorcere

extortionate [ɪks'tɜ:ʃnɪt] *agg.* esorbitante

extra ['ɛkstrə] **A** *agg.* aggiuntivo, supplementare **B** *avv.* extra, in più

extract ['ɛkstrækt] *s.* **1** estratto *m.* **2** citazione *f.*

to extract [ɪks'trækt] *v. tr.* estrarre

extractable [ɪks'træktəbl] *agg.* estraibile

extraction [ɪks'trækʃ(ə)n] *s.* estrazione *f.*

extradition [,ɛkstrə'dɪʃ(ə)n] *s.* estradizione *f.*

extrados [ɛks'treɪdəs] *s.* estradosso *m.*

extramarital [,ɛkstrə'mærɪtl] *agg.* extraconiugale

extramural [,ɛkstrə'mjuər(ə)l] *agg.* fuori dell'università

extraneous [ɛks'treɪnjəs] *agg.* estraneo

extraordinary [ɪks'trɜ:d(ə)n(ə)rɪ] *agg.* straordinario, eccezionale

extraterrestrial [,ɛkstrətɪ'rɛstrɪəl] *agg.* extraterrestre

extravagance [ɪks'trævɪgəns] *s.* **1** stravaganza *f.* **2** prodigalità *f.*

extravagant [ɪks'trævɪgənt] *agg.* **1** stravagante **2** prodigo

extreme [ɪks'tri:m] **A** *agg.* **1** estremo, ultimo **2** eccezionale **B** *s.* estremo *m.*, estremità *f.*

extremist [ɪks'tri:mɪst] *s.* estremista *m. e f.*

extremity [ɪks'trɛmɪtɪ] *s.* estremità *f.*

to extricate ['ɛkstrɪkeɪt] *v. tr.* districare, sbrogliare

extrinsic [ɛks'trɪnsɪk] *agg.* estrinseco

extrovert [,ɛkstrɒ(ʊ)'vɜ:t] *agg. e s.* estroverso *m.*

extroverted [,ɛkstrɒ(ʊ)'vɜ:tɪd] *agg.* estroverso

exuberant [ɪg'zju:b(ə)r(ə)nt] *agg.* esuberante

to exude [ɪg'zju:d] *v. tr. e intr.* essudare, trasudare

to exult [ɪg'zʌlt] *v. intr.* esultare

eye [aɪ] *s.* **1** occhio *m.*, sguardo *m.* **2** (*bot.*) gemma *f.* **3** occhiello *m.*, cruna *f.* ♦ **e. ball** bulbo oculare; **e.-opener** fatto rivelatore; **e. socket** orbita; **e. shadow** ombretto; **e. witness** testimone oculare

eyebrow ['aɪbraʊ] *s.* sopracciglio *m.*

eyelash ['aɪlæʃ] *s.* ciglio *m.*

eyelid ['aɪlɪd] *s.* palpebra *f.*

eyesight ['aɪsaɪt] *s.* vista *f.*

F

fable ['feɪbl] *s.* **1** favola *f.* **2** mito *m.*, leggenda *f.*

fabric ['fæbrɪk] *s.* **1** tessuto *m.*, stoffa *f.* **2** (*fig.*) struttura *f.*

to fabricate ['fæbrɪkeɪt] *v. tr.* **1** architettare, falsificare **2** fabbricare

fabrication [,fæbrɪ'keɪʃ(ə)n] *s.* **1** invenzione *f.* **2** falsificazione *f.*, contraffazione *f.*

fabulous ['fæbjʊləs] *agg.* favoloso

façade [fə'saːd] *s.* facciata *f.*

face [feɪs] *s.* **1** faccia *f.*, volto *m.* **2** facciata *f.*, fronte *m.* ◆ **f. down** a faccia in giù; **f. mask** maschera di bellezza; **f. powder** cipria; **f. to f.** faccia a faccia; **in the f. of** di fronte a, a dispetto di; **on the f. of it** a prima vista

to face [feɪs] *v. tr.* **1** fronteggiare, essere di fronte a, essere volto a **2** affrontare, tener testa a **3** ricoprire ◆ **to f. out** tener duro, far fronte

facet ['fæsɪt] *s.* sfaccettatura *f.*

facetious [fə'siːʃəs] *agg.* faceto

facial ['feɪʃ(ə)l] *agg.* facciale

facile ['fæsaɪl] *agg.* **1** facile **2** svelto, abile **3** superficiale

facilitation [fə,sɪlɪ'teɪʃ(ə)n] *s.* facilitazione *f.*, agevolazione *f.*

facility [fə'sɪlɪtɪ] *s.* **1** facilitazione *f.*, agevolazione *f.* **2** *al pl.* attrezzature *f. pl.*, mezzi *m. pl.*, servizi *m. pl.*

facing ['feɪsɪŋ] **A** *agg.* prospiciente **B** *s.* **1** rivestimento *m.* **2** risvolto *m.*

facsimile [fæk'sɪmɪlɪ] *s.* facsimile *m. inv.*

fact [fækt] *s.* **1** fatto *m.*, avvenimento *m.* **2** realtà *f.*

factious ['fækʃəs] *agg.* fazioso

factor ['fæktər] *s.* fattore *m.*, coefficiente *m.*

factoring ['fæktərɪŋ] *s.* factoring *m. inv.*

factory ['fækt(ə)rɪ] *s.* fabbrica *f.*, stabilimento *m.*, manifattura *f.*

factual ['fæktjʊəl] *agg.* effettivo, reale

faculty ['fæk(ə)ltɪ] *s.* facoltà *f.*

fad [fæd] capriccio *m.*, mania *f.*

fade [feɪd] *s.* (*cine.*) dissolvenza *f.*

to fade [feɪd] **A** *v. intr.* **1** avvizzire, appassire **2** scolorire, sbiadire **3** svanire **B** *v. tr.* **1** far appassire **2** scolorire ◆ **to f. in** rinforzarsi, aumentare di intensità; **to f. out** affievolirsi, dissolversi

fading ['feɪdɪŋ] *s.* **1** appassimento *m.* **2** (*cine.*) dissolvenza *f.* **3** (*fig.*) tramonto *m.*

faeces ['fiːsiːz] *s. pl.* feci *f. pl.*

fag (1) [fæg] *s.* (*fam.*) faticata *f.*, sgobbata *f.*

fag (2) [fæg] *s.* (*pop.*) sigaretta *f.*, cicca *f.*

faience [faɪ'aː(n)s] *s.* ceramica *f.*, porcellana *f.*

fail [feɪl] *s.* fallo *m.*, insuccesso *m.* ◆ **without f.** senza fallo, certamente

to fail [feɪl] **A** *v. intr.* **1** fallire, non riuscire **2** mancare, venir meno **3** essere respinto, essere bocciato **B** *v. tr.* **1** bocciare, respingere **2** non superare

failing ['feɪlɪŋ] **A** *agg.* debole, scarso **B** *s.* **1** debolezza *f.*, difetto *m.* **2** mancanza *f.* **C** *prep.* in mancanza di

failure ['feɪljər] *s.* **1** fallimento *m.*, insuccesso *m.* **2** mancanza *f.*, difetto *m.* **3** (*mecc.*) guasto *m.*

faint [feɪnt] **A** *agg.* **1** debole, esile, pallido **2** languido, fiacco **3** timido **4** vago **B** *s.* svenimento *m.*

to faint [feɪnt] *v. intr.* svenire ◆ **to feel f.** sentirsi svenire

fair (1) [feər] **A** *agg.* **1** giusto, leale, onesto **2** discreto, sufficiente **3** biondo, chiaro **4** sereno, propizio, favorevole **5** gentile, affabile **B** *avv.* **1** giustamente **2** correttamente, onestamente **3** in bella copia

fair (2) [feər] *s.* fiera *f.* ◆ **trade f.** fiera campionaria

fairly ['feəlɪ] *avv.* **1** discretamente, abbastanza **2** equamente, onestamente

fairness ['feənɪs] *s.* **1** bellezza *f.* **2** equità *f.*, imparzialità *f.*

fair play [,feə'pleɪ] *s.* fair play *m. inv.*, correttezza *f.*

fairy ['feərɪ] **A** *agg.* fatato, magico **B** *s.* fata *f.* ◆ **f. tale** fiaba

faith [feɪθ] *s.* **1** fede *f.*, fiducia *f.* **2** lealtà *f.*

faithful ['feɪθf(ʊ)l] *agg.* **1** fedele, leale **2** accurato

faithfully ['feɪθf(ʊ)lɪ] *avv.* **1** fedelmente, lealmente **2** accuratamente ◆ **yours f.** distinti saluti

faithfulness ['feɪθf(ʊ)lnɪs] *s.* **1** fedeltà *f.*, lealtà *f.* **2** esattezza *f.*

fake [feɪk] **A** *s.* **1** impostore *m.* **2** falsifi-

cazione *f.*, falso *m.* **B** *agg.* falso
to fake [feɪk] *v. tr.* **1** falsificare, contraffare **2** fingere
fakir ['faːkɪər] *s.* fachiro *m.*
falcon ['fɔːlkən] *s.* falco *m.*, falcone *m.*
fall [fɔːl] *s.* **1** caduta *f.*, crollo *m.* **2** discesa *f.*, pendio *m.* **3** *spec. al pl.* cascata *f.* **4** ribasso *m.*, diminuzione *f.* **5** (*USA*) autunno *m.* ♦ **f. off** contrazione
to fall [fɔːl] (*pass.* **fell**, *p. p.* **fallen**) *v. intr.* **1** cadere, precipitare **2** diminuire **3** suddividersi **4** riversarsi, sfociare ♦ **to f. asleep** addormentarsi; **to f. back** indietreggiare, ritirarsi; **to f. back on** ripiegare su, ricorrere a; **to f. down** crollare; **to f. for** prendere una cotta per; **to f. ill** ammalarsi; **to f. in** crollare; **to f. in love** innamorarsi; **to f. off** cadere, diminuire; **to f. on** gettarsi su; **to f. out** cadere, litigare; **to f. through** fallire
fallacy ['fæləsɪ] *s.* errore *m.*, credenza *f.* errata
fallen ['fɔːl(ə)n] *p. p. di* **to fall**
falling ['fɔːlɪŋ] **A** *agg.* cadente **B** *s.* **1** caduta *f.* **2** decadimento *m.*, abbassamento *m.*
fallout ['fɔːl,aʊt] *s.* ricaduta *f.* radioattiva
fallow ['fæləʊ] *agg.* incolto
false [fɔːls] **A** *agg.* **1** falso, falsificato, posticcio **2** errato, sbagliato **3** illusorio **B** *avv.* falsamente, slealmente
falsification [,fɔːlsɪfɪ'keɪʃ(ə)n] *s.* falsificazione *f.*
falsifier ['fɔːlsɪfaɪər] *s.* falsario *m.*
to falsify ['fɔːlsɪfaɪ] *v. tr.* falsificare, truccare
to falter ['fɔːltər] *v. intr.* **1** barcollare, esitare **2** balbettare
fame [feɪm] *s.* fama *f.*, rinomanza *f.*
familiar [fə'mɪljər] *agg.* **1** familiare **2** consueto, comune ♦ **to be f. with** conoscere bene
to familiarize [fə'mɪljəraɪz] *v. tr.* rendere familiare ♦ **to f. oneself** familiarizzarsi
family ['fæmɪlɪ] **A** *s.* **1** famiglia *f.* **2** gruppo *m.* **B** *agg. attr.* familiare ♦ **f. name** cognome
famine ['fæmɪn] *s.* carestia *f.*
to famish ['fæmɪʃ] **A** *v. tr.* affamare **B** *v. intr.* morire di fame
famous ['feɪməs] *agg.* famoso
fan (1) [fæn] *s.* **1** ventaglio *m.* **2** ventilatore *m.*, ventola *f.*
fan (2) [fæn] *s.* fan *m. e f. inv.*, ammiratore *m.*
to fan [fæn] **A** *v. tr.* sventolare, fare vento

B *v. intr.* aprirsi a ventaglio
fanatic [fə'nætɪk] *agg.* fanatico, tifoso
fanaticism [fə'nætɪsɪz(ə)m] *s.* fanatismo *m.*
fanciful ['fænsɪf(ʊ)l] *agg.* fantastico, fantasioso, immaginario
fancy ['fænsɪ] **A** *s.* **1** immaginazione *f.*, fantasia *f.* **2** capriccio *m.* **3** inclinazione *f.* **B** *agg. attr.* **1** di fantasia **2** speciale **3** stravagante, elaborato ♦ **f. dress** costume in maschera
to fancy ['fænsɪ] **A** *v. tr.* **1** immaginare, pensare **2** gradire, aver voglia di **B** *v. intr.* fantasticare
fang [fæŋ] *s.* **1** zanna *f.* **2** (*spec. di serpente*) dente *m.*
fantastic [fæn'tæstɪk] *agg.* fantastico
fantasy ['fæntəsɪ] *s.* **1** fantasia *f.*, immaginazione *f.* **2** fantasticheria *f.*
far [faːr] (*comp.* **farther, further,** *sup. rel.* **farthest, furthest**) **A** *agg.* lontano **B** *avv.* **1** lontano **2** assai, di gran lunga ♦ **as f. as** per quanto riguarda, fino a; **by f.** di gran lunga; **f. from** lontano da; **f. reaching** di vasta portata; **f. seeing** lungimirante; **how f.?** quanto lontano?, fino a dove?; **so f.** finora; **the Far East** l'Estremo Oriente
faraway ['faːrəweɪ] *agg.* **1** lontano, distante **2** assente
farce [faːs] *s.* farsa *f.*
farcical ['faːsɪk(ə)l] *agg.* farsesco
fare [fɛər] *s.* **1** (*mezzo di trasporto, taxi*) prezzo *m.* della corsa, tariffa *f.* **2** passeggero *m.* **3** cibo *m.*, vitto *m.*
farewell [,fɛə'wɛl] **A** *s.* commiato *m.*, addio *m.* **B** *inter.* addio!
farinaceous [,færɪ'neɪʃəs] *agg.* farinaceo
farm [faːm] *s.* **1** podere *m.* **2** fattoria *f.* **3** allevamento *m.* ♦ **f. holidays** agriturismo
to farm [faːm] *v. tr.* **1** coltivare **2** allevare
farmer ['faːmər] *s.* **1** agricoltore *m.*, contadino *m.* **2** allevatore *m.*
farmhand ['faːm,hænd] *s.* bracciante *m.*
farmhouse ['faːmhaʊs] *s.* fattoria *f.*
farming ['faːmɪŋ] *s.* agricoltura *f.*, coltivazione *f.*
farrier ['færɪər] *s.* maniscalco *m.*
farther ['faːðər] (*comp. di* **far**) **A** *agg.* **1** più lontano, più distante **2** addizionale **B** *avv.* **1** oltre, più lontano **2** in più
farthest ['faːðɪst] (*sup. rel. di* **far**) **A** *agg.* il più lontano, più distante **B** *avv.* il più lontano possibile

to **fascinate** ['fæsɪneɪt] *v. tr.* affascinare
fascinating ['fæsɪneɪtɪŋ] *agg.* affascinante
fascination [,fæsɪ'neɪʃ(ə)n] *s.* fascino *m.*
Fascism ['fæʃɪz(ə)m] *s.* fascismo *m.*
fashion ['fæʃ(ə)n] *s.* **1** foggia *f.*, maniera *f.* **2** moda *f.* ♦ **in f.** alla moda; **out of f.** fuori moda
fashionable ['fæʃ(ə)nəbl] *agg.* alla moda
fast (1) [fɑːst] **A** *agg.* **1** veloce, rapido **2** fisso, solido **B** *avv.* **1** velocemente, in fretta **2** saldamente, fermamente
fast (2) [fɑːst] *s.* digiuno *m.*
to **fast** [fɑːst] *v. intr.* digiunare
to **fasten** ['fɑːsn] **A** *v. tr.* **1** attaccare, fissare **2** allacciare **B** *v. intr.* chiudersi, allacciarsi
fastening ['fɑːsnɪŋ] *s.* chiusura *f.*
fastidious [fæs'tɪdɪəs] *agg.* meticoloso
fat [fæt] **A** *agg.* **1** grasso, untuoso **2** adiposo, grosso **3** pingue, fertile **B** *s.* grasso *m.*
fatal ['feɪtl] *agg.* **1** fatidico, fatale **2** disastroso
fatalist ['feɪt(ə)lɪst] *s.* fatalista *m. e f.*
fatality [fə'tælɪtɪ] *s.* **1** fatalità *f.* **2** morte *f.* violenta
fate [feɪt] *s.* fato *m.*, sorte *f.*
fateful ['feɪtf(ʊ)l] *agg.* fatale, fatidico
father ['fɑːðər] *s.* padre *m.* ♦ **f.-in-law** suocero
fatherhood ['fɑːðəhʊd] *s.* paternità *f.*
fatherly ['fɑːðəlɪ] *agg.* paterno
fathom ['fæðəm] *s.* braccio *m. (misura)*
fatigue [fə'tiːg] *s.* fatica *f.*, stanchezza *f.*
to **fatten** ['fætn] *v. tr. e intr.* ingrassare
fatty ['fætɪ] **A** *agg.* grasso, untuoso **B** *s. (fam.)* grassone *m.*, ciccione *m.*
fatuous ['fætjʊəs] *agg.* fatuo
faucet ['fɔːsɪt] *s. (USA)* rubinetto *m.*
fault [fɔːlt] *s.* **1** difetto *m.* **2** colpa *f.* **3** mancanza *f.*, errore *m.* **4** *(sport)* fallo *m.* **5** *(geol.)* faglia *f.*
faultless ['fɔːltlɪs] *agg.* inappuntabile
faulty ['fɔːltɪ] *agg.* **1** difettoso **2** scorretto
faun [fɔːn] *s.* fauno *m.*
fauna ['fɔːnə] *s.* fauna *f.*
favour ['feɪvər] *(USA favor)* *s.* **1** favore *m.*, benevolenza *f.* **2** cortesia *f.* ♦ **to be in f. of** essere favorevole a
to **favour** ['feɪvər] *(USA favor)* *v. tr.* favorire, proteggere
favourable ['feɪv(ə)rəbl] *agg.* favorevole, vantaggioso
favourite ['feɪv(ə)rɪt] *agg. e s.* favorito *m.*

favouritism ['feɪv(ə)rɪtɪz(ə)m] *s.* favoritismo *m.*
fawn [fɔːn] *s.* daino *m.*, cerbiatto *m.*
fax [fæks] *s.* fax *m. inv.*
to **fax** [fæks] *v. tr.* trasmettere via fax
fear [fɪər] *s.* timore *m.*, spavento *m.*, paura *f.*
to **fear** [fɪər] *v. tr.* temere
fearful ['fɪəf(ʊ)l] *agg.* **1** spaventoso **2** pauroso **3** spaventato
fearless ['fɪəlɪs] *agg.* intrepido
feasible ['fiːzəbl] *agg.* fattibile
feast [fiːst] *s.* **1** festa *f.* **2** banchetto *m.*
to **feast** [fiːst] *v. intr.* banchettare
feat [fiːt] *s.* prodezza *f.*, atto *m.*
feather ['feðər] *s.* penna *f.*, piuma *f.*
feature ['fiːtʃər] *s.* **1** sembianza *f.* **2** caratteristica *f.*, aspetto *m.* **3** *(TV stampa)* numero *m.*, servizio *m.* principale ♦ **f. film** lungometraggio
to **feature** ['fiːtʃər] *v. tr.* **1** rappresentare **2** avere come protagonista
February ['fɛbruərɪ] *s.* febbraio *m.*
to **fecundate** ['fiːkəndeɪt] *v. tr.* fecondare
fed [fɛd] *pass. e p. p. di* **to feed** ♦ **f. up** *(fam.)* stufo
federal ['fɛdərəl] *agg.* federale
federation [,fɛdə'reɪʃ(ə)n] *s.* federazione *f.*
fee [fiː] *s.* **1** tassa *f.* **2** compenso *m.*, onorario *m.* ♦ **school fees** tasse scolastiche
feeble ['fiːbl] *agg.* debole, fragile
to **feed** [fiːd] *(pass. e p. p.* **fed**) *v. tr.* **1** cibare, nutrire **2** imboccare **3** *(mecc.)* alimentare ♦ **to f. oneself** nutrirsi
feedback ['fiːdbæk] *s.* retroazione *f.*, feedback *m. inv.*
feeding ['fiːdɪŋ] **A** *agg.* **1** nutriente **2** di alimentazione **B** *s.* nutrizione *f.*, alimentazione *f.* ♦ **f. bottle** biberon
feel [fiːl] *s.* **1** tatto *m.*, tocco *m.* **2** sensibilità *f.* **3** *(fig.)* atmosfera *f.*
to **feel** [fiːl] *(pass. e p. p.* **felt**) **A** *v. tr.* **1** sentire, toccare, palpare **2** percepire, provare **3** ritenere **B** *v. intr.* **1** sentire, sentirsi **2** sembrare (al tatto) **3** *(impers.)* sembrare ♦ **to f. as if** avere l'impressione che; **to f. blue** essere di cattivo umore; **to f. hungry** aver fame; **to f. like** aver voglia di; **to f. up to st.** sentirsi in grado di fare q.c.
feeler ['fiːlər] *s.* **1** *(zool.)* antenna *f.* **2** sonda *f.*
feeling ['fiːlɪŋ] *s.* sensazione *f.*, impressione *f.*
feet [fiːt] *pl. di* **foot**

to feign [feɪn] *v. tr.* fingere, dissimulare

feline ['fiːlaɪn] *agg. e s.* felino *m.*

fell [fɛl] *pass. di* **to fall**

to fell [fɛl] *v. tr.* abbattere, atterrare

fellow ['fɛlɒ(ʊ)] *s.* **1** individuo *m.*, tipo *m.* **2** compagno *m.* **3** (*di associazione, accademia*) membro *m.* ◆ **f. citizen** concittadino; **f. countryman** connazionale

fellowship ['fɛlɒ(ʊ)ʃɪp] *s.* **1** compagnia *f.*, amicizia *f.* **2** associazione *f.* **3** (*università*) borsa *f.* di studio

felony ['fɛlənɪ] *s.* (*dir.*) crimine *m.*

felt (1) [fɛlt] *s.* feltro *m.*

felt (2) [fɛlt] *pass. e p. p. di* **to feel**

female ['fiːmeɪl] **A** *agg.* femminile **B** *s.* femmina *f.*

feminine ['fɛmɪnɪn] *agg.* femminile, femmineo

femur ['fiːmər] *s.* femore *m.*

fen [fɛn] *s.* palude *f.*

fence [fɛns] *s.* **1** palizzata *f.*, recinto *m.*, staccionata *f.* **2** scherma *f.*

to fence [fɛns] **A** *v. tr.* recingere **B** *v. intr.* tirare di scherma

fencing ['fɛnsɪŋ] *s.* scherma *f.*

to fend [fɛnd] *v. tr. e intr.* difendere, difendersi ◆ **to f. off** schivare

fender ['fɛndər] *s.* **1** parafuoco *m.* **2** (*naut.*) parabordo *m.* **3** (*USA*) paraurti *m. inv.*

fennel ['fɛnl] *s.* finocchio *m.*

ferment ['fɜːment] *s.* **1** fermento *m.* **2** fermentazione *f.*

to ferment [fə(ː)'ment] **A** *v. tr.* **1** far fermentare **2** fomentare **B** *v. intr.* **1** fermentare **2** essere in fermento

fermentation [ˌfɜːmɛn'teɪʃ(ə)n] *s.* fermentazione *f.*

fern [fɜːn] *s.* felce *f.*

ferocious [fə'rəʊʃəs] *agg.* feroce

ferret ['fɛrɪt] *s.* furetto *m.*

to ferret ['fɛrɪt] *v. tr.* indagare ◆ **to f. out** scovare

ferrule ['fɛruːl] *s.* puntale *m.*

ferry ['fɛrɪ] *s.* traghetto *m.*

to ferry ['fɛrɪ] *v. tr.* traghettare

fertile ['fɜːtaɪl] *agg.* fertile

fertilizer ['fɜːtɪlaɪzər] *s.* fertilizzante *m.*

to fester ['fɛstər] *v. intr.* **1** suppurare **2** guastarsi

festival ['fɛstəv(ə)l] *s.* festa *f.*, festival *m. inv.*

festive ['fɛstɪv] *agg.* festivo

festivity [fɛs'tɪvɪtɪ] *s.* **1** festività *f.* **2** *al pl.* festeggiamenti *m. pl.*

to festoon [fɛs'tuːn] *v. intr.* ornare di festoni

to fetch [fɛtʃ] *v. tr.* **1** portare, andare a prendere **2** rendere, raggiungere (*un certo prezzo*)

fetching ['fɛtʃɪŋ] *agg.* (*fam.*) attraente

fetish ['fɛtɪʃ] *s.* feticcio *m.*

fetishism ['fɛtɪʃɪz(ə)m] *s.* feticismo *m.*

fetus ['fiːtəs] *s.* → **foetus**

feud [fjuːd] *s.* **1** contesa *f.* **2** feudo *m.*

feudal ['fjuːdl] *agg.* feudale

feudalism ['fjuːdəlɪz(ə)m] *s.* feudalesimo *m.*

fever ['fiːvər] *s.* febbre *f.* ◆ **hay f.** febbre da fieno

feverish ['fiːv(ə)rɪʃ] *agg.* **1** febbricitante **2** febbrile

few [fjuː] **A** *agg.* **1** pochi **2 a f.** alcuni, qualche **B** *pron.* **1** pochi **2 a f.** alcuni ◆ **a good f.** un buon numero; **not a f.** non pochi

fiancé [fɪ'ɑː(n)seɪ] *s.* fidanzato *m.*

fiancée [fɪ'ɑː(n)seɪ] *s.* fidanzata *f.*

fib [fɪb] *s.* (*fam.*) bugia *f.*

fibre ['faɪbər] (*USA* **fiber**) *s.* fibra *f.* ◆ **f.-glass** fibra di vetro

fibula ['fɪbjʊlə] *s.* **1** (*anat.*) perone *m.* **2** (*archeol.*) fibula *f.*

fickle ['fɪkl] *agg.* incostante, mutevole

fiction ['fɪkʃ(ə)n] *s.* **1** narrativa *f.* **2** finzione *f.*

fictitious [fɪk'tɪʃəs] *agg.* fittizio, immaginario

fiddle ['fɪdl] *s.* **1** violino *m.* **2** (*fam.*) truffa *f.*

to fiddle ['fɪdl] **A** *v. intr.* **1** (*fam.*) suonare il violino **2** gingillarsi **B** *v. tr.* (*fam.*) falsificare, contraffare

fiddler ['fɪdlər] *s.* violinista *m. e f.*

fidelity [fɪ'dɛlɪtɪ] *s.* fedeltà *f.*

to fidget ['fɪdʒɪt] **A** *v. intr.* agitarsi, dimenarsi **B** *v. tr.* infastidire

fief [fiːf] *s.* feudo *m.*

field [fiːld] *s.* **1** campo *m.*, terreno *m.* **2** settore *m.*

fieldwork ['fiːldwɜːk] *s.* ricerca *f.* sul campo

fiend [fiːnd] *s.* demonio *m.*

fierce [fɪəs] *agg.* **1** feroce, violento **2** intenso

fiery ['faɪərɪ] *agg.* ardente, infocato

fifteen [fɪf'tiːn] *agg. e s.* quindici *m. inv.*

fifteenth [fɪf'tiːnθ] *agg. e s.* quindicesimo *m.*

fifth [fɪfθ] *agg. e s.* quinto *m.*, la quinta parte *f.*

fiftieth ['fɪftɪɪθ] *agg. e s.* cinquantesimo *m.*

fifty ['fɪftɪ] *agg. e s.* cinquanta *m. inv.* ♦ **f.-f.** a metà

fig [fɪg] *s.* fico *m.*

fight [faɪt] *s.* **1** combattimento *m.* **2** zuffa *f.*, rissa *f.*

to fight [faɪt] *(pass. e p. p.* **fought**) **A** *v. intr.* **1** combattere, lottare **2** fare a pugni, azzuffarsi **B** *v. tr.* combattere, opporsi a

fighter ['faɪtər] *s.* **1** combattente *m. e f.* **2** aereo *m.* da caccia

figment ['fɪgmənt] *s.* finzione *f.*

figurative ['fɪgjʊrətɪv] *agg.* **1** figurato **2** figurativo

figure ['fɪgər] *s.* **1** figura *f.*, immagine *f.* **2** figura *f.*, personaggio *m.* **3** cifra *f.*, numero *m.*

to figure ['fɪgər] **A** *v. tr.* **1** raffigurare **2** immaginare **B** *v. intr.* spiccare, figurare ♦ **to f. out** calcolare, capire

to filch [fɪltʃ] *v. tr.* rubacchiare

file (1) [faɪl] *s.* **1** archivio *m.*, schedario *m.* **2** *(inf.)* file *m. inv.*

file (2) [faɪl] *s.* lima *f.* ♦ **f. dust** limatura

file (3) [faɪl] *s.* fila *f.*

to file (1) [faɪl] *v. tr.* archiviare, schedare

to file (2) [faɪl] *v. tr.* limare

to file (3) [faɪl] *v. intr.* marciare in fila

filibustering ['fɪlɪbʌstərɪn] *s.* *(USA)* ostruzionismo *m.*

filiform ['fɪlɪfɔːm] *agg.* filiforme

filigree ['fɪlɪgriː] *s.* filigrana *f.*

fill [fɪl] *s.* **1** sazietà *f.*, sufficienza *f.* **2** *(autom.)* pieno *m.*

to fill [fɪl] **A** *v. tr.* **1** riempire, colmare **2** *(un dovere, una mansione)* adempiere, compiere **B** *v. intr.* riempirsi ♦ **to f. in** compilare (un modulo); **to f. up** *(autom.)* fare il pieno

fillet ['fɪlɪt] *s.* **1** nastro *m.* **2** *(cuc.)* filetto *m.*

filling ['fɪlɪn] *s.* **1** riempimento *m.* **2** otturazione *f.* **3** ripieno *m.* **4** compilazione *f.* ♦ **f. station** stazione di servizio

film [fɪlm] *s.* **1** pellicola *f.*, membrana *f.* **2** *(fot.)* pellicola *f.* **3** *(cine.)* film *m. inv.*

to film [fɪlm] *v. tr.* filmare

filter ['fɪltər] *s.* filtro *m.*

to filter ['fɪltər] *v. tr. e intr.* filtrare

filth [fɪlθ] *s.* porcheria *f.*, sporcizia *f.*

filthiness ['fɪlθɪnɪs] *s.* sporcizia *f.*

filthy ['fɪlθɪ] *agg.* lurido, sporco

fin [fɪn] *s.* pinna *f.*

final ['faɪnl] **A** *agg.* **1** finale, ultimo **2** definitivo, conclusivo **B** *s.* **1** finale *f.* **2** *al pl.* esami *m. pl.* finali

finalist ['faɪnəlɪst] *s.* finalista *m. e f.*

finalize ['faɪnəlaɪz] *v. tr.* **1** concludere, ultimare **2** definire

finally ['faɪnəlɪ] *avv.* infine, finalmente

finance [faɪ'næns] *s.* finanza *f.*

financial [faɪ'nænʃ(ə)l] *agg.* finanziario

financier [faɪ'nænsɪər] *s.* **1** finanziere *m.* **2** finanziatore *m.*

financing [faɪ'nænsɪn] *s.* finanziamento *m.*

find [faɪnd] *s.* scoperta *f.*, trovata *f.*, ritrovamento *m.*

to find [faɪnd] *(pass. e p. p.* **found**) *v. tr.* **1** trovare, ritrovare, rinvenire **2** pensare, considerare **3** provare **4** *(dir.)* giudicare ♦ **all found** tutto compreso; **to f. out** scoprire, cogliere in fallo

finding ['faɪndɪn] *s.* **1** ritrovamento *m.*, scoperta *f.* **2** *(dir.)* verdetto *m.*, sentenza *f.* **3** *al pl.* conclusioni *f. pl.*

fine (1) [faɪn] **A** *agg.* **1** bello, bravo, eccellente **2** fine, sottile **3** raffinato, pregiato **B** *avv.* **1** bene, benissimo **2** a piccoli pezzi ♦ **f. arts** belle arti; **to be f.** *(di persona)* star bene, *(di tempo)* far bello

fine (2) [faɪn] *s.* multa *f.*, contravvenzione *f.*

to fine [faɪn] *v. tr.* multare

finger ['fɪngər] *s.* dito *m.* ♦ **little f.** mignolo; **ring f.** anulare

to finger ['fɪngər] *v. tr.* palpare, toccare

fingernail ['fɪngəneɪl] *s.* unghia *f.* *(della mano)*

fingerprint ['fɪngə,prɪnt] *s.* impronta *f.* digitale

fingertip ['fɪngətɪp] *s.* punta *f.* del dito

finicky ['fɪnɪkɪ] *agg.* esigente, pignolo

finish ['fɪnɪʃ] *s.* **1** fine *f.*, finale *m.* **2** finitura *f.*

to finish ['fɪnɪʃ] **A** *v. tr.* finire, rifinire **B** *v. intr.* cessare, terminare ♦ **to f. off** compiere, uccidere

finishing ['fɪnɪʃɪn] *agg.* conclusivo ♦ **f. line** traguardo; **f. touch** ritocco

finite ['faɪnaɪt] *agg.* **1** circoscritto **2** *(mat., gramm.)* finito

Finlander ['fɪnləndər] *s.* finlandese *m. e f.*

Finn [fɪn] *s.* finlandese *m. e f.*

Finnish ['fɪnɪʃ] **A** *agg.* finlandese **B** *s.* *(lingua)* finlandese *m.*

fiord [fjɔːd] *s.* fiordo *m.*

fir [fɜːr] *s.* abete *m.*

fire ['faɪər] *s.* **1** fuoco *m.* **2** incendio *m.* **3**

sparo *m.*, tiro *m.* ♦ **f. engine** autopompa;
f. extinguisher estintore; **f. station** caserma dei pompieri; **on f.** in fiamme
to fire ['faɪər] *v. tr.* **1** sparare **2** infiammare
firearm ['faɪərɑ:m] *s.* arma *f.* da fuoco
fireguard ['faɪəgɑ:d] *s.* parafuoco *m.*
fireman ['faɪəmən] (*pl.* **firemen**) *s.* pompiere *m.*
fireplace ['faɪəpleɪs] *s.* caminetto *m.*, camino *m.*
fireproof ['faɪəpru:f] *agg.* ignifugo
firewood ['faɪəwʊd] *s.* legna *f.* da ardere
fireworks ['faɪəwɜ:ks] *s. pl.* fuochi *m. pl.* d'artificio
firm [fɜ:m] *agg.* fermo, saldo, solido
firm (2) [fɜ:m] *s.* azienda *f.*, ditta *f.* ♦ **f. name** ragione sociale
firmament ['fɜ:məmənt] *s.* firmamento *m.*
first [fɜ:st] **A** *agg. num. ord.* primo **B** *avv.* **1** per primo, innanzi tutto, prima **2** per la prima volta ♦ **at f.** dapprima; **f. aid** pronto soccorso; **f. born** primogenito; **f. class** prima classe, prima qualità; **f. floor** pianterreno; **f. fruits** primizie; **f.-hand** di prima mano; **f. lady** (*USA*) consorte del Presidente; **f. mate** (*naut.*) primo ufficiale; **f. name** (*USA*) nome di battesimo; **f. night** (*teatro*) prima; **f. rate** eccellente
fiscal ['fɪsk(ə)l] *agg.* fiscale
fish [fɪʃ] *s.* pesce *m.* ♦ **f. farm** vivaio
to fish [fɪʃ] *v. tr. e intr.* pescare
fishbone ['fɪʃbəʊn] *s.* lisca *f.*
fisherman ['fɪʃəmən] *s.* (*pl.* **fishermen**) pescatore *m.*
fishhook ['fɪʃhʊk] *s.* amo *m.*
fishing ['fɪʃɪŋ] *s.* pesca *f.* ♦ **f. boat** peschereccio; **f. net** rete da pesca; **f. rod** canna da pesca
fishline ['fɪʃlaɪn] *s.* lenza *f.*
fishmonger ['fɪʃ,mʌŋgər] *s.* pescivendolo *m.*
fissure ['fɪʃər] *s.* fessura *f.*
fist [fɪst] *s.* pugno *m.*
fistful ['fɪstfəl] *s.* manciata *f.*
fit (1) [fɪt] **A** *agg.* **1** adatto, conveniente **2** in forma, sano **3** pronto **B** *s.* **1** adattamento *m.* **2** misura *f.*, taglia *f.*
fit (2) [fɪt] *s.* (*med.*) attacco *m.*, accesso *m.*
to fit [fɪt] **A** *v. tr.* **1** adattarsi a **2** adattare, adeguare **3** preparare, munire **4** (*un vestito*) provare **B** *v. intr.* **1** calzare, andare bene **2** adattarsi ♦ **to f. in** infilare, inserirsi; **to f. in with** accordarsi; **to f. out** fornire di; **to f. up** installare

fitchew ['fɪtʃu:] *s.* puzzola *f.*
fitful ['fɪtf(ʊ)l] *agg.* irregolare, incostante
fitment ['fɪtmənt] *s.* arredo *m.*
fitness ['fɪtnɪs] *s.* **1** idoneità *f.* **2** buona salute *f.*, forma *f.* fisica
fitted ['fɪtɪd] *agg.* **1** adatto **2** attrezzato **3** aderente **4** su misura ♦ **f. carpet** moquette
fitter ['fɪtər] *s.* (*mecc.*) aggiustatore *m.*
fitting ['fɪtɪŋ] **A** *agg.* adatto, conveniente **B** *s.* **1** prova *f.* **2** misura *f.* **3** al *pl.* attrezzatura *f.*, equipaggiamento *m.*, accessori *m. pl.* ♦ **f. out** (*naut.*) allestimento, armamento; **f. room** camerino
five [faɪv] *agg. e s.* cinque *m. inv.*
fix [fɪks] *s.* (*fam.*) pasticcio *m.*
to fix [fɪks] *v. tr.* **1** fissare, attaccare **2** stabilire **3** sistemare ♦ **to f. up** sistemare, aggiustare
fixation [fɪk'seɪʃ(ə)n] *s.* fissazione *f.*
fixed [fɪkst] *agg.* fisso
fixing ['fɪksɪŋ] *s.* **1** (*fot.*) fissaggio *m.* **2** (*fin.*) quotazione *f.* ufficiale
fixture ['fɪkstʃər] *s.* **1** apparecchiatura *f.* **2** installazioni *f. pl.* fisse, impianto *m.*
fizz [fɪz] *s.* **1** sibilo *m.* **2** effervescenza *f.* **3** bevanda *f.* effervescente
to fizz [fɪz] *v. intr.* frizzare, spumeggiare
to fizzle ['fɪzl] *v. intr.* spumeggiare ♦ **to f. out** finire in nulla
fizzy ['fɪzɪ] *agg.* effervescente, frizzante
to flabbergast ['flæbəgɑ:st] *v. tr.* sbalordire
flabby ['flæbɪ] *agg.* flaccido, molle
flag (1) [flæg] *s.* bandiera *f.*, insegna *f.*
flag (2) [flæg] *s.* pietra *f.* da lastrico
to flag (1) [flæg] *v. tr.* imbandierare ♦ **to f. down** fare segno di fermarsi (*a un taxi*)
to flag (2) [flæg] *v. tr.* lastricare
flagellation [,flædʒə'leɪʃ(ə)n] *s.* flagellazione *f.*
flageolet [,flædʒə'lɛt] *s.* zufolo *m.*
flagon ['flægən] *s.* **1** caraffa *f.* **2** fiasco *m.*, bottiglione *m.*
flagship ['flægʃɪp] *s.* nave *f.* ammiraglia
flair [flɛər] *s.* fiuto *m.*, intuito *m.*
flak [flæk] *s.* **1** fuoco *m.* contraereo **2** (*fam.*) opposizione *f.*
flake [fleɪk] *s.* **1** fiocco *m.* **2** scaglia *f.* ♦ **snow f.** fiocco di neve
to flake [fleɪk] *v. intr.* sfaldarsi
flame [fleɪm] *s.* fiamma *f.*
flamingo [flə'mɪŋgəʊ] *s.* fenicottero *m.*
flammable ['flæməbl] *agg.* infiammabile

flan [flæn] s. flan m. inv.

flank [flæŋk] s. fianco m., fiancata f.

to flank [flæŋk] v. tr. fiancheggiare

flannel ['flænl] s. flanella f.

flap [flæp] s. 1 falda f., risvolto m., ribalta f. 2 (aer) ipersostentatore m.

to flap [flæp] A v. tr. agitare, battere B v. intr. sbattere

flare [fleər] s. 1 fiammata f. 2 svasatura f.

to flare [fleər] v. intr. 1 sfolgorare 2 allargarsi ♦ **to f. up** prendere fuoco

flash [flæʃ] s. 1 bagliore m., lampo m. 2 (fot.) flash m. inv. 3 notizia f. lampo

to flash [flæʃ] A v. intr. lampeggiare, scintillare B v. tr. 1 proiettare, far balenare 2 trasmettere

flashback ['flæʃbæk] s. flashback m. inv.

flashy ['flæʃi] agg. sgargiante

flask ['flaːsk] s. fiasco m., fiaschetta f.

flat [flæt] A agg. 1 piano, pianeggiante 2 netto 3 (di pneumatico) sgonfio 4 (elettr) scarico B s. 1 appartamento m. 2 pianura f. 3 (mus.) bemolle m. inv.

to flatten ['flætn] A v. tr. 1 appiattire, spianare 2 abbattere, deprimere B v. intr. 1 appiattirsi, spianarsi 2 abbattersi, deprimersi

to flatter ['flætər] v. tr. lusingare

flattering ['flætəriŋ] agg. lusinghiero

flavour ['fleivər] (USA **flavor**) s. aroma m., gusto m.

to flavour ['fleivər] (USA **to flavor**) v. tr. aromatizzare, insaporire, condire

flavouring ['fleivəriŋ] s. condimento m., essenza f.

flavourless ['fleivəlis] agg. insapore

flaw [flɔː] s. imperfezione f., difetto m.

flax [flæks] s. lino m.

flaxen ['flæks(ə)n] agg. 1 di lino 2 biondo chiaro

flea [fliː] s. pulce f. ♦ **f. market** mercatino delle pulci

fleck [flek] s. macchiolina f.

fled [fled] pass. e p. p. di **to flee**

to flee [fliː] (pass. e p. p. **fled**) A v. intr. fuggire, scappare B v. tr. scappare da

fleece [fliːs] s. vello m.

to fleece [fliːs] v. tr. tosare

fleet [fliːt] s. flotta f.

fleeting ['fliːtiŋ] agg. fugace

Fleming ['flemiŋ] s. fiammingo m.

Flemish ['flemiʃ] agg. e s. fiammingo m.

flesh [fleʃ] s. 1 carne f. 2 polpa f.

flew [fluː] pass. di **to fly**

flex [fleks] s. (elettr) cordone m.

to flex [fleks] v. tr. contrarre, flettere

flexibility [,fleksə'bılıtı] s. flessibilità f., elasticità f.

flexible ['fleksəbl] agg. flessibile

flexuous ['fleksjuəs] agg. flessuoso

flick [flik] s. 1 colpo m. secco 2 buffetto m. 3 scarto m.

to flick [flik] A v. tr. 1 colpire leggermente 2 far schioccare B v. intr. muoversi a scatti ♦ **to f. through** (un libro) sfogliare

to flicker ['flikər] v. intr. 1 tremolare 2 battere le ali

flight [flait] s. 1 volo m. 2 stormo m. 3 traiettoria f. 4 fuga f.

flimsy ['flimzi] agg. fragile

to flinch [flintʃ] v. intr. ritirarsi, tirarsi indietro

to fling [flıŋ] (pass. e p. p. **flung**) v. tr. gettare, scagliare

flint [flint] s. 1 selce f. 2 (di accendino) pietrina f.

to flip [flip] A v. intr. dare un colpetto B v. tr. 1 (una moneta) lanciare 2 far scattare

flippant ['flipənt] agg. impertinente

flipper ['flipər] s. pinna f.

flirt [fləːt] s. (di ragazza) civetta f.

to flirt [fləːt] v. intr. civettare, flirtare

to flit [flit] v. intr. svolazzare, volteggiare

float [fləʊt] s. galleggiante m.

to float [fləʊt] v. intr. 1 galleggiare 2 fluttuare

floating ['fləʊtiŋ] agg. 1 galleggiante 2 fluttuante 3 mobile

flock (1) [flɔk] s. batuffolo m.

flock (2) [flɔk] s. 1 gregge m., stormo m. 2 stuolo m.

to flog [flɔg] v. tr. frustare

flogging ['flɔgiŋ] s. fustigazione f.

flood [flʌd] s. 1 alluvione f., diluvio m. 2 piena f. 3 marea f.

to flood [flʌd] A v. tr. allagare, inondare B v. intr. 1 (di marea) salire 2 straripare ♦ **to f. in** riversarsi in

flooding ['flʌdiŋ] agg. (di carburatore) ingolfato

floodlight ['flʌdlait] s. riflettore m.

floor [flɔːr] s. 1 pavimento m. 2 piano m. 3 fondo m. ♦ **ground f.** pianterreno

to floor [flɔːr] v. tr. pavimentare

flooring ['flɔːriŋ] s. pavimentazione f.

flop [flɔp] s. 1 tonfo m. 2 (fam.) fiasco m., insuccesso m.

to flop [flɔp] v. intr. 1 cadere pesantemente 2 fallire

floppy ['flɒpɪ] *agg.* floscio ♦ **f. disk** floppy disk

flora ['flɔːrə] *s.* flora *f.*

floral ['flɔːr(ə)l] *agg.* floreale

floriculture ['flɔːrɪˌkʌltʃər] *s.* floricoltura *f.*

florid ['flɒrɪd] *agg.* **1** florido **2** fiorito

florist ['flɒrɪst] *s.* fioraio *m.*

flotilla [flə(ʊ)'tɪlə] *s.* flottiglia *f.*

flounce [flaʊns] *s.* **1** balzo *m.*, scatto *m.* **2** balza *f.*

to flounder ['flaʊndər] *v. intr.* agitarsi, dibattersi

flour ['flaʊər] *s.* farina *f.*

to flourish ['flʌrɪʃ] *v. intr.* fiorire, prosperare

flourishing ['flʌrɪʃɪŋ] *agg.* prosperoso

flout [flaʊt] *s.* burla *f.*

to flout [flaʊt] *v. tr.* schernire, disprezzare

flow [fləʊ] *s.* **1** flusso *m.*, corrente *f.* **2** portata *f.* ♦ **f. chart** schema di flusso

to flow [fləʊ] *v. intr.* **1** fluire, scorrere **2** circolare **3** ricadere, scendere ♦ **to f. in** affluire; **to f. out** defluire

flower ['flaʊər] *s.* fiore *m.* ♦ **f. bed** aiuola; **f. box** fioriera

to flower ['flaʊər] *v. intr.* fiorire

flowering ['flaʊərɪŋ] *s.* fioritura *f.*

flowing ['fləʊɪŋ] *agg.* fluido, scorrevole

flown [fləʊn] *p. p. di* **to fly**

flu [fluː] *s.* influenza *f.*

to fluctuate ['flʌktjʊeɪt] *v. intr.* fluttuare, oscillare

fluctuating ['flʌktʃʊətɪŋ] *agg.* fluttuante, oscillante

fluctuation [ˌflʌktjʊ'eɪʃ(ə)n] *s.* fluttuazione *f.*, oscillazione *f.*

fluency ['fluːənsɪ] *s.* scorrevolezza *f.*, scioltezza *f.*, facilità *f.* (di parola)

fluent ['fluːənt] *agg.* scorrevole, fluente ♦ **to speak f. English** parlare inglese correntemente

fluff [flʌf] *s.* lanugine *f.*, peluria *f.*

fluid ['fluːɪd] *agg. e s.* fluido *m.*

fluke [fluːk] *s.* colpo *m.* di fortuna

flung [flʌŋ] *pass. e p. p. di* **to fling**

fluorescent [fluə'resənt] *agg.* fluorescente

fluorine ['flʊəriːn] *s.* fluoro *m.*

flurry ['flʌrɪ] *s.* **1** raffica *f.* **2** (*di neve*) tempesta *f.* **3** (*di pioggia*) scroscio *m.*

flush [flʌʃ] **A** *agg.* **1** abbondante, ben fornito **2** prodigo **B** *s.* **1** getto *m.* **2** afflusso *m.* **3** rossore *m.* **4** rigoglio *m.*, vigore *m.*

to flush [flʌʃ] **A** *v. intr.* **1** scorrere **2** arros-

sire **B** *v. tr.* sciacquare, lavare (con un getto d'acqua) ♦ **to f. the toilet** tirare lo sciacquone

to fluster ['flʌstər] *v. tr.* agitare, sconvolgere

flute [fluːt] *s.* **1** flauto *m.* **2** (*arch.*) scanalatura *f.*

flutter ['flʌtər] *s.* **1** (*di ali*) battito *m.* **2** agitazione *f.* **3** vibrazione *f.*

to flutter ['flʌtər] **A** *v. intr.* **1** battere le ali **2** fluttuare, ondeggiare, sventolare **3** agitarsi, tremare **B** *v. tr.* **1** battere **2** sventolare **3** scompigliare

flux [flʌks] *s.* **1** flusso *m.* **2** mutamento *m.* continuo

fly (1) [flaɪ] *s.* mosca *f.*

fly (2) [flaɪ] *s.* **1** volo *m.* **2** lembo *m.*, risvolto *m.* ♦ **f. leaf** risguardo, risvolto

to fly [flaɪ] (*pass.* **flew**, *p. p.* **flown**) **A** *v. intr.* **1** volare, andare in aereo **2** sventolare **3** fuggire **B** *v. tr.* **1** (*un aereo*) pilotare **2** (*in aereo*) trasportare **3** agitare **4** fuggire da ♦ **to f. across** trasvolare; **to f. off** decollare, fuggire

flying ['flaɪɪŋ] *agg.* **1** volante **2** ondeggiante **3** di volo, di aviazione **4** rapido **5** frettoloso ♦ **f. saucer** disco volante

flyover ['flaɪˌəʊvər] *s.* cavalcavia *m. inv.*

foal [fəʊl] *s.* puledro *m.*

foam [fəʊm] *s.* schiuma *f.* ♦ **f. rubber** gommapiuma

foamy ['fəʊmɪ] *agg.* schiumoso

to fob [fɒb] *v. tr.* imbrogliare ♦ **to f. st. off on sb.** rifilare q.c. a qc.

focus ['fəʊkəs] *s.* **1** (*fot.*) fuoco *m.* **2** focolaio *m.*, centro *m.* ♦ **in f.** a fuoco; **out of f.** sfocato

to focus ['fəʊkəs] *v. tr.* **1** mettere a fuoco **2** far convergere ♦ **to f. on** fissare lo sguardo su

fodder ['fɒdər] *s.* foraggio *m.*, mangime *m.*

foe [fəʊ] *s.* nemico *m.*

foetus ['fiːtəs] (*USA* **fetus**) *s.* feto *m.*

fog [fɒg] *s.* nebbia *f.* ♦ **f. horn** corno da nebbia; **f. lamp** faro antinebbia

foggy ['fɒgɪ] *agg.* nebbioso

foil (1) [fɔɪl] *s.* lamina *f.*, (*di stagnola*) foglio *m.*

foil (2) [fɔɪl] *s.* (*sport*) fioretto *m.*

to foil (1) [fɔɪl] *v. tr.* **1** rivestire con lamina metallica **2** far risaltare

to foil (2) [fɔɪl] *v. tr.* **1** (*tracce*) confondere **2** frustrare

fold (1) [fəʊld] *s.* **1** piega *f.* **2** battente *m.*

fold (2) [fəʊld] *s.* **1** ovile *m.* **2** gregge *m.*

to fold [fəʊld] **A** *v. tr.* **1** piegare **2** avvolgere **3** stringere **B** *v. intr.* piegarsi, chiudersi

folder ['fəʊldər] *s.* cartelletta *f.*

folding ['fəʊldɪŋ] *agg.* pieghevole

foliage ['fəʊlɪɪdʒ] *s.* fogliame *m.*

folk [fəʊk] **A** *s.* **1** gente *f.*, popolo *m.* **2** persone *f. pl.* **B** *agg.* popolare, folcloristico ♦ **one's folks** i parenti, i familiari

folklore ['fəʊklɔːr] *s.* folclore *m.*

to follow ['fɒləʊ] **A** *v. tr.* **1** seguire **2** derivare da **B** *v. intr.* **1** seguire, venir dopo **2** derivare, conseguire ♦ **to f. on** perseverare; **to f. up** fare seguito a

follower ['fɒləʊər] *s.* seguace *m. e f.*, discepolo *m.*

following ['fɒləʊɪŋ] **A** *agg.* seguente, successivo **B** *s.* seguito *m.*

folly ['fɒlɪ] *s.* follia *f.*, sciocchezza *f.*

fond [fɒnd] *agg.* affezionato, appassionato ♦ **to be f. of** piacere, voler bene a

to fondle ['fɒndl] *v. tr.* vezzeggiare, accarezzare

font (1) [fɒnt] *s.* **1** fonte *m.* battesimale **2** acquasantiera *f.*

font (2) [fɒnt] *s.* (*tip.*) font *m. inv.*

food [fuːd] *s.* cibo *m.*, nutrimento *m.*, vitto *m.* ♦ **f. grinder** tritatutto; **sea f.** frutti di mare

foodstuffs ['fuːdstʌfs] *s. pl.* generi *m. pl.* alimentari, cibarie *f. pl.*

fool [fuːl] *s.* sciocco *m.*, stupido *m.*

to fool [fuːl] **A** *v. tr.* ingannare **B** *v. intr.* fare lo sciocco

foolhardy ['fuːl,haːdɪ] *agg.* avventato

foolish ['fuːlɪʃ] *agg.* sciocco, balordo

foolishness ['fuːlɪʃnɪs] *s.* stupidità *f.*

foolproof ['fuːlpruːf] *agg.* **1** sicurissimo, di semplice funzionamento **2** infallibile

foot [fʊt] (*pl.* **feet**) *s.* **1** piede *m.* **2** zampa *f.* **3** (*arch.*) zoccolo *m.* ♦ **on f.** a piedi

football ['fʊtbɔːl] *s.* **1** (*sport*) calcio *m.* **2** pallone *m.*

footballer ['fʊtbɔːlər] *s.* calciatore *m.*

footboard ['fʊtbɔːd] *s.* pedana *f.*

footbridge ['fʊtbrɪdʒ] *s.* passerella *f.*

foothold ['fʊthəʊld] *s.* appiglio *m.*, punto *m.* di appoggio

footing ['fʊtɪŋ] *s.* posizione *f.*, appoggio *m.* ♦ **to lose one's f.** mettere un piede in fallo

footlights ['fʊtlaɪts] *s. pl.* luci *f. pl.* della ribalta

footman ['fʊtmən] (*pl.* **footmen**) *s.* valletto *m.*

footnote ['fʊtnəʊt] *s.* nota *f.* a piè pagina

footpath ['fʊtpaːθ] *s.* sentiero *m.*

footprint ['fʊtprɪnt] *s.* orma *f.*

footstep ['fʊtstɛp] *s.* **1** passo *m.* **2** orma *f.*

footwear ['fʊtwɛər] *s.* calzature *f. pl.*

fop [fɒp] *s.* vanesio *m.*

foppish ['fɒpɪʃ] *agg.* vanesio

for [fɔːr, fər] **A** *prep.* **1** (*scopo*) per, al fine di (ES: **to dress for lunch** vestirsi per il pranzo) **2** (*causa*) per, a causa di (ES: **he was convicted for driving without licence** fu condannato per aver guidato senza patente) **3** (*tempo*) per, durante, da (ES: **I drove for hours** guidai per ore) **4** (*direzione*) per (ES: **the bus for Oxford** l'autobus per Oxford) **5** (*termine*) per (ES: **what can I do for you?** cosa posso fare per lei?) **6** (*prezzo*) per (ES: **I got it for five pounds** l'ho avuto per cinque sterline) **7** al posto di, per conto di (ES: **he spoke for us** parlò per conto nostro) **8** per quanto riguarda, come, in rapporto a (ES: **it's very expensive for a second-hand car** è molto cara per una macchina di seconda mano) **9** malgrado (ES: **for all you say** nonostante ciò che dici) **10** (*idiom.*) (ES: **it's necessary for me to go to the doctor** è necessario che vada dal medico) **B** *cong.* dal momento che, poiché

forage ['fɒrɪdʒ] *s.* foraggio *m.*

foray ['fɒreɪ] *s.* incursione *f.*

forbade [fəˈbeɪd] (o **forbad** [fəˈbæd]) *pass. di* **to forbid**

to forbid [fəˈbɪd] (*pass.* **forbad(e)**, *p. p.* **forbidden**) *v. tr.* proibire, vietare

forbidden [fəˈbɪdn] *p. p. di* **to forbid**

forbidding [fəˈbɪdɪŋ] *agg.* ostile, minaccioso

force [fɔːs] *s.* forza *f.* ♦ **in f.** in gran numero, in vigore

to force [fɔːs] *v. tr.* forzare, costringere ♦ **to f. in** far entrare, conficcare; **to f. on** imporre a; **to f. out** spingere fuori; **to f. up** far salire

forced [fɔːst] *agg.* forzato, costretto

forcedly ['fɔːsɪdlɪ] *avv.* forzatamente

to force-feed ['fɔːsfiːd] (*pass. e p. p.* **force-fed**) *v. tr.* alimentare artificialmente

forceful ['fɔːsf(ʊ)l] *agg.* forte, vigoroso

forceps ['fɔːsɛps] *s. inv.* forcipe *m.*

forcibly ['fɔːsɪblɪ] *avv.* con forza

ford [fɔːd] *s.* guado *m.*

to ford [fɔːd] *v. tr.* guadare

fore [fɔːr] *agg.* **1** anteriore **2** (*naut.*) di prua

forearm ['fɔːraːm] *s.* avambraccio *m.*

to forebode [fɔː'bəʊd] *v. tr.* presagire

forecast ['fɔːkaːst] *s.* previsione *f.*

to forecast ['fɔːkaːst] (*pass. e p. p.* **forecast,** **forecasted**) *v. tr.* prevedere

forefather ['fɔːˌfaːðər] *s.* antenato *m.*, progenitore *m.*

forefinger ['fɔːˌfɪŋɡər] *s.* (dito) indice *m.*

forefront ['fɔːˌfrʌnt] *s.* **1** parte *f.* anteriore **2** avanguardia *f.*

foregone [fɔː'ɡɔːn] *agg.* previsto, scontato

foreground ['fɔːɡraʊnd] *s.* primo piano *m.*

forehead ['fɒrɪd] *s.* fronte *f.*

foreign ['fɒrɪn] *agg.* **1** straniero, estero **2** estraneo ♦ **f. office** ministero degli esteri

foreigner ['fɒrɪnər] *s.* straniero *m.*

foreman ['fɔːmən] (*pl.* **foremen**) *s.* caposquadra *m.*

foremost ['fɔːməʊst] **A** *agg.* principale, eminente **B** *avv.* **1** in prima fila **2** anzitutto ♦ **first and f.** per prima cosa

forename ['fɔːneɪm] *s.* nome *m.* (di battesimo)

forensic [fə'rɛnsɪk] *agg.* forense

forerunner ['fɔːˌrʌnər] *s.* precursore *m.*

to foresee [fɔː'siː] (*pass.* **foresaw,** *p. p.* **foreseen**) *v. tr.* presagire, prevedere

to foreshadow [fɔː'ʃædəʊ] *v. tr.* prefigurare

foreshortening [fɔː'ʃɔːt(ə)nɪŋ] *s.* (*arte*) scorcio *m.*

foresight ['fɔːsaɪt] *s.* **1** preveggenza *f.* **2** previdenza *f.*, lungimiranza *f.*

forest ['fɒrɪst] *s.* foresta *f.*

to forestall [fɔː'stɔːl] *v. tr.* prevenire

to foretaste [fɔː'teɪst] *v. tr.* pregustare

to foretell [fɔː'tɛl] (*pass. e p. p.* **foretold**) *v. tr.* predire

foretold [fɔː'təʊld] *pass. e p. p. di* **to foretell**

forever [fə'rɛvər] *avv.* sempre, per sempre

to forewarn [fɔː'wɔːn] *v. tr.* preavvisare

foreword ['fɔːwɜːd] *s.* prefazione *f.*

forfeit ['fɔːfɪt] *s.* **1** perdita *f.*, **2** penale *f.*, penalità *f.* **3** (*nel gioco*) penitenza *f.*

forgave [fə'ɡeɪv] *pass. di* **to forgive**

to forge [fɔːdʒ] *v. tr.* **1** falsificare **2** forgiare ♦ **to f. ahead** avanzare con decisione, tirare avanti

forger ['fɔːdʒər] *s.* falsario *m.*

forgery ['fɔːdʒ(ə)rɪ] *s.* **1** falsificazione *f.* **2** falso *m.*

to forget [fə'ɡɛt] (*pass.* **forgot,** *p. p.* **forgot-**

ten) *v. tr. e intr.* dimenticare

forgetful [fə'ɡɛtf(ʊ)l] *agg.* immemore, dimentico

forgetfulness [fə'ɡɛtf(ʊ)lnɪs] *s.* dimenticanza *f.*

forget-me-not [fə'ɡɛtmɪnət] *s.* nontiscordardimé *m. inv.*

forgivable [fə'ɡɪvəbl] *agg.* perdonabile

to forgive [fə'ɡɪv] (*pass.* **forgave,** *p. p.* **forgiven**) *v. tr. e intr.* perdonare

forgiven [fə'ɡɪvn] *p. p. di* **to forgive**

forgiveness [fə'ɡɪvnɪs] *s.* perdono *m.*

to forgo [fɔː'ɡəʊ] (*pass.* **forwent,** *p. p.* **forgone**) *v. tr.* astenersi da, rinunciare a

forgot [fə'ɡɒt] *pass. di* **to forget**

forgotten [fə'ɡɒtn] *p. p. di* **to forget**

fork [fɔːk] *s.* **1** forchetta *f.* **2** forca *f.*, forcone *m.* **3** bivio *m.*, biforcazione *f.*

to fork [fɔːk] *v. intr.* biforcarsi ♦ **to f. out** sborsare

forlorn [fə'lɔːn] *agg.* **1** abbandonato, trascurato **2** misero **3** vano

form [fɔːm] *s.* **1** forma *f.* **2** modulo *m.*, scheda *f.* **3** classe *f.* ♦ **bad f.** maleducazione

to form [fɔːm] **A** *v. tr.* formare, comporre, costituire **B** *v. intr.* **1** formarsi, costituirsi **2** ordinarsi, disporsi

formal ['fɔːm(ə)l] *agg.* **1** formale **2** simmetrico, regolare ♦ **f. dress** abito da cerimonia

formalism ['fɔːməlɪz(ə)m] *s.* formalismo *m.*

formality [fɔː'mælɪtɪ] *s.* formalità *f.*

format ['fɔːmæt] *s.* formato *m.*

formation [fɔː'meɪʃ(ə)n] *s.* formazione *f.*

formative ['fɔːmətɪv] *agg.* formativo

former ['fɔːmər] *agg.* **1** anteriore, precedente **2** passato, ex ♦ **the f. ... the latter** quello ... questo, (*di un elenco*) il primo ... l'ultimo

formerly ['fɔːməlɪ] *avv.* già, in passato

formidable ['fɔːm(ɪ)dəbl] *agg.* formidabile

formula ['fɔːmjʊlə] *s.* formula *f.*

formulary ['fɔːmjʊlərɪ] *s.* formulario *m.*

fornix ['fɔːnɪks] *s.* fornice *m.*

to forsake [fə'seɪk] (*pass.* **forsook,** *p. p.* **forsaken**) *v. tr.* abbandonare

forsaken [fə'seɪk(ə)n] *p. p. di* **to forsake**

forsook [fə'sʊk] *pass. di* **to forsake**

fort [fɔːt] *s.* forte *m.*

forth [fɔːθ] *avv.* avanti ♦ **and so f.** e così via

forthcoming [fɔːθ'kʌmɪŋ] *agg.* **1** prossimo, venturo **2** disponibile **3** aperto, schietto

fortieth ['fɔ:tɪɪθ] *agg. e s.* quarantesimo *m.*

fortification [ˌfɔ:tɪfɪ'keɪʃ(ə)n] *s.* fortificazione *f.*, rafforzamento *m.*

to fortify ['fɔ:tɪfaɪ] *v. tr.* fortificare

fortnight ['fɔ:tnaɪt] *s.* due settimane *f. pl.*

fortnightly ['fɔ:tˌnaɪtlɪ] *agg.* quindicinale

fortress ['fɔ:trɪs] *s.* rocca *f.*

fortuitous [fɔ:'tjʊ(ː)ɪtəs] *agg.* fortuito

fortunate ['fɔ:tʃnɪt] *agg.* **1** fortunato **2** fausto

fortune ['fɔ:tʃ(ə)n] *s.* fortuna *f.*, sorte *f.* ♦ **f. teller** indovino

forty ['fɔ:tɪ] *agg. num. card. e s.* quaranta *m. inv.*

forum ['fɔ:rəm] *s.* foro *m.*

forward ['fɔ:wəd] *agg.* **1** in avanti **2** in anticipo, precoce **3** sollecito **4** insolente

to forward ['fɔ:wəd] *v. tr.* **1** promuovere, appoggiare **2** inoltrare, inviare

forwarder ['fɔ:wədər] *s.* spedizioniere *m.*

forwarding ['fɔ:wədɪŋ] *s.* (*comm.*) invio *m.*, spedizione *f.*

forward(s) ['fɔ:wəd(z)] *avv.* avanti, in avanti ♦ **to go f.** progredire; **to look f. to** attendere con ansia

fossil ['fɔsɪl] *s. e agg.* fossile *m.*

to fossilize ['fɔsɪlaɪz] *v. intr.* fossilizzarsi

foster ['fɒstər] **A** *s.* **1** tutela *f.* **2** nutrimento *m.* **B** *agg.* adottivo ♦ **f. child** figlio adottivo; **f. parent** genitore adottivo

to foster ['fɒstər] *v. tr.* **1** allevare, nutrire **2** favorire

fought [fɔ:t] *pass. e p. p. di* **to fight**

foul [faʊl] **A** *agg.* **1** brutto, cattivo, schifoso **2** scorretto, disonesto **3** osceno **B** *s.* (*sport*) fallo *m.*

found [faʊnd] *pass. e p. p. di* **to find**

to found (1) [faʊnd] *v. tr.* fondare, istituire

to found (2) [faʊnd] *v. tr.* fondere

foundation [faʊn'deɪʃ(ə)n] *s.* fondazione *f.*

founder ['faʊndər] *s.* fondatore *m.*

founding ['faʊndɪŋ] **A** *agg.* fondatore **B** *s.* **1** fondazione *f.* **2** fondatore *m.*

foundry ['faʊndrɪ] *s.* fonderia *f.*

fountain ['faʊntɪn] *s.* fontana *f.* ♦ **f. pen** stilografica

four [fɔ:ʳ] *agg. num. card. e s.* quattro *m. inv.*

fourteen [ˌfɔ:'ti:n] *agg. num. card. e s.* quattordici *m. inv.*

fourteenth [ˌfɔ:'ti:nθ] *agg. num. ord. e s.* quattordicesimo *m.*

fourth [fɔ:θ] *agg. num. ord. e s.* quarto *m.*

fowl [faʊl] *s.* **1** pollame *m.* **2** volatile *m.*

fox [fɒks] *s.* volpe *f.*

to fox [fɒks] *v. tr.* (*fam.*) ingannare

fraction ['frækʃ(ə)n] *s.* frazione *f.*

to fractionize ['frækʃ(ə)naɪz] *v. tr.* frazionare

fracture ['fræktʃər] *s.* frattura *f.*

fragile ['frædʒaɪl] *agg.* fragile

fragment ['frægmənt] *s.* frammento *m.*

fragmentary ['frægmənt(ə)rɪ] *agg.* frammentario

fragrant ['freɪgrənt] *agg.* fragrante, odoroso

frail [freɪl] *agg.* fragile, debole

frame [freɪm] *s.* **1** intelaiatura *f.*, armatura *f.* **2** cornice *f.* **3** struttura *f.* **4** ossatura *f.*, corpo *m.* **5** montatura *f.* ♦ **f. of mind** stato d'animo

to frame [freɪm] *v. tr.* **1** formare, formulare **2** incorniciare, inquadrare

framework ['freɪmwɜ:k] *s.* **1** intelaiatura *f.* **2** struttura *f.*

franchise ['fræn(t)ʃaɪz] *s.* franchigia *f.*

Francophone ['fræŋkɒ(ʊ)fəʊn] *agg.* francofono

frank [fræŋk] *agg.* franco, aperto

to frank [fræŋk] *v. tr.* (*corrispondenza*) affrancare

frantic ['fræntɪk] *agg.* frenetico

fraternity [frə'tɜ:nɪtɪ] *s.* **1** fraternità *f.*, fratellanza *f.* **2** confraternita *f.*

to fraternize ['frætənaɪz] *v. intr.* fraternizzare

fraud [frɔ:d] *s.* **1** frode *f.* **2** imbroglione *m.*

fraudulent ['frɔ:djʊlənt] *agg.* fraudolento

fraught [frɔ:t] *agg.* carico, denso, gravido

fray [freɪ] *s.* mischia *f.*, baruffa *f.*

to fray [freɪ] **A** *v. tr.* logorare, consumare **B** *v. intr.* consumarsi, logorarsi

freak [fri:k] *s.* **1** bizzarria *f.* **2** fenomeno *m.*, mostro *m.*

freckle ['frekl] *s.* lentiggine *f.*

free [fri:] **A** *agg.* **1** libero **2** indipendente **3** esente, gratuito **4** abbondante **5** sciolto **B** *avv.* **1** gratis, gratuitamente **2** liberamente ♦ **admission f.** entrata libera

to free [fri:] *v. tr.* **1** liberare **2** esentare

freedom ['fri:dəm] *s.* libertà *f.*

freelance ['fri:ˌlɑ:ns] *agg.* indipendente

freely ['fri:lɪ] *avv.* liberamente

to freeze [fri:z] (*pass.* **froze**, *p. p.* **frozen**) *v. tr. e intr.* congelare

freezer ['fri:zəʳ] *s.* congelatore *m.*

freezing ['fri:zɪŋ] *agg.* ghiacciato ♦ **f.-point** punto di congelamento

freight [freɪt] *s.* **1** trasporto *m.* **2** carico *m.* **3** noleggio *m.*

freighter ['freɪtər] **1** *s.* nave *f.* da carico, aereo *m.* da trasporto **2** noleggiatore *m.*

French [frɛn(t)ʃ] *agg. e s.* francese *m.* (*lingua*) ♦ **F. bean** fagiolino; **F. fries** (*USA*) patate fritte

Frenchman ['frɛn(t)ʃmən] (*pl.* **Frenchmen**) *s.* francese *m.*

Frenchwoman ['frɛn(t)ʃ‚wʊmən] (*pl.* **Frenchwomen**) *s.* francese *f.*

frenzied ['frɛnzɪd] *agg.* frenetico

frenzy ['frɛnzɪ] *s.* frenesia *f.*

frequency ['fri:kwənsɪ] *s.* frequenza *f.*

frequent ['fri:kwənt] *agg.* frequente

to frequent [frɪ'kwənt] *v. tr.* frequentare, praticare

frequently ['fri:kwəntlɪ] *avv.* frequentemente

fresco ['frɛskʊ] *s.* affresco *m.*

fresh [frɛʃ] *agg.* **1** fresco, recente, nuovo **2** sfacciato

to freshen ['frɛʃn] *v. tr. e intr.* rinfrescare, rinfrescarsi

freshly ['frɛʃlɪ] *agg.* di fresco, di recente, appena

freshness ['frɛʃnɪs] *s.* freschezza *f.*

freshwater ['frɛʃ‚wɔːtər] *agg.* d'acqua dolce

to fret [frɛt] **A** *v. tr.* **1** consumare **2** affliggere, agitare **B** *v. intr.* **1** consumarsi **2** affliggersi, irritarsi

friable ['fraɪəbl] *agg.* friabile

friar ['fraɪər] *s.* frate *m.*

friction ['frɪkʃ(ə)n] *s.* frizione *f.*

Friday ['fraɪdɪ] *s.* venerdì *m.*

fridge [frɪdʒ] *s.* frigorifero *m.*

fried [fraɪd] *p. p. di* **to fry** fritto

friend [frɛnd] *s.* amico *m.*

friendly ['frɛndlɪ] *agg.* amico, amichevole

friendship ['frɛn(d)ʃɪp] *s.* amicizia *f.*

frieze [fri:z] *s.* fregio *m.*

fright [fraɪt] *s.* paura *f.*, spavento *m.* ♦ **to take f. at st.** spaventarsi di q.c.

to frighten ['fraɪtn] *v. tr.* impaurire, spaventare, atterrire

frightful ['fraɪtf(ʊ)l] *agg.* spaventoso, tremendo

frigid ['frɪdʒɪd] *agg.* **1** glaciale **2** frigido

frill [frɪl] *s.* gala *f.*, trina *f.*

fringe [frɪn(d)ʒ] *s.* **1** frangia *f.* **2** margine *m.*

frippery ['frɪpərɪ] *s.* fronzolo *m.*

frisk [frɪsk] *v. tr.* **1** agitare **2** perquisire

frisky ['frɪskɪ] *agg.* vivace

fritter ['frɪtər] *s.* frittella *f.*

frivolous ['frɪvələs] *agg.* frivolo

frizzy ['frɪzɪ] *agg.* crespo

fro [frʊ] *avv.* **to and f.** avanti e indietro

frock [frɔk] *s.* **1** vestito *m.* **2** tonaca *f.*

frog [frɔg] *s.* rana *f.*

frogman ['frɔgmən] *s.* sommozzatore *m.*

to frolic ['frɔlɪk] *v. intr.* **1** sgambettare **2** folleggiare

from [frəm, frɒm] *prep.* **1** (*provenienza*) da (ES: **a letter from my mother** una lettera da mia madre) **2** (*causa*) per, a causa di (ES: **to speak from experience** parlare per esperienza) **3** (*tempo e luogo*) da (ES: **from May to August** da maggio ad agosto, **how far is it from Rome to Naples?** quanto c'è da Roma a Napoli?)

front [frʌnt] **A** *agg. attr.* anteriore, frontale **B** *s.* **1** fronte *f.*, facciata *f.*, parte *f.* anteriore **2** fronte *m.* ♦ **f. page** prima pagina; **in f. of** di fronte a; **sea f.** lungomare

frontage ['frʌntɪdʒ] *s.* facciata *f.*

frontal ['frʌntl] *agg.* frontale

frontier ['frʌntjər] *s.* frontiera *f.*

frontispiece ['frʌntɪspiːs] *s.* frontespizio *m.*

fronton ['frʌntən] *s.* frontone *m.*

frost [frɒst] *s.* **1** gelo *m.* **2** brina *f.*

frostbite ['frɒs(t)baɪt] *s.* congelamento *m.*

froth [frɔθ] *s.* schiuma *f.*, spuma *f.*

frothy ['frɔθɪ] *agg.* schiumoso, spumoso

to frown [fraʊn] *v. intr.* aggrottare le ciglia

froze ['frʊz] *pass. di* **to freeze**

frozen ['frʊzn] **A** *p. p. di* **to freeze B** *agg.* **1** gelato, ghiacciato **2** congelato

frugal ['fru:g(ə)l] *agg.* frugale

fruit [fru:t] *s.* frutto *m.*, frutta *f.* ♦ **f. salad** macedonia

fruiterer ['fru:tərər] *s.* fruttivendolo *m.*

fruitful ['fru:tf(ʊ)l] *agg.* fecondo, fertile

fruition [fru:'ɪʃ(ə)n] *s.* **1** fruizione *f.*, godimento *m.* **2** realizzazione *f.*

to frustrate [frʌs'treɪt] *v. tr.* frustrare, deludere

frustration [frʌs'treɪʃ(ə)n] *s.* frustrazione *f.*

fry [fraɪ] *s.* frittura *f.*, fritto *m.*

to fry [fraɪ] *v. tr.* friggere

frying ['fraɪɪŋ] *s.* frittura *f.* ♦ **f. pan** padella

fuel ['fjʊəl] *s.* combustibile *m.* ♦ **f. tank** serbatoio della benzina

fugitive ['fjuːdʒɪtɪv] *agg. e s.* fuggiasco *m.*, profugo *m.*

fulcrum ['fʌlkrəm] *s.* fulcro *m.*

to fulfil [fʊl'fɪl] *v. tr.* **1** compiere, adempiere **2** esaudire, appagare

fulfilment [fʊl'fɪlm(ə)nt] *s.* **1** adempimento *m.*, esecuzione *f.* **2** appagamento *m.*

full [fʊl] **A** *agg.* **1** pieno, completo **2** intero **3** ampio, abbondante **B** *avv.* completamente, interamente ♦ **at f. speed** a tutta velocità; **f. age** maggiore età; **f. size** a grandezza naturale; **f. stop** punto (*segno ortografico*); **f.-time** a tempo pieno; **f. up** sazio; **in f.** completamente

fully [fʊlɪ] *avv.* interamente, del tutto

fulminant ['fʌlmɪnənt] *agg.* fulminante

fulsome ['fʊlsəm] *agg.* esagerato, eccessivo

to fumble ['fʌmbl] *v. intr.* **1** armeggiare **2** brancolare

fume [fjuːm] *s.* fumo *m.*, esalazione *f.*

to fume [fjuːm] *v. intr.* **1** fumare, esalare vapore **2** essere furioso

fumigator ['fjuːmɪɡeɪtər] *s.* zampirone *m.*

fun [fʌn] *s.* divertimento *m.* ♦ **f. fair** luna park; **to have f.** divertirsi; **to make f. of sb.** prendersi gioco di qc.

function ['fʌŋkʃ(ə)n] *s.* funzione *f.*

functional ['fʌŋkʃənl] *agg.* funzionale

functionalism ['fʌŋkʃ(ə)nəlɪz(ə)m] *s.* funzionalismo *m.*

functionality [ˌfʌŋkʃə'nælɪtɪ] *s.* funzionalità *f.*

functionary ['fʌŋ(k)ʃnərɪ] *s.* funzionario *m.*

fund [fʌnd] *s.* **1** fondo *m.*, cassa *f.* **2** *al pl.* capitali *m. pl.*

fundamental [ˌfʌndə'mɛntl] *agg.* fondamentale, basilare

funeral ['fjuːn(ə)r(ə)l] **A** *agg.* funebre, funerario **B** *s.* funerale *m.*

funerary ['fjuːnərərɪ] *agg.* funerario

funereal [fjuː(ː)'nɪərɪəl] *agg.* funereo

fungicide ['fʌndʒɪsaɪd] *s.* fungicida *m.*

fungus ['fʌŋɡəs] *s.* fungo *m.*

funicular [fjuː(ː)'nɪkjʊlər] *s.* funicolare *f.*

funk [fʌŋk] *s.* (*fam.*) paura *f.*, fifa *f.*

funnel ['fʌnl] *s.* **1** imbuto *m.* **2** ciminiera *f.*

funny ['fʌnɪ] *agg.* **1** buffo, divertente **2** strano

fur [fɜː] *s.* pelo *m.*, pelliccia *f.*

furious ['fjʊərɪəs] *agg.* furioso

furlough ['fɜːləʊ] *s.* (*mil.*) licenza *f.*

furnace ['fɜːnɪs] *s.* fornace *f.*

to furnish ['fɜːnɪʃ] *v. tr.* **1** ammobiliare **2** fornire

furnishing ['fɜːnɪʃɪŋ] *s.* arredamento *m.*

furnishings ['fɜːnɪʃɪŋz] *s. pl.* mobili *m. pl.*, arredamento *m.*

furniture ['fɜːnɪtʃər] *s.* arredamento *m.*

furrier ['fʌrɪər] *s.* pellicciaio *m.*

furrow ['fʌrəʊ] *s.* solco *m.*

further ['fɜːðər] (*comp. di* far) **A** *agg.* **1** ulteriore **2** più lontano, altro **B** *avv.* **1** oltre **2** ulteriormente

furthermore [ˌfɜːðə'mɔːr] *avv.* per di più, inoltre

furthest ['fɜːðɪst] (*sup. rel. di* far) **A** *agg.* il più lontano, remoto **B** *avv.* più lontano

fury ['fjʊərɪ] *s.* furia *f.*

fuse [fjuːz] *s.* **1** fusibile *m.* **2** miccia *f.*

to fuse [fjuːz] *v. tr. e intr.* fondere, fondersi

fuselage [fjuːzɪlɑːʒ] *s.* fusoliera *f.*

fusible ['fjuːzɪbl] *agg.* fusibile

fusion ['fjuːz(ə)n] *s.* fusione *f.*

fuss [fʌs] *s.* **1** confusione *f.*, trambusto *m.* **2** smancerie *f. pl.*

to fuss [fʌs] *v. intr.* agitarsi

fussiness ['fʌsɪnɪs] *s.* agitazione *f.*

fussy ['fʌsɪ] *agg.* **1** agitato **2** puntiglioso, esigente

fustian ['fʌstɪən] *s.* fustagno *m.*

futility [fjuː(ː)'tɪlɪtɪ] *s.* futilità *f.*

future ['fjuːtʃər] *agg. e s.* futuro *m.* ♦ **in f.**, **for the f.** in futuro, d'ora innanzi

futurism ['fjuːtʃərɪz(ə)m] *s.* futurismo *m.*

futuristic ['fjuːtʃərɪstɪk] *agg.* **1** avveniristico **2** (*arte*) futuristico

fuzzy ['fʌzɪ] *agg.* **1** crespo **2** (*fot.*) sfocato, indistinto

G

gab [gæb] *s.* (*fam.*) chiacchiera *f.*, parlantina *f.*

to gabble ['gæbl] *v. tr. e intr.* borbottare, farfugliare

gable ['geɪbl] *s.* (*arch.*) timpano *m.*

gadfly ['gædflaɪ] *s.* 1 (*zool.*) tafano *m.* 2 seccatore *m.*

gadget ['gædʒɪt] *s.* aggeggio *m.*, congegno *m.*, dispositivo *m.*

Gaelic ['geɪlɪk] *agg. e s.* gaelico *m.* (*lingua*)

gaff [gæf] *s.* fiocina *f.*, arpione *m.*

gag [gæg] *s.* 1 bavaglio *m.* 2 facezia *f.*, battuta *f.*

to gag [gæg] **A** *v. tr.* imbavagliare **B** *v. intr.* improvvisare battute

gaiety ['geɪətɪ] *s.* allegria *f.*, gaiezza *f.*

gaily ['geɪlɪ] *avv.* gaiamente, allegramente

gain [geɪn] *s.* 1 guadagno *m.*, profitto *m.* 2 miglioramento *m.*, aumento *m.*

to gain [geɪn] **A** *v. tr.* guadagnare, conseguire, ottenere **B** *v. intr.* 1 guadagnarci 2 progredire, aumentare, migliorare 3 (*di orologio*) andare avanti ♦ **to g. on** guadagnare terreno su

gait [geɪt] *s.* andatura *f.*

galaxy ['gæləksɪ] *s.* galassia *f.*

gale [geɪl] *s.* 1 burrasca *f.*, vento *m.* forte 2 (*di risa*) scoppio *m.*

gall [gɔːl] *s.* bile *f.*, fiele *m.* ♦ **g. bladder** cistifellea; **g.-stone** calcolo biliare

gallant ['gælənt] *agg.* 1 coraggioso, valoroso 2 galante 3 sfarzoso

galleon ['gælɪən] *s.* galeone *m.*

gallery ['gælərɪ] *s.* 1 galleria *f.* 2 loggione *m.*

galley ['gælɪ] *s.* 1 galea *f.* 2 (*naut.*) cucina *f.*

gallicism ['gælɪsɪz(ə)m] *s.* gallicismo *m.*

gallon ['gælən] *s.* gallone *m.*

gallop ['gæləp] *s.* galoppo *m.*

to gallop ['gæləp] *v. intr.* galoppare

gallows ['gæləʊz] *s. pl.* forca *f.*, patibolo *m.*

galore [gə'lɔːr] *avv.* in abbondanza, a iosa

to galvanize ['gælvənaɪz] *v. tr.* galvanizzare

gamble ['gæmbl] *s.* azzardo *m.*, rischio *m.*

to gamble ['gæmbl] *v. intr.* giocare d'azzardo ♦ **to g. on** giocare su

gambler ['gæmblər] *s.* giocatore *m.* d'azzardo

gambling ['gæmblɪŋ] *s.* gioco *m.* d'azzardo

game [geɪm] **A** *s.* 1 gioco *m.* 2 partita *f.*, mano *f.* 3 tranello *m.*, scherzo *m.* 4 selvaggina *f.* **B** *agg.* pronto ♦ **big g.** selvaggina grossa; **g.-licence** licenza di caccia

gamekeeper ['geɪm,kiːpər] *s.* guardacaccia *m. inv.*

gammon ['gæmən] *s.* 1 prosciutto *m.* affumicato 2 quarto *m.* di maiale

gamut ['gæmət] *s.* gamma *f.*

gang [gæŋ] *s.* banda *f.*, squadra *f.*

gangrene ['gæŋgriːn] *s.* cancrena *f.*

gangster ['gæŋstər] *s.* gangster *m.*, bandito *m.*

gangway ['gæŋweɪ] *s.* passerella *f.*

gap [gæp] *s.* 1 apertura *f.*, varco *m.* 2 divario *m.*, lacuna *f.*

to gape [geɪp] *v. intr.* 1 spalancare la bocca, restare a bocca aperta 2 aprirsi

garage ['gæraːʒ] *s.* garage *m. inv.*, autorimessa *f.*

garbage ['gaːbɪdʒ] *s.* immondizia *f.*, rifiuti *m. pl.* ♦ **g. can** pattumiera

to garble ['gaːbl] *v. tr.* alterare, confondere

garden ['gaːdn] *s.* 1 giardino *m.* 2 orto *m.* ♦ **g. centre** vivaio; **roof g.** giardino pensile

gardener ['gaːdnər] *s.* giardiniere *m.*

gardenia [gaː'diːnjə] *s.* gardenia *f.*

gardening ['gaːdnɪŋ] *s.* giardinaggio *m.*

gargle ['gaːgl] *s.* gargarismo *m.*

garish ['gɛərɪʃ] *agg.* sgargiante, vistoso

garland ['gaːlənd] *s.* ghirlanda *f.*

garlic ['gaːlɪk] *s.* aglio *m.*

garment ['gaːmənt] *s.* indumento *m.*

garnish ['gaːnɪʃ] *s.* guarnizione *f.*

to garnish ['gaːnɪʃ] *v. tr.* guarnire

garrison ['gærɪsn] *s.* guarnigione *f.*

garrulous ['gærʊləs] *agg.* garrulo, loquace

garter ['gaːtər] *s.* giarrettiera *f.* ♦ **g. belt** reggicalze

gas [gæs] *s.* 1 gas *m. inv.* 2 (*USA*) benzina *f.* ♦ **g. mask** maschera antigas; **g. meter** contatore del gas; **g. ring** fornello; **g. station** (*USA*) distributore di benzina

gash [gæʃ] *s.* sfregio *m.*

to gash [gæʃ] *v. tr.* sfregiare

gasket ['gæskɪt] *s.* (*mecc.*) guarnizione *f.*

gasoline ['gæsəliːn] *s.* benzina *f.*

gasp [gɑːsp] *s.* respiro *m.* affannoso

to gasp [gɑːsp] *v. intr.* **1** boccheggiare, ansimare **2** restare senza fiato ♦ **to g. out** dire a fatica, dire ansimando

gassy ['gæsɪ] *agg.* gassoso

gastric ['gæstrɪk] *agg.* gastrico

gastritis [gæs'traɪtɪs] *s.* gastrite *f.*

gastroenteric [ˌgæstrɒ(ʊ)en'terɪk] *agg.* gastroenterico

gastronomic [ˌgæstrə'nɒmɪk] *agg.* gastronomico

gastronomy [gæs'trɒnəmɪ] *s.* gastronomia *f.*

gate [geɪt] *s.* **1** cancello *m.*, porta *f.* **2** (*aer*) uscita *f.*

to gatecrash ['geɪtkræʃ] *v. intr.* (*fam.*) partecipare senza invito

gateway ['geɪtˌweɪ] *s.* **1** entrata *f.*, ingresso *m.* **2** porta *f.*

to gather ['gæðər] **A** *v. tr.* **1** raccogliere, radunare **2** assumere, prendere **3** increspare **B** *v. intr.* **1** raccogliersi, radunarsi **2** aumentare, gonfiarsi

gathering ['gæðərɪŋ] *s.* raduno *m.*

gauche [gɒʊʃ] *agg.* goffo, maldestro

gaudy ['gɔːdɪ] *agg.* sgargiante

gauge [geɪdʒ] *s.* **1** calibro *m.*, manometro *m.*, misuratore *m.* **2** (*ferr*) scartamento *m.*

gaunt [gɔːnt] *agg.* **1** scarno, macilento **2** desolato, arido

gauntlet ['gɔːntlɪt] *s.* guanto *m.* di sfida

gauze [gɔːz] *s.* garza *f.*

gave [geɪv] *pass. di* **to give**

gay [geɪ] **A** *agg.* allegro, vivace **B** *s.* omosessuale *m. e f.*

gaze [geɪz] *s.* sguardo *m.* fisso

to gaze [geɪz] *v. intr.* guardare fissamente ♦ **to g. at/on** fissare

gazebo [gə'ziːbɒʊ] *s.* gazebo *m. inv.*

gazelle [gə'zəl] *s.* gazzella *f.*

gazette [gə'zet] *s.* gazzetta *f.*

gazetteer [ˌgæzɪ'tɪər] *s.* dizionario *m.* geografico

gear [gɪər] *s.* **1** meccanismo *m.*, ingranaggio *m.* **2** arnesi *m. pl.*, equipaggiamento *m.* **3** (*autom.*) cambio *m.* ♦ **g. box** scatola del cambio; **in g.** con la marcia ingranata

geese [giːs] *pl. di* **goose**

gel [dʒel] *s.* gelatina *f.*, gel *m. inv.*

gelatin(e) [ˌdʒelə'tɪ(ː)n] *s.* gelatina *f.*

gem [dʒem] *s.* gemma *f.*, pietra *f.* preziosa

gender ['dʒendər] *s.* (*gramm.*) genere *m.*

genealogy [ˌdʒiːnɪ'ælədʒɪ] *s.* genealogia *f.*

general ['dʒen(ə)r(ə)l] **A** *agg.* **1** generale, comune **2** generico **B** *s.* generale *m.* ♦ **g. delivery** fermo posta; **in g.** in genere

generality [ˌdʒenə'rælɪtɪ] *s.* generalità *f.*

to generalize ['dʒen(ə)rəlaɪz] *v. tr.* generalizzare

generally ['dʒen(ə)r(ə)lɪ] *avv.* generalmente

to generate ['dʒenəreɪt] *v. tr.* generare

generation [ˌdʒenə'reɪʃ(ə)n] *s.* generazione *f.*

generational [ˌdʒenə'reɪʃ(ə)n(ə)l] *agg.* generazionale

generator ['dʒenəreɪtər] *s.* generatore *m.*

generic [dʒɪ'nerɪk] *agg.* generico

generosity [ˌdʒenə'rɒsɪtɪ] *s.* generosità *f.*

generous ['dʒen(ə)rəs] *agg.* **1** generoso **2** abbondante

genesis ['dʒenɪsɪs] *s.* genesi *f.*

genetic [dʒɪ'netɪk] *agg.* genetico

genetics [dʒɪ'netɪks] *s. pl.* (*v. al sing.*) genetica *f.*

genial ['dʒiːnjəl] *agg.* **1** cordiale, socievole **2** benigno, mite

genie ['dʒiːnɪ] *s.* genio *m.*

genitalia [ˌdʒenɪ'teɪljə] *s. pl.* genitali *m. pl.*

genitals ['dʒenɪtlz] *s. pl.* genitali *m. pl.*

genius ['dʒiːnjəs] *s.* genio *m.*

genteel [dʒen'tiːl] *agg.* garbato

gentle ['dʒentl] *agg.* **1** gentile, garbato **2** delicato, lieve

gentleman ['dʒentlmən] (*pl.* **gentlemen**) *s.* signore *m.*, gentiluomo *m.*

gently ['dʒentlɪ] *avv.* delicatamente, dolcemente

gentry ['dʒentrɪ] *s.* piccola nobiltà *f.*

genuine ['dʒenjʊɪn] *agg.* genuino, autentico

genuineness ['dʒenjʊɪnnɪs] *s.* genuinità *f.*, autenticità *f.*

genus ['dʒiːnəs] *s.* genere *m.*

geographic [dʒɪə'græfɪk] *agg.* geografico

geography [dʒɪ'əgrəfɪ] *s.* geografia *f.*

geology [dʒɪ'ələdʒɪ] *s.* geologia *f.*

geometric(al) [dʒɪə'metrɪk((ə)l)] *agg.* geometrico

geometry [dʒɪ'əmɪtrɪ] *s.* geometria *f.*

geophysics [ˌdʒiːɒ(ʊ)'fɪzɪks] *s. pl.* (*v. al sing.*) geofisica *f.*

geopolitics [ˌdʒiːɒ(ʊ)'pəlɪtɪks] *s. pl.* (*v. al sing.*) geopolitica *f.*

georgic ['dʒɔːdʒɪk] *agg.* georgico

geothermal [ˌdʒiːɒ(ʊ)'θɜːm(ə)l] *agg.* geotermico

geranium [dʒɪ'reɪŋjəm] *s.* geranio *m.*

geriatric [ˌdʒerɪ'ætrɪk] *agg.* geriatrico

geriatrics [ˌdʒerɪ'ætrɪks] *s. pl.* (*v. al sing.*) geriatria *f.*

germ [dʒɜːm] *s.* germe *m.*

German ['dʒɜːmən] *agg.* tedesco ♦ **G. measles** rosolia

to germinate ['dʒɜːmɪneɪt] *v. intr.* germogliare

gestation [dʒɛs'teɪʃ(ə)n] *s.* gestazione *f.*

gesture ['dʒestʃəʳ] *s.* gesto *m.*, atto *m.*

to get [gɛt] (*pass.* got, *p. p.* got, *USA* gotten) **A** *v. tr.* **1** prendere **2** ottenere, procurarsi **3** afferrare, capire, cogliere **4** convincere, persuadere **5** mettere **6** portare, mandare, condurre **B** *v. intr.* **1** diventare, farsi **2** andare, arrivare **3** mettersi **4** (*nella costruzione passiva*) essere, venire (ES: **my father got dismissed last week** mio padre è stato licenziato la settimana scorsa) ♦ **to g. about** circolare, diffondersi; **to g. along** andare d'accordo; **to g. away** scappare; **to g. back** riavere; **to g. down** scendere; **to g. off** scendere **to g. on** salire; **to g. over** superare; **to g. out** uscire; **to g. up** alzarsi, salire; **to have got** avere, dovere

getaway ['gɛtəweɪ] *s.* fuga *f.*

ghastly ['gɑːstlɪ] *agg.* **1** orribile, spaventoso **2** spettrale

gherkin ['gɜːkɪn] *s.* cetriolino *m.*

ghetto ['getɒʊ] *s.* ghetto *m.*

ghost [gɒʊst] *s.* fantasma *m.*, spirito *m.* ♦ **g. writer** scrittore per conto di altri

giant ['dʒaɪənt] *agg. e s.* gigante *m.*

gibberish ['gɪbərɪʃ] *s.* borbottio *m.*

giblets ['dʒɪblɪts] *s. pl.* frattaglie *f. pl.*

giddiness ['gɪdɪnɪs] *s.* capogiro *m.*, vertigini *f. pl.*

giddy ['gɪdɪ] *agg.* stordito ♦ **to be g.** avere le vertigini

gift [gɪft] *s.* **1** dono *m.*, regalo *m.* **2** pregio *m.*, dote *f.*

gifted ['gɪftɪd] *agg.* dotato

gigantic [dʒaɪ'gæntɪk] *agg.* gigantesco

gigantism ['dʒaɪgæn,tɪz(ə)m] *s.* gigantismo *m.*

to giggle ['gɪgl] *v. intr.* sghignazzare, ridere scioccamente

gills [gɪlz] *s. pl.* (*zool.*) branchie *f. pl.*

gilt [gɪlt] **A** *agg.* dorato **B** *s.* doratura *f.*

gimmick ['gɪmɪk] *s.* (*fam.*) **1** trovata *f.*, trucco *m.* **2** aggeggio *m.*

gin [dʒɪn] *s.* gin *m. inv.*

ginger ['dʒɪn(d)ʒəʳ] *s.* zenzero *m.*

gingerly ['dʒɪn(d)ʒəlɪ] *avv.* cautamente, con circospezione *m.*

gipsy ['dʒɪpsɪ] *s.* gitano *m.*, zingaro *m.*

giraffe [dʒɪ'rɑːf] *s.* giraffa *f.*

to gird [gɜːd] (*pass. e p. p.* girded, girt) *v. tr.* cingere

girder ['gɜːdəʳ] *s.* trave *f.*

girdle ['gɜːdl] *s.* guaina *f.*, busto *m.*

girl [gɜːl] *s.* **1** ragazza *f.*, signorina *f.* **2** figlia *f.* **3** fidanzata *f.*

girlfriend ['gɜːlfrend] *s.* ragazza *f.*, fidanzata *f.*

girlish ['gɜːlɪʃ] *agg.* da ragazza

giro ['dʒaɪrɒʊ] *s.* giroconto *m.*, postagiro *m.*

girt [gɜːt] *pass. e p. p. di* **to gird**

girth [gɜːθ] *s.* giro *m.*, circonferenza *f.*

gist [dʒɪst] *s.* essenza *f.*

to give [gɪv] (*pass.* gave, *p. p.* given) **A** *v. tr.* **1** dare, fornire **2** regalare **3** eseguire, rappresentare **4** dare come risultato **5** causare **B** *v. intr.* **1** cedere, piegarsi, addolcirsi **2** dare su, guardare su ♦ **to g. back** rendere; **to g. in** cedere; **to g. up** consegnare, rinunciare

giver ['gɪvəʳ] *s.* donatore *m.*

glacial ['gleɪsjəl] *agg.* glaciale

glacier ['glæsjəʳ] *s.* ghiacciaio *m.*

glad [glæd] *agg.* **1** felice, lieto **2** grato

glade [gleɪd] *s.* radura *f.*

gladly ['glædlɪ] *avv.* volentieri, con piacere

glamorous ['glæmərəs] *agg.* attraente, affascinante

glamour ['glæməʳ] *s.* fascino *m.*, seduzione *f.*, incanto *m.*

glance [glɑːns] *s.* occhiata *f.*, sguardo *m.*

to glance [glɑːns] *v. tr.* **1** guardare brevemente **2** far rimbalzare, deviare ♦ **to g. at** gettare uno sguardo su

gland [glænd] *s.* ghiandola *f.*

glare [gleəʳ] *s.* **1** bagliore *m.*, riverbero *m.*, luce *f.* abbagliante **2** sguardo *m.* furioso

to glare [gleəʳ] *v. intr.* sfolgorare ♦ **to g. at** guardare di traverso

glaring ['gleərɪŋ] *agg.* **1** abbagliante **2** torvo **3** evidente, madornale

glass [glɑːs] *s.* **1** vetro *m.* **2** bicchiere *m.* **3** al pl. occhiali *m. pl.* ♦ **sun-glasses** occhiali da sole

glasshouse ['glɑːshaʊs] *s.* serra *f.*

glassware ['glɑːsweəʳ] *s.* cristalleria *f.*

glassworks ['glɑːswɜːks] *s. pl.* (*v. al sing.*)

vetreria f.

glaze [gleɪz] s. **1** smalto m. **2** (cuc.) glassa f.

to glaze [gleɪz] v. tr. **1** fornire di vetri **2** smaltare **3** (cuc.) glassare

glazier ['gleɪzjəʳ] s. vetraio m.

gleam [gliːm] v. intr. brillare, luccicare

to glean [gliːn] v. tr. e intr. spigolare, racimolare

glee [gliː] s. gioia f.

glib [glɪb] agg. **1** loquace **2** scorrevole

glide [glaɪd] s. **1** scivolata f. **2** planata f.

to glide [glaɪd] v. intr. **1** scivolare **2** fluire **3** planare

glider ['glaɪdəʳ] s. aliante m.

gliding ['glaɪdɪŋ] s. volo m. a vela

glimmer ['glɪməʳ] s. barlume m.

glimpse [glɪm(p)s] s. **1** occhiata f. di sfuggita **2** apparizione f.

to glint [glɪnt] v. intr. brillare, luccicare

to glisten ['glɪsn] v. intr. brillare, luccicare

to glitter ['glɪtəʳ] v. intr. brillare, luccicare

to gloat [gloʊt] v. intr. gongolare

global ['gloʊbl] agg. globale

globe [gloʊb] s. **1** globo m., sfera f. **2** mappamondo m.

gloom [gluːm] s. **1** oscurità f. **2** tristezza f.

gloomy ['gluːmɪ] agg. **1** oscuro, cupo, lugubre **2** tetro, triste

glorious ['glɔːrɪəs] agg. **1** glorioso **2** magnifico

glory ['glɔːrɪ] s. **1** gloria f. **2** splendore m.

gloss (1) [glɒs] s. **1** lucentezza f., lustro m. **2** vernice f., smalto m.

gloss (2) [glɒs] s. glossa f., chiosa f.

to gloss (1) [glɒs] v. tr. lucidare, lustrare ♦ **to g. over** scivolare su, dissimulare

to gloss (2) [glɒs] v. tr. glossare, chiosare

glossary ['glɒsərɪ] s. glossario m.

glossy ['glɒsɪ] agg. lucente, lucido

glottology [glə'tɒlədʒɪ] s. glottologia f.

glove [glʌv] s. guanto m.

to glow [gloʊ] v. intr. ardere, fiammeggiare

to glower ['glauəʳ] v. intr. guardare in cagnesco

glucose ['gluːkoʊs] s. glucosio m.

glue [gluː] s. colla f.

to glue [gluː] v. tr. incollare

glum [glʌm] agg. depresso, abbattuto

glut [glʌt] s. eccesso m., saturazione f.

to glut [glʌt] v. tr. saziare, saturare

gluteus [gluː'tiːəs] s. gluteo m.

glutton ['glʌtn] s. ghiottone m.

gluttonous ['glʌtnəs] agg. ghiotto

glyc(a)emia [glaɪ'siːmɪə] s. glicemia f.

glycerin(e) [,glɪsə'rɪ(ː)n] s. glicerina f.

gnarled [naːld] agg. (di legno) nodoso

gnat [næt] s. moscerino m., zanzara f.

to gnaw [nɔː] v. tr. e intr. rosicchiare .

gnome [noʊm] s. gnomo m.

to go [goʊ] (pass. **went**, p. p. **gone**) v. intr. **1** andare, andarsene, viaggiare **2** (seguito da agg.) diventare (ES: **to go mad** diventare matto, impazzire) **3** andare, svolgersi **4** funzionare **5** (seguito da participio pres.) andare a (ES: **to go swimming** andare a fare una nuotata) ♦ **let's go!** andiamo!; **to be going to** (seguito da inf.) stare per, essere sul punto di; **to go away** andar via; **to go back** ritornare; **to go in** entrare; **to go on** continuare; **to go out** uscire; **to go through** esaminare, subire

to goad [goʊd] v. tr. incitare, spronare

go-ahead ['goʊ(ʊ)əhed] **A** agg. intraprendente, audace **B** s. via m., permesso m. di agire

goal [goʊl] s. **1** meta f., scopo m. **2** (sport) goal m. inv., rete f.

goalkeeper ['goʊl,kiː(ː)pəʳ] s. (sport) portiere m.

goat [goʊt] s. capra f. ♦ **the G.** Capricorno

to gobble ['gɒbl] v. tr. ingoiare, trangugiare

go-between ['goʊbɪ,twiːn] s. intermediario m.

goblet ['gɒblɪt] s. calice m.

goblin ['gɒblɪn] s. gnomo m.

God [ɒd] s. Dio m.

godchild ['gɒdʃaɪld] (pl. **godchildren**) s. figlioccio m.

goddaughter ['gɒd,dɔːtəʳ] s. figlioccia f.

goddess ['gɒdɪs] s. dea f.

godfather ['gɒd,faːðəʳ] s. padrino m.

god-forsaken ['gɒdfə,seɪkn] agg. desolato, abbandonato

godhead ['gɒdhed] s. divinità f.

godmother ['gɒd,mʌðəʳ] s. madrina f.

godson ['gɒdsʌn] s. figlioccio m.

goggles ['gɒglz] s. pl. occhiali m. pl. di protezione

going ['goʊɪŋ] **A** agg. **1** corrente, in vigore **2** efficiente **3** di moda **4** disponibile **B** s. **1** andata f. **2** andatura f. **3** (di strada, terreno) stato m., condizione f. ♦ **coming and g.** andirivieni; **g.-down** discesa

gold [goʊld] **A** s. oro m. **B** agg. aureo ♦ **fine g.** oro zecchino; **g.-mine** miniera; **g. plated** placcato in oro

golden ['goʊld(ə)n] agg. **1** dorato, d'oro

2 biondo

goldsmith ['gəʊldsmɪθ] *s.* orafo *m.*

golf [gɒlf] *s.* (*sport*) golf *m. inv.* ♦ **g. club** circolo del golf, mazza da golf; **g. course** campo da golf

golfer ['gɒlfər] *s.* giocatore *m.* di golf

gone [gɒn] **A** *p. p. di* **to go B** *agg.* **1** andato, finito **2** debole, sfinito

gong [gɒŋ] *s.* gong *m. inv.*

good [gʊd] (*comp.* **better**, *sup. rel.* **best**) **A** *agg.* **1** buono, bravo, bello **2** piacevole, felice **B** *s.* **1** bene *m.*, beneficio *m.* **2** *al pl.* beni *m. pl.*, merce *f.* ♦ **as g. as** praticamente, come; **for g.** per sempre; **g. evening** buonasera; **G. Friday** venerdì santo; **g. looking** prestante, bello; **g. morning** buongiorno; **g. night** buonanotte; **goods train** treno merci; **to be g. at** essere bravo in

goodbye [gʊ(d)'baɪ] *inter.* addio, arrivederci

goodness ['gʊdnɪs] *s.* bontà *f.*, cortesia *f.* ♦ **my g.!** accidenti!

goodwill [‚gʊd'wɪl] *s.* benevolenza *f.*, amicizia *f.*

goose [gu:s] (*pl.* **geese**) *s.* oca *f.*

gooseberry ['gʊzb(ə)rɪ] *s.* uva *f.* spina

gooseflesh ['gu:sfleʃ] *s.* pelle *f.* d'oca

to gore [gɔːr] *v. tr.* incornare

gorge [gɔ:dʒ] *s.* gola *f.*

to gorge [gɔ:dʒ] *v. tr. e intr.* rimpinzare, rimpinzarsi

gorgeous ['gɔ:dʒəs] *agg.* fastoso, magnifico

gorilla [gə'rɪlə] *s.* gorilla *m. inv.*

gorse [gɔ:s] *s.* ginestrone *m.*

gory ['gɔrɪ] *agg.* insanguinato, sanguinoso

josh [gɒʃ] *inter.* perbacco!

gospel ['gɒsp(ə)l] *s.* vangelo *m.*

gossip ['gɒsɪp] *s.* **1** chiacchiera *f.*, pettegolezzo *m.* **2** pettegolo *m.*

to gossip ['gɒsɪp] *v. intr.* **1** chiacchierare **2** pettegolare

gossipy ['gɒsɪpɪ] *agg.* pettegolo

got [gɒt] *pass. e p. p. di* **to get**

Gothic ['gɒθɪk] *agg.* gotico

gotten ['gɒtn] *p. p. di* **to get** (*USA*)

gouache [gu'a:ʃ] *s.* (*arte*) guazzo *m.*

gourmet ['gʊəmeɪ] *s.* buongustaio *m.*

gout [gaʊt] *s.* (*med.*) gotta *f.*

to govern ['gʌv(ə)n] *v. tr.* **1** governare, dirigere **2** controllare

government ['gʌvnmənt] *s.* governo *m.*, amministrazione *f.*

governor ['gʌvənər] *s.* governatore *m.*, amministratore *m.*

gown [gaʊn] *s.* **1** toga *f.* **2** veste *f.* lunga

to grab [græb] *v. tr.* afferrare, agguantare ♦ **to g. at** tentare di afferrare

grace [greɪs] *s.* grazia *f.*

to grace [greɪs] *v. tr.* **1** abbellire **2** onorare

graceful ['greɪsf(ʊ)l] *agg.* leggiadro, elegante

gracious ['greɪʃəs] *agg.* **1** grazioso, benevolo **2** misericordioso

gradation [grə'deɪʃ(ə)n] *s.* gradazione *f.*

grade [greɪd] *s.* **1** grado *m.* **2** categoria *f.*, qualità *f.* **3** (*USA*) classe *f.*, anno *m.* (di scuola) **4** (*USA*) voto *m.* (scolastico) ♦ **g. school** scuola elementare

to grade [greɪd] *v. tr.* classificare

gradient ['greɪdjənt] *s.* **1** pendenza *f.*, inclinazione *f.* **2** gradiente *m.*

gradual ['grædjʊəl] *agg.* graduale

gradually ['grædjʊəlɪ] *avv.* gradualmente

graduate ['grædjʊət] *s.* **1** laureato *m.* **2** (*USA*) diplomato *m.*

to graduate ['grædjʊeɪt] *v. intr.* **1** laurearsi **2** (*USA*) diplomarsi

graduation [‚grædjʊ'eɪʃ(ə)n] *s.* **1** laurea *f.* **2** (*USA*) diploma *m.* **3** graduazione *f.* **4** scala *f.* graduata

graffito [gra:'fi:tʊ] (*pl.* **graffiti**) *s.* graffito *m.*

graft (1) [gra:ft] *s.* **1** (*bot.*) innesto *m.* **2** (*med.*) trapianto *m.*

graft (2) [gra:ft] *s.* corruzione *f.*, peculato *m.*

to graft (1) [gra:ft] *v. tr.* **1** (*bot.*) innestare **2** (*med.*) trapiantare

to graft (2) [gra:ft] *v. tr.* guadagnare con mezzi illeciti

grain [greɪn] *s.* **1** grano *m.*, granello *m.* **2** grana *f.*, (*del legno*) venatura *f.*

grained [greɪnd] *agg.* granulato

gram (1) [græm] *s.* grammo *m.*

gram (2) [græm] *s.* cece *m.*

grammar ['græmər] *s.* grammatica *f.* ♦ **g. school** liceo

grammatical [grə'mætɪk(ə)l] *agg.* grammaticale

granary ['grænərɪ] *s.* granaio *f.*

grand [grænd] *agg.* **1** grandioso, imponente **2** grande, importante **3** complessivo ♦ **g. piano** pianoforte a coda

grandchild ['græn(d)tʃaɪld] (*pl.* **grandchildren**) *s.* nipote *m. e f.* (*di nonni*)

granddaughter ['græn‚dɔ:tər] *s.* nipote *f.*

(*di nonni*)

grandeur ['græn(d)ʒəʳ] *s.* grandiosità *f.*

grandfather ['græn(d),faːðəʳ] *s.* nonno *m.*

grandma ['grænmaː] *s.* (*fam.*) nonna *f.*

grandmother ['græn,mʌðəʳ] *s.* nonna *f.*

grandpa ['grænpaː] *s.* (*fam.*) nonno *m.*

grandparent ['græn(d),pɛər(ə)nt] *s.* nonno *m.*, nonna *f.*

grandson ['græn(d)sʌn] *s.* nipote *m.* (*di nonni*)

granite ['grænɪt] *s.* granito *m.*

granny ['grænɪ] *s.* (*fam.*) nonna *f.*

grant [graːnt] *s.* **1** concessione *f.*, assegnazione *f.* **2** sussidio *m.*, sovvenzione *f.* **3** borsa *f.* di studio

to grant [graːnt] *v. tr.* **1** accordare, concedere **2** accogliere, esaudire **3** attribuire ♦ **to take st. for granted** dare q.c. per scontato

granular ['grænjʊləʳ] *agg.* granuloso, granulare

granulation [,grænjʊ'leɪʃ(ə)n] *s.* granulazione *f.*

granule ['grænjuːl] *s.* granello *m.*

grape [greɪp] *s.* **1** acino *m.* **2** *al pl.* uva *f.*

grapefruit ['greɪpfruːt] *s.* pompelmo *m.*

graph [græf] *s.* grafico *m.*, diagramma *m.*

graphic ['græfɪk] *agg.* grafico

graphically ['græfɪkəlɪ] *avv.* graficamente

graphics ['græfɪks] *s. pl.* (*v. al sing.*) grafica *f.*

to grapple ['græpl] *v. tr.* afferrare, agganciare ♦ **to g. with** lottare con, essere alle prese con

grasp [graːsp] *s.* **1** presa *f.*, stretta *f.* **2** padronanza *f.*, controllo *m.* **3** comprensione *f.*

to grasp [graːsp] *v. tr.* **1** afferrare, stringere **2** comprendere ♦ **to g. at** cercare di afferrare

grass [graːs] *s.* erba *f.*

grasshopper ['graːs,həpəʳ] *s.* cavalletta *f.*

grassland ['graːslænd] *s.* prateria *f.*

grate [greɪt] *s.* grata *f.*

to grate [greɪt] **A** *v. tr.* grattugiare **B** *v. intr.* cigolare, stridere

grateful ['greɪtf(ʊ)l] *agg.* grato

gratefully ['greɪtf(ʊ)lɪ] *avv.* con gratitudine

grater ['greɪtəʳ] *s.* grattugia *f.*

to gratify ['grætɪfaɪ] *v. tr.* gratificare, compiacere

grating (1) ['greɪtɪŋ] *s.* griglia *f.*, grata *f.*

grating (2) ['greɪtɪŋ] **A** *agg.* stridulo **B** *s.* stridore *m.*

gratis ['greɪtɪs] *avv.* gratis

gratitude ['grætɪtjuːd] *s.* gratitudine *f.*

gratuity [grə'tjuːɪtɪ] *s.* mancia *f.*, gratifica *f.*

grave (1) [greɪv] *s.* tomba *f.*

grave (2) [greɪv] *agg.* grave, serio

gravel ['græv(ə)l] *s.* ghiaia *f.*

gravelly ['grævəlɪ] *agg.* ghiaioso

gravestone ['greɪvstəʊn] *s.* pietra *f.* tombale

graveyard ['greɪv,jaːd] *s.* cimitero *m.*

gravity ['grævɪtɪ] *s.* **1** gravità *f.*, peso *m.* **2** serietà *f.*, solennità *f.*

gravy ['greɪvɪ] *s.* sugo *m.* (*di carne*) ♦ **g. boat** salsiera

gray [greɪ] *agg.* (*USA*) → **grey**

graze [greɪz] *s.* escoriazione *f.*

to graze (1) [greɪz] *v. tr.* **1** sfiorare **2** scalfire, escoriare, graffiare

to graze (2) [greɪz] *v. intr.* pascolare

grazing ['greɪzɪŋ] *s.* pascolo *m.* ♦ **g. land** terreno da pascolo

grease [griːs] *s.* **1** grasso *m.* **2** brillantina *f.* ♦ **g.-proof paper** carta oleata

to grease [griːz] *v. tr.* ungere, ingrassare, lubrificare

greasing ['griːsɪŋ] *s.* ingrassaggio *m.*

greasy ['griːsɪ] *agg.* untuoso, grasso

great [greɪt] *agg.* **1** grande, grosso **2** grandioso **3** insigne, celebre

greatly ['greɪtlɪ] *avv.* molto, grandemente

greatness ['greɪtnɪs] *s.* grandezza *f.*

grecism ['griːsɪz(ə)m] *s.* grecismo *m.*

greediness ['griːdɪnɪs] *s.* **1** avidità *f.* **2** golosità *f.*

greedy ['griːdɪ] *agg.* **1** avido **2** goloso

Greek [griːk] *agg. e s.* greco *m.*

green [griːn] **A** *agg.* **1** verde **2** giovane, fresco **3** inesperto **B** *s.* **1** verde *m.* **2** prato **3** *al pl.* verdura *f.*

greengrocer ['griːn,grəʊsəʳ] *s.* fruttivendolo *m.*

greenhouse ['griːnhaʊs] *s.* serra *f.*

greenish ['griːnɪʃ] *agg.* verdastro

to greet [griːt] *v. tr.* salutare

greeting ['griːtɪŋ] *s.* **1** saluto *m.* **2** *al pl.* auguri *m. pl.*

gregarious [grɪ'gɛərɪəs] *agg.* **1** gregario **2** socievole

gremlin ['gremlɪn] *s.* folletto *m.*

grenade [grɪ'neɪd] *s.* (*mil.*) granata *f.*

grew [gruː] *pass. di* **to grow**

grey [greɪ] (*USA* **gray**) *agg.* grigio ♦ **g.-haired** brizzolato

greyhound ['greɪhaʊnd] *s.* levriero *m.*

grid [grɪd] *s.* **1** grata *f.*, griglia *f.* **2** reticolo *m.*, rete *f.*

grief [griːf] *s.* afflizione *f.*, dolore *m.*

grievance ['griːv(ə)ns] *s.* lagnanza *f.*, reclamo *m.*

to grieve [griːv] **A** *v. tr.* addolorare, affliggere **B** *v. intr.* addolorarsi, affliggersi ♦ **to g. at/for sb.** rattristarsi per qc.

grievous ['griːvəs] *agg.* doloroso, atroce ♦ **g. bodily harm** grave danno fisico, aggressione

griffin ['grɪfɪn] *s.* grifone *m.*

grill [grɪl] *s.* **1** griglia *f.*, grata *f.* **2** grigliata *f.*

to grill [grɪl] *v. tr.* cuocere alla griglia

grille [grɪl] *s.* grata *f.*, griglia *f.*

grilled [grɪld] *agg.* alla griglia

grim [grɪm] *agg.* **1** orribile, sinistro **2** spietato, feroce, risoluto **3** sgradevole, repellente

grimace [grɪ'meɪs] *s.* smorfia *f.*

grime [graɪm] *s.* sporcizia *f.*

grin [grɪn] *s.* **1** sogghigno *m.* **2** sorriso *m.*

grind [graɪnd] *s.* **1** cigolio *m.* **2** (*fam.*) sgobbata *f.*

to grind [graɪnd] (*pass. e p. p.* **ground**) *v. tr.* **1** macinare, frantumare **2** arrotare, affilare **3** smerigliare

grinder ['graɪndər] *s.* **1** arrotino *m.* **2** macina *f.*, macinino *m.* **3** (*dente*) molare *m.*

grinding ['graɪndɪŋ] *s.* macinazione *f.*

grip [grɪp] *s.* **1** stretta *f.*, presa *f.* **2** impugnatura *f.* **3** (*USA*) borsa *f.* da viaggio

to grip [grɪp] *v. tr.* **1** stringere, impugnare **2** avvincere

grisly ['grɪzlɪ] *agg.* orrendo, macabro

gristle ['grɪsl] *s.* cartilagine *f.*

grit [grɪt] *s.* **1** ghiaia *f.*, pietrisco *m.* **2** coraggio *m.*

grizzled ['grɪzld] *agg.* brizzolato

groan [grəʊn] *s.* gemito *m.*

to groan [grəʊn] *v. intr.* gemere

grocer ['grəʊsər] *s.* droghiere *m.*

grocery ['grəʊsərɪ] *s.* drogheria *f.*

groggy ['grɒgɪ] *agg.* barcollante, intontito

groin [grəɪn] *s.* inguine *m.*

groom [gruːm] *s.* **1** stalliere *m.* **2** sposo *m.*

groove [gruːv] *s.* scanalatura *f.*, incavo *m.*

to grope [grəʊp] *v. intr.* brancolare, andare a tentoni ♦ **to g. for st.** cercare q.c. a tentoni

gross [grəʊs] *agg.* **1** grossolano, volgare **2** grasso **3** complessivo, lordo

grotesque [grɒ(ʊ)'tesk] *agg.* grottesco

grotto ['grɒtʊ] *s.* grotta *f.*

grotty ['grɒtɪ] *agg.* orrendo

ground (1) [graʊnd] **A** *pass. e p. p. di* **to grind B** *agg.* **1** macinato **2** levigato **3** arrotato

ground (2) [graʊnd] **A** *agg.* **1** terrestre, di terra **2** del suolo **3** di base **B** *s.* **1** terreno *m.*, terra *f.* **2** campo *m.* **3** (*di mare, lago*) fondo *m.* **4** sfondo *m.* **5** motivo *m.*, ragione *f.* **6** (*elettr*) massa *f.*, terra *f.* **7** al *pl.* sedimenti *m. pl.*, fondi *m. pl.* ♦ **g. floor** pianterreno

to ground [graʊnd] *v. intr.* **1** fondarsi, basarsi **2** (*naut.*) incagliarsi

grounding ['graʊndɪŋ] *s.* **1** basi *f. pl.*, fondamento *m.* **2** messa *f.* a terra

groundless ['graʊndlɪs] *agg.* infondato

groundwork ['graʊnd,wɜːk] *s.* fondamento *m.*

group [gruːp] *s.* gruppo *m.*

to group [gruːp] **A** *v. tr.* raggruppare, radunare **B** *v. intr.* raggrupparsi, radunarsi

grouper ['gruːpər] *s.* cernia *f.*

grouse [graʊs] *s.* gallo *m.* cedrone

grove [grəʊv] *s.* boschetto *m.*

to grovel ['grɒvl] *v. intr.* **1** strisciare per terra **2** umiliarsi

to grow [grəʊ] (*pass.* **grew**, *p. p.* **grown**) **A** *v. intr.* **1** crescere, aumentare **2** diventare **B** *v. tr.* coltivare ♦ **to g. old** invecchiare; **to g. rich** arricchire; **to g. up** diventare adulto, crescere

grower ['grəʊər] *s.* coltivatore *m.*

to growl [graʊl] *v. intr.* ringhiare, grugnire

grown [grəʊn] *p. p. di* **to grow**

growth [grəʊθ] *s.* **1** crescita *f.*, sviluppo *m.* **2** produzione *f.* **3** escrescenza *f.*

grub [grʌb] *s.* **1** larva *f.* **2** (*fam.*) cibo *m.*

grubby ['grʌbɪ] *agg.* sporco

grudge [grʌdʒ] *s.* rancore *m.*

gruelling ['grʊəlɪŋ] *agg.* faticoso

gruesome ['gruːsəm] *agg.* orribile

gruff [grʌf] *agg.* **1** rude, aspro **2** roco

to grumble ['grʌmbl] *v. intr.* lamentarsi, brontolare

grumpy ['grʌmpɪ] *agg.* scontroso

to grunt [grʌnt] *v. intr.* grugnire, borbottare

guarantee [,gær(ə)n'tiː] *s.* garanzia *f.*

to guarantee [,gær(ə)n'tiː] *v. tr.* garantire

guaranty ['gær(ə)ntɪ] *s.* garanzia *f.*

guard [gɑːd] *s.* **1** guardia *f.*, custodia *f.* **2** guardiano *m.* **3** capotreno *m.*

to guard [gɑːd] **A** *v. tr.* sorvegliare, proteggere **B** *v. intr.* stare in guardia ♦ **to g. against st.** guardarsi da q.c.

guardian ['ga:djən] *s.* **1** guardiano *m.*, custode *m.* **2** tutore *m.*

Guelph [gwɛlf] *s.* guelfo *m.*

guerilla [gə'rɪlə] *s.* guerriglia *f.*

guess [gɛs] *s.* congettura *f.* ♦ **to take a g.** provare a indovinare

to guess [gɛs] *v. tr. e intr.* indovinare, azzeccare

guest [gɛst] *s.* **1** ospite *m. e f.*, invitato *m.* **2** (*d'albergo*) cliente *m. e f.* ♦ **g.-house** pensione; **g.-room** stanza degli ospiti

to guffaw [gʌ'fɔ:] *v. intr.* sghignazzare

guidance ['gaɪdəns] *s.* guida *f.*

guide [gaɪd] *s.* **1** guida *f.*, cicerone *m.* **2** guida *f.*, manuale *m.*

to guide [gaɪd] *v. tr.* guidare

guideline ['gaɪdlaɪn] *s.* direttiva *f.*, orientamento *m.*

guild [gɪld] *s.* corporazione *f.*, gilda *f.*

guile [gaɪl] *s.* astuzia *f.*

guillotine [,gɪlə'ti:n] *s.* ghigliottina *f.*

guilt [gɪlt] *s.* colpa *f.*, colpevolezza *f.*

guilty ['gɪltɪ] *agg.* colpevole

guinea-pig ['gɪnɪpɪg] *s.* cavia *f.*, porcellino *m.* d'India

guise [gaɪz] *s.* **1** sembianza *f.* **2** maschera *f.*

guitar [gɪ'ta:r] *s.* chitarra *f.*

guitarist [gɪ'ta:rɪst] *s.* chitarrista *m. e f.*

gulf [gʌlf] *s.* **1** golfo *m.* **2** abisso *m.*

gull [gʌl] *s.* gabbiano *m.*

gullet ['gʌlɪt] *s.* gola *f.*

gully ['gʌlɪ] *s.* **1** burrone *m.*, gola *f.* **2** calanco *m.* **3** canale *m.*

gulp [gʌlp] *s.* sorso *m.*, boccone *m.*

to gulp [gʌlp] **A** *v. intr.* deglutire **B** *v. tr.* inghiottire, tracannare

gum [gʌm] *s.* **1** gomma *f.* **2** colla *f.* **3** caramella *f.* gommosa **4** gengiva *f.*

gumption ['gʌm(p)ʃ(ə)n] *s.* buon senso *m.*

gun [gʌn] *s.* fucile *m.*, pistola *f.*, arma *f.* da fuoco, cannone *m.*

gunman ['gʌnmən] (*pl.* **gunmen**) *s.* bandito *m.*

gunpoint ['gʌn,pɔɪnt] *s.* mira *f.* ♦ **at g.** sotto tiro

gunpowder ['gʌn,paʊdər] *s.* polvere *f.* da sparo

gunshot ['gʌnʃət] *s.* sparo *m.*

to gurgle ['gɜ:gl] *v. intr.* gorgogliare

guru ['guru:] *s.* guru *m. inv.*

gush [gʌʃ] *s.* zampillo *m.*

to gush [gʌʃ] *v. intr.* **1** sgorgare **2** entusiasmarsi

gushing ['gʌʃɪŋ] *agg.* zampillante

gust [gʌst] *s.* raffica *f.*

gusto ['gʌstəʊ] *s.* **1** godimento *m.*, piacere *m.* **2** gusto *m.*, sapore *m.*

gut [gʌt] *s.* budello *m.*, *al pl.* budella *f. pl.*

gutter ['gʌtər] *s.* **1** grondaia *f.* **2** cunetta *f.*

guttural ['gʌt(ə)r(ə)l] *agg.* gutturale

guy [gaɪ] *s.* (*USA, fam.*) individuo *m.*, tipo *m.*

to guzzle ['gʌzl] *v. intr.* gozzovigliare

gym [dʒɪm] *s.* **1** palestra *f.* **2** ginnastica *f.*

gymnasium [dʒɪm'neɪzjəm] *s.* palestra *f.*

gymnastics [dʒɪm'næstɪks] *s. pl.* (*v. al sing.*) ginnastica *f.*

gyn(a)ecologist [,gaɪnɪ'kələdʒɪst] *s.* ginecologo *m.*

to gyrate [,dʒaɪ'reɪt] *v. intr.* girare, turbinare

gyroscope ['dʒaɪərəskəʊp] *s.* giroscopio *m.*

H

haberdasher ['hæbədæʃər] *s.* merciaio *m.*
haberdashery ['hæbədæʃərɪ] *s.* merceria *f.*
habit ['hæbɪt] *s.* **1** abitudine *f.* **2** temperamento *m.* **3** abito *m.*, tonaca *f.*
habitual [hə'bɪtjʊəl] *agg.* **1** abituale **2** inveterato
hack (1) [hæk] *s.* **1** spacco *m.*, fenditura *f.* **2** ferita *f.* **3** piccone *m.*
hack (2) [hæk] *s.* **1** scribacchino *m.* **2** ronzino *m.*
to hack [hæk] *v. tr.* fare a pezzi
hackneyed ['hæknɪd] *agg.* trito, banale
had [hæd, həd, əd] *pass. e p. p. di* **to have**
h(a)emorrhage ['hemərɪdʒ] *s.* emorragia *f.*
h(a)emostatic [ˌhiːmɒ(ʊ)'stætɪk] *agg. e s.* emostatico *m.*
haggard ['hægəd] *agg.* smunto, sparuto
to haggle ['hægl] *v. intr.* **1** mercanteggiare **2** cavillare
hagiography [ˌhægɪ'əgrəfɪ] *s.* agiografia *f.*
hail (1) [heɪl] *s.* **1** grandine *f.* **2** gragnuola *f.*
hail (2) [heɪl] *inter.* salve, salute
to hail (1) [heɪl] **A** *v. intr.* grandinare **B** *v. tr.* scagliare, lanciare
to hail (2) [heɪl] *v. tr.* **1** chiamare, salutare **2** fare un cenno (*per fermare*)
hailstone ['heɪl,stʊn] *s.* chicco *m.* di grandine
hailstorm ['heɪl,stɔːm] *s.* grandinata *f.*
hair [heər] *s.* **1** capelli *m. pl.*, chioma *f.* **2** capello *m.* **3** (*di animale*) pelo *m.*, mantello *m.* ♦ **h.-raising** orripilante; **h.-splitting** pedanteria
hairbrush ['heəbrʌʃ] *s.* spazzola *f.* (per capelli)
haircut ['heəkət] *s.* taglio *m.* di capelli
hairdo ['heəduː] *s.* pettinatura *f.*
hairdresser ['heə,dresər] *s.* parrucchiere *m.*
hairdryer ['heə,draɪər] *s.* asciugacapelli *m. inv.*
hairgrip ['heəgrɪp] *s.* molletta *f.*
hairless ['heəlɪs] *agg.* calvo, glabro
hairpin ['heəpɪn] *s.* molletta *f.* ♦ **h. bend** tornante

hairstyle ['heəstaɪl] *s.* acconciatura *f.*
hairy ['heərɪ] *agg.* **1** peloso, irsuto **2** (*fam.*) pericoloso
hake [heɪk] *s.* nasello *m.*
half [haːf] (*pl.* **halves**) **A** *agg.* mezzo **B** *s.* **1** metà *f.*, mezzo *m.* **2** (*sport*) tempo *m.* **C** *avv.* mezzo, a metà ♦ **h.-and-h.** metà e metà, a metà; **h. an hour** mezz'ora; **h. brother** fratellastro; **h.-mast** mezz'asta; **h. moon** mezzaluna; **not h.** molto, veramente; **h.-price** metà prezzo; **h. time** (*sport*) intervallo; **two and a h.** due e mezzo
half-baked [ˌhaːf'beɪkt] *agg.* **1** cotto a metà **2** (*fig.*) immaturo
half-hearted [ˌhaːf'haːtɪd] *agg.* apatico, tiepido
halfway [ˌhaːf'weɪ] *agg. e avv.* a metà strada
halibut ['hælɪbət] *s.* ippoglosso *m.*
hall [hɔːl] *s.* **1** sala *f.*, salone *m.* **2** vestibolo *m.* **3** palazzo *m.*, villa *f.*
hallmark ['hɔːl,maːk] *s.* **1** marchio *m.* di garanzia **2** (*fig.*) caratteristica *f.*
hallo [hə'lʊu] *inter.* **1** ciao, salve **2** (*al telefono*) pronto
hallucination [hə,luːsɪ'neɪʃ(ə)n] *s.* allucinazione *f.*
hallway ['hɔːlweɪ] *s.* (*USA*) corridoio *m.*, vestibolo *m.*
halo ['heɪlʊu] *s.* aureola *f.*
halt [hɔːlt] **A** *s.* sosta *f.*, fermata *f.* **B** *inter.* alt!
to halt [hɔːlt] **A** *v. tr.* **1** fermare **2** (*mil.*) far fare tappa a **B** *v. intr.* fermarsi
to halve [haːv] *v. tr.* dimezzare, fare a metà di
halves [haːvz] *pl. di* **half**
halyard ['hæljəd] *s.* (*naut.*) drizza *f.*
ham (1) [hæm] *s.* prosciutto *m.*
ham (2) [hæm] *s.* (*fam.*) radioamatore *m.*
hamburger ['hæmbɜːgər] *s.* hamburger *m. inv.*
hamlet ['hæmlɪt] *s.* borgo *m.*
hammer ['hæmər] *s.* **1** martello *m.* **2** maglio *m.* **3** martelletto *m.* ♦ **h. drill** martello pneumatico
to hammer ['hæmər] *v. tr. e intr.* martellare, battere
hammering ['hæmərɪŋ] *s.* martellamento *m.*

hammock ['hæmək] *s.* amaca *f.*

hamper ['hæmpər] *s.* cesta *f.*, paniere *m.*

to hamper ['hæmpər] *v. tr.* impedire, ostacolare

hamster ['hæmstər] *s.* criceto *m.*

hand [hænd] *s.* **1** mano *f.* **2** manovale *m.*, operaio *m.* **3** (*di orologio*) lancetta *f.* **4** grafia *f.*, firma *f.* **5** (*nel gioco delle carte*) mano *f.* **6** (*di banane*) casco *m.* ♦ **at h.** a portata di mano; **by h.** a mano; **h. luggage** bagaglio a mano; **in h.** a disposizione, sotto controllo

to hand [hænd] *v. tr.* dare, porgere ♦ **to h. back** restituire; **to h. out** distribuire; **to h. over** consegnare, trasmettere

handbag ['hæn(d)bæg] *s.* borsetta *f.*

handball ['hæn(d)bɔ:l] *s.* pallamano *f.*

handbook ['hæn(d)bʊk] *s.* manuale *m.*

handbrake ['hæn(d)breɪk] *s.* freno *m.* a mano

handcart ['hæn(d)ka:t] *s.* carretto *m.*

handcuffs ['hæn(d)kʌfs] *s. pl.* manette *f. pl.*

handful ['hæn(d)fʊl] *s.* manciata *f.*

handhold ['hæn(d)hʊld] *s.* appiglio *m.*

handicap ['hændɪkæp] *s.* **1** (*med.*) handicap *m. inv.* **2** ostacolo *m.*, svantaggio *m.* **3** (*sport*) handicap *m. inv.*

to handicap ['hændɪkæp] *v. tr.* **1** ostacolare **2** (*sport*) dare un handicap

handicraft ['hændɪkra:ft] *s.* **1** artigianato *m.*, lavoro *m.* artigianale **2** abilità *f.* manuale

handiwork ['hændɪwɜ:k] *s.* **1** lavoro *m.* manuale **2** operato *m.*

handkerchief ['hæŋkətʃɪf] *s.* fazzoletto *m.*

handle ['hændl] *s.* **1** manico *m.*, maniglia *f.*, impugnatura *f.* **2** (*fig.*) appiglio *m.*, pretesto *m.*

to handle ['hændl] *v. tr.* **1** maneggiare, manipolare **2** trattare, occuparsi di ♦ **h. with care** maneggiare con cura

handlebar ['hændlba:r] *s. spec. al pl.* manubrio *m.* (di bicicletta)

handling ['hændlɪŋ] *s.* trattamento *m.*

handmade [,hæn(d)'meɪd] *agg.* fatto a mano

handout ['hændaʊt] *s.* **1** sussidio *m.*, elemosina *f.* **2** volantino *m.* **3** dichiarazione *f.* (per la stampa)

handrail ['hænd,reɪl] *s.* corrimano *m.*

handshake ['hændʃeɪk] *s.* stretta *f.* di mano

handsome ['hænsəm] *agg.* **1** bello, prestante **2** generoso **3** considerevole

handwork ['hændwɜ:k] *s.* → **handiwork**

handwriting ['hænd,raɪtɪŋ] *s.* scrittura *f.*, grafia *f.*

handy ['hændɪ] *agg.* **1** abile **2** maneggevole, manovrabile **3** comodo, utile **4** vicino, sottomano

handyman ['hændɪmæn] (*pl.* **handymen**) *s.* tuttofare *m. inv.*

to hang [hæŋ] (*pass. e p. p.* **to hung**) **A** *v. tr.* **1** appendere, sospendere **2** impiccare **B** *v. intr.* pendere, penzolare ♦ **to h. about** ciondolare, perdere tempo; **to h. on** aggrapparsi, aspettare; **to h. up** riattaccare (il telefono)

hangar ['hæŋər] *s.* hangar *m. inv.*

hanger ['hæŋər] *s.* **1** gruccia *f.* **2** gancio *m.* ♦ **h.-on** scroccone

hang-glider ['hæŋ,glaɪdər] *s.* deltaplano *m.*

hanging ['hæŋɪŋ] **A** *agg.* sospeso, pendente **B** *s.* impiccagione *f.*

hangover ['hæŋ,ʊvər] *s.* postumi *m. pl.* di sbornia

hang-up ['hæŋʌp] *s.* **1** (*fam.*) problema *m.* **2** (*inf.*) sospensione *f.*

hank [hæŋk] *s.* matassa *f.*

to hanker ['hæŋkər] *v. intr.* desiderare ardentemente

hanky ['hæŋkɪ] *s.* fazzoletto *m.*

haphazard [,hæp'hæzəd] **A** *agg.* casuale, fortuito **B** *avv.* a casaccio

to happen ['hæp(ə)n] *v. intr.* **1** accadere, succedere **2** (*costruzione pers.*) capitare, accadere (ES: **I happened to loose my way home** mi capitò di perdere la strada di casa) ♦ **as it happens** guarda caso, precisamente

happening ['hæpənɪŋ] *s.* avvenimento *m.*

happy ['hæpɪ] *agg.* felice, contento

happy-go-lucky ['hæpɪgəʊ,lʌkɪ] *agg.* spensierato

harangue [hə'ræŋ] *s.* arringa *f.*

to harangue [hə'ræŋ] *v. tr.* arringare

to harass ['hærəs] *v. tr.* molestare

harassment ['hærəsmənt] *s.* molestia *f.*

harbour ['ha:bər] (*USA* **harbor**) *s.* porto *m.* ♦ **h.-master** capitano del porto; **h. office** capitaneria

to harbour ['ha:bər] (*USA* **to harbor**) *v. tr.* accogliere, ospitare

hard [ha:d] **A** *agg.* **1** duro **2** severo, spietato **3** difficile, gravoso **4** accanito **5** (*di* *bevanda*) forte, (*di droga*) pesante **B** *avv.* **1** energicamente, con forza **2** pesante, con difficoltà ♦ **h. disk** disco rigido; **h. luck** sfortuna; **h. of hearing** duro d'orecchi; **to be h. on sb.** trattare qc. duramente; **to drink h.** bere molto; **to follow h. on sb.** seguire qc. da vicino; **to look h. at sb.** guardare fisso qc.

hardback ['ha:d,bæk] *s.* libro *m.* rilegato

hardcover ['ha:dkʌvər] *agg.* rilegato

hardheaded [,ha:d'hɛdɪd] *agg.* pratico, realista

hardly ['ha:dlɪ] *avv.* **1** appena, a malapena **2** quasi ♦ **h. ever** quasi mai

hardness ['ha:dnɪs] *s.* durezza *f.*

hardship ['ha:dʃɪp] *s.* privazione *f.*, stento *m.*

hard-up [,ha:d'ʌp] *agg.* (*fam.*) **1** al verde **2** bisognoso di

hardware ['ha:dwɛər] *s.* **1** ferramenta *f.* **2** attrezzi *m. pl.* **3** (*mil.*) armamenti *m. pl.* **4** (*inf.*) hardware *m. inv.*

hardwearing ['ha:dwɛərɪŋ] *agg.* resistente

hardy ['ha:dɪ] *agg.* robusto, resistente

hare [hɛər] *s.* lepre *f.*

hare-brained ['hɛər'breɪnd] *agg.* scervellato

harm [ha:m] *s.* danno *m.*

to harm [ha:m] *v. tr.* nuocere a, danneggiare

harmful ['ha:mf(ʊ)l] *agg.* nocivo

harmless ['ha:mlɪs] *agg.* innocuo, inoffensivo

harmonica [ha:'mɒnɪkə] *s.* armonica *f.*

harmonious [ha:'mɒʊnjəs] *agg.* armonioso, melodioso

harmony ['ha:m(ə)nɪ] *s.* armonia *f.*, accordo *m.*

harness ['ha:nɪs] *s.* **1** finimenti *m. pl.* **2** imbracatura *f.*

to harness ['ha:nɪs] *v. tr.* **1** mettere i finimenti **2** imbrigliare

harp [ha:p] *s.* arpa *f.*

to harp [ha:p] *v. intr.* suonare l'arpa ♦ **to h. on** insistere noiosamente

harpoon [ha:'pu:n] *s.* arpione *m.*, fiocina *f.*, rampone *m.*

harquebus ['ha:kwɪbəs] *s.* archibugio *m.*

harrowing ['hærɒʊɪŋ] *agg.* straziante

harsh [ha:ʃ] *agg.* **1** aspro, ruvido **2** duro, severo **3** stridente, stridulo **4** (*di clima*) rigido

hart [ha:t] *s.* cervo *m.* maschio

harvest ['ha:vɪst] *s.* mietitura *f.*, raccolto *m.*, vendemmia *f.*

to harvest ['ha:vɪst] *v. tr.* mietere, fare il raccolto, vendemmiare

has [hæz, həz, əz] *3ª sing. pres. di* **to have**

to hash [hæʃ] *v. tr.* **1** tritare, sminuzzare **2** pasticciare

hashish ['hæʃi:ʃ] *s.* hascisc *m. inv.*

hassle ['hæsl] *s.* (*fam.*) **1** problema *m.* **2** scocciatura *f.*

haste [heɪst] *s.* fretta *f.*, premura *f.*

to hasten ['heɪsn] **A** *v. tr.* affrettare, sollecitare **B** *v. intr.* affrettarsi, precipitarsi

hasty ['heɪstɪ] *agg.* **1** frettoloso, affrettato **2** sconsiderato

hat [hæt] *s.* cappello *m.* ♦ **top h.** cilindro

hatch [hætʃ] *s.* **1** portello *m.* **2** (*naut.*) boccaporto *m.*

hatchet [hætʃɪt] *s.* accetta *f.*

hate [heɪt] *s.* odio *m.*

to hate [heɪt] *v. tr.* odiare, detestare

hateful ['heɪtf(ʊ)l] *agg.* odioso

hatred ['heɪtrɪd] *s.* odio *m.*

haughty ['hɔ:tɪ] *agg.* arrogante, superbo

haul [hɔ:l] *s.* **1** tiro *m.* **2** raccolta *f.*, retata *f.* **3** bottino *m.*

to haul [hɔ:l] *v. tr.* **1** tirare, trainare **2** trasportare

haulage ['hɔ:lɪdʒ] *s.* trasporto *m.*

haulier ['hɔ:ljər] *s.* autotrasportatore *m.*

haunch [hɔ:n(t)ʃ] *s.* **1** anca *f.*, fianco *m.* **2** (*in macelleria*) coscia *f.*

to haunt [hɔ:nt] *v. tr.* **1** frequentare, bazzicare **2** (*di fantasmi*) infestare **3** perseguitare

to have [hæv, həv, əv] (*pass. e p. p.* **had**) *v. tr.* **1** (*ausiliare*) avere, essere (ES: **have you seen it?** l'hai visto?, **she has already been here** è già stata qui) **2** avere **3** possedere, ottenere, ricevere **4** prendere, mangiare, bere **5** fare, compiere **6** to h. to (*seguito da inf.*) dovere (ES: **I h. to stay at home tonight** devo stare in casa questa sera)

haven ['heɪvn] *s.* **1** porto *m.* **2** rifugio *m.* ♦ **tax h.** paradiso fiscale

haversack ['hævəsæk] *s.* bisaccia *f.*

havoc ['hævək] *s.* rovina *f.*, distruzione *f.*

hawk [hɔ:k] *s.* falco *m.*

hay [heɪ] *s.* fieno *m.* ♦ **h. fever** febbre da fieno

hayloft ['heɪ,lɒft] *s.* fienile *m.*

haystack ['heɪ,stæk] *s.* pagliaio *m.*

haywire ['heɪwaɪər] *agg.* confuso ♦ **to go h.** impazzire

hazard ['hæzəd] *s.* **1** azzardo *m.*, rischio *m.*, pericolo *m.* **2** caso *m.*, sorte *f.*

to hazard ['hæzəd] v. tr. **1** azzardare **2** rischiare

hazardous ['hæzədəs] agg. rischioso, pericoloso

haze [heɪz] s. **1** foschia f. **2** confusione f. mentale

hazel ['heɪzl] s. nocciolo m.

hazelnut ['heɪzlnʌt] s. nocciola f.

hazy ['heɪzɪ] agg. **1** nebbioso **2** confuso

he [hi(:)] pron. pers. 3ª m. sing. egli, lui

head [hɛd] **A** s. **1** testa f. **2** capo m. **B** agg. principale, centrale ♦ **h. office** sede centrale

to head [hɛd] v. tr. **1** dirigere, capeggiare **2** intestare, intitolare **3** affrontare ♦ **to h. for** dirigersi; **to h. off** precedere

headache ['hɛdeɪk] s. cefalea f., mal m. di testa

headdress ['hɛddrɛs] s. **1** copricapo m. **2** acconciatura f.

headfirst [ˌhɛd'fɜːst] avv. a capofitto

heading ['hɛdɪŋ] s. intestazione f., titolo m.

headland ['hɛdlənd] s. promontorio m.

headlight ['hɛdlaɪt] s. faro m., fanale m.

headline ['hɛdlaɪn] s. titolo m.

headlong ['hɛdlɒŋ] avv. **1** a capofitto **2** precipitosamente

headmaster [ˌhɛd'mɑːstər] s. direttore m. di scuola

head-on [ˌhɛd'ɒn] agg. frontale

headphones ['hɛdfəʊnz] s. pl. auricolare m., cuffia f.

headquarters ['hɛdˌkwɔːtəz] s. pl. **1** quartier m. generale **2** sede f. centrale

headrest ['hɛdrɛst] s. poggiatesta m. inv.

headscarf ['hɛdskɑːf] s. foulard m. inv.

headstrong ['hɛdstrɒŋ] agg. caparbio, ostinato

headway ['hɛdweɪ] s. **1** abbrivio m. **2** (fig.) progresso m.

heady ['hɛdɪ] s. eccitante

to heal [hiːl] **A** v. tr. curare **B** v. intr. guarire, rimarginarsi

healing ['hiːlɪŋ] s. guarigione f.

health [hɛlθ] s. salute f. ♦ **h. farm** clinica della salute; **h. food** cibo naturale; **public h. office** ufficio d'igiene

healthy ['hɛlθɪ] agg. **1** sano **2** salubre

heap [hiːp] s. cumulo m., mucchio m.

to heap [hiːp] v. tr. **1** accumulare, ammassare **2** riempire di

to hear [hɪər] (pass. e p. p. heard) **A** v. tr. **1** sentire, udire **2** venire a sapere **3** ascoltare **B** v. intr. sentire ♦ **to h. about/of** sentir parlare di

heard [hɜːd] pass. e p. p. di **to hear**

hearing ['hɪərɪŋ] s. **1** udito m. **2** udienza f. ♦ **h. aid** apparecchio acustico

hearsay ['hɪəseɪ] s. diceria f. ♦ **by h.** per sentito dire

heart [hɑːt] s. **1** cuore m. **2** (fig.) centro m., nucleo m. **3** al pl. (carte da gioco) cuori m. pl. ♦ **by h.** a memoria; **h. attack** attacco di cuore; **h. broken** desolato; **to be out of h.** essere scoraggiato; **to take h.** farsi coraggio; **to take st. to h.** prendere q.c. a cuore

heartbeat ['hɑːtˌbiːt] s. battito m. del cuore

heartbreak ['hɑːtˌbreɪk] s. crepacuore m. inv.

heartbreaking ['hɑːtˌbreɪkɪŋ] agg. straziante

heartbroken ['hɑːtˌbrəʊk(ə)n] agg. straziato, affranto

heartburn ['hɑːtˌbɜːn] s. bruciore m. di stomaco

heartfelt ['hɑːtfɛlt] agg. sincero

hearth [hɑːθ] s. focolare m.

heartily ['hɑːtɪlɪ] avv. **1** cordialmente, di cuore **2** vigorosamente **3** assai, abbondantemente

heartless ['hɑːtlɪs] agg. insensibile, crudele

hearty ['hɑːtɪ] agg. **1** cordiale, caloroso **2** robusto, vigoroso

heat [hiːt] s. **1** caldo m., calore m. **2** foga f., impeto m. **3** fuoco m., fiamma f. **4** (sport) batteria f.

to heat [hiːt] v. tr. scaldare, riscaldare

heated ['hiːtɪd] agg. **1** riscaldato **2** (fig.) appassionato, animato

heater ['hiːtər] s. calorifero m., stufa f., impianto m. di riscaldamento

heath [hiːθ] s. **1** brughiera f. **2** erica f.

heathen ['hiːð(ə)n] agg. e s. pagano m.

heathenism ['hiːðənɪz(ə)m] s. paganesimo m.

heather ['hɛðər] s. erica f.

heating ['hiːtɪŋ] s. riscaldamento m. ♦ **central h.** riscaldamento centrale

heatstroke ['hiːtstrəʊk] s. colpo m. di calore

to heave [hiːv] (pass. e p. p. heaved, hove) **A** v. tr. **1** sollevare, alzare **2** gettare, lanciare, tirare **3** emettere **B** v. intr. **1** sollevarsi, alzarsi **2** ansimare

heaven ['hɛvn] s. cielo m., paradiso m.

heavenly ['hɛvnlɪ] agg. celeste, divino

heavily ['hɛvɪlɪ] *avv.* **1** pesantemente **2** assai, molto **3** duramente, fortemente

heaviness ['hɛvɪnɪs] *s.* pesantezza *f.*

heavy ['hɛvɪ] *agg.* **1** pesante, gravoso **2** grande, forte, violento **3** triste, grave **4** plumbeo

Hebraic [hɪ(:)'breɪɪk] *agg.* ebraico

Hebrew ['hi:bru:] *agg. e s.* ebreo *m.*

hecatomb ['hɛkətɒʊm] *s.* ecatombe *f.*

hectare ['hɛktɑːʳ] *s.* ettaro *m.*

hectic ['hɛktɪk] *agg.* febbrile, agitato

hedge [hɛdʒ] *s.* **1** siepe *f.* **2** barriera *f.*

hedgehog ['hɛdʒhɒg] *s.* (*zool.*) riccio *m.*

hedonism ['hi:dənɪz(ə)m] *s.* edonismo *m.*

heed [hi:d] *s.* attenzione *f.*, cura *f.* ◆ **to give h. to** dare ascolto a

to heed [hi:d] *v. tr.* fare attenzione a

heedless ['hi:dlɪs] *agg.* sbadato, disattento

heel (1) [hi:l] *s.* **1** calcagno *m.*, tallone *m.* **2** tacco *m.*

heel (2) [hi:l] *s.* (*naut.*) sbandamento *m.*

to heel [hi:l] *v. intr.* (*naut.*) sbandare

hefty ['hɛftɪ] *agg.* (*fam.*) forte, robusto

hegemony [hɪ(:)'gɛmənɪ] *s.* egemonia *f.*

heifer ['hɛfəʳ] *s.* giovenca *f.*

height [haɪt] *s.* **1** altezza *f.* **2** altitudine *f.* **3** cima *f.*, apice *m.*

to heighten ['haɪtn] **A** *v. tr.* accrescere, innalzare **B** *v. intr.* aumentare, innalzarsi

heir [ɛəʳ] *s.* erede *m.*

heiress ['ɛərɪs] *s.* erede *f.*

heirloom ['ɛəlu:m] *s.* **1** (*dir*) bene *m.* spettante all'erede **2** oggetto *m.* di famiglia

held [hɛld] *pass. e p. p. di* **to hold**

helicopter ['hɛlɪkɒptəʳ] *s.* elicottero *m.*

heliotherapy [ˌhi:lɪɒ(ʊ)'θɛrəpɪ] *s.* elioterapia *f.*

heliport ['hɛlɪpɔːt] *s.* eliporto *m.*

helium ['hi:ljəm] *s.* elio *m.*

hell [hɛl] *s.* inferno *m.*

Hellenic [hɛ'li:nɪk] *agg.* ellenico

Hellenistic [ˌhɛlɪ'nɪstɪk] *agg.* ellenistico

hellish ['hɛlɪʃ] *agg.* infernale

hello [hɛ'lɒʊ] *inter.* **1** salve, ciao **2** (*al telefono*) pronto

helm [hɛlm] *s.* timone *m.*

helmet ['hɛlmɪt] *s.* **1** elmetto *m.* **2** casco *m.*

help [hɛlp] *s.* **1** aiuto *m.*, assistenza *f.* **2** rimedio *m.* **3** persona *f.* di servizio

to help [hɛlp] *v. tr.* aiutare, assistere, soccorrere **2** contribuire a, favorire **3** (*a tavola*) servire, passare **4** (*preceduto da 'can', 'could'*) fare a meno di, evitare ◆ **I**

can't h. laughing non posso fare a meno di ridere; **it can't be helped** non c'è niente da fare; **to h. oneself to** servirsi di

helper ['hɛlpəʳ] *s.* aiutante *m. e f.*

helpful ['hɛlpf(ʊ)l] *agg.* **1** servizievole **2** utile, vantaggioso

helping ['hɛlpɪŋ] *s.* (*di cibo*) porzione *f.*

helpless ['hɛlplɪs] *agg.* **1** indifeso **2** debole, impotente

hem [hɛm] *s.* orlo *m.*, bordo *m.*

to hem [hɛm] *v. tr.* orlare ◆ **to h. in** circondare

hemisphere ['hɛmɪsfɪəʳ] *s.* emisfero *m.*

hemp [hɛmp] *s.* canapa *f.*

hen [hɛn] *s.* **1** gallina *f.* **2** (*di volatili*) femmina *f.* ◆ **h. house** pollaio

hence [hɛns] *avv.* **1** da questo momento, di qui a **2** quindi, perciò ◆ **a h. week** fra una settimana

henceforth [ˌhɛns'fɜ:θ] *avv.* d'ora innanzi

henchman ['hɛn(t)ʃmən] (*pl.* **henchmen**) *s.* accolito *m.*

henpecked ['hɛnpɛkt] *agg.* bistrattato dalla moglie

hepatic [hɪ'pætɪk] *agg.* epatico

hepatitis [ˌhɛpə'taɪtɪs] *s.* epatite *f.*

her [hɜːʳ, (h)əʳ] **A** *pron. pers. 3ª sing. f.* (*compl.*) lei, la, a lei, le **B** *agg. poss.* (*riferito a possessore f.*) suo, sua, suoi, sue

heraldic [hɛ'rældɪk] *agg.* araldico

heraldry ['hɛr(ə)ldrɪ] *s.* araldica *f.*

herb [hɜːb] *s.* erba *f.*

herbaceous [hɜː'beɪʃəs] *agg.* erbaceo

herbarium [hɜː'bɛərɪəm] *s.* erbario *m.*

herbicide ['hɜːbɪˌsaɪd] *s.* erbicida *m.*

herbivorous [hɜː'bɪvərəs] *agg.* erbivoro

herd [hɜːd] *s.* **1** mandria *f.*, gregge *m.* **2** moltitudine *f.*

here [hɪəʳ] *avv.* **1** qua, qui **2** ecco ◆ **h.!** (*rispondendo a un appello*) presente!; **h. and now** una volta per tutte; **h. I am** eccomi; **h. he is** eccolo qui; **near h.** qua vicino; **up h.** quassù

hereafter [ˌhɪər'ɑːftəʳ] *avv.* in avvenire

hereby [ˌhɪə'baɪ] *avv.* con ciò, con la presente

hereditary [hɪ'rɛdɪt(ə)rɪ] *agg.* ereditario

heredity [hɪ'rɛdɪtɪ] *s.* eredità *f.*

herein [ˌhɪər'ɪn] *avv.* (*comm.*) qui accluso

heresy ['hɛrəsɪ] *s.* eresia *f.*

heretic [hɛ'rətɪk] *agg. e s.* eretico *m.*

heretical [hɪ'rɛtɪk(ə)l] *agg.* eretico

herewith [ˌhɪə'wɪð] *avv.* qui accluso

heritage ['hɛrɪtɪdʒ] s. **1** eredità f. **2** retaggio m.

hermaphrodite [hɜː'mæfrədaɪt] agg. e s. ermafrodito m.

hermetic [hɜː'mɛtɪk] agg. ermetico

hermit ['hɜːmɪt] s. eremita m.

hermitage ['hɜːmɪtɪdʒ] s. eremo m.

hernia ['hɜːnjə] s. ernia f.

hero ['hɪərʊʊ] s. eroe m.

heroic [hɪ'rʊ(ʊ)ɪk] agg. eroico

heroin ['hɛrʊ(ʊ)ɪn] s. (chim.) eroina f.

heroine ['hɛrʊ(ʊ)ɪn] s. eroina f.

heron ['hɛr(ə)n] s. airone m.

herring ['hɛrɪŋ] s. aringa f.

hers [hɜːz] pron. poss. 3ª sing. (riferito a possessore f.) suo, sua, suoi, sue

herself [hɜː'sɛlf] **A** pron. 3ª sing. f. **1** (rifl.) se stessa, si **2** (enf.) ella stessa, lei stessa **B** s. ella stessa, lei ♦ **she is not h. today** oggi non sembra nemmeno lei

hesitant ['hɛzɪt(ə)nt] agg. esitante

to hesitate ['hɛzɪteɪt] v. intr. esitare

hesitation [ˌhɛzɪ'teɪʃ(ə)n] s. esitazione f.

heterodox ['hɛt(ə)rədɒks] agg. eterodosso

heterogeneous [ˌhɛtərə(ʊ)'dʒiːnjəs] agg. eterogeneo

heterosexual [ˌhɛtərə(ʊ)'sɛksjʊəl] agg. eterosessuale

heuristic [hjʊ(ə)'rɪstɪk] agg. euristico

to hew [hjuː] (pass. **hewed**, p. p. **hewed**, **hewn**) v. tr. tagliare, spaccare, fendere ♦ **to h. out** sbozzare, scavare

hexagonal [hɛk'sægənl] agg. esagonale

heyday ['heɪdeɪ] s. apice m., apogeo m.

hi [haɪ] inter. ciao!

hiatus [haɪ'eɪtəs] s. **1** iato m. **2** lacuna f.

to hibernate ['haɪbɜːneɪt] v. intr. **1** ibernare **2** svernare

hiccup ['hɪkʌp] (o **hiccough**) s. singhiozzo m.

to hiccup ['hɪkʌp] (o **to hiccough**) v. intr. avere il singhiozzo

hid [hɪd] pass. e p. p. di **to hide**

hidden ['hɪdn] **A** p. p. di **to hide B** agg. **1** nascosto, segreto **2** ignoto

hide (1) [haɪd] s. pellame m.

hide (2) [haɪd] s. nascondiglio m.

to hide [haɪd] (pass. **hid**, p. p. **hid**, **hidden**) **A** v. tr. nascondere **B** v. intr. nascondersi ♦ **to h. st. from sb.** nascondere q.c. a qc.

hideaway ['haɪdə,weɪ] s. nascondiglio m.

hideous ['hɪdɪəs] agg. ripugnante, orribile

hiding (1) ['haɪdɪŋ] s. occultamento m. ♦ **h.-place** nascondiglio; **to be in h.** tenersi nascosto

hiding (2) ['haɪdɪŋ] s. (fam.) bastonatura f.

hierarchic [ˌhaɪə'rɑːkɪk] agg. gerarchico

hierarchy ['haɪərɑːkɪ] s. gerarchia f.

hieratic [ˌhaɪə'rætɪk] agg. ieratico

hieroglyph ['haɪərəglɪf] s. geroglifico m.

high [haɪ] **A** agg. **1** alto, elevato **2** forte, intenso, acuto **3** caro, costoso **4** avanzato, inoltrato **B** avv. **1** alto, in alto **2** fortemente ♦ **h. class** di prim'ordine; **h. court** corte suprema; **h. school** scuola secondaria; **h. season** alta stagione; **h. street** strada principale; **h. relief** altorilievo

highbrow ['haɪˌbraʊ] s. (fam.) intellettuale m. e f., (spreg.) intellettualoide m. e f.

high-handed [ˌhaɪ'hændɪd] agg. prepotente

highlight ['haɪlaɪt] s. momento m. culminante

to highlight ['haɪlaɪt] v. tr. mettere in luce

highly ['haɪlɪ] avv. estremamente, molto, assai ♦ **h.-strung** nervoso

highness ['haɪnɪs] s. altezza f., elevatezza f. ♦ **His Royal H.** Sua Altezza Reale

high-pitched [ˌhaɪ'pɪtʃt] agg. **1** (di suono) acuto **2** (di tetto) spiovente

high-tech [ˌhaɪ'tɛk] **A** s. alta tecnologia f. **B** agg. tecnologicamente avanzato

highway ['haɪweɪ] s. strada f. di grande comunicazione ♦ **h. code** codice della strada

to hijack ['haɪˌdʒæk] v. tr. dirottare

hijacker ['haɪˌdʒækəʳ] s. dirottatore m.

hijacking ['haɪˌdʒækɪŋ] s. dirottamento m.

hike [haɪk] s. escursione f. (a piedi)

to hike [haɪk] v. intr. fare un'escursione (a piedi)

hiker ['haɪkəʳ] s. escursionista m. e f.

hilarious [hɪ'lɛərɪəs] agg. allegro, divertente

hill [hɪl] s. **1** colle m., collina f. **2** pendio m.

hillock ['hɪlək] s. poggio m.

hillside ['hɪlˌsaɪd] s. pendio m.

hilly ['hɪlɪ] agg. collinoso

hilt [hɪlt] s. elsa f.

him [hɪm, ɪm] pron. pers. 3ª sing. m. (compl.) lui, lo, gli

himself [hɪm'sɛlf] **A** pron. 3ª sing. m. **1** (rifl.) se stesso, si **2** (enf.) egli stesso, proprio lui **B** s. se stesso, lui, sé ♦ **(all) by h.** da solo; **he is not h. today** oggi non è proprio in sé

hind [haɪnd] agg. posteriore

to hinder ['hɪndəʳ] v. tr. **1** impedire **2** inceppare, ostacolare

hindrance ['hɪndr(ə)ns] *s.* impaccio *m.*, ostacolo *m.*, impedimento *m.*

hindsight ['haɪndsaɪt] *s.* il senno *m.* di poi

Hindu ['hɪndu] *agg. e s.* indù *m. e f.*

hinge [hɪn(d)ʒ] *s.* cardine *m.*, cerniera *f.*

to hinge [hɪn(d)ʒ] *v. intr.* girare sui cardini
  ♦ **to h. on/upon** dipendere da

hint [hɪnt] *s.* 1 cenno *m.*, traccia *f.*, allusione *f.* 2 piccola quantità *f.* 3 consiglio *m.*, suggerimento *m.*

to hint [hɪnt] **A** *v. tr.* accennare, suggerire **B** *v. intr.* fare insinuazioni, dare suggerimenti ♦ **to h. at st.** insinuare q.c.

hinterland ['hɪntəlænd] *s.* hinterland *m. inv.*, retroterra *m. inv.*

hip [hɪp] *s.* anca *f.*

hippo ['hɪpʊ] *s.* ippopotamo *m.*

hippocampus [ˌhɪpʊ(ʊ)'kæmpəs] *s.* ippocampo *m.*

hippodrome ['hɪpədrʊm] *s.* ippodromo *m.*

hippopotamus [ˌhɪpə'pətəməs] *s.* ippopotamo *m.*

hire ['haɪəʳ] *s.* 1 noleggio *m.*, affitto *m.* 2 salario *m.* ♦ **h. purchase** acquisto (o vendita) rateale

to hire ['haɪəʳ] *v. tr.* 1 noleggiare, affittare 2 assumere, dare lavoro a

his [hɪz, ɪz] *agg. e pron. poss. 3ª sing.* (*riferito a possessore m.*) suo, sua, suoi, sue

Hispanic [hɪs'pænɪk] *agg.* ispanico

hiss [hɪs] *s.* sibilo *m.*, fischio *m.*

to hiss [hɪs] *v. intr.* sibilare, fischiare

historian [hɪs'tɔːrɪ(ə)n] *s.* storico *m.*

historic(al) [hɪs'tɔrɪk((ə)l)] *agg.* storico

historiography [hɪsˌtɔːrɪ'ɒgrəfɪ] *s.* storiografia *f.*

history ['hɪst(ə)rɪ] *s.* storia *f.*

histrion ['hɪstrɪən] *s.* istrione *s.*

hit [hɪt] *s.* 1 colpo *m.*, urto *m.* 2 successo *m.*

to hit [hɪt] (*pass. e p. p.* **hit**) **A** *v. tr.* 1 battere, colpire, picchiare 2 incontrare, trovare 3 raggiungere **B** *v. intr.* urtare, entrare in collisione ♦ **to h. it off with sb.** andare d'accordo con qc.; **to h. on** trovare per caso, scoprire

hitch [hɪtʃ] *s.* 1 strattoni *m.*, sobbalzo *m.* 2 intoppo *m.*, difficoltà *f.*

to hitch [hɪtʃ] **A** *v. tr.* 1 muovere a strattoni 2 attaccare **B** *v. intr.* 1 muoversi a sbalzi 2 attaccarsi 3 (*pop.*) fare l'autostop ♦ **to h. up** sollevare, tirare su

to hitchhike ['hɪtʃhaɪk] *v. intr.* fare l'auto-

stop

hitchhiker ['hɪtʃˌhaɪkəʳ] *s.* autostoppista *m. e f.*

hitchhiking ['hɪtʃˌhaɪkɪŋ] *s.* autostop *m. inv.*

hitherto [ˌhɪðə'tuː] *avv.* finora

hive [haɪv] *s.* alveare *m.*

to hive [haɪv] *v. intr.* 1 entrare nell'alveare 2 vivere in comunità ♦ **to h. off** separare, sciamare

hoard [hɔːd] *s.* 1 gruzzolo *m.* 2 *al pl.* scorte *f. pl*

to hoard [hɔːd] *v. tr.* accumulare, ammassare, accaparrare

hoarding ['hɔːdɪŋ] *s.* 1 staccionata *f.* 2 tabellone *m.* pubblicitario

hoarfrost ['hɔːˌfrɒst] *s.* brina *f.*

hoarse [hɔːs] *agg.* rauco

hoarseness ['hɔːsnɪs] *s.* raucedine *f.*

hoax [hʊks] *s.* beffa *f.*, truffa *f.*

hob [hɒb] *s.* piastra *f.* (di fornello)

to hobble ['hɒbl] *v. intr.* zoppicare

hobby ['hɒbɪ] *s.* hobby *m. inv.*, passatempo *m.*

hobbyhorse ['hɒbɪhɔːs] 1 cavalluccio *m.* di legno 2 (*fig.*) cavallo *m.* di battaglia, chiodo *m.* fisso

hobo ['hʊbʊ] *s.* (*USA, pop.*) vagabondo *m.*

hockey ['hɒkɪ] *s.* hockey *m. inv.* ♦ **ice h.** hockey su ghiaccio

hoe [hʊ] *s.* zappa *f.*

to hoe [hʊ] *v. tr.* zappare

hog [hɒg] *s.* maiale *m.*

to hog [hɒg] *v. tr.* (*fam.*) arraffare

hoist [hɔɪst] *s.* paranco *m.*

to hoist [hɔɪst] *v. tr.* issare, sollevare

hold (1) [hʊld] *s.* 1 presa *f.* 2 ascendente *m.*, influenza *f.* 3 sostegno *m.* ♦ **on h.** (*al telefono*) in linea; **to catch h. over** afferrare; **to have an h. over** avere il controllo su

hold (2) [hʊld] *s.* (*naut.*) stiva *f.*

to hold [hʊld] (*pass. e p. p.* **held**) **A** *v. tr.* 1 tenere, mantenere 2 contenere 3 possedere, detenere, occupare 4 trattenere, fermare 5 ritenere, pensare **B** *v. intr.* 1 durare, continuare, persistere 2 essere valido ♦ **to h. back** trattenere, tener nascosto; **to h. down** tener giù, trattenere; **to h. off** tenere a distanza; **to h. on** aspettare, (*al telefono*) rimanere in linea, restare aggrappato a; **to h. out** resistere, offrire; **to h. up** bloccare, rapinare

holdall ['hɒʊldɔ:l] s. sacca f. da viaggio

holder ['hɒʊldər] s. 1 detentore m., titolare m. e f. 2 contenitore m.

holding ['hɒʊldɪŋ] s. 1 possesso m. 2 tenuta f., proprietà f. 3 patrimonio m., dotazione f. 4 al pl. (econ.) azioni f. pl., pacchetto m. azionario ♦ **h. company** holding, società finanziaria

holdup ['hɒʊldʌp] s. 1 rapina f. a mano armata 2 (nel traffico) intoppo m., ingorgo m.

hole [hɒʊl] s. 1 buco m., foro m., apertura f. 2 tana f. 3 (golf) buca f.

to hole [hɒʊl] v. tr. bucare, forare

holiday ['hɒlədeɪ] s. 1 festività f., giorno m. festivo 2 vacanza f. ♦ **h. camp** villaggio turistico; **h. resort** luogo di villeggiatura

holidaymaker ['hɒlədeɪˌmeɪkər] s. villeggiante m. e f.

holiness ['hɒʊlɪnɪs] s. santità f.

hollow ['hɒlɒʊ] A agg. 1 cavo, incavato, vuoto 2 (di suono) cupo, sordo 3 vacuo, vano B s. 1 cavità f., buca f. 2 valletta f.

to hollow ['hɒlɒʊ] v. tr. incavare, scavare

holly ['hɒlɪ] s. agrifoglio m.

holocaust ['hɒləkɔ:st] s. olocausto m.

holster ['hɒʊlstər] s. fondina f.

holy ['hɒʊlɪ] agg. sacro, santo

homage ['hɒmɪdʒ] s. omaggio m. ♦ **to pay h. to** rendere omaggio a

home [hɒʊm] A s. 1 casa f., dimora f., abitazione f. 2 patria f. 3 asilo m., ricovero m. 4 (sport) meta f., traguardo m., porta f. B agg. attr. 1 casalingo, domestico, familiare 2 nazionale ♦ **h. address** domicilio; **h. cooking** cucina casalinga; **h. fire** focolare domestico; **h. life** vita familiare; **h. of rest** casa di riposo

homeland ['hɒʊmlænd] s. patria f.

homeless ['hɒʊmlɪs] agg. senzatetto

homely ['hɒʊmlɪ] agg. 1 semplice, modesto 2 casalingo

homemade [ˌhɒʊm'meɪd] agg. fatto in casa

homesick ['hɒʊmsɪk] agg. nostalgico ♦ **to be h.** avere la nostalgia

homesickness ['hɒʊmsɪknɪs] s. nostalgia f.

homestead ['hɒʊmstɛd] s. fattoria f.

hometown ['hɒʊmtaʊn] s. luogo m. di nascita

homeward ['hɒʊmwəd] A avv. verso casa B agg. di ritorno

homework ['hɒʊmwɜ:k] s. compiti m. pl. a casa

homicide ['hɒmɪsaɪd] s. 1 omicidio m. 2 omicida m. e f.

hom(o)eopathic [ˌhɒʊmɪɒ(ʊ)'pæθɪk] agg. omeopatico

hom(o)eopathy [ˌhɒʊmɪ'əpəθɪ] s. omeopatia f.

homogeneity [ˌhɒmɒ(ʊ)dʒɛ'ni:ɪtɪ] s. omogeneità f.

homogeneous [ˌhɒmɒ(ʊ)'dʒi:njəs] agg. omogeneo

homogenized [hɒ(ʊ)'mədʒənaɪzd] agg. omogeneizzato

to homologate [hə'mɒlədʒeɪt] v. tr. omologare

homology [hə'mɒlədʒɪ] s. omologia f.

homonym ['hɒmənɪm] s. omonimo m.

homonymous [hə'mɒnɪməs] agg. omonimo

homosexual [ˌhɒʊmɒ(ʊ)'sɛksjʊəl] agg. omosessuale

honest ['ɒnɪst] agg. 1 onesto, sincero, leale 2 semplice, genuino

honestly ['ɒnɪstlɪ] avv. onestamente, sinceramente

honesty ['ɒnɪstɪ] s. onestà f.

honey ['hʌnɪ] s. 1 miele m. 2 (fam.) dolcezza f., tesoro m. ♦ **h.-bee** ape domestica

honeycomb ['hʌnɪkɒʊm] s. favo m., nido m. d'ape

honeyed ['hʌnɪd] agg. 1 dolce 2 mellifluo

honeymoon ['hʌnɪmu:n] s. luna f. di miele

honeysuckle ['hʌnɪˌsʌkl] s. caprifoglio m.

to honk [hɒŋk] v. intr. 1 starnazzare 2 suonare il clacson

honorary ['ɒn(ə)rərɪ] agg. onorario

honour ['ɒnər] (USA honor) s. 1 onore m. 2 al pl. onorificenza f.

honourable ['ɒn(ə)rəbl] agg. onorevole

hood [hʊd] s. 1 cappuccio m. 2 cappa f. 3 capote f. inv. 4 (USA) cofano m.

hoodlum ['hʊdl(ə)m] s. (pop.) teppista m.

to hoodwink ['hʊdwɪŋk] v. tr. ingannare

hoof [hu:f] s. (zool.) zoccolo m.

hook [hʊk] s. 1 gancio m. 2 amo m.

to hook [hʊk] v. tr. 1 agganciare 2 prendere all'amo

hooligan ['hu:lɪgən] s. teppista m. e f.

hoop (1) [hu:p] s. urlo m., grido m.

hoop (2) [hu:p] s. cerchio m., cerchione m.

hoopoe ['hu:pu:] s. upupa f.

hooray [hʊ'reɪ] inter. urrà!

hoot [hu:t] *s.* **1** (*di civetta*) grido *m.* **2** fischio *m.* **3** colpo *m.* di clacson

to hoot [hu:t] *v. intr.* **1** gridare, urlare **2** fischiare **3** suonare il clacson ♦ **to h. at sb.** fischiare qc.

hop (1) [hɔp] *s.* salto *m.*

hop (2) [hɔp] *s.* luppolo *m.*

to hop [hɔp] *v. intr.* saltare, saltellare

hope [hʊp] *s.* speranza *f.*

to hope [hʊp] *v. tr. e intr.* sperare ♦ **I h. so/not** spero di sì/di no

hopeful ['hʊpf(ʊ)l] *agg.* **1** pieno di speranza **2** promettente

hopeless ['hʊplɪs] *agg.* disperato, senza speranza

horde [hɔ:d] *s.* orda *f.*

horizon [hə'raɪzn] *s.* orizzonte *m.*

horizontal [ˌhɒrɪ'zɒntl] *agg.* orizzontale

hormone ['hɔ:mʊn] *s.* ormone *m.*

horn [hɔ:n] *s.* **1** corno *m.* **2** clacson *m. inv.*

horned ['hɔ:nd] *agg.* cornuto

hornet ['hɔ:nɪt] *s.* calabrone *m.*

horoscope ['hɒrəskʊp] *s.* oroscopo *m.*

horrendous [hə'rɛndəs] *agg.* orrendo

horrible ['hɒrəbl] *agg.* orribile

horrid ['hɒrɪd] *agg.* orrido

horror ['hɒrəʳ] *s.* orrore *m.*

horse [hɔ:s] *s.* cavallo *m.* ♦ **h. racing** ippica

horseback ['hɔ:sbæk] *s.* dorso *m.* di cavallo ♦ **on h.** a cavallo

horse-chestnut [ˌhɔ:s'tʃɛs(t)nʌt] *s.* ippocastano *m.*

horse-fly ['hɔ:sflaɪ] *s.* tafano *m.*

horseman ['hɔ:smən] (*pl.* **horsemen**) *s.* cavallerizzo *m.*

horsepower ['hɔ:sˌpaʊəʳ] *s.* cavallo *m.* (vapore)

horseradish ['hɔ:sˌrædɪʃ] *s.* rafano *m.*

horseshoe ['hɔ:sˌʃu:] *s.* ferro *m.* di cavallo

horsewoman ['hɔ:sˌwʊmən] (*pl.* **horsewomen**) *s.* amazzone *f.*

horticulture ['hɔ:tɪkʌltʃəʳ] *s.* orticoltura *f.*

hose [hʊz] *s.* **1** tubo *m.*, manichetta *f.* **2** calze *f. pl.*

hosiery ['hʊʒərɪ] *s.* maglieria *f.*

hospice ['hɒspɪs] *s.* ospizio *m.*

hospitable ['hɒspɪt(ə)bl] *agg.* ospitale

hospital ['hɒspɪtl] *s.* ospedale *m.*

hospitality [ˌhɒspɪ'tælɪtɪ] *s.* ospitalità *f.*

to hospitalize ['hɒspɪtəlaɪz] *v. tr.* ospedalizzare, ricoverare in ospedale

host (1) [hʊst] **A** *agg.* ospite, che ospita

B *s.* ospite *m.*, padrone *m.* di casa

host (2) [hʊst] *s.* schiera *f.*, moltitudine *f.*

hostage ['hɒstɪdʒ] *s.* ostaggio *m.*

hostel ['hɒst(ə)l] *s.* ostello *m.*

hostess ['hʊstɪs] *s.* **1** ospite *f.*, padrona *f.* di casa **2** hostess *f. inv.*, assistente *f.*

hostile ['hɒstaɪl] *agg.* ostile, nemico

hostility [hə'tɪlɪtɪ] *s.* ostilità *f.*

hot [hət] *agg.* **1** caldo, rovente, bollente **2** piccante, forte **3** violento, ardente, focoso **4** ancora caldo, fresco, recente ♦ **h. air** aria fritta; **h. pepper** peperoncino; **h. news** notizie fresche; **h. tempered** collerico; **to be h.** (*di persona*) aver caldo, (*di cosa*) essere caldo, (*del tempo*) far caldo

hotbed ['hɒtbɛd] *s.* focolaio *m.*

hotchpotch ['hɒtʃpɒtʃ] *s.* **1** stufato *m.* **2** guazzabuglio *m.*

hotel [hʊ(ʊ)'tɛl] *s.* albergo *m.* ♦ **h. keeper** albergatore

hot-headed [ˌhɒt'hɛdɪd] *agg.* focoso, impetuoso

hotplate ['hɒtpleɪt] *s.* piastra *f.* (di fornello elettrico)

hound [haʊnd] *s.* (*zool.*) segugio *m.*

to hound [haʊnd] *v. tr.* **1** cacciare con i cani **2** (*fig.*) perseguitare

hour ['aʊəʳ] *s.* **1** ora *f.* **2** *al pl.* orario *m.* ♦ **an h. ago** un'ora fa; **at 9 on the h.** alle 9 in punto; **half an h.** mezz'ora; **peak hours** ore di punta

hourly ['aʊəlɪ] **A** *agg.* **1** orario **2** continuo **B** *avv.* **1** ogni ora **2** d'ora in ora, da un momento all'altro **3** continuamente

house [haʊs] *s.* **1** casa *f.*, abitazione *f.*, dimora *f.* **2** (*pol.*) camera *f.* **3** teatro *m.*, pubblico *m.*, spettacolo *m.* **4** casata *f.*, dinastia *f.* **5** albergo *m.*, pensione *f.* **6** ditta *f.* ♦ **full h.** (*teatro*) tutto esaurito

houseboat ['haʊsbʊt] *s.* houseboat *f. inv.*, casa *f.* galleggiante

housebound ['haʊsbaʊnd] *agg.* costretto a stare in casa

housebreaker ['haʊsˌbreɪkəʳ] *s.* scassinatore *m.*

housecoat ['haʊsˌkʊt] *s.* vestaglia *f.*

housekeeper ['haʊsˌki:pəʳ] *s.* **1** governante *f.* **2** donna *f.* di casa

housekeeping ['haʊsˌki:pɪŋ] *s.* governo *m.* della casa

housemaid ['haʊsˌmeɪd] *s.* domestica *f.*

housewife ['haʊswaɪf] (*pl.* **housewives**) *s.* casalinga *f.*

housework ['haʊswɜ:k] *s.* lavori *m. pl.* di

casa

housing ['hauzıŋ] *s.* **1** alloggio *m.*, abitazione *f.* **2** rifugio *m.*

hovel ['hɔv(ə)l] *s.* baracca *f.*

to hover ['hɔvəʳ] *v. intr.* librarsi, stare sospeso

hovercraft ['hɔvəˌkrɑːft] *s.* hovercraft *m. inv.*

how [hau] *avv.* **1** (*in frasi interr ed escl.*) come, in che modo **2** quanto **3** in qualunque modo ♦ **h. about** che ne diresti di, a proposito di; **h.'s that?** come mai?; **h. far is?** quanto dista?; **h. long** quanto tempo; **h. much** quanto; **h. many** quanti; **h. often** quante volte; **h. old are you?** quanti anni hai?

however [hau'evəʳ] **A** *avv.* comunque, per quanto **B** *cong.* comunque, tuttavia

howl [haul] *s.* urlo *m.*, ululato *m.*

to howl [haul] *v. intr.* urlare, ululare

hub [hʌb] *s.* **1** (*di ruota*) mozzo *m.* **2** (*fig.*) centro *m.*

hubbub ['hʌbʌb] *s.* confusione *f.*, fracasso *m.*

hubcap ['hʌbkæp] *s.* (*mecc.*) coprimozzo *m.*

huddle ['hʌdl] *s.* calca *f.*, folla *f.*

to huddle ['hʌdl] **A** *v. tr.* ammucchiare (alla rinfusa) **B** *v. intr.* accalcarsi, affollarsi

hue (1) [hjuː] *s.* tinta *f.*

hue (2) [hjuː] *s.* grido *m.* ♦ **h. and cry** clamore

huff [hʌf] *s.* stizza *f.* ♦ **to be in a h.** essere di cattivo umore

to hug [hʌg] *v. tr.* abbracciare, stringere

huge [hjuːdʒ] *agg.* enorme, immenso

hull [hʌl] *s.* **1** guscio *m.* **2** (*naut.*) scafo *m.*

hullo [hə'ləu] → **hello**

hum [hʌm] *s.* ronzio *m.*, mormorio *m.*

to hum [hʌm] **A** *v. intr.* **1** ronzare, mormorare **2** canticchiare **B** *v. tr.* **1** canticchiare **2** borbottare

human ['hjuːmən] **A** *agg.* umano **B** *s.* essere *m.* umano

humane [hjuː(ː)'meın] *agg.* umano, umanitario

humanism ['hjuːmənız(ə)m] *s.* umanesimo *m.*

humanist ['hjuːmənıst] *s.* umanista *m. e f.*

humanitarian [hjuː(ː)ˌmænı'tɛərıən] *agg.* umanitario

humanity [hjuː(ː)'mænıtı] *s.* umanità *f.*

humble ['hʌmbl] *agg.* umile, modesto

to humble ['hʌmbl] *v. tr.* umiliare, avvilire

humbug ['hʌmbʌg] *s.* falsità *f.*, fandonia *f.*

humdrum ['hʌmdrʌm] *agg.* monotono, noioso

humerus ['hjuːmərəs] *s.* omero *m.*

humid ['hjuːmıd] *agg.* umido

humidifier [hjuː(ː)'mıdıfaıəʳ] *s.* umidificatore *m.*

to humidify [hjuː(ː)'mıdıfaı] *v. tr.* umidificare

humidity [hjuː(ː)'mıdıtı] *s.* umidità *f.*

to humiliate [hjuː(ː)'mılıeıt] *v. tr.* umiliare

humiliating [hjuː(ː)'mılıeıtıŋ] *agg.* umiliante

humiliation [hjuː(ː)ˌmılı'eıʃ(ə)n] *s.* umiliazione *f.*

humility [hjuː(ː)'mılıtı] *s.* umiltà *f.*

humor ['hjuːməʳ] *s.* → **humour**

humorist ['hjuːmərıst] *s.* umorista *m. e f.*

humorous ['hjuːm(ə)r(ə)s] *agg.* **1** umoristico, divertente **2** arguto, spiritoso

humour ['hjuːməʳ] (*USA* **humor**) *s.* **1** umore *m.*, disposizione *f.* d'animo **2** umorismo *m.*, senso *m.* dell'umorismo ♦ **to be out of h.** essere di cattivo umore

hump [hʌmp] *s.* **1** gobba *f.* **2** collinetta *f.* **3** (*pop.*) malinconia *f.*, malumore *m.*

humpbacked ['hʌmpbækt] *agg.* con gobba ♦ **h. bridge** ponte a schiena d'asino

hunch [hʌn(t)ʃ] *s.* **1** gobba *f.*, gibbosità *f.* **2** (*pop.*) sospetto *m.*, impressione *f.*

hunchbacked ['hʌn(t)ʃbækt] *agg.* gobbo, gibboso

hundred ['hʌndrəd] *agg. num. card.* e *s.* cento *m. inv.* ♦ **by hundreds** a centinaia

hundredth ['hʌndrədθ] *agg. num. ord.* e *s.* centesimo *m.*

hung [hʌŋ] *pass.* e *p. p.* di **to hang**

Hungarian [hʌŋ'gɛərıən] *agg.* e *s.* ungherese *m. e f.*

hunger ['hʌŋgəʳ] *s.* fame *f.* ♦ **h. strike** sciopero di fame

to hunger ['hʌŋgəʳ] *v. intr.* desiderare ardentemente

hungry ['hʌŋgrı] *agg.* **1** affamato **2** avido, bramoso ♦ **to be h.** aver fame

hunk [hʌŋk] *s.* (*fam.*) pezzo *m.*

hunt [hʌnt] *s.* caccia *f.*

to hunt [hʌnt] **A** *v. tr.* **1** cacciare **2** perlustrare, battere **B** *v. intr.* **1** andare a caccia **2** cercare ♦ **to h. out** scovare

hunter ['hʌntəʳ] *s.* cacciatore *m.*

hunting ['hʌntıŋ] *s.* caccia *f.*

hurdle ['hɜːdl] *s.* **1** graticcio *m.*, barriera *f.* **2** (*sport*) ostacolo *m.*

to hurl [hɜːl] *v. tr.* lanciare, scagliare

hurrah [hʊˈrɑː] *inter.* evviva!

hurricane [ˈhʌrɪkən] *s.* uragano *m.*

hurried [ˈhʌrɪd] *agg.* frettoloso, affrettato

hurry [ˈhʌrɪ] *s.* fretta *f.*, premura *f.* ♦ **to be in a h.** aver fretta

to hurry [ˈhʌrɪ] **A** *v. tr.* **1** affrettare, sollecitare **2** spedire in fretta **B** *v. intr.* affrettarsi, sbrigarsi

hurt [hɜːt] *s.* **1** ferita *f.* **2** danno *m.*, offesa *f.*

to hurt [hɜːt] (*pass. e p. p.* **hurt**) **A** *v. tr.* **1** ferire, far male **2** offendere **3** danneggiare **B** *v. intr.* far male ♦ **to h. oneself** ferirsi, farsi male

hurtful [ˈhɜːtf(ʊ)l] *agg.* **1** nocivo, dannoso **2** offensivo

to hurtle [ˈhɜːtl] *v. intr.* sfrecciare, precipitarsi

husband [ˈhʌzbənd] *s.* marito *m.*

hush [hʌʃ] *s.* silenzio *m.*, quiete *f.*

to hush [hʌʃ] **A** *v. tr.* zittire, calmare **B** *v. intr.* far silenzio, tacere ♦ **to h. up** mettere a tacere

husk [hʌsk] *s.* buccia *f.*, guscio *m.*

husky [ˈhʌskɪ] *agg.* rauco, fioco

Husky [ˈhʌskɪ] *s.* eschimese *m. e f.*

to hustle [ˈhʌsl] **A** *v. tr.* **1** far fretta, incalzare **2** spingere, spintonare **B** *v. intr.* **1** affrettarsi **2** spingere

hut [hʌt] *s.* capanna *f.*, baracca *f.*

hutch [hʌtʃ] *s.* gabbia *f.*

hyacinth [ˈhaɪəsɪnθ] *s.* giacinto *m.*

hybrid [ˈhaɪbrɪd] *agg. e s.* ibrido *m.*

hydrant [ˈhaɪdr(ə)nt] *s.* idrante *f.*

hydraulic [haɪˈdrɔːlɪk] *agg.* idraulico

hydraulics [haɪˈdrɔːlɪks] *s. pl.* (*v. al sing.*) idraulica *f.*

hydrobiology [ˌhaɪdrɒ(ʊ)baɪˈɒlədʒɪ] *s.* idrobiologia *f.*

hydrocarbon [ˌhaɪdrɒ(ʊ)ˈkɑːbən] *s.* idrocarburo *m.*

hydrofoil [ˈhaɪdrəfɔɪl] *s.* aliscafo *m.*

hydrogen [ˈhaɪdrədʒ(ə)n] *s.* idrogeno *m.*

hydrography [haɪˈdrəgrəfɪ] *s.* idrografia *f.*

hydrophobia [ˌhaɪdrəˈfəʊbjə] *s.* idrofobia *f.*

hydrostatic [ˌhaɪdrɒ(ʊ)ˈstætɪk] *agg.* idrostatico

hydrothermal [ˌhaɪdrɒ(ʊ)ˈθɜːm(ə)l] *agg.* idrotermale

hyena [haɪˈiːnə] *s.* iena *f.*

hygiene [ˈhaɪdʒiːn] *s.* igiene *f.*

hygienic [haɪˈdʒiːnɪk] *agg.* igienico

hygrometer [haɪˈgrɒmɪtəʳ] *s.* igrometro *m.*

hymn [hɪm] *s.* inno *m.*

hype [haɪp] *s.* **1** lancio *m.* pubblicitario **2** montatura *f.* giornalistica

hypercritical [ˌhaɪpəˈkrɪtɪk(ə)l] *agg.* ipercritico

hypermarket [ˈhaɪpəˌmɑːkɪt] *s.* ipermercato *m.*

hypermetropia [ˌhaɪpə(ː)mɪˈtrəʊpɪə] *s.* ipermetropia *f.*

hypertension [ˌhaɪpəˈtɛnʃ(ə)n] *s.* ipertensione *f.*

hyphen [ˈhaɪf(ə)n] *s.* trattino *m.*

to hyphenate [ˈhaɪfəneɪt] *v. tr.* unire (o dividere) parole con il trattino

hypnotism [ˈhɪpnətɪz(ə)m] *s.* ipnotismo *m.*

to hypnotize [ˈhɪpnətaɪz] *v. tr.* ipnotizzare

hypocrisy [hɪˈpɒkrəsɪ] *s.* ipocrisia *f.*

hypocrite [ˈhɪpəkrɪt] *s.* ipocrita *m. e f.*

hypocritical [ˌhɪpəˈkrɪtɪk(ə)l] *agg.* ipocrita

hypogeum [ˌhaɪpəˈdʒiːəm] *s.* ipogeo *m.*

hypothesis [haɪˈpɒθɪsɪs] (*pl.* **hypotheses**) *s.* ipotesi *f.*

hypothetic(al) [ˌhaɪpɒ(ʊ)ˈθetɪk((ə)l)] *agg.* ipotetico

hysteria [hɪsˈtɪərɪə] *s.* isterismo *m.*

hysteric(al) [hɪsˈterɪk((ə)l)] *agg.* isterico

hysterics [hɪsˈterɪks] *s. pl.* crisi *f.* isterica

I

I [aɪ] *pron. pers.* 1ᵃ *sing.* io
ice [aɪs] *s.* 1 ghiaccio *m.* 2 gelo *m.* ♦ **i. cream** gelato; **i. crusher** tritaghiaccio; **i. cube** cubetto di ghiaccio; **i. lolly** ghiacciolo; **i. pack** banchisa; **i. rink** pista da pattinaggio
to ice [aɪs] **A** *v. tr.* 1 ghiacciare, congelare 2 (*cuc.*) glassare **B** *v. intr.* ghiacciare ♦ **to i. over/up** coprirsi di ghiaccio
iceberg ['aɪsbɜːɡ] *s.* iceberg *m. inv.*
icebox ['aɪsbɒks] *s.* 1 ghiacciaia *f.* 2 (*USA*) frigorifero *m.*
Icelander ['aɪsləndə*r*] *s.* islandese *m. e f.*
Icelandic [aɪs'lændɪk] *agg.* islandese
ice-skating ['aɪsˌskeɪtɪŋ] *s.* pattinaggio *m.* su ghiaccio
ichthyic ['ɪkθɪɪk] *agg.* ittico
ichthyology [ˌɪkθɪ'ɒlədʒɪ] *s.* ittiologia *f.*
icicle ['aɪsɪkl] *s.* ghiacciolo *m.*
icing ['aɪsɪŋ] **A** *agg.* glassato **B** *s.* glassa *f.* ♦ **i. sugar** zucchero a velo
icon ['aɪkɒn] *s.* icona *f.*
iconoclast [aɪ'kɒnəklæst] *agg.* iconoclasta
iconographic [aɪˌkɒnə'ɡræfɪk] *agg.* iconografico
iconography [ˌaɪkə'nɒɡrəfɪ] *s.* iconografia *f.*
icy ['aɪsɪ] *agg.* gelato, gelido
idea [aɪ'dɪə] *s.* idea *f.*
ideal [aɪ'dɪəl] *agg. e s.* ideale *m.*
idealism [aɪ'dɪəlɪz(ə)m] *s.* idealismo *m.*
to idealize [aɪ'dɪəlaɪz] *v. tr.* idealizzare
ideation [ˌaɪdɪ'eɪʃ(ə)n] *s.* ideazione *f.*
identical [aɪ'dɛntɪk(ə)l] *agg.* identico
identifiable [aɪˌdɛntɪ'faɪəbl] *agg.* identificabile
identification [aɪˌdɛntɪfɪ'keɪʃ(ə)n] *s.* 1 identificazione *f.*, riconoscimento *m.* 2 documento *m.* d'identità
to identify [aɪ'dɛntɪfaɪ] *v. tr.* identificare
identikit [aɪ'dɛntɪkɪt] *s.* identikit *m. inv.*
identity [aɪ'dɛntɪtɪ] *s.* identità *f.* ♦ **i. card** documento d'identità
ideogram ['ɪdɪ(ʊ)ɡræm] *s.* ideogramma *m.*
ideological [ˌaɪdɪə'lɒdʒɪk(ə)l] *agg.* ideologico
ideology [ˌaɪdɪ'ɒlədʒɪ] *s.* ideologia *f.*

idiocy ['ɪdɪəsɪ] *s.* idiozia *f.*
idiom ['ɪdɪəm] *s.* 1 idioma *m.* 2 espressione *f.* idiomatica
idiosyncrasy [ˌɪdɪə'sɪŋkrəsɪ] *s.* idiosincrasia *f.*
idiot ['ɪdɪət] *s.* idiota *m.*
idiotic [ˌɪdɪ'ɒtɪk] *agg.* idiota
idle ['aɪdl] *agg.* 1 pigro, ozioso, sfaccendato 2 inutile, vano
to idle ['aɪdl] *v. intr.* 1 oziare 2 (*di motore*) girare al minimo ♦ **to i. away** sprecare
idleness ['aɪdlnɪs] *s.* 1 pigrizia *f.*, ozio *m.* 2 inutilità *f.*
idol ['aɪdl] *s.* idolo *m.*
idolatry [aɪ'dɒlətrɪ] *s.* idolatria *f.*
to idolize ['aɪdəlaɪz] *v. tr.* idolatrare
idyllic [aɪ'dɪlɪk] *agg.* idilliaco
if [ɪf] *cong.* se, posto che, nel caso che, qualora, anche se ♦ **if anyting** se mai; **if I were you** se fossi in te; **if not** altrimenti; **if so** in tal caso
to ignite [ɪɡ'naɪt] *v. tr.* infiammare, dare fuoco
ignition [ɪɡ'nɪʃ(ə)n] *s.* accensione *f.* ♦ **i. key** (*autom.*) chiave dell'accensione
ignoble [ɪɡ'nəʊbl] *agg.* ignobile
ignorance ['ɪɡn(ə)r(ə)ns] *s.* ignoranza *f.*
ignorant ['ɪɡn(ə)r(ə)nt] *agg.* ignorante ♦ **to be i. of** ignorare
to ignore [ɪɡ'nɔː*r*] *v. tr.* ignorare, trascurare
ilex ['aɪleks] *s.* leccio *m.*
ill [ɪl] **A** *agg.* (*comp.* **worse**, *sup. rel.* **worst**) 1 malato 2 cattivo, dannoso, nocivo 3 sfavorevole, avverso **B** *s.* 1 male *m.* 2 malattia *f.* 3 *al pl.* avversità *f.* **C** *avv.* 1 male, malamente 2 a mala pena, a stento ♦ **at ease** a disagio; **to fall i.** ammalarsi; **to feel i.** sentirsi male; **to speak i. of sb.** parlar male di qc.
ill-advised [ˌɪləd'vaɪzd] *agg.* sconsiderato
illation [ɪ'leɪʃ(ə)n] *s.* illazione *f.*
ill-bred [ˌɪl'brɛd] *agg.* maleducato
illegal [ɪ'liːɡ(ə)l] *agg.* illegale
illegality [ˌɪlɪ(ː)'ɡælɪtɪ] *s.* illegalità *f.*
illegible [ɪ'lɛdʒəbl] *agg.* illeggibile
illegitimate [ˌɪlɪ'dʒɪtɪmɪt] *agg.* illegittimo
ill-fated [ˌɪl'feɪtɪd] *agg.* sfortunato
illicit [ɪ'lɪsɪt] *agg.* illecito
illiterate [ɪ'lɪt(ə)rɪt] *agg. e s.* 1 analfabeta

m. e f. **2** ignorante *m. e f.*

ill-mannered [,ɪl'mænəd] *agg.* maleducato

illness ['ɪlnɪs] *s.* malattia *f.*

illogical [ɪ'lɒdʒɪk(ə)l] *agg.* illogico

ill-timed [,ɪl'taɪmd] *agg.* inopportuno

to ill-treat [,ɪl'triːt] *v. tr.* maltrattare

to illuminate [ɪ'ljuːmɪneɪt] *v. tr.* **1** illuminare, rischiarare **2** miniare

illumination [ɪ,ljuːmɪ'neɪʃ(ə)n] *s.* **1** illuminazione *f.* **2** miniatura *f.*

illusion [ɪ'luːʒ(ə)n] *s.* illusione *f.*

to illustrate ['ɪləstreɪt] *v. tr.* illustrare

illustration [,ɪləs'treɪʃ(ə)n] *s.* illustrazione *f.*

image ['ɪmɪdʒ] *s.* immagine *f.*

imagery ['ɪmɪdʒ(ə)rɪ] *s.* **1** immagini *f. pl.* **2** linguaggio *m.* figurato

imaginary [ɪ'mædʒɪn(ə)rɪ] *agg.* immaginario

imagination [ɪ,mædʒɪ'neɪʃ(ə)n] *s.* immaginazione *f.*

imaginative [ɪ'mædʒ(ɪ)nətɪv] *agg.* fantasioso

to imagine [ɪ'mædʒɪn] **A** *v. tr.* **1** immaginare **2** supporre, credere **B** *v. intr.* fantasticare

imbalance [ɪm'bæləns] *s.* squilibrio *m.*

imbecile ['ɪmbɪsaɪl] *agg.* imbecille

to imbue [ɪm'bjuː] *v. tr.* impregnare, permeare

to imitate ['ɪmɪteɪt] *v. tr.* imitare

imitation [,ɪmɪ'teɪʃ(ə)n] *s.* imitazione *f.*

imitator ['ɪmɪteɪtər] *s.* imitatore *m.*

immaculate [ɪ'mækjʊlɪt] *agg.* **1** immacolato **2** impeccabile

immanent ['ɪmənənt] *agg.* immanente

immaterial [,ɪmə'tɪərɪəl] *agg.* **1** indifferente, irrilevante **2** immateriale

immature [,ɪmə'tjʊər] *agg.* immaturo

immeasurable [ɪ'mɛʒ(ə)rəbl] *agg.* incommensurabile

immediate [ɪ'miːdjət] *agg.* immediato

immediately [ɪ'miːdjətlɪ] *avv.* immediatamente, subito

immemorial [,ɪmɪ'mɜːrɪəl] *agg.* immemorabile

immense [ɪ'mɛns] *agg.* immenso

immensity [ɪ'mɛnsɪtɪ] *s.* immensità *f.*

to immerse [ɪ'mɜːs] *v. tr.* immergere

immersion [ɪ'mɜːʃ(ə)n] *s.* immersione *f.*

immigrant ['ɪmɪgr(ə)nt] *agg. e s.* immigrante *m. e f.*

to immigrate ['ɪmɪgreɪt] *v. intr.* immigrare

immigration [,ɪmɪ'greɪʃ(ə)n] *s.* immigrazione *f.*

imminent ['ɪmɪnənt] *agg.* imminente

to immobilize [ɪ'mɒʊbɪlaɪz] *v. tr.* immobilizzare

immoderate [ɪ'mɒd(ə)rɪt] *agg.* smodato

immodest [ɪ'mɒdɪst] *agg.* immodesto, impudico

immoral [ɪ'mɒr(ə)l] *agg.* immorale

immortal [ɪ'mɜːtl] *agg. e s.* immortale *m. e f.*

immortality [,ɪmɜː'tælɪtɪ] *s.* immortalità *f.*

to immortalize [ɪ'mɜːtəlaɪz] *v. tr.* immortalare

immovable [ɪ'muːvəbl] *agg.* **1** immobile, immutabile **2** impassibile ♦ **i. estate** beni immobili

immune [ɪ'mjuːn] *agg.* immune

immunity [ɪ'mjuːnɪtɪ] *s.* immunità *f.*

to immunize ['ɪmjʊ(:)naɪz] *v. tr.* immunizzare

immutable [ɪ'mjuːtəbl] *agg.* immutabile

imp [ɪmp] *s.* diavoletto *m.*, folletto *m.*

impact ['ɪmpækt] *s.* impatto *m.*

to impair [ɪm'pɛər] *v. tr.* **1** indebolire **2** danneggiare

impairment [ɪm'pɛəmənt] *s.* **1** indebolimento *m.* **2** danneggiamento *m.*, menomazione *f.*

to impale [ɪm'peɪl] *v. tr.* **1** impalare **2** immobilizzare *(con lo sguardo)*

impalpable [ɪm'pælpəbl] *agg.* impalpabile

to impart [ɪm'paːt] *v. tr.* **1** impartire **2** comunicare, rivelare **3** distribuire

impartial [ɪm'paːʃ(ə)l] *agg.* imparziale

impartiality [ɪm,paːʃɪ'ælɪtɪ] *s.* imparzialità *f.*

impassable [ɪm'paːsəbl] *agg.* invalicabile, impraticabile

impasse [æm'paːs] *s.* impasse *f. inv.*

impassioned [ɪm'pæʃ(ə)nd] *agg.* appassionato

impassive [ɪm'pæsɪv] *agg.* impassibile

impatience [ɪm'peɪʃ(ə)ns] *s.* **1** impazienza *f.* **2** intolleranza *f.*

impatient [ɪm'peɪʃ(ə)nt] *agg.* **1** impaziente **2** intollerante

impeccable [ɪm'pɛkəbl] *agg.* impeccabile

to impede [ɪm'piːd] *v. tr.* impedire, ostacolare

impediment [ɪm'pɛdɪmənt] *s.* impedimento *m.*, ostacolo *m.*

impeller [ɪm'pɛlər] *s.* *(mecc.)* girante *f.*

impending [ɪm'pɛndɪŋ] *agg.* incombente, imminente

impenetrable [ɪm'pɛnɪtrəbl] *agg.* impenetrabile

imperative [ɪm'pɛrətɪv] **A** *agg.* **1** imperativo, imperioso, perentorio **2** (*gramm.*) imperativo **B** *s.* **1** imperativo *m.*, obbligo *m.* **2** (*gramm.*) imperativo *m.*

imperceptible [ˌɪmpə'sɛptəbl] *agg.* impercettibile

imperfect [ɪm'pɜːfɪkt] **A** *agg.* **1** imperfetto, difettoso **2** (*gramm.*) imperfetto **B** *s.* (*gramm.*) imperfetto *m.*

imperfection [ˌɪmpə'fɛkʃ(ə)n] *s.* imperfezione *f.*

imperial [ɪm'pɪərɪəl] *agg.* imperiale

imperialism [ɪm'pɪərɪəlɪz(ə)m] *s.* imperialismo *m.*

impersonal [ɪm'pɜːsən(ə)l] *agg.* impersonale

to impersonate [ɪm'pɜːsəneɪt] *v. tr.* **1** impersonare **2** spacciarsi per

impertinent [ɪm'pɜːtɪnənt] *agg.* impertinente

imperturbable [ˌɪmpə(ː)'tɜːbəbl] *agg.* imperturbabile

impervious [ɪm'pɜːvjəs] *agg.* **1** impervio, inaccessibile **2** insensibile

impetuosity [ɪm,pɛtjʊ'əsɪtɪ] *s.* impetuosità *f.*

impetuous [ɪm'pɛtjʊəs] *agg.* impetuoso

impetus ['ɪmpɪtəs] *s.* impeto *m.*, impulso *m.*

to impinge [ɪm'pɪn(d)ʒ] *v. intr.* **1** urtare contro **2** contrastare **3** violare

implacable [ɪm'plækəbl] *agg.* implacabile

implement ['ɪmplɪmənt] *s.* arnese *m.*, utensile *m.*, attrezzo *m.*

to implement ['ɪmplɪmənt] *v. tr.* realizzare, compiere

to implicate ['ɪmplɪkeɪt] *v. tr.* implicare

implication [ˌɪmplɪ'keɪʃ(ə)n] *s.* **1** implicazione *f.*, coinvolgimento *m.* **2** insinuazione *f.*

implicit [ɪm'plɪsɪt] *agg.* **1** implicito **2** completo, assoluto

implied [ɪm'plaɪd] *agg.* implicito

impluvium [ɪm'pluːvjəm] *s.* impluvio *m.*

to imply [ɪm'plaɪ] *v. tr.* **1** implicare, sottintendere **2** comportare

impolite [ˌɪmpə'laɪt] *agg.* scortese

import ['ɪmpɔːt] *s.* importazione *f.*

to import [ɪm'pɔːt] *v. tr.* importare

importance [ɪm'pɔːt(ə)ns] *s.* importanza *f.*

important [ɪm'pɔːtənt] *agg.* importante

importation [ˌɪmpɔː'teɪʃ(ə)n] *s.* importazione *f.*

importer [ɪm'pɔːtər] *s.* importatore *m.*

to importune [ɪm'pɔːtjuːn] *v. tr.* importunare

to impose [ɪm'pəʊz] *v. tr.* imporre ♦ **to i. on** approfittare di

imposing [ɪm'pəʊzɪŋ] *agg.* imponente

imposition [ˌɪmpə'zɪʃ(ə)n] *s.* imposizione *f.*

impossibility [ɪm,pəsə'bɪlɪtɪ] *s.* impossibilità *f.*

impossible [ɪm'pəsəbl] *agg.* impossibile

imposture [ɪm'pəstʃər] *s.* impostura *f.*

impotent ['ɪmpətənt] *agg.* impotente

to impound [ɪm'paʊnd] *v. tr.* confiscare, sequestrare

to impoverish [ɪm'pəv(ə)rɪʃ] *v. tr.* **1** impoverire **2** indebolire

impracticable [ɪm'præktɪkəbl] *agg.* **1** impraticabile **2** inattuabile

impractical [ɪm'præktɪkl] *agg.* non pratico

imprecation [ˌɪmprɪ'keɪʃ(ə)n] *s.* imprecazione *f.*

impregnable [ɪm'prɛgnəbl] *agg.* **1** inespugnabile **2** (*fig.*) incrollabile

to impregnate ['ɪmprɛgneɪt] *v. tr.* impregnare

to impress [ɪm'prɛs] *v. tr.* **1** imprimere **2** impressionare

impression [ɪm'prɛʃ(ə)n] *s.* **1** impressione *f.*, impronta *f.* **2** stampa *f.*, tiratura *f.* **3** (*fig.*) impressione *f.*, effetto *m.*

impressionism [ɪm'prɛʃnɪz(ə)m] *s.* impressionismo *m.*

impressive [ɪm'prɛsɪv] *agg.* **1** impressionante **2** toccante **3** solenne, di effetto

imprint ['ɪmprɪnt] *s.* **1** impronta *f.*, impressione *f.* **2** sigla *f.* editoriale

to imprison [ɪm'prɪzn] *v. tr.* imprigionare

imprisonment [ɪm'prɪznmənt] *s.* prigionia *f.*, reclusione *f.*

improbable [ɪm'prəbəbl] *agg.* improbabile

improper [ɪm'prəpər] *agg.* **1** improprio **2** scorretto, sbagliato **3** sconveniente

to improve [ɪm'pruːv] **A** *v. tr.* **1** migliorare, perfezionare **2** profittare di, fare buon uso di **B** *v. intr.* perfezionarsi, migliorare

improvement [ɪm'pruːvmənt] *s.* miglioramento *m.*, perfezionamento *m.*, progresso *m.*

to improvise ['ɪmprəvaɪz] *v. tr. e intr.* improvvisare

imprudence [ɪm'pruːd(ə)ns] *s.* imprudenza f., leggerezza f.

imprudent [ɪmˈpruːdənt] *agg.* imprudente

impudence [ˈɪmpjʊd(ə)ns] *s.* impudenza f., sfacciataggine f.

impudent [ˈɪmpjʊdənt] *agg.* impudente, sfacciato

impulse [ˈɪmpʌls] *s.* impulso m.

impulsive [ɪmˈpʌlsɪv] *agg.* impulsivo

impure [ɪmˈpjʊəʳ] *agg.* impuro

impurity [ɪmˈpjʊərɪtɪ] *s.* impurità f.

in [ɪn] **A** *prep.* **1** (*stato in luogo, posizione, condizione*) in, a, dentro (ES: **in Milan** a Milano, **in the light** alla luce) **2** (*tempo*) in, entro, durante, fra, di (ES: **in Spring** in primavera, **in the evening**, di sera) **3** (*limitazione, misura, modo*) in, di, su (ES: **Italy is rich in monuments** l'Italia è ricca di monumenti, **one in a million** uno su un milione) **4** (*seguito da un gerundio*) nell'atto di, in, *idiom.* (ES: **in driving home** nel tornare a casa, tornando a casa in macchina) **B** *avv.* dentro, in casa

inability [ɪnəˈbɪlɪtɪ] *s.* inabilità f., incapacità f.

inaccessible [ˌɪnækˈsɛsəbl] *agg.* inaccessibile

inaccuracy [ɪnˈækjʊrəsɪ] *s.* imprecisione f., inesattezza f.

inaccurate [ɪnˈækjʊrɪt] *agg.* impreciso, inesatto

inactive [ɪnˈæktɪv] *agg.* inattivo

inactivity [ˌɪnækˈtɪvɪtɪ] *s.* inattività f., inerzia f.

inadequate [ɪnˈædɪkwɪt] *agg.* inadeguato

inadmissible [ˌɪnədˈmɪsəbl] *agg.* inammissibile

inadvertence [ˌɪnədˈvɜːt(ə)ns] *s.* sbadataggine f., disattenzione f.

inadvertently [ˌɪnədˈvɜːt(ə)ntlɪ] *avv.* inavvertitamente

inadvisable [ɪnədˈvaɪzəbl] *agg.* sconsigliabile

inalienable [ɪnˈeɪljənəbl] *agg.* inalienabile

inane [ɪˈneɪn] *agg.* vacuo, insensato

inanimate [ɪnˈænɪmɪt] *agg.* inanimato

inappropriate [ˌɪnəˈprəʊprɪɪt] *agg.* non appropriato, inadeguato

inapt [ɪnˈæpt] *agg.* **1** improprio, inadatto **2** incapace

inarticulate [ˌɪnɑːˈtɪkjʊlɪt] *agg.* **1** inarticolato **2** che si esprime con difficoltà

inasmuch [ˌɪnəzˈmʌtʃ] *avv.* in quanto ♦ **i. as** visto che

inattentive [ˌɪnəˈtɛntɪv] *agg.* disattento

inaudible [ɪnˈɔːdəbl] *agg.* impercettibile

inaugural [ɪˈnɔːgjʊr(ə)l] *agg.* inaugurale

to inaugurate [ɪˈnɔːgjʊreɪt] *v. tr.* inaugurare

inauguration [ɪˌnɔːgjʊˈreɪʃ(ə)n] *s.* inaugurazione f.

inauspicious [ˌɪnɔːsˈpɪʃəs] *agg.* nefasto

inboard [ˈɪnˌbɔːd] *agg. e avv.* entrobordo

inborn [ˌɪnˈbɔːn] *agg.* innato

inbred [ˌɪnˈbred] *agg.* innato

incalculable [ɪnˈkælkjʊləbl] *agg.* incalcolabile

incapable [ɪnˈkeɪpəbl] *agg.* incapace

to incapacitate [ˌɪnkəˈpæsɪteɪt] *v. tr.* **1** rendere incapace **2** (*dir*) dichiarare incapace

to incarnate [ˈɪnkɑːneɪt] *v. tr.* incarnare

incense [ˈɪnsɛns] *s.* incenso m.

to incense [ˈɪnsɛns] *v. tr.* **1** incensare **2** esasperare, provocare

incentive [ɪnˈsɛntɪv] *s.* incentivo m.

incessant [ɪnˈsɛsnt] *agg.* incessante

incest [ˈɪnsɛst] *s.* incesto m.

inch [ɪn(t)ʃ] *s.* pollice m. (*misura*)

to inch [ɪn(t)ʃ] *v. tr.* muovere gradatamente ♦ **to i. forward** avanzare poco alla volta

incidence [ˈɪnsɪdəns] *s.* incidenza f.

incident [ˈɪnsɪdənt] **A** *agg.* **1** inerente **2** incidente **B** *s.* incidente m., caso m.

incidental [ˌɪnsɪˈdɛntl] *agg.* **1** incidentale **2** casuale, accidentale

incidentally [ˌɪnsɪˈdɛntlɪ] *avv.* incidentalmente

incision [ɪnˈsɪʒ(ə)n] *s.* incisione f.

incisive [ɪnˈsaɪsɪv] *agg.* incisivo

incisor [ɪnˈsaɪzəʳ] *s.* incisivo m.

to incite [ɪnˈsaɪt] *v. tr.* incitare

incivility [ˌɪnsɪˈvɪlɪtɪ] *s.* inciviltà f.

inclinable [ɪnˈklaɪnəbl] *agg.* inclinabile

inclination [ˌɪnklɪˈneɪʃ(ə)n] *s.* inclinazione f., disposizione f.

incline [ɪnˈklaɪn] *s.* pendenza f.

to incline [ɪnˈklaɪn] **A** *v. tr.* inclinare **B** *v. intr.* tendere, propendere

to include [ɪnˈkluːd] *v. tr.* includere, comprendere

inclusive [ɪnˈkluːsɪv] *agg.* **1** inclusivo, comprendente **2** complessivo

incoherent [ˌɪnkɒ(ʊ)ˈhɪərənt] *agg.* incoerente

income [ˈɪnkʌm] *s.* reddito m., entrata f. ♦ **i. tax** imposta sul reddito

incoming [ˈɪnˌkʌmɪŋ] *agg.* **1** entrante, subentrante **2** in arrivo **3** (*di marea*) montante

incomparable [ɪn'kɒmp(ə)rəbl] *agg.* incomparabile

incompetent [ɪn'kɒmpɪt(ə)nt] *agg.* incompetente, incapace

incomplete [ˌɪnkəm'pliːt] *agg.* incompleto

incomprehensible [ɪn,kɒmprɪ'hensəbl] *agg.* incomprensibile

inconceivable [ˌɪnkən'siːvəbl] *agg.* inconcepibile

inconclusive [ˌɪnkən'kluːsɪv] *agg.* inconcludente

incongruous [ɪn'kɒŋgruəs] *agg.* incongruente

inconsequent [ɪn'kɒnsɪkwənt] *agg.* incongruente, illogico

inconsiderate [ˌɪnkən'sɪd(ə)rɪt] *agg.* sconsiderato, avventato

inconsistency [ˌɪnkən'sɪst(ə)nsɪ] *s.* incoerenza *f.*

inconsistent [ˌɪnkən'sɪstənt] *agg.* incoerente

inconspicuous [ˌɪnkən'spɪkjuəs] *agg.* non appariscente

inconstant [ɪn'kɒnstənt] *agg.* incostante

inconvenience [ˌɪnkən'viːnjəns] *s.* disturbo *m.*, disagio *m.*

to inconvenience [ˌɪnkən'viːnjəns] *v. tr.* disturbare

inconvenient [ˌɪnkən'viːnjənt] *agg.* fastidioso, scomodo

to incorporate [ɪn'kɔːpəreɪt] **A** *v. tr.* **1** incorporare **2** includere, comprendere **B** *v. intr.* incorporarsi, fondersi

incorrect [ˌɪnkə'rekt] *agg.* scorretto

incorrectness [ˌɪnkə'rektnɪs] *s.* scorrettezza *f.*

incorruptible [ˌɪnkə'rʌptəbl] *agg.* incorruttibile

increase ['ɪnkriːs] *s.* aumento *m.*, incremento *m.*

to increase [ɪn'kriːs] **A** *v. tr.* accrescere, aumentare **B** *v. intr.* crescere, ingrandirsi

increasing [ɪn'kriːsɪŋ] *agg.* crescente

incredible [ɪn'kredəbl] *agg.* incredibile

incredulous [ɪn'kredjʊləs] *agg.* incredulo

increment ['ɪnkrɪmənt] *s.* incremento *m.*

to incriminate [ɪn'krɪmɪneɪt] *v. tr.* incriminare

incubator ['ɪnkjʊbeɪtər] *s.* incubatrice *f.*

to inculcate ['ɪnkʌlkeɪt] *v. tr.* inculcare

incumbent [ɪn'kʌmbənt] *agg.* incombente

incunabulum [ˌɪnkjʊ(ː)'næbjʊləm] *s.* incunabolo *m.*

to incur [ɪn'kɜːr] *v. tr.* **1** incorrere in **2** esporsi a **3** attirarsi

incurable [ɪn'kjuərəbl] *agg.* incurabile

indebted [ɪn'detɪd] *agg.* **1** indebitato **2** obbligato

indecent [ɪn'diːs(ə)nt] *agg.* indecente

indecipherable [ˌɪndɪ'saɪf(ə)rəbl] *agg.* indecifrabile

indecision [ˌɪndɪ'sɪʒ(ə)n] *s.* indecisione *f.*

indecisive [ˌɪndɪ'saɪsɪv] *agg.* **1** indeciso **2** non decisivo

indeed [ɪn'diːd] **A** *avv.* realmente, infatti, in verità **B** *inter.* davvero ♦ **no i.!** no davvero!; **yes i.!** certamente!

indefatigable [ˌɪndɪ'fætɪgəbl] *agg.* instancabile

indefinable [ˌɪndɪ'faɪnəbl] *agg.* indefinibile

indefinite [ɪn'defɪnɪt] *agg.* indefinito

indefinitely [ɪn'def(ə)nɪtlɪ] *avv.* indefinitamente

indelible [ɪn'delɪbl] *agg.* indelebile

indemnification [ɪn,demnɪfɪ'keɪʃ(ə)n] *s.* indennizzo *m.*

to indemnify [ɪn'demnɪfaɪ] *v. tr.* indennizzare

indemnity [ɪn'demnɪtɪ] *s.* **1** indennità *f.* **2** assicurazione *f.*

to indent [ɪn'dent] **A** *v. tr.* dentellare, frastagliare **B** *v. intr.* essere frastagliato

independence [ˌɪndɪ'pendəns] *s.* indipendenza *f.*

independent [ˌɪndɪ'pendənt] *agg.* indipendente

indestructible [ˌɪndɪs'trʌktəbl] *agg.* indistruttibile

indeterminate [ˌɪndɪ'tɜːmɪnɪt] *agg.* indeterminato

indeterminateness [ˌɪndɪ'tɜːmɪnɪtnɪs] *s.* indeterminatezza *f.*

index ['ɪndeks] *s.* **1** indice *m.* **2** elenco *m.*, catalogo *m.* ♦ **i. finger** (dito) indice

Indian ['ɪndjən] *agg. e s.* indiano *m.*

to indicate ['ɪndɪkeɪt] *v. tr.* indicare, mostrare

indication [ˌɪndɪ'keɪʃ(ə)n] *s.* indicazione *f.*

indicative [ɪn'dɪkətɪv] *agg.* indicativo

indicator ['ɪndɪkeɪtər] *s.* **1** indicatore *m.* **2** (*autom.*) freccia *f.*

indictment [ɪn'daɪtmənt] *s.* (*dir.*) accusa *f.*

indifference [ɪn'dɪfr(ə)ns] *s.* indifferenza *f.*

indifferent [ɪn'dɪfr(ə)nt] *agg.* **1** indifferente **2** neutrale **3** mediocre

indigenous [ɪnˈdɪdʒɪnəs] *agg.* indigeno

indigestible [ˌɪndɪˈdʒɛstəbl] *agg.* indigesto

indigestion [ˌɪndɪˈdʒɛstʃ(ə)n] *s.* indigestione *f.*

indignant [ɪnˈdɪgnənt] *agg.* indignato

indignity [ɪnˈdɪgnɪtɪ] *s.* trattamento *m.* indegno, oltraggio *m.*

indirect [ˌɪndɪˈrɛkt] *agg.* indiretto

indiscreet [ˌɪndɪsˈkriːt] *agg.* indiscreto

indiscriminate [ˌɪndɪsˈkrɪmɪnɪt] *agg.* indiscriminato

indispensable [ˌɪndɪsˈpɛnsəbl] *agg.* indispensabile

indisposition [ˌɪndɪspəˈzɪʃ(ə)n] *s.* indisposizione *f.*

indisputable [ˌɪndɪsˈpjuːtəbl] *agg.* indiscutibile

indissoluble [ˌɪndɪˈsəljubl] *agg.* indissolubile

indistinct [ˌɪndɪsˈtɪŋkt] *agg.* indistinto

individual [ˌɪndɪˈvɪdjʊəl] **A** *agg.* **1** individuale **2** particolare **B** *s.* individuo *m.*

individualism [ˌɪndɪˈvɪdjʊəlɪz(ə)m] *s.* individualismo *m.*

individualist [ˌɪndɪˈvɪdjʊəlɪst] *agg. e s.* individualista *m. e f.*

to individualize [ˌɪndɪˈvɪdjʊəlaɪz] *v. tr.* individuare

individually [ˌɪndɪˈvɪdjʊəlɪ] *avv.* individualmente

indivisible [ˌɪndɪˈvɪzəbl] *agg.* indivisibile

indoctrination [ɪnˌdəktrɪˈneɪʃ(ə)n] *s.* indottrinamento *m.*

Indo-European [ˈɪndɒ(ʊ)ˌjʊərəˈpiːən] *agg.* indoeuropeo

indolent [ˈɪndələnt] *agg.* indolente

indoor [ˈɪndɔːr] *agg.* interno, al coperto ◆ **i. plant** pianta da appartamento

indoors [ˌɪnˈdɔːz] *avv.* in casa, all'interno, al coperto ◆ **to go i.** entrare in casa

to induce [ɪnˈdjuːs] *v. tr.* **1** indurre, persuadere **2** provocare

inducement [ɪnˈdjuːsmənt] *s.* incentivo *m.*, stimolo *m.*

to indulge [ɪnˈdʌldʒ] **A** *v. tr.* **1** assecondare, compiacere **2** appagare, soddisfare **B** *v. intr.* concedersi, permettersi

indulgence [ɪnˈdʌldʒ(ə)ns] *s.* **1** indulgenza *f.*, compiacenza *f.* **2** appagamento *m.*

indulgent [ɪnˈdʌldʒənt] *agg.* indulgente

industrial [ɪnˈdʌstrɪəl] *agg.* industriale ◆

i. action agitazione sindacale; **i. estate/park** zona industriale

industrialization [ɪnˌdʌstrɪəlaɪˈzeɪʃ(ə)n] *s.* industrializzazione *f.*

industrious [ɪnˈdʌstrɪəs] *agg.* industrioso, operoso

industry [ˈɪndəstrɪ] *s.* **1** industria *f.* **2** industriosità *f.*, operosità *f.*

inebriate [ɪˈniːbrɪɪt] *agg. e s.* ubriaco *m.*

inedible [ɪnˈɛdɪbl] *agg.* immangiabile

ineffective [ˌɪnɪˈfɛktɪv] *agg.* **1** inefficace **2** incapace, inefficiente

inefficiency [ˌɪnɪˈfɪʃ(ə)nsɪ] *s.* inefficienza *f.*

inefficient [ˌɪnɪˈfɪʃ(ə)nt] *agg.* inefficiente, inefficace

ineluctable [ˌɪnɪˈlʌktəbl] *agg.* ineluttabile

inept [ɪˈnɛpt] *agg.* inetto

inequality [ˌɪnɪ(ː)ˈkwɒlɪtɪ] *s.* **1** ineguaglianza *f.* **2** irregolarità *f.*

inertia [ɪˈnɜːʃə] *s.* inerzia *f.*

inescapable [ˌɪnɪsˈkeɪpəbl] *agg.* inevitabile

inessential [ˌɪnɪˈsɛnʃ(ə)l] *agg.* non essenziale

inevitable [ɪnˈɛvɪtəbl] *agg.* inevitabile

inexact [ˌɪnɪgˈzækt] *agg.* inesatto

inexactitude [ˌɪnɪgˈzæktɪtjuːd] *s.* inesattezza *f.*

inexcusable [ˌɪnɪksˈkjuːzəbl] *agg.* imperdonabile

inexhaustible [ˌɪnɪgˈzɔːstəbl] *agg.* inesauribile

inexistent [ˌɪnɪgˈzɪstənt] *agg.* inesistente

inexpensive [ˌɪnɪksˈpɛnsɪv] *agg.* economico, a buon mercato

inexperience [ˌɪnɪksˈpɪərɪəns] *s.* inesperienza *f.*

inexperienced [ˌɪnɪksˈpɪərɪənst] *agg.* inesperto

inexpert [ɪnˈɛkspɜːt] *agg.* inesperto

inexplicable [ɪnˈɛksplɪkəbl] *agg.* inesplicabile

inexpugnable [ˌɪnɪksˈpʌgnəbl] *agg.* inespugnabile

infallible [ɪnˈfæləbl] *agg.* infallibile

infamous [ˈɪnfəməs] *agg.* infame

infancy [ˈɪnfənsɪ] *s.* infanzia *f.*

infant [ˈɪnfənt] **A** *agg.* infantile **B** *s.* infante *m. e f.*, neonato *m.*

infantile [ˈɪnfəntaɪl] *agg.* infantile

infantry [ˈɪnf(ə)ntrɪ] *s.* fanteria *f.*

infarct [ɪnˈfaːkt] *s.* infarto *m.*

infatuated [ɪnˈfætjʊeɪtɪd] *agg.* infatuato

infatuation [ɪnˌfætjuˈeɪʃ(ə)n] s. infatuazione f.

to infect [ɪnˈfɛkt] v. tr. infettare, contagiare

infected [ɪnˈfɛktɪd] agg. infetto

infection [ɪnˈfɛkʃ(ə)n] s. infezione f.

infectious [ɪnˈfɛkʃəs] agg. infettivo, contagioso

to infer [ɪnˈfɜːr] v. tr. **1** inferire, dedurre **2** insinuare

inference [ˈɪnf(ə)r(ə)ns] s. inferenza f., deduzione f.

inferior [ɪnˈfɪərɪər] **A** agg. **1** inferiore, subordinato **2** scadente **B** s. inferiore m. e f., subalterno m.

inferiority [ɪnˌfɪərɪˈɒrɪtɪ] s. inferiorità f.

infernal [ɪnˈfɜːnl] agg. infernale

infertile [ɪnˈfɜːtaɪl] agg. infecondo, sterile

to infest [ɪnˈfɛst] v. tr. infestare

infighting [ˈɪnˌfaɪtɪŋ] s. **1** lotta f. corpo a corpo **2** lotta f. intestina

to infiltrate [ˈɪnfɪltreɪt] **A** v. tr. **1** infiltrarsi in **2** infiltrare **B** v. intr. infiltrarsi, insinuarsi

infinite [ˈɪnfɪnɪt] agg. e s. infinito m.

infinitesimal [ˌɪnfɪnɪˈtɛsɪm(ə)l] agg. infinitesimale

infinitive [ɪnˈfɪnɪtɪv] agg. e s. (gramm.) infinito m.

infinity [ɪnˈfɪnɪtɪ] s. **1** infinità f. **2** (mat.) infinito m.

infirmary [ɪnˈfɜːmərɪ] s. infermeria f.

infirmity [ɪnˈfɜːmɪtɪ] s. **1** infermità f. **2** debolezza f.

to inflame [ɪnˈfleɪm] v. tr. e intr. infiammare, infiammarsi

inflammable [ɪnˈflæməbl] agg. infiammabile

inflammation [ˌɪnfləˈmeɪʃ(ə)n] s. infiammazione f.

inflatable [ɪnˈfleɪtəbl] agg. gonfiabile

to inflate [ɪnˈfleɪt] v. tr. e intr. gonfiare, gonfiarsi

inflated [ɪnˈfleɪtɪd] agg. gonfio

inflation [ɪnˈfleɪʃ(ə)n] s. inflazione f.

inflationary [ɪnˈfleɪʃ(ə)n(ə)rɪ] agg. inflazionistico

inflexible [ɪnˈflɛksəbl] agg. inflessibile

to inflict [ɪnˈflɪkt] v. tr. infliggere

influence [ˈɪnfluəns] s. influenza f., influsso m.

to influence [ˈɪnfluəns] v. tr. influenzare, influire su

influential [ˌɪnfluˈɛnʃ(ə)l] agg. influente

influenza [ˌɪnfluˈɛnzə] s. (med.) influenza f.

influx [ˈɪnflʌks] s. afflusso m., affluenza f.

to inform [ɪnˈfɔːm] **A** v. tr. informare, far sapere, avvertire **B** v. intr. dare informazioni

informal [ɪnˈfɔːml] agg. informale

informally [ɪnˈfɔːməlɪ] avv. senza formalità

informant [ɪnˈfɔːmənt] s. informatore m.

informatics [ˌɪnfəˈmætɪks] s. pl. (v. al sing.) informatica f.

information [ˌɪnfəˈmeɪʃ(ə)n] s. informazioni f. pl.

informative [ɪnˈfɔːmətɪv] agg. informativo

informer [ɪnˈfɔːmər] s. informatore m.

to infringe [ɪnˈfrɪn(d)ʒ] v. tr. infrangere, contravvenire a

infringement [ɪnˈfrɪn(d)ʒmənt] s. infrazione f., trasgressione f.

to infuriate [ɪnˈfjuərɪeɪt] v. tr. far infuriare

to infuse [ɪnˈfjuːz] v. tr. infondere

infusion [ɪnˈfjuːʒ(ə)n] s. infusione f.

ingenious [ɪnˈdʒiːnjəs] agg. **1** ingegnoso **2** geniale

ingenuity [ˌɪn(d)ʒɪˈnjuːɪtɪ] s. ingegnosità f.

ingenuous [ɪnˈdʒɛnjuəs] agg. **1** ingenuo, semplice **2** sincero

ingenuousness [ɪnˈdʒɛnjuəsnɪs] s. ingenuità f.

to ingest [ɪnˈdʒɛst] v. tr. ingerire

ingot [ˈɪŋɡət] s. lingotto m.

ingrained [ɪnˈɡreɪnd] agg. radicato, inveterato

to ingratiate [ɪnˈɡreɪʃɪeɪt] v. tr. ingraziare
  ♦ **to i. oneself with sb.** ingraziarsi qc.

ingratitude [ɪnˈɡrætɪtjuːd] s. ingratitudine f.

ingredient [ɪnˈɡriːdjənt] s. ingrediente m.

to inhabit [ɪnˈhæbɪt] v. tr. abitare

inhabitant [ɪnˈhæbɪtənt] s. abitante m. e f.

to inhale [ɪnˈheɪl] v. tr. inalare, aspirare

inherent [ɪnˈhɪər(ə)nt] agg. inerente, intrinseco

to inherit [ɪnˈhɛrɪt] v. tr. e intr. ereditare

inheritance [ɪnˈhɛrɪtəns] s. eredità f.

to inhibit [ɪnˈhɪbɪt] v. tr. **1** inibire, reprimere **2** impedire

inhibition [ˌɪn(h)ɪˈbɪʃ(ə)n] s. **1** inibizione f. **2** divieto m.

inhospitable [ɪnˈhɒspɪtəbl] agg. inospitale

inhuman [ɪnˈhjuːmən] agg. inumano

inimitable [ɪˈnɪmɪtəbl] agg. inimitabile

initial [ɪ'nɪʃ(ə)l] **A** agg. iniziale **B** s. iniziale f., sigla f.

to initial [ɪ'nɪʃ(ə)l] v. tr. siglare

initiate [ɪ'nɪʃɪɪt] agg. e s. iniziato m.

to initiate [ɪ'nɪʃɪeɪt] v. tr. **1** avviare, dare inizio **2** (una persona) iniziare

initiative [ɪ'nɪʃɪətɪv] s. iniziativa f.

initiator [ɪ'nɪʃɪeɪtər] agg. iniziatore

to inject [ɪn'dʒɛkt] v. tr. iniettare

injection [ɪn'dʒɛkʃ(ə)n] s. iniezione f.

injector [ɪn'dʒɛktər] s. iniettore m.

injunction [ɪn'dʒʌŋ(k)ʃ(ə)n] s. ingiunzione f.

to injure [ˈɪn(d)ʒər] v. tr. **1** ferire **2** danneggiare

injury [ˈɪn(d)ʒərɪ] s. **1** ferita f., lesione f. **2** danno m.

injustice [ɪn'dʒʌstɪs] s. ingiustizia f.

ink [ɪŋk] s. inchiostro m.

inkling [ˈɪŋklɪŋ] s. sentore m., sospetto m.

inland [ˈɪnlənd] **A** s. entroterra m. inv. **B** agg. interno **C** avv. all'interno, nell'entroterra

inlay [ˈɪnleɪ] s. intarsio m.

inlet [ˈɪnlet] s. **1** insenatura f. **2** (mecc.) immissione f.

inmate [ˈɪnmeɪt] s. **1** degente m. e f. **2** carcerato m.

inn [ɪn] s. locanda f., taverna f.

innate [ˈɪˈneɪt] agg. innato

inner [ˈɪnər] agg. **1** interno, interiore **2** segreto, intimo ♦ **i. city** centro (di grande città); **i. tube** camera d'aria

innkeeper [ˈɪn,kiːpər] s. locandiere m.

innocence [ˈɪnəsəns] s. innocenza f.

innocent [ˈɪnəsənt] agg. innocente

innocuous [ɪˈnɒkjʊəs] agg. innocuo

innovator [ˈɪnə(ʊ)veɪtər] s. innovatore m.

innuendo [ˌɪnjʊ(ː)ˈendəʊ] (pl. **innuendo(e)s**) s. insinuazione f.

innumerable [ɪˈnjuːm(ə)rəbl] agg. innumerevole

inoffensive [ˌɪnəˈfensɪv] agg. inoffensivo

inopportune [ɪnˈɒpətjuːn] agg. inopportuno

inordinate [ɪˈnɔːdɪnɪt] agg. smodato, eccessivo

inorganic [ˌɪnɔːˈgænɪk] agg. inorganico

in-patient [ˈɪn,peɪʃ(ə)nt] s. degente m. e f.

input [ˈɪnpʊt] s. **1** introduzione f., immissione f., input m. inv. **2** (mecc.) energia f. assorbita **3** (inf.) input m. inv., ingresso m.

inquest [ˈɪnkwest] s. inchiesta f.

to inquire [ɪnˈkwaɪər] **A** v. tr. chiedere, domandare **B** v. intr. indagare, investigare ♦

to i. about/for informarsi su; **to i. into** investigare su; **to i. of** informarsi da

inquiry [ɪnˈkwaɪərɪ] s. **1** domanda f. **2** indagine f. ♦ **i. office** ufficio informazioni

inquisition [ˌɪnkwɪˈzɪʃ(ə)n] s. investigazione f.

inquisitive [ɪnˈkwɪzɪtɪv] agg. curioso, indiscreto

inroad [ˈɪnrəʊd] s. **1** (mil.) incursione f. **2** intromissione f. ♦ **to make inroads on st.** danneggiare q.c., intaccare q.c.

insane [ɪnˈseɪn] agg. insano, pazzo

insanity [ɪnˈsænɪtɪ] s. insania f., pazzia f.

insatiable [ɪnˈseɪʃjəbl] agg. insaziabile

to inscribe [ɪnˈskraɪb] v. tr. **1** incidere, scolpire **2** (mat.) iscrivere **3** dedicare

inscription [ɪnˈskrɪpʃ(ə)n] s. **1** iscrizione f. **2** dedica f.

inscrutable [ɪnˈskruːtəbl] agg. imperscrutabile

insect [ˈɪnsekt] s. insetto m.

insecticide [ɪnˈsektɪsaɪd] s. insetticida m.

insecure [ˌɪnsɪˈkjʊər] agg. insicuro, malsicuro

insecurity [ˌɪnsɪˈkjʊərɪtɪ] s. insicurezza f.

insemination [ɪn,semɪˈneɪʃ(ə)n] s. inseminazione f.

insensibility [ɪn,sensəˈbɪlɪtɪ] s. **1** insensibilità f. **2** incoscienza f. ♦ **in a state of i.** privo di sensi

insensible [ɪnˈsensəbl] agg. **1** insensibile **2** privo di sensi **3** inconsapevole

insensitive [ɪnˈsensɪtɪv] agg. insensibile

inseparable [ɪnˈsep(ə)rəbl] agg. inseparabile

to insert [ɪnˈsɜːt] v. tr. inserire

insertion [ɪnˈsɜːʃ(ə)n] s. inserzione f.

inshore [ˌɪnˈʃɔːr] **A** agg. costiero **B** avv. verso la costa

inside [ˈɪnsaɪd] **A** agg. interno, interiore **B** s. interno m., parte f. interna **C** avv. dentro, interiormente **D** prep. **1** dentro, all'interno di **2** entro

insidious [ɪnˈsɪdɪəs] agg. insidioso

insight [ˈɪnsaɪt] s. acume m., intuito m.

insignificant [ˌɪnsɪgˈnɪfɪkənt] agg. insignificante

insincere [ˌɪnsɪnˈsɪər] agg. insincero

to insinuate [ɪnˈsɪnjʊeɪt] **A** v. tr. **1** insinuare **2** introdurre **B** v. intr. fare insinuazioni ♦ **to i. oneself** insinuarsi

insipid [ɪnˈsɪpɪd] agg. insipido

to insist [ɪnˈsɪst] **A** v. intr. insistere **B** v. tr. sostenere, asserire

insistent [ɪn'sɪst(ə)nt] *agg.* insistente

insolation [ˌɪnsɒ(ʊ)'leɪʃ(ə)n] *s.* insolazione *f.*

insole ['ɪnsɒʊl] *s.* soletta *f.*

insolence ['ɪns(ə)ləns] *s.* insolenza *f.*

insolent ['ɪns(ə)lənt] *agg.* insolente

insoluble [ɪn'sɒljʊbl] *agg.* insolubile

insolvent [ɪn'sɒlv(ə)nt] *agg.* insolvente

insomnia [ɪn'sɒmnɪə] *s.* insonnia *f.*

to inspect [ɪn'spɛkt] *v. tr.* ispezionare, controllare

inspection [ɪn'spɛkʃ(ə)n] *s.* ispezione *f.*, controllo *m.*

inspector [ɪn'spɛktər] *s.* ispettore *m.*

inspiration [ˌɪnspə'reɪʃ(ə)n] *s.* **1** (*med.*) inspirazione *f.* **2** ispirazione *f.*

to inspire [ɪn'spaɪər] *v. tr.* **1** (*med.*) inspirare **2** ispirare, infondere, suscitare

inspirer [ɪn'spaɪərər] *s.* ispiratore *m.*

to install [ɪn'stɔːl] *v. tr.* **1** insediare **2** installare

installation [ˌɪnstə'leɪʃ(ə)n] *s.* **1** insediamento *m.*, investitura *f.* **2** installazione *f.*

instalment [ɪn'stɔːlmənt] (*USA* **installment**) *s.* **1** rata *f.* **2** puntata *f.*, parte *f.*, fascicolo *m.* **3** acconto *m.* ♦ **to pay by instalments** pagare a rate

instance ['ɪnstəns] *s.* **1** esempio *m.* **2** caso *m.* ♦ **for i.** per esempio; **in the first i.** in primo luogo

instant ['ɪnstənt] **A** *agg.* **1** urgente **2** immediato, istantaneo **3** corrente **B** *s.* istante *m.*

instantaneous [ˌɪnst(ə)n'teɪnjəs] *agg.* istantaneo

instantly ['ɪnstəntlɪ] *avv.* istantaneamente

instead [ɪn'stɛd] *avv.* invece

instep ['ɪnˌstɛp] *s.* collo *m.* del piede

to instil [ɪn'stɪl] *v. tr.* instillare, infondere

instinct ['ɪnstɪŋkt] *s.* istinto *m.*

instinctive [ɪn'stɪŋktɪv] *agg.* istintivo

institute ['ɪnstɪtjuːt] *s.* istituto *m.*

to institute ['ɪnstɪtjuːt] *v. tr.* **1** istituire **2** iniziare **3** intentare

institution [ˌɪnstɪ'tjuːʃ(ə)n] *s.* istituzione *f.*

institutional [ˌɪnstɪ'tjuːʃənl] *agg.* istituzionale

to instruct [ɪn'strʌkt] *v. tr.* **1** istruire, insegnare **2** dare istruzioni, incaricare **3** informare ♦ **to i. sb. to do st.** dare ordini a qc. di fare q.c.

instruction [ɪn'strʌkʃ(ə)n] *s.* **1** insegnamento *m.* **2** istruzione *f.*

instructive [ɪn'strʌktɪv] *agg.* istruttivo

instructor [ɪn'strʌktər] *s.* istruttore *m.*

instrument ['ɪnstrəmənt] *s.* strumento *m.*, apparecchio *m.*

instrumental [ˌɪnstrə'mɛnt(ə)l] *agg.* **1** attivo, utile **2** strumentale

instrumentalist [ˌɪnstrə'mɛnt(ə)lɪst] *s.* (*mus.*) strumentista *m. e f.*

insubstantial [ˌɪnsəb'stænʃ(ə)l] *agg.* **1** incorporeo **2** inconsistente

insufficient [ˌɪnsə'fɪʃ(ə)nt] *agg.* insufficiente, inadeguato

insular ['ɪnsjʊlər] *agg.* **1** insulare **2** gretto, di vedute ristrette

to insulate ['ɪnsjʊleɪt] *v. tr.* isolare

insulated ['ɪnsjʊleɪtɪd] *agg.* isolato

insulating ['ɪnsjʊleɪtɪŋ] *agg.* isolante ♦ **i. tape** nastro isolante

insulation [ˌɪnsjʊ'leɪʃ(ə)n] *s.* isolamento *m.*

insulin ['ɪnsjʊlɪn] *s.* insulina *f.*

insult ['ɪnsʌlt] *s.* insulto *m.*, offesa *f.*

to insult [ɪn'sʌlt] *v. tr.* insultare, offendere

insulting [ɪn'sʌltɪŋ] *agg.* ingiurioso, offensivo

insuperable [ɪn'sjuːp(ə)rəbl] *agg.* insuperabile

insurance [ɪn'ʃʊər(ə)ns] *s.* assicurazione *f.* ♦ **i. policy** polizza di assicurazione; **life i.** assicurazione sulla vita

to insure [ɪn'ʃʊər] *v. tr.* assicurare

insurrection [ˌɪnsə'rɛkʃ(ə)n] *s.* insurrezione *f.*, sommossa *f.*

intact [ɪn'tækt] *agg.* intatto

intake ['ɪnteɪk] *s.* **1** (*d'acqua, ecc.*) presa *f.*, immissione *f.* **2** quantità *f.* immessa **3** *al pl.* reclute *f. pl.*, nuovi assunti *m. pl.*

integral ['ɪntɪgr(ə)l] *agg.* **1** integrale **2** integrante

to integrate ['ɪntɪgreɪt] *v. tr.* **1** unire, incorporare **2** integrare

integrity [ɪn'tɛgrɪtɪ] *s.* integrità *f.*

intellectual [ˌɪntɪ'lɛktjʊəl] *agg. e s.* intellettuale *m. e f.*

intellectualism [ˌɪntɪ'lɛktjʊəlɪz(ə)m] *s.* intellettualismo *m.*

intelligence [ɪn'tɛlɪdʒ(ə)ns] *s.* **1** intelligenza *f.* **2** informazioni *f. pl.*, notizie *f. pl.*

intelligent [ɪn'tɛlɪdʒ(ə)nt] *agg.* intelligente

intelligible [ɪn'tɛlɪdʒəbl] *agg.* intelligibile

to intend [ɪn'tɛnd] *v. tr.* **1** intendere, avere intenzione di **2** significare **3** destinare ♦ **to i. to do st.** avere intenzione di fare q.c.

intended [ɪn'tɛndɪd] *agg.* **1** intenzionale, premeditato **2** designato

intense [ɪn'tɛns] *agg.* intenso

to intensify [ɪn'tɛnsɪfaɪ] *v. tr.* intensificare

intensity [ɪn'tɛnsɪtɪ] *s.* intensità *f.*

intensive [ɪn'tɛnsɪv] *agg.* intensivo, intenso ◆ **i. care unit** reparto di terapia intensiva

intent [ɪn'tɛnt] **A** *agg.* **1** intento **2** deciso **B** *s.* intento *m.*, intenzione *f.*, scopo *m.* ◆ **to all intents and purposes** a tutti gli effetti; **to be i. to do st.** essere deciso a fare q.c.

intention [ɪn'tɛnʃ(ə)n] *s.* intenzione *f.*, proposito *m.*

intentional [ɪn'tɛnʃənl] *agg.* intenzionale

to inter [ɪn'tɜːr] *v. tr.* sotterrare

to interact [ˌɪntər'ækt] *v. intr.* interagire

interaction [ˌɪntər'ækʃ(ə)n] *s.* interazione *f.*

to intercept [ˌɪntə(ː)'sɛpt] *v. tr.* intercettare

intercession [ˌɪntə'sɛʃ(ə)n] *s.* intercessione *f.*

interchange ['ɪntə(ː)ˌtʃeɪn(d)ʒ] *s.* **1** scambio *m.* **2** avvicendamento *m.* **3** svincolo *m.* (autostradale)

interchangeable [ˌɪntə(ː)'tʃeɪn(d)ʒəbl] *agg.* intercambiabile

intercolumn [ˌɪntə'kɒləm] *s.* intercolunnio *m.*

intercom ['ɪntəkəm] *s.* interfono *m.*

intercontinental [ˌɪntəˌkɒntɪ'nɛntl] *agg.* intercontinentale

intercourse ['ɪntə(ː)kɔːs] *s.* rapporto *m.*

interdisciplinary [ˌɪntə'dɪsɪplɪnərɪ] *agg.* interdisciplinare

interest ['ɪntrɪst] *s.* interesse *m.*

to interest ['ɪntrɪst] *v. tr.* interessare

interested ['ɪntrɪstɪd] *agg.* interessato

interesting ['ɪntrɪstɪŋ] *agg.* interessante

interface ['ɪntəˌfeɪs] *s.* interfaccia *f.*

to interfere [ˌɪntə'fɪər] *v. intr.* interferire, intromettersi ◆ **to i. with** toccare, manomettere

interference [ˌɪntə'fɪər(ə)ns] *s.* interferenza *f.*, ingerenza *f.*

interior [ɪn'tɪərɪər] **A** *agg.* interiore, interno **B** *s.* **1** interno *m.* **2** entroterra *m.* ◆ **i. decoration** arredamento

to interlace [ˌɪntə(ː)'leɪs] *v. tr. e intr.* allacciare, allacciarsi

to interlock [ˌɪntə(ː)'lɒk] **A** *v. tr.* congiungere, unire, collegare **B** *v. intr.* **1** unirsi, congiungersi **2** essere collegato

interlocutor [ˌɪntə(ː)'lɒkjutər] *s.* interlocutore *m.*

interloper ['ɪntə(ː),ləʊpər] *s.* intruso *m.*

interlude ['ɪntə(ː)luːd] *s.* interludio *m.*, intermezzo *m.*

intermediate [ˌɪntə(ː)'miːdjət] *agg.* intermedio

intermezzo [ˌɪntə(ː)'mɛtsəʊ] *s.* intermezzo *m.*

interminable [ɪn'tɜːmɪnəbl] *agg.* interminabile

intermission [ˌɪntə(ː)'mɪʃ(ə)n] *s.* interruzione *f.*, pausa *f.*

intermittent [ˌɪntə'mɪt(ə)nt] *agg.* intermittente

intern ['ɪntɜːn] *s.* (medico) interno *m.*

to intern [ɪn'tɜːn] *v. tr.* internare

internal [ɪn'tɜːnl] *agg.* interno, interiore

international [ˌɪntə(ː)'næʃənl] *agg.* internazionale

interphone ['ɪntəfəʊn] *s.* citofono *m.*

interplay ['ɪntə(ː),pleɪ] *s.* interazione *f.*

to interpolate [ɪn'tɜːpɒ(ʊ)leɪt] *v. tr.* interpolare

to interpose [ˌɪntə(ː)'pəʊz] **A** *v. tr.* interporre, frapporre **B** *v. intr.* **1** interporsi, intromettersi **2** interferire

to interpret [ɪn'tɜːprɪt] **A** *v. tr.* interpretare **B** *v. intr.* fare da interprete

interpretation [ɪn,tɜːprɪ'teɪʃ(ə)n] *s.* interpretazione *f.*

interpreter [ɪn'tɜːprɪtər] *s.* interprete *m. e f.*

to interrelate [ˌɪntərɪ'leɪt] *v. tr.* porre in relazione, collegare

to interrogate [ɪn'tɛrəgeɪt] *v. tr.* interrogare

interrogation [ɪn,tɛrə'geɪʃ(ə)n] *s.* interrogazione *f.*, interrogatorio *m.*

interrogative [ˌɪntə'rəgətɪv] *agg.* interrogativo

to interrupt [ˌɪntə'rʌpt] *v. tr.* interrompere

interruption [ˌɪntə'rʌpʃ(ə)n] *s.* interruzione *f.*

intersection [ˌɪntə(ː)'sɛkʃ(ə)n] *s.* **1** intersezione *f.* **2** incrocio *m.*

to intersperse [ˌɪntə(ː)'spɜːs] *v. tr.* cospargere

interstice [ɪn'tɜːstɪs] *s.* interstizio *m.*

to intertwine [ˌɪntə(ː)'twaɪn] **A** *v. tr.* intrecciare, attorcigliare **B** *v. intr.* intrecciarsi, attorcigliarsi

intertwinement [ˌɪntə(ː)'twaɪnmənt] *s.* intreccio *m.*

interurban [ˌɪntər'ɜːbən] *agg.* interurbano

interval ['ɪntəv(ə)l] *s.* intervallo *m.*

to **intervene** [ˌɪntə(ː)'viːn] *v. intr.* **1** intervenire **2** accadere **3** intercorrere

intervention [ˌɪntə(ː)'venʃ(ə)n] *s.* intervento *m.*

interview ['ɪntəvjuː] *s.* **1** intervista *f.* **2** colloquio *m.*, udienza *f.*

to **interview** ['ɪntəvjuː] *v. tr.* **1** intervistare **2** sottoporre a un colloquio

intestinal [ɪn'tɛstɪnl] *agg.* intestinale

intestine [ɪn'tɛstɪn] *s.* intestino *m.*

intimacy ['ɪntɪməsɪ] *s.* intimità *f.*

intimate ['ɪntɪmɪt] *agg.* **1** intimo, interiore **2** profondo, completo

to **intimate** ['ɪntɪmeɪt] *v. tr.* **1** accennare, suggerire **2** (*dir*) intimare, notificare

into ['ɪntʊ, 'ɪntə] *prep.* in, dentro

intolerable [ɪn'tɒl(ə)rəbl] *agg.* intollerabile

intolerance [ɪn'tɒlər(ə)ns] *s.* intolleranza *f.*

intolerant [ɪn'tɒlərənt] *agg.* intollerante

intoxication [ɪn,tɒksɪ'keɪʃ(ə)n] *s.* **1** intossicazione *f.* **2** ebbrezza *f.*

intractable [ɪn'træktəbl] *agg.* intrattabile

intrados [ɪn'treɪdəs] *s.* intradosso *m.*

intransigent [ɪn'trænsɪdʒ(ə)nt] *agg. e s.* intransigente *m.*

intransitive [ɪn'trænsɪtɪv] *agg. e s.* intransitivo *m.*

intravenous [ˌɪntrə'viːnəs] *agg.* endovenoso

intricate ['ɪntrɪkɪt] *agg.* intricato, complicato

intrigue [ɪn'triːg] *s.* intrigo *m.*

to **intrigue** [ɪn'triːg] *v. tr.* **1** ottenere con intrighi **2** affascinare, interessare

intriguing [ɪn'triːgɪŋ] *agg.* **1** intrigante **2** affascinante

intrinsic(al) [ɪn'trɪnsɪk((ə)l)] *agg.* intrinseco

to **introduce** [ˌɪntrə'djuːs] *v. tr.* **1** introdurre **2** presentare

introduction [ˌɪntrə'dʌkʃ(ə)n] *s.* **1** introduzione *f.* **2** presentazione *f.*

introductory [ˌɪntrə'dʌkt(ə)rɪ] *agg.* introduttivo, preliminare

introspective [ˌɪntrɒ(ʊ)'spɛktɪv] *agg.* introspettivo

introvert ['ɪntrɒ(ʊ)vɜːt] *agg.* introverso

to **intrude** [ɪn'truːd] **A** *v. intr.* intromettersi **B** *v. tr.* imporre

intruder [ɪn'truːdər] *s.* intruso *m.*

intrusion [ɪn'truːʒ(ə)n] *s.* intrusione *f.*

intrusive [ɪn'truːsɪv] *agg.* importuno

intuition [ˌɪntjʊ(ː)'ɪʃ(ə)n] *s.* intuizione *f.*

intuitive [ɪn'tjʊ(ː)ɪtɪv] *agg.* intuitivo

to **inundate** ['ɪnʌndeɪt] *v. tr.* inondare

inundation [ˌɪnʌn'deɪʃ(ə)n] *s.* inondazione *f.*

inurement [ɪ'njʊəmənt] *s.* assuefazione *f.*, abitudine *f.*

to **invade** [ɪn'veɪd] *v. tr.* invadere

invader [ɪn'veɪdər] *s.* invasore *m.*

invalid [ɪn'vəliːd] **A** *agg.* **1** invalido, infermo **2** non valido, nullo **B** *s.* invalido *m.*

invalidity [ˌɪnvə'lɪdɪtɪ] *s.* invalidità *f.*

invaluable [ɪn'væljʊəbl] *agg.* inestimabile

invariable [ɪn'vɛərɪəbl] *agg.* invariabile

invasion [ɪn'veɪʒ(ə)n] *s.* invasione *f.*

to **invent** [ɪn'vɛnt] *v. tr.* inventare

invention [ɪn'vɛnʃ(ə)n] *s.* invenzione *f.*

inventiveness [ɪn'vɛntɪvnɪs] *s.* inventiva *f.*

inventor [ɪn'vɛntər] *s.* inventore *m.*

inventory ['ɪnvəntrɪ] *s.* inventario *m.*

inversion [ɪn'vɜːʃ(ə)n] *s.* inversione *f.*

to **invert** [ɪn'vɜːt] *v. tr.* **1** invertire **2** capovolgere

invertebrate [ɪn'vɜːtɪbrɪt] *agg. e s.* invertebrato *m.*

to **invest** [ɪn'vɛst] *v. tr. e intr.* investire

to **investigate** [ɪn'vɛstɪgeɪt] *v. tr. e intr.* investigare

investigation [ɪn,vɛstɪ'geɪʃ(ə)n] *s.* indagine *f.*, investigazione *f.*

investment [ɪn'vɛs(t)mənt] *s.* investimento *m.*

investor [ɪn'vɛstər] *s.* (*fin.*) investitore *m.*

invidious [ɪn'vɪdɪəs] *agg.* odioso, spiacevole

invigilation [ɪn,vɪdʒɪ'leɪʃ(ə)n] *s.* sorveglianza *f.*

to **invigorate** [ɪn'vɪgəreɪt] *v. tr.* rinvigorire, rinforzare

invincible [ɪn'vɪnsəbl] *agg.* invincibile

invisible [ɪn'vɪzəbl] *agg.* invisibile

invitation [ˌɪnvɪ'teɪʃ(ə)n] *s.* invito *m.* ♦ **i. card** biglietto d'invito

to **invite** [ɪn'vaɪt] *v. tr.* **1** invitare **2** sollecitare, stimolare

inviting [ɪn'vaɪtɪŋ] *agg.* invitante, attraente

invoice ['ɪnvɔɪs] *s.* fattura *f.*

to **invoice** ['ɪnvɔɪs] *v. tr.* fatturare

involuntary [ɪn'vələnt(ə)rɪ] *agg.* involontario

involution [ˌɪnvə'luːʃ(ə)n] *s.* involuzione *f.*

to **involve** [ɪn'vɒlv] *v. tr.* **1** coinvolgere **2** comportare, richiedere **3** complicare

involved [ɪn'vɒlvd] *agg.* **1** coinvolto **2** complicato

inward ['ɪnwəd] *agg.* interno, interiore

inwards ['ɪnwədz] *avv.* **1** verso l'interno **2** in entrata

iodine ['aɪədi:n] *s.* iodio *m.*

Ionian [aɪ'ɒunjən] *agg.* (*geogr*) Ionico

ionic [aɪ'ənɪk] *agg.* ionico

Iranian [ɪ'reɪnjən] *agg. e s.* iraniano *m.*

Iraqi [ɪ'ra:kɪ] *agg. e s.* iracheno *m.*

irascible [ɪ'ræsɪbl] *agg.* irascibile

irate [aɪ'reɪt] *agg.* irato

iris ['aɪərɪs] *s.* **1** (*meteor, anat.*) iride *m.* **2** (*bot.*) iris *m.*

Irish ['aɪərɪʃ] *agg. e s.* irlandese *m.* (*lingua*)

Irishman ['aɪərɪʃmən] (*pl.* **Irishmen**) *s.* irlandese *m.*

Irishwoman ['aɪərɪʃˌwumən] (*pl.* **Irishwomen**) *s.* irlandese *f.*

to irk [ɜːk] *v. tr.* affliggere, infastidire

irksome ['ɜːksəm] *agg.* fastidioso, seccante

iron ['aɪən] **A** *s.* **1** ferro *m.* **2** ferro *m.* (da stiro) **B** *agg. attr.* **1** di ferro **2** relativo al ferro ♦ **steam i.** ferro a vapore

to iron ['aɪən] *v. tr.* stirare ♦ **to i. out** appianare, risolvere

ironic(al) [aɪ'rɒnɪk((ə)l)] *agg.* ironico

ironing ['aɪənɪŋ] **A** *s.* stiratura *f.* **B** *agg.* da stiro ♦ **i. board** asse da stiro

ironmongery ['aɪənˌmʌŋg(ə)rɪ] *s.* negozio *m.* di ferramenta

irony ['aɪərənɪ] *s.* ironia *f.*

irrational [ɪ'ræʃənl] **A** *agg.* irrazionale **B** *s.* numero *m.* irrazionale

irredentism [ˌɪrɪ'dɛntɪz(ə)m] *s.* irredentismo *m.*

irregular [ɪ'rɛgjulər] *agg.* irregolare

irrelevant [ɪ'rɛlɪvənt] *agg.* non pertinente

irremediable [ˌɪrɪ'mi:djəbl] *agg.* irrimediabile

irreparable [ɪ'rɛp(ə)rəbl] *agg.* irreparabile

irreplaceable [ˌɪrɪ'pleɪsəbl] *agg.* insostituibile

irrepressible [ˌɪrɪ'prɛsəbl] *agg.* irrefrenabile

irresistible [ˌɪrɪ'zɪstəbl] *agg.* irresistibile

irrespective [ɪrɪs'pɛktɪv] *agg.* noncurante

irrespirable [ɪ'rɛspɪrəbl] *agg.* irrespirabile

irresponsible [ˌɪrɪs'pɒnsəbl] *agg.* irresponsabile

to irrigate ['ɪrɪgeɪt] *v. tr.* irrigare

irrigation [ˌɪrɪ'geɪʃ(ə)n] *s.* irrigazione *f.*

irritable ['ɪrɪtəbl] *agg.* irritabile

to irritate ['ɪrɪteɪt] *v. tr.* irritare

irritating ['ɪrɪteɪtɪŋ] *agg.* irritante

irritation [ˌɪrɪ'teɪʃ(ə)n] *s.* irritazione *f.*

irruption [ɪ'rʌpʃ(ə)n] *s.* irruzione *f.*

Islamic [ɪz'læmɪk] *agg.* islamico

island ['aɪlənd] *s.* isola *f.*

islander ['aɪləndər] *s.* isolano *m.*

isle [aɪl] *s.* isola *f.*

islet ['aɪlɪt] *s.* isolotto *m.*

isobar ['aɪsɒ(u)bɑːr] *s.* isobara *f.*

isobath ['aɪsɒ(u)bæθ] *s.* isobata *f.*

to isolate ['aɪsəleɪt] *v. tr.* isolare

isolated ['aɪsəleɪtɪd] *agg.* isolato

isolation [ˌaɪsə'leɪʃ(ə)n] *s.* isolamento *m.*

Israeli [ɪz'reɪlɪ] *agg. e s.* israeliano *m.*

Israelite ['ɪzrɪəlaɪt] *agg. e s.* israelita *m. e f.*

issue ['ɪʃjuː] *s.* **1** questione *f.*, problema *m.* **2** emissione *f.* **3** pubblicazione *f.*, edizione *f.* **4** uscita *f.*, sbocco *m.*, fuoriuscita *f.*

to issue ['ɪʃjuː] **A** *v. tr.* **1** emettere **2** pubblicare **3** rilasciare **B** *v. intr.* scaturire, venir fuori ♦ **to i. in** concludersi; **to i. tickets** rilasciare biglietti

isthmus ['ɪsməs] *s.* istmo *m.*

it [ɪt] *pron. neutro 3ª sing.* **1** (*sogg.*) esso, essa, ciò (*spesso sottinteso*) (ES: **at what time does it leave?** a che ora parte?) **2** (*compl.*) lo, la, ciò, gli, le, ne, ci, sé (ES: **I don't like it** non mi piace) **3** (*sogg. di v. impers.*) *idiom.* (ES: **it is snowing** sta nevicando, **it is midday** è mezzogiorno) **4** (*prolettico*) *idiom.* (ES: **it is obvious that ...** è ovvio che ...)

Italian [ɪ'tæljən] *agg. e s.* italiano *m.*

Italic [ɪ'tælɪk] *agg.* **1** italico **2** corsivo

italics [ɪ'tælɪks] *s. pl.* corsivo *m.*

itch [ɪtʃ] *s.* **1** prurito *m.* **2** (*fig.*) voglia *f.*

to itch [ɪtʃ] *v. intr.* **1** prudere, sentire prurito **2** (*fig.*) aver voglia

item ['aɪtəm] *s.* **1** articolo *m.*, capo *m.* **2** elemento *m.* **3** notizia *f.*

to itemize ['aɪtəmaɪz] *v. tr.* specificare, esporre in dettaglio

iterative ['ɪtərətɪv] *agg.* iterativo

itinerant [ɪ'tɪn(ə)rənt] *agg.* ambulante

itinerary [aɪ'tɪn(ə)rərɪ] *s.* itinerario *m.*

its [ɪts] *agg. poss.* (*possessore neutro*) suo, sua, suoi, sue

itself [ɪt'sɛlf] *pron. 3ª sing. neutro* **1** (*rifl.*) si, sé, se stesso, se stessa **2** (*enf.*) stesso, stessa, in persona

ivory ['aɪv(ə)rɪ] *s.* avorio *m.*

ivy ['aɪvɪ] *s.* edera *f.*

J

jab [dʒæb] *s.* **1** stilettata *f.*, stoccata *f.* **2** colpetto *m.* **3** (*fam.*) iniezione *f.*

to jab [dʒæb] *v. tr.* **1** conficcare **2** colpire

jack [dʒæk] *s.* **1** (*fam.*) tipo *m.*, amico *m.* **2** boccino *m.* **3** (*mecc.*) cric *m.* **4** (*carte da gioco*) fante *m.*

jackal ['dʒækɔːl] *s.* sciacallo *m.*

jackass ['dʒækæs] *s.* asino *m.*

jackdaw ['dʒækdɔː] *s.* taccola *f.*

jacket ['dʒækɪt] *s.* **1** giacca *f.*, giubbotto *m.* **2** rivestimento *m.* **3** copertina *f.*, sovraccoperta *f.* ♦ **blue j.** marinaio; **dinner j.** smoking; **life j.** giubbotto di salvataggio

jackknife ['dʒæknaɪf] *s.* coltello *m.* a serramanico

Jacobin ['dʒækəbɪn] *agg. e s.* giacobino *m.*

jade [dʒeɪd] *s.* giada *f.*

jaded ['dʒeɪdɪd] *agg.* **1** stanco, affaticato **2** logoro

jag [dʒæg] *s.* sporgenza *f.* appuntita, dente *m.* di sega

jagged ['dʒægɪd] *agg.* frastagliato, dentellato

jail [dʒeɪl] *s.* prigione *f.*

to jail [dʒeɪl] *v. tr.* imprigionare

jailer ['dʒeɪlər] *s.* carceriere *m.*, secondino *m.*

jam (1) [dʒæm] *s.* **1** compressione *f.* **2** blocco *m.*, inceppamento *m.* **3** (*nel traffico*) ingorgo *m.* **4** (*fam.*) pasticcio *m.*

jam (2) [dʒæm] *s.* confettura *f.*, marmellata *f.*

to jam [dʒæm] **A** *v. tr.* **1** comprimere, schiacciare **2** bloccare, inceppare **3** (*una trasmissione*) disturbare con interferenze **B** *v. intr.* bloccarsi, incepparsi

Jamaican [dʒ(ə)'meɪkən] *agg. e s.* giamaicano *m.*

jamb [dʒæm] *s.* stipite *m.*

to jangle ['dʒæŋgl] *v. intr.* **1** stridere **2** risuonare

janitor ['dʒænɪtər] *s.* custode *m. e f.*

January ['dʒænjuərɪ] *s.* gennaio *m.*

Japanese [,dʒæpə'niːz] *agg. e s.* giapponese *m. e f.*

jar (1) [dʒɑːr] *s.* barattolo *m.*, vasetto *m.*

jar (2) [dʒɑːr] *s.* **1** stridore *m.*, vibrazione *f.* **2** colpo *m.*, urto *m.* **3** litigio *m.*

to jar [dʒɑːr] *v. intr.* **1** stridere, vibrare **2** discordare **3** litigare

jargon ['dʒɑːgən] *s.* gergo *m.*

jasmin(e) ['dʒæsmɪn] *s.* gelsomino *m.*

jasper ['dʒæspər] *s.* diaspro *m.*

jaundice ['dʒɔːndɪs] *s.* (*med.*) itterizia *f.*

jaunt [dʒɔːnt] *s.* gita *f.*, passeggiata *f.*

jaunty ['dʒɔːntɪ] *agg.* vivace, disinvolto

javelin ['dʒævlɪn] *s.* giavellotto *m.*

jaw [dʒɔː] *s.* mascella *f.*

jay [dʒeɪ] *s.* **1** (*zool.*) ghiandaia *f.* **2** (*fam.*) chiacchierone *m.*

jazz [dʒæz] *s.* jazz *m. inv.*

jealous ['dʒeləs] *agg.* geloso, invidioso

jealousy ['dʒeləsɪ] *s.* gelosia *f.*, invidia *f.*

jeans [dʒiːnz] *s. pl.* jeans *m. pl.*

jeer [dʒɪər] *s.* beffa *f.*

to jeer [dʒɪər] *v. intr.* prendersi gioco

jelly ['dʒelɪ] *s.* gelatina *f.*

jellyfish ['dʒelɪfɪʃ] *s.* medusa *f.*

jeopardy ['dʒepədɪ] *s.* pericolo *m.*, rischio *m.*, repentaglio *m.*

jerk [dʒɜːk] *s.* **1** sobbalzo *m.* **2** strattone *m.* **3** (*fam.*) stupido *m.*

to jerk [dʒɜːk] **A** *v. tr.* dare una spinta, dare un colpo **B** *v. intr.* sobbalzare

jerry can ['dʒerɪkæn] *s.* tanica *f.*

jersey ['dʒɜːzɪ] *s.* **1** maglia *f.* **2** jersey *m. inv.*

jest [dʒest] *s.* **1** scherzo *m.* **2** canzonatura *f.*

to jest [dʒest] *v. intr.* **1** scherzare **2** farsi beffe

jester ['dʒestər] *s.* **1** giullare *m.* **2** buffone *m.*

Jesuit ['dʒezjʊɪt] **A** *s.* gesuita *m.* **B** *agg.* gesuitico

jet [dʒet] *s.* **1** getto *m.*, zampillo *m.* **2** jet *m. inv.*, aviogetto *m.* **3** ugello *m.*

jet-black [,dʒet'blæk] *agg.* nero lucente

to jettison ['dʒetɪsn] *v. tr.* **1** gettare a mare **2** scaricare in volo **3** disfarsi di

jetty ['dʒetɪ] *s.* gettata *f.*, molo *m.*

Jew [dʒuː] *s.* ebreo *m.*

jewel ['dʒuːəl] *s.* **1** gioiello *m.* **2** gemma *f.*

jeweller ['dʒuːələr] *s.* gioielliere *m.*

jewel(le)ry ['dʒuːəlrɪ] *s.* **1** gioielleria *f.* **2** gioielli *m. pl.*

Jewess ['dʒuːɪs] *s.* ebrea *f.*

Jewish ['dʒuːɪʃ] *agg.* ebraico

jib [dʒɪb] s. (naut.) fiocco m.

jibe [dʒaɪb] s. beffa f.

jiffy ['dʒɪfɪ] s. (fam.) attimo m. ♦ **in a j.** in un attimo

jigsaw ['dʒɪgsɔː] s. **1** sega f. per traforo **2** puzzle m. inv.

to jilt [dʒɪlt] v. tr. piantare (un innamorato)

jingle ['dʒɪŋgl] s. **1** tintinnio m. **2** cantilena f. **3** canzonetta f. pubblicitaria

to jingle ['dʒɪŋgl] v. intr. tintinnare

jinx [dʒɪŋks] s. **1** iettatura f. **2** iettatore m.

jitters ['dʒɪtəz] s. pl. (pop.) nervosismo m. ♦ **to have the j.** avere i nervi a fior di pelle, essere agitato

job [dʒɒb] s. **1** lavoro m., impiego m., occupazione f. **2** mansione f., compito m. **3** (fam.) faccenda f. ♦ **j. center** ufficio di collocamento

jobless ['dʒɒblɪs] agg. disoccupato

jockey ['dʒɒkɪ] s. fantino m.

jocular ['dʒɒkjʊlər] agg. giocoso, gioviale

to jog [dʒɒg] A v. tr. **1** spingere, urtare **2** scuotere, sballottare B v. intr. **1** avanzare a scatti **2** avanzare, avviarsi **3** fare jogging

jogging ['dʒɒgɪŋ] s. jogging m. inv.

to join [dʒɔɪn] A v. tr. **1** unire, collegare **2** partecipare a **3** raggiungere B v. intr. **1** unirsi, congiungersi, confluire **2** essere contiguo ♦ **to j. in** prendere parte a; **to j. up** arruolarsi

joiner ['dʒɔɪnər] s. falegname m.

joint [dʒɔɪnt] A agg. unito, congiunto B s. **1** giunzione f. **2** (mecc.) giunto m. **3** articolazione f., giuntura f. **4** (cuc.) arrosto m. **5** (pop.) bettola f. ♦ **out of j.** sconnesso

to joint [dʒɔɪnt] v. tr. **1** congiungere, unire **2** (mecc.) connettere

joist ['dʒɔɪst] s. trave f.

joke [dʒəʊk] s. **1** scherzo m. **2** barzelletta f. ♦ **in j.** per scherzo; **no j.** senza scherzi; **to play a j. on sb.** fare uno scherzo a qc.

to joke [dʒəʊk] A v. intr. scherzare B v. tr. canzonare

joker ['dʒəʊkər] s. jolly m. inv.

jolly ['dʒɒlɪ] A agg. gioviale, allegro B avv. **1** molto **2** certamente, proprio

jolt [dʒəʊlt] s. sobbalzo m.

to jolt [dʒəʊlt] A v. tr. scuotere B v. intr. sobbalzare

to jostle ['dʒɒsl] v. tr. **1** spingere, colpire a gomitate **2** (pop.) borseggiare

jostler ['dʒɒslər] s. (pop.) borsaiolo m.

jot [dʒɒt] s. inezia f. ♦ **I don't care a j.** non me ne importa nulla

to jot [dʒɒt] v. tr. annotare in fretta

journal ['dʒɜːnl] s. **1** giornale m., rivista f. **2** diario m.

journalism ['dʒɜːnəlɪz(ə)m] s. giornalismo m.

journalist ['dʒɜːnəlɪst] s. giornalista m. e f.

journey ['dʒɜːnɪ] s. viaggio m., tragitto m. ♦ **the j. out/home** il viaggio d'andata/di ritorno

jovial ['dʒəʊvjəl] agg. gioviale

joy [dʒɔɪ] s. gioia f.

joyful ['dʒɔɪf(ʊ)l] agg. felice, allegro

jubilant ['dʒuːbɪlənt] agg. giubilante

jubilee ['dʒuːbɪliː] s. **1** giubileo m. **2** anniversario m.

judge [dʒʌdʒ] s. giudice m. e f.

to judge [dʒʌdʒ] v. tr. e intr. giudicare

judgment ['dʒʌdʒmənt] s. giudizio m.

judicial [dʒʊ(ː)'dɪʃ(ə)l] agg. giudiziario

judiciary [dʒʊ(ː)'dɪʃɪərɪ] A agg. giudiziario B s. magistratura f.

judo ['dʒuːdəʊ] s. judo m. inv.

jug [dʒʌg] s. brocca f.

juggle ['dʒʌgl] s. gioco m. di prestigio

juggler ['dʒʌglər] s. giocoliere m.

juice [dʒuːs] s. succo m.

juicy ['dʒuːsɪ] agg. **1** succoso **2** interessante

July [dʒʊ(ː)'laɪ] s. luglio m.

jumble ['dʒʌmbl] s. miscuglio m.

to jumble ['dʒʌmbl] v. tr. e intr. mescolare, mescolarsi

jumbo ['dʒʌmbəʊ] s. jumbo m. inv.

jump [dʒʌmp] s. salto m., balzo m.

to jump [dʒʌmp] A v. intr. **1** saltare, balzare **2** trasalire **3** (di prezzo, merce) rincarare, avere un'impennata B v. tr. **1** saltare, scavalcare **2** far salire ♦ **to j. at** cogliere al volo; **to j. off** saltare giù

jumper (1) ['dʒʌmpər] s. **1** maglione m. **2** (USA) grembiule m.

jumper (2) ['dʒʌmpər] s. (elettr) jumper m. inv., cavallotto m.

jumpy ['dʒʌmpɪ] agg. nervoso, agitato

junction ['dʒʌŋ(k)ʃ(ə)n] s. **1** congiunzione f. **2** (ferr, strada) raccordo m. **3** (elettr) giunzione f.

June [dʒuːn] s. giugno m.

jungle ['dʒʌŋgl] s. giungla f.

junior ['dʒuːnjər] agg. **1** inferiore **2** junior, il giovane, (tra fratelli) minore

juniper ['dʒuːnɪpər] s. ginepro m.

junk [dʒʌŋk] s. **1** cianfrusaglie f. pl. **2** rottame m.

junkie ['dʒʌŋkı] s. (pop.) drogato m.

junoesque [,dʒuːnɒ(ʊ)'ɛsk] agg. giunonico

juridical [dʒʊə'rıdık(ə)l] agg. giuridico

jurisdictional [,dʒʊərıs'dıkʃənl] agg. giurisdizionale

jurisprudence ['dʒʊərıs,pruːdəns] s. giurisprudenza f.

jurist ['dʒʊərıst] s. giurista m. e f.

juror ['dʒʊərər] s. giurato m.

jury ['dʒʊərı] s. giuria f.

just [dʒʌst] **A** agg. **1** giusto, onesto **2** legittimo, fondato **3** adeguato, meritato **B** avv. **1** appena **2** proprio **3** soltanto, semplicemente **4** esattamente, precisamente **5** a malapena ♦ **j. about** quasi; **j. after** subito dopo; **j. a minute** un minuto; **j. in case** caso mai; **j. now** poco fa, in questo momento; **j. over** poco più; **j. so** proprio così; **j. then** proprio allora

justice ['dʒʌstıs] s. giustizia f.

justifiable ['dʒʌstıfaıəbl] agg. giustificabile

justification [,dʒʌstıfı'keıʃ(ə)n] s. giustificazione f.

to justify ['dʒʌstıfaı] v. tr. **1** giustificare, scusare **2** motivare

jut [dʒʌt] s. sporgenza f.

to jut [dʒʌt] v. intr. sporgere, aggettare

jute [dʒuːt] s. iuta f.

juvenile ['dʒuːvınaıl] **A** agg. **1** giovanile **2** immaturo **3** minorile **B** s. **1** giovane m. e f. **2** minorenne m. e f.

to juxtapose ['dʒʌkstəpɒʊz] v. tr. giustapporre

juxtaposition [,dʒʌkstəpə'zıʃ(ə)n] s. giustapposizione f.

K

kaki ['kɑ(ː)kɪ] *s.* cachi *m. inv.*

kale [keɪl] *s.* ravizzone *m.*

kaleidoscope [kə'laɪdəskɒp] *s.* caleidoscopio *m.*

kangaroo [,kæŋgə'ruː] *s.* canguro *m.*

kaolin ['kɛ(ɪ)əlɪn] *s.* caolino *m.*

karate [kə'rɑːtɪ] *s.* karatè *m. inv.*

kayak ['kaɪæk] *s.* kayak *m. inv.*

keel [kiːl] *s.* (*naut.*) chiglia *f.* ♦ **on an even k.** in equilibrio

keen [kiːn] *agg.* **1** appassionato **2** forte, intenso **3** acuto, sottile, penetrante **4** aguzzo, affilato, tagliente ♦ **to be k. of st.** essere appassionato di q.c.

keep [kiːp] *s.* **1** mantenimento *m.*, sostentamento *m.* **2** torrione *m.*, fortezza *f.* ♦ **for keeps** per sempre

to keep [kiːp] (*pass. e p. p.* **kept**) **A** *v. tr.* **1** tenere, conservare **2** mantenere, sostentare, amministrare **3** trattenere, impedire **4** osservare, rispettare, attenersi a **B** *v. intr.* **1** mantenersi, restare **2** continuare, durare, perseverare ♦ **to k. away** stare lontano; **to k. from** sottrarre, trattenersi da; **to k. in** stare in casa; **to k. off** stare lontano, evitare; **to k. on** tenere, continuare; **to k. out** tenere fuori; **to k. up** mantenere

keeper ['kiːpər] *s.* guardiano *m.*

keeping ['kiːpɪŋ] *s.* **1** guardia *f.*, sorveglianza *f.* **2** accordo *m.* **3** conservazione *f.* ♦ **to be in k. with** essere in armonia con; **to be out of k. with** essere in disaccordo con

keepsake ['kiːpseɪk] *s.* (oggetto) ricordo *m.*

kennel ['kɛnl] *s.* canile *m.*

kept [kɛpt] *pass. e p. p. di* **to keep**

kerb [kɜːb] *s.* orlo *m.* del marciapiede

kernel ['kɜːnl] *s.* **1** nocciolo *m.*, gheriglio *m.* **2** (*fis.*) nucleo *m.*

kerosene ['kɛrəsiːn] *s.* cherosene *m.*

ketch [kɛtʃ] *s.* (*naut.*) ketch *m. inv.*

kettle ['kɛtl] *s.* bollitore *m.*

kettledrum ['kɛtldrʌm] *s.* (*mus.*) timpano *m.*

key (1) [kiː] **A** *s.* **1** chiave *f.* **2** tasto *m.*, pulsante *m.* **3** tono *m.* **B** *agg. attr.* chiave, importante

key (2) [kiː] *s.* isoletta *f.*

to key [kiː] *v. tr.* **1** (*mecc.*) collegare con una chiavetta **2** (*mus.*) accordare **3** adattare ♦ **to k. in** (*inf.*) digitare; **to k. up** eccitare, stimolare

keyboard ['kiːbɜːd] *s.* tastiera *f.*

keyhole ['kiːhəʊl] *s.* buco *m.* della serratura

keynote ['kiːnəʊt] *s.* (*mus.*) nota *f.* fondamentale

keystone ['kiːstəʊn] *s.* chiave *f.* di volta

kick [kɪk] *s.* **1** calcio *m.*, pedata *f.* **2** (*fam.*) divertimento *m.*, gusto *m.* **3** (*fam.*) energia *f.*, forza *f.* ♦ **corner k.** calcio d'angolo; **penalty k.** calcio di rigore

to kick [kɪk] **A** *v. tr.* **1** dare calci a, spingere a calci **2** (*fam.*) liberarsi di **B** *v. intr.* **1** tirare calci **2** recalcitrare ♦ **to k. off** dare il calcio d'inizio; **to k. sb. out** buttare fuori qc. a calci

kid [kɪd] *s.* **1** capretto *m.* **2** (*fam.*) bambino *m.*, ragazzo *m.*

to kid [kɪd] *v. tr.* (*fam.*) prendere in giro

to kidnap ['kɪdnæp] *v. tr.* rapire

kidnapper ['kɪd,næpər] *s.* rapitore *m.*

kidnapping ['kɪd,næpɪŋ] *s.* rapimento *m.*

kidney ['kɪdnɪ] *s.* **1** rene *m.* **2** rognone *m.* ♦ **k. machine** rene artificiale

kill [kɪl] *s.* **1** uccisione *f.* **2** cacciagione *f.*, preda *f.*

to kill [kɪl] *v. tr.* **1** uccidere, ammazzare **2** distruggere, rovinare **3** respingere

killer ['kɪlər] *s.* killer *m. inv.*, sicario *m.*

killing ['kɪlɪŋ] **A** *agg.* **1** mortale **2** faticoso, massacrante **3** (*fam.*) attraente **B** *s.* **1** assassinio *m.*, uccisione *f.* **2** forte guadagno *m.*, bel colpo *m.*

killjoy ['kɪldʒɔɪ] *s.* guastafeste *m. e f.*

kiln [kɪln] *s.* fornace *f.*

kilogram ['kɪləgræm] *s.* chilogrammo *m.*

kilometre ['kɪlə,miːtər] (*USA* **kilometer**) *s.* chilometro *m.*

kilometric [,kɪlə(ʊ)'mɛtrɪk] *agg.* chilometrico

kilt [kɪlt] *s.* kilt *m. inv.*

kin [kɪn] *s. inv.* parente *m. e f.*, congiunto *m.*

kind [kaɪnd] **A** *agg.* gentile, cortese **B** *s.* **1** genere *m.*, razza *m.* **2** tipo *m.*, varietà *f.*, categoria *f.* ♦ **a k. of** una specie di; **k. of** quasi; **to pay in k.** pagare in natura

kindergarten ['kɪndə,gɑːtn] *s.* asilo *m.*

kind-hearted [ˌkaɪndˈhɑːtɪd] *agg.* di animo gentile

to kindle [ˈkɪndl] **A** *v. tr.* **1** accendere, infiammare **2** suscitare **B** *v. intr.* prender fuoco, infiammarsi

kindly [ˈkaɪndlɪ] **A** *agg.* **1** gentile, benevolo **2** piacevole, favorevole **B** *avv.* **1** gentilmente, per favore **2** benevolmente **3** volentieri

kindness [ˈkaɪndnɪs] *s.* gentilezza *f.*, cortesia *f.*

kindred [ˈkɪndrɪd] **A** *agg.* **1** imparentato **2** affine **B** *s.* **1** (*v. al pl.*) parenti *m. pl.* **2** parentela *f.*

kinetic [kaɪˈnetɪk] *agg.* cinetico

king [kɪŋ] *s.* re *m. inv.*

kingdom [ˈkɪŋdəm] *s.* regno *m.*

kingfisher [ˈkɪŋˌfɪʃəʳ] *s.* martin pescatore *m.*

king-size(d) [ˈkɪŋsaɪz(d)] *agg.* di taglia superiore al normale

kinky [ˈkɪŋkɪ] *agg.* **1** ingarbugliato **2** (*fam.*) eccentrico

kinship [ˈkɪnʃɪp] *s.* **1** parentela *f.* **2** affinità *f.*

kinsman [ˈkɪnzmən] (*pl.* **kinsmen**) *s.* consanguineo *m.*

kiosk [kɪˈəsk] *s.* chiosco *m.*, edicola *f.*

kiss [kɪs] *s.* bacio *m.*

to kiss [kɪs] *v. tr. e intr.* baciare, baciarsi

kit [kɪt] *s.* **1** equipaggiamento *m.*, corredo *m.* **2** attrezzi *m. pl.*

kitchen [ˈkɪtʃɪn] *s.* cucina *f.* ♦ **k. garden** orto

kite [kaɪt] *s.* **1** nibbio *m.* **2** aquilone *m.*

kith [kɪθ] *s.* amici *m. pl.* ♦ **k. and kin** amici e parenti

kitten [ˈkɪtn] *s.* gattino *m.*

knack [næk] *s.* abilità *f.*, destrezza *f.* ♦ **to have a k. for st.** essere tagliato per q.c.

knapsack [ˈnæpsæk] *s.* zaino *m.*

to knead [niːd] *v. tr.* impastare

kneading [ˈniːdɪŋ] *s.* impastatura *f.* ♦ **k. trough** madia

knee [niː] *s.* ginocchio *m.*

kneecap [ˈniːˌkæp] *s.* rotula *f.*

to kneel [niːl] (*pass. e p. p.* **knelt**) *v. intr.* inginocchiarsi

knew [njuː] *pass. di* **to know**

knickers [ˈnɪkəz] *s. pl.* mutandine *f. pl.*

knickknack [ˈnɪknæk] *s.* gingillo *m.*, soprammobile *m.*

knife [naɪf] (*pl.* **knives**) *s.* coltello *m.*

to knife [naɪf] *v. tr.* **1** accoltellare, pugnalare **2** tagliare

knight [naɪt] *s.* **1** cavaliere *m.* **2** (*scacchi*) cavallo *m.*

to knit [nɪt] (*pass. e p. p.* **knit**, **knitted**) **A** *v. tr.* **1** lavorare a maglia **2** (*fronte, ciglia*) corrugare, aggrottare **3** saldare, unire **B** *v. intr.* **1** sferruzzare **2** saldarsi, unirsi

knitting [ˈnɪtɪŋ] *s.* lavoro m. a maglia ♦ **k. machine** macchina per maglieria; **k. needle** ferro da calza

knitwear [ˈnɪtweəʳ] *s.* maglieria *f.*

knives [ˈnaɪvz] *pl. di* **knife**

knob [nəb] *s.* **1** protuberanza *f.*, (*di legno*) nodo *m.* **2** manopola *f.*, pomello *m.*

knock [nək] *s.* botta *f.*, colpo *m.*, percossa *f.*, bussata *f.*

to knock [nək] **A** *v. tr.* **1** picchiare, battere **2** (*fam.*) criticare **B** *v. intr.* battere, bussare ♦ **to k. about** girovagare, bazzicare; **to k. at the door** bussare alla porta; **to k. down** abbattere; **to k. in** conficcare; **to k. off** buttare giù, abbassare, rubare; **to k. out** mettere k.o.

knocker [ˈnəkəʳ] *s.* battente *m.*

knockout [ˈnək.aʊt] **A** *agg.* che mette fuori combattimento **B** *s.* knockout *m. inv.*

knoll [nəʊl] *s.* poggio *m.*

knot [nət] *s.* **1** nodo *m.* **2** (*fig.*) legame *m.*, vincolo *m.* **3** (*fig.*) difficoltà *f.*, problema *m.* **4** capannello *m.*, mucchio *m.*

to knot [nət] *v. tr.* annodare

knotty [ˈnətɪ] *agg.* **1** nodoso **2** intricato

to know [nəʊ] (*pass.* **knew**, *p. p.* **known**) *v. tr.* **1** conoscere, sapere **2** riconoscere, distinguere ♦ **to k. about** essere a conoscenza di; **you never k.** non si sa mai

know-all [ˈnəʊɔːl] *s.* saccente *m. e f.*

know-how [ˈnəʊhaʊ] *s.* **1** abilità *f.* tecnica **2** know-how *m. inv.*

knowing [ˈnəʊ(ʊ)ɪŋ] *agg.* **1** informato **2** intelligente, abile **3** d'intesa

knowledge [ˈnəlɪdʒ] *s.* **1** conoscenza *f.* **2** sapere *m.*, scienza *f.*

knowledgeable [ˈnəlɪdʒəbl] *agg.* bene informato

known [nəʊn] **A** *p. p. di* **to know** **B** *agg.* noto, conosciuto

knuckle [ˈnʌkl] *s.* nocca *f.*

koala [kɒ(ʊ)ˈɑːlə] *s.* koala *m. inv.*

kudos [ˈkjuːdəs] *s.* (*fam.*) fama *f.*

Kurdish [ˈkɜːdɪʃ] *agg.* curdo

L

lab [læb] *s.* (*fam.*) laboratorio *m.*

label ['leɪbl] *s.* etichetta *f.*, cartellino *m.*

to label ['leɪbl] *v. tr.* **1** contrassegnare, etichettare **2** classificare

laboratory [ləˈbɔrət(ə)rɪ] *s.* laboratorio *m.*

labour ['leɪbər] (*USA* **labor**) *s.* **1** lavoro *m.* **2** manodopera *f.* **3** doglie *f. pl.*, travaglio *m.* ♦ **hard l.** lavori forzati; **L. party** partito laburista

to labour ['leɪbər] (*USA* **to labor**) *v. intr.* **1** lavorare, faticare **2** avere le doglie

laboured ['leɪbəd] *agg.* **1** affannoso, affaticato **2** elaborato

labourer ['leɪbərər] *s.* manovale *m.*

labyrinth ['læbərɪnθ] *s.* labirinto *m.*

lace [leɪs] *s.* **1** pizzo *m.* **2** laccio *m.*, stringa *f.*

to lace [leɪs] *v. tr.* **1** allacciare **2** ornare di pizzi **3** (*una bevanda*) correggere ♦ **to l. up one's shoes** allacciarsi le scarpe

laceration [ˌlæsəˈreɪʃ(ə)n] *s.* lacerazione *f.*

lack [læk] *s.* mancanza *f.*, insufficienza *f.*

to lack [læk] *v. tr.* **1** mancare di **2** aver bisogno di ♦ **to be lacking in st.** essere privo di q.c.

lackadaisical [ˌlækəˈdeɪzɪk(ə)l] *agg.* apatico, noncurante

lackey ['lækɪ] *s.* lacchè *m.*

laconic [ləˈkɒnɪk] *agg.* laconico

lacquer ['lækər] *s.* lacca *f.*

to lacquer ['lækər] *v. tr.* laccare

lactose ['læktəʊs] *s.* lattosio *m.*

lad [læd] *s.* ragazzo *m.*, giovanotto *m.*

ladder ['lædər] *s.* **1** scala *f.* (*a pioli*) **2** (*di calze*) smagliatura *f.* ♦ **double l.** scala a libro

to lade [leɪd] (*p. p.* **laden**) *v. tr.* caricare

ladle ['leɪdl] *s.* mestolo *m.*

lady ['leɪdɪ] *s.* signora *f.* ♦ **l.-in-waiting** dama di corte; **Our L.** la Madonna

ladybird ['leɪdɪbɜːd] *s.* coccinella *f.*

ladylike ['leɪdɪlaɪk] *agg.* adatto a una signora, signorile

lag (1) [læg] *s.* ritardo *m.*, intervallo *m.*

lag (2) [læg] *s.* **1** doga *f.* **2** rivestimento *m.* (isolante)

to lag (1) [læg] *v. intr.* ritardare, ristagnare

to lag (2) [læg] *v. tr.* rivestire (con materiale isolante)

lager ['lɑːgər] *s.* birra *f.* chiara

lagoon [ləˈguːn] *s.* laguna *f.*

laicism ['leɪɪsɪz(ə)m] *s.* laicismo *m.*

laid [leɪd] *pass. e p. p. di* **to lay**

lain [leɪn] *p. p. di* **to lie**

lair [leər] *s.* covo *m.*, tana *f.*

lake (1) [leɪk] *s.* lago *m.*

lake (2) [leɪk] *s.* lacca *f.*

to lam [læm] *v. tr.* (*fam.*) bastonare, colpire

lamb [læm] *s.* agnello *m.* ♦ **l. chop** costata d'agnello

lame [leɪm] *agg.* **1** zoppo, storpio **2** zoppicante

lament [ləˈment] *s.* lamento *m.*

to lament [ləˈment] *v. tr. e intr.* lamentare, lamentarsi

lamina ['læmɪnə] (*pl.* **laminae**) *s.* lamina *f.*

to laminate ['læmɪneɪt] *v. tr.* laminare

lamp [læmp] *s.* lampada *f.*, lampadina *f.*, lampione *m.* ♦ **l. post** lampione; **l. shade** paralume

lampoon [læmˈpuːn] *s.* libello *m.* satirico

lance [lɑːns] *s.* lancia *f.*

lancer ['lɑːnsər] *s.* lanciere *m.*

lancet ['lɑːnsɪt] *s.* bisturi *m.* ♦ **l. window** finestra ogivale

lancinating ['lɑːnsɪneɪtɪŋ] *agg.* lancinante

land [lænd] *s.* **1** terra *f.* **2** suolo *m.*, terreno *m.* **3** paese *m.*, contrada *f.* **4** proprietà *f.* ♦ **l. agent** agente immobiliare; **l. tax** imposta fondiaria

to land [lænd] **A** *v. intr.* **1** sbarcare, approdare, atterrare **2** cadere **B** *v. tr.* **1** far approdare, far atterrare **2** sbarcare, scaricare **3** procurarsi **4** (*un colpo*) assestare ♦ **to l. up** finire

landed ['lændɪd] *agg.* fondiario

landing ['lændɪŋ] *s.* **1** approdo *m.*, sbarco *m.*, atterraggio *m.* **2** pianerottolo *m.* ♦ **l. gear** carrello di atterraggio; **l. strip** pista di atterraggio

landlady ['læn(d)ˌleɪdɪ] *s.* **1** padrona *f.* di casa **2** affittacamere *f. inv.*

landlord ['læn(d)lɔːd] *s.* **1** padrone *m.* di casa **2** affittacamere *m. inv.*

landmark ['læn(d)mɑːk] *s.* **1** punto *m.* di riferimento **2** pietra *f.* miliare

landowner ['lændˌəʊnər] *s.* proprietario *m.* terriero

landscape ['lændskeɪp] s. paesaggio m., panorama m.

landslide ['læn(d)slaɪd] s. frana f.

landslip ['læn(d)slɪp] s. smottamento m.

lane [leɪn] s. 1 sentiero m., viottolo m., vicolo m. 2 corsia f.

language ['læŋgwɪdʒ] s. lingua f., linguaggio m. ♦ **bad l.** linguaggio volgare; **l. laboratory** laboratorio linguistico

languid ['læŋgwɪd] agg. languido

languor ['læŋgər] s. languore m.

lank [læŋk] agg. 1 smilzo, magro 2 (di capelli) liscio

lantern ['læntən] s. lanterna f.

lap (1) [læp] s. 1 lembo m., falda f. 2 grembo m. 3 (di circuito) giro m. 4 tappa f.

lap (2) [læp] s. 1 leccata f. 2 sciabordio m.

to lap (1) [læp] v. tr. 1 piegare, avvolgere 2 coccolare 3 doppiare, dare giri di distacco

to lap (2) [læp] v. tr. e intr. 1 leccare, lappare 2 sciabordare ♦ **to l. up** bearsi di

lapel [lə'pel] s. risvolto m.

lapidary ['læpɪdərɪ] agg. lapidario

to lapidate ['læpɪdeɪt] v. tr. lapidare

Laplander ['læplændər] s. lappone m. e f.

Lappish ['læpɪʃ] agg. e s. lappone m. (lingua)

lapse [læps] s. 1 errore m., mancanza f., scorrettezza f. 2 lasso m., intervallo m. 3 (dir.) estinzione f. ♦ **l. of memory** vuoto di memoria; **l. of time** lasso di tempo

to lapse [læps] v. intr. 1 cadere, scivolare 2 passare, trascorrere 3 mancare, venir meno 4 estinguersi, cessare, scadere

larceny ['la:sɪnɪ] s. (dir.) furto m.

larch [la:tʃ] s. larice m.

lard [la:d] s. lardo m.

larder ['la:dər] s. dispensa f.

large [la:dʒ] agg. grande, grosso, ampio, vasto ♦ **at l.** in generale, nell'insieme, in libertà; **l.-scale** su larga scala

large-hearted [ˌla:dʒ'ha:tɪd] agg. generoso

largely ['la:dʒlɪ] avv. largamente, in gran parte

largeness ['la:dʒnɪs] s. larghezza f., ampiezza f., grandezza f.

largess(e) [la:'dʒes] s. liberalità f.

lark (1) [la:k] s. allodola f.

lark (2) [la:k] s. scherzo m., beffa f.

larval ['la:v(ə)l] agg. larvale

laryngitis [ˌlærɪn'dʒaɪtɪs] s. laringite f.

larynx ['lærɪŋks] s. laringe f.

laser ['leɪzər] s. laser m. inv.

lash [læʃ] s. 1 sferza f. 2 sferzata f., frustata f. 3 (dell'occhio) ciglio m.

to lash [læʃ] v. tr. 1 sferzare, frustare 2 agitare 3 battere violentemente, frangersi su 4 legare ♦ **to l. out at** assalire, attaccare

lass [læs] s. ragazza f.

last [la:st] (sup. rel. di late) **A** agg. 1 ultimo 2 scorso, più recente 3 finale, definitivo **B** avv. 1 per ultimo, ultimo 2 ultimamente **C** s. termine m. ♦ **at l.** alla fine; **l. but one** penultimo; **l. name** cognome; **l. week** la settimana scorsa

to last [la:st] v. intr. durare, resistere

lasting ['la:stɪŋ] agg. duraturo, durevole

lastly ['la:stlɪ] avv. da ultimo, per finire

latch [lætʃ] s. chiavistello m.

late [leɪt] (comp. **later**, **latter**, sup. **latest**, **last**) **A** agg. 1 tardi, in ritardo 2 tardo, inoltrato 3 tardivo 4 precedente, defunto **B** avv. 1 tardi, in ritardo 2 recentemente ♦ **as l. as** fino a; **of l.** da poco; **to be l.** essere in ritardo

latecomer ['leɪtˌkʌmər] s. ritardatario m.

lately ['leɪtlɪ] avv. recentemente

latent ['leɪt(ə)nt] agg. latente

later ['leɪtər] (comp. di **late**) **A** agg. posteriore, ulteriore **B** avv. più tardi, dopo ♦ **l. on** poi; **see you l.!** a più tardi!

lateral ['læt(ə)r(ə)l] agg. laterale

latest ['leɪtɪst] (sup. rel. di **late**) agg. ultimo, recentissimo ♦ **at the l.** al più tardi

lathe [leɪð] s. tornio m.

lather ['la:ðər] s. schiuma f.

lathery ['la:ðərɪ] agg. schiumoso

Latin ['lætɪn] agg. e s. latino m.

Latinism ['lætɪnɪz(ə)m] s. latinismo m.

Latinist ['lætɪnɪst] s. latinista m. e f.

Latinity [lə'tɪnɪtɪ] s. latinità f.

latitude ['lætɪtju:d] s. latitudine f.

latter ['lætər] (comp. di **late**) **A** agg. posteriore, secondo, (quest')ultimo **B** pron. il secondo, l'ultimo (di due)

lattice ['lætɪs] s. grata f., traliccio m., reticolo m.

laudable ['lɔ:dəbl] agg. lodevole

laugh [la:f] s. 1 riso m., risata f. 2 divertimento m., spasso m.

to laugh [la:f] **A** v. intr. ridere **B** v. tr. deridere ♦ **to l. at** ridere di

laughable ['la:fəbl] agg. ridicolo

laughing ['la:fɪŋ] **A** agg. ridente, allegro **B** s. riso m., risata f.

laughingstock ['la:fɪŋstək] s. zimbello m.

laughter ['lɑːftər] s. risata f.
launch (1) [lɔːn(t)ʃ] s. **1** varo m. **2** lancio m.
launch (2) [lɔːn(t)ʃ] s. lancia f., scialuppa f.
to launch [lɔːn(t)ʃ] **A** v. tr. **1** varare **2** lanciare **B** v. intr. **1** lanciarsi **2** scendere in mare ♦ **to l. into** lanciarsi in
launching [lɔːn(t)ʃɪŋ] s. **1** lancio m. **2** varo m.
to launder ['lɔːndər] v. tr. lavare e stirare
launderette [ˌlɔːndəˈret] s. lavanderia f. automatica
laundry ['lɔːndrɪ] s. **1** lavanderia f. **2** bucato m.
laurel ['lɒr(ə)l] s. alloro m.
lava ['lɑːvə] s. lava f.
lavage ['lævɪdʒ] s. (med.) lavaggio m. ♦ **gastric l.** lavanda gastrica
lavatory ['lævət(ə)rɪ] s. gabinetto m.
lavender ['lævɪndər] s. lavanda f.
lavish ['lævɪʃ] agg. **1** generoso **2** eccessivo **3** sontuoso, sfarzoso
to lavish ['lævɪʃ] v. tr. prodigare, profondere
law [lɔː] s. **1** legge f. **2** diritto m., giurisprudenza f. **3** giustizia f. ♦ **l. court** tribunale
law-abiding ['lɔːəˌbaɪdɪŋ] agg. rispettoso della legge
lawful ['lɔːf(ʊ)l] agg. lecito, legale
lawgiver ['lɔːˌgɪvər] s. legislatore m.
lawless ['lɔːlɪs] agg. **1** senza legge **2** illegale
lawn [lɔːn] s. prato m. ♦ **l.-mower** tosaerba
lawsuit ['lɔːsjuːt] s. causa f., processo m.
lawyer ['lɔːjər] s. avvocato m.
lax [læks] agg. **1** molle, rilassato **2** negligente, trascurato
laxative ['læksətɪv] agg. e s. lassativo m.
lay (1) [leɪ] agg. laico, secolare **2** profano
lay (2) [leɪ] s. disposizione f., configurazione f.
to lay [leɪ] (pass. e p. p. **laid**) v. tr. **1** posare, collocare **2** (uova) deporre **3** disporre, preparare, ordire **4** abbattere **5** progettare, elaborare **6** sottoporre **7** ricoprire, rivestire **8** scommettere ♦ **to l. aside/by** mettere da parte; **to l. down** deporre, esporre, stabilire; **to l. off** riposare, licenziare; **to l. on** fornire, organizzare; **to l. out** preparare, distendere, tracciare, spendere; **to l. up** fare scorta di
layabout ['leɪəbaʊt] s. sfaccendato m.
lay-by ['leɪbaɪ] s. piazzuola f. (di sosta)
layer ['leɪ(ɪ)ər] s. strato m.
layman ['leɪmən] (pl. **laymen**) s. **1** laico

m. **2** profano m.
layout ['leɪaʊt] s. **1** disposizione f. **2** tracciato m., progetto m., bozzetto m. **3** impaginazione f.
to laze [leɪz] v. intr. oziare
laziness ['leɪzɪnɪs] s. pigrizia f.
lazy ['leɪzɪ] agg. pigro
lead (1) [led] s. **1** piombo m. **2** (per matita) mina f.
lead (2) [liːd] s. **1** comando m., guida f., posizione f. di testa **2** vantaggio m. **3** guinzaglio m. **4** traccia f., indizio m. **5** (teatro) parte f. principale **6** filo m. elettrico ♦ **to be in the l.** essere in testa, essere all'avanguardia
to lead [liːd] (pass. e p. p. **led**) **A** v. tr. **1** condurre, guidare **2** indurre a **B** v. intr. **1** condurre, portare **2** essere in testa ♦ **to l. away** condurre via; **to l. back** ricondurre; **to l. off** cominciare; **to l. on** trascinare; **to l. up to** portare a
leaden ['ledn] agg. plumbeo
leader ['liːdər] s. **1** leader m. inv., capo m., direttore m. **2** articolo m. di fondo
leadership ['liːdəʃɪp] s. guida f., direzione f., comando m.
leading ['liːdɪŋ] agg. principale, primo ♦ **l. man/lady** primo attore/prima attrice
leaf [liːf] (pl. **leaves**) s. **1** foglia f., fogliame m. **2** foglio m. ♦ **to come into l.** mettere le foglie
leaflet ['liːflɪt] s. volantino m.
league [liːg] s. **1** lega f., associazione f. **2** (sport) federazione f. ♦ **to be in l. with sb.** essere in combutta con qc.
leak [liːk] s. **1** falla f., fessura f. **2** fuoriuscita f., fuga f.
to leak [liːk] **A** v. intr. **1** perdere, fare acqua **2** (di liquido) fuoriuscire **3** trapelare **B** v. tr. **1** (liquido) perdere **2** far trapelare
lean (1) [liːn] s. inclinazione f., pendenza f.
lean (2) [liːn] agg. **1** magro **2** snello, agile **3** scarno
to lean [liːn] (pass. e p. p. **leaned, leant**) v. intr. **1** pendere, inclinarsi **2** appoggiarsi ♦ **to l. on** dipendere da; **to l. out** sporgersi; **to l. towards** tendere a
leaning ['liːnɪŋ] **A** agg. pendente **B** s. propensione f.
leanness ['liːnnɪs] s. magrezza f.
leant [lent] pass. e p. p. di **to lean**
leap [liːp] s. **1** salto m., balzo m. **2** cambiamento m. ♦ **l. year** anno bisestile
to leap [liːp] (pass. e p. p. **leapt, leaped**) **A**

v. intr. saltare, balzare, lanciarsi **B** *v. tr.* **1** saltare **2** far saltare ♦ **to l. up** balzare in piedi, sobbalzare

to learn [lɜːn] (*pass. e p. p.* **learned**, **learnt**) **A** *v. tr.* imparare, studiare **B** *v. intr.* **1** imparare, istruirsi **2** venire a sapere

learned ['lɜːnɪd] *agg.* colto, istruito

learner ['lɜːnər] *s.* allievo *m.*, apprendista *m. e f.*

learning ['lɜːnɪŋ] *s.* **1** cultura *f.* **2** apprendimento *m.*

learnt [lɜːnt] *pass. e p. p. di* **to learn**

lease [liːs] *s.* contratto *m.* d'affitto

to lease [liːs] *v. tr.* affittare

leash [liːʃ] *s.* guinzaglio *m.*

least [liːst] (*sup. di* **little**) **A** *agg.* il minimo, il più piccolo **B** *avv.* il meno (di tutti), minimamente ♦ **at l.** almeno; **l. of all** tanto meno; **not in the l.** per nulla; **to say the l.** a dir poco

leather ['lɛðər] *s.* cuoio *m.*, pelle *f.* ♦ **l. goods shop** pelletteria; **shammy l.** pelle di camoscio

leatherwear ['lɛðəwɛər] *s.* pelletteria *f.*

leave [liːv] *s.* **1** permesso *m.*, autorizzazione *f.* **2** congedo *m.*

to leave [liːv] (*pass. e p. p.* **left**) **A** *v. tr.* **1** lasciare, abbandonare **2** partire da, andarsene da **3** consegnare, affidare **B** *v. intr.* partire, andarsene, uscire ♦ **to l. behind** dimenticare; **to l. off** smettere; **to l. out** tralasciare; **to be left** rimanere, avanzare

leaves [liːvz] *pl. di* **leaf**

leaving ['liːvɪŋ] *s.* **1** partenza *f.* **2** avanzi *m. pl.*

lecherous ['lɛtʃ(ə)rəs] *agg.* lascivo

lecture ['lɛktʃər] *s.* **1** conferenza *f.*, lezione *f.* **2** predica *f.*

to lecture ['lɛktʃər] **A** *v. tr.* **1** tenere una conferenza a, fare lezione a **2** fare una predica a **B** *v. intr.* tenere una conferenza, fare lezione

lecturer ['lɛktʃ(ə)rər] *s.* conferenziere *m.*, docente *m. e f.*

led [lɛd] *pass. e p. p. di* **to lead**

ledge [lɛdʒ] *s.* **1** sporgenza *f.*, ripiano *m.* **2** (*di montagna*) cornice *f.* ♦ **window l.** davanzale

ledger ['lɛdʒər] *s.* **1** libro *m.* mastro **2** pietra *f.* tombale

lee [liː] **A** *agg.* sottovento **B** *s.* **1** (lato) sottovento *m.* **2** ridosso *m.*

leech [liːtʃ] *s.* sanguisuga *f.*

leek [liːk] *s.* porro *m.*

to leer [lɪər] *v. intr.* **1** guardare di traverso **2** dare occhiate maliziose

lees [liːz] *s.* sedimento *m.*, feccia *f.*

leeward ['liːwəd] *agg. e avv.* sottovento

leeway ['liːweɪ] *s.* **1** scarroccio *m.*, deriva *f.* **2** (*fig.*) margine *m.*

left (1) [lɛft] **A** *agg.* **1** sinistro **2** di sinistra **B** *s.* sinistra *f.* **C** *avv.* a sinistra

left (2) [lɛft] *pass. e p. p. di* **to leave**

left-hand ['lɛfthænd] *agg.* di sinistra, a sinistra

left-handed [ˌlɛft'hændɪd] *agg.* mancino

leftovers ['lɛftʊvəz] *s. pl.* avanzi *m. pl.*

leg [lɛg] *s.* **1** gamba *f.* **2** zampa *f.* **3** cosciotto *m.* **4** (*di viaggio*) tappa *f.*

legacy ['lɛgəsɪ] *s.* legato *m.*, eredità *f.*

legal ['liːg(ə)l] *agg.* legale

to legalize ['liːgəlaɪz] *v. tr.* legalizzare

legend ['lɛdʒ(ə)nd] *s.* leggenda *f.*

legendary ['lɛdʒ(ə)nd(ə)rɪ] *agg.* leggendario

legion ['liːdʒ(ə)n] *s.* legione *f.*

legislation [ˌlɛdʒɪs'leɪʃ(ə)n] *s.* legislazione *f.*

legislative ['lɛdʒɪslətɪv] *agg.* legislativo

legislature ['lɛdʒɪsleɪtʃər] *s.* corpo *m.* legislativo

legitimate [lɪ'dʒɪtɪmɪt] *agg.* legittimo

to legitimate [lɪ'dʒɪtɪmeɪt] *v. tr.* legittimare

legroom ['lɛg.ruːm] *s.* spazio *m.* per le gambe

legume ['lɛgjʊ(ː)m] *s.* legume *m.*

leisure ['lɛʒər] *s.* **1** tempo *m.* libero **2** agio *m.*, ozio *m.*

leisurely ['lɛʒəlɪ] *avv.* con comodo

lemon ['lɛmən] *s.* limone *m.*

lemonade [ˌlɛmə'neɪd] *s.* limonata *f.*

to lend [lɛnd] (*pass. e p. p.* **lent**) **A** *v. tr.* prestare **B** *v. intr.* concedere prestiti ♦ **lending library** biblioteca circolante; **to l. oneself to st.** prestarsi a q.c.

length [lɛnθ] *s.* **1** lunghezza *f.* **2** durata *f.* **3** pezzo *m.*, tratto *m.* ♦ **at l.** per esteso, alla fine; **l. and breadth** in lungo e in largo

to lengthen ['lɛŋθ(ə)n] *v. tr. e intr.* allungare, allungarsi

lengthways ['lɛŋθweɪz] *avv.* per il lungo

lengthy ['lɛŋθɪ] *agg.* lungo, prolisso

leniency ['liːnjənsɪ] *s.* mitezza *f.*

lenient ['liːnjənt] *agg.* indulgente, mite

lenitive ['lɛnɪtɪv] *agg.* lenitivo

lens [lɛnz] *s.* **1** lente *f.* **2** (*fot.*) obiettivo *m.* ♦ **contact l.** lente a contatto

lent [lɛnt] *pass. e p. p. di* **to lend**
Lent [lɛnt] *s.* quaresima *f.*
lentil ['lɛntɪl] *s.* lenticchia *f.*
leopard ['lɛpəd] *s.* leopardo *m.*
leotard ['liːətɑːd] *s.* calzamaglia *f.*
leper ['lɛpər] *agg.* lebbroso
leprosy ['lɛprəsɪ] *s.* lebbra *f.*
lesbian ['lɛzbɪən] *agg.* lesbico
lesion ['liːʒ(ə)n] *s.* lesione *f.*
less [lɛs] (*comp. di* **little**) **A** *agg.* meno, minore **B** *avv.* meno, di meno **C** *s.* meno *m.* **D** *prep.* meno ♦ **l. and l.** sempre meno; **more or l.** più o meno; **none the l.** nondimeno
to lessen ['lɛsn] *v. tr. e intr.* diminuire
lesser ['lɛsər] *agg.* minore
lesson ['lɛsn] *s.* lezione *f.* ♦ **to teach sb. a l.** dare una lezione a qc.
lest [lɛst] *cong.* per paura che
let [lɛt] *s.* affitto *m.*
to let [lɛt] (*pass. e p. p.* **let**) *v. tr.* **1** lasciare, permettere, autorizzare **2** affittare **3** (*forma l'imperativo*) (ES: **let's go** andiamo, **l. it be** sia pure) ♦ **to l.** (*nei cartelli*) si affitta; **to l. down** abbassare, allungare, scontentare, sgonfiare; **to l. in** lasciar entrare, ammettere; **to l. off** scaricare, lasciar andare, far uscire; **to l. on** far salire, rivelare; **to l. out** emettere, far uscire; **to l. up** rallentare, allentare
lethal ['liːθ(ə)l] *agg.* letale
lethargy ['lɛθədʒɪ] *s.* letargo *m.*
letter ['lɛtər] *s.* lettera *f.* ♦ **capital/small l.** lettera maiuscola/minuscola; **l. box** buca delle lettere; **l. paper** carta da lettere; **registered l.** raccomandata
lettuce ['lɛtɪs] *s.* lattuga *f.*
let-up ['lɛt‚ʌp] *s.* diminuzione *f.*
leuk(a)emia [ljuː'kiːmɪə] *s.* leucemia *f.*
level ['lɛvl] **A** *agg.* **1** livellato, piano **2** a livello, pari **3** equilibrato, regolare **B** *s.* **1** livello *m.* **2** superficie *f.* piana ♦ **l. crossing** passaggio a livello; **to be on a l. with sb.** essere sullo stesso piano di qc.
to level ['lɛvl] *v. tr.* livellare, pareggiare, uguagliare ♦ **to l. off** livellarsi
level-headed [‚lɛvl'hɛdɪd] *agg.* equilibrato
lever ['liːvər] *s.* leva *f.*
leverage ['liːv(ə)rɪdʒ] *s.* **1** azione *f.* di una leva **2** leveraggio *m.* **3** influenza *f.*, autorità *f.*
levity ['lɛvɪtɪ] *s.* frivolezza *f.*
levy ['lɛvɪ] *s.* **1** (*mil.*) leva *f.* **2** imposta *f.*

to levy ['lɛvɪ] *v. tr.* **1** (*mil.*) arruolare **2** tassare
lewd [luːd] *agg.* osceno
lexical ['lɛksɪk(ə)l] *agg.* lessicale
lexicon ['lɛksɪkən] *s.* lessico *m.*
liability [‚laɪə'bɪlɪtɪ] *s.* **1** (*dir.*) responsabilità *f.* **2** svantaggio *m.*, inconveniente *m.* **3** *al pl.* (*fin.*) passivo *m.*, debiti *m. pl.*
liable ['laɪəbl] *agg.* **1** (*dir.*) responsabile **2** soggetto, passibile
to liaise [lɪ'eɪz] *v. intr.* fare da collegamento
liaison [lɪ(ː)'eɪzən] *s.* **1** legame *m.*, relazione *f.* **2** collegamento *m.*
liar ['laɪər] *s.* bugiardo *m.*
libel ['laɪb(ə)l] *s.* **1** libello *m.* **2** calunnia *f.*, diffamazione *f.*
to libel ['laɪb(ə)l] *v. tr.* diffamare
liberal ['lɪb(ə)r(ə)l] *agg.* generoso, liberale
liberalism ['lɪb(ə)rəlɪz(ə)m] *s.* liberalismo *m.*
liberalization [‚lɪb(ə)rəlaɪ'zeɪʃ(ə)n] *s.* liberalizzazione *f.*
to liberate ['lɪbəreɪt] *v. tr.* liberare
libertine ['lɪbətiːn] *agg. e s.* libertino *m.*
liberty ['lɪbətɪ] *s.* libertà *f.*
librarian [laɪ'brɛərɪən] *s.* bibliotecario *m.*
library ['laɪbrərɪ] *s.* biblioteca *f.*
librettist [lɪ'brɛtɪst] *s.* librettista *m. e f.*
libretto [lɪ'brɛtʊ] *s.* (*mus.*) libretto *m.*
licence ['laɪs(ə)ns] (*USA* **licence**) *s.* licenza *f.*, autorizzazione *f.*, patente *f.* ♦ **driving l.** patente di guida
licentious [laɪ'sɛnʃəs] *agg.* licenzioso
licit ['lɪsɪt] *agg.* lecito
lick [lɪk] *s.* **1** leccata *f.* **2** piccola quantità *f.*
to lick [lɪk] *v. tr.* leccare
licorice ['lɪkərɪs] *s.* → **liquorice**
lid [lɪd] *s.* coperchio *m.*, copertura *f.*
lie (1) [laɪ] *s.* **1** bugia *f.* **2** falsa credenza *f.*
lie (2) [laɪ] *s.* posizione *f.*, disposizione *f.*, configurazione *f.*
to lie (1) [laɪ] (*pass. e p. p.* **lied**, *p. pres.* **lying**) *v. intr.* mentire, ingannare
to lie (2) [laɪ] (*pass.* **lay**, *p. p.* **lain**, *p. pr.* **lying**) *v. intr.* **1** giacere, star disteso, rimanere **2** trovarsi, essere posto **3** (*dir.*) essere ammissibile ♦ **to l. about** essere sparso qua e là, oziare; **to l. down** coricarsi, sdraiarsi; **to l. up** stare nascosto
lieu [ljuː] *s.* luogo *m.* ♦ **in l. of** in luogo di
lieutenant [lɛf'tɛnənt] *s.* tenente *m.*
life [laɪf] (*pl.* **lives**) *s.* vita *f.* ♦ **l. annuity** vitalizio; **l. insurance** assicurazione sulla vita; **l. preserver** (giubbotto) salvagente;

l. sentence ergastolo; **still l.** natura morta

lifebelt ['laɪfbɛlt] *s.* salvagente *m.*

lifeboat ['laɪfbʊʊt] *s.* battello *m.* di salvataggio

lifeguard ['laɪfgɑːd] *s.* bagnino *m.*

lifeless ['laɪflɪs] *agg.* esanime, senza vita

lifelike ['laɪflaɪk] *agg.* realistico

lifelong ['laɪflɒŋ] *agg.* che dura tutta una vita

lifesize ['laɪfsaɪz] *agg.* a grandezza naturale

lifespan ['laɪfspæn] *s.* durata *f.* (media) della vita

lifestyle ['laɪfstaɪl] *s.* stile *m.* di vita

lifetime ['laɪftaɪm] *s.* (durata della) vita *f.*

lift [lɪft] *s.* **1** ascensore *m.* **2** (*aer.*) portanza *f.* **3** (*su veicolo*) passaggio *m.*

to lift [lɪft] *v. tr.* **1** sollevare, alzare **2** plagiare, contraffare **3** abolire **4** (*pop.*) rubare ♦ **to l. off** decollare

light (1) [laɪt] **A** *agg.* chiaro, luminoso **B** *s.* **1** luce *f.*, bagliore *m.* **2** lume *m.*, lampada *f.*, faro *m.* **3** *al pl.* semaforo *m.* **4** (*per accendere*) fuoco *m.* ♦ **l. pen** penna ottica; **l. year** anno luce; **parking lights** luci di posizione

light (2) [laɪt] **A** *agg.* **1** leggero, lieve **2** piacevole, divertente **3** moderato **4** agile, svelto **B** *avv.* leggermente, facilmente

to light [laɪt] (*pass. e p. p.* **lighted, lit**) *v. tr.* **1** accendere **2** illuminare ♦ **have you got a l.?** ha da accendere?; **l. bulb** lampadina; **to l. up** illuminare, (*sigaretta e sim.*) accendere

to lighten (1) ['laɪtn] *v. tr. e intr.* illuminare, illuminarsi

to lighten (2) ['laɪtn] *v. tr.* **1** alleggerire **2** mitigare

lighter ['laɪtər] *s.* accendino *m.*

light-headed [ˌlaɪt'hɛdɪd] *agg.* **1** stordito **2** sventato

light-hearted [ˌlaɪt'hɑːtɪd] *agg.* allegro

lighthouse ['laɪthaʊs] *s.* faro *m.*

lighting ['laɪtɪŋ] *s.* illuminazione *f.*

lightness (1) ['laɪtnɪs] *s.* **1** luminosità *f.* **2** illuminazione *f.*

lightness (2) ['laɪtnɪs] *s.* **1** leggerezza *f.* **2** agilità *f.*

lightning ['laɪtnɪŋ] *s.* lampo *m.*, fulmine *m.* ♦ **l. conductor** (*USA* **l. rod**) parafulmine

like [laɪk] **A** *agg.* simile, somigliante, uguale, stesso **B** *s.* (l')uguale *m.* **C** *prep.* come, alla maniera di, tipico di **D** *avv.* come dire, per così dire **E** *cong.* come, come se ♦ **l.**

as not forse; **l. enough** probabilmente; **to be l.** assomigliare

to like [laɪk] *v. tr.* (*costruzione pers.*) **1** piacere, gradire, amare, aver voglia di **2** volere ♦ **as you l.** come vuoi; **to l. best** preferire; **would you l. some coffee?** vuoi del caffè?

likelihood ['laɪklɪhʊd] *s.* probabilità *f.*, verosimiglianza *f.*

likely ['laɪklɪ] **A** *agg.* probabile, verosimile **B** *avv.* probabilmente, verosimilmente

likeness ['laɪknɪs] *s.* somiglianza *f.*

likewise ['laɪkwaɪz] *avv.* similmente, allo stesso modo ♦ **to do l.** fare altrettanto

liking ['laɪkɪŋ] *s.* simpatia *f.*, predilezione *f.*, gradimento *m.*

lilac ['laɪlək] **A** *agg.* lilla **B** *s.* lillà *m.*

lily ['lɪlɪ] *s.* giglio *m.* ♦ **l. of the valley** mughetto

limb [lɪm] *s.* membro *m.*, arto *m.*

limber ['lɪmbər] *agg.* agile, flessibile

to limber ['lɪmbər] *v. tr.* rendere agile, rendere flessibile ♦ **to l. up** scaldarsi i muscoli

lime (1) [laɪm] *s.* tiglio *m.*

lime (2) [laɪm] *s.* lime *m. inv.*, limetta *f.*

lime (3) [laɪm] *s.* calce *f.*

limelight ['laɪmlaɪt] *s.* (luci della) ribalta *f.*

limestone ['laɪmstʊʊn] *s.* calcare *m.*

limit ['lɪmɪt] *s.* limite *m.*

to limit ['lɪmɪt] *v. tr.* limitare

limitation [ˌlɪmɪ'teɪʃ(ə)n] *s.* limitazione *f.*

limited ['lɪmɪtɪd] *agg.* limitato, ristretto ♦ **l. company** società a responsabilità limitata

limousine ['lɪmʊ(ː)ziːn] *s.* limousine *f. inv.*

limp (1) [lɪmp] *s.* andatura *f.* zoppicante ♦ **to have a l.** zoppicare

limp (2) [lɪmp] *agg.* **1** floscio, flaccido **2** fiacco

to limp [lɪmp] *v. intr.* zoppicare

limpet ['lɪmpɪt] *s.* patella *f.*

limpid ['lɪmpɪd] *agg.* limpido

line [laɪn] *s.* **1** linea *f.* **2** riga *f.*, fila *f.* **3** fune *f.* **4** lenza *f.* **5** (linea di) confine *m.* **6** ruga *f.*, solco *m.* **7** verso *m.* ♦ **finishing l.** linea del traguardo; **in l. with** d'accordo con, allineato con; **new l.** (*dettando*) a capo; **shipping l.** compagnia di navigazione; **the L.** l'equatore

to line (1) [laɪn] *v. tr.* **1** delineare, segnare **2** fiancheggiare ♦ **to l. up** allinearsi, mettersi in fila

to line (2) [laɪn] *v. tr.* foderare, rivestire

linear ['lɪnɪər] *agg.* lineare
linearity [,lɪnɪ'ærɪtɪ] *s.* linearità *f.*
linen ['lɪnɪn] *s.* **1** tela *f.* di lino **2** biancheria *f.* ♦ **table l.** biancheria da tavola
liner ['laɪnər] *s.* **1** nave *f.* di linea **2** aereo *m.* di linea
linesman ['laɪnzmən] (*pl.* **linesmen**) *s.* segnalinee *m. inv.*
line-up ['laɪnʌp] *s.* **1** allineamento *m.*, schieramento *m.* **2** (*sport*) formazione *f.* di gioco
to linger ['lɪŋgər] *v. intr.* **1** attardarsi **2** permanere
lingo ['lɪŋgəʊ] (*pl.* **lingoes**) *s.* gergo *m.*, linguaggio *m.*
linguistic [lɪŋ'gwɪstɪk] *agg.* linguistico
linguistics [lɪŋ'gwɪstɪks] *s. pl.* (*v. al sing.*) linguistica *f.*
lining ['laɪnɪŋ] *s.* **1** fodera *f.*, rivestimento *m.* **2** (*autom.*) pastiglia *f.*
link [lɪŋk] *s.* **1** (*di catena*) anello *m.* **2** collegamento *m.*, legame *m.*
to link [lɪŋk] *v. tr.* collegare, unire, congiungere
linoleum [lɪ'nəʊljəm] *s.* linoleum *m. inv.*
lint [lɪnt] *s.* garza *f.*
lintel ['lɪntl] *s.* architrave *m.*
lion ['laɪən] *s.* leone *m.*
lioness ['laɪənɪs] *s.* leonessa *f.*
lip [lɪp] *s.* **1** labbro *m.* **2** orlo *m.* ♦ **service** adesione formale
lipid ['lɪpɪd] *s.* lipide *m.*
lipsalve ['lɪpsɑːv] *s.* pomata *f.* per labbra
lipstick ['lɪpstɪk] *s.* rossetto *m.*
to liquefy ['lɪkwɪfaɪ] *v. tr. e intr.* liquefare, liquefarsi
liqueur [lɪ'kjʊər] *s.* liquore *m.*
liquid ['lɪkwɪd] *agg. e s.* liquido *m.*
to liquidate ['lɪkwɪdeɪt] *v. tr.* liquidare
liquidation [,lɪkwɪ'deɪʃ(ə)n] *s.* liquidazione *f.*
liquidity [lɪ'kwɪdɪtɪ] *s.* liquidità *f.*
liquor ['lɪkər] *s.* liquore *m.*
liquorice ['lɪkərɪs] (*USA* **licorice**) *s.* liquirizia *f.*
to lisp [lɪsp] *v. intr.* parlare con pronuncia blesa
list [lɪst] *s.* **1** lista *f.*, elenco *m.*, catalogo *m.* **2** listino *m.* ♦ **l. price** prezzo di listino; **mailing l.** indirizzario; **price l.** listino prezzi; **waiting l.** lista d'attesa
to list [lɪst] *v. tr.* **1** elencare, catalogare **2** mettere in listino
to listen ['lɪsn] *v. intr.* ascoltare ♦ **to l. in**

ascoltare un programma; **to l. to sb.** ascoltare qc.
listener ['lɪsnər] *s.* ascoltatore *m.*
listless ['lɪstlɪs] *agg.* disattento, sbadato
lit [lɪt] *pass. e p. p.* di **to light**
litany ['lɪtənɪ] *s.* litania *f.*
liter ['liːtər] → **litre**
literacy ['lɪt(ə)rəsɪ] *s.* alfabetizzazione *f.*
literal ['lɪt(ə)r(ə)l] *agg.* letterale
literally ['lɪt(ə)rəlɪ] *avv.* letteralmente
literary ['lɪt(ə)rərɪ] *agg.* letterario
literate ['lɪtərɪt] *agg.* **1** che sa leggere e scrivere **2** colto, istruito
literature ['lɪt(ə)rɪtʃər] *s.* letteratura *f.*
lithe [laɪð] *agg.* agile
lithograph ['lɪθəgrɑːf] *s.* litografia *f.* (*riproduzione*)
lithography [lɪ'θəgrəfɪ] *s.* litografia *f.* (*arte*)
litigation [,lɪtɪ'geɪʃ(ə)n] *s.* (*dir*) causa *f.*, vertenza *f.*
litre ['liːtər] (*USA* **liter**) *s.* litro *m.*
litter ['lɪtər] *s.* **1** rifiuti *m. pl.* **2** confusione *f.* **3** nidiata *f.* ♦ **l. bin** cestino per i rifiuti
little ['lɪtl] (*comp.* **less, lesser** *sup.* **least**) **A** *agg.* **1** piccolo **2** corto, breve **3** poco **B** *pron. indef. e s.* poco *m.* **C** *avv.* **1** poco **2** (*con art. indeter.*) piuttosto, alquanto ♦ **a l.** un po' (di); **as l. as possible** il meno possibile; **l. by l.** poco a poco; **l. or nothing** poco o nulla
liturgic(al) [lɪ'tɜːdʒɪk((ə)l)] *agg.* liturgico
liturgy ['lɪtədʒɪ] *s.* liturgia *f.*
live [laɪv] *agg.* **1** vivo **2** (*elettr*) sotto tensione **3** (*di arma*) carico, (*di proiettile*) inesploso **4** dal vivo, in diretta
to live [lɪv] **A** *v. intr.* **1** vivere **2** abitare, stare **B** *v. tr.* vivere ♦ **to l. down** far dimenticare; **to l. on st.** vivere di q.c.; **to l. up to** essere all'altezza di
livelihood ['laɪvlɪhʊd] *s.* mezzi *m. pl.* di sussistenza
liveliness ['laɪvlɪnɪs] *s.* vivacità *f.*
lively ['laɪvlɪ] *agg.* vivace, animato
to liven ['laɪvn] *v. tr. e intr.* animare, animarsi
liver ['lɪvər] *s.* fegato *m.*
livery (1) ['lɪvərɪ] *s.* livrea *f.*
livery (2) ['lɪvərɪ] *agg.* **1** malato di fegato **2** irritabile
lives [laɪvz] *pl.* di **life**
livestock ['laɪvstɒk] *s.* bestiame *m.*
livid ['lɪvɪd] *agg.* livido, paonazzo
living ['lɪvɪŋ] **A** *agg.* **1** vivente, vivo **2** profondo, forte **3** di vita **B** *s.* mezzi *m. pl.*

di sussistenza, vita *f.* ♦ **l. conditions** condizioni di vita; **l. standard** tenore di vita; **to earn a l.** guadagnarsi da vivere

living-room ['lɪvɪŋrʊm] *s.* stanza *f.* di soggiorno

lizard ['lɪzəd] *s.* lucertola *f.*

load [ləʊd] *s.* carico *m.*, peso *m.* ♦ **a l. of** un sacco di

to load [ləʊd] *v. tr.* **1** caricare **2** appesantire, opprimere, gravare

loaded ['ləʊdɪd] *agg.* **1** carico, caricato **2** insidioso **3** (*fam.*) ricco

loaf [ləʊf] (*pl.* **loaves**) *s.* pagnotta *f.*

to loaf [ləʊf] *v. intr.* bighellonare

loan [ləʊn] *s.* prestito *m.*

to loan [ləʊn] *v. tr.* prestare

loath [ləʊθ] *agg.* restio, riluttante

to loathe [ləʊð] *v. tr.* detestare, odiare

loaves [ləʊvz] *pl. di* **loaf**

lobby ['lɒbɪ] *s.* **1** atrio *m.*, ridotto *m.*, vestibolo *m.* **2** lobby *f. inv.*, gruppo *m.* di pressione

lobster ['lɒbstər] *s.* aragosta *f.*

local ['ləʊk(ə)l] *agg.* locale

locality [lə(ʊ)'kælɪtɪ] *s.* (*USA*) luogo *m.*, vicinanze *f. pl.*

to localize ['ləʊkəlaɪz] *v. tr.* localizzare

to locate [lə(ʊ)'keɪt] *v. tr.* **1** individuare, localizzare **2** situare

location [lə(ʊ)'keɪʃ(ə)n] *s.* **1** ubicazione *f.* **2** localizzazione *f.* **3** (*cine.*) (set) esterno *m.*

lock (1) [lɒk] *s.* **1** serratura *f.* **2** chiusa *f.* **3** (*mecc.*) blocco *m.*

lock (2) [lɒk] *s.* ciocca *f.*, ricciolo *m.*

to lock [lɒk] *v. tr.* **1** chiudere (a chiave), serrare **2** mettere sotto chiave **3** bloccare ♦ **to l. in** rinchiudere; **to l. out** chiudere fuori; **to l. up** imprigionare

locker ['lɒkər] *s.* armadietto *m.*

locket ['lɒkɪt] *s.* medaglione *m.*

locksmith ['lɒksmɪθ] *s.* fabbro ferraio *m.*

lockup ['lɒkʌp] *s.* (*fam.*) guardina *f.*

locomotive [,ləʊkə'məʊtɪv] *s.* locomotiva *f.*

locust ['ləʊkəst] *s.* locusta *f.*

lodge [lɒdʒ] *s.* **1** casetta *f.* **2** portineria *f.* **3** padiglione *m.* di caccia **4** loggia *f.* (massonica) **5** tana *f.*

to lodge [lɒdʒ] *v. tr.* **1** alloggiare, ospitare **2** assestare, piantare **3** (*dir.*) presentare

lodger ['lɒdʒər] *s.* pensionante *m. e f.*

lodging ['lɒdʒɪŋ] *s.* **1** alloggio *m.* **2** al *pl.* appartamento *m.* in affitto, camera *f.* in

affitto ♦ **board and l.** vitto e alloggio

loft [lɒft] *s.* **1** soffitta *f.*, attico *m.* **2** loft *m. inv.*

lofty ['lɒftɪ] *agg.* **1** alto, elevato **2** altero

log [lɒg] *s.* **1** tronco *m.*, ceppo *m.* **2** (*naut.*) solcometro *m.* **3** (*naut.*) giornale *m.* di bordo, log *m. inv.*

logbook ['lɒgbʊk] *s.* **1** (*naut.*) giornale *m.* di bordo, log *m. inv.* **2** (*autom.*) libretto *m.* di circolazione

loggerhead ['lɒgəhɛd] *agg.* zuccone, testa di legno ♦ **to be at loggerheads with sb.** essere ai ferri corti con qc.

loggia ['lɒdʒɪə] *s.* (*arch.*) loggia *f.*

logic ['lɒdʒɪk] *s.* logica *f.*

logical ['lɒdʒɪk(ə)l] *agg.* logico

logically ['lɒdʒɪk(ə)lɪ] *avv.* logicamente

lollipop ['lɒlɪpɒp] *s.* lecca-lecca *m. inv.*

Londoner ['lʌndənər] *s.* londinese *m. e f.*

lone [ləʊn] *agg.* solitario

loneliness ['ləʊnlɪnɪs] *s.* solitudine *f.*

lonely ['ləʊnlɪ] *agg.* **1** solo, solitario **2** isolato, poco frequentato

long [lɒŋ] **A** *agg.* lungo **B** *avv.* a lungo, (per) molto (tempo) ♦ **as l. as** per tutto il tempo che, finché, se; **at l. last** finalmente; **before l.** tra poco; **how l.?** da quanto tempo?, per quanto tempo?; **l. after** molto dopo; **l. ago** molto tempo fa; **l. before** molto tempo prima; **no longer** non più

to long [lɒŋ] *v. intr.* desiderare, avere molta voglia di

long-distance [,lɒŋ'dɪst(ə)ns] *agg.* che copre una lunga distanza ♦ **l. call** telefonata interurbana

long-haired [,lɒŋ'hɛəd] *agg.* dai capelli lunghi

longing ['lɒŋɪŋ] *s.* voglia *f.*

longitude ['lɒn(d)ʒɪtjuːd] *s.* longitudine *f.*

longitudinal [,lɒn(d)ʒɪ'tjuːdɪnl] *agg.* longitudinale

long-life ['lɒŋlaɪf] *agg.* di lunga durata

long-lived ['lɒŋlɪvd] *agg.* durevole

long-range [,lɒŋ'reɪn(d)ʒ] *agg.* a lungo raggio

long-sighted [,lɒŋ'saɪtɪd] *agg.* presbite

long-standing [,lɒŋ'stændɪŋ] *agg.* di vecchia data

long-suffering [,lɒŋ'sʌf(ə)rɪŋ] *agg.* paziente, tollerante

longways ['lɒŋweɪz] *avv.* per il lungo

long-winded [,lɒŋ'wɪndɪd] *agg.* prolisso

loo [luː] *s.* (*fam.*) gabinetto *m.*

look [lʊk] s. **1** sguardo m., occhiata f. **2** aspetto m. **3** look m. inv., stile m.

to look [lʊk] **A** v. tr. guardare **B** v. intr. **1** guardare, dare un'occhiata a **2** parere, sembrare **3** (di edificio) dare su, essere esposto a ♦ **to l. after** curare, curarsi di; **to l. (a)round** guardarsi intorno, dare un'occhiata; **to l. at** guardare, osservare; **to l. back** guardare indietro, ricordare; **to l. down on** guardare dall'alto in basso; **to l. for** cercare; **to l. forward to** non vedere l'ora di; **to l. in** fare una visitina; **to l. like** assomigliare; **to l. on** considerare; **to l. out** stare in guardia, scovare; **to l. up** alzare lo sguardo; **to l. up to** guardare con rispetto

lookout [ˈlʊkˌaʊt] s. **1** guardia f., vigilanza f. **2** posto m. di osservazione

loom [luːm] s. telaio m.

to loom [luːm] v. intr. profilarsi, apparire in lontananza

loony [ˈluːnɪ] agg. (fam.) pazzo

loop [luːp] s. **1** cappio m. **2** anello m., occhiello m. **3** ansa f. **4** (inf.) ciclo m.

loophole [ˈluːphəʊl] s. **1** feritoia f. **2** scappatoia f.

loose [luːs] **A** agg. **1** sciolto, slegato **2** (di vestito) largo, ampio **3** sciolto, non confezionato **4** vago **B** s. libertà f., libero sfogo m. ♦ **l. cash/change** spiccioli; **l. end** questione insoluta; **to be at a l. end** non saper che fare

to loose [luːs] v. tr. **1** sciogliere, slacciare **2** liberare

to loosen [ˈluːsn] v. tr. **1** sciogliere, slacciare, allentare **2** mitigare ♦ **to l. up** rilassarsi

loot [luːt] s. refurtiva f., bottino m.

to loot [luːt] v. tr. saccheggiare

to lop (1) [lɒp] v. tr. tagliare, potare

to lop (2) [lɒp] v. intr. pendere, penzolare

lop-sided [ˌlɒpˈsaɪdɪd] agg. sbilenco, asimmetrico

loquacious [ləˈkweɪʃəs] agg. loquace

lord [lɔːd] s. **1** signore m., capo m., padrone m. **2** lord m. ♦ **The L.** il Signore

lore [lɔːʳ] s. tradizioni f. pl.

lorry [ˈlɒrɪ] s. camion m. inv. ♦ **l. driver** camionista

to lose [luːz] (pass. e p. p. **lost**) **A** v. tr. **1** perdere, smarrire **2** smarrire, far perdere, sciupare **4** (di orologio) rimanere indietro **B** v. intr. **1** perdere **2** essere sconfitto **3** (di orologio) ritardare ♦ **to l.**

oneself perdersi, smarrirsi

loser [ˈluːzəʳ] s. perdente m. e f.

loss [lɒs] s. **1** perdita f. **2** danno m., svantaggio m. ♦ **to be at a l.** essere in perdita, essere perplesso

lost [lɒst] **A** pass. e p. p. di **to lose B** agg. smarrito, perduto ♦ **l. property (office)** (ufficio) oggetti smarriti; **to be l.** essere perduto

lot [lɒt] s. **1** gran quantità f., mucchio m. **2** lotto m., appezzamento m. **3** (comm.) lotto m., partita f. **4** sorte f. ♦ **a l. of/lots of** un mucchio di; **the l.** tutto

lotion [ˈləʊʃ(ə)n] s. lozione f.

lottery [ˈlɒtərɪ] s. lotteria f.

lotting [ˈlɒtɪŋ] s. lottizzazione f.

loud [laʊd] **A** agg. **1** forte, alto **2** sgargiante, vistoso **B** avv. forte, ad alta voce

loud-hailer [ˌlaʊdˈheɪləʳ] s. megafono m.

loud-speaker [ˌlaʊdˈspiːkəʳ] s. altoparlante m.

lounge [laʊn(d)ʒ] s. salone m., salotto m., sala f. (d'albergo)

to lounge [laʊn(d)ʒ] v. intr. **1** bighellonare **2** poltrire

lounger [ˈlaʊn(d)ʒəʳ] s. fannullone m.

louse [laʊs] (pl. **lice**) s. pidocchio m.

lousy [ˈlaʊzɪ] agg. **1** pidocchioso **2** schifoso

lout [laʊt] s. villano m.

lovable [ˈlʌvəbl] agg. amabile, carino

love [lʌv] s. amore m. ♦ **l. affair** relazione (amorosa); **l. life** vita sentimentale; **to fall in l. with sb.** innamorarsi di qc.; **to make l.** fare l'amore

to love [lʌv] v. tr. **1** amare, voler bene **2** provar piacere in ♦ **I l. travelling** mi piace viaggiare

lovely [ˈlʌvlɪ] agg. bello, piacevole, attraente

lover [ˈlʌvəʳ] s. **1** innamorato m., amante m. e f. **2** appassionato m.

loving [ˈlʌvɪŋ] agg. **1** affettuoso, affezionato **2** d'amore

low [ləʊ] **A** agg. **1** basso **2** profondo **3** umile **4** abietto, volgare **5** scarso, povero di **B** avv. **1** in basso, giù **2** a voce bassa ♦ **l. beam headlights** anabbaglianti; **l. fat** a basso contenuto di grassi; **l. season** bassa stagione

to lower [ˈlɒ(ʊ)əʳ] v. tr. **1** abbassare **2** calare, far scendere **3** umiliare

lowland [ˈləʊlənd] s. bassopiano m., pianura f.

lowly [ˈləʊlɪ] **A** agg. umile, modesto **B** avv.

umilmente, modestamente

loyal ['lɔɪ(ə)l] *agg.* leale

loyalty ['lɔɪ(ə)ltɪ] *s.* lealtà *f.*

lozenge ['lɒzɪn(d)ʒ] *s.* **1** losanga *f.* **2** pasticca *f.*

lubricant ['luːbrɪkənt] *s.* lubrificante *m.*

to lubricate ['luːbrɪkeɪt] *v. tr.* lubrificare

lubrication [ˌluːbrɪ'keɪʃ(ə)n] *s.* lubrificazione *f.*

lucid ['luːsɪd] *agg.* lucido

lucidity [luː'sɪdɪtɪ] *s.* lucidità *f.*

luck [lʌk] *s.* **1** sorte *f.*, destino *m.* **2** fortuna *f.* ♦ **bad l.** sfortuna; **good l.!** buona fortuna!

lucky ['lʌkɪ] *agg.* fortunato

lucre ['luːkər] *s.* lucro *m.*

ludicrous ['luːdɪkrəs] *agg.* ridicolo

to luff [lʌf] *v. intr.* (*naut.*) orzare

to lug [lʌg] *v. tr.* tirare, trascinare

luggage ['lʌgɪdʒ] *s.* bagaglio *m.* ♦ **hand l.** bagaglio a mano; **left l. office** deposito bagagli

lukewarm ['luːkwɔːm] *agg.* tiepido

lull [lʌl] *s.* momento *m.* di quiete, stasi *f.*

to lull [lʌl] *v. tr.* **1** cullare **2** calmare

lullaby ['lʌləbaɪ] *s.* ninnananna *f.*

lumbago [lʌm'beɪgʊ] *s.* lombaggine *f.*

lumber ['lʌmbər] *s.* **1** (*USA*) legname *m.* **2** cianfrusaglie *f. pl.* ♦ **l. room** ripostiglio

lumberjack ['lʌmbə,dʒæk] *s.* **1** tagliaialegna *m. inv.* **2** (*USA*) commerciante *m. e f.* in legname

luminosity [ˌluːmɪ'nəsɪtɪ] *s.* luminosità *f.*

luminous ['luːmɪnəs] *agg.* luminoso

lump [lʌmp] *s.* **1** grumo *m.*, zolletta *f.* **2** gonfiore *m.*, protuberanza *f.*

to lump [lʌmp] **A** *v. tr.* ammucchiare, mettere insieme **B** *v. intr.* raggrumarsi

lunacy ['luːnəsɪ] *s.* demenza *f.*

lunar ['luːnər] *agg.* lunare

lunatic ['luːnətɪk] *agg. e s.* pazzo *m.*

lunch [lʌn(t)ʃ] *s.* pranzo *m.* ♦ **l. time** ora

di pranzo; **to have l.** pranzare

to lunch [lʌn(t)ʃ] *v. intr.* pranzare

luncheon ['lʌn(t)ʃ(ə)n] *s.* pranzo *m.*

lunette [luː'nɛt] *s.* lunetta *f.*

lung [lʌŋ] *s.* polmone *m.*

to lunge [lʌndʒ] *v. intr.* balzare in avanti

to lurch [lɜːtʃ] *v. intr.* **1** (*naut.*) rollare, beccheggiare **2** barcollare

lure [ljʊər] *s.* esca *f.*, richiamo *m.*

to lure [ljʊər] *v. tr.* adescare, allettare

lurid ['ljʊərɪd] *agg.* **1** fosco, livido **2** impressionante, sensazionale

to lurk [lɜːk] *v. intr.* appostarsi, stare in agguato

luscious ['lʌʃəs] *agg.* delizioso, succulento

lush [lʌʃ] *agg.* lussureggiante

lust [lʌst] *s.* **1** lussuria *f.* **2** brama *f.*, avidità *f.*

to lust [lʌst] *v. intr.* **to l. after/for** bramare, desiderare

lustful ['lʌstf(ʊ)l] *agg.* lussurioso

lustre ['lʌstər] *s.* lustro *m.*

lusty ['lʌstɪ] *agg.* vigoroso

lute [luːt] *s.* liuto *m.*

Lutheranism ['luːθ(ə)r(ə)nɪz(ə)m] *s.* luteranesimo *m.*

lutist ['luːtɪst] *s.* liutaio *m.*

luxuriant [lʌg'zjʊərɪənt] *agg.* lussureggiante, rigoglioso

luxurious [lʌg'zjʊərɪəs] *agg.* lussuoso

luxury ['lʌkʃ(ə)rɪ] *s.* lusso *m.*

lycée ['liːseɪ] *s.* liceo *m.*

lying (1) ['laɪɪŋ] *agg.* bugiardo

lying (2) ['laɪɪŋ] *agg.* giacente

lymph [lɪmf] *s.* linfa *f.*

to lynch [lɪntʃ] *v. tr.* linciare

lynching ['lɪn(t)ʃɪŋ] *s.* linciaggio *m.*

lyre ['laɪər] *s.* (*mus.*) lira *f.*

lyric ['lɪrɪk] **A** *agg.* lirico **B** *s.* **1** lirica *f.* **2** al pl. (*di canzone*) testo *m.*

lyricism ['lɪrɪsɪz(ə)m] *s.* lirismo *m.*

M

ma [mɑː] s. (fam.) mamma f.

mac [mæk] s. (fam.) → **mackintosh**

macabre [məˈkɑːbr] agg. macabro

macaroni [ˌmækəˈrəʊnɪ] s. pasta f., maccheroni m. pl.

to macerate [ˈmæsəreɪt] v. tr. macerare

machination [ˌmækɪˈneɪʃ(ə)n] s. macchinazione f., complotto m.

machine [məˈʃiːn] s. macchina f. ◆ **answering m.** segreteria telefonica; **m. shop** officina meccanica

to machine [məˈʃiːn] v. tr. **1** fare (a macchina) **2** stampare

machinegun [məˈʃiːnɡʌn] s. mitragliatrice f.

machinery [məˈʃiːnərɪ] s. **1** macchinario m. **2** meccanismo m. **3** (fig.) macchina f., organizzazione f.

mackerel [ˈmækr(ə)l] s. sgombro m. ◆ **m. sky** cielo a pecorelle

mackintosh [ˈmækɪntəʃ] s. impermeabile m.

macrobiotic [ˌmækrəʊbaɪˈɒtɪk] agg. macrobiotico

macroscopic [ˌmækrɒ(ʊ)ˈskəpɪk] agg. macroscopico

mad [mæd] agg. **1** folle, matto **2** furioso, arrabbiato **3** maniaco, entusiasta ◆ **to be m. about** andar matto per

to mad [mæd] v. intr. ammattire

madam [ˈmædəm] s. signora f. (al vocativo senza nome proprio)

to madden [ˈmædn] **A** v. tr. far impazzire **B** v. intr. impazzire

made [meɪd] **A** pass. e p. p. di **to make B** agg. **1** fatto, fabbricato **2** adatto ◆ **m.-to-measure** fatto su misura; **m.-up** truccato, alterato

madhouse [ˈmædhaʊs] s. manicomio m.

madly [ˈmædlɪ] avv. follemente

madman [ˈmædmən] (pl. **madmen**) s. pazzo m.

madness [ˈmædnɪs] s. follia f., pazzia f.

madrigal [ˈmædrɪɡ(ə)l] s. madrigale m.

maecenas [mɪ(ː)ˈsiːnæs] s. mecenate m. e f.

magazine [ˌmæɡəˈziːn] s. **1** periodico m., rivista f. **2** (di arma) caricatore m. **3** (mil.) magazzino m.

maggot [ˈmæɡət] s. verme m., larva f.

maggoty [ˈmæɡətɪ] agg. bacato

magic [ˈmædʒɪk] **A** s. magia f. **B** agg. magico

magical [ˈmædʒɪk(ə)l] agg. magico

magician [məˈdʒɪʃ(ə)n] s. mago m.

magistrate [ˈmædʒɪstrɪt] s. magistrato m., giudice m.

magnanimous [mæɡˈnænɪməs] agg. magnanimo

magnate [ˈmæɡneɪt] s. magnate m.

magnet [ˈmæɡnɪt] s. magnete m.

magnetic [mæɡˈnetɪk] agg. magnetico

magnetism [ˈmæɡnɪtɪz(ə)m] s. magnetismo m.

magnificence [mæɡˈnɪfɪsns] s. grandiosità f., sfarzo m.

magnificent [mæɡˈnɪfɪs(ə)nt] agg. magnifico, superbo

to magnify [ˈmæɡnɪfaɪ] v. tr. ingrandire ◆ **magnifying glass** lente d'ingrandimento

magnitude [ˈmæɡnɪtjuːd] s. **1** importanza f. **2** (astr.) magnitudine f.

magnolia [mæɡˈnəʊljə] s. magnolia f.

magpie [ˈmæɡpaɪ] s. gazza f.

mahogany [məˈhɒɡənɪ] s. mogano m.

maid [meɪd] s. cameriera f., donna f. di servizio

maiden [ˈmeɪdn] **A** s. **1** (letter.) fanciulla f. **2** zitella f. **B** agg. **1** virginale **2** nubile **3** primo, inaugurale, da esordiente ◆ **m. name** cognome da ragazza

maidenhair [ˈmeɪdn͵hɛəʳ] s. capelvenere m.

maidenhood [ˈmeɪdnhʊd] s. (di ragazza) fanciullezza f., verginità f.

mail [meɪl] s. posta f. ◆ **by air m.** per posta aerea; **m. order** ordinazione per corrispondenza

to mail [meɪl] v. tr. **1** mandare per posta **2** imbucare

mailbox [ˈmeɪlbəks] s. (USA) cassetta f. delle lettere

mailing [ˈmeɪlɪŋ] s. mailing m. inv. ◆ **m. list** indirizzario

mailman [ˈmeɪlmæn] (pl. **mailmen**) s. postino m.

to maim [meɪm] v. tr. mutilare, menomare

main [meɪn] **A** agg. principale **B** s. **1** conduttura f. principale **2** al pl. (elettr) rete f. d'alimentazione ♦ **in the m.** nel complesso; **m. road** strada maestra; **m. street** (USA) strada principale

mainframe ['meɪnfreɪm] s. (inf.) mainframe m. inv.

mainland ['meɪnlənd] **A** agg. continentale **B** s. terraferma f., continente m.

mainly ['meɪnlɪ] avv. **1** principalmente **2** nel complesso

mainsail ['meɪnseɪl] s. (naut.) randa f.

mainstream ['meɪn,striːm] **A** agg. tradizionale **B** s. corrente f. principale

to maintain [meɪn'teɪn] v. tr. **1** mantenere, conservare **2** sostentare **3** curare la manutenzione di, mantenere in efficienza **4** affermare

maintenance ['meɪntɪnəns] s. **1** mantenimento m. **2** sostentamento m. **3** (dir) alimenti m. pl. **4** manutenzione f.

maize [meɪz] s. granturco m., mais m.

majestic [mə'dʒestɪk] agg. maestoso

majesty ['mædʒɪstɪ] s. maestà f. ♦ **His/Her M.** Sua Maestà

majolica [mə'jɒlɪkə] s. maiolica f.

major ['meɪdʒər] **A** agg. maggiore, principale **B** s. **1** maggiorenne m. e f. **2** (mil.) maggiore m.

majority [mə'dʒɒrɪtɪ] s. maggioranza f.

make [meɪk] s. **1** fattura f., forma f. **2** fabbricazione f., marca f.

to make [meɪk] (pass. e p. p. **made**) v. tr. **1** fare, creare, costruire, comporre, preparare **2** far diventare **3** compiere, commettere **4** calcolare, assommare a, guadagnare **5** diventare ♦ **to m. away** allontanarsi in fretta; **to m. for** dirigersi; **to m. of** capire; **to m. off** svignarsela; **to m. oneself understood** farsi capire; **to m. out** compilare, dichiarare, cavarsela; **to m. st. do** far bastare q.c.; **to m. up** riconciliarsi, truccare, truccarsi, inventare, fare, confezionare

make-believe ['meɪkbɪ,liːv] s. finzione f.

maker ['meɪkər] s. creatore m., fabbricante m.

makeshift ['meɪkʃɪft] **A** agg. improvvisato, di fortuna **B** s. ripiego m.

make-up ['meɪkʌp] s. **1** trucco m. **2** composizione f., formazione f. **3** disposizione f., temperamento m.

making ['meɪkɪŋ] s. **1** fattura f., confezione f. **2** sviluppo m., formazione f. **3** al pl.

occorrente m., qualità f. pl. necessarie ♦ **in the m.** in via di formazione

maladjusted [,mælə'dʒʌstɪd] agg. disadattato

malaise [mæ'leɪz] s. malessere m.

malaria [mə'lɛərɪə] s. malaria f.

male [meɪl] **A** agg. maschile, maschio **B** s. maschio m. ♦ **m. chauvinist** maschilista; **m. nurse** infermiere

malediction [,mælɪ'dɪkʃ(ə)n] s. maledizione f.

malefic [mə'lɛfɪk] agg. malefico

malevolent [mə'levələnt] agg. malevolo

malformation ['mælfɔː'meɪʃ(ə)n] s. (med.) malformazione f.

malfunction [mæl'fʌŋkʃ(ə)n] s. malfunzionamento m.

malice ['mælɪs] s. **1** malizia f. **2** malevolenza f., astio m. **3** (dir) dolo m.

malicious [mə'lɪʃəs] agg. **1** maligno, malizioso **2** (dir) doloso

malign [mə'laɪn] agg. maligno

to malign [mə'laɪn] v. tr. malignare su, diffamare

malignant [mə'lɪgnənt] agg. maligno

malignity [mə'lɪgnɪtɪ] s. malignità f.

mall [mɔːl] s. **1** viale m. **2** centro m. commerciale

malleable ['mælɪəbl] agg. malleabile

malleolus [mə'liːɒ(ʊ)ləs] s. malleolo m.

mallet ['mælɪt] s. maglio m., mazza f.

mallow ['mæləʊ] s. malva f.

malnutrition [,mælnjʊ(ː)'trɪʃ(ə)n] s. malnutrizione f., denutrizione f.

malpractice [,mæl'præktɪs] s. azione f. illecita

malt [mɔːlt] s. malto m.

to maltreat [mæl'triːt] v. tr. maltrattare

mammal ['mæm(ə)l] s. mammifero m.

mammalian [mæ'meɪljən] agg. e s. mammifero m.

mammoth ['mæməθ] **A** s. mammut m. inv. **B** agg. mastodontico

man [mæn] (pl. **men**) s. **1** uomo m. **2** domestico m., operaio m., soldato m., giocatore m. **3** marito m., amante m. **4** (gioco della dama) pedina f. ♦ **m.-made** artificiale

to manage ['mænɪdʒ] **A** v. tr. **1** amministrare, gestire **2** saper trattare **3** maneggiare, manovrare **B** v. intr. riuscire, cavarsela

manageable ['mænɪdʒəbl] agg. **1** maneggevole **2** trattabile **3** agevole

management ['mænɪdʒmənt] s. 1 amministrazione f., direzione f., gestione f. 2 (v. al pl.) i dirigenti m. pl., la direzione f.

manager ['mænɪdʒəʳ] s. 1 direttore m., gestore m., dirigente. m. e f. 2 impresario m., manager m. inv. ♦ **general m.** direttore generale

manageress ['mænɪdʒəres] s. direttrice f.

managerial [,mænə'dʒɪərɪəl] agg. direttivo, manageriale

managing ['mænɪdʒɪŋ] agg. dirigente, direttivo ♦ **m. director** amministratore m. delegato

mandarin ['mændərɪn] s. mandarino m.

mandatory ['mændət(ə)rɪ] A agg. obbligatorio B s. mandatario m.

mandible ['mændɪbl] s. mandibola f.

mandolin(e) [,mændə'liːn] s. mandolino m.

mandrel ['mændr(ə)l] s. mandrino m.

mane [meɪn] s. criniera f.

manège [mæ'neɪʒ] s. maneggio m.

maneuver [mə'nuːvəʳ] → manoeuvre

manful ['mænf(ʊ)l] agg. valoroso

manger [meɪn(dʒ)əʳ] s. mangiatoia f.

to mangle ['mæŋgl] v. tr. straziare, mutilare

mango ['mæŋgəʊ] s. mango m.

mangrove ['mæŋgrəʊv] s. mangrovia f.

to manhandle ['mæn,hændl] v. tr. 1 manovrare 2 (fam.) maltrattare

manhole ['mænhəʊl] s. botola f. ♦ **m. cover** tombino m.

manhood ['mænhʊd] s. virilità f.

manhunt ['mænhʌnt] s. caccia f. all'uomo

mania ['meɪnjə] s. mania f.

maniac ['meɪnɪæk] agg. maniaco

manicure ['mænɪkjʊəʳ] s. manicure f. inv. ♦ **m. set** necessaire da unghie

manifest ['mænɪfest] agg. manifesto, palese

to manifest ['mænɪfest] A v. tr. manifestare, mostrare B v. intr. manifestarsi, apparire

manifestation [,mænɪfes'teɪʃ(ə)n] s. manifestazione f.

manifesto [,mænɪ'festəʊ] s. manifesto m. (ideologico, politico)

manifold ['mænɪfəʊld] agg. molteplice, vario

to manipulate [mə'nɪpjʊleɪt] v. tr. manipolare

manipulation [mə,nɪpjʊ'leɪʃ(ə)n] s. manipolazione f.

mankind [mæn'kaɪnd] s. genere m. umano

manliness ['mænlɪnɪs] s. virilità f.

manly ['mænlɪ] agg. maschio, virile

manna ['mænə] s. manna f.

manner ['mænəʳ] s. 1 modo m., maniera f. 2 contegno m. 3 al pl. usanze f. pl. 4 specie f., tipo m., sorta f. ♦ **good/bad manners** belle/cattive maniere

mannerism ['mænərɪz(ə)m] s. 1 affettazione f. 2 manierismo m.

manoeuvre [mə'nuːvəʳ] (USA **maneuvre**) s. manovra f.

to manoeuvre [mə'nuːvəʳ] (USA **to maneuvre**) v. tr. e intr. manovrare

manometer [mə'nəmɪtəʳ] s. manometro m.

manor ['mænəʳ] s. proprietà f. terriera, feudo m. ♦ **m.-house** maniero, residenza di campagna

manpower ['mæn,paʊəʳ] s. manodopera f.

mansard ['mænsaːd] s. mansarda f.

mansion ['mænʃ(ə)n] s. palazzo m., dimora f. ♦ **m.-house** castello, residenza di campagna

manslaughter ['mæn,slɔːtəʳ] s. (dir.) omicidio m. colposo

mantelpiece ['mæntl,piːs] s. mensola f. del caminetto

mantle ['mæntl] s. mantello m., manto m.

manual ['mænjʊəl] agg. e s. manuale m. ♦ **m. dexterity** abilità manuale

manufacture [,mænjʊ'fæktʃəʳ] s. manifattura f., lavorazione f., fabbricazione f.

to manufacture [,mænjʊ'fæktʃəʳ] v. tr. fabbricare, confezionare, produrre

manufacturer [,mænjʊ'fæktʃərəʳ] s. fabbricante m., industriale m.

manufacturing [,mænjʊ'fæktʃərɪŋ] A agg. 1 manifatturiero 2 industriale B s. manifattura f., produzione f.

manumission [,mænjʊ'mɪʃ(ə)n] s. (stor.) manomissione f.

manure [mə'njʊəʳ] s. concime m., letame m.

to manure [mə'njʊəʳ] v. tr. concimare

manuscript ['mænjʊskrɪpt] s. manoscritto m.

many ['menɪ] (comp. **more**, sup. **most**) A agg. molti, numerosi, un gran numero di B pron. molti C s. molti m. pl. molte persone f. pl. ♦ **a great m.** moltissimi; **as m.** altrettanti; **how m.?** quanti?; **m. sided** multiforme; **too m.** troppi

map [mæp] s. carta f. geografica, mappa f.

to map [mæp] v. tr. rilevare una carta, mappa

♦ **to m. out** progettare

maple ['meɪpl] *s.* acero *m.*

to mar [maːʳ] *v. tr.* danneggiare, guastare

marathon ['mærəθ(ə)n] *s.* maratona *f.*

to maraud [mə'rɔːd] *v. tr.* rubare, saccheggiare

marauder [mə'rɔːdəʳ] *s.* predone *m.*, predatore *m.*

marble ['maːbl] *s.* **1** marmo *m.* **2** bilia *f.*
♦ **m.-cutter** marmista; **m.-paper** carta marmorizzata

March [maːtʃ] *s.* marzo *m.*

march [maːtʃ] *s.* marcia *f.*

to march [maːtʃ] *v. intr.* marciare

mare [mɛəʳ] *s.* cavalla *f.*, giumenta *f.*

margarine [ˌmaːdʒə'riːn] *s.* margarina *f.*

margin ['maːdʒɪn] *s.* margine *m.*

marginal ['maːdʒɪn(ə)l] *agg.* marginale

to marginalize ['maːdʒɪnəlaɪz] *v. tr.* emarginare

marigold ['mærɪɡʊld] *s.* calendola *f.*

marina [mə'riːnə] *s.* porticciolo *m.* turistico, marina *f. inv.*

marine [mə'riːn] **A** *agg.* **1** marino, marittimo **2** navale **B** *s.* **1** marina *f.* **2** (*mil.*) marine *m.*

mariner ['mærɪnəʳ] *s.* marinaio *m.*

marital [mə'raɪtl] *agg.* maritale, coniugale

maritime ['mærɪtaɪm] *agg.* marittimo

marjoram ['maːdʒ(ə)rəm] *s.* maggiorana *f.*

mark (1) [maːk] *s.* **1** segno *m.*, impronta *f.* **2** marca *f.*, marchio *m.* **3** voto *m.* **4** segno *m.* di interpunzione **5** (*sulla pelle*) macchia *f.*, voglia *f.* **6** bersaglio *m.* ♦ **exclamation m.** punto esclamativo; **question m.** punto interrogativo; **quotation marks** virgolette

mark (2) [maːk] *s.* (*moneta*) marco *m.*

to mark [maːk] *v. tr.* **1** segnare, marcare **2** contraddistinguere **3** dare un voto a ♦ **to m. down** (*prezzo*) ribassare; **to m. out** tracciare, delimitare

marked [maːkt] *agg.* **1** contrassegnato, marcato **2** considerevole, notevole

marker ['maːkəʳ] *s.* **1** segnapunti *m.* **2** segnalibro *m.* **3** segnale *m.*

market ['maːkɪt] *s.* mercato *m.* ♦ **m. place** (piazza del) mercato; **m. price** prezzo di mercato; **m. research** ricerca di mercato; **to play the m.** giocare in Borsa

marketable ['maːkɪtəbl] *agg.* vendibile

marketing ['maːkɪtɪŋ] *s.* **1** commercializzazione *f.* **2** marketing *m. inv.*

marksman ['maːksmən] (*pl.* **marksmen**)

s. tiratore *m.* scelto

marmalade ['maːməleɪd] *s.* marmellata *f.* di agrumi

marmot ['maːmət] *s.* marmotta *f.*

maroon [mə'ruːn] *agg. e s.* marrone *m.* rossiccio

marquee [maː'kiː] *s.* tendone *m.*

marquess ['maːkwɪs] *s.* marchese *m.*

marquis ['maːkwɪs] *s.* marchese *m.*

marriage ['mærɪdʒ] *s.* matrimonio *m.* ♦ **m. licence** licenza di matrimonio; **to take in m.** prendere per marito (o per moglie)

married ['mærɪd] *agg.* **1** sposato **2** coniugale ♦ **to get m.** sposarsi

marrow ['mærʊ] *s.* **1** (*anat.*) midollo *m.* **2** (*bot.*) zucca *f.* ♦ **m. squash** zucchino

marrowbone ['mærʊ(ʊ)bʊn] *s.* ossobuco *m.*

to marry ['mæri] *v. tr.* sposare, sposarsi ♦ **to m. again** risposarsi

marsh [maːʃ] *s.* acquitrino *m.*, palude *f.*

marshal ['maːʃ(ə)l] *s.* **1** maresciallo *m.* **2** cerimoniere *m.*

to marshal ['maːʃ(ə)l] *v. tr.* ordinare, schierare

marshy ['maːʃɪ] *agg.* paludoso

martial ['maːʃ(ə)l] *agg.* marziale ♦ **m. court** corte marziale; **m. law** legge marziale

Martian ['maːʃjən] *agg. e s.* marziano *m.*

martyr ['maːtəʳ] *s.* martire *m. e f.*

martyrdom ['maːtədəm] *s.* martirio *m.*

marvel ['maːv(ə)l] *s.* meraviglia *f.*

to marvel ['maːv(ə)l] *v. intr.* meravigliarsi, stupirsi

marvellous ['maːvɪləs] *agg.* meraviglioso, stupendo

Marxism ['maːksɪz(ə)m] *s.* marxismo *m.*

Marxist ['maːksɪst] *agg. e s.* marxista *m. e f.*

marzipan [ˌmaːzɪ'pæn] *s.* marzapane *m.*

mascara [mæs'kaːrə] *s.* mascara *m. inv.*

mascot ['mæskət] *s.* mascotte *f. inv.*

masculine ['maːskjʊlɪn] *agg.* maschile, mascolino

mash [mæʃ] *s.* **1** poltiglia *f.*, pastone *m.* **2** purè *m. inv.*

to mash [mæʃ] *v. tr.* **1** schiacciare **2** macerare ♦ **mashed potatoes** purè di patate

masher ['mæʃəʳ] *s.* passaverdure *m.*

mask [maːsk] *s.* maschera *f.*

to mask [maːsk] *v. tr.* **1** mascherare **2** nascondere

masochism ['mæsəkɪz(ə)m] s. masochismo m.

mason ['meɪsn] s. **1** muratore m. **2** massone m.

masonry ['meɪs(ə)nrɪ] s. **1** muratura m. **2** massoneria f.

masquerade [,mæskə'reɪd] s. **1** finzione f. **2** mascherata f., ballo m. in maschera

to **masquerade** [,mæskə'reɪd] v. intr. **1** mascherarsi **2** fingersi, farsi passare per

mass (1) [mæs] **A** s. **1** massa f., quantità f. **2** folla f., moltitudine f. **3** ammasso m. **4** (fis.) massa f. **B** agg. di massa ♦ **m. media** mezzi di comunicazione di massa

mass (2) [mæs] s. messa f. ♦ **to attend m.** andare a messa; **m. book** messale

to **mass** [mæs] v. tr. e intr. ammassare, ammassarsi

massacre ['mæsəkər] s. massacro m.

massage ['mæsɑːʒ] s. massaggio m.

to **massage** ['mæsɑːʒ] v. tr. massaggiare

masseur [mæ'sɜr] s. massaggiatore m.

massif ['mæsiːf] s. (geogr) massiccio m.

massive ['mæsɪv] agg. **1** massiccio, imponente **2** massivo, potente

mass-production ['mæsprə,dʌkʃ(ə)n] s. produzione f. in serie

mast [mɑːst] s. (naut.) albero m.

master ['mɑːstər] **A** s. **1** padrone m., datore m. di lavoro **2** maestro m. **3** insegnante m., professore m. **4** capo m., direttore m. **5** originale m. (da riprodurre) **6** (titolo accademico) master m. inv. **B** agg. **1** padrone **2** principale **3** generale

to **master** ['mɑːstər] v. tr. **1** approfondire, conoscere a fondo **2** dominare

masterly ['mɑːstəlɪ] agg. magistrale

mastermind ['mɑːstəmaɪnd] s. mente f. direttiva

masterpiece ['mɑːstəpiːs] s. capolavoro m.

mastery ['mɑːst(ə)rɪ] s. **1** dominio m., padronanza f. **2** perizia f., abilità f.

mastic ['mæstɪk] s. mastice m.

to **masticate** ['mæstɪkeɪt] v. tr. masticare

mastodontic [,mæstə'dɒntɪk] agg. mastodontico

mat (1) [mæt] s. **1** stuoia f., zerbino m. **2** sottopiatto m. **3** groviglio m.

mat (2) [mæt] agg. opaco

match (1) [mætʃ] s. **1** incontro m., partita f. **2** compagno m., (l')uguale m. **3** matrimonio m., partito m. **4** coppia f.

match (2) [mætʃ] s. fiammifero m.

to **match** [mætʃ] **A** v. tr. **1** pareggiare, uguagliare **2** armonizzare, accompagnare **3** confrontare **4** accoppiare, unire in matrimonio **B** v. intr. **1** armonizzare, accordarsi, essere compatibile **2** competere, confrontarsi **3** combaciare

matching ['mætʃɪŋ] agg. ben assortito

mate [meɪt] s. **1** compagno m., amico m. **2** coniuge m. e f. **3** aiutante m. e f. **4** (naut.) ufficiale m. in seconda

to **mate** [meɪt] v. tr. e intr. accoppiare, accoppiarsi

material [mə'tɪərɪəl] **A** agg. materiale **B** s. **1** materiale m., sostanza f. **2** stoffa f. **3** al pl. occorrente m., accessori m. pl.

materialism [mə'tɪərɪəlɪz(ə)m] s. materialismo m.

maternal [mə'tɜːnl] agg. materno

maternity [mə'tɜːnɪtɪ] s. maternità f. ♦ **m. leave** congedo per maternità

mathematic(al) [,mæθɪ'mætɪk((ə)l)] agg. matematico

mathematics [,mæθɪ'mætɪks] s. pl. (v. al sing.) matematica f.

maths [mæθs] (USA **math**) s. pl. (v. al sing.) (fam.) matematica f.

matriarchal [,meɪtrɪ'ɑːk(ə)l] agg. matriarcale

matriarchy ['meɪtrɪɑː(ː)kɪ] s. matriarcato m.

to **matriculate** [mə'trɪkjuleɪt] v. intr. iscriversi all'università

matriculation [mə,trɪkju'leɪʃ(ə)n] s. immatricolazione f., iscrizione f. (all'università)

matrimonial [,mætrɪ'mʊnjəl] agg. matrimoniale

matrimony ['mætrɪm(ə)nɪ] s. matrimonio m.

matrix ['meɪtrɪks] s. matrice f.

matron ['meɪtr(ə)n] s. **1** matrona f. **2** capo infermiera f., governante f.

matted ['mætɪd] agg. ingarbugliato

matter ['mætər] s. **1** affare m., argomento m., faccenda f. **2** importanza f. **3** materia f., sostanza f., contenuto m. ♦ **as a m. of fact** in verità; **no m.** non importa; **what is the m.?** cosa c'è?

to **matter** ['mætər] v. intr. interessare

matter-of-fact [,mæt(ə)rəv'fækt] agg. prosaico, realistico

mattock ['mætək] s. zappa f.

mattress ['mætrɪs] s. materasso m.

maturation [,mætjuə'reɪʃ(ə)n] s. maturazione f.

mature [məˈtjʊər] *agg.* maturo

to mature [məˈtjʊər] **A** *v. tr.* **1** far maturare, far stagionare **2** completare **B** *v. intr.* **1** maturare **2** completarsi **3** (*fin.*) maturare, scadere

maturity [məˈtjʊərɪtɪ] *s.* maturità f.

to maul [mɔːl] *v. tr.* **1** battere **2** bistrattare

mausoleum [ˌmɔːsəˈlɪəm] *s.* mausoleo m.

mauve [məʊv] *agg. e s.* (color) malva f.

maxim [ˈmæksɪm] *s.* massima f.

maximalism [ˈmæksɪməlɪz(ə)m] *s.* massimalismo m.

maximum [ˈmæksɪməm] *agg. e s.* massimo m.

may [meɪ] (*congiuntivo pass. e condiz.* **might**) *v. difett.* **1** (*permesso*) potere, essere permesso, essere lecito (ES: **m. I speak?** posso parlare?) **2** (*possibilità, probabilità*) potere, essere possibile, essere probabile (ES: **it m. be true** può essere vero, **it might be very important** potrebbe essere molto importante) **3** (*augurio, speranza, richiesta, rimprovero, ecc.*) potere (ES: **m. you live in peace!** che tu possa vivere in pace!)

May [meɪ] *s.* maggio m. ♦ **M. Day** il primo maggio

maybe [ˈmeɪbiː] *avv.* forse, probabilmente, può darsi che

mayhem [ˈmeɪhɛm] *s.* confusione f.

mayonnaise [ˌmeɪəˈneɪz] *s.* maionese f.

mayor [mɛər] *s.* sindaco m.

maze [meɪz] *s.* dedalo m., labirinto m. ♦ **to be in a m.** essere confuso

me [miː, mɪ] *pron. pers. 1ª sing.* (*compl.*) me, mi ♦ **it's me** sono io

meadow [ˈmɛdəʊ] *s.* prato m.

meagre [ˈmiːgər] (*USA* **meager**) *agg.* magro, smunto

meal (1) [miːl] *s.* farina f.

meal (2) [miːl] *s.* pasto m. ♦ **m. ticket** buono pasto

mealtime [ˈmiːltaɪm] *s.* ora f. dei pasti

mean (1) [miːn] *agg.* **1** gretto, meschino, avaro **2** sgarbato **3** miserabile, mediocre, spregevole

mean (2) [miːn] **A** *agg.* medio, intermedio **B** *s.* **1** mezzo m., media f. **2** mezzo m., strumento m., maniera f. **3** *al pl.* mezzi m. economici, risorse f. pl. ♦ **by all means** con ogni mezzo; **by means of** per mezzo di

to mean [miːn] (*pass. e p. p.* **meant**) **A** *v. tr.* **1** significare, intendere **2** comportare; implicare **3** proporsi di, avere intenzione di **4** destinare, assegnare **B** *v. intr.* **1** voler dire, pensare **2** avere intenzione

meander [mɪˈændər] *s.* meandro m.

meaning [ˈmiːnɪŋ] *s.* **1** significato m., senso m. **2** pensiero m. **3** proposito m.

meaningful [ˈmiːnɪŋful] *agg.* significativo

meaningless [ˈmiːnɪŋlɪs] *agg.* insignificante, senza senso

meant [mɛnt] *pass. e p. p. di* **to mean**

meantime [ˈmiːnˌtaɪm] *avv.* intanto, nel frattempo ♦ **in the m.** nel frattempo

meanwhile [ˌmiːnˈwaɪl] *avv.* intanto, nel frattempo

measles [ˈmiːzlz] *s. pl.* (*v. al sing.*) morbillo m.

measly [ˈmiːzlɪ] *agg.* (*fam.*) miserabile, meschino

measurable [ˈmɛz(ə)rəbl] *agg.* misurabile

measure [ˈmɛʒər] *s.* **1** misura f. **2** provvedimento m.

to measure [ˈmɛʒər] *v. tr. e intr.* misurare ♦ **to m. out** dosare

measurement [ˈmɛʒəmənt] *s.* **1** misurazione f. **2** misura f., dimensione f.

meat [miːt] *s.* carne f. ♦ **m. ball** polpetta; **m. grinder** tritacarne; **m. skewer** spiedino di carne

mechanic [mɪˈkænɪk] *s.* meccanico m.

mechanical [mɪˈkænɪk(ə)l] *agg.* meccanico

mechanics [mɪˈkænɪks] *s. pl.* (*v. al sing.*) meccanica f.

mechanism [ˈmɛkənɪz(ə)m] *s.* meccanismo m.

mechanization [ˌmɛkənaɪˈzeɪʃ(ə)n] *s.* meccanizzazione f.

medal [ˈmɛdl] *s.* medaglia f.

medallion [mɪˈdæljən] *s.* medaglione m.

to meddle [ˈmɛdl] *v. intr.* immischiarsi, interferire

media [ˈmiːdjə] *s. pl.* mezzi m. di comunicazione di massa, media m. pl.

median [ˈmiːdjən] *agg.* medio, mediano ♦ **m. strip** (*USA*) spartitraffico

to mediate [ˈmiːdɪeɪt] *v. tr. e intr.* mediare

mediator [ˈmiːdɪeɪtər] *s.* mediatore m.

medical [ˈmɛdɪk(ə)l] **A** *agg.* medico, sanitario **B** *s.* visita f. medica

medicament [mɛˈdɪkəmənt] *s.* medicamento m., farmaco m.

to medicate [ˈmɛdɪkeɪt] *v. tr.* medicare, curare

medicinal [mɛˈdɪsɪnl] *agg.* medicinale

medicine ['mɛdɪs(ɪ)n] s. medicina f.

medieval [,mɛdɪ'iːv(ə)l] agg. medievale

mediocre ['miːdɪəʊkəʳ] agg. mediocre

mediocrity [,miːdɪ'ɒkrɪtɪ] s. mediocrità f.

to meditate ['mɛdɪteɪt] v. tr. e intr. meditare

meditation [,mɛdɪ'teɪʃ(ə)n] s. meditazione f.

Mediterranean [,mɛdɪtə'reɪnjən] agg. mediterraneo

medium ['miːdjəm] A agg. medio B s. 1 mezzo m., strumento m. 2 ambiente m., elemento m. ♦ **m.-wave** a onde medie

medlar ['mɛdləʳ] s. nespola f.

medley ['mɛdlɪ] s. mescolanza f.

medusa [mɪ'djuːzə] s. medusa f.

meek [miːk] agg. docile, mite

to meet [miːt] (pass. e p. p. **met**) A v. tr. 1 incontrare, andare incontro, incrociare 2 conoscere, fare la conoscenza di 3 soddisfare, corrispondere, far fronte 4 affrontare B v. intr. 1 incontrarsi, riunirsi 2 conoscersi, far conoscenza ♦ **to m. up with** imbattersi in; **to m. with** incontrare

meeting ['miːtɪŋ] s. 1 riunione f., convegno m., meeting m. inv. 2 incontro m.

megalithic [,mɛgə'lɪθɪk] agg. megalitico

megalomaniac [,mɛgələʊ(ʊ)'meɪnɪæk] agg. e s. megalomane m. e f.

megaphone ['mɛgəfəʊn] s. megafono m.

melancholic [,mɛlən'kɒlɪk] agg. malinconico

melancholy ['mɛlənkəlɪ] A s. malinconia f. B agg. malinconico

mellow ['mɛləʊ] agg. 1 maturo, succoso 2 fertile, ricco 3 comprensivo, pacato 4 pastoso, (di luce, suono, ecc.) caldo

melodious [mɪ'ləʊdjəs] agg. melodioso

melodramatic [,mɛlə(ʊ)drə'mætɪk] agg. melodrammatico

melody ['mɛlədɪ] s. melodia f.

melon ['mɛlən] s. melone m.

to melt [mɛlt] v. tr. e intr. fondere, liquefare, sciogliere

melting ['mɛltɪŋ] A agg. 1 fondente 2 struggente B s. fusione f. ♦ **m. pot** crogiolo

member ['mɛmbəʳ] s. 1 membro m., socio m. 2 elemento m.

membership ['mɛmbəʃɪp] s. 1 l'insieme m. dei soci 2 condizione f. di socio

membrane ['mɛmbreɪn] s. membrana f.

memo ['mɛməʊ] → **memorandum**

memorable ['mɛmərəbl] agg. memorabile

memorandum [,mɛmə'rændəm] s. promemoria m. inv., appunto m., comunicazione f. di servizio

memorial [mɪ'mɔːrɪəl] A agg. commemorativo B s. 1 monumento m. commemorativo 2 al pl. memoriale m. ♦ **m. tablet** lapide

memory ['mɛmərɪ] s. memoria f.

men [mɛn] pl. di **man**

menace ['mɛnəs] s. minaccia f.

to menace ['mɛnəs] v. tr. minacciare

menacing ['mɛnəsɪŋ] agg. minaccioso

to mend [mɛnd] A v. tr. aggiustare, rammendare, rattoppare B v. intr. correggersi, aggiustarsi

mendable ['mɛndəbl] agg. aggiustabile, riparabile

mending ['mɛndɪŋ] s. riparazione f., rammendo m.

menial ['miːnjəl] agg. servile, umile

meningitis [,mɛnɪn'dʒaɪtɪs] s. meningite f.

meniscus [mɪ'nɪskəs] s. menisco m.

menopause ['mɛnə(ʊ)pɔːz] s. menopausa f.

menses ['mɛnsiːz] s. pl. mestruazioni f. pl.

menstruation [,mɛnstrʊ'eɪʃ(ə)n] s. mestruazione f.

mental ['mɛntl] agg. mentale ♦ **m. hospital** manicomio

mentality [mɛn'tælɪtɪ] s. mente f., mentalità f.

menthol ['mɛnθəl] s. mentolo m.

mention ['mɛnʃ(ə)n] s. menzione f., citazione f.

to mention ['mɛnʃ(ə)n] v. tr. nominare, menzionare, citare ♦ **above mentioned** sopracitato; **don't m. it!** non c'è di che!

menu ['mɛnjuː] s. menu m. inv.

mercantile ['mɜːkə(ə)ntaɪl] agg. mercantile

mercantilism ['mɜːkəntɪlɪz(ə)m] s. mercantilismo m.

mercenary ['mɜːsɪn(ə)rɪ] agg. e s. mercenario m.

merchandise ['mɜːtʃ(ə)ndaɪz] s. merce f.

merchant ['mɜːtʃ(ə)nt] A s. mercante m., commerciante m. e f. B agg. mercantile ♦ **m. bank** banca d'affari; **m. navy** marina mercantile

merciful ['mɜːsɪf(ʊ)l] agg. misericordioso, clemente, pietoso

merciless ['mɜːsɪlɪs] agg. spietato, crudele

mercury ['mɜːkjʊrɪ] s. mercurio m.

mercy ['mɜːsɪ] s. misericordia f., pietà f.

mere [mɪəʳ] agg. mero, puro, semplice

merely ['mɪəlɪ] *avv.* semplicemente, soltanto, appena

to merge [mɜːdʒ] **A** *v. tr.* fondere, incorporare **B** *v. intr.* fondersi, incorporarsi, essere assorbito

merger ['mɜːdʒər] *s.* fusione *f.*

meridian [mə'rɪdɪən] *s.* meridiano *m.*

meringue [mə'ræŋ] *s.* meringa *f.*

merit ['mɛrɪt] *s.* merito *m.*, pregio *m.*

to merit ['mɛrɪt] *v. tr.* meritare

merlon ['mɜːlən] *s.* (*arch.*) merlo *m.*

mermaid ['mɜːmeɪd] *s.* (*mitol.*) sirena *f.*

merry ['mɛrɪ] *agg.* allegro, giocoso ♦ **m. go-round** giostra; **m. Christmas!** buon Natale!

mesh [mɛʃ] *s.* **1** (*di rete*) maglia *f.* **2** (*mecc.*) presa *f.* ♦ **in m.** inserito; **out of m.** disinserito

mess [mɛs] *s.* **1** confusione *f.*, scompiglio *m.* **2** pasticcio *m.* **3** (*mil.*) mensa *f.*, rancio *m.* ♦ **to make a m. of st.** rovinare qualcosa; **to get oneself in a m.** mettersi nei guai

to mess [mɛs] *v. intr.* **1** mangiare in mensa **2** (*fam.*) perdere tempo ♦ **to m. about** far baccano; **to m. around** bighellonare; **to m. up** mettere in disordine, mandare a monte

message ['mɛsɪdʒ] *s.* messaggio *m.*

messenger ['mɛsɪndʒər] *s.* messaggero *m.*

messy ['mɛsɪ] *agg.* disordinato, caotico

met [mɛt] *pass. e p. p. di* **to meet**

metal ['mɛtl] *s.* metallo *m.*

metallic [mɪ'tælɪk] *agg.* metallico

metallurgic(al) [,mɛtə'lɜːdʒɪk((ə)l)] *agg.* metallurgico

metamorphism [,mɛtə'mɜːfɪz(ə)m] *s.* metamorfismo *m.*

metamorphosis [,mɛtə'mɜːfəsɪs] *s.* metamorfosi *f.*

metaphor ['mɛtəfər] *s.* metafora *f.*

metaphoric(al) [,mɛtə'fɒrɪk((ə)l)] *agg.* metaforico

metaphysical [,mɛtə'fɪzɪk(ə)l] *agg.* metafisico

métayage ['mɛ(ɪ)təjaːʒ] *s.* mezzadria *f.*

to mete [miːt] *v. tr.* (*letter.*) misurare ♦ **to m. out** assegnare, infliggere

meteor ['miːtjər] *s.* meteora *f.*

meteorologic(al) [,miːtjərə'lɒdʒɪk((ə)l)] *agg.* meteorologico

meteorology [,miːtjə'rɒlədʒɪ] *s.* meteorologia *f.*

meter ['miːtər] *s.* **1** misuratore *m.*, contatore *m.* **2** (*fam.*) tassametro *m.* **3** (*USA*) → **metre** ♦ **parking m.** parchimetro

methane ['mɛθeɪn] *s.* metano *m.*

method ['mɛθəd] *s.* metodo *m.*

methodic(al) [mɪ'θədɪk((ə)l)] *agg.* metodico

methodist ['mɛθədɪst] *agg. e s.* metodista *m. e f.*

methodological [,mɛθədə'lɒdʒɪk(ə)l] *agg.* metodologico

meths [mɛθs] *s.* (*abbr. di* **methylated spirits**) alcol *m.* denaturato

meticulous [mɪ'tɪkjʊləs] *agg.* meticoloso

metope ['mɛtəʊp] *s.* metopa *f.*

metre ['miːtər] (*USA* **meter**) *s.* metro *m.* ♦ **cubic m.** metro cubo; **square m.** metro quadrato

metric ['mɛtrɪk] *agg.* metrico

metrical ['mɛtrɪk(ə)l] *agg.* metrico

metropolitan [,mɛtrə'pɒlɪt(ə)n] **A** *agg.* metropolitano **B** *s.* metropolita *m.*

mettle ['mɛtl] *s.* **1** coraggio *m.* **2** carattere *m.*, temperamento *m.*

to mew [mjuː] *v. intr.* miagolare

Mexican ['mɛksɪkən] *agg. e s.* messicano *m.*

mezzanine ['mɛzəniːn] *s.* mezzanino *m.*, ammezzato *m.*

to miaow [miː'aʊ] *v. intr.* miagolare

mice [maɪs] *pl. di* **mouse**

microbe ['maɪkrəʊb] *s.* microbo *m.*

microchip ['maɪkrəʊtʃɪp] *s.* microchip *m. inv.*

microcosm ['maɪkrə(ʊ)kəz(ə)m] *s.* microcosmo *m.*

microfilm ['maɪkrə(ʊ)fɪlm] *s.* microfilm *m. inv.*

microorganism [,maɪkrə(ʊ)'ɔːgənɪz(ə)m] *s.* microrganismo *m.*

microphone ['maɪkrəfəʊn] *s.* microfono *m.*

microscope ['maɪkrəskəʊp] *s.* microscopio *m.*

microwave ['maɪkrə(ʊ)weɪv] *s.* microonda *f.* ♦ **m. oven** forno a microonde

mid [mɪd] *agg.* medio, di mezzo ♦ **m. August holiday** ferragosto; **in m. winter** nel cuore dell'inverno

midday ['mɪddeɪ] *s.* mezzogiorno *m.*

middle [mɪdl] **A** *agg.* medio, di mezzo **B** *s.* mezzo *m.*, centro *m.* ♦ **m. age** mezza età; **Middle Ages** medioevo; **m. class** borghesia; **m. name** secondo nome; **m.-**

of-the-road moderato; **m. school** scuola media inferiore

middleman ['mɪdlmæn] (*pl.* **middlemen**) *s.* mediatore *m.*, intermediario *m.*

middling ['mɪdlɪŋ] *agg.* **1** medio **2** mediocre

midge [mɪdʒ] *s.* moscerino *m.*

midget ['mɪdʒɪt] **A** *agg.* minuscolo **B** *s.* nano *m.*

midnight ['mɪdnaɪt] *s.* mezzanotte *f.*

midriff ['mɪdrɪf] *s.* (*anat.*) diaframma *m.*

midst [mɪdst] *s.* (*letter.*) mezzo *m.*, centro *m.*

midsummer ['mɪd,sʌmər] *s.* mezza estate *f.*

midway [,mɪd'weɪ] *agg. e avv.* a metà strada

midwife ['mɪdwaɪf] (*pl.* **midwives**) *s.* levatrice *f.*, ostetrica *f.*

might [maɪt] *s.* potenza *f.*, forza *f.*

mighty ['maɪtɪ] **A** *agg.* poderoso, forte **B** *avv.* estremamente

migraine ['miːgreɪn] *s.* emicrania *f.*

migrant ['maɪgr(ə)nt] *agg.* migratore, emigrante

to migrate [maɪ'greɪt] *v. intr.* migrare, emigrare

migratory ['maɪgrət(ə)rɪ] *agg.* migratorio, migratore

mike [maɪk] *s.* (*fam.*) microfono *m.*

mild [maɪld] *agg.* **1** mite, dolce **2** leggero

mildew ['mɪldjuː] *s.* muffa *f.*

mile [maɪl] *s.* miglio *m.* ♦ **nautical m.** miglio marino

mileage ['maɪlɪdʒ] *s.* distanza *f.* in miglia

mileometer [maɪ'lɒmɪtər] *s.* contamiglia *m.*

milestone ['maɪl,stəʊn] *s.* pietra *f.* miliare

militant ['mɪlɪtənt] *agg. e s.* militante *m. e f.*

military ['mɪlɪt(ə)rɪ] *s.* militare *m.*

to militate ['mɪlɪteɪt] *v. intr.* militare ♦ **to m. against st.** opporsi a q.c.

milk [mɪlk] *s.* latte *m.* ♦ **curdled m.** latte cagliato; **powdered m.** latte in polvere; **skimmed m.** latte scremato

to milk [mɪlk] **A** *v. tr.* mungere **B** *v. intr.* produrre latte

mill [mɪl] *s.* **1** mulino *m.* **2** fabbrica *f.*, opificio *m.* **3** macinino *m.* **4** (*mecc.*) fresa *f.*

to mill [mɪl] *v. tr.* **1** macinare, frantumare **2** (*mecc.*) fresare

milled [mɪld] *agg.* **1** macinato **2** (*mecc.*) fresato **3** (*di moneta*) zigrinato

millenary [mɪ'lɛnərɪ] **A** *agg.* millenario **B** *s.* millennio *m.*

millennium [mɪ'lɛnɪəm] *s.* millennio *m.*

miller ['mɪlər] *s.* **1** mugnaio *m.* **2** (*mecc.*) fresatrice *f.*

millesimal [mɪ'lɛsɪm(ə)l] *agg. e s.* millesimo *m.*

millet ['mɪlɪt] *s.* (*bot.*) miglio *m.*

milliard ['mɪljaːd] *s.* miliardo *m.*

millimetre ['mɪlɪ,miːtər] *s.* millimetro *m.*

millinery ['mɪlɪn(ə)rɪ] *s.* modisteria *f.*

million ['mɪljən] *s.* milione *m.*

millionaire [,mɪljə'nɛər] *agg. e s.* milionario *m.*

millstone ['mɪl,stəʊn] *s.* macina *f.*

mime [maɪm] *s.* mimo *m.*

to mime [maɪm] *v. tr.* mimare

mimetic [mɪ'mɛtɪk] *agg.* mimetico

mimic ['mɪmɪk] **A** *agg.* **1** imitativo, mimetico **2** simulato **B** *s.* imitatore *m.*

to mimic ['mɪmɪk] *v. tr.* **1** mimare **2** imitare, simulare

minaret [,mɪnə'rɛt] *s.* minareto *m.*

mince [mɪns] *s.* carne *f.* tritata

to mince [mɪns] **A** *v. tr.* tritare, sminuzzare **B** *v. intr.* **1** parlare con affettazione **2** camminare a passettini

mincer ['mɪnsər] *s.* tritacarne *m. inv.*

mind [maɪnd] *s.* **1** mente *f.*, intelligenza *f.* **2** pensiero *m.* **3** opinione *f.*, parere *m.* **4** spirito *m.*, animo *m.* **5** memoria *f.* ♦ **to have in m.** avere in mente; **to lose one's m.** perdere la testa; **to make up one's m.** decidersi; **to my m.** secondo me

to mind [maɪnd] *v. tr.* **1** badare a, occuparsi di **2** fare attenzione a **3** dispiacere, rincrescere ♦ **if you don't m.** se non le spiace; **m. the step!** attenzione al gradino!

minder ['maɪndər] *s.* (*fam.*) guardia *f.* del corpo ♦ **child-m.** bambinaia

mindful ['maɪn(d)f(ʊ)l] *agg.* attento, memore

mindless ['maɪndlɪs] *agg.* **1** irragionevole **2** stupido **3** noncurante

mine (1) [maɪn] *pron. poss. 1ª sing.* il mio, la mia, i miei, le mie

mine (2) [maɪn] *s.* **1** miniera *f.* **2** mina *f.*

to mine [maɪn] *v. tr.* **1** estrarre, scavare **2** minare

minefield ['maɪn,fiːld] *s.* campo *m.* minato

miner ['maɪnər] *s.* minatore *m.*

mineral ['mɪn(ə)r(ə)l] *agg. e s.* minerale *m.*

mineralogy [,mɪnə'rælədʒɪ] *s.* mineralogia *f.*

to mingle ['mɪŋgl] *v. tr. e intr.* mescolare, mescolarsi

miniature ['mɪnjətʃər] **A** s. miniatura f. **B** agg. in miniatura, in scala ridotta

miniaturist ['mɪnjətjuərɪst] s. miniaturista m. e f.

minim ['mɪnɪm] s. (*mus.*) minima f.

minimize ['mɪnɪmaɪz] v. tr. minimizzare

minimum ['mɪnɪməm] agg. e s. minimo m.

mining ['maɪnɪŋ] s. estrazione f., attività f. mineraria

miniskirt ['mɪnɪˌskɜːt] s. minigonna f.

minister ['mɪnɪstər] s. ministro m.

to minister ['mɪnɪstər] v. intr. **1** portare aiuto, provvedere **2** officiare

ministerial [ˌmɪnɪs'tɪərɪəl] agg. ministeriale

ministry ['mɪnɪstrɪ] s. ministero m.

mink ['mɪŋk] s. visone m.

minnow ['mɪnəʊ] s. pesciolino m. d'acqua dolce

minor ['maɪnər] **A** agg. minore, meno importante **B** s. minorenne m. e f.

minority [maɪ'nɒrɪtɪ] s. **1** minoranza f. **2** minorità f.

minster ['mɪnstər] s. chiesa f. abbaziale

minstrel ['mɪnstr(ə)l] s. menestrello m.

mint (1) [mɪnt] s. menta f.

mint (2) [mɪnt] s. zecca f.

to mint [mɪnt] v. tr. coniare

minuet [ˌmɪnjʊ'ɛt] s. minuetto m.

minus ['maɪnəs] **A** agg. **1** meno **2** negativo **B** s. meno m. **C** prep. meno

minute ['mɪnɪt] **A** agg. **1** minuto, minuscolo **2** minuzioso **B** s. **1** minuto m. **2** minuta f., appunto m. **3** al pl. verbale m.

to minute ['mɪnɪt] v. tr. **1** verbalizzare **2** cronometrare

miracle ['mɪrəkl] s. miracolo m.

miraculous [mɪ'rækjʊləs] agg. miracoloso

mirage ['mɪrɑːʒ] s. miraggio m.

mire ['maɪər] s. melma f.

mirror ['mɪrər] s. specchio m.

to mirror ['mɪrər] v. tr. rispecchiare

mirth [mɜːθ] s. allegria f., gioia f.

miry ['maɪərɪ] agg. melmoso

misadventure [ˌmɪsəd'vɛntʃər] s. disavventura f., incidente m.

misanthrope ['mɪz(ə)nθrəʊp] s. misantropo m.

misanthropic(al) [ˌmɪzən'θrəpɪk((ə)l)] agg. misantropico

to misapply [ˌmɪsə'plaɪ] v. tr. usare erroneamente

misapprehension [ˌmɪsæprɪ'hɛnʃ(ə)n] s. malinteso m., equivoco m.

to misappropriate [ˌmɪsə'prəʊprɪeɪt] v. tr. appropriarsi indebitamente di

misbecoming [ˌmɪsbɪ'kʌmɪŋ] agg. inadatto, sconveniente

to misbehave [ˌmɪsbɪ'heɪv] v. intr. comportarsi male

misbeliever [ˌmɪsbɪ'liːvər] s. miscredente m. e f.

miscarriage ['mɪskærɪdʒ] s. **1** aborto m. **2** fallimento m. **3** (*di corrispondenza*) disguido m., smarrimento m.

to miscarry [mɪs'kærɪ] v. intr. **1** abortire **2** fallire **3** (*di corrispondenza*) smarrirsi

miscellaneous [ˌmɪsɪ'leɪnjəs] agg. misto, eterogeneo

miscellany [mɪ'sɛlənɪ] s. miscellanea f.

mischance [mɪs'tʃaːns] s. disgrazia f., sfortuna f.

mischief ['mɪstʃɪf] s. **1** danno m. **2** malizia f. **3** birichinata f.

misconception [ˌmɪskən'sɛpʃ(ə)n] s. idea f. sbagliata

misconduct [mɪs'kəndʌkt] s. **1** cattiva condotta f. **2** cattiva amministrazione f.

misdeed [ˌmɪs'diːd] s. misfatto m.

misdemeanour [ˌmɪsdɪ'miːnər] s. infrazione f.

miser ['maɪzər] s. tirchio m.

miserable ['mɪz(ə)r(ə)bl] agg. **1** infelice, avvilito **2** deprimente, spiacevole **3** miserabile, misero ♦ **to feel m.** sentirsi depresso

miserly ['maɪzəlɪ] agg. taccagno

misery ['mɪzərɪ] s. **1** sofferenza f., infelicità f. **2** miseria f.

to misfire [ˌmɪs'faɪər] s. **1** (*di arma*) far cilecca **2** (*autom.*) perdere colpi **3** (*fam.*) fallire

misfit ['mɪsfɪt] s. disadattato m.

misfortune [mɪs'fɔːtʃən] s. sfortuna f., disgrazia f.

misgiving [mɪs'gɪvɪŋ] s. timore m., apprensione f.

misgovernment [ˌmɪs'gʌvənmənt] s. malgoverno m.

misguided [ˌmɪs'gaɪdɪd] agg. malaccorto, fuorviato

to mishandle [ˌmɪs'hændl] v. tr. maltrattare

mishap ['mɪshæp] s. contrattempo m., disavventura f.

to misinterpret [ˌmɪsɪn'tɜːprɪt] v. tr. interpretare male, travisare

to misjudge [ˌmɪs'dʒʌdʒ] v. tr. giudicare

male

to **mislay** [mɪs'leɪ] (*pass. e p. p.* **mislaid**) *v. tr.* non trovare più

to **mislead** [mɪs'liːd] (*pass. e p. p.* **misled**) *v. tr.* **1** fuorviare, trarre in inganno **2** traviare

misleading [mɪs'liːdɪŋ] *agg.* ingannevole

to **mismanage** [ˌmɪs'mænɪdʒ] *v. tr.* amministrare male

misnomer [ˌmɪs'nɒʊməʳ] *s.* nome *m.* sbagliato, definizione *f.* non appropriata

misogynist [maɪ'sədʒɪnɪst] *s.* misogino *m.*

to **misplace** [ˌmɪs'pleɪs] *v. tr.* collocare fuori posto

misprint ['mɪs,prɪnt] *s.* errore *m.* di stampa, refuso *m.*

miss (1) [mɪs] *s.* signorina *f.* (*davanti al nome*)

miss (2) [mɪs] *s.* colpo *m.* mancato

to **miss** [mɪs] **A** *v. tr.* **1** fallire, sbagliare, non colpire **2** lasciarsi sfuggire, mancare a, far tardi a **3** tralasciare **4** sentire la mancanza, notare l'assenza **B** *v. intr.* **1** fallire, sbagliare il colpo **2** mancare ♦ **to m. the train** perdere il treno

missal ['mɪs(ə)l] *s.* messale *m.*

misshapen [ˌmɪs'ʃeɪp(ə)n] *agg.* deforme, sformato

missile ['mɪsaɪl] *s.* missile *m.*

missing ['mɪsɪŋ] *agg.* **1** smarrito, mancante **2** disperso, scomparso

mission ['mɪʃ(ə)n] *s.* missione *f.*

missionary ['mɪʃənərɪ] *s.* missionario *m.*

to **misspend** [ˌmɪs'spend] (*pass. e p. p.* **misspent**) *v. tr.* dissipare, sprecare

mist [mɪst] *s.* **1** foschia *f.* **2** appannamento *m.*

to **mist** [mɪst] *v. tr. e intr.* annebbiare, annebbiarsi

mistake [mɪs'teɪk] *s.* errore *m.*, sbaglio *m.* ♦ **to make a m.** sbagliare

to **mistake** [mɪs'teɪk] (*pass.* **mistook**, *p. p.* **mistaken**) *v. tr.* **1** fraintendere, equivocare **2** sbagliare **3** confondere

mistaken [mɪs'teɪk(ə)n] **A** *p. p. di* to **mistake B** *agg.* **1** in errore **2** erroneo ♦ **to be m.** sbagliarsi

mister ['mɪstəʳ] *s.* signore (*davanti a nome proprio abbr in* **Mr**)

mistletoe ['mɪsltəʊ] *s.* vischio *m.*

mistook [mɪs'tʊk] *pass. di* to **mistake**

mistress ['mɪstrɪs, mɪsɪz] *s.* **1** padrona *f.*, signora *f.* **2** insegnante *f.* **3** mantenuta *f.*

4 signora (*davanti a nome proprio abbr in* **Mrs**)

mistrust [ˌmɪs'trʌst] *s.* sfiducia *f.*, diffidenza *f.*

to **mistrust** [ˌmɪs'trʌst] *v. tr.* diffidare di

misty ['mɪstɪ] *agg.* nebbioso

to **misunderstand** [ˌmɪsʌndə'stænd] (*pass. e p. p.* **misunderstood**) *v. tr.* **1** equivocare, fraintendere **2** non capire

misunderstanding [ˌmɪsʌndə'stændɪŋ] *s.* **1** equivoco *m.*, malinteso *m.* **2** disaccordo *m.*, incomprensione *f.*

misunderstood [ˌmɪsʌndə'stʊd] **A** *pass. e p. p. di* to **misunderstand B** *agg.* **1** malinterpretato, frainteso **2** incompreso

to **misuse** [ˌmɪs'juːz] *v. tr.* fare cattivo uso di

mite (1) [maɪt] *s.* **1** obolo *m.* **2** oggetto *m.* minuscolo **3** bimbo *m.*

mite (2) [maɪt] *s.* acaro *m.*

to **mitigate** ['mɪtɪgeɪt] *v. tr.* mitigare

mitre ['maɪtəʳ] *s.* mitra *f.*

mitt(en) [mɪt(n)] *s.* manopola *f.* (*guanto*), guantone *m.*

mix [mɪks] *s.* mescolanza *f.*

to **mix** [mɪks] *v. tr. e intr.* mescolare, mescolarsi ♦ **to m. up** mescolare, confondere, implicare

mixed [mɪkst] *agg.* misto ♦ **m. up** implicato, confuso; **to get m. up** confondersi

mixer ['mɪksəʳ] *s.* **1** frullatore *m.*, miscelatore *m.* **2** (*fam.*) persona *f.* socievole

mixture ['mɪkstʃəʳ] *s.* mescolanza *f.*, miscela *f.*

mix-up ['mɪksʌp] *s.* (*fam.*) confusione *f.*

mnemonic [niː'mɒnɪk] *agg.* mnemonico

moan [məʊn] *s.* gemito *m.*, lamento *m.*

to **moan** [məʊn] *v. intr.* gemere, lamentarsi

moat [məʊt] *s.* fossato *m.*

mob [məb] *s.* **1** folla *f.*, calca *f.* **2** massa *f.*, popolo *m.*

mobile ['məʊbaɪl] *agg.* **1** mobile **2** instabile

mobility [mɒ(ʊ)'bɪlɪtɪ] *s.* mobilità *f.*

mobilization [ˌməʊbɪlaɪ'zeɪʃ(ə)n] *s.* mobilitazione *f.*

moccassin ['məkəsɪn] *s.* mocassino *m.*

mock [mək] *agg.* **1** finto **2** scherzoso

to **mock** [mək] *v. tr.* **1** deridere, burlarsi di **2** imitare

mockery ['məkərɪ] *s.* **1** scherno *m.*, derisione *f.* **2** beffa *f.*

mock-up ['məkʌp] *s.* (*tecnol.*) modello *m.*

modality [mɒ(ʊ)'dælɪtɪ] *s.* modalità *f.*

mode [mɒʊd] *s.* modo *m.*

model ['mɒdl] **A** *agg.* **1** modello, esemplare **2** in scala ridotta **B** *s.* **1** modello *m.* **2** modella *f.*, modello *m.*

to model ['mɒdl] **A** *v. tr.* modellare, plasmare **B** *v. intr.* fare la modella/il modello

modem ['mɒʊdɛm] *s.* modem *m. inv.*

moderate ['mɒd(ə)rɪt] *agg.* moderato, modico, discreto

to moderate ['mɒdəreɪt] *v. tr. e intr.* moderare, moderarsi

moderation [,mɒdə'reʃ(ə)n] *s.* moderazione *f.*

modern ['mɒdən] *agg.* moderno

modernism ['mɒdənɪz(ə)m] *s.* modernismo *m.*

modernity [mə'dɜːnɪtɪ] *s.* modernità *f.*

to modernize ['mɒdənaɪz] *v. tr.* modernizzare

modest ['mɒdɪst] *agg.* modesto

modesty ['mɒdəstɪ] *s.* modestia *f.*

modicum ['mɒdɪkəm] *s.* piccola quantità *f.*, briciola *f.*

modifiable ['mɒdɪfaɪəbl] *agg.* modificabile

modification [,mɒdɪfɪ'keɪʃ(ə)n] *s.* modifica *f.*, modificazione *f.*

to modify ['mɒdɪfaɪ] *v. tr.* modificare

modular ['mɒdjʊlər] *agg.* componibile, modulare

module ['mɒdjʊl] *s.* modulo *m.*

Mohammedan [mɒ(ʊ)'hæmɪdən] *agg. e s.* maomettano *m.*

moist [mɒɪst] *agg.* umido

to moisten ['mɒɪsn] *v. tr. e intr.* inumidire, inumidirsi

moisture ['mɒɪstʃər] *s.* umidità *f.*

to moisturize ['mɒɪstʃəraɪz] *v. tr.* inumidire, (la pelle) idratare

moisturizing ['mɒɪstʃəraɪzɪŋ] *agg.* idratante

molar ['mɒʊlər] *agg. e s.* molare *m.*

mold [mɒʊld] *(USA)* → **mould**

mole (1) [mɒʊl] *s.* neo *m.*

mole (2) [mɒʊl] *s.* talpa *f.*

mole (3) [mɒʊl] *s.* molo *m.*

molecule ['mɒlɪkjuːl] *s.* molecola *f.*

to molest [mɒ(ʊ)'lɛst] *v. tr.* molestare

to mollycoddle ['mɒlɪ,kɒdl] *v. tr.* coccolare

molten ['mɒʊlt(ə)n] *agg.* fuso

mom [mɒm] *s.* (USA, fam.) mamma *f.*

moment ['mɒʊmənt] *s.* **1** momento *m.* **2** importanza *f.* ♦ **at the m.** momentaneamente

momentary ['mɒʊmənt(ə)rɪ] *agg.* momentaneo

momentous [mɒ(ʊ)'mɛntəs] *agg.* molto importante

monachism ['mɒnəkɪz(ə)m] *s.* monachesimo *m.*

monarchic(al) [mə'naːkɪk((ə)l)] *agg.* monarchico

monarchy ['mɒnəkɪ] *s.* monarchia *f.*

monastery ['mɒnəst(ə)rɪ] *s.* monastero *m.*

monastic [mə'næstɪk] *agg.* monastico

Monday ['mʌndɪ] *s.* lunedì *m.*

monetary ['mʌnɪt(ə)rɪ] *agg.* monetario

money ['mʌnɪ] *s.* **1** denaro *m.*, soldi *m. pl.* **2** (fin.) moneta *f.*, valuta *f.* ♦ **for m.** in contanti; **m. box** salvadanaio; **m. changer** cambiavalute; **m. order** vaglia

mongrel ['mʌŋgr(ə)l] *s.* (cane) bastardo *m.*

monitor ['mɒnɪtər] *s.* **1** dispositivo *m.* di controllo **2** monitor *m. inv.*

to monitor ['mɒnɪtər] *v. tr.* controllare

monk [mʌŋk] *s.* monaco *m.*

monkey ['mʌŋkɪ] *s.* scimmia *f.* ♦ **m. business** imbrogli, scherzi; **m. nut** arachide

to monkey ['mʌŋkɪ] *v. tr.* scimmiottare

monochrome ['mɒnəkrɒʊm] *agg.* monocromatico

monogamy [mə'nɒgəmɪ] *s.* monogamia *f.*

monograph ['mɒnəgraːf] *s.* monografia *f.*

monolithic [,mɒnə(ʊ)'lɪθɪk] *agg.* monolitico

monologue ['mɒnəlɒg] *s.* monologo *m.*

monomaniac [,mɒnə(ʊ)'meɪnjæk] *agg.* monomaniaco

monopoly [mə'nɒpəlɪ] *s.* monopolio *m.*

monosyllable ['mɒnə,sɪləbl] *s.* monosillabo *m.*

monotheism ['mɒnə(ʊ)θiː,ɪz(ə)m] *s.* monoteismo *m.*

monotone ['mɒnətɒʊn] **A** *agg.* monotono **B** *s.* monotonia *f.* tono *m.* uniforme

monotonous [mə'nɒt(ə)nəs] *agg.* monotono, uniforme

monotony [mə'nɒt(ə)nɪ] *s.* monotonia *f.*

monsoon [mɒn'suːn] *s.* monsone *m.* ♦ **dry m.** monsone invernale; **wet m.** monsone estivo

monster ['mɒnstər] **A** *s.* mostro *m.* **B** *agg. attr.* colossale

monstrous ['mɒnstrəs] *agg.* mostruoso

month [mʌnθ] *s.* mese *m.*

monthly ['mʌnθlɪ] **A** *agg. e s.* mensile *m.* **B** *avv.* mensilmente

monument ['mɒnjʊmənt] *s.* monumento *m.* (*anche funebre*)

monumental [,mɒnjʊ'mentl] *agg.* monumentale

to moo [muː] *v. intr.* muggire

mood [muːd] *s.* umore *m.*, stato *m.* d'animo

moody ['muːdɪ] *agg.* **1** di malumore **2** lunatico

moon [muːn] *s.* luna *f.*

moonlight ['muːnlaɪ] *s.* chiaro *m.* di luna

moor [mʊər] *s.* brughiera *f.*

to moor [mʊər] *v. tr. e intr.* ormeggiare

mooring ['mʊərɪŋ] *s.* ormeggio *m.*

moose [muːs] *s.* alce *m.* americano

mop [mɒp] *s.* **1** spazzolone *m.* (per pavimenti) **2** (*fam.*) zazzera *f.*

to mop [mɒp] *v. tr.* **1** pulire, lavare **2** asciugare, detergere ♦ **to m. up** asciugare, prosciugare

to mope [mɒʊp] *v. intr.* essere depresso, essere imbronciato

moped ['mɒʊped] *s.* motorino *m.*

moquette [mə'ket] *s.* moquette *f. inv.*

moraine [mə'reɪn] *s.* morena *f.*

moral ['mɒrəl] **A** *agg.* **1** morale **2** onesto, virtuoso **B** *s.* **1** morale *f.* **2** *al pl.* moralità *f.*

morale [mə'raːl] *s.* morale *m.*, stato *m.* d'animo

moralism ['mɒr(ə)lɪz(ə)m] *s.* moralismo *m.*

moralist ['mɒrəlɪst] *s.* moralista *m. e f.*

morality [mə'rælɪtɪ] *s.* moralità *f.*

to moralize ['mɒrəlaɪz] *v. tr.* moralizzare

morally ['mɒr(ə)lɪ] *avv.* moralmente

morass [mə'ræs] *s.* acquitrino *m.*, palude *f.*

moray ['mɒreɪ] *s.* murena *f.*

morbid ['mɔːbɪd] *agg.* morboso

more [mɔːr] (*comp. di* **much, many**) **A** *agg.* più, di più, una maggior quantità di **B** *avv.* **1** maggiormente, di più **2** ancora **3** (*forma il comp. di agg. e avv.*) più (ES: **m. beautiful** più bello) **C** *pron. indef. e s.* più *m.*, una quantità *f.* maggiore ♦ **m. or less** pressappoco; **once m.** ancora una volta; **no m.** non più

moreover [mɔː'rɒʊər] *avv.* inoltre, peraltro

morgue [mɔːg] *s.* obitorio *m.*

moribund ['mɒrɪbʌnd] *agg. e s.* moribondo *m.*

morning ['mɔːnɪŋ] *s.* mattino *m.* ♦ **in the m.** di mattina; **good m.** buon giorno; **m. performance** (*teatro*) spettacolo pomeridiano; **this m.** stamattina

Moroccan [mə'rɒkən] *agg. e s.* marocchino *m.*

moron ['mɔːrən] *s.* ritardato *m.* mentale

morose [mə'rɒʊs] *agg.* imbronciato, cupo

morphological [,mɔːfə'lɒdʒɪk(ə)l] *agg.* morfologico

morphology [mɔː'fɒlədʒɪ] *s.* morfologia *f.*

morsel ['mɔːs(ə)l] *s.* boccone *m.*

mortal ['mɔːtl] *agg. e s.* mortale *m.*

mortality [mɔː'tælɪtɪ] *s.* mortalità *f.*

mortar ['mɔːtər] *s.* mortaio *m.*

mortgage ['mɔːgɪdʒ] *s.* ipoteca *f.* ♦ **m. loan** prestito ipotecario

to mortgage ['mɔːgɪdʒ] *v. tr.* ipotecare

mortification [,mɔːtɪfɪ'keɪʃ(ə)n] *s.* mortificazione *f.*

to mortify ['mɔːtɪfaɪ] *v. tr.* mortificare

mortuary ['mɔːtjʊərɪ] *s.* obitorio *m.*, camera *f.* mortuaria

mosaic [mə'zeɪɪk] *s.* mosaico *m.*

Moslem ['mɒzlem] *agg. e s.* musulmano *m.*

mosque [mɒsk] *s.* moschea *f.*

mosquito [mɒs'kiːtɒʊ] *s.* zanzara *f.* ♦ **m. net** zanzariera

moss [mɒs] *s.* muschio *m.*

most [mɒʊst] (*sup. di* **much, many**) **A** *agg.* il più, la più, i più, le più, la maggior parte di **B** *avv.* **1** (*forma il sup. di agg. e avv.*) (ES: **the m. beautiful woman** la donna più bella) **2** estremamente **3** di più, maggiormente **C** *pron. indef. e s.* il massimo *m.*, la maggior parte *f.* ♦ **at (the) m.** tutt'al più, al massimo

mostly ['mɒʊstlɪ] *avv.* soprattutto

motel [mɒʊ'tel] *s.* motel *m. inv.*

moth [mɒθ] *s.* **1** tarma *f.* **2** farfalla *f.* notturna

mother ['mʌðər] **A** *s.* madre *f.*, mamma *f.* **B** *agg.* materno, madre ♦ **m.-in-law** suocera; **m.-of-pearl** madreperla; **m. to-be** futura mamma; **m. tongue** madrelingua

motherhood ['mʌðəhʊd] *s.* maternità *f.*

motherland ['mʌðəlænd] *s.* madrepatria *f.*

motherly ['mʌðəlɪ] *agg.* materno

motif [mɒʊ(ʊ)'tiːf] *s.* motivo *m.*, tema *m.*

motion ['mɒʊʃ(ə)n] *s.* **1** movimento *m.*, moto *m.* **2** gesto *m.*, atto *m.* **3** mozione *f.* ♦ **m. picture** pellicola cinematografica, film

to motion ['mɒʊʃ(ə)n] *v. tr.* fare cenno a

motionless ['mɒʊʃ(ə)nlɪs] *agg.* immobile

to motivate ['mɒʊtɪveɪt] *v. tr.* motivare

motive ['mɒʊtɪv] s. motivo m., movente m.

motocross ['mɒʊtə,krɒs] s. motocross m. inv.

motor ['mɒʊtər] A s. motore m. B agg. 1 a motore, motoristico, automobilistico 2 motorio ♦ m. home camper; m. power forza motrice; m. scooter motorino; m. sled motoslitta

motorbike ['mɒʊtə,baɪk] s. motocicletta f.

motorboat ['mɒʊtəbɒʊt] s. barca f. a motore, motoscafo m.

motorcycle ['mɒʊtə,saɪkl] s. motocicletta f.

motorist ['mɒʊtərɪst] s. automobilista m. e f.

motorway ['mɒʊtəweɪ] s. autostrada f., superstrada f. ♦ toll m. autostrada a pedaggio

to mottle ['mɒtl] v. tr. screziare, chiazzare

motto ['mɒtɒʊ] s. motto m., massima f.

mould (1) [mɒʊld] (USA mold) s. stampo m., forma f.

mould (2) [mɒʊld] s. muffa f.

to mould [mɒʊld] (USA to mold) v. tr. forgiare, modellare

moulding ['mɒʊldɪŋ] s. 1 (arch.) cornice f., modanatura f. 2 modellatura f. 3 formatura f.

mouldy ['mɒʊldɪ] agg. ammuffito

moult [mɒʊlt] s. muda f.

mound [maʊnd] s. 1 tumulo m. 2 cumulo m.

mount [maʊnt] s. monte m. (davanti al nome)

to mount [maʊnt] A v. tr. 1 salire su, ascendere a 2 montare, incastonare 3 mettere in scena 4 (zootecnia) montare B v. intr. 1 montare, salire 2 montare a cavallo ♦ to m. up aumentare

mountain ['maʊntɪn] A s. montagna f. B agg. attr. 1 montuoso 2 montano, di montagna ♦ m. climber alpinista; m. pass valico

mountaineer [,maʊntɪ'nɪər] s. alpinista m. e f.

mountaineering [,maʊntɪ'nɪərɪŋ] s. alpinismo m.

mountainous ['maʊntɪnəs] agg. montagnoso

mountainside ['maʊntɪn,saɪd] s. versante m. (di montagna)

mountebank ['maʊntɪbæŋk] s. ciarlatano m.

mounting ['maʊntɪŋ] A agg. crescente B s. 1 montatura f., montaggio m. 2 allesti-

mento m. 3 salita f., ascensione f.

to mourn [mɜːn] A v. tr. lamentare, piangere B v. intr. portare il lutto

mourner ['mɜːnər] s. chi è in lutto

mournful ['mɜːnf(ʊ)l] agg. funebre, luttuoso

mourning ['mɜːnɪŋ] s. lutto m.

mouse [maʊs] s. 1 (pl. mice) topo m. 2 (inf.) (pl. mouses) mouse m. inv.

mousetrap ['maʊs,træp] s. trappola f. per topi

mousse [muːs] s. mousse f. inv.

moustache [məs'taːʃ] s. baffi m. pl.

mouth [maʊθ] s. 1 bocca f. 2 imboccatura f., apertura f. 3 foce f.

mouthful ['maʊθfʊl] s. boccone m.

mouthorgan ['maʊθ,ɜːgən] s. armonica a bocca

mouthpiece ['maʊθpiːs] s. 1 bocchino m., boccaglio m., imboccatura f. 2 portavoce m. inv.

mouthwash ['maʊθ,wɒʃ] s. collutorio m.

movable ['muːvəbl] agg. mobile

move [muːv] s. 1 movimento m. 2 mossa f. 3 trasloco m.

to move [muːv] A v. tr. 1 muovere, spostare 2 commuovere 3 proporre, chiedere B v. intr. 1 muoversi, spostarsi 2 traslocare 3 (al gioco) fare una mossa ♦ to m. about/around spostarsi, muoversi in continuazione; to m. along spostarsi in avanti; to m. away traslocare; to m. in andare ad abitare; to m. out sgombrare; to m. over spostarsi; to m. up fare carriera, aumentare

movement ['muːvmənt] s. movimento m., gesto m.

movie ['muːvɪ] s. 1 film m. inv. 2 al pl. cinema m.

moving ['muːvɪŋ] A agg. 1 commovente 2 mobile, in movimento B s. trasloco m.

to mow [mɒʊ] (pass. mowed, p. p. mown) v. tr. falciare, mietere

mower ['mɒʊər] s. falciatrice f.

much [mʌtʃ] (comp. more, sup. most, pl. many) A agg. molto B avv. 1 molto, assai 2 più o meno C pron. indef. a s. molto m., gran parte f. ♦ as m. as tanto quanto; how m. quanto; not so m. ... as non tanto ... quanto; so m. (così) tanto; too m. troppo

muck [mʌk] s. 1 letame m. 2 (fam.) porcheria f.

to muck [mʌk] v. tr. 1 concimare 2 insozzare ♦ **to m. about/around** fare il cretino, perdere tempo; **to m. up** guastare, rovinare

mucous ['mju:kəs] *agg.* mucoso ♦ **m. membrane** (membrana) mucosa

mud [mʌd] *s.* fango *m.*, melma *f.*

to mud [mʌd] *v. tr.* infangare

muddle ['mʌdl] *s.* confusione *f.*, scompiglio *m.*

to muddle ['mʌdl] *v. tr.* confondere, scompigliare

muddler ['mʌdlər] *agg. e s.* confusionario *m.*

muddy ['mʌdɪ] *agg.* limaccioso, torbido, fangoso

mudguard ['mʌdga:d] *s.* parafango *m.*

to muffle ['mʌfl] *v. tr.* **1** avvolgere, imbacuccare **2** attutire, smorzare

muffler ['mʌflər] *s.* **1** sciarpa *f.* **2** (*USA*) marmitta *f.*, silenziatore *m.*

mug [mʌg] *s.* **1** boccale *m.*, tazzone *m.* **2** (*pop.*) muso *m.*, ceffo *m.* **3** (*fam.*) babbeo *m.*

to mug [mʌg] *v. tr.* **1** aggredire, rapinare **2** (*fam.*) sgobbare

mugging ['mʌgɪŋ] *s.* aggressione *f.*, rapina *f.*

muggy ['mʌgɪ] *agg.* afoso, opprimente

mulberry ['mʌlb(ə)rɪ] *s.* **1** gelso *m.* **2** mora *f.* (di gelso)

mule [mju:l] *s.* mulo *m.* ♦ **m. track** mulattiera

to mull [mʌl] *v. tr.* non riuscire in ♦ **to m. over st.** rimuginare q.c.

mullet ['mʌlɪt] *s.* **1** triglia *f.* **2** muggine *m.*

multiannual [,mʌltɪ'ænjʊəl] *agg.* poliennale

multicolour ['mʌltɪ,kʌlər] *agg.* multicolore

multiform ['mʌltɪfɔ:m] *agg.* multiforme

multimillionaire [,mʌltɪmɪljə'nɛər] *agg. e s.* multimilionario *m.*

multinational [,mʌltɪ'næʃnl] *agg. e s.* multinazionale *f.*

multiple ['mʌltɪpl] **A** *agg.* multiplo, molteplice **B** *s.* multiplo *m.*

multiplication [,mʌltɪplɪ'keɪʃ(ə)n] *s.* moltiplicazione *f.*

to multiply ['mʌltɪplaɪ] *v. tr. e intr.* moltiplicare, moltiplicarsi

multistorey ['mʌltɪstɜ:rɪ] *agg. attr.* a più piani

multitude ['mʌltɪtju:d] *s.* moltitudine *f.*

mum (1) [mʌm] *agg.* (*fam.*) zitto ♦ **to**

keep m. tacere

mum (2) [mʌm] *s.* (*fam.*) mamma *f.*

to mumble ['mʌmbl] *v. tr. e intr.* borbottare

mummy (1) ['mʌmɪ] *s.* mummia *f.*

mummy (2) ['mʌmɪ] *s.* (*fam.*) mamma *f.*

mumps [mʌmps] *s.* parotite *f.*, orecchioni *m. pl.*

to munch [mʌn(t)ʃ] *v. tr.* sgranocchiare

mundane ['mʌndeɪn] *agg.* **1** mondano **2** banale

municipal [mjʊ(:)'nɪsɪp(ə)l] *agg.* municipale

municipality [mjʊ(:),nɪsɪ'pælɪtɪ] *s.* municipio *m.*

munificence [mjʊ(:)'nɪfɪsns] *s.* munificenza *f.*

munition [mjʊ(:)'nɪʃ(ə)n] *s.* **1** fortificazione *f.* **2** munizioni *f. pl.*

mural ['mjʊər(ə)l] *s.* murale *f.*

murder ['mɜ:dər] *s.* assassinio *m.*

to murder ['mɜ:dər] *v. tr.* assassinare

murderer ['mɜ:dərər] *s.* assassino *m.*, omicida *m. e f.*

murderous ['mɜ:d(ə)rəs] *agg.* omicida

murky ['mɜ:kɪ] *agg.* oscuro, tenebroso

murmur ['mɜ:mər] *s.* **1** mormorio *m.*, sussurro *m.* **2** (*med.*) soffio *m.*

to murmur ['mɜ:mər] *v. tr. e intr.* mormorare

muscle ['mʌsl] *s.* **1** muscolo *m.* **2** (*fig.*) forza *f.*

to muscle ['mʌsl] *v. intr.* penetrare a forza, farsi largo ♦ **to m. in** intromettersi

muscular ['mʌskjʊlər] *agg.* **1** muscolare **2** muscoloso

muse [mju:z] *s.* **1** meditazione *f.* **2** musa *f.*

to muse [mju:z] *v. tr. e intr.* meditare, rimuginare

museum [mjʊ(:)'zɪəm] *s.* museo *m.*

mushroom ['mʌʃru:m] *s.* fungo *m.*

to mushroom ['mʌʃru:m] *v. intr.* **1** raccogliere funghi **2** crescere come funghi

music ['mju:zɪk] *s.* musica *f.* ♦ **m. box** carillon; **m. stand** leggio

musical ['mju:zɪk(ə)l] **A** *agg.* **1** musicale **2** appassionato di musica **B** *s.* musical *m. inv.*, commedia *f.* musicale

musicassette ['mju:zɪkæ,set] *s.* musicassetta *f.*

musician [mjʊ(:)'zɪʃ(ə)n] *s.* musicista *m. e f.* ♦ **street m.** suonatore ambulante

musk [mʌsk] *s.* (*in profumeria*) muschio *m.*

Muslim ['mʊslɪm] *agg. e s.* musulmano *m.*

muslin ['mʌzlɪn] *s.* mussola *f.*

mussel ['mʌsl] *s.* cozza *f.*, mitilo *m.*

Mussulman ['mʌslmən] *agg. e s.* musulmano *m.*

must (1) [mʌst, məst] **A** *v. difett.* **1** (*dovere, obbligo*) dovere (ES: **you m. pay taxes** devi pagare le tasse) **2** (*probabilità, supposizione*) dovere (ES: **he m. be crazy** deve essere pazzo) **B** *s.* ciò di cui non si può fare a meno, dovere *m.*, must *m. inv.*

must (2) [mʌst] *s.* mosto *m.*

mustard ['mʌstəd] *s.* senape *f.*

muster ['mʌstər] *s.* **1** (*mil.*) adunata *f.* **2** riunione *f.*

to muster ['mʌstər] **A** *v. tr.* (*mil.*) radunare, chiamare a raccolta **B** *v. intr.* radunarsi

musty ['mʌstɪ] *agg.* ammuffito, stantio

mute [mjuːt] *agg. e s.* muto *m.*

muted ['mjuːtɪd] *agg.* (*di suono*) smorzato

mutilation [ˌmjuːtɪ'leɪʃ(ə)n] *s.* mutilazione *f.*

mutineer [ˌmjuːtɪ'nɪər] *s.* ammutinato *m.*

mutinous ['mjuːtɪnəs] *agg.* ammutinato, ribelle, sovversivo

mutiny ['mjuːtɪnɪ] *s.* ammutinamento *m.*, rivolta *f.*

to mutiny ['mjuːtɪnɪ] *v. intr.* ammutinarsi, ribellarsi

mutism ['mjuːtɪz(ə)m] *s.* mutismo *m.*

to mutter ['mʌtər] *v. tr. e intr.* borbottare

mutton ['mʌtn] *s.* carne *f.* di montone

mutual ['mjuːtʃʊəl] *agg.* mutuo, reciproco

muzzle ['mʌzl] *s.* **1** muso *m.* **2** museruola *f.* **3** (*di arma da fuoco*) bocca *f.*

to muzzle ['mʌzl] *v. tr.* **1** mettere la museruola a **2** (*fig.*) imbavagliare

my [maɪ] **A** *agg. poss. 1ª sing.* mio, mia, miei, mie **B** *inter.* perbacco, accipicchia

Mycenaean [maɪˈsɪnɪən] *agg.* miceneo

myopic [maɪˈəpɪk] *agg.* miope

myriad ['mɪrɪəd] *s.* miriade *f.*

myself [maɪˈself] *pron. 1ª sing.* **1** (*rifl.*) mi, me, me stesso, me stessa **2** (*enf.*) io stesso, proprio io

mysterious [mɪsˈtɪərɪəs] *agg.* misterioso

mystery ['mɪst(ə)rɪ] *s.* mistero *m.*

mystical ['mɪstɪk(ə)l] *agg.* mistico

mysticism ['mɪstɪsɪz(ə)m] *s.* misticismo *m.*

mystifier ['mɪstɪfaɪər] *s.* mistificatore *m.*

to mystify ['mɪstɪfaɪ] *v. tr.* **1** mistificare, imbrogliare **2** confondere

mystique [mɪsˈtiːk] *s.* **1** mistica *f.* **2** fascino *m.*

myth [mɪθ] *s.* mito *m.*

mythical ['mɪθɪk(ə)l] *agg.* mitico

to mythicize ['mɪθɪsaɪz] *v. tr.* mitizzare

mythologic(al) [ˌmɪθəˈlɒdʒɪk((ə)l)] *agg.* mitologico

mythology [mɪˈθɒlədʒɪ] *s.* mitologia *f.*

mythomaniac [ˌmɪθəˈmeɪnɪæk] *agg. e s.* mitomane *m. e f.*

N

to nab [næb] *v. tr.* (*pop.*) agguantare
nabob ['neɪbɒb] *s.* nababbo *m.*
nacelle [nə'sɛl] *s.* carlinga *f.*
to nag [næg] *v. tr. e intr.* brontolare, infastidire
nagging ['nægɪŋ] **A** *agg.* insistente, fastidioso **B** *s.* rimprovero *m.*
naiad ['naɪæd] *s.* naiade *f.*
nail [neɪl] *s.* **1** unghia *f.*, artiglio *m.* **2** chiodo *m.* ♦ **n. brush** spazzolino da unghie; **n. polish** smalto da unghie; **n. file** limetta
to nail [neɪl] *v. tr.* **1** inchiodare **2** (*fam.*) acchiappare
naïve [naː'iːv] *agg.* ingenuo, naïf
naïvety [naː'iːvtɪ] *s.* ingenuità *f.*
naked ['neɪkɪd] *agg.* nudo
name [neɪm] *s.* nome *m.* ♦ **Christian n.** (*USA* **first n.**) nome di battesimo; **family n.** cognome; **full n.** nome e cognome; **my n. is ...** mi chiamo ...; **n. day** onomastico; **pen n.** pseudonimo; **what's your n. ?** come ti chiami?
to name [neɪm] *v. tr.* **1** chiamare, dare un nome a **2** designare, nominare **3** fissare
namely ['neɪmlɪ] *cong.* ossia, cioè
namesake ['neɪmˌseɪk] *s.* omonimo *m.*
nanny ['nænɪ] *s.* (*fam.*) bambinaia *f.*
nap (1) [næp] *s.* pisolino *m.*, siesta *f.* ♦ **to take a n.** schiacciare un pisolino
nap (2) [næp] *s.* peluria *f.*
to nap [næp] *v. intr.* sonnecchiare
nape [neɪp] *s.* nuca *f.*
napkin ['næpkɪn] *s.* **1** tovagliolo *m.* **2** pannolino *m.*
nappy ['næpɪ] *s.* pannolino *m.*
narcissist [naː'sɪsɪst] *s.* narcisista *m. e f.*
narcissus [naː'sɪsəs] (*pl.* **narcissi**) *s.* narciso *m.*
narcotic [naː'kɒtɪk] *agg. e s.* narcotico *m.*
to narrate [næ'reɪt] *v. tr.* narrare
narration [næ'reɪʃ(ə)n] *s.* narrazione *f.*
narrative ['nærətɪv] **A** *agg.* narrativo **B** *s.* narrazione *f.*
narrator [næ'reɪtər] *s.* narratore *m.*
narrow ['nærəʊ] **A** *agg.* stretto, ristretto, limitato **B** *s.* stretto *m.*
to narrow ['nærəʊ] **A** *v. tr.* **1** restringere **2** limitare **B** *v. intr.* stringersi
narrow-minded [ˌnærəʊ'maɪndɪd] *agg.* gretto

narthex ['naːθɛks] *s.* (*arch.*) nartece *m.*
nasal ['neɪz(ə)l] *agg.* nasale
nasty ['naːstɪ] *agg.* **1** cattivo, sgradevole **2** brutto, pericoloso **3** osceno, schifoso ♦ **n. smell** puzza
natality [neɪ'tælɪtɪ] *s.* natalità *f.*
nation ['neɪʃ(ə)n] *s.* nazione *f.*
national ['næʃənl] **A** *agg.* nazionale **B** *s.* cittadino *m.*
nationalism ['næʃnəlɪz(ə)m] *s.* nazionalismo *m.*
nationality [ˌnæʃə'nælɪtɪ] *s.* nazionalità *f.*
to nationalize ['næʃ(ə)nəlaɪz] *v. tr.* nazionalizzare
nationwide ['neɪʃ(ə)n,waɪd] **A** *agg.* diffuso in tutta la nazione, di carattere nazionale **B** *avv.* per tutta la nazione
native ['neɪtɪv] **A** *agg.* **1** nativo, natale **2** innato, naturale **3** indigeno, originario, locale **B** *s.* nativo *m.*, indigeno *m.* ♦ **n. land** patria; **n. language** lingua materna
nativity [nə'tɪvɪtɪ] *s.* natività *f.*
natural ['nætʃr(ə)l] *agg.* **1** naturale, secondo natura **2** normale, ovvio **3** genuino, schietto, spontaneo **4** innato, connaturato
naturalism ['nætʃrəlɪz(ə)m] *s.* naturalismo *m.*
naturalist ['nætʃrəlɪst] *s.* naturalista *m. e f.*
to naturalize ['nætʃrəlaɪz] *v. tr.* **1** naturalizzare **2** acclimatare
naturally ['nætʃrəlɪ] *avv.* naturalmente
nature ['neɪtʃər] *s.* **1** natura *f.* **2** carattere *m.*
naturism ['neɪtʃərɪz(ə)m] *s.* naturismo *m.*
naturist ['neɪtʃərɪst] *s.* naturista *m. e f.*
naught [nɔːt] *s.* nulla *m.*
naughtiness ['nɔːtɪnɪs] *s.* cattiveria *f.*
naughty ['nɔːtɪ] *agg.* **1** (*di bambino*) cattivo, disubbidiente **2** indecente
naumachia [nɔː'meɪkjə] *s.* naumachia *f.*
nausea ['nɔːsjə] *s.* nausea *f.*
to nauseate ['nɔːsɪeɪt] *v. tr.* nauseare
nauseating ['nɔːsɪeɪtɪŋ] *agg.* nauseante
nautic(al) ['nɔːtɪk((ə)l)] *agg.* nautico ♦ **n. mile** miglio marino; **n. almanac** effemeridi
naval ['neɪv(ə)l] *agg.* navale, marittimo
nave [neɪv] *s.* (*arch.*) navata *f.* centrale
navel ['neɪv(ə)l] *s.* ombelico *m.*

navigability [ˌnævɪgəˈbɪlɪtɪ] *s.* navigabilità *f.*

navigable [ˈnævɪgəbl] *agg.* navigabile

to navigate [ˈnævɪgeɪt] **A** *v. intr.* navigare **B** *v. tr.* percorrere navigando, traversare

navigation [ˌnævɪˈgeɪʃ(ə)n] *s.* navigazione *f.*

navigator [ˈnævɪgeɪtər] *s.* navigatore *m.*, ufficiale *m.* di rotta

navy [ˈneɪvɪ] *s.* marina *f.* militare

Nazi [ˈnɑːtsɪ] *agg. e s.* nazista *m. e f.*

Nazism [ˈnɑːtsɪz(ə)m] *s.* nazismo *m.*

near [nɪər] **A** *agg.* **1** vicino, prossimo **2** affine, stretto **3** avaro, tirchio **4** a sinistra **5** quasi **B** *avv.* **1** vicino, presso **2** quasi **C** *prep.* vicino a, presso a ♦ **n. friend** amico intimo; **n. miss** mancato per poco; **n. sighted** miope

to near [nɪər] *v. tr. e intr.* avvicinare, avvicinarsi

nearby [ˈnɪəbaɪ] **A** *agg.* vicino **B** *avv.* accanto, nelle vicinanze

nearly [ˈnɪəlɪ] *avv.* quasi, per poco

nearside [ˈnɪəˌsaɪd] *agg. attr.* di sinistra

nearsight [ˈnɪəsaɪt] *s.* miopia *f.*

neat [niːt] *agg.* **1** ordinato, pulito, lindo **2** ben fatto, ben proporzionato **3** acuto, conciso **4** puro, non diluito

nebula [ˈnɛbjʊlə] *s.* nebulosa *f.*

nebulous [ˈnɛbjʊləs] *agg.* nebuloso, vago, indistinto

necessarily [ˈnɛsɪs(ə)rɪlɪ] *avv.* necessariamente

necessary [ˈnɛsɪs(ə)rɪ] *agg.* necessario, inevitabile

necessity [nɪˈsɛs(ɪ)tɪ] *s.* necessità *f.* ♦ **of n.** necessariamente

neck [nɛk] *s.* **1** collo *m.* **2** colletto *m.* **3** istmo *m.*

to neck [nɛk] *v. intr. (fam.)* sbaciucchiarsi

necklace [ˈnɛklɪs] *s.* collana *f.*

necklet [ˈnɛklɪt] *s.* colletto *m.*

neckline [ˈnɛklaɪn] *s.* scollatura *f.*

necktie [ˈnɛktaɪ] *s. (USA)* cravatta *f.*

necrology [neˈkrɒlədʒɪ] *s.* necrologio *m.*

necropolis [neˈkrɒpəlɪs] *s.* necropoli *f.*

nectar [ˈnɛktər] *s.* nettare *m.*

need [niːd] *s.* **1** necessità *f.*, bisogno *m.*, esigenza *f.* **2** indigenza *f.*

to need [niːd] *v. tr. (costruzione pers.)* **1** aver bisogno, occorrere (ES: **I don't n. your help** non ho bisogno del tuo aiuto) **2** essere obbligato, dovere, occorrere (ES: **I n. not go there** non occorre che ci vada)

needle [ˈniːdl] *s.* ago *m.*

to needle [ˈniːdl] *v. tr.* **1** cucire **2** forare (con un ago) **3** punzecchiare

needless [ˈniːdlɪs] *agg.* inutile, superfluo

needlework [ˈniːdlwɜːk] *s.* cucito *m.*, ricamo *m.*

needy [ˈniːdɪ] *agg.* bisognoso, povero

negation [nɪˈgeɪʃ(ə)n] *s.* negazione *f.*

negative [ˈnɛgətɪv] **A** *agg.* negativo **B** *s.* **1** negazione *f.* **2** qualità *f.* negativa **3** *(fot.)* negativa *f.* **C** *avv.* no

neglect [nɪˈglɛkt] *s.* trascuratezza *f.*, negligenza *f.*

to neglect [nɪˈglɛkt] *v. tr.* trascurare

negligence [ˈnɛglɪdʒ(ə)ns] *s.* negligenza *f.*

negligent [ˈnɛglɪdʒənt] *agg.* negligente

negligible [ˈnɛglɪdʒəbl] *agg.* trascurabile, insignificante

negotiable [nɪˈgəʊʃɪəbl] *agg.* **1** negoziabile **2** *(di assegno)* trasferibile **3** transitabile

to negotiate [nɪˈgəʊʃɪeɪt] **A** *v. tr.* **1** negoziare, trattare **2** *(banca)* trasferire **3** superare **B** *v. intr.* negoziare

negotiation [nɪˌgəʊʃɪˈeɪʃ(ə)n] *s.* negoziato *m.*, trattativa *f.*

neigh [neɪ] *s.* nitrito *m.*

to neigh [neɪ] *v. intr.* nitrire

neighbour [ˈneɪbər] *(USA* **neighbor**) *s.* vicino *m.*

to neighbour [ˈneɪbər] *(USA* **to neighbor**) *v. tr. e intr.* confinare con

neighbourhood [ˈneɪbəhʊd] *(USA* **neighborhood**) *s.* **1** quartiere *m.* **2** vicinato *m.* **3** dintorni *m. pl.*, vicinanze *f. pl.*

neighbourly [ˈneɪbəlɪ] *(USA* **neighborly**) *agg.* cortese, cordiale

neither [ˈnaɪðər] **A** *agg. e pron.* né l'uno né l'altro, nessuno dei due **B** *avv.* né **C** *cong.* neppure, nemmeno ♦ **n. ... nor ...** né ... né ...

neoclassic(al) [ˌniːəʊˈklæsɪk((ə)l)] *agg.* neoclassico

neoclassicism [ˌniːəʊ(ʊ)ˈklæsɪsɪz(ə)m] *s.* neoclassicismo *m.*

Neolithic [ˌniːəʊ(ʊ)ˈlɪθɪk] *agg.* neolitico

neologism [niːˈələdʒɪz(ə)m] *s.* neologismo *m.*

neon [ˈniːən] *s.* neon *m. inv.*

neophyte [ˈniːə(ʊ)faɪt] *s.* neofita *m. e f.*

neorealism [ˌniːə(ʊ)ˈriːəlɪz(ə)m] *s.* neorealismo *m.*

nephew [ˈnɛvjʊ(ː)] *s.* nipote *m. (di zii)*

nepotism ['nɛpətɪz(ə)m] *s.* nepotismo *m.*

nervation [nə(:)'veɪʃ(ə)n] *s.* (*bot.*) nervatura *f.*

nerve [nɜːv] *s.* **1** nervo *m.* **2** nerbo *m.*, forza *f.* **3** coraggio *m.*, sangue *m.* freddo **4** (*fam.*) impudenza *f.*, faccia *f.* tosta *f.* ♦ **to get on sb.'s nerves** dare sui nervi a qc.; **to have a fit of nerves** avere una crisi di nervi

nerve-racking ['nɜːv,rækɪŋ] *agg.* esasperante

nervous ['nɜːvəs] *agg.* **1** nervoso **2** agitato, inquieto

nervousness ['nɜːvəsnɪs] *s.* nervosismo *m.*

nest [nɛst] *s.* **1** nido *m.* **2** covo *m.*, tana *f.* ♦ **n. egg** gruzzolo

to nest [nɛst] *v. intr.* **1** nidificare **2** annidarsi, inserirsi l'uno nell'altro

to nestle ['nɛsl] *v. intr.* accoccolarsi

net (1) [nɛt] *agg.* netto

net (2) [nɛt] *s.* rete *f.*

netting ['nɛtɪŋ] *s.* reticolato *m.*

nettle ['nɛtl] *s.* ortica *f.*

network ['nɛtwɜːk] *s.* **1** rete *f.* **2** network *m. inv.*

neuralgia [njʊə'rældʒə] *s.* nevralgia *f.*

neurologist [njʊə'rɒlədʒɪst] *s.* neurologo *m.*

neurosis [njʊə'rəʊsɪs] *s.* nevrosi *f.*

neurotic [njʊə'rɒtɪk] *agg. e s.* nevrotico *m.*

neuter ['njuːtər] *agg.* neutro

to neuter ['njuːtər] *v. tr.* castrare

neutral ['njuːtr(ə)l] **A** *agg.* **1** neutrale **2** neutro **B** *s.* (*autom.*) folle *m.*

neutrality [njuː'trælɪtɪ] *s.* neutralità *f.*

to neutralize ['njuːtrəlaɪz] *v. tr.* neutralizzare

never ['nɛvər] *avv.* mai ♦ **n. again** mai più; **n. ending** incessante; **n. mind** non importa, pazienza; **well, I n.!** ma guarda un po'!, chi l'avrebbe detto!; **you n. know** non si sa mai

nevertheless [,nɛvəð(ə)'lɛs] *cong.* tuttavia

new [njuː] **A** *agg.* nuovo, novello, recente **B** *avv.* appena, di recente ♦ **brand n.** nuovo di zecca; **n. year's day** capodanno

newborn ['njuːbɔːn] *agg.* appena nato, neonato

newcomer ['njuːkʌmər] *s.* nuovo venuto *m.*

newfangled ['njuː,fæŋgld] *agg.* modernissimo

newly ['njuːlɪ] *avv.* di recente ♦ **n.-weds** sposi novelli

news [njuːz] *s. pl.* (*v. al sing.*) **1** notizie *f. pl.* **2** notiziario *m.*, telegiornale *m.*, radiogiornale *m.* ♦ **a piece of n.** una notizia; **crime n.** cronaca nera; **n. agency** agenzia di stampa; **society n.** cronaca mondana

newsagent ['njuːz,eɪdʒ(ə)nt] *s.* giornalaio *m.*

newsletter ['njuːzlɛtər] *s.* notiziario *m.*

newspaper ['njʊs,peɪpər] *s.* giornale *m.*

newsprint ['njuːzprɪnt] *s.* carta *f.* da giornale

newsreader ['njuːz,riːdər] *s.* (*TV, radio*) commentatore *m.*

newsreel ['njuːz,riːl] *s.* cinegiornale *m.*

newsstand ['njuːzstænd] *s.* edicola *f.*

next [nɛkst] **A** *agg.* **1** prossimo, vicino, contiguo **2** prossimo, venturo, futuro, seguente **B** *avv.* dopo, in seguito ♦ **n.-door** della porta accanto, vicino; **n. to** vicino a, presso; **n. week** la prossima settimana

nexus ['nɛksəs] *s.* nesso *m.*

nib [nɪb] *s.* pennino *m.*

nice [naɪs] *agg.* **1** piacevole, bello, simpatico, grazioso **2** buono, gustoso **3** accurato, minuzioso, scrupoloso

nicely ['naɪslɪ] *avv.* **1** esattamente, bene **2** piacevolmente

niche [nɪtʃ] *s.* nicchia *f.*

nick [nɪk] *s.* **1** tacca *f.*, intaglio *m.* **2** (*pop.*) prigione *f.* ♦ **in the n. of time** al momento opportuno

to nick [nɪk] *v. tr.* **1** intagliare, intaccare **2** (*pop.*) afferrare, cogliere **3** (*pop.*) arrestare **4** (*pop.*) rubare

nickname ['nɪkneɪm] *s.* soprannome *m.*

to nickname ['nɪkneɪm] *v. tr.* soprannominare

nicotine ['nɪkətiːn] *s.* nicotina *f.*

niece [niːs] *s. f.* nipote *f.* (*di zii*)

nigger ['nɪgər] *s.* (*spreg.*) negro *m.*

to niggle ['nɪgl] *v. intr.* **1** fare il pignolo, cavillare **2** molestare

niggling ['nɪglɪŋ] *agg.* **1** pignolo, minuzioso **2** molesto **3** insignificante

nigh [naɪ] **A** *avv.* vicino, accanto **B** *prep.* vicino a

night [naɪt] *s.* notte *f.*, sera *f.*, serata *f.* ♦ **at n., by n.** di notte; **good n.** buona notte; **last n.** ieri sera; **n. gown** camicia da notte; **n. porter** portiere di notte; **n. school** scuola serale; **n. time** ore notturne

nightclub ['naɪtklʌb] *s.* night-club *m. inv.*, locale *m.* notturno

nightfall ['naɪtfɔːl] *s.* crepuscolo *m.*

nightie ['naɪtɪ] *s.* camicia *f.* da notte

nightingale ['naɪtɪŋgeɪl] *s.* usignolo *m.*

nightlife ['naɪtlaɪf] *s.* vita *f.* notturna

nightly ['naɪtlɪ] **A** *agg.* notturno, di notte, serale, di ogni sera **B** *avv.* di notte, ogni notte, ogni sera

nightmare ['naɪtmɛəʳ] *s.* incubo *m.*

nihilism ['naɪɪlɪz(ə)m] *s.* nichilismo *m.*

nil [nɪl] *s.* **1** niente *m.* **2** (*sport*) zero *m.* ♦ **n. all** zero a zero

nimble ['nɪmbl] *agg.* agile, lesto

nimbleness ['nɪmblnɪs] *s.* agilità *f.*

nine [naɪn] *agg. num. card. e s.* nove *m. inv.*

nineteen [,naɪn'tiːn] *agg. num. card. e s.* diciannove *m. inv.*

nineteenth [,naɪn'tiːnθ] *agg. num. ord. e s.* diciannovesimo *m.*

ninetieth ['naɪntɪɪθ] *agg. num. ord. e s.* novantesimo *m.*

ninety ['naɪntɪ] *agg. num. card. e s.* novanta *m. inv.*

ninth [naɪnθ] **A** *agg. num. ord.* nono **B** *s.* **1** nono *m.* **2** (*mus.*) nona *f.*

nip [nɪp] *s.* **1** pizzicotto *m.*, morso *m.* **2** stretta *f.*

to nip [nɪp] *s.* **A** *v. tr.* **1** pizzicare, mordere **2** rovinare, distruggere **B** *v. intr.* **1** dare pizzicotti, dare morsi **2** (*di freddo*) essere pungente, mordere **3** (*fam.*) muoversi velocemente ♦ **to n. off** filarsela

nipper ['nɪpəʳ] *s.* **1** *al pl.* pinze *f. pl.*, tenaglie *f. pl.* **2** *al pl.* chela *f.* **3** (*fam.*) ragazzo *m.*

nipple ['nɪpl] *s.* capezzolo *m.*

nitrogen ['naɪtrədʒən] *s.* azoto *m.*

no [nəʊ] **A** *agg.* nessuno, nessuna **B** *s.* (*pl.* **noes**) no *m.*, rifiuto *m.*, negazione *f.* **C** *avv.* no, non ♦ **no one** nessuno; **no parking** divieto di parcheggio; **no smoking** vietato fumare

nobiliary [nə(ʊ)'bɪljərɪ] *agg.* nobiliare

nobility [nə(ʊ)'bɪlɪtɪ] *s.* nobiltà *f.*

noble ['nəʊbl] *agg.* nobile

nobody ['nəʊbədɪ] **A** *pron. indef.* nessuno **B** *s.* nullità *f.* ♦ **n. else** nessun altro

nocturnal [nək'tɜːnl] *agg.* notturno

nod [nɒd] *s.* cenno *m.* (*del capo*)

to nod [nɒd] *v. intr.* **1** annuire, accennare col capo **2** ciondolare il capo, sonnecchiare ♦ **to n. off** addormentarsi

noise [nɔɪz] *s.* rumore *m.*, chiasso *m.*, schia-

mazzo *m.*

to noise [nɔɪz] *v. tr.* divulgare

noisy ['nɔɪzɪ] *agg.* rumoroso, chiassoso

nomad(e) ['nɒʊmæd] *agg. e s.* nomade *m. e f.*

nominal ['nɒmɪnl] *agg.* nominale

nomination [,nɒmɪ'neɪʃ(ə)n] *s.* incarico *m.*, nomina *f.*, designazione *f.*

nominative ['nɒm(ɪ)nətɪv] *agg.* nominativo

nominee [,nɒmɪ'niː] *s.* persona *f.* incaricata, candidato *m.*

non-acceptance [,nɒnək'sept(ə)ns] *s.* (*comm.*) mancata accettazione *f.*

non-addicting [,nɒnə'dɪktɪŋ] *agg.* che non causa assuefazione

non-alcoholic [,nɒn,ælkə'həlɪk] *agg.* analcolico

nonchalance ['nɒnʃ(ə)ləns] *s.* noncuranza *f.*

non-compliance [,nɒnkəm'plaɪəns] *s.* (*dir.*) inadempienza *f.*

nonconformism [,nɒnkən'fɜːmɪz(ə)m] *s.* anticonformismo *m.*

non-denominational [,nɒndɪ,nɒmɪ'neɪʃən(ə)l] *agg.* aconfessionale

nondescript ['nɒndɪ,skrɪpt] *agg.* non classificabile

non-drinker [,nɒn'drɪŋkəʳ] *s.* astemio *m.*

none [nʌn] **A** *pron. indef.* nessuno, nessuna, niente **B** *avv.* non, per niente, niente affatto

nonentity [nɒn'entɪtɪ] *s.* **1** inesistenza *f.* **2** nullità *f.*

nonetheless [,nʌnðə'les] *avv.* ciò nonostante

non-existent [,nɒnɪg'zɪst(ə)nt] *agg.* inesistente

nonplus [,nɒn'plʌs] *s.* imbarazzo *m.*, perplessità *f.*

to nonplus [,nɒn'plʌs] *v. tr.* imbarazzare, sconcertare

nonsense ['nɒns(ə)ns] *s.* nonsenso *m.*, controsenso *m.*, sciocchezza *f.*

non-smoker [,nɒn'smɒʊkəʳ] *s.* non fumatore *m.*

non-stop [,nɒn'stɒp] **A** *agg.* ininterrotto **B** *avv.* di continuo

non-violence [,nɒn'vaɪələns] *s.* nonviolenza *f.*

nook [nʊk] *s.* cantuccio *m.*, angolino *m.*

noon [nuːn] *s.* mezzogiorno *m.*

noose [nuːs] *s.* cappio *m.*, laccio *m.*

to noose [nuːs] *v. tr.* accalappiare

nor [nɔːʳ, nəʳ] *cong.* né, neanche ♦ **neither ... n.** né ... né

Nordic ['nɔ:dɪk] *agg. e s.* nordico *m.*

norm [nɔ:m] *s.* norma *f.*

normal ['nɔ:m(ə)l] *agg.* normale

normality [nɔ:'mælɪtɪ] *s.* normalità *f.*

Norman ['nɔ:mən] *agg. e s.* normanno *m.*

north [nɔ:θ] **A** *agg.* del nord, settentrionale **B** *s.* nord *m.*, settentrione *m.* **C** *avv.* a nord, verso nord ◆ **the N. Star** la stella polare

northerly ['nɔ:ðəlɪ] **A** *agg.* settentrionale, del nord, dal nord **B** *avv.* verso nord, dal nord

northern ['nɔ:ð(ə)n] *agg.* settentrionale, nordico

Norwegian [nɔ:'wi:dʒ(ə)n] *agg. e s.* norvegese. *m. e f.*

nose [nəʊz] *s.* **1** naso *m.* **2** (*fig.*) odorato *m.*, fiuto *m.* **3** parte *f.* anteriore, muso *m.*

to nose [nəʊz] *v. tr. e intr.* **1** fiutare, annusare **2** farsi largo, avanzare con cautela ◆ **to n. about/around** ficcare il naso; **to n. out** scovare

nosedive ['nəʊzdaɪv] *s.* (*aer*) picchiata *f.*

nosey ['nəʊzɪ] *agg.* **1** nasuto **2** (*fam.*) ficcanaso

nostalgia [nəs'tældʒɪə] *s.* nostalgia *f.*

nostalgic [nəs'tældʒɪk] *agg.* nostalgico

nostril ['nɒstrɪl] *s.* narice *f.*

not [nɒt] *avv.* non, no ◆ **I hope n.** spero di no; **n. at all** niente affatto, (*in risposta a 'grazie'*) prego!; **n. even** neanche, neppure

notable ['nəʊtəbl] **A** *agg.* notevole, importante **B** *s.* notabile *m.*

notary ['nəʊtərɪ] *s.* notaio *m.*

notation [nɒ(ʊ)'teɪʃ(ə)n] *s.* notazione *f.*

notch [nɒtʃ] *s.* tacca *f.*, incisione *f.*

note [nəʊt] *s.* **1** nota *f.*, annotazione *f.*, commento *m.* **2** (*mus.*) nota *f.* **3** comunicazione *f.* scritta, biglietto *m.* **4** tono *m.*, accento *m.* **5** (*fin.*) titolo *m.* **6** (*comm.*) bolla *f.* **7** banconota *f.*

to note [nəʊt] *v. tr.* **1** notare, osservare, constatare **2** prender nota, registrare

notebook ['nəʊtbʊk] *s.* taccuino *m.*

noted ['nəʊtɪd] *agg.* **1** degno di nota **2** noto, illustre

notepaper ['nəʊtpeɪpər] *s.* carta *f.* da lettere

nothing ['nʌθɪŋ] **A** *pron. indef.* niente, nulla **B** *s.* **1** niente *m.*, cosa *f.* da nulla **2** (*mat.*) zero *m.*

notice ['nəʊtɪs] *s.* **1** avviso *m.*, annuncio *m.*, cartello *m.* **2** preavviso *m.*, disdetta *f.* **3** attenzione *f.*, cura *f.* ◆ **n. board** tabellone

to notice ['nəʊtɪs] *v. tr.* **1** notare, osservare **2** fare attenzione a, occuparsi di

noticeable ['nəʊtɪsəbl] *agg.* **1** notevole **2** evidente

to notify ['nəʊtɪfaɪ] *v. tr.* notificare

notion ['nəʊʃ(ə)n] *s.* nozione *f.*, idea *f.*, concetto *m.*

notoriety [ˌnəʊtə'raɪətɪ] *s.* notorietà *f.*

notorious [nɒ(ʊ)'tɔ:rɪəs] *agg.* famigerato

notwithstanding [ˌnɒtwɪθ'stændɪŋ] **A** *prep.* nonostante **B** *avv.* tuttavia

nought [nɔ:t] *s.* zero *m.*, nulla *m.*

noun [naʊn] *s.* nome *m.*, sostantivo *m.*

to nourish ['nʌrɪʃ] *v. tr.* nutrire

nourishing ['nʌrɪʃɪŋ] *agg.* nutriente

nourishment ['nʌrɪʃmənt] *s.* nutrimento *m.*, alimento *m.*

novel (1) ['nɒv(ə)l] *s.* romanzo *m.*

novel (2) ['nɒv(ə)l] *agg.* nuovo

novelist ['nɒvəlɪst] *s.* romanziere *m.*

novelty ['nɒv(ə)ltɪ] *s.* novità *f.*

November [nɒ(ʊ)'vɛmbər] *s.* novembre *m.*

novice ['nɒvɪs] *s.* **1** apprendista *m. e f.* **2** novizio *m.*

now [naʊ] **A** *avv.* **1** adesso, ora **2** subito, immediatamente **B** *cong.* ora che ◆ **by n.** ormai; **from n. on** d'ora in poi; **just n.** proprio ora

nowadays ['naʊədeɪz] *avv.* oggigiorno, al giorno d'oggi

nowhere ['nəʊwɛər] *avv.* da nessuna parte

noxious ['nɒkʃəs] *agg.* nocivo

nozzle ['nɒzl] *s.* becco *m.*, beccuccio *m.*, ugello *m.*

nth [ɛnθ] *agg.* (*fam.*) ennesimo

nuance [nju(:)'ɑ:(n)s] *s.* sfumatura *f.*

nuclear ['nju:klɪər] *agg.* nucleare

nucleus ['nju:klɪəs] (*pl.* **nuclei**) *s.* nucleo *m.*

nude [nju:d] *agg. e s.* nudo *m.*

nudge [nʌdʒ] *s.* gomitata *f.*

to nudge [nʌdʒ] *v. tr.* dare una gomitata a

nudism ['nju:dɪz(ə)m] *s.* nudismo *m.*

nudist ['nju:dɪst] *s.* nudista *m. e f.*

nuisance ['nju:sns] *s.* noia *f.*, seccatura *f.*, fastidio *m.*

null [nʌl] *agg.* nullo

numb [nʌm] *agg.* intorpidito, intirizzito

number ['nʌmbər] *s.* numero *m.*

to number ['nʌmbər] *v. tr.* **1** numerare, contare **2** annoverare **3** ammontare a

numbering ['nʌmb(ə)rɪŋ] *s.* numerazione *f.*

numberplate ['nʌmbə,pleɪt] *s.* (*autom.*) targa *f.*

numbness ['nʌmnɪs] *s.* torpore *m.*

numeral ['njuːm(ə)r(ə)l] **A** *agg.* numerale **B** *s.* numero *m.*, cifra *f.*

numeration [,njuːmə'reɪʃ(ə)n] *s.* numerazione *f.*

numeric(al) [njʊ(ː)'mɛrɪk((ə)l)] *agg.* numerico

numerous ['njuːm(ə)rəs] *agg.* numeroso ♦ **a n. acquaintance** un largo giro di conoscenze

numismatics [,njuːmɪz'mætɪks] *s. pl.* (*v. al sing.*) numismatica *f.*

nun [nʌn] *s.* suora *f.* ♦ **cloistered n.** suora di clausura

nuptial ['nʌpʃ(ə)l] *agg.* nuziale

nurse [nɜːs] *s.* **1** balia *f.*, bambinaia *f.* **2** infermiera *f.*, infermiere *m.*

to nurse [nɜːs] *v. tr.* **1** curare, assistere **2** allattare **3** allevare ♦ **nursing home** casa di cura

nursery ['nɜːsrɪ] *s.* **1** stanza *f.* dei bambini **2** asilo *m.* **3** vivaio *m.* ♦ **n. school** scuola materna; **n. tale** fiaba

nut [nʌt] *s.* **1** noce *f.*, nocciola *f.* **2** (*fam.*) testa *f.* **3** (*fam.*) matto *m.* **4** (*mecc.*) dado *m.* ♦ **to go nuts** impazzire

nutcracker ['nʌt,krækə'] *s.* schiaccianoci *m. inv.*

nutmeg ['nʌtmɛg] *s.* noce *f.* moscata

nutritionist [njʊ(ː)'trɪʃ(ə)nɪst] *s.* dietologo *m.*

nutritious [njʊ(ː)'trɪʃəs] *agg.* nutriente

nutshell ['nʌt,ʃəl] *s.* guscio *m.* di noce ♦ **in a n.** in poche parole

nylon ['naɪlən] *s.* nailon *m. inv.*

nymph [nɪmf] *s.* ninfa *f.*

nymphaeum [nɪm'fiːəm] *s.* ninfeo *m.*

O

oak [ɒʊk] *s.* quercia *f.* ♦ **bay o.** rovere

oar [ɔːʳ] *s.* remo *m.*

oarsman [ˈɔːzmən] (*pl.* **oarsmen**) *s.* rematore *m.*

oasis [ɒ(ʊ)ˈeɪsɪs] (*pl.* **oases**) *s.* oasi *f.*

oat [ɒʊt] *s.* avena *f.*

oath [ɒʊθ] *s.* **1** giuramento *m.* **2** imprecazione *f.*, bestemmia *f.*

oatmeal [ˈɒʊtmiːl] *s.* farina *f.* d'avena

obedience [əˈbiːdjəns] *s.* ubbidienza *f.*

obedient [əˈbiːdjənt] *agg.* ubbidiente

obelisk [ˈɒbɪlɪsk] *s.* obelisco *m.*

obese [ɒ(ʊ)ˈbiːs] *agg.* obeso

obesity [ɒ(ʊ)ˈbiːsɪtɪ] *s.* obesità *f.*

to obey [əˈbeɪ] *v. tr. e intr.* ubbidire

obituary [əˈbɪtjuərɪ] *s.* necrologio *m.*, necrologia *f.*

object [ˈɒbdʒɪkt] *s.* **1** oggetto *m.*, cosa *f.* **2** argomento *m.* **3** scopo *m.*, fine *m.* **4** (*gramm.*) oggetto *m.* ♦ **o. glass** obiettivo; **o. lesson** dimostrazione pratica

to object [əbˈdʒɛkt] **A** *v. tr.* obiettare **B** *v. intr.* fare obiezioni, opporsi, disapprovare ♦ **to o. to do st.** rifiutarsi di fare q.c.

to objectify [əbˈdʒɛktɪfaɪ] *v. tr.* oggettivare

objection [əbˈdʒɛkʃ(ə)n] *s.* obiezione *f.*

objectionable [əbˈdʒɛkʃnəbl] *agg.* **1** riprovevole **2** sgradevole

objective [əbˈkʒɛktɪv] **A** *agg.* obiettivo, oggettivo **B** *s.* **1** obiettivo *m.* **2** caso *m.* oggettivo

objectivity [ˌɒbdʒɛkˈtɪvɪtɪ] *s.* obiettività *f.*

obligation [ˌɒblɪˈgeɪʃ(ə)n] *s.* obbligo *m.*, dovere *m.*, impegno *m.*

obligatory [əˈblɪgət(ə)rɪ] *agg.* obbligatorio

to oblige [əˈblaɪdʒ] *v. tr.* **1** obbligare **2** fare un favore a ♦ **to be obliged to do st.** dover fare q.c.

oblique [əˈbliːk] *agg.* **1** obliquo, inclinato **2** asimmetrico **3** (*gramm.*) obliquo, indiretto

to obliterate [əˈblɪtəreɪt] *v. tr.* **1** distruggere, cancellare **2** dimenticare, rimuovere

oblivion [əˈblɪvɪən] *s.* oblio *m.*

oblivious [əˈblɪvɪəs] *agg.* **1** dimentico **2** ignaro, inconsapevole

oblong [ˈɒblɒŋ] *agg.* oblungo

obnoxious [əbˈnɒkʃəs] *agg.* odioso, sgradevole, ripugnante

obscene [əbˈsiːn] *agg.* osceno

obscenity [əbˈsiːnɪtɪ] *s.* oscenità *f.*

obscurantism [ˌɒbskjʊəˈræntɪz(ə)m] *s.* oscurantismo *m.*

obscure [əbˈskjʊəʳ] *agg.* oscuro

to obscure [əbˈskjʊəʳ] *v. tr.* **1** oscurare **2** nascondere

obscurity [əbˈskjʊərɪtɪ] *s.* oscurità *f.*

observance [əbˈzɜːv(ə)ns] *s.* osservanza *f.*

observant [əbˈzɜːv(ə)nt] *agg.* osservatore, perspicace

observation [ˌɒbzə(ː)ˈveɪʃ(ə)n] *s.* osservazione *f.*

observatory [əbˈzɜːvətrɪ] *s.* osservatorio *m.*

to observe [əbˈzɜːv] **A** *v. tr.* **1** osservare, rispettare **2** onorare **3** notare **4** studiare attentamente **B** *v. intr.* osservare, commentare, fare osservazioni

observer [əbˈzɜːvəʳ] *s.* osservatore *m.*

to obsess [əbˈsɛs] *v. tr.* ossessionare

obsession [əbˈsɛʃ(ə)n] *s.* ossessione *f.*, fissazione *f.*

obsessive [əbˈsɛsɪv] *agg.* ossessivo

obsolescence [ˌɒbsəˈlɛsəns] *s.* obsolescenza *f.*

obsolete [ˈɒbsəliːt] *agg.* obsoleto

obstacle [ˈɒbstəkl] *s.* ostacolo *m.*

obstetrician [ˌɒbstɛˈtrɪʃ(ə)n] *s.* ostetrico *m.*

obstinacy [ˈɒbstɪnəsɪ] *s.* ostinazione *f.*

obstinate [ˈɒbstɪnɪt] *agg.* ostinato

to obstruct [əbˈstrʌkt] *v. tr.* **1** ostruire, otturare **2** impedire, ritardare

obstruction [əbˈstrʌkʃ(ə)n] *s.* **1** ostruzione *f.* **2** ostacolo *m.*, impedimento *m.*

obstructionism [əbˈstrʌkʃənɪz(ə)m] *s.* ostruzionismo *m.*

to obtain [əbˈteɪn] **A** *v. tr.* ottenere, raggiungere, conseguire **B** *v. intr.* essere in vigore, persistere

obtainable [əbˈteɪnəbl] *agg.* ottenibile, disponibile

obturator [ˈɒbtjʊə,reɪtəʳ] *s.* otturatore *m.*

obtuse [əbˈtjuːs] *agg.* ottuso

to obviate [ˈɒbvɪeɪt] *v. intr.* ovviare

obvious [ˈɒbvɪəs] *agg.* ovvio, evidente

occasion [əˈkeɪʒ(ə)n] *s.* **1** occasione *f.*,

opportunità *f.* **2** motivo *m.*, ragione *f.* **3** avvenimento *m.* ♦ **on o.** occasionalmente

occasional [ə'keɪʒənl] *agg.* occasionale

occidental [ˌəksɪ'dɛntl] *agg. e s.* occidentale *m. e f.*

to occlude [ə'kluːd] *v. tr.* occludere, ostruire

occlusion [ə'kluːʒ(ə)n] *s.* occlusione *f.*

to occult [ə'kʌlt] *v. tr. e intr.* occultare, occultarsi

occultism ['ɒk(ə)ltɪz(ə)m] *s.* occultismo *m.*

occupation [ˌəkjʊ'peɪʃ(ə)n] *s.* **1** occupazione *f.* **2** professione *f.*

occupational [ˌəkjuː'peɪʃ(ə)nl] *agg.* professionale, occupazionale

to occupy ['əkjupaɪ] *v. tr.* occupare ♦ **to o. oneself with** occuparsi di

to occur [ə'kɜːr] *v. intr.* **1** accadere, succedere, capitare **2** venire in mente **3** ricorrere **4** esserci, trovarsi

occurrence [ə'kʌr(ə)ns] *s.* **1** evento *m.*, avvenimento *m.* **2** il verificarsi ♦ **a thing of frequent o.** una cosa che capita spesso

ocean ['əʊʃ(ə)n] *s.* oceano *m.*

oceangoing ['əʊʃ(ə)n,gəʊɪŋ] *agg.* d'alto mare

oceanic [ˌəʊʃɪ'ænɪk] *agg.* oceanico

oceanography [ˌəʊʃ(ə)'nəgrəfɪ] *s.* oceanografia *f.*

ocelot ['əʊsɪlət] *s.* ocelot *m. inv.*

ochre ['əʊkər] *s.* ocra *f.*

octagonal [ɒk'tægənl] *agg.* ottagonale

octave ['ɒktɪv] *s.* ottava *f.*

October [ɒk'təʊbər] *s.* ottobre *m.*

octopus ['ɒktəpəs] *s.* polpo *m.*

ocular ['əkjʊlər] *agg.* oculare

oculist ['əkjʊlɪst] *s.* oculista *m. e f.*

odd [əd] *agg.* **1** dispari **2** scompagnato **3** occasionale, casuale **4** strano, bizzarro ♦ **o. jobs** lavoretti occasionali; **o.-job man** tuttofare; **one pound o.** una sterlina e rotti

oddity ['ədɪtɪ] *s.* stranezza *f.*, bizzarria *f.*

oddly ['ədlɪ] *avv.* stranamente

oddments ['ədmənts] *s. pl.* fondi *m. pl.* di magazzino, rimasugli *m. pl.*

odds [ədz] *s. pl.* **1** disparità *f.*, differenza *f.* **2** disaccordo *m.* **3** vantaggio *m.* **4** probabilità *f.* **5** (*di scommessa*) quotazione *f.* ♦ **o. and ends** cianfrusaglie; **to be at o. with** essere in disaccordo con

odometer [ɒ(ʊ)'dəmɪtər] *s.* (*USA*) contachilometri *m. inv.*

odontologist [ˌədən'tələdʒɪst] *s.* odonto-

iatra *m. e f.*

odour ['əʊdər] (*USA* **odor**) *s.* odore *m.*, profumo *m.*

odourless ['əʊdəlɪs] *agg.* inodore

oecumenical [ˌiːkjuː'mɛnɪk(ə)l] *agg.* ecumenico

oedema [ɪ(ː)'diːmə] *s.* edema *m.*

oenological [ˌiːnɒ(ʊ)'lədʒɪk(ə)l] *agg.* enologico

oenology [iː'nələdʒɪ] *s.* enologia *f.*

of [əv, ɒv] *prep.* **1** (*specificazione, denominazione, materia, qualità, causa, ecc.*) di (ES: **the piece of wood** il pezzo di legno, **to die of a broken heart** morire di crepacuore, **a cup of tea** una tazza di tè) **2** da parte di (ES: **it was very kind of you to write a letter** è stato gentile da parte tua scrivere una lettera) ♦ **of course** certamente; **of late** di recente

off [ɜːf] **A** *avv.* **1** via, lontano, distante **2** (*di apparecchio*) non in funzione, spento **B** *prep.* **1** da, via da **2** in meno di **C** *agg.* **1** libero **2** laterale, secondario **3** non funzionante, spento, disinserito **4** (*di cibo*) guasto

offal ['əf(ə)l] *s.* **1** frattaglie *f. pl.* **2** avanzi *m. pl.*, rifiuti *m. pl.*

offence [ə'fɛns] (*USA* **offense**) *s.* **1** offesa *f.* **2** reato *m.* ♦ **to take o.** offendere

to offend [ə'fɛnd] **A** *v. tr.* offendere **B** *v. intr.* commettere reati

offender [ə'fɛndər] *s.* colpevole *m. e f.*, delinquente *m. e f.*

offensive [ə'fɛnsɪv] **A** *agg.* **1** offensivo **2** ripugnante **B** *s.* (*mil.*) offensiva *f.*

offer ['əfər] *s.* offerta *f.*

to offer ['əfər] *v. tr. e intr.* offrire, offrirsi

offerer ['əfərər] *s.* offerente *m. e f.*

offering ['əfərɪŋ] *s.* offerta *f.*

offhand [ˌɜːf'hænd] **A** *agg.* **1** improvvisato, estemporaneo **2** sbrigativo **B** *avv.* **1** lì per lì, su due piedi **2** senza cerimonie

office ['əfɪs] *s.* **1** ufficio *m.* **2** ministero *m.* **3** funzione *f.*, carica *f.* **4** servizio *m.* ♦ **o. boy** fattorino; **o. hours** orario d'ufficio; **o.-worker** impiegato; **post o.** ufficio postale; **tourist o.** ufficio turistico

officer ['əfɪsər] *s.* **1** (*mil.*) ufficiale *m.* **2** funzionario *m.* **3** agente *m.* di polizia

official [ə'fɪʃ(ə)l] **A** *agg.* ufficiale **B** *s.* funzionario *m.*, pubblico ufficiale *m.*

officialdom [ə'fɪʃ(ə)ldəm] *s.* burocrazia *f.*

officious [ə'fɪʃəs] *agg.* **1** invadente, importuno **2** ufficioso

offing ['ɒfɪŋ] *s.* largo *m.*, mare *m.* aperto ♦ **in the o.** in vista

offset ['ɒfset] *s.* **1** germoglio *m.* **2** rampollo *m.* **3** deviazione *f.* **4** (*tip., inf.*) offset *m. inv.*

to offset ['ɒfset] (*pass. e p. p.* **offset**) **A** *v. tr.* **1** controbilanciare **2** deviare **B** *v. intr.* germogliare

offshoot ['ɒfʃuːt] *s.* germoglio *m.*

offshore ['ɒfʃɔːr] *agg.* **1** offshore, di mare aperto **2** (*econ.*) all'estero

offside [ɒf'saɪd] **A** *s.* **1** fuori gioco *m.* **2** parte *f.* destra **B** *avv. e agg.* **1** di fuori gioco, in fuori gioco **2** sulla parte destra

offspring ['ɒfsprɪŋ] *s. inv.* **1** discendenza *f.*, prole *f.* **2** frutto *m.*

offstage [ɒf'steɪdʒ] *agg. e avv.* fuori scena, dietro le quinte

off-the-rack [ˌɒfðə'ræk] *agg.* (*USA, fam.*) di serie

off-the-record [ˌɒfðə'rekɔːd] *agg.* ufficioso, da non verbalizzare

off-white [ˌɒf'waɪt] *agg.* bianco sporco

often ['ɒfn] *avv.* frequentemente, spesso ♦ **as o. as not** il più delle volte; **how o.?** quante volte?

ogive ['ɒdʒaɪv] *s.* ogiva *f.*

ogle ['ɒɡl] *s.* occhiata *f.* languida, sguardo *m.* amoroso

to ogle ['ɒɡl] **A** *v. tr.* vagheggiare **B** *v. intr.* ammiccare

oil [ɔɪl] *s.* **1** olio *m.* **2** petrolio *m.*, nafta *f.* ♦ **castor o.** olio di ricino; **in o.** sott'olio; **o. mill** frantoio; **o. tanker** petroliera; **o. well** pozzo petrolifero; **sun tan o.** olio solare

to oil [ɔɪl] *v. tr.* lubrificare, oliare

oilcan ['ɔɪlˌkæn] *s.* oliatore *m.* (*a mano*)

oiler ['ɔɪlər] *s.* oliatore *m.*

oilfield ['ɔɪlˌfiːld] *s.* giacimento *m.* petrolifero

oily ['ɔɪlɪ] *agg.* oleoso, unto

ointment ['ɔɪntmənt] *s.* unguento *m.*, pomata *f.*

OK, okay [ˌɒʊ'keɪ] *agg., avv. e inter.* bene, tutto bene

old [ɒʊld] *agg.* vecchio, antico ♦ **how o. are you?** quanti anni hai?; **o. age** vecchiaia; **o. fashions** moda antiquata; **o. fashioned** superato; **to be o.** in essere esperto in; **to grow o.** invecchiare

oleander [ˌɒʊlɪ'ændər] *s.* oleandro *m.*

olfaction [ɒl'fækʃən] *s.* olfatto *m.*

oligarchy ['ɒlɪɡɑːkɪ] *s.* oligarchia *f.*

olive ['ɒlɪv] *s.* oliva *f.*

Olympiad [ɒ(ʊ)'lɪmpɪæd] *s.* olimpiade *f.*

Olympic [ɒ(ʊ)'lɪmpɪk] *agg.* olimpico ♦ **O. games** olimpiadi

omelette ['ɒmlɪt] *s.* omelette *f. inv.*, frittata *f.*

omen ['ɒʊmən] *s.* presagio *m.*

ominous ['ɒmɪnəs] *agg.* di malaugurio

omission [ɒ(ʊ)'mɪʃ(ə)n] *s.* omissione *f.*

to omit [ɒ(ʊ)'mɪt] *v. tr.* omettere

omnipotent [əm'nɪpət(ə)nt] *agg.* onnipotente

omnipresent [ˌɒmnɪ'prez(ə)nt] *agg.* onnipresente

omnivorous [əm'nɪv(ə)rəs] *agg.* onnivoro

on [ɒn] **A** *prep.* **1** (*posizione, luogo*) su, su, a (ES: **a teapot on the table** una teiera sul tavolo, **to get on the bus** salire sull'autobus) **2** (*argomento*) su, circa, di (ES: **a book on the President's life** un libro sulla vita del Presidente) **3** (*tempo*) di, in, a (ES: **on Saturdays** di sabato) **4** (*modo, mezzo, funzione, ecc.*) con, in, da, di (ES: **on strike** in sciopero, **on principle** per principio) **B** *avv.* **1** su, sopra, addosso **2** avanti, in avanti, in poi **3** in corso, in atto, (*di apparecchio*) in funzione ♦ **go on!** avanti!; **on board** a bordo; **on foot** a piedi; **to switch on** accendere

once [wʌns] **A** *avv.* una volta, un tempo **B** *cong.* una volta che ♦ **all at o.** improvvisamente; **at o.** subito; **for o.** per una volta; **o. or twice** una o due volte; **O. upon a time there was ...** C'era una volta ...

one [wʌn] **A** *agg. num. card. e s.* uno *m.* **B** *agg.* **1** (*indef.*) uno, un certo (ES: **one Mr Jones** un certo Mr Jones) **2** solo, unico, stesso (ES: **that's the one and only way to do it** questo è l'unico modo per farlo) **C** *pron.* **1** (*indef.*) uno, una, l'uno, l'una, qualcuno (ES: **one by one** a uno a uno; **any one of us** uno qualunque di noi) **2** (*dimostr.*) questo, quello (ES: **I don't like modern cars, I prefer old ones** non mi piacciono le automobili moderne, preferisco quelle antiche) ♦ **no one** nessuno; **one another** l'un l'altro; **one's** il proprio

one-man [ˌwʌn'mæn] *agg.* individuale

one-off [ˌwʌn'ɒf] *s.* esemplare *m.* unico

onerous ['ɒnərəs] *agg.* oneroso

oneself [wʌn'self] *pron. rifl.* sé, se stesso ♦ **by o.** da solo

one-sided [ˌwʌn'saɪdɪd] *agg.* **1** unilaterale **2** impari

one-to-one [ˌwʌntəˈwʌn] *agg.* **1** biunivoco **2** tra due persone

one-way [ˌwʌnˈweɪ] *agg.* **1** a senso unico **2** di sola andata

ongoing [ˈɒnˌɡəʊ(ʊ)ɪŋ] *agg.* in corso

onion [ˈʌnjən] *s.* cipolla *f.*

only [ˈəʊnlɪ] **A** *agg.* solo, unico **B** *cong.* solo (che), ma **C** *avv.* solo, soltanto, unicamente ♦ **not o. ... but also** non solo ... ma anche; **o. if** solamente se; **o. just** a malapena; **o. too** fin troppo

onset [ˈɒnset] *s.* assalto *m.*

onshore [ˈɒnʃɔːr] **A** *agg.* di terra verso terra **B** *avv.* a terra, verso terra ♦ **o. wind** vento di mare

onslaught [ˈɒnslɔːt] *s.* assalto *m.*

onto [ˈɒntʊ] (*anche* **on to**) *prep.* su, sopra

onus [ˈəʊnəs] *s.* onere *m.*

onward(s) [ˈɒnwəd(z)] *avv.* avanti, in avanti, oltre

onyx [ˈɒnɪks] *s.* onice *f.*

to ooze [uːz] *v. intr.* colare, filtrare, stillare

opal [ˈəʊp(ə)l] *s.* opale *m.*

opalescent [ˌəʊpəˈles(ə)nt] *agg.* opalescente

opaque [ɒʊˈpeɪk] *agg.* opaco

open [ˈəʊp(ə)n] *agg.* **1** aperto **2** dischiuso, sbocciato **3** (aperto al) pubblico, disponibile, vacante **4** incerto, insoluto **5** manifesto, evidente ♦ **o. day** giorno di apertura

to open [ˈəʊp(ə)n] **A** *v. tr.* **1** aprire **2** inaugurare **B** *v. intr.* **1** aprire, aprirsi **2** sbocciare **3** cominciare ♦ **to o. onto/into** aprirsi su; **to o. out** aprire, allargarsi; **to o. up** aprire (la porta), aprirsi

open-air [ˌəʊp(ə)nˈɛər] *agg.* all'aperto

opener [ˈəʊp(ə)nər] *s.* (*nei composti*) che apre ♦ **bottle-o.** apribottiglie; **tin-o.** apriscatole

opening [ˈəʊp(ə)nɪŋ] **A** *agg.* d'inizio, d'apertura **B** *s.* **1** apertura *f.*, inaugurazione *f.*, esordio *m.* **2** varco *m.* **3** opportunità *f.*

openly [ˈəʊp(ə)nlɪ] *avv.* apertamente, francamente

open-minded [ˌəʊpnˈmaɪndɪd] *agg.* di larghe vedute

opera [ˈɒp(ə)rə] *s.* opera *f.* (lirica) ♦ **comic o.** opera buffa

to operate [ˈɒpəreɪt] **A** *v. intr.* **1** operare, agire, avere effetto **2** funzionare **3** (*med.*) operare **B** *v. tr.* **1** produrre, provocare **2** far funzionare **3** (*med.*) operare **4** gestire

operatic [ˌɒpəˈrætɪk] *agg.* operistico, lirico

operating [ˈɒpəreɪtɪŋ] *agg.* operativo ♦ **o. theatre** sala operatoria

operation [ˌɒpəˈreɪʃ(ə)n] *s.* **1** operazione *f.* **2** azione *f.*, effetto *m.* **3** funzionamento *m.*, funzione *f.* ♦ **to come into o.** entrare in vigore

operative [ˈɒp(ə)rətɪv] *agg.* operativo, efficace

operator [ˈɒpəreɪtər] *s.* **1** operatore *m.* e *f.* **2** (*tel.*) centralinista *m.* e *f.*

operetta [ˌɒpəˈretə] *s.* operetta *f.*

ophthalmology [ˌɒfθælˈmɒlədʒɪ] *s.* oftalmologia *f.*

opinion [əˈpɪnjən] *s.* **1** opinione *f.*, parere *m.* **2** stima *f.* ♦ **in his/in my o.** secondo lui/secondo me; **o. poll** sondaggio d'opinione

opinionated [əˈpɪnjəneɪtɪd] *agg.* supponente, presuntuoso

opium [ˈəʊpjəm] *s.* oppio *m.*

opponent [əˈpəʊnənt] *s.* avversario *m.*

opportune [ˈɒpətjuːn] *agg.* opportuno, tempestivo

opportunism [ˌɒpəˈtjuːnɪz(ə)m] *s.* opportunismo *m.*

opportunist [ˌɒpəˈtjʊ(ː)nɪst] *s.* opportunista *m.* e *f.*

opportunity [ˌɒpəˈtjuːnɪtɪ] *s.* opportunità *f.*, occasione *f.*

to oppose [əˈpəʊz] **A** *v. tr.* **1** opporsi a, contrastare, osteggiare **2** opporre, contrapporre **B** *v.* opporsi

opposed [əˈpəʊzd] *agg.* **1** contrario, avverso **2** opposto ♦ **as o. to** in confronto a, rispetto a, invece di

opposite [ˈɒpəzɪt] **A** *agg.* **1** opposto, contrario **2** di fronte **B** *s.* opposto *m.*, contrario *m.* **C** *avv.* davanti, di fronte **D** *prep.* di fronte a

opposition [ˌɒpəˈzɪʃ(ə)n] *s.* opposizione *f.*

to oppress [əˈpres] *v. tr.* opprimere

oppression [əˈpreʃ(ə)n] *s.* oppressione *f.*

oppressive [əˈpresɪv] *agg.* **1** oppressivo **2** opprimente

oppressor [əˈpresər] *s.* oppressore *m.*

to opt [ɒpt] *v. intr.* optare ♦ **to o. out** dissociarsi, distaccarsi

optic [ˈɒptɪk] *agg.* ottico

optical [ˈɒptɪk(ə)l] *agg.* ottico

optician [ɒpˈtɪʃ(ə)n] *s.* ottico *m.*

optics [ˈɒptɪks] *s. pl.* (*v. al sing.*) ottica *f.*

optimal [ˈɒptɪməl] *agg.* ottimale

optimism [ˈɒptɪmɪz(ə)m] *s.* ottimismo *m.*

optimist [ˈɒptɪmɪst] *s.* ottimista *m.* e *f.*

optimistic [ˌəptɪ'mɪstɪk] *agg.* ottimistico
to optimize ['əptɪmaɪz] **A** *v. tr.* ottimizzare **B** *v. intr.* essere ottimista
optimum ['əptɪmən] **A** *s.* optimum *m.* **B** *agg.* ottimale
option ['əpʃ(ə)n] *s.* scelta *f.*, opzione *f.*
optional ['əpʃənl] *agg.* opzionale, facoltativo
opulence ['əpjʊləns] *s.* opulenza *f.*
or [ɔ:r, ər] *cong.* o, oppure ♦ **either ... or ... o ... o ...; or else** altrimenti
oracle ['ərəkl] *s.* oracolo *m.*
oral ['ɔ:r(ə)l] *agg.* orale
orange ['ərɪn(d)ʒ] **A** *s.* arancia *f.* **B** *agg.* arancione, arancio ♦ **o. peel** scorza d'arancia
orangeade [ˌərɪn(d)ʒ'eɪd] *s.* aranciata *f.*
orator ['ərətər] *s.* oratore *m.*
oratory ['ərət(ə)rɪ] *s.* **1** oratorio *m.* **2** oratoria *f.*
orbit ['ɔ:bɪt] *s.* orbita *f.*
to orbit ['ɔ:bɪt] **A** *v. intr.* orbitare **B** *v. tr.* orbitare intorno a
orchard ['ɔ:tʃəd] *s.* frutteto *m.*
orchestra ['ɔ:kɪstrə] *s.* orchestra *f.*
orchid ['ɔ:kɪd] *s.* orchidea *f.*
to ordain [ɔ:'deɪn] *v. tr.* **1** (*relig.*) ordinare **2** decretare
ordeal [ɔ:'di:l] *s.* **1** (*stor.*) ordalia *f.* **2** prova *f.*
order ['ɔ:dər] *s.* **1** ordine *m.* **2** successione *f.* **3** ordinamento *m.* **4** (*comm.*) commessa *f.* ♦ **mail o.** ordine per corrispondenza; **out of o.** fuori servizio; **postal o.** vaglia postale; **telegraphic money o.** vaglia telegrafico
to order ['ɔ:dər] *v. tr.* **1** ordinare, disporre **2** (*comm.*) commissionare ♦ **to o. away** mandare via; **to o. out** espellere
orderly ['ɔ:dəlɪ] **A** *agg.* **1** ordinato, metodico **2** disciplinato **B** *s.* **1** (*mil.*) attendente *m.* **2** inserviente *m.*
ordinal ['ɔ:dɪnl] *agg.* ordinale
ordinance ['ɔ:dɪnəns] *s.* ordinanza *f.*
ordinary ['ɔ:dnrɪ] *agg.* **1** ordinario, comune **2** mediocre, dozzinale
ordination [ˌɔ:dɪ'neɪʃ(ə)n] *s.* (*relig.*) ordinazione *f.*
ore [ɔ:r] *s.* minerale *m.* ♦ **o. district** distretto minerario
organ ['ɔ:gən] *s.* organo *m.*
organic [ɔ:'gænɪk] *agg.* organico
organism ['ɔ:gənɪz(ə)m] *s.* organismo *m.*
organization [ˌɔ:gənaɪ'zeɪʃ(ə)n] *s.* orga-

nizzazione *f.*, organismo *m.*
to organize ['ɔ:gənaɪz] *v. tr. e intr.* organizzare, organizzarsi
orgasm ['ɔ:gæz(ə)m] *s.* orgasmo *m.*
orgy ['ɔ:dʒɪ] *s.* orgia *f.*
orient ['ɔ:rɪənt] *agg. e s.* oriente *m.*
to orient ['ɔ:rɪ,ənt] *v. tr.* orientare
Oriental [ˌɔ:rɪ'entl] *agg. e s.* orientale *m. e f.*
to orientate ['ɔ:rɪenteɪt] *v. tr.* orientare
orientation [ˌɔ:rɪen'teɪʃ(ə)n] *s.* orientamento *m.*
origin ['ərɪdʒɪn] *s.* **1** origine *f.*, principio *m.* **2** nascita *f.*
original [ə'rɪdʒənl] **A** *agg.* originale, originario **B** *s.* originale *m.*
originality [ə,rɪdʒɪ'nælɪtɪ] *s.* originalità *f.*
to originate [ə'rɪdʒɪneɪt] **A** *v. tr.* dare origine **B** *v. intr.* aver origine, nascere, provenire
ornament ['ɔ:nəmənt] *s.* **1** ornamento *m.* **2** ninnolo *m.*
ornamental [ˌɔ:nə'ment(ə)l] *agg.* ornamentale
ornate [ɔ:'neɪt] *agg.* riccamente ornato
ornithology [ˌɔ:nɪ'θɒlədʒɪ] *s.* ornitologia *f.*
orography [ə'rəgrəfɪ] *s.* orografia *f.*
orphan ['ɔ:f(ə)n] *agg. e s.* orfano *m.*
orphanage ['ɔ:fənɪdʒ] *s.* orfanotrofio *m.*
orthodox ['ɔ:θədɒks] *agg.* ortodosso
orthodoxy ['ɔ:θədɒksɪ] *s.* ortodossia *f.*
orthogonal [ɔ:'θɒgənl] *agg.* ortogonale
orthography [ɔ:(:)'θɒgrəfɪ] *s.* ortografia *f.*
orthop(a)edist [ˌɔ:θɒ(ʊ)'pi:dɪst] *s.* ortopedico *m.*
orthop(a)edy [ˌɔ:θɒ(ʊ)'pi:dɪ] *s.* ortopedia *f.*
to oscillate ['əsɪleɪt] *v. intr.* oscillare
oscillation [ˌəsɪl'leɪʃ(ə)n] *s.* oscillazione *f.*
osseous ['əsɪəs] *agg.* osseo
ostensible [əs'tensəbl] *agg.* apparente, simulato
ostensibly [əs'tensəblɪ] *avv.* apparentemente
ostensory [əs'tensərɪ] *s.* ostensorio *m.*
ostentation [ˌəsten'teɪʃ(ə)n] *s.* ostentazione *f.*, esibizione *f.*
ostentatious [ˌəsten'teɪʃəs] *agg.* ostentato
ostrich ['əstrɪtʃ] *s.* struzzo *m.*
other ['ʌðər] **A** *agg.* altro, diverso **B** *pron. indef.* (l')altro, (l')altra **C** *avv.* altrimenti, diversamente ♦ **any o.** qualche altro; **every o.** ogni altro; **none o. than** proprio, non altri che; **o. people** altri; **o.'s,**

o. people's altrui; **o. than** tranne

otherwise [ˈʌðəwaɪz] **A** agg. diverso **B** avv. diversamente, altrimenti **C** cong. altrimenti, in caso contrario

otitis [ɒ(ʊ)ˈtaɪtɪs] s. otite f.

otter [ˈɒtər] s. lontra f.

Ottoman [ˈɒtəmən] agg. e s. ottomano m.

ought [ɔːt] v. difett. (consiglio, dovere, rimprovero, probabilità) dovere ♦ **You o. to do it** dovresti farlo; **he o. to have phoned me** avrebbe dovuto telefonarmi

ounce [aʊns] s. oncia f.

our [ˈaʊər] agg. poss. 1ª pl. nostro, nostra, nostri, nostre

ours [ˈaʊəz] pron. poss. 1ª pl. il nostro, la nostra, i nostri, le nostre

ourselves [ˌaʊəˈsɛlvz] pron. rifl. 1ª pl. noi stessi

to oust [aʊst] v. tr. cacciare, espellere

out [aʊt] **A** avv. **1** fuori, all'aperto, in fuori **2** spento, disattivato **3** finito, compiuto **4** passato di moda, inaccettabile **B** prep. **o. of 1** fuori, fuori da, da **2** a causa di, per **3** senza **4** su (ES: **in one case o. of ten** in un caso su dieci) ♦ **all o.** a tutta velocità; **o. here** qui fuori; **o. there** laggiù

out-and-out [ˈaʊtəndaʊt] agg. completo, vero e proprio

outboard [ˈaʊtbɔːd] agg. e avv. fuoribordo

outbreak [ˈaʊtbreɪk] s. **1** scoppio m., esplosione f. **2** eruzione f. **3** epidemia f. **4** sommossa f.

outburst [ˈaʊtbɜːst] s. esplosione f., scoppio m.

outcast [ˈaʊtkaːst] s. emarginato m., reietto m.

outcome [ˈaʊtkʌm] s. esito m., risultato m.

outcry [ˈaʊtkraɪ] s. **1** protesta f., scalpore m. **2** grido m.

outdated [ˈaʊtdeɪtɪd] agg. antiquato, sorpassato

to outdo [ˌaʊtˈduː] (pass. **outdid**, p. p. **outdone**) v. tr. sorpassare, far meglio di

outdoor [ˈaʊtdɔːr] agg. esterno, all'aperto

outdoors [ˌaʊtˈdɔːz] **A** avv. all'aperto, all'aria aperta **B** s. l'aperto m., l'esterno m.

outer [ˈaʊtər] agg. esteriore, esterno ♦ **o. space** spazio cosmico

outfit [ˈaʊtfɪt] s. **1** equipaggiamento m., attrezzatura f. **2** tenuta f.

to outgrow [aʊtˈgrəʊ] (pass. **outgrew**, p.

p. **outgrown**) v. tr. **1** superare in statura **2** perdere, disfarsi di ♦ **to o. one's clothes** diventare troppo grande per i propri vestiti

outing [ˈaʊtɪŋ] s. gita f., escursione f.

outlandish [aʊtˈlændɪʃ] agg. **1** straniero, esotico **2** strano, bizzarro

outlaw [ˈaʊtlɔː] **A** s. fuorilegge m. e f., criminale m. e f. **B** agg. illegale

to outlaw [ˈaʊtlɔː] v. tr. bandire, proscrivere

outlay [ˈaʊtleɪ] s. spesa f.

outlet [ˈaʊtlet] s. **1** sbocco m., sfogo m. **2** punto m. di vendita **3** presa f. elettrica

outline [ˈaʊtlaɪn] s. **1** contorno m., profilo m. **2** abbozzo m., schema m.

to outline [ˈaʊtlaɪn] v. tr. **1** tracciare il contorno di **2** delineare, abbozzare

to outlive [aʊtˈlɪv] v. tr. sopravvivere a

outlook [ˈaʊtlʊk] s. **1** vista f., veduta f. **2** prospettiva f. **3** modo m. di vedere

outlying [ˈaʊtˌlaɪɪŋ] agg. **1** esterno **2** remoto

outmatch [aʊtˈmætʃ] v. tr. sorpassare

outmoded [aʊtˈməʊdɪd] agg. antiquato, passato di moda

to outnumber [aʊtˈnʌmbər] v. tr. superare in numero

out-of-date [ˌaʊtəvˈdeɪt] agg. **1** fuori moda **2** scaduto

out-of-the-way [ˌaʊtəvð(ə)ˈweɪ] agg. **1** fuori mano **2** fuori del comune

outpost [ˈaʊtpəʊst] s. avamposto m.

output [ˈaʊtpʊt] s. **1** produzione f., rendimento m. **2** (inf.) output m. inv.

outrage [ˈaʊtreɪdʒ] s. **1** oltraggio m., offesa f. **2** indignazione f.

to outrage [ˈaʊtreɪdʒ] s. oltraggiare

outrageous [aʊtˈreɪdʒəs] agg. **1** oltraggioso, atroce **2** eccessivo, esorbitante

outright [aʊtˈraɪt] **A** agg. attr. **1** aperto, schietto, diretto **2** completo, integrale **3** immediato **B** avv. **1** apertamente, francamente **2** completamente **3** immediatamente, sul colpo

outside [ˈaʊtsaɪd] **A** agg. **1** esterno, esteriore **2** estremo, massimo **B** s. **1** esterno m., parte f. esterna **2** apparenza f., aspetto m. esteriore **C** avv. **1** fuori, all'aperto **2** all'esterno **D** prep. **1** fuori di, all'esterno di **2** al di fuori, al di là **3** all'infuori di, eccetto

outsider [aʊtˈsaɪdər] s. outsider m. inv.

outsize [ˈaʊtˌsaɪz] agg. **1** molto grande **2** (di abito) di taglia forte

outskirts [ˈaʊtskɜːts] s. pl. periferia f., sobborghi *m. pl.*

outspoken [aʊt'spɒʊk(ə)n] *agg.* esplicito, schietto

outstanding [aʊt'stændɪŋ] *agg.* **1** sporgente **2** notevole, rilevante **3** eccezionale **4** in arretrato, in sospeso, inevaso

outward ['aʊtwəd] **A** *agg.* **1** esterno **2** esteriore **3** d'andata **B** *s.* aspetto *m.* esteriore **C** *avv.* al di fuori, esternamente

to outweigh [aʊt'weɪ] *v. tr.* superare (*in peso o valore*)

to outwit [aʊt'wɪt] *v. tr.* superare in astuzia

ouzel ['uːzl] *s.* (*zool.*) merlo *m.*

oval ['ɒʊ(ə)l] *agg.* ovale

ovary ['ɒʊərɪ] *s.* ovaia *f.*

oven ['ʌvn] *s.* forno *m.*

ovenware ['ʌv(ə)nweəʳ] *s.* stoviglie *f. pl.* da forno

over ['ɒʊəʳ] **A** *agg.* terminato, finito **B** *avv.* **1** al di sopra, di sopra **2** completamente, da cima a fondo **3** di più, troppo, in eccesso **C** *prep.* **1** sopra, su, al di sopra di **2** nei confronti di, riguardo a **3** durante, per **4** più di, oltre, al di là di ◆ **o. again** più volte, di nuovo, ripetutamente; **o. tired** stanchissimo

overall ['ɒʊərɔːl] **A** *agg.* complessivo **B** *avv.* complessivamente **C** *s.* tuta *f.* (*da lavoro*)

to overawe [ˌɒʊər'ɔː] *v. tr.* intimidire

to overbalance [ˌɒʊə'bæləns] **A** *v. tr.* **1** superare in peso **2** prevalere su **3** sbilanciare **B** *v. intr.* sbilanciarsi

overbearing [ˌɒʊə'beərɪŋ] *agg.* **1** arrogante, imperioso **2** soverchiante

overboard ['ɒʊəbɔːd] *avv.* fuori bordo

to overburden [ˌɒʊə'bɜːdn] *v. tr.* sovraccaricare

overcast ['ɒʊə,kɑːst] *agg.* nuvoloso, coperto

overcharge [ˌɒʊə'tʃɑːdʒ] *s.* **1** sovraccarico *m.* **2** sovrapprezzo *m.*

to overcharge [ˌɒʊə'tʃɑːdʒ] *v. tr.* **1** far pagare troppo caro **2** sovraccaricare

overcoat ['ɒʊəkɒʊt] *s.* soprabito *m.*

to overcome [ˌɒʊə'kʌm] (*pass.* **overcame,** *p. p.* **overcome**) *v. tr.* superare, sopraffare

overcooked [ˌɒʊə'kʊkt] *agg.* troppo cotto

overcrowded [ˌɒʊə'krɒʊdɪd] *agg.* sovraffollato

to overdo [ˌɒʊə'duː] (*pass.* **overdid,** *p. p.* **overdone**) **A** *v. tr.* **1** eccedere in, esagerare **2** affaticare **3** far cuocere troppo **B** *v. intr.* esagerare

overdose ['ɒʊədɒʊs] *s.* dose *f.* eccessiva, overdose *f. inv.*

overdraft ['ɒʊədrɑːft] *s.* (*banca*) scoperto *m.*

overdue [ˌɒʊə'djuː] *agg.* **1** (*comm.*) scaduto **2** in ritardo **3** atteso, in attesa

to overestimate [ˌɒʊər'estɪmeɪt] *v. tr.* sopravvalutare

to overexpose [ˌɒʊv(ə)rɪk'spɒʊz] *v. tr.* (*fot.*) sovraesporre

overflow ['ɒʊəflɒʊ] *s.* **1** straripamento *m.* inondazione *f.* **2** eccedenza *f.* **3** (*inf.*) overflow *m. inv.*

to overflow [ˌɒʊə'flɒʊ] *v. intr.* straripare, traboccare

overflowing [ˌɒʊə'flɒʊɪŋ] **A** *agg.* **1** straripante, traboccante **2** sovrabbondante **B** *s.* straripamento *m.*, inondazione *f.*

overhang ['ɒʊəhæŋ] *s.* **1** sporgenza *f.* **2** strapiombo *m.*

overhaul ['ɒʊəhɔːl] *s.* revisione *f.*

to overhaul [ˌɒʊə'hɔːl] *v. tr.* **1** revisionare, verificare **2** esaminare, rivedere **3** sorpassare, superare

overhead [ˌɒʊə'hed] **A** *avv.* in alto, di sopra **B** *agg.* **1** alto, sopraelevato, aereo **2** globale, generale **C** *s. al pl.* spese *f. pl.* generali

to overhear [ˌɒʊə'hɪəʳ] (*pass. e p. p.* **overheard**) *v. tr.* udire per caso

to overheat [ˌɒʊə'hiːt] *v. tr. e intr.* surriscaldare

overjoyed [ˌɒʊə'dʒɔɪd] *agg.* felicissimo

overland [ˌɒʊə'lænd] *agg. e avv.* via terra

to overlap [ˌɒʊə'læp] *v. intr.* sovrapporsi, coincidere

to overlay [ˌɒʊə'leɪ] (*pass. e p. p.* **overlaid**) *v. tr.* **1** coprire, ricoprire **2** opprimere

overleaf [ˌɒʊə'liːf] *avv.* sul retro, a tergo

to overload [ˌɒʊə'lɒʊd] *v. tr.* sovraccaricare

to overlook [ˌɒʊə'lʊk] *v. tr.* **1** guardare dall'alto, dominare **2** trascurare, non rilevare, lasciarsi sfuggire **3** tollerare **4** sorvegliare

overnight [ˌɒʊə'naɪt] **A** *agg.* **1** che si svolge di notte **2** per una notte **3** immediato **B** *avv.* **1** di notte, per la notte **2** improvvisamente

overpass ['ɒʊə,pɑːs] *s.* cavalcavia *m. inv.*

to overpower [ˌɒʊə'paʊəʳ] *v. tr.* sopraffare, opprimere

overpowering [ˌɒʊvəˈpaʊərɪŋ] *agg.* **1** opprimente **2** irresistibile

to overrate [ˌɒʊvəˈreɪt] *v. tr.* sopravvalutare

to override [ˌɒʊvəˈraɪd] (*pass.* **overrode**, *p. p.* **overriden**) *v. tr.* **1** passare sopra, non tener conto di **2** annullare

to overrule [ˌɒʊvəˈruːl] *v. tr.* **1** annullare, revocare **2** dominare

to overrun [ˌɒʊvəˈrʌn] (*pass.* **overran**, *p. p.* **overrun**) **A** *v. tr.* **1** invadere, devastare, infestare **2** sommergere **3** oltrepassare, superare **B** *v. intr.* **1** traboccare, straripare **2** protrarsi

overseas [ˌɒʊvəˈsiː(z)] **A** *agg.* estero, d'oltremare **B** *avv.* all'estero, oltremare

to overshadow [ˌɒʊvəˈʃædɒʊ] *v. tr.* **1** ombreggiare, fare ombra su **2** (*fig.*) oscurare, eclissare

to overshoot [ˌɒʊvəˈʃuːt] (*pass. e p. p.* **overshot**) *v. tr.* **1** lanciare troppo alto, sparare al di là del bersaglio, mancare **2** andare oltre

oversight [ˈɒʊvəsaɪt] *s.* **1** disattenzione *f.*, svista *f.* **2** sorveglianza *f.*

to oversleep [ˌɒʊvəˈsliːp] *v. intr.* dormire troppo

to overstate [ˌɒʊvəˈsteɪt] *v. tr.* esagerare

to overstep [ˌɒʊvəˈstɛp] *v. tr.* oltrepassare

overt [ˈɒʊvɜːt] *agg.* chiaro, evidente

to overtake [ˌɒʊvəˈteɪk] (*pass.* **overtook**, *p. p.* **overtaken**) *v. tr.* **1** raggiungere, sorpassare **2** sorprendere

overtaking [ˌɒʊvəˈteɪkɪŋ] *s.* sorpasso *m.* ♦ **no o.** divieto di sorpasso

to overthrow [ˌɒʊvəˈθrɒʊ] (*pass.* **overthrew**, *p. p.* **overthrow**) *v. tr.* rovesciare, abbattere

overtime [ˈɒʊvətaɪm] *s.* **1** (lavoro) straordinario *m.* **2** (*sport*) tempo *m.* supplementare

overturn [ˌɒʊvəˈtɜːn] *s.* ribaltamento *m.*

to overturn [ˌɒʊvəˈtɜːn] **A** *v. tr.* capovolgere, rovesciare **B** *v. intr.* ribaltarsi, capottarsi

overweight [ˈɒʊvəweɪt] *agg.* in sovrappeso

to overwhelm [ˌɒʊvəˈwɛlm] *v. tr.* **1** distruggere, sopraffare **2** seppellire, sommergere

overwhelming [ˌɒʊvəˈwɛlmɪŋ] *agg.* opprimente, travolgente

to overwork [ˌɒʊvəˈwɜːk] *v. intr.* lavorare troppo

overwrought [ˌɒʊvəˈrɔːt] *agg.* **1** nervoso, agitato **2** ricercato

ovine [ˈɒʊvaɪn] *agg.* ovino

oviparous [ɒ(ʊ)ˈvɪpərəs] *s.* oviparo *m.*

ovoid [ˈɒʊvɔɪd] *agg.* ovoidale

to owe [ɒʊ] **A** *v. tr.* dovere, essere debitore di **B** *v. intr.* essere indebitato ♦ **to o. sb. st.** dovere q.c. a qc.

owing [ˈɒ(ʊ)ɪŋ] *agg. attr.* dovuto ♦ **o. to** a causa di

owl [aʊl] *s.* gufo *m.*

own [ɒʊn] **A** *agg.* proprio **B** *s.* il proprio *m.*

to own [ɒʊn] *v. tr.* **1** possedere, avere **2** ammettere, riconoscere ♦ **to o. up** confessare

owner [ˈɒʊnər] *s.* proprietario *m.*, padrone *m.*

ownership [ˈɒʊnəʃɪp] *s.* proprietà *f.*

ox [ɒks] (*pl.* **oxen**) *s.* bue *m.*

oxide [ˈɒksaɪd] *s.* ossido *m.*

to oxidize [ˈɒksɪdaɪz] *v. tr. e intr.* ossidare, ossidarsi

oxygen [ˈɒksɪdʒ(ə)n] *s.* ossigeno *m.*

oyster [ˈɔɪstər] *s.* ostrica *f.*

ozone [ˈɒʊzɒʊn] *s.* ozono *m.*

P

pa [pɑː] *s.* (*fam.*) papà *m.*

pace [peɪs] *s.* **1** passo *m.* **2** andatura *f.*, ritmo *m.* **3** ambio *m.*

to pace [peɪs] **A** *v. intr.* andare al passo, camminare **B** *v. intr.* percorrere, misurare a passi

pacemaker ['peɪsˌmeɪkər] *s.* **1** battistrada *m.* **2** (*med.*) pacemaker *m. inv.*

pacific [pə'sɪfɪk] *agg.* pacifico

pacification [ˌpæsɪfɪ'keɪʃ(ə)n] *s.* pacificazione *f.*

pacifism ['pæsɪfɪz(ə)m] *s.* pacifismo *m.*

to pacify ['pæsɪfaɪ] *v. tr.* pacificare

pack [pæk] *s.* **1** pacco *m.*, pacchetto *m.*, imballaggio *m.* **2** carico *m.*, soma *f.* **3** zaino *m.* **4** muta *f.*, branco *m.* **5** (*di carte da gioco*) mazzo *m.* **6** ammasso *m.*

to pack [pæk] **A** *v. tr.* **1** imballare, impacchettare **2** pigiare, pressare, stipare **B** *v. intr.* **1** fare i bagagli **2** stiparsi, accalcarsi ♦ **to p. in** smettere; **to p. off** mandar via; **to p. up** fare le valigie, smettere di lavorare, (*di motore*) spegnersi

package ['pækɪdʒ] *s.* **1** pacco *m.*, confezione *f.* **2** (*di proposte*) pacchetto *m.* ♦ **p. tour** viaggio organizzato

packet ['pækɪt] *s.* pacchetto *m.*

packing ['pækɪŋ] *s.* imballaggio *m.*

pact [pækt] *s.* patto *m.*

pad [pæd] *s.* **1** cuscinetto *m.*, imbottitura *f.* **2** tampone *m.* **3** blocco *m.* di carta **4** (*autom.*) pastiglia *f.* **5** piattaforma *f.*, (*di missile*) rampa *f.*

to pad [pæd] *v. tr.* **1** imbottire **2** (*fig.*) gonfiare

padding ['pædɪŋ] *s.* imbottitura *f.*

paddle ['pædl] *s.* **1** pagaia *f.* **2** spatola *f.* **3** (*naut.*) (*di elica, ruota*) pala *f.* **4** (*zool.*) pinna *f.* ♦ **p. steamer** battello a ruota

to paddle (1) ['pædl] *v. tr.* remare (con le pagaie)

to paddle (2) ['pædl] *v. intr.* sguazzare ♦ **paddling pool** piscina per bambini

paddock ['pædək] *s.* **1** (*per cavalli*) recinto *m.* **2** prato *m.* recintato

paddy ['pædɪ] *s.* riso *m.* (in erba) ♦ **p. field** risaia

padlock ['pædlək] *s.* lucchetto *m.*

p(a)ediatrics [ˌpiːdɪ'ætrɪks] *s. pl.* (*v. al sing.*) pediatria *f.*

p(a)ediatrist [ˌpiːdɪ'ætrɪst] *s.* pediatra *m. e f.*

pagan ['peɪgən] *agg. e s.* pagano *m.*

paganism ['peɪgənɪz(ə)m] *s.* paganesimo *m.*

page (1) [peɪdʒ] *s.* pagina *f.*

page (2) [peɪdʒ] *s.* **1** fattorino *m.* **2** paggio *m.*

pageant ['pædʒ(ə)nt] *s.* **1** parata *f.* storica **2** pompa *f.*, sfarzo *m.*

pagoda [pə'gəʊdə] *s.* pagoda *f.*

paid [peɪd] *pass. e p. p. di* **to pay**

pail [peɪl] *s.* secchio *m.*

pain [peɪn] *s.* **1** dolore *m.*, male *m.* **2** pena *f.*, castigo *m.* **3** *al pl.* fatica *f.*, pena *f.* ♦ **p.-killer** antidolorifico

pained [peɪnd] *agg.* addolorato, afflitto

painful ['peɪnf(ʊ)l] *agg.* doloroso, penoso

painless ['peɪnlɪs] *agg.* indolore

paint [peɪnt] *s.* pittura *f.*, vernice *f.*, tinta *f.* ♦ **wet p.** vernice fresca

to paint [peɪnt] *v. tr. e intr.* dipingere, pitturare, verniciare

paintbrush ['peɪntbrʌʃ] *s.* pennello *m.*

painter ['peɪntər] *s.* **1** pittore *m.* **2** decoratore *m.*, imbianchino *m.*

painting ['peɪntɪŋ] *s.* **1** pittura *f.*, verniciatura *f.* **2** dipinto *m.*, quadro *m.* **3** pittura *f.* (*arte*)

pair [peər] *s.* **1** paio *m.* **2** coppia *f.* ♦ **in pairs** a coppie

Pakistani [ˌpɑːkɪs'tɑːnɪ] *agg. e s.* pachistano *m.*

pal [pæl] *s.* (*fam.*) amico *m.*, compagno *m.*

palace ['pælɪs] *s.* **1** palazzo *m.* **2** reggia *f.*

paladin ['pælədɪn] *s.* paladino *m.*

palaeography [ˌpælɪ'əgrəfɪ] *s.* paleografia *f.*

Palaeolithic [ˌpælɪə(ʊ)'lɪθɪk] *agg.* paleolitico

palafitte ['pæləfɪt] *s.* palafitta *f.*

palatable ['pælətəbl] *agg.* appetitoso, gustoso, gradevole

palate ['pælɪt] *s.* palato *m.*

palatial [pə'leɪʃ(ə)l] *agg.* sontuoso, lussuoso

palaver [pə'lɑːvər] *s.* **1** colloquio *m.* **2** chiacchiere *f. pl.*

pale (1) [peɪl] *agg.* pallido, fioco, debole ♦ **p. ale** birra chiara

pale (2) [peɪl] *s.* **1** palo *m.*, picchetto *m.* **2** *(fig.)* limite *m.* **3** *(stor)* territorio *m.*

to pale [peɪl] *v. intr.* impallidire

Palestinian [ˌpælɪs'tɪnɪən] *agg. e s.* palestinese *m. e f.*

palette ['pælɪt] *s.* tavolozza *f.*

paling ['peɪlɪŋ] *s.* palizzata *f.*

pall [pɔːl] *s.* **1** drappo *m.* funebre **2** *(fig.)* cappa *f.*

pallet (1) ['pælɪt] *s.* giaciglio *m.*

pallet (2) ['pælɪt] *s.* **1** paletta *f.*, spatola *f.* **2** pallet *m. inv.*

palliative ['pælɪətɪv] *agg. e s.* palliativo *m.*

pallid ['pælɪd] *agg.* pallido, smunto

pallor ['pælər] *s.* pallore *m.*

palm (1) [pɑːm] *s. (bot.)* palma *f.* ♦ **date p.** palma da datteri

palm (2) [pɑːm] *s.* palmo *m.*

to palm [pɑːm] *v. tr.* **1** maneggiare **2** nascondere (in mano) ♦ **to p. st. off on sb.** affibbiare q.c. a qc.

palmiped ['pælmɪped] *agg. e s.* palmipede *m.*

palmist ['pɑːmɪst] *s.* chiromante *m. e f.*

palpable ['pælpəbl] *agg.* palpabile, tangibile

to palpate ['pælpeɪt] *v. tr.* palpare

palpitation [ˌpælpɪ'teɪʃ(ə)n] *s.* palpitazione *f.*

paltry ['pɔːltrɪ] *agg.* meschino, ridicolo

to pamper ['pæmpər] *v. tr.* viziare, vezzeggiare

pamphlet ['pæmflɪt] *s.* opuscolo *m.*

pan [pæn] *s.* pentola *f.* ♦ **baking p.** teglia; **frying p.** padella

pancake ['pænkeɪk] *s.* frittella *f.*

pancreas ['pæŋkrɪəs] *s.* pancreas *m. inv.*

panda ['pændə] *s.* panda *m. inv.* ♦ **p. car** auto della polizia; **p. crossing** attraversamento pedonale con semaforo a controllo manuale

pandemonium [ˌpændɪ'mʊnjəm] *s.* pandemonio *m.*

to pander ['pændər] *v. intr.* fare il mezzano ♦ **to p. to** favorire, assecondare

pane [peɪn] *s.* **1** (lastra di) vetro *m.* **2** pannello *m.*

panegyric [ˌpænɪ'dʒɪrɪk] *s.* panegirico *m.*

panel ['pænl] *s.* **1** pannello *m.*, quadro *m.*, riquadro *m.* **2** lista *f.*, elenco *m.* **3** gruppo *m.* di esperti, commissione *f.*, giuria *f.* ♦ **p. doctor** medico della mutua

panelling ['pænlɪŋ] *s.* rivestimento *m.* a pannelli

pang [pæŋ] *s.* dolore *m.* acuto, fitta *f.* ♦ **pangs of hunger** morsi della fame

panic ['pænɪk] **A** *agg.* panico, dettato dal panico **B** *s.* **1** panico *m.*, terrore *m.* **2** *(fam.)* fretta *f.* **3** *(fam.)* spasso *m.* ♦ **p.-stricken** in preda al panico

to panic ['pænɪk] (*pass. e p. p.* **panicked**) **A** *v. tr.* **1** gettare il panico tra **2** *(fam.)* divertire (*il pubblico*) **B** *v. intr.* essere in preda al panico

panicky ['pænɪkɪ] *agg.* *(fam.)* in preda al panico

panicle ['pænɪkl] *s.* pannocchia *f.*

panning ['pænɪŋ] *s.* *(cine.)* panoramica *f.*

panorama [ˌpænə'rɑːmə] *s.* paesaggio *m.*

panoramic [ˌpænə'ræmɪk] *agg.* panoramico

pansy ['pænzɪ] *s.* viola *f.* del pensiero

pantagruelian [ˌpæntəgruː'elɪən] *agg.* pantagruelico

pantheism ['pænθiːɪz(ə)m] *s.* panteismo *m.*

panther ['pænθər] *s.* pantera *f.*

panties ['pæntɪz] *s. pl.* mutandine *f. pl.* (*da bambino o da donna*)

pantihose ['pæntɪhəʊz] *s.* *(USA)* collant *m. inv.*

pantomime ['pæntəmaɪm] *s.* pantomima *f.*

pantry ['pæntrɪ] *s.* dispensa *f.*

pants [pænts] *s. pl.* **1** mutande *f. pl.* **2** *(USA)* pantaloni *m. pl.*

pap [pæp] *s.* pappa *f.*

papa [pə'pɑː] *s.* *(fam.)* papà *m.*

papacy ['peɪpəsɪ] *s.* papato *m.*

papal ['peɪp(ə)l] *agg.* papale, pontificio

paper ['peɪpər] *s.* **1** carta *f.* **2** documento *m.* **3** prova *f.* scritta, composizione *f.* **4** saggio *m.*, relazione *f.* **5** giornale *m.* ♦ **heap of p.** scartoffia; **morning p.** giornale del mattino; **p. knife** tagliacarte; **p. mill** cartiera; **p. money** cartamoneta; **sheet of p.** foglio di carta; **toilet p.** carta igienica; **writing p.** carta da lettere

paperback ['peɪpəbæk] *s.* paperback *m. inv.*, libro *m.* in brossura

paperweight ['peɪpəweɪt] *s.* fermacarte *m. inv.*

paperwork ['peɪpəwɜːk] *s.* lavoro *m.* d'ufficio

papier maché [ˌpæpjeɪ'mɑːʃeɪ] *s.* cartapesta *f.*

papism ['peɪpɪz(ə)m] s. papismo m.

paprika ['pæprɪkə] s. paprica f., pepe m. rosso

papyrus [pə'paɪərəs] s. papiro m.

par [pɑːr] s. parità f., pari f. ♦ **on a p. with** alla pari con

parable ['pærəbl] s. parabola f. (racconto)

parabola [pə'ræbələ] s. (geom.) parabola f.

parachute ['pærəʃuːt] s. paracadute m. inv.

parade [pə'reɪd] s. **1** parata f., mostra f. **2** sfilata f., rivista f.

to parade [pə'reɪd] v. tr. **1** passare in rivista **2** ostentare

paradise ['pærədaɪs] s. paradiso m.

paradox ['pærədɒks] s. paradosso m.

paradoxical [ˌpærə'dɒksɪk(ə)l] agg. paradossale

paraffin ['pærəfɪ(ː)n] s. paraffina f.

paragon ['pærəgən] s. esemplare m., modello m.

paragraph ['pærəgrɑːf] s. **1** paragrafo m. **2** capoverso m. **3** trafiletto m.

parallel ['pærəlel] **A** agg. parallelo **B** s. **1** (geom.) parallela f. **2** (geogr) parallelo m.

parallelepiped [ˌpærə,lelaɪ'pæpɛd] s. parallelepipedo m.

parallelism ['pærəleliz(ə)m] s. parallelismo m.

to paralyse ['pærəlaɪz] (USA **paralyze**) v. tr. paralizzare

paralysis [pə'rælɪsɪs] s. paralisi f.

parameter [pə'ræmɪtər] s. parametro m.

paramount ['pærəmaunt] agg. supremo, primario

paranoia [ˌpærə'nəjə] s. paranoia f.

paranoid ['pærə,nɔɪd] **A** agg. paranoide **B** s. paranoico m.

parapet ['pærəpɪt] s. parapetto m.

paraphernalia [ˌpærəfə'neɪljə] s. pl. **1** attrezzi m. pl., accessori m. pl. **2** oggetti m. pl. personali

paraphrase ['pærəfreɪz] s. parafrasi f.

parapsychology [ˌpærəsaɪ'kɒlədʒɪ] s. parapsicologia f.

parasite ['pærəsaɪt] s. parassita m.

parasol ['pærə,sɒl] s. parasole m. inv.

paratrooper ['pærə,truːpər] s. (mil.) paracadutista m.

parcel ['pɑːsl] s. **1** pacco m., pacchetto m. **2** (comm.) partita f. **3** lotto m.

to parcel ['pɑːsl] v. tr. impacchettare

to parch [pɑːtʃ] v. tr. **1** essiccare **2** inaridire

parching ['pɑːtʃɪŋ] agg. bruciante

parchment ['pɑːtʃmənt] s. pergamena f.

pardon ['pɑːdn] s. **1** perdono m., scusa f. **2** (dir) grazia f. ♦ **p.?** (per invitare a ripetere) prego?; **I beg your p.!** mi scusi!

to pardon ['pɑːdn] v. tr. **1** perdonare, scusare **2** (dir) graziare

pardonable ['pɑːdnəbl] agg. perdonabile

parent ['pɛər(ə)nt] s. genitore m.

parenthesis [pə'renθɪsɪs] (pl. **parentheses**) s. parentesi f.

paresis [pə'riːsɪs] s. paresi f.

parish ['pærɪʃ] s. **1** parrocchia f. **2** distretto m. rurale ♦ **p. priest** parroco

Parisian [pə'rɪzjən] agg. e s. parigino m.

parity ['pærɪtɪ] s. parità f.

park [pɑːk] s. parco m.

to park [pɑːk] v. tr. e intr. parcheggiare

parking ['pɑːkɪŋ] s. parcheggio m., posteggio m. ♦ **no p.** divieto di sosta; **p. meter** parchimetro; **p. place** posto macchina

parlance ['pɑːləns] s. parlata f., linguaggio m.

parliament ['pɑːləmənt] s. parlamento m.

parliamentary [ˌpɑːlə'mɛnt(ə)rɪ] agg. parlamentare

parlour ['pɑːlər] (USA **parlor**) s. **1** salotto m. **2** parlatorio m. **3** (USA) salone m., istituto m. ♦ **beauty p.** istituto di bellezza

parochial [pə'rəʊkjəl] agg. **1** parrocchiale **2** (spreg.) provinciale

parochialism [pə'rəʊkjəlɪz(ə)m] s. (spreg.) provincialismo m.

parody ['pærədɪ] s. parodia f.

parole [pə'rəʊl] s. **1** parola f. d'onore **2** parola f. d'ordine

paroxysmal [ˌpærək'sɪzməl] agg. parossistico

parquet ['pɑːkeɪ] s. parquet m. inv.

parricide ['pærɪsaɪd] s. **1** parricidio m. **2** parricida m. e f.

parrot ['pærət] s. pappagallo m.

to parry ['pærɪ] v. tr. parare, schivare

parsimonious [ˌpɑːsɪ'məʊnjəs] agg. parsimonioso

parsley ['pɑːslɪ] s. prezzemolo m.

parsnip ['pɑːsnɪp] s. pastinaca f.

parson ['pɑːsn] s. (anglicano) parroco m., (protestante) pastore m.

part [pɑːt] **A** agg. parziale **B** avv. parzialmente **C** s. **1** parte f. **2** (mecc.) pezzo m. **3** dispensa f., fascicolo m. **4** (USA) scriminatura f. ♦ **on my p.** da parte mia; **spare parts** pezzi di ricambio

to part [pɑːt] **A** *v. tr.* dividere, separare **B** *v. intr.* **1** dividersi, divergere **2** separarsi ♦ **to p. with st.** rinunciare a q.c.

to partake [pɑːˈteɪk] (*pass.* **partook**, *p. p.* **partaken**) *v. intr.* prender parte

partial [ˈpɑːʃ(ə)l] *agg.* parziale

to participate [pɑːˈtɪsɪpeɪt] *v. intr.* partecipare

participation [pɑːˌtɪsɪˈpeɪʃ(ə)n] *s.* partecipazione *f.*

participle [ˈpɑːtsɪpl] *s.* participio *m.*

particle [ˈpɑːtɪkl] *s.* particella *f.*

particular [pəˈtɪkjʊlər] **A** *agg.* **1** particolare, speciale **2** preciso, accurato **3** esigente, meticoloso **B** *s.* **1** particolare *m.* **2** ragguaglio *m.*, informazione *f.*

particularity [pəˌtɪkjʊˈlærɪtɪ] *s.* particolarità *f.*

particularly [pəˈtɪkjʊləlɪ] *avv.* in particolare

parting [ˈpɑːtɪŋ] *s.* **1** distacco *m.*, partenza *f.*, separazione *f.* **2** scriminatura *f.* ♦ **p. visit** visita di congedo

partisan [ˌpɑːtɪˈzæn] *agg. e s.* partigiano *m.*

partition [pɑːˈtɪʃ(ə)n] *s.* **1** partizione *f.*, divisione *f.* **2** tramezzo *m.*

partly [ˈpɑːtlɪ] *avv.* parzialmente

partner [ˈpɑːtnər] *s.* socio *m.*, compagno *m.*, partner *m. e f. inv.*

partnership [ˈpɑːtnəʃɪp] *s.* società *f.*, associazione *f.*

partridge [ˈpɑːtrɪdʒ] *s.* pernice *f.*

party [ˈpɑːtɪ] *s.* **1** partito *m.*, fazione *f.* **2** gruppo *m.*, squadra *f.*, comitiva *f.* **3** festa *f.*, ricevimento *m.* **4** (*dir.*) parte *f.* (in causa) ♦ **p. dress** abito da sera

pass (1) [pɑːs] *s.* passo *m.*, valico *m.*

pass (2) [pɑːs] *s.* **1** passaggio *m.* **2** lasciapassare *m.*, permesso *m.* **3** biglietto *m.* gratuito **4** tessera *f.*, abbonamento *m.*

to pass [pɑːs] **A** *v. tr.* **1** passare, oltrepassare, superare **2** dare, porgere **3** promuovere **4** trascorrere **B** *v. intr.* **1** passare, andare oltre **2** finire **3** trascorrere **4** accadere **5** essere promosso ♦ **to p. away** morire; **to p. by** passare vicino, trascurare; **to p. over** trascurare, lasciarsi sfuggire

passable [ˈpɑːsəbl] *agg.* **1** transitabile **2** passabile

passage [ˈpæsɪdʒ] *s.* **1** passaggio *m.*, varco *m.* **2** corridoio *m.* **3** tragitto *m.*, traversata *f.* **4** brano *m.*

passbook [ˈpɑːsbʊk] *s.* libretto *m.* di risparmio

passenger [ˈpæsɪn(d)ʒər] *s.* passeggero *m.*, viaggiatore *m.*

passer-by [ˌpɑːsəˈbaɪ] (*pl.* **passers-by**) *s.* passante *m. e f.*

passing [ˈpɑːsɪŋ] **A** *agg.* **1** passante, passeggero, di passaggio **2** casuale, incidentale **B** *s.* **1** passaggio *m.* **2** trapasso *m.*, morte *f.* ♦ **in p.** incidentalmente; **p. bell** campana a morto

passion [ˈpæʃ(ə)n] *s.* passione *f.*

passional [ˈpæʃənl] *agg.* passionale

passionate [ˈpæʃənɪt] *agg.* appassionato

passionflower [ˈpæʃ(ə)nˌflaʊər] *s.* passiflora *f.*

passive [ˈpæsɪv] *agg.* passivo

Passover [ˈpɑːsˌʊvər] *s.* Pasqua *f.* ebraica

passport [ˈpɑːspɔːt] *s.* passaporto *m.*

password [ˈpɑːsˌwɜːd] *s.* parola *f.* d'ordine

past [pɑːst] **A** *agg.* **1** passato, trascorso **2** (*gramm.*) passato **B** *s.* passato *m.* **C** *avv.* presso, accanto, oltre **D** *prep.* dopo, oltre ♦ **to go p.** passare

pasta [ˈpæstə] *s.* pasta *f.*, pastasciutta *f.*

paste [peɪst] *s.* **1** pasta *f.* **2** colla *f.* ♦ **tooth p.** dentifricio

pastel [ˈpæstel] *s.* pastello *m.*

to pasteurize [ˈpæstəraɪz] *v. tr.* pastorizzare

pastille [pæsˈtiːl] *s.* pastiglia *f.*

pastime [ˈpɑːstaɪm] *s.* passatempo *m.*

pastor [ˈpɑːstər] *s.* pastore *m.*

pastoral [ˈpɑːst(ə)r(ə)l] *agg.* pastorale

pastry [ˈpeɪstrɪ] *s.* **1** pasta *f.* (*per dolci*) **2** pasticcino *m.* ♦ **p. shop** pasticceria; **puff p.** pasta sfoglia

pasture [ˈpɑːstʃər] *s.* pascolo *m.*

pasty (1) [ˈpeɪstɪ] *agg.* pastoso

pasty (2) [ˈpæstɪ] *s.* (*cuc.*) pasticcio *m.* di carne

to pat [pæt] **A** *v. tr.* dare un buffetto, accarezzare **B** *v. intr.* tamburellare

patch [pætʃ] *s.* **1** toppa *f.* **2** macchia *f.* **3** benda *f.*

to patch [pætʃ] *v. tr.* rattoppare, aggiustare ♦ **to p. up** appianare

patchwork [ˈpætʃwɜːk] *s.* patchwork *m. inv.*

patchy [ˈpætʃɪ] *agg.* **1** rappezzato **2** chiazzato, a macchie **3** irregolare

paté [ˈpæteɪ] *s.* paté *m. inv.*

patent [ˈpeɪt(ə)nt] **A** *agg.* **1** manifesto, palese **2** patentato, brevettato **3** (*fam.*) ingegnoso **B** *s.* brevetto *m.*

to patent [ˈpeɪt(ə)nt] *v. tr.* brevettare

paternal [pə'tɜːnl] *agg.* paterno
paternalism [pə'tɜːn(ə)lɪz(ə)m] *s.* paternalismo *m.*
paternity [pə'tɜːnɪtɪ] *s.* paternità *f.*
path [pɑːθ] *s.* **1** sentiero *m.* **2** via *f.*, strada *f.* **3** traiettoria *f.* **4** (*inf.*) percorso *m.*, path *m. inv.*
pathetic [pə'θɛtɪk] *agg.* patetico
pathologic(al) [ˌpæθə'lɒdʒɪk((ə)l)] *agg.* patologico
pathology [pə'θɒlədʒɪ] *s.* patologia *f.*
pathos ['peɪθəs] *s.* pathos *m.*
pathway ['pɑːθˌweɪ] *s.* sentiero *m.*
patience ['peɪʃ(ə)ns] *s.* **1** pazienza *f.* **2** (*con le carte*) solitario *m.*
patient ['peɪʃ(ə)nt] *agg. e s.* paziente *m. e f.*
patina ['pætɪnə] *s.* patina *f.*
patriarch ['peɪtrɪɑːk] *s.* patriarca *m.*
patriarchate ['peɪtrɪɑːkɪt] *s.* patriarcato *m.*
patrician [pə'trɪʃ(ə)n] *agg.* patrizio
patrimonial [ˌpætrɪ'mɒʊnjəl] *agg.* patrimoniale
patrimony ['pætrɪmənɪ] *s.* patrimonio *m.*
patriot ['pætrɪət] *s.* patriota *m. e f.*
patriotic [ˌpætrɪ'ɒtɪk] *agg.* patriottico
patriotism ['pætrɪətɪz(ə)m] *s.* patriottismo *m.*
patrol [pə'trɒʊl] *s.* **1** pattuglia *f.*, ronda *f.* **2** perlustrazione *f.*, pattugliamento *m.* ♦ **p. boat** vedetta della guardia costiera; **p. car** auto della polizia; **to be on p.** essere di pattuglia
patron ['peɪtr(ə)n] *s.* **1** patrono *m.*, protettore *m.*, mecenate *m.* **2** cliente *m. e f.* (*abituale*)
patronage ['pætrənɪdʒ] *s.* **1** patrocinio *m.*, mecenatismo *m.*, protezione *f.* **2** clientela *f.*
to patronize ['pætrənaɪz] *v. tr.* **1** patrocinare **2** trattare con condiscendenza **3** essere cliente abituale di
patronymic [ˌpætrə'nɪmɪk] *s.* patronimico *m.*
patter ['pætər] *s.* picchiettio *m.*
to patter ['pætər] *v. intr.* **1** picchiettare **2** sgambettare
pattern ['pætən] *s.* **1** modello *m.*, campione *m.* **2** motivo *m.*, disegno *m.*
paunch ['pɔːn(t)ʃ] *s.* pancione *m.*
pauper ['pɔːpər] *s.* povero *m.*
pause [pɔːz] *s.* pausa *f.*, sosta *f.*, tregua *f.*
to pause [pɔːz] *v. intr.* fare una pausa
to pave [peɪv] *v. tr.* **1** (*una strada*) pavimentare, lastricare **2** (*fig.*) aprire la strada
pavement ['peɪvmənt] *s.* **1** selciato *m.* **2** marciapiede *m.*
pavilion [pə'vɪljən] *s.* padiglione *m.*
paving ['peɪvɪŋ] *s.* pavimentazione *f.*, selciato *m.*
paw [pɔː] *s.* zampa *f.*
pawn (1) [pɔːn] *s.* pegno *m.*, garanzia *f.*
pawn (2) [pɔːn] *s.* pedina *f.*, (*scacchi*) pedone *m.*
to pawn [pɔːn] *v. tr.* impegnare, dare in pegno
pay [peɪ] *s.* paga *f.*, compenso *m.* ♦ **p. packet** (*USA* **p. envelope**) busta paga
to pay [peɪ] (*pass. e p. p.* **paid**) **A** *v. tr.* **1** pagare, compensare **2** rendere, fruttare **3** fare, rendere **B** *v. intr.* **1** pagare **2** essere vantaggioso, convenire ♦ **to p. attention** prestare attenzione; **to p. back** ripagare; **to p. in** versare; **to p. off** saldare, liquidare; **to p. up** saldare
payable ['peɪəbl] *agg.* pagabile
payee [peɪ'iː] *s.* beneficiario *m.*
payment ['peɪmənt] *s.* pagamento *m.* ♦ **p. in full** saldo; **terms of p.** condizioni di pagamento
payroll ['peɪrɒʊl] *s.* libro *m.* paga
pea [piː] *s.* pisello *m.*
peace [piːs] *s.* pace *f.*
peaceful ['piːsf(ʊ)l] *agg.* pacifico, tranquillo
peach [piːtʃ] *s.* pesca *f.* (*frutto*)
peacock [piːkək] *s.* pavone *m.*
peak [piːk] **A** *s.* **1** vetta *f.*, picco *m.* **2** punta *f.* **3** visiera *f.* **4** massimo *m.* **B** *agg.* di punta, massimo ♦ **p. hours** ore di punta
peal [piːl] *s.* **1** scampanio *m.* **2** scoppio *m.*, scroscio *m.*
peanut ['piːnʌt] *s.* arachide *f.*
pear [pɛər] *s.* pera *f.*
pearl [pɜːl] *s.* perla *f.*
pearly ['pɜːlɪ] *agg.* perlaceo
peasant ['pez(ə)nt] *s.* contadino *m.*
peat [piːt] *s.* torba *f.*
pebble ['pɛbl] *s.* ciottolo *m.*
peck [pɛk] *s.* **1** beccata *f.*, colpo *m.* di becco **2** (*fam.*) bacetto *m.*
to peck [pɛk] *v. tr. e intr.* beccare
peckish ['pɛkɪʃ] *s.* (*fam.*) languorino *m.*
peculiar [pɪ'kjuːlɪər] *agg.* **1** peculiare **2** strano, insolito
peculiarity [pɪˌkjuːlɪ'ærɪtɪ] *s.* **1** peculiarità *f.* **2** stranezza *f.*
pedagogy ['pɛdəgəgɪ] *s.* pedagogia *f.*

pedal ['pɛdl] *s.* pedale *m.*

to pedal ['pɛdl] *v. intr.* pedalare

pedant ['pɛd(ə)nt] *s.* pedante *m. e f.*, pignolo *m.*

pedantic [pɪ'dæntɪk] *agg.* pedante

pedantry ['pɛd(ə)ntrɪ] *s.* pedanteria *f.*

to peddle ['pɛdl] **A** *v. intr.* fare il venditore ambulante **B** *v. tr.* **1** (*di ambulante*) vendere al minuto **2** (*droga*) spacciare

pedestal ['pɛdɪstl] *s.* piedistallo *m.*

pedestrian [pɪ'dɛstrɪən] **A** *agg.* **1** che va a piedi **2** pedestre **B** *s.* pedone *m.* ♦ **p. crossing** passaggio pedonale

pedicure ['pɛdɪkjʊər] *s.* pedicure *m. e f. inv.*

pedigree ['pɛdɪgriː] *s.* **1** albero *m.* genealogico **2** lignaggio *m.* **3** pedigree *m. inv.*

pediment ['pɛdɪmənt] *s.* (*arch.*) frontone *m.*

pee [piː] *s.* (*fam.*) pipì *f.*

to pee [piː] *v. intr.* (*fam.*) fare pipì

to peek [piːk] *v. intr.* sbirciare

peel [piːl] *s.* buccia *f.*, scorza *f.*

to peel [piːl] **A** *v. tr.* pelare, sbucciare **B** *v. intr.* spellarsi, sbucciarsi, squamarsi

peep (1) [piːp] *s.* sbirciata *f.*

peep (2) [piːp] *s.* pigolio *m.*, squittio *m.*

to peep (1) [piːp] *v. intr.* **1** sbirciare, occhieggiare **2** fare capolino, spuntare ♦ **to p. at st.** guardare furtivamente q.c.

to peep (2) [piːp] *v. intr.* pigolare, squittire

peephole ['piːp‚hɒʊl] *s.* spioncino *m.*

peer [pɪər] *s.* **1** pari *m.*, persona *f.* di pari rango **2** (*membro della Camera dei Lord*) Pari *m.*

to peer [pɪər] *v. intr.* **1** far capolino, spuntare **2** scrutare

peerless ['pɪəlɪs] *agg.* impareggiabile

peeved [piːvd] *agg.* (*fam.*) irritato

peevish ['piːvɪʃ] *agg.* irritabile, permaloso

peg [pɛg] *s.* **1** piolo *m.*, picchetto *m.* **2** attaccapanni *m. inv.* **3** (*per bucato*) molletta *f.* **4** (*fig.*) appiglio *m.*, pretesto *m.*

pejorative [pɪ'dʒɒrətɪv] *agg.* peggiorativo

pelican ['pɛlɪkən] *s.* pellicano *m.* ♦ **p. crossing** attraversamento pedonale con semaforo a controllo manuale

pellet ['pɛlɪt] *s.* **1** pallina *f.* **2** pallottola *f.* **3** pillola *f.*

pelt (1) [pɛlt] *s.* pelle *f.* non conciata

pelt (2) [pɛlt] *s.* colpo *m.* (*di proiettile, sasso e sim.*) ♦ **at full p.** a tutta velocità

to pelt [pɛlt] **A** *v. tr.* colpire (*con proiettili, sassi e sim.*) **B** *v. intr.* scrosciare, piovere a dirotto

pelvis ['pɛlvɪs] *s.* pelvi *f.*, bacino *m.*

pen (1) [pɛn] *s.* penna *f.* ♦ **ballpoint p.** penna a sfera; **fountain p.** stilografica; **p. friend/p. pal** amico di penna; **p. name** pseudonimo; **quill p.** penna d'oca

pen (2) [pɛn] *s.* recinto *m.* (*per animali*)

penal ['piːnl] *agg.* penale

to penalize ['piːnəlaɪz] *v. tr.* penalizzare

penalty ['pɛn(ə)ltɪ] *s.* penalità *f.*, ammenda *f.*, punizione *f.* ♦ **p. kick** calcio di rigore

penance ['pɛnəns] *s.* penitenza *f.*

pence [pɛns] *pl. di* **penny**

pencil ['pɛnsl] *s.* matita *f.* ♦ **p. case** portamatite; **p. sharpener** temperamatite

pendant ['pɛndənt] *s.* pendente *m.*, ciondolo *m.*

pending ['pɛndɪŋ] **A** *agg.* **1** pendente, in sospeso **2** imminente **B** *prep.* **1** durante **2** fino a, in attesa di

pendular ['pɛndjʊlər] *agg.* pendolare

pendulum ['pɛndjʊləm] *s.* pendolo *m.*

to penetrate ['pɛnɪtreɪt] **A** *v. tr.* **1** penetrare **2** pervadere, permeare **3** comprendere **B** *v. intr.* **1** penetrare, introdursi **2** capire

penetration [‚pɛnɪ'treɪʃ(ə)n] *s.* penetrazione *f.*

penguin ['pɛŋgwɪn] *s.* pinguino *m.*

penicillin [‚pɛnɪ'sɪlɪn] *s.* penicillina *f.*

peninsula [pɪ'nɪnsjʊlə] *s.* penisola *f.*

peninsular [pɪ'nɪnsjʊlər] *agg.* peninsulare

penis ['piːnɪs] *s.* pene *m.*

penitence ['pɛnɪt(ə)ns] *s.* penitenza *f.*, pentimento *m.*

penitent ['pɛnɪt(ə)nt] *agg. e s.* penitente *m. e f.*

penitentiary [‚pɛnɪ'tɛnʃərɪ] *s.* (*USA*) penitenziario *m.*

penknife ['pɛnnaɪf] *s.* temperino *m.*

pennant ['pɛnənt] *s.* **1** pennone *m.* **2** bandierina *f.*

penny ['pɛnɪ] *s.* (*pl.* **pennies** o **pence**) **1** un centesimo *m.* di sterlina **2** (*USA*) centesimo *m.*

pensile ['pɛnsaɪl] *agg.* pensile

pension ['pɛnʃ(ə)n] *s.* pensione *f.*

pensioner ['pɛnʃənər] *s.* pensionato *m.*

pensive ['pɛnsɪv] *agg.* pensieroso

pentagon ['pɛntəgən] *s.* pentagono *m.*

pentagonal [pɛn'tægənl] *agg.* pentagonale

Pentecost ['pɛntɪkəst] *s.* pentecoste *f.*

penthouse ['pɛnthaʊs] *s.* attico *m.*

pent up ['pɛnt‚ʌp] *agg.* **1** rinchiuso **2** represso

penultimate [pɪ'nʌltɪmɪt] *agg.* penultimo

penury ['pɛnjʊrɪ] *s.* penuria *f.*, miseria *f.*

peony ['pɪənɪ] *s.* peonia *f.*

people ['piːpl] *s.* **1** popolo *m.*, gente *f.* **2** (*pl. collettivo*) persone *f. pl.*, folla *f.* ♦ **a lot of p.** un mucchio di gente; **p. say** si dice

to people ['piːpl] *v. tr.* popolare

pep [pɛp] *s.* (*fam.*) energia *f.*, vigore *m.*

to pep [pɛp] *v. tr.* (*fam.*) **to p. up** stimolare, vivacizzare

peplos ['pɛpləs] *s.* peplo *m.*

pepper ['pɛpər] *s.* **1** pepe *m.* **2** peperone *m.* ♦ **p. mill** macinapepe; **red p.** peperoncino

to pepper ['pɛpər] *v. tr.* **1** pepare **2** cospargere di **3** mitragliare, tempestare

peppermint ['pɛpəmɪnt] *s.* **1** menta *f.* piperita **2** caramella *f.* di menta

peppery ['pɛpərɪ] *agg.* pepato

peppy ['pɛpɪ] *agg.* (*fam.*) energico, vigoroso

per [pə(ː)r] *prep.* **1** per, per mezzo di, attraverso **2** per, ogni, a ♦ **p. capita** pro capite; **p. cent** per cento; **p. hour** all'ora

to perceive [pə'siːv] *v. tr.* **1** percepire **2** accorgersi

percent [pə'sɛnt] *agg. e s.* percentuale *f.*

percentage [pə'sɛntɪdʒ] *s.* percentuale *f.*

perceptible [pə'sɛptəbl] *agg.* percettibile

perception [pə'sɛpʃ(ə)n] *s.* percezione *f.*

perceptive [pə'sɛptɪv] *agg.* percettivo

perch (1) [pɜːtʃ] *s.* pertica *f.*, bastone *m.*

perch (2) [pɜːtʃ] *s.* pesce *m.* persico

to perch [pɜːtʃ] *v. intr.* appollaiarsi

to percolate ['pɜːkəleɪt] *v. tr. e intr.* filtrare

percolator ['pɜːkəleɪtər] *s.* **1** filtro *m.* **2** macchinetta *f.* per il caffè

percussion [pɜː'kʌʃ(ə)n] *s.* percussione *f.*

peregrination [ˌpɛrɪgrɪ'neɪʃ(ə)n] *s.* peregrinazione *f.*

peremptory [pə'rɛm(p)t(ə)rɪ] *agg.* perentorio

perennial [pə'rɛnjəl] *agg.* perenne

perfect ['pɜːfɪkt] **A** *agg.* perfetto **B** *s.* (*gramm.*) perfetto *m.*

to perfect ['pɜːfɛkt] *v. tr.* perfezionare

perfection [pə'fɛkʃ(ə)n] *s.* **1** perfezione *f.* **2** perfezionamento *m.*

perfectionism [pə'fɛkʃ(ə)nɪz(ə)m] *s.* perfezionismo *m.*

perfectionist [pə'fɛkʃ(ə)nɪst] *s.* perfezionista *m. e f.*

perfidious [pɜː'fɪdɪəs] *agg.* perfido

to perforate ['pɜːfəreɪt] *v. tr.* perforare

perforation [ˌpɜːfə'reɪʃ(ə)n] *s.* perforazione *f.*, traforo *m.*

to perform [pə'fɜːm] **A** *v. tr.* **1** eseguire, compiere **2** (*teatro*) recitare, rappresentare **B** *v. intr.* **1** funzionare, comportarsi **2** (*teatro*) esibirsi, interpretare una parte

performance [pə'fɜːməns] *s.* **1** esecuzione *f.*, rappresentazione *f.*, spettacolo *m.* **2** prestazione *f.*, rendimento *m.*

performer [pə'fɜːmər] *s.* **1** artista *m. e f.*, attore *m.*, interprete *m. e f.* **2** esecutore *m.*

perfume ['pɜːfjuːm] *s.* profumo *m.* ♦ **p. shop** profumeria

to perfume [pə'fjuːm] *v. tr.* profumare

perfunctory [pə'fʌŋ(k)tərɪ] *agg.* superficiale, trascurato

pergola ['pɜːgələ] *s.* pergola *f.*

perhaps [pə'hæps] *avv.* forse, probabilmente

peril ['pɛrɪl] *s.* pericolo *m.*

perimeter [pə'rɪmɪtər] *s.* perimetro *m.*

perimetric(al) [ˌpɛrɪ'mɛtrɪk((ə)l)] *agg.* perimetrale

period ['pɪərɪəd] **A** *s.* **1** periodo *m.*, epoca *f.* **2** (*gramm.*) frase *f.*, periodo *m.* **3** (*segno ortografico*) punto *m.* **4** *al pl.* mestruazioni *f. pl.* **B** *agg.* d'epoca, caratteristico di un periodo

periodical [ˌpɪərɪ'ədɪk(ə)l] *agg.* periodico

periodicity [ˌpɪərɪə'dɪsɪtɪ] *s.* periodicità *f.*

peripheral [pə'rɪfərəl] **A** *agg.* **1** periferico **2** marginale **B** *s.* (*inf.*) (unità) periferica *f.*

periphrasis [pə'rɪfrəsɪs] *s.* perifrasi *f.*

periscope ['pɛrɪskʊp] *s.* periscopio *m.*

to perish ['pɛrɪʃ] *v. intr.* **1** perire, morire **2** deperire, deteriorarsi

perishable ['pɛrɪʃəbl] *agg.* deperibile, deteriorabile

peritonitis [ˌpɛrɪtə'naɪtɪs] *s.* peritonite *f.*

perjury ['pɜːdʒ(ə)rɪ] *s.* spergiuro *m.*

to perk up [ˌpɜːk'ʌp] *v. intr.* rianimarsi, riprendersi

perky ['pɜːkɪ] *agg.* **1** vivace, allegro **2** baldanzoso

perm [pɜːm] *s.* (*fam.*) permanente *f.*

permanent ['pɜːmənənt] *agg.* permanente, stabile ♦ **p. wave** permanente

permeable ['pɜːmjəbl] *agg.* permeabile

to permeate ['pɜːmɪeɪt] **A** *v. tr.* permeare **B** *v. intr.* diffondersi, penetrare

permissible [pə'mɪsəbl] *agg.* ammissibile

permission [pə'mɪʃ(ə)n] s. permesso m.

permissive [pə'mɪsɪv] agg. **1** permissivo, tollerante **2** lecito

permit ['pɜːmɪt] s. permesso m., autorizzazione f.

to permit [pə'mɪt] v. tr. permettere, concedere

permutation [ˌpɜːmjuː'teɪʃ(ə)n] s. permuta f.

pernicious [pɜː'nɪʃəs] agg. pernicioso

perpendicular [ˌpɜːp(ə)n'dɪkjʊləʳ] agg. e s. perpendicolare f.

perpetual [pə'pətjʊəl] agg. perpetuo

to perplex [pə'plɛks] v. tr. **1** rendere perplesso **2** complicare

perplexed [pə'plɛkst] agg. **1** perplesso **2** complicato

perplexity [pə'plɛksɪtɪ] s. **1** perplessità f. **2** complicazione f.

to persecute ['pɜːsɪkjuːt] v. tr. perseguitare, molestare

persecution [ˌpɜːsɪ'kjuːʃ(ə)n] s. persecuzione f.

perseverance [ˌpɜːsɪ'vɪərəns] s. perseveranza f.

to persevere [ˌpɜːsɪ'vɪəʳ] v. intr. perseverare ♦ **to p. in doing st.** insistere nel fare q.c.

Persian ['pɜːʃ(ə)n] agg. e s. persiano m.

to persist [pə'sɪst] v. intr. **1** persistere, continuare **2** ostinarsi

persistent [pə'sɪst(ə)nt] agg. persistente

person ['pɜːsn] s. persona f. ♦ **in p.** personalmente

personage ['pɜːsnɪdʒ] s. personaggio m.

personal ['pɜːsnl] agg. personale

personality [ˌpɜːsə'nælɪtɪ] s. **1** personalità f. **2** personaggio m. **3** al pl. osservazioni f. pl. di carattere personale

to personalize ['pɜːs(ə)nəlaɪz] v. tr. personalizzare

personification [pɜːˌsənɪfɪ'keɪʃ(ə)n] s. personificazione f.

to personify [pɜː'sənɪfaɪ] v. tr. personificare

personnel [ˌpɜːsə'nɛl] s. personale m.

perspective [pə'spɛktɪv] **A** agg. prospettico **B** s. prospettiva f.

perspicacity [ˌpɜːspɪ'kæsɪtɪ] s. perspicacia f., sagacia f.

perspiration [ˌpɜːspə'reɪʃ(ə)n] s. sudore m., sudorazione f.

to perspire [pə'spaɪəʳ] v. intr. sudare

to persuade [pə'sweɪd] v. tr. persuadere

persuasion [pə'sweɪʒ(ə)n] s. persuasione f., convincimento m.

persuasive [pə'sweɪzɪv] agg. persuasivo

pert [pɜːt] agg. impertinente

to pertain [pɜː'teɪn] v. intr. essere di pertinenza, spettare

pertinent ['pɜːtɪnənt] agg. pertinente, relativo

to perturb [pə'tɜːb] v. tr. turbare, sconvolgere

perturbation [ˌpɜːtɜː'beɪʃ(ə)n] s. perturbazione f., turbamento m.

to peruse [pə'ruːz] v. tr. **1** leggere attentamente **2** esaminare

to pervade [pɜː'veɪd] v. tr. pervadere

pervasive [pɜː'veɪsɪv] agg. penetrante

perverse [pə'vɜːs] agg. perverso, iniquo

perversion [pə'vɜːʃ(ə)n] s. perversione f.

pervert ['pɜːvɜːt] s. pervertito m.

to pervert [pə'vɜːt] v. tr. pervertire, corrompere

pessimism ['pɛsɪmɪz(ə)m] s. pessimismo m.

pessimist ['pɛsɪmɪst] s. pessimista m. e f.

pessimistic [ˌpɛsɪ'mɪstɪk] agg. pessimistico

pest [pɛst] s. **1** insetto m. nocivo **2** pianta f. infestante **3** persona f. fastidiosa

to pester ['pɛstəʳ] v. tr. seccare, importunare

pestiferous [pɛs'tɪf(ə)rəs] agg. pestifero

pestilence ['pɛstɪləns] s. pestilenza f.

pet [pɛt] s. **1** animale m. domestico **2** beniamino m. ♦ **p. name** vezzeggiativo

to pet [pɛt] **A** v. tr. **1** coccolare **2** (fam.) pomiciare con **B** v. intr. (fam.) pomiciare

petal ['pɛtl] s. petalo m.

petard [pə'taːd] s. petardo m.

to peter ['piːtəʳ] v. intr. (fam.) **to p. out** esaurirsi, estinguersi

petition [pɪ'tɪʃən] s. **1** petizione f., supplica f. **2** (dir.) ricorso m.

petrified ['pɛtrɪfaɪd] agg. **1** pietrificato **2** impietrito

to petrify ['pɛtrɪfaɪ] v. intr. **1** pietrificarsi **2** impietrirsi

petrol ['pɛtr(ə)l] s. benzina f. ♦ **p. station** stazione di servizio; **p. tank** serbatoio della benzina

petroleum [pɪ'trəʊljəm] s. petrolio m. ♦ **crude p.** petrolio grezzo

petticoat ['pɛtɪkəʊt] s. sottoveste f.

pettifogger ['pɛtɪfɒgəʳ] s. leguleio m.

petty ['pɛtɪ] agg. **1** piccolo, insignificante **2** meschino **3** subalterno, subordinato ♦

p. officer sottufficiale di marina
petulance ['pɛtjuləns] *s.* petulanza *f.*
petulant ['pɛtjulənt] *agg.* petulante, irritabile
pew [pju:] *s. (di chiesa)* panca *f.*
pewter ['pju:tər] *s.* peltro *m.*
phagocyte [fə'gɒusaɪt] *s. (biol.)* fagocita *m.*
phalanstery ['fælənst(ə)rɪ] *s.* falansterio *m.*
phalanx ['fælæŋks] *s.* falange *f.*
phallic ['fælɪk] *agg.* fallico
phallus ['fæləs] *s.* fallo *m.*
phantom ['fæntəm] *s.* fantasma *m.*
pharaonic [fɛə'rænɪk] *agg.* faraonico
pharmaceutic(al) [ˌfɑ:mə'sju:tɪk((ə)l)] **A** *agg.* farmaceutico **B** *s.* farmaco *m.*
pharmacy ['fɑ:məsɪ] *s.* farmacia *f.*
pharyngitis [ˌfærɪn'dʒaɪtɪs] *s.* faringite *f.*
pharynx ['færɪŋks] *s.* faringe *f.*
phase [feɪz] *s.* fase *f.* ♦ **p. displacement** *(elettr)* sfasamento
pheasant ['fɛznt] *s.* fagiano *m.*
phenomena [fɪ'nəmɪnə] *pl. di* **phenomenon**
phenomenal [fɪ'nəmɪnl] *agg.* fenomenale
phenomenon [fɪ'nəmɪnən] *(pl.* **phenomena)** *s.* fenomeno *m.*
philanthropic(al) [ˌfɪlən'θrəpɪk((ə)l)] *agg.* filantropico
philanthropist [fɪ'lænθrəpɪst] *s.* filantropo *m.*
philanthropy [fɪ'lænθrəpɪ] *s.* filantropia *f.*
philatelic(al) [ˌfɪlə'tɛlɪk((ə)l)] *agg.* filatelico
philately [fɪ'lætəlɪ] *s.* filatelia *f.*
philharmonic [ˌfɪlɑ:'mɒnɪk] *agg. e s.* filarmonica *f.*
Philippine ['fɪlɪpi:n] *agg.* filippino
philology [fɪ'lɒlədʒɪ] *s.* filologia *f.*
philosopher [fɪ'lɒsəfər] *s.* filosofo *m.*
philosophic(al) [ˌfɪlə'sɒfɪk((ə)l)] *agg.* filosofico
philosophy [fɪ'lɒsəfɪ] *s.* filosofia *f.*
phlebitis [flɪ'baɪtɪs] *s.* flebite *f.*
phleboclysis ['flɛbɒ(ʊ)ˌklaɪsɪs] *s.* fleboclisi *f.*
phlegm [flɛm] *s.* **1** *(med.)* muco *m.* **2** flemma *f.*, sangue *m.* freddo
phlegmatic [flɛg'mætɪk] *agg.* flemmatico
phlogosis [flə'gɒusɪs] *s.* flogosi *f.*
phobia ['fɒubjə] *s.* fobia *f.*
Phoenician [fɪ'nɪʃ(ɪ)ən] *agg. e s.* fenicio *m.*
phone [fɒun] *s.* telefono *m.* ♦ **p. book**

elenco telefonico; **p. booth/box** cabina telefonica; **to be on the p.** essere al telefono
to phone [fɒun] *v. tr. e intr.* telefonare ♦ **to p. back** richiamare; **to p. in** comunicare per telefono; **to p. up** telefonare
phonetic [fɒ(ʊ)'nɛtɪk] *agg.* fonetico
phonetics [fɒ(ʊ)'nɛtɪks] *s. pl. (v. al sing.)* fonetica *f.*
phoney ['fɒunɪ] **A** *agg. (fam.)* falso, fasullo **B** *s.* **1** cosa *f.* falsa **2** impostore *m.*
phosphorescent [ˌfɒsfə'rɛsənt] *agg.* fosforescente
phosphorus ['fɒsfərəs] *s.* fosforo *m.*
photo ['fɒutɒu] *s.* fotografia *f.*
photocell ['fɒutəsɛl] *s.* fotocellula *f.*
photocopier ['fɒutɒ(ʊ)ˌkəpɪər] *s.* fotocopiatrice *f.*
photocopy ['fɒutɒ(ʊ)ˌkəpɪ] *s.* fotocopia *f.*
to photocopy ['fɒutɒ(ʊ)ˌkəpɪ] *v. tr.* fotocopiare
photogenic [ˌfɒutɒ(ʊ)'dʒɛnɪk] *agg.* fotogenico
photograph ['fɒutəgrɑ:f] *s.* fotografia *f.*
to photograph ['fɒutəgrɑ:f] *v. tr.* fotografare
photographer [f(ə)'tɒgrəfər] *s.* fotografo *m.*
photographic [ˌfɒutə'græfɪk] *agg.* fotografico
photography [fə'tɒgrəfɪ] *s.* fotografia *f.*
phrasal ['freɪz(ə)l] *agg.* di locuzione, di frase ♦ **p. verb** verbo fraseologico
phrase [freɪz] *s.* **1** locuzione *f.*, espressione *f.*, frase *f.* fatta **2** *(mus.)* frase *f.*
phraseological [ˌfreɪzɪə'lədʒɪk(ə)l] *agg.* fraseologico
physical ['fɪzɪk(ə)l] *agg.* fisico
physician [fɪ'zɪʃ(ə)n] *s.* medico *m.*
physics ['fɪzɪks] *s. pl. (v. al sing.)* fisica *f.*
physiognomist [ˌfɪzɪ'ɒnəmɪst] *s.* fisionomista *m. e f.*
physiological [ˌfɪzɪə'lɒdʒɪk(ə)l] *agg.* fisiologico
physiology [ˌfɪzɪ'ələdʒɪ] *s.* fisiologia *f.*
physiotherapist [ˌfɪzɪɒ(ʊ)'θɛrəpɪst] *s.* fisioterapista *m. e f.*
physiotherapy [ˌfɪzɪɒ(ʊ)'θɛrəpɪ] *s.* fisioterapia *f.*
physique [fɪ'zi:k] *s.* fisico *m.*, corporatura *f.*
pianist ['pɪənɪst] *s.* pianista *m. e f.*
piano ['pjænɒu] *s.* pianoforte *m.*
pick (1) [pɪk] *s.* **1** piccone *m.* **2** strumento

m. appuntito

pick (2) [pɪk] *s.* **1** scelta *f.* **2** parte *f.* migliore

to pick [pɪk] **A** *v. tr.* **1** cogliere, raccogliere **2** togliere **3** scegliere **4** pulire, ripulire **5** perforare, grattare, scavare **6** rubare, borseggiare **B** *v. intr.* **1** picconare **2** mangiucchiare, piluccare ♦ **to p. at** sbocconcellare; **to p. on** prendersela con; **to p. out** scegliere, riconoscere; **to p. up** raccogliere, dare un passaggio, passare a prendere, imparare, acquistare

picket ['pɪkɪt] *s.* **1** piolo *m.*, picchetto *m.* **2** (*di scioperanti*) picchetto *m.*

pickle ['pɪkl] *s.* **1** salamoia *f.* **2** sottaceti *m. pl.*

to pickle ['pɪkl] *v. tr.* mettere sotto aceto, conservare in salamoia

pickpocket ['pɪkˌpɔkɪt] *s.* borseggiatore *m.*

picnic ['pɪknɪk] *s.* picnic *m. inv.*

pictorial [pɪk'tɔːrɪəl] *agg.* **1** illustrato **2** pittorico

picture ['pɪktʃər] *s.* **1** quadro *m.*, immagine *f.*, illustrazione *f.*, disegno *m.* **2** fotogramma *m.*, fotografia *f.* **3** ritratto *m.* **4** descrizione *f.* **5** situazione *f.*, quadro *m.* **6** film *m. inv.*, cinema *m.* ♦ **p. book** libro illustrato; **to be in the p.** essere informato

to picture ['pɪktʃər] *v. tr.* **1** dipingere, ritrarre, raffigurare **2** immaginare ♦ **to p. to oneself** immaginarsi

picturesque [ˌpɪktʃə'resk] *agg.* pittoresco

pie [paɪ] *s.* torta *f.*, pasticcio *m.* ♦ **apple p.** torta di mele; **p. chart** diagramma a torta

piece [piːs] *s.* **1** pezzo *m.* **2** moneta *f.* **3** a **p. of** (*seguito da s.*) un, una ♦ **a p. of news** una notizia

to piece [piːs] *v. tr.* **1** unire, connettere **2** rappezzare ♦ **to p. together** mettere insieme

piecemeal ['piːsmiːl] **A** *agg.* frammentario **B** *avv.* pezzo per pezzo, un po' alla volta

piecework ['piːswɜːk] *s.* lavoro *m.* a cottimo

pier [pɪər] *s.* **1** banchina *f.*, molo *m.* **2** (*di ponte*) pila *f.*

to pierce [pɪəs] *v. tr.* **1** forare, perforare **2** trafiggere ♦ **to p. through st.** penetrare attraverso q.c.

piercing ['pɪəsɪŋ] *agg.* penetrante, pungente

pig [pɪg] *s.* **1** maiale *m.*, porco *m.* **2** (*metall.*) pane *m.* ♦ **Guinea p.** porcellino

d'India; **sucking p.** maialino da latte

pigeon ['pɪdʒɪn] *s.* piccione *m.* ♦ **carrier p.** piccione viaggiatore; **p. house** piccionaia

pigeonhole ['pɪdʒɪnhəʊl] *s.* casella *f.*

piggery ['pɪgərɪ] *s.* porcile *m.*, allevamento *m.* di suini

piggy ['pɪgɪ] *s.* porcellino *m.*, maialino *m.* ♦ **p. bank** salvadanaio (*a forma di porcellino*)

pigheaded [ˌpɪg'hedɪd] *agg.* (*fam.*) caparbio

piglet ['pɪglɪt] *s.* porcellino *m.*, maialino *m.*

pigment ['pɪgmənt] *s.* pigmento *m.*

pigmentation [ˌpɪgmən'teɪ(ə)n] *s.* pigmentazione *f.*

pigpen ['pɪgpen] *s.* (*USA*) porcile *m.*

pigskin ['pɪgskɪn] *s.* (pelle di) cinghiale *m.*

pigsty ['pɪgstaɪ] *s.* porcile *m.*

pigtail ['pɪgteɪl] *s.* **1** codino *m.* di maiale **2** treccia *f.*

pike [paɪk] *s.* luccio *m.*

pilchard ['pɪltʃəd] *s.* sardina *f.*

pile (1) [paɪl] *s.* **1** pila *f.*, catasta *f.*, mucchio *m.* **2** (*fig.*) grande quantità *f.* **3** (*fis.*) pila *f.*

pile (2) [paɪl] *s.* palo *m.*, palafitta *f.*, pilone *m.*

pile (3) [paɪl] *s.* (*di tessuto*) pelo *m.*

to pile [paɪl] **A** *v. tr.* ammucchiare, accatastare **B** *v. intr.* ammucchiarsi, affollarsi ♦ **to p. on** esagerare, aumentare; **to p. up** accumularsi, (*di veicoli*) tamponarsi

piles [paɪlz] *s. pl.* emorroidi *f. pl.*

pileup ['paɪlʌp] *s.* (*fam.*) tamponamento *m.* a catena

to pilfer ['pɪlfər] *v. tr. e intr.* rubacchiare

pilgrim ['pɪlgrɪm] *s.* pellegrino *f.*

pilgrimage ['pɪlgrɪmɪdʒ] *s.* pellegrinaggio *m.*

pill [pɪl] *s.* pillola *f.*

pillage ['pɪlɪdʒ] *s.* saccheggio *m.*

to pillage ['pɪlɪdʒ] *v. tr. e intr.* saccheggiare

pillager ['pɪlɪdʒər] *s.* saccheggiatore *m.*

pillar ['pɪlər] *s.* pilastro *m.*, colonna *f.* ♦ **p. box** buca delle lettere

pillion ['pɪljən] *s.* sellino *m.* posteriore

to pillory ['pɪlərɪ] *v. tr.* mettere alla berlina

pillow ['pɪləʊ] *s.* guanciale *m.*, cuscino *m.* ♦ **p. case** federa

pilot ['paɪlət] **A** *s.* pilota *m.* **B** *agg.* pilota, sperimentale, di prova ♦ **p. book** portolano; **p. boat** pilotina

to pilot ['paɪlət] *v. tr.* pilotare

pimp [pɪmp] *s.* protettore *m.*, magnaccia *m.*

pimple ['pɪmpl] s. pustola f., foruncolo m.

pin [pɪn] s. 1 spillo m. 2 perno m., spinotto m.

to pin [pɪn] v. tr. puntare con spilli, fissare ♦ to p. down costringere; to p. up appendere con spilli

pinafore ['pɪnəfɔr] s. grembiulino m.

pinball ['pɪnbɔ:l] s. flipper m. inv.

pincers ['pɪnsəz] s. pl. pinze f. pl., tenaglie f. pl.

pinch [pɪntʃ] s.\1 pizzico m., pizzicotto m. 2 (di sale, tabacco) presa f. 3 stretta f., morsa f., angustia f.

to pinch [pɪntʃ] v. tr. 1 pizzicare, schiacciare 2 tormentare 3 lesinare 4 (pop.) rubare

pine [paɪn] s. pino m. ♦ p. cone pigna; p. seed pinolo; p. wood pineta

to pine [paɪn] v. intr. 1 struggersi, tormentarsi 2 anelare ♦ to p. after st. desiderare ardentemente q.c.; to p. away consumarsi dal dolore

pineapple ['paɪn,æpl] s. ananas m. inv.

ping [pɪŋ] s. sibilo m.

ping-pong ['pɪŋpɔŋ] s. ping-pong m. inv.

pink [pɪŋk] A agg. rosa B s. 1 (color) rosa m. 2 garofano m.

pinnacle ['pɪnəkl] s. pinnacolo m.

to pinpoint ['pɪn,pɔɪnt] v. tr. localizzare, indicare con esattezza

pint [paɪnt] s. pinta f.

pioneer [,paɪə'nɪər] s. pioniere m.

pious ['paɪəs] agg. 1 pio, devoto 2 ipocrita

pip (1) [pɪp] s. (di frutto) seme m.

pip (2) [pɪp] s. (pop.) malessere m.

pipe [paɪp] s. 1 tubo m., condotto m., conduttura f. 2 (dell'organo) canna f. 3 piffero m., al pl. cornamusa f. 4 pipa f. ♦ exhaust p. tubo di scappamento; p. dream sogno irrealizzabile

to pipe [paɪp] A v. intr. 1 suonare il piffero (o la cornamusa) 2 fischiare 3 parlare (o cantare) con voce acuta B v. tr. 1 convogliare con tubazioni 2 suonare (con il piffero, la cornamusa) 3 dire con voce acuta ♦ to p. down tacere

pipeline ['paɪp,laɪn] s. conduttura f. ♦ oil p. oleodotto

piper ['paɪpər] s. pifferaio m., zampognaro m.

piping ['paɪpɪŋ] A s. tubazioni f. pl. B agg. acuto, penetrante ♦ p. hot bollente

pique [pi:k] s. ripicca f., puntiglio m.

piracy ['paɪərəsɪ] s. pirateria f.

pirate ['paɪərɪt] agg. e s. pirata m.

pisciculture ['pɪsɪkʌltʃər] s. piscicoltura f.

to piss [pɪs] v. intr. (volg.) pisciare

pissed [pɪst] agg. (volg.) sbronzo

pistachio [pɪs'taːʃɪəʊ] s. pistacchio m.

pistol ['pɪstl] s. pistola f.

piston ['pɪstən] s. pistone m.

pit (1) [pɪt] s. 1 buca f., fossa f. 2 cava f., miniera f. 3 platea f.

pit (2) [pɪt] s. nocciolo m., seme m.

to pit [pɪt] v. tr. 1 infossare 2 butterare 3 contrapporre ♦ to p. against aizzare contro, opporre

pitch (1) [pɪtʃ] s. 1 lancio m. 2 intonazione f., tono m. 3 grado m., punto m. 4 (arch.) altezza f. (di arco) 5 (di elica) passo m. 6 (di carattere tipografico) passo m., pitch m. inv. 7 (naut.) beccheggio m. 8 campo m. da gioco

pitch (2) [pɪtʃ] s. pece f.

to pitch [pɪtʃ] A v. tr. 1 piantare, rizzare 2 lanciare 3 intonare, impostare 4 ingranare 5 pavimentare B v. intr. 1 accamparsi 2 cadere, stramazzare 3 (naut.) beccheggiare ♦ pitched battle battaglia campale; to p. in darci dentro

pitcher (1) ['pɪtʃər] s. brocca f.

pitcher (2) ['pɪtʃər] s. (baseball) lanciatore m.

pitchfork ['pɪtʃfɔ:k] s. forcone m.

piteous ['pɪtɪəs] agg. pietoso, miserevole

pitfall ['pɪtfɔːl] s. trappola f.

pith [pɪθ] s. 1 midollo m. 2 (bot.) albedo f. 3 (fig.) essenza f.

pithy ['pɪθɪ] agg. 1 conciso 2 vigoroso

pitiful ['pɪtɪf(ʊ)l] agg. pietoso

pitiless ['pɪtɪlɪs] agg. spietato

pittance ['pɪt(ə)ns] s. paga f. (esigua)

pity ['pɪtɪ] s. 1 pietà f., compassione f. 2 peccato m. ♦ what a p.! che peccato!

to pity ['pɪtɪ] v. tr. compatire

pivot ['pɪvət] s. cardine m., perno m.

pixie ['pɪksɪ] s. fata f., folletto m.

placard ['plækaːd] s. manifesto m., cartellone m.

to placate [plə'keɪt] v. tr. placare

place [pleɪs] s. 1 località f., luogo m., posto m. 2 impiego m., posizione f. 3 (a sedere, a tavola) posto m. 4 (fam.) casa f., casa f. di campagna ♦ in p. of invece di; in the first p. in primo luogo; out of p. fuori posto, inopportuno; p. card segnaposto; to take p. accadere

to place [pleɪs] *v. tr.* **1** collocare, disporre, mettere **2** riconoscere, individuare **3** (*denaro*) investire ♦ **to be placed** piazzarsi; **to p. oneself** mettersi, porsi

placement ['pleɪsmənt] *s.* collocamento *m.*

placid ['plæsɪd] *agg.* placido

plagiarism ['pleɪdʒərɪz(ə)m] *s.* plagio *m.*

to plagiarize ['pleɪdʒəraɪz] *v. tr.* plagiare

plague [pleɪg] *s.* **1** peste *f.* **2** piaga *f.*, flagello *m.*

to plague [pleɪg] *v. tr.* affliggere, tormentare

plaice [pleɪs] *s.* passera *f.* di mare

plaid [plæd] *s.* plaid *m. inv.*

plain [pleɪn] **A** *agg.* **1** chiaro, evidente **2** semplice, liscio, non lavorato **3** facile **4** comune, ordinario **5** sincero, schietto **6** puro **B** *s.* pianura *f.* **C** *avv.* **1** chiaramente, francamente **2** semplicemente ♦ **p. chocolate** cioccolato fondente; **p.-clothes** in borghese; **p. cooking** cucina casalinga; **the p. truth** la pura verità

plaintiff ['pleɪntɪf] *s.* (*dir*) attore *m.*

plaintive ['pleɪntɪv] *agg.* lamentoso

plait [plæt] *s.* treccia *f.*

plan [plæn] *s.* **1** piano *m.*, progetto *m.* **2** pianta *f.*

to plan [plæn] **A** *v. tr.* **1** impostare, progettare, pianificare **2** fare il piano di **B** *v. intr.* fare progetti

plane (1) [pleɪn] **A** *agg.* piano **B** *s.* **1** piano *m.* **2** livello *m.* **3** aereo *m.*

plane (2) [pleɪn] *s.* platano *m.*

plane (3) [pleɪn] *s.* pialla *f.*

to plane (1) [pleɪn] *v. intr.* planare

to plane (2) [pleɪn] *v. tr.* piallare

planer ['pleɪnər] *s.* piallatrice *f.*

planet ['plænɪt] *s.* pianeta *m.*

planimetry [plæ'nɪmɪtrɪ] *s.* planimetria *f.*

planisphere ['plænɪsfɪər] *s.* planisfero *m.*

plank [plæŋk] *s.* asse *f.*, tavola *f.*

planner ['plænər] *s.* progettista *m.* e *f.*

planning ['plænɪŋ] *s.* progettazione *f.*, pianificazione *f.* ♦ **p. permission** licenza edilizia

plant [plɑːnt] *s.* **1** pianta *f.* **2** impianto *m.*, stabilimento *m.*

to plant [plɑːnt] *v. tr.* **1** piantare **2** fissare, conficcare **3** collocare, mettere

plantation [plæn'teɪʃən] *s.* piantagione *f.*

plaque [plɑːk] *s.* placca *f.*

plaster ['plɑːstər] *s.* **1** cerotto *m.* **2** gesso *m.*, intonaco *m.* **3** (*med.*) gesso *m.*

to plaster ['plɑːstər] *v. tr.* **1** intonacare **2**

ingessare **3** ricoprire

plastered ['plɑːstəd] *agg.* **1** ricoperto **2** ubriaco

plastic ['plæstɪk] **A** *agg.* plastico **B** *s.* plastica *f.* ♦ **p. surgery** chirurgia plastica

plasticity [plæs'tɪsɪtɪ] *s.* plasticità *f.*

to plasticize ['plæstɪsaɪz] *v. tr.* plastificare

plate [pleɪt] *s.* **1** piatto *m.* **2** posateria *f.*, vasellame *m.* (*di metallo prezioso*) **3** lamiera *f.*, lastra *f.*, lamina *f.* **4** (*autom.*) targa *f.* **5** (*tip.*) lastra *f.* **6** (*illustrazione*) tavola *f.* **7** (*premio per il vincitore*) coppa *f.* **8** dentiera *f.*

plateau ['plætəʊ] *s.* altopiano *m.*

platform ['plætfɔːm] *s.* **1** piattaforma *f.* **2** palco *m.*, impalcatura *f.* **3** (*ferr*) marciapiede *m.* ♦ **p. roof** pensilina

platinum ['plætɪnəm] *s.* platino *m.*

platitude ['plætɪtjuːd] *s.* banalità *f.*

Platonic [plə'tɒnɪk] *agg.* platonico

platonically [plə'tɒnɪkəlɪ] *avv.* platonicamente

platoon [plə'tuːn] *s.* plotone *m.*

platter ['plætər] *s.* piatto *m.* da portata

plausible ['plɔːzəbl] *agg.* plausibile

play [pleɪ] *s.* **1** gioco *m.* **2** partita *f.*, mossa *f.* **3** azione *f.*, attività *f.* **4** commedia *f.*, dramma *m.* **5** (*mus.*) esecuzione *f.* ♦ **fair p.** lealtà; **p. on words** gioco di parole

to play [pleɪ] *v. tr.* e *intr.* **1** giocare **2** suonare **3** recitare, interpretare **4** agire, comportarsi ♦ **to p. about** scherzare; **to p. down** minimizzare; **to p. off** disputare la bella; **to p. up** mettere in evidenza, tormentare

playbill ['pleɪbɪl] *s.* locandina *f.*

playboy ['pleɪbɔɪ] *s.* playboy *m. inv.*

player ['pleɪər] *s.* giocatore *m.*, suonatore *m.*

playful ['pleɪf(ʊ)l] *agg.* giocoso

playground ['pleɪgraʊnd] *s.* terreno *m.* di gioco, luogo *m.* di svago

playgroup ['pleɪgruːp] *s.* asilo *m.* infantile

playing-card ['pleɪɪŋkɑːd] *s.* carta *f.* da gioco

playing-field ['pleɪɪŋfiːld] *s.* campo *m.* da gioco

playmate ['pleɪmeɪt] *s.* compagno *m.* di gioco

play-off ['pleɪɔːf] *s.* (*sport*) spareggio *m.*

playpen ['pleɪpɛn] *s.* box *m. inv.* (*per bambini*)

plaything ['pleɪθɪŋ] *s.* giocattolo *m.*

playtime ['pleɪtaɪm] *s.* ricreazione *f.*

playwright ['pleɪraɪt] *s.* commediografo

m., drammaturgo *m.*

plea [pliː] *s.* **1** richiesta *f.*, petizione *f.*, appello *m.* **2** (*dir*) difesa *f.* **3** scusa *f.*

to plead [pliːd] *v. tr.* **1** (*dir*) patrocinare **2** chiedere, supplicare **3** addurre a giustificazione

pleasant ['plɛznt] *agg.* piacevole, gradevole, ameno

please [pliːz] *inter.* per favore!, prego!

to please [pliːz] **A** *v. tr.* **1** piacere a, essere gradito a **2** volere, aver voglia di **B** *v. intr.* **1** piacere, volere **2** accontentare, soddisfare ♦ **p. yourself** fa' come vuoi

pleased [pliːzd] *agg.* contento, compiaciuto

pleasing ['pliːzɪŋ] *agg.* piacevole

pleasure ['plɛʒər] *s.* piacere *m.*, godimento *m.*, divertimento *m.* ♦ **to take p. in** compiacersi, divertirsi

pleat [pliːt] *s.* piega *f.*

plebs [plɛbz] *s.* (*stor*) plebe *f.*

plectrum ['plɛktrəm] *s.* plettro *m.*

pledge [plɛdʒ] *s.* **1** pegno *m.* **2** promessa *f.*

to pledge [plɛdʒ] *v. tr.* **1** impegnare **2** promettere ♦ **to p. oneself to do st.** impegnarsi a fare q.c.

plentiful ['plɛntɪf(ʊ)l] *agg.* abbondante

plenty ['plɛntɪ] **A** *agg. pred.* abbondante, sufficiente **B** *s.* abbondanza *f.* **C** *avv.* abbondantemente, molto

pleonastic [ˌpliːə'næstɪk] *agg.* pleonastico

pleurisy ['plʊərɪsɪ] *s.* pleurite *f.*

pliable ['plaɪəbl] *agg.* pieghevole, flessibile

pliant ['plaɪənt] *agg.* pieghevole, flessibile

pliers ['plaɪəz] *s. pl.* pinze *f. pl.*

plight [plaɪt] *s.* condizione *f.* (*spec. avversa*)

plimsolls ['plɪms(ə)lz] *s. pl.* scarpe *f. pl.* da ginnastica

plinth [plɪnθ] *s.* (*arch.*) plinto *m.*, base *f.*

to plod [plɒd] *v. intr.* **1** arrancare **2** sgobbare

plonk [plɒŋk] *s.* tonfo *m.*, rumore *m.* sordo

plot [plɒt] *s.* **1** appezzamento *m.* di terreno **2** intreccio *m.*, trama *f.* **3** macchinazione *f.*, complotto *m.*

to plot [plɒt] *v. tr.* **1** rilevare, fare la pianta di **2** disegnare, tracciare **3** complottare, tramare

plotter ['plɒtər] *s.* **1** cospiratore *m.* **2** (*inf.*) plotter *m. inv.*

plough [plaʊ] (*USA* **plow**) *s.* aratro *m.*

to plough [plaʊ] (*USA* **to plow**) **A** *v. tr.* arare, solcare **B** *v. intr.* **1** arare **2** farsi strada ♦ **to p. into** fendere, assalire, (*denaro*) investire; **to p. through** avanzare attra-

verso

ploy [plɔɪ] *s.* stratagemma *m.*

pluck [plʌk] *s.* **1** strappo *m.* **2** *al pl.* frattaglie *f. pl.* **3** (*fig.*) coraggio *m.*, fegato *m.*

to pluck [plʌk] *v. tr.* **1** strappare, cogliere **2** tirare **3** (*strumento musicale*) pizzicare **4** spennare

plug [plʌg] *s.* **1** tappo *m.* **2** (*elettr*) spina *f.* **3** (*mecc.*) candela *f.* **4** (*med.*) tampone *m.* **5** (*fam.*) annuncio *m.* pubblicitario

to plug [plʌg] *v. tr.* **1** tappare, tamponare **2** pubblicizzare **3** (*pop.*) colpire ♦ **to p. in** innestare (la spina)

plum [plʌm] *s.* **1** prugna *f.*, susina *f.* **2** (*fig.*) cosa *f.* eccellente

plumb [plʌm] **A** *s.* (filo a) piombo *m.*, piombino *m.* **B** *agg.* **1** a piombo **2** completo, assoluto **C** *avv.* **1** a piombo, verticalmente **2** esattamente

to plumb [plʌm] *v. tr.* **1** mettere a piombo **2** scandagliare **3** piombare

plumber ['plʌmər] *s.* idraulico *m.*

plumbing ['plʌmɪŋ] *s.* **1** piombatura *f.* **2** impianto *m.* idraulico, tubazioni *f. pl.*

plume [pluːm] *s.* penna *f.*, piuma *f.*

plummet ['plʌmɪt] *s.* **1** (filo) a piombo *m.* **2** scandaglio *m.*

to plummet ['plʌmɪt] *v. intr.* cadere a piombo, precipitare

plump (1) [plʌmp] *agg.* paffuto, grassottello

plump (2) [plʌmp] **A** *agg.* **1** diretto, netto **2** a piombo **B** *avv.* **1** di peso **2** verticalmente **3** chiaramente

to plump (1) [plʌmp] *v. tr. e intr.* gonfiare, gonfiarsi

to plump (2) [plʌmp] *v. intr.* piombare, cadere ♦ **to p. for** scegliere, preferire, votare per

plunder ['plʌndər] *s.* saccheggio *m.*

to plunder ['plʌndər] *v. tr. e intr.* saccheggiare

plunge [plʌn(d)ʒ] *s.* **1** tuffo *m.*, immersione *f.* **2** (*fam.*) speculazione *f.* avventata **3** (*econ.*) caduta *f.*, crollo *m.*

to plunge [plʌn(d)ʒ] **A** *v. tr.* tuffare, immergere **B** *v. intr.* **1** tuffarsi, immergersi **2** precipitarsi **3** scommettere, rischiare

plunger ['plʌn(d)ʒər] *s.* **1** tuffatore *m.* **2** pistone *m.* **3** sturalavandini *m. inv.* **4** (*pop.*) speculatore *m.*

pluperfect [pluː'pɜːfɪkt] *agg. e s.* (*gramm.*) piuccheperfetto *m.*

plural ['plʊər(ə)l] *agg. e s.* plurale *m.*

pluralism ['plʊərəlɪz(ə)m] *s.* pluralismo *m.*

plurality [pluə'ræliti] *s.* pluralità *f.*

pluriannual [,pluəri'ænjuəl] *agg.* pluriennale

plus [plʌs] **A** *agg.* **1** addizionale, in più **2** positivo **B** *s.* **1** (*mat.*) più **m. 2** quantità *f.* in più, extra *m. inv.* **3** fattore *m.* positivo **C** *prep.* più

plush [plʌʃ] **A** *agg.* lussuoso, elegante **B** *s.* felpa *f.*

plutocracy [plu:'təkrəsi] *s.* plutocrazia *f.*

pluvial ['plu:vjəl] *agg.* pluviale

ply [plai] *s.* **1** piega *f.* **2** capo *m.*, filo *m.*, trefolo *m.* **3** (*di legno, cartone*) strato *m.*

to ply [plai] **A** *v. tr.* **1** maneggiare, adoperare **2** attendere a, esercitare **3** (*con offerte, domande*) importunare **4** rimpinzare **B** *v. intr.* **1** lavorare assiduamente **2** (*naut.*) fare servizio di linea

plywood ['plaiwud] *s.* (legno) compensato *m.*

pneumatic [nju:'mætik] *agg.* e *s.* pneumatico *m.*

pneumonia [nju(:)'mounjə] *s.* polmonite *f.*

to poach (1) [poutʃ] *v. tr.* cuocere in bianco ◆ **poached eggs** uova affogate

to poach (2) [poutʃ] *v. tr.* e *intr.* cacciare (o pescare) di frodo

pocket ['pɔkit] **A** *agg.* tascabile **B** *s.* **1** tasca *f.* **2** cavità *f.*, sacca *f.* ◆ **p. money** piccola somma (*corrisposta ai figli*)

to pocket ['pɔkit] *v. tr.* **1** intascare, appropriarsi di **2** sopportare **3** nascondere, soffocare

pocketbook ['pɔkitbuk] *s.* **1** taccuino *m.* **2** (*USA*) portafoglio *m.*

pocketknife ['pɔkitnaif] *s.* temperino *f.*

pod [pɔd] *s.* baccello *m.*, guscio *m.*

podgy ['pɔdʒi] *agg.* tozzo, grassoccio

podiatrist [pə'daiətrist] *s.* podologo *m.*

podium ['poudiəm] *s.* podio *m.*

poem ['pɔ(u)im] *s.* poesia *f.*, poema *m.*

poet ['pɔ(u)it] *s.* poeta *m.*

poetic(al) [pɔ(u)'etik(ə)l)] *agg.* poetico

poetics [pɔ(u)'etiks] *s. pl.* (*v. al sing.*) poetica *f.*

poetry ['pɔ(u)itri] *s.* poesia *f.*

poignant ['pɔinjənt] *agg.* **1** acuto, intenso **2** mordace

point [pɔint] *s.* **1** punto *m.* **2** motivo *m.*, scopo *m.*, senso *m.* **3** punta *f.*, estremità *f.* **4** (*geogr.*) punta *f.*, promontorio *m.* **5** *al pl.* (*ferr.*) scambio *m.* ◆ **at all points** sotto

ogni aspetto; **p. of view** punto di vista

to point [pɔint] *v. tr.* e *intr.* **1** indicare **2** appuntire, fare la punta a **3** puntare ◆ **to p. to/at** indicare, guardare su; **to p. out** far notare, segnalare; **to p. up** mettere in evidenza

point-blank [,pɔint'blæŋk] **A** *agg.* **1** netto, preciso **2** a bruciapelo **B** *avv.* **1** nettamente, chiaro e tondo **2** a bruciapelo

pointed ['pɔintid] *agg.* **1** appuntito, aguzzo **2** (*fig.*) pungente, arguto **3** esplicito, intenzionale

pointer ['pɔintər] *s.* **1** indice *m.*, lancetta *f.* **2** bacchetta *f.* **3** (*zool.*) pointer *m. inv.* **4** (*fam.*) suggerimento *m.*, indicazione *f.*

pointillism ['pwæntiliz(ə)m] *s.* divisionismo *m.*

pointless ['pɔint,lis] *agg.* **1** spuntato, smussato **2** inutile, vano

poise [pɔiz] *s.* **1** equilibrio *m.*, stabilità *f.* **2** portamento *m.*

poison ['pɔizn] *s.* veleno *m.*

to poison ['pɔizn] *v. tr.* avvelenare

poisoning ['pɔizniŋ] *s.* avvelenamento *m.*

poisonous ['pɔiznəs] *agg.* velenoso

to poke [pouk] **A** *v. tr.* **1** colpire, urtare, spingere **2** infilare, conficcare **3** sporgere **4** attizzare (il fuoco) **B** *v. intr.* **1** dare un colpo, pungolare **2** sporgere **3** curiosare, immischiarsi, intromettersi ◆ **to p. about** frugare

poker (1) ['poukər] *s.* attizzatoio *m.*

poker (2) ['poukər] *s.* (*gioco*) poker *m. inv.*

poky ['pouki] *agg.* angusto, misero

polar ['poulər] *agg.* polare

polarity [po(u)'læriti] *s.* polarità *f.*

to polarize ['pouləraiz] *v. tr.* polarizzare

pole (1) [poul] *s.* asta *f.*, palo *m.*

pole (2) [poul] *s.* polo *m.*

Pole [poul] *s.* polacco *m.*

polecat ['poulkæt] *s.* puzzola *f.*

polemic [pə'lemik] **A** *agg.* polemico **B** *s.* polemica *f.*

police [pə'li:s] *s.* polizia *f.* ◆ **p. dog** cane poliziotto; **p. station** stazione di polizia

policeman [pə'li:smən] (*pl.* **policemen**) *s.* poliziotto *m.*

policewoman [pə'li:s,wumən] (*pl.* **policewomen**) donna *f.* poliziotto

policy (1) ['pɔlisi] *s.* politica *f.*, linea *f.* di condotta

policy (2) ['pɔlisi] *s.* polizza *f.*

Polish ['pouliʃ] *agg.* e *s.* polacco *m.* (*lingua*)

polish ['pɔliʃ] *s.* **1** lucentezza *f.* **2** lucidatura f. **3** lucido m., cera f., smalto m.

to **polish** ['pɒlɪʃ] v. tr. **1** lucidare, levigare **2** raffinare, ingentilire ♦ **to p. off** sbrigare, finire, mangiarsi

polished ['pɒlɪʃt] agg. **1** lucido **2** raffinato

polite [pə'laɪt] agg. **1** cortese, garbato **2** raffinato, elegante

politeness [pə'laɪtnɪs] s. **1** cortesia f., educazione f. **2** raffinatezza f., eleganza f.

political [pə'lɪtɪk(ə)l] agg. politico

politics ['pɒlɪtɪks] s. pl. (v. al sing.) politica f. ♦ **home p.** politica interna; **foreign p.** politica estera

poll [pɒʊl] s. **1** votazione f., elezione f. **2** scrutinio m., voti m. pl. **3** seggio m. elettorale **4** sondaggio m.

to **poll** [pɒʊl] v. tr. **1** ottenere (voti) **2** scrutinare **3** sondare (l'opinione)

pollen ['pɒlɪn] s. polline m.

pollination [,pɒlɪ'neɪʃ(ə)n] s. impollinazione f.

polling [,pɒʊlɪŋ] **A** agg. votante **B** s. votazione f. ♦ **p. day** giorno delle elezioni; **p. station** seggio elettorale

to **pollute** [pə'luːt] v. tr. inquinare

pollution [pə'luːʃ(ə)n] s. inquinamento m.

polo ['pɒʊlɒʊ] s. (sport) polo m. ♦ **water p.** pallanuoto

polychromatic [,pɒlɪkrɒ(ʊ)'mætɪk] agg. policromatico

polyclinic [,pɒlɪ'klɪnɪk] s. policlinico m.

polyester ['pɒlɪˌɛstə] s. poliestere m.

polygamist [pə'lɪɡəmɪst] s. poligamo m.

polygamous [pə'lɪɡəməs] agg. poligamo

polygamy [pə'lɪɡəmɪ] s. poligamia f.

polyglot ['pɒlɪɡlət] agg. e s. poliglotta m. e f.

polygon ['pɒlɪɡən] s. poligono m.

polygonal [pə'lɪɡənl] agg. poligonale

polyhedral [,pɒlɪ'hedrəl] agg. poliedrico

polymer ['pɒlɪmər] s. polimero m.

polymorphous [,pɒlɪ'mɔːfəs] agg. polimorfo

polyp ['pɒlɪp] s. polipo m.

polyphonic [,pɒlɪ'fɒnɪk] agg. polifonico

polyptych ['pɒlɪptɪk] s. polittico m.

polytechnic [,pɒlɪ'teknɪk] agg. e s. politecnico m.

polytheism ['pɒlɪθiːɪz(ə)m] s. politeismo m.

polyvalent [,pɒlɪ'veɪlənt] agg. polivalente

pomegranate ['pɒmɪˌɡrænɪt] s. melagrana f.

pomp [pɒmp] s. pompa f., sfarzo m.

pompom ['pɒmpəm] s. pompon m. inv.

pompous ['pɒmpəs] agg. pomposo

pond [pɒnd] s. stagno m., laghetto m.

to **ponder** ['pɒndər] **A** v. tr. ponderare, considerare **B** v. intr. meditare, riflettere

ponderous ['pɒnd(ə)rəs] agg. ponderoso, pesante

pong [pɒŋ] s. (fam.) puzzo m.

pontiff ['pɒntɪf] s. pontefice m.

pontifical [pɒn'tɪfɪk(ə)l] agg. pontificio

pontificate [pɒn'tɪfɪkɪt] s. pontificato m.

pony ['pɒʊnɪ] s. pony m. inv. ♦ **p. tail** (pettinatura a) coda di cavallo; **p. trekking** trekking a cavallo

poodle ['puːdl] s. (cane) barbone m.

pool (1) [puːl] s. **1** stagno m., laghetto m. **2** pozza f. ♦ **swimming p.** piscina

pool (2) [puːl] s. **1** (nei giochi di carte) piatto m. **2** biliardo m. **3** consorzio m., pool m. inv. **4** al pl. totocalcio m. inv.

to **pool** [puːl] v. tr. mettere in comune, consorziare, riunire

poor [pʊər] agg. **1** povero, misero **2** scarso, insufficiente **3** scadente ♦ **p. figure** figuraccia

poorly ['pʊəlɪ] **A** avv. malamente, scarsamente **B** agg. indisposto, malaticcio

pop (1) [pɒp] s. **1** schiocco m., botto m. **2** (fam.) bevanda f. gassata

pop (2) [pɒp] agg. e s. (mus.) pop m. inv.

pop (3) [pɒp] s. (fam.) papà m.

to **pop** [pɒp] **A** v. tr. **1** far scoppiare, far schioccare **2** far fuoco con **3** (granturco) soffiare **4** ficcare **5** dare in pegno, impegnare **B** v. intr. **1** schioccare **2** scoppiare ♦ **to p. in** fare una capatina in; **to p. off** saltare via, andarsene in fretta; **to p. out** fare un salto fuori, fare capolino; **to p. up** balzar fuori, saltar su

popcorn ['pɒpkɜːn] s. popcorn m. inv.

pope [pɒʊp] s. papa m.

poplar ['pɒplər] s. pioppo m.

popper ['pɒpər] s. (bottone) automatico m.

poppy ['pɒpɪ] s. papavero m.

populace ['pɒpjʊləs] s. plebaglia f.

popular ['pɒpjʊlər] agg. popolare

popularity [,pɒpjʊ'lærɪtɪ] s. popolarità f.

to **popularize** ['pɒpjʊləraɪz] v. tr. **1** rendere popolare **2** divulgare

to **populate** ['pɒpjʊleɪt] v. tr. popolare

population [,pɒpjʊ'leɪʃ(ə)n] s. popolazione f.

populism ['pɒpjʊlɪz(ə)m] s. populismo m.

populous ['pɒpjuləs] agg. popoloso

porcelain ['pɔːslɪn] s. porcellana f.

porch [pɔːtʃ] s. **1** portico m. **2** (USA) veranda f.

porcupine ['pɔːkjupaɪn] s. porcospino m.

pore [pɔːr] s. poro m.

to **pore** [pɔːr] v. intr. to p. over esaminare attentamente, riflettere su

pork [pɔːk] s. (carne di) maiale m. ♦ p. chop braciola di maiale

pornographic [ˌpɔːnəˈgræfɪk] agg. pornografico

pornography [pɔːˈnɒgrəfɪ] s. pornografia f.

porphyry ['pɔːfɪrɪ] s. porfido m.

porpoise ['pɔːpəs] s. **1** focena f. **2** (pop.) delfino m.

porridge ['pɒrɪdʒ] s. porridge m. inv.

port (1) [pɔːt] s. to p. of call scalo

port (2) [pɔːt] s. (naut.) sinistra f., fianco m. sinistro

port (3) [pɔːt] s. (naut.) portello m.

portable ['pɔːtəbl] agg. portatile

portal ['pɔːtl] s. portale m.

portent ['pɔːtent] s. **1** presagio m. (negativo) **2** portento m.

portentous [pɔːˈtentəs] agg. **1** funesto **2** prodigioso

porter (1) ['pɔːtər] s. portiere m., portinaio m.

porter (2) ['pɔːtər] s. facchino m., portabagagli m. inv.

portfolio [pɔːtˈfəʊljəʊ] s. **1** cartella f. **2** portfolio m. inv. **3** (fin.) portafoglio m. (di attività)

porthole ['pɔːthəʊl] s. oblò m.

portico ['pɔːtɪkəʊ] s. loggiato m., portico m.

portion ['pɔːʃ(ə)n] s. porzione f., quota f.

portly ['pɔːtlɪ] agg. corpulento

portrait ['pɔːtrɪt] s. ritratto m.

to **portray** [pɔːˈtreɪ] v. tr. **1** ritrarre, fare il ritratto di **2** descrivere

Portuguese [ˌpɔːtjuˈgiːz] agg. e s. portoghese m. e f.

pose [pəʊz] s. posa f.

to **pose** [pəʊz] **A** v. intr. **1** posare, mettersi in posa **2** atteggiarsi a, spacciarsi per **B** v. tr. **1** mettere in posa **2** (un quesito) porre, sollevare

posh [pɒʃ] agg. (fam.) elegante

position [pəˈzɪʃ(ə)n] s. posizione f.

to **position** [pəˈzɪʃ(ə)n] v. tr. collocare, sistemare

positive ['pɒzɪtɪv] agg. **1** positivo **2** preciso, assoluto, esplicito **3** certo, sicuro, convinto

positivism ['pɒzɪtɪvɪz(ə)m] s. positivismo m.

posology [pɒ(ʊ)ˈsɒlədʒɪ] s. posologia f.

to **possess** [pəˈzes] v. tr. possedere, avere

possession [pəˈzeʃ(ə)n] s. possesso m.

possessive [pəˈzesɪv] agg. possessivo

possibility [ˌpɒsəˈbɪlɪtɪ] s. possibilità f.

possible ['pɒsəbl] agg. possibile

possibly ['pɒsɪblɪ] avv. **1** forse **2** in alcun modo

post (1) [pəʊst] s. posta f. ♦ p. office ufficio postale

post (2) [pəʊst] s. **1** palo m., pilastro m. **2** (sport) traguardo m.

post (3) [pəʊst] s. posto m., postazione f.

to **post (1)** [pəʊst] v. tr. imbucare, impostare ♦ to p. up informare, mettere al corrente

to **post (2)** [pəʊst] v. tr. **1** affiggere **2** annunciare

postage ['pəʊstɪdʒ] s. affrancatura f.

postal ['pəʊst(ə)l] agg. postale ♦ p. order vaglia postale

postcard ['pəʊs(t)kaːd] s. cartolina f.

postcode ['pəʊs(t)ˌkəʊd] s. codice m. postale

to **postdate** [ˌpəʊst'deɪt] v. tr. postdatare

poster ['pəʊstər] s. poster m. inv., manifesto m.

posterior [pɒsˈtɪərɪər] agg. posteriore

posterity [pɒsˈterɪtɪ] s. posterità f.

posthumous ['pɒstjuməs] agg. postumo

postman ['pəʊs(t)mən] (pl. **postmen**) s. postino m.

postmark ['pəʊs(t)maːk] s. timbro m. postale

post-modern [ˌpəʊs(t)ˈmɒdən] agg. e s. postmoderno m.

postmortem [ˌpəʊs(t)ˈmɔːtəm] **A** agg. post mortem **B** s. autopsia f.

to **postpone** [ˌpəʊs(t)ˈpəʊn] v. tr. posporre, posticipare

postponement [pəʊs(t)ˈpəʊnmənt] s. rinvio m.

postscript ['pəʊsˌskrɪpt] s. poscritto m.

to **postulate** ['pɒstjulɪt] s. postulato m.

posture ['pɒstʃər] s. posizione f., atteggiamento m.

post-war [ˌpəʊst'wɔːr] agg. postbellico

posy ['pəʊzɪ] s. mazzolino m. di fiori

pot [pɒt] s. **1** vaso m., barattolo m. **2** pentola f. **3** teiera f., caffettiera f. **4** (fam.)

premio m. **5** (*pop.*) marijuana f. ◆ **a big p.** (*fam.*) un pezzo grosso

potable ['pɒutəbl] *agg.* potabile

potato [p(ə)'teɪtɒu] (*pl.* **potatoes**) *s.* patata f.

potency ['pɒut(ə)nsɪ] *s.* efficacia f.

potent ['pɒut(ə)nt] *agg.* potente

potential [pə'tenʃ(ə)l] *agg. e s.* potenziale m.

to **potentiate** [pə'tenʃ(ɪ)eɪt] *v. tr.* potenziare

pot-herbs ['pɒthɜːbz] *s. pl.* erbe f. pl. aromatiche

pothole['pɒthɒul] *s.* **1** buca f. **2** caverna f.

potholing ['pɒthɒulɪŋ] *s.* (*fam.*) speleologia f.

potluck [ˌpɒt'lʌk] *s.* **1** pasto m. alla buona **2** sorte f. ◆ **to take p.** tentare la sorte

potroast ['pɒtrɒust] *s.* brasato m.

potted ['pɒtɪd] *agg.* **1** (*di pianta*) in vaso **2** (*di cibo*) conservato, inscatolato **3** (*fig.*) condensato, abbreviato

potter ['pɒtər] *s.* vasaio m.

to **potter** ['pɒtər] *v. intr.* lavoricchiare

pottery ['pɒtərɪ] *s.* **1** ceramica f., ceramiche f. pl. **2** arte f. della ceramica **3** fabbrica f. di ceramiche

potty ['pɒtɪ] *agg.* **1** insignificante **2** pazzo, bizzarro

pouch [pautʃ] *s.* **1** borsa f., sacchetto m. **2** marsupio m.

poultry ['pɒultrɪ] *s.* pollame m. ◆ **p. farming** pollicoltura

to **pounce** [pauns] *v. intr.* balzare addosso, avventarsi

pound (1) [paund] *s.* **1** libbra f. **2** sterlina f.

pound (2) [paund] *s.* botta f., martellata f.

to **pound** [paund] *v. tr.* **1** triturare **2** colpire, battere

to **pour** [pɔːr] **A** *v. tr.* versare **B** *v. intr.* **1** riversarsi **2** (*anche* **to p. down**) piovere a dirotto ◆ **to p. in** affluire; **to p. out** riversarsi fuori

pout [paut] *s.* broncio m.

poverty ['pɒvətɪ] *s.* miseria f., povertà f. ◆ **p.-stricken** molto povero

powder ['paudər] *s.* **1** polvere f. **2** cipria f. ◆ **bath p.** borotalco

to **powder** ['paudər] **A** *v. tr.* **1** spolverizzare **2** ridurre in polvere **3** incipriare **B** *v. intr.* **1** polverizzarsi **2** incipriarsi ◆ **powdered milk** latte in polvere

power ['pauər] *s.* **1** potere m., autorità f.,

potenza f. facoltà f. **2** (*elettr.*) energia f., forza f., corrente f. **3** (*fam.*) quantità f., mucchio m. ◆ **p. boat** barca a motore; **p. cut** interruzione di corrente; **p. point** presa di corrente; **p. station** centrale elettrica; **p. steering** servosterzo

powerful ['pauəf(ʊ)l] *agg.* poderoso, potente

powerless ['pauəlɪs] *agg.* impotente

practicable ['præktɪkəb] *agg.* praticabile

practical ['præktɪk(ə)l] *agg.* pratico

practicality [ˌpræktɪ'kælɪtɪ] *s.* praticità f.

practically ['præktɪkəlɪ] *avv.* **1** praticamente **2** quasi

practice ['præktɪs] *s.* **1** pratica f. **2** abitudine f., prassi f. **3** esercizio m. della professione **4** (*sport*) allenamento m. **5** clientela f. ◆ **out of p.** fuori esercizio; **to get p.** impratichirsi

to **practise** ['præktɪs] (*USA* **to practice**) **A** *v. tr.* **1** esercitarsi in, allenarsi in **2** professare, praticare **B** *v. intr.* esercitarsi, fare esercizi

practising ['præktɪsɪŋ] *agg.* praticante

practitioner [præk'tɪʃnər] *s.* professionista m. e f. (*spec. medico*) ◆ **general p.** medico generico

praetor ['priːtər] *s.* (*stor.*) pretore m.

pragmatic [præg'mætɪk] *agg.* pragmatico

prairie ['preərɪ] *s.* prateria f.

praise [preɪz] *s.* elogio m., lode f.

to **praise** [preɪz] *v. tr.* elogiare, lodare

praiseworthy ['preɪzˌwɜːðɪ] *agg.* lodevole, encomiabile

pram (1) [præm] *s.* carrozzina f. (per bambini)

pram (2) [præm] *s.* (*naut.*) battellino m.

to **prance** [praːns] *v. intr.* **1** (*di cavallo*) impennarsi **2** camminare impettito

prank [præŋk] *s.* birichinata f., burla f.

prawn [prɔːn] *s.* gamberetto m.

praxis ['præksɪs] *s.* prassi f.

to **pray** [preɪ] *v. tr. e intr.* pregare

prayer [preər] *s.* preghiera f.

preach [priːtʃ] *s.* predica f.

to **preach** [priːtʃ] *v. tr. e intr.* predicare

preacher ['priːtʃər] *s.* predicatore m.

preaching ['priːtʃɪŋ] *s.* predicazione f.

preamble [priː'æmbl] *s.* preambolo m.

precarious [prɪ'keərɪəs] *agg.* precario

precariousness [prɪ'keərɪəsnɪs] *s.* precarietà f.

precaution [prɪ'kɔːʃ(ə)n] *s.* precauzione f.

to **precede** [prɪ(ː)'siːd] *v. tr. e intr.* precedere

precedence ['presi:d(ə)ns] *s.* precedenza *f.*, priorità *f.*

precedent [prɛ'si:d(ə)nt] *agg.* precedente

preceding [pri(:)'si:dɪŋ] *agg.* precedente

precept ['pri:sept] *s.* precetto *m.*

precinct ['pri:sɪŋ(k)t] *s.* **1** recinto *m.* **2** area *f.* delimitata **3** distretto *m.* **4** *al pl.* vicinanze *f. pl.* ♦ **pedestrian p.** zona pedonale

preciosity [ˌprɛʃɪ'əsɪtɪ] *s.* preziosismo *m.*

precious ['prɛʃəs] *agg.* prezioso

to precipitate [prɪ'sɪpɪteɪt] *v. tr.* e *intr.* precipitare

precipitation [prɪˌsɪpɪ'teɪʃ(ə)n] *s.* precipitazione *f.*

precipitous [prɪ'sɪpɪtəs] *agg.* precipitoso

precise [prɪ'saɪs] *agg.* preciso

precisely [prɪ'saɪslɪ] *avv.* precisamente

precision [prɪ'sɪʒ(ə)n] *s.* precisione *f.*

to preclude [prɪ'klu:d] *v. tr.* precludere

precocious [prɪ'kɒʊʃəs] *agg.* precoce

preconception [ˌpri:kən'sɛpʃ(ə)n] *s.* preconcetto *m.*

precondition [ˌpri:kən'dɪʃ(ə)n] *s.* requisito *m.* indispensabile

precursor [prɪ'kɜ:sər] *s.* precursore *m.*

predator ['prɛdətər] *s.* predatore *m.*

predatory ['prɛdət(ə)rɪ] *agg.* predatore

to predecease [ˌpri:dɪ'si:s] *v. tr.* premorire

predecessor ['pri:dɪsɛsər] *s.* predecessore *m.*

to predestinate [pri:'dɛstɪneɪt] *v. tr.* predestinare

predestination [pri:ˌdɛstɪ'neɪʃ(ə)n] *s.* predestinazione *f.*

to predetermine [ˌpri:dɪ'tɜ:mɪn] *v. tr.* predeterminare

predicament [prɪ'dɪkəmənt] *s.* frangente *m.*, situazione *f.* (*spec. difficile*)

to predict [prɪ'dɪkt] *v. tr.* predire

predictable [prɪ'dɪktəbl] *agg.* prevedibile

prediction [prɪ'dɪkʃ(ə)n] *s.* predizione *f.*, profezia *f.*

to predispose [ˌpri:dɪs'pɒʊz] *v. tr.* predisporre

predominance [prɪ'dɒmɪnəns] *s.* predominanza *f.*, prevalenza *f.*

predominant [prɪ'dɒmɪnənt] *agg.* predominante, prevalente

to predominate [prɪ'dɒmɪneɪt] *v. intr.* predominare, prevalere

pre-eminent [prɪ'ɛmɪnənt] *agg.* preminente

pre-empt [prɪ(:)'ɛm(p)t] *v. tr.* **1** acquistare

to preen [pri:n] *v. tr.* (*di uccello*) lisciarsi col becco ♦ **to p. oneself** agghindarsi

to pre-exist [ˌpri:ɪg'zɪst] *v. intr.* preesistere

pre-existent [ˌpri:ɪg'zɪst(ə)nt] *agg.* preesistente

prefab ['pri:fæb] *s.* (*fam.*) casa *f.* prefabbricata

preface ['prɛfɪs] *s.* prefazione *f.*

prefecture ['pri:fɛktjʊər] *s.* prefettura *f.*

to prefer [prɪ'fɜ:r] *v. tr.* **1** preferire **2** (*dir*) presentare, avanzare

preferable ['prɛf(ə)rəbl] *agg.* preferibile

preference ['prɛf(ə)r(ə)ns] *s.* preferenza *f.*

preferential [ˌprɛfə'rɛnʃ(ə)l] *agg.* preferenziale

to prefigure [pri:'fɪgər] *v. tr.* prefigurare

prefix ['pri:fɪks] *s.* prefisso *m.*

to prefix [pri:'fɪks] *v. tr.* **1** premettere **2** prefissare

pregnancy ['prɛgnənsɪ] *s.* **1** gestazione *f.*, gravidanza *f.* **2** pregnanza *f.*

pregnant ['prɛgnənt] *agg.* **1** incinta **2** pregnante

prehistoric [ˌpri:(h)ɪs'tɒrɪk] *agg.* preistorico

prehistory [pri:'(h)ɪst(ə)rɪ] *s.* preistoria *f.*

prejudice ['prɛdʒʊdɪs] *s.* **1** pregiudizio *m.* **2** danno *m.*

prejudiced ['prɛdʒʊdɪst] *agg.* prevenuto ♦ **p. in favour of** ben disposto nei confronti di

prelate ['prɛlɪt] *s.* prelato *m.*

preliminary [prɪ'lɪm(ɪ)nərɪ] *agg.* e *s.* preliminare *m.*

prelude ['prɛlju:d] *s.* preludio *m.*

premarital [pri:'mærɪt(ə)l] *agg.* prematrimoniale

premature [ˌprɛmə'tjʊər] *agg.* prematuro

premeditation [prɪ(:)ˌmɛdɪ'teɪʃ(ə)n] *s.* premeditazione *f.*

premier ['prɛmjər] **A** *agg.* primo **B** *s.* premier *m. inv*, primo ministro *m.*

première ['prɛmɪɛər] *s.* (*teatro*) prima *f.*

premise ['prɛmɪs] *s.* **1** premessa *f.* **2** *al pl.* edificio *m.*, fabbricato *m.* ♦ **to be drunk on the premises** da bersi sul posto

to premise [prɪ'maɪz] *v. tr.* e *intr.* premettere

premium ['pri:mjəm] *s.* premio *m.*

premonition [ˌpri:mə'nɪʃ(ə)n] *s.* premonizione *f.*

premonitory [prɪ'mɒnɪt(ə)rɪ] *agg.* premonitore

preoccupation [pri:,əkjʊ'peɪʃ(ə)n] s. **1** preoccupazione f. **2** coinvolgimento m.

preoccupied [,pri:'əkjʊpaɪd] agg. preoccupato, assorto

prepaid [,pri:'peɪd] **A** pass. e p. p. di **to prepay B** agg. pagato in anticipo

preparation [,prepə'reɪʃ(ə)n] s. preparazione f., preparativo m.

preparatory [prɪ'pærət(ə)rɪ] agg. preparatorio

to prepare [prɪ'peər] v. tr. e intr. preparare, prepararsi

preponderant [prɪ'pɒnd(ə)r(ə)nt] agg. preponderante

preposition [,prepə'zɪʃ(ə)n] s. preposizione f.

preposterous [prɪ'pɒst(ə)rəs] agg. **1** assurdo **2** ridicolo

Pre-Raphaelite [,pri:'ræfəlaɪt] agg. e s. preraffaellita m. e f.

prerequisite [pri:'rekwɪzɪt] **A** agg. necessario **B** s. requisito m. indispensabile

prerogative [prɪ'rɒgətɪv] s. prerogativa f.

presage ['presɪdʒ] s. presagio m.

to presage ['presɪdʒ] v. tr. presagire

Presbyterian [,prezbɪ'tɪərɪən] agg. presbiteriano

presbytery ['prezbɪt(ə)rɪ] s. presbiterio m.

to prescind [prɪ'sɪnd] v. intr. prescindere

to prescribe [prɪs'kraɪb] v. tr. prescrivere

prescription [prɪs'krɪpʃ(ə)n] s. **1** prescrizione f. **2** (med.) ricetta f.

presence ['prezns] s. presenza f.

present (1) ['preznt] **A** agg. **1** presente **2** attuale, corrente **B** s. presente m. ◆ **at p.** momentaneamente; **to be p.** presenziare, assistere

present (2) ['preznt] s. presente m., dono m.

to present [prɪ'zent] v. tr. **1** presentare **2** regalare ◆ **to p. sb. with st.** regalare q.c. a qc.

presentable [prɪ'zentəbl] agg. presentabile

presentation [,prezen'teɪʃ(ə)n] s. **1** presentazione f. **2** rappresentazione f.

present-day [,prez(ə)nt'deɪ] agg. attuale

presenter [prɪ'zentər] s. presentatore m.

presentiment [prɪ'zentɪmənt] s. presentimento m.

presently ['prezntlɪ] avv. **1** tra poco, a momenti **2** attualmente

preservation [,prezə(:)'veɪʃ(ə)n] s. preservazione f., conservazione f.

preservative [prɪ'zɜ:vətɪv] s. conservante m.

preserve [prɪ'zɜ:v] s. **1** marmellata f., conserva f. **2** (di caccia, pesca) riserva f.

to preserve [prɪ'zɜ:v] v. tr. **1** preservare, proteggere **2** mantenere, conservare **3** mettere in conserva

to preside [prɪ'zaɪd] v. intr. presiedere

presidency ['prezɪd(ə)nsɪ] s. presidenza f.

president ['prezɪd(ə)nt] s. presidente m.

presidential [,prezɪ'denʃ(ə)l] agg. presidenziale

press [pres] s. **1** stampa f. **2** pressione f., stretta f. **3** pressa f., torchio m. ◆ **p. conference** conferenza stampa

to press [pres] **A** v. tr. **1** comprimere, premere, spremere **2** stringere, abbracciare **3** stirare **4** incalzare, insistere su **B** v. intr. **1** incalzare **2** affollarsi, premere ◆ **to p. on** continuare

pressing ['presɪŋ] agg. urgente, incalzante

pressure ['preʃər] s. pressione f. ◆ **blood p.** pressione sanguigna; **p. cooker** pentola a pressione; **p. gauge** manometro

to pressure ['preʃər] v. tr. fare pressione su

to pressurize ['preʃəraɪz] v. tr. **1** fare pressione su **2** pressurizzare

prestige [pres'ti:ʒ] **A** agg. prestigioso **B** s. prestigio m.

prestigious [pres'tɪdʒəs] agg. prestigioso

presumable [prɪ'zju:məbl] agg. presumibile

to presume [prɪ'zju:m] v. tr. presumere

presumption [prɪ'zʌm(p)ʃ(ə)n] s. presunzione f.

presumptuous [prɪ'zʌm(p)tjʊəs] agg. presuntuoso

to presuppose [,pri:sə'pʊz] v. tr. presupporre

presupposition [,pri:sʌpə'zɪʃ(ə)n] s. presupposizione f., presupposto m.

pretence [prɪ'tens] (USA **pretense**) s. **1** finzione f., simulazione f. **2** pretesa f. **3** pretesto m. ◆ **to make a p. of** far finta di

to pretend [prɪ'tend] **A** v. tr. **1** fingere, simulare **2** pretendere **B** v. intr. **1** fingere **2** aspirare a

pretender [prɪ'tendər] s. **1** simulatore m. **2** pretendente m. e f.

pretension [prɪ'tenʃ(ə)n] s. **1** pretesa f. **2** presunzione f.

pretentious [prɪ'tɛnʃəs] *agg.* pretenzioso
pretext ['pri:tɛkst] *s.* pretesto *m.*
pretty ['prɪtɪ] **A** *agg.* **1** carino, grazioso, gradevole **2** acuto, intelligente **3** considerevole **B** *avv.* piuttosto, abbastanza
to prevail [prɪ'veɪl] *v. intr.* **1** prevalere, avere la meglio su **2** predominare, essere diffuso ♦ **to p. (up) on sb. to do st.** convincere qc. a fare q.c.
prevailing [prɪ'veɪlɪŋ] *agg.* prevalente, dominante
prevalence ['prɛvələns] *s.* prevalenza *f.*
prevalent ['prɛvələnt] *agg.* prevalente, comune
to prevaricate [prɪ'værɪkeɪt] *v. intr.* **1** tergiversare **2** equivocare
to prevent [prɪ'vɛnt] *v. tr.* **1** impedire, ostacolare **2** evitare ♦ **to p. oneself** trattenersi; **to p. sb. from doing st.** impedire a qc. di fare q.c.
prevention [prɪ'vɛnʃ(ə)n] *s.* prevenzione *f.*
preventive [prɪ'vɛntɪv] **A** *agg.* preventivo, profilattico **B** *s.* misura *f.* preventiva
preview ['pri:vju:] *s.* anteprima *f.*
previous ['pri:vjəs] *agg.* precedente, anteriore **2** (*fam.*) precipitoso, prematuro ♦ **p. to** prima di
previously ['pri:vjəslɪ] *avv.* precedentemente, prima
prevision [prɪ(:)'vɪʒ(ə)n] *s.* previsione *f.*
pre-war [,pri:'wɔ:r] *agg.* prebellico
prey [preɪ] *s.* preda *f.*
to prey [preɪ] *v. intr.* **1** (*di animale*) predare, cacciare **2** depredare, saccheggiare **3** tormentare
price [praɪs] *s.* prezzo *m.* ♦ **p. list** listino prezzi
to price [praɪs] *v. tr.* **1** fissare il prezzo di **2** stimare, valutare
priceless ['praɪslɪs] *agg.* inestimabile, d'incalcolabile valore
prick [prɪk] *s.* **1** punta *f.*, aculeo *m.* **2** puntura *f.*
to prick [prɪk] **A** *v. tr.* **1** pungere, punzecchiare **2** tormentare **3** rizzare, aguzzare **B** *v. intr.* formicolare, pizzicare
prickle ['prɪkl] *s.* **1** spina *f.*, pungiglione *m.* **2** pungolo *m.* **3** formicolio *m.*
prickly ['prɪklɪ] *agg.* **1** spinoso, pungente **2** (*fig.*) permaloso ♦ **p.-pear** fico d'India
pride [praɪd] *s.* **1** orgoglio *m.*, superbia *f.* **2** colmo *m.*, pienezza *f.*
priest [pri:st] *s.* prete *m.*, sacerdote *m.*

priesthood ['pri:sthʊd] *s.* sacerdozio *m.*
prig [prɪg] *s.* **1** presuntuoso *m.* **2** ladro *m.*
prim [prɪm] *agg.* affettato, cerimonioso
primal ['praɪm(ə)l] *agg.* **1** primario, principale **2** originale, primitivo
primarily ['praɪm(ə)rɪlɪ] *avv.* **1** principalmente, soprattutto **2** originalmente
primary ['praɪmərɪ] **A** *agg.* **1** primo, primario, originario **2** principale, fondamentale **3** elementare, di base **B** *s.* **1** fondamento *m.*, elemento *m.* principale **2** elezioni *f. pl.* primarie **3** scuola *f.* elementare
prime [praɪm] **A** *agg.* **1** primario, primo **2** di prima qualità **B** *s.* **1** principio *m.* **2** rigoglio *m.*, fiore *m.* **3** (*minuto*) primo *m.*
to prime [praɪm] *v. tr.* **1** innescare, caricare **2** mettere al corrente
primeval [praɪ'mi:v(ə)l] *agg.* primordiale, primitivo
primitive ['prɪmɪtɪv] *agg.* primitivo
primordial [praɪ'mɔ:djəl] *agg.* primordiale
primrose ['prɪmrəʊz] *s.* primula *f.*
prince [prɪns] *s.* principe *m.* ♦ **p. Charming** il principe azzurro
princedom ['prɪnsdəm] *s.* principato *m.*
princess [prɪn'sɛs] *s.* principessa *f.*
principal ['prɪnsəp(ə)l] **A** *agg.* principale **B** *s.* **1** capo *m.*, direttore *m.*, preside *m. e f.* **2** (*econ.*) capitale *m.*
principality [,prɪnsɪ'pælɪtɪ] *s.* principato *m.*
principle ['prɪnsɪpl] *s.* principio *m.*, regola *f.*, norma *f.* ♦ **in p.** in linea di principio; **on p.** per principio
print [prɪnt] *s.* **1** impronta *f.*, segno *m.* **2** stampa *f.* **3** tessuto *m.* stampato ♦ **out of p.** (*di libro*) esaurito; **off-p.** estratto
to print [prɪnt] *v. tr.* **1** stampare **2** imprimere
printed ['prɪntɪd] *agg.* stampato, pubblicato ♦ **p. matter** stampe
printer ['prɪntər] *s.* **1** tipografo *m.* **2** stampante *f.*
printing ['prɪntɪŋ] *s.* **1** stampa *f.* **2** tiratura *f.* **3** pubblicazione *f.*
printout ['prɪnt,aʊt] *s.* tabulato *m.*
prior ['praɪər] **A** *agg.* **1** precedente, anteriore **2** prioritario **B** *s.* priore *m.*
priority [praɪ'ɒrɪtɪ] *s.* priorità *f.*
prism ['prɪz(ə)m] *s.* prisma *m.*
prison ['prɪzn] *s.* prigione *f.*
prisoner ['prɪznər] *s.* prigioniero *m.*
pristine ['prɪstaɪn] *agg.* **1** originario **2** puro, incontaminato

privacy ['praɪvəsɪ] s. **1** intimità f., vita f. privata, privacy f. inv. **2** riserbo m.

private ['praɪvɪt] **A** agg. **1** privato **2** personale, riservato **3** isolato, solitario **B** s. soldato m. semplice ♦ **in p.** privatamente; **p. eye/detective** investigatore privato; **p. parts** parti intime; **p. property** proprietà privata

privet ['prɪvɪt] s. ligustro m.

privilege ['prɪvɪlɪdʒ] s. privilegio m.

to privilege ['prɪvɪlɪdʒ] v. tr. privilegiare

privy ['prɪvɪ] agg. privato, segreto ♦ **to be p. to st.** essere a conoscenza di q.c.

prize [praɪz] **A** s. premio m. **B** agg. **1** premiato, da premio **2** dato come premio **3** a premi **4** (fam.) perfetto, classico ♦ **p. giving** premiazione

to prize (1) [praɪz] v. tr. stimare, valutare

to prize (2) [praɪz] v. tr. far leva su ♦ **to p. out** estorcere

pro [prəʊ] s. (fam.) professionista m. e f.

probability [ˌprɒbə'bɪlɪtɪ] s. probabilità f. ♦ **in all p.** con tutta probabilità

probable ['prɒb(ə)bl] agg. probabile

probation [prə'beɪʃ(ə)n] s. **1** prova f., esame m. **2** tirocinio m. **3** (dir) sospensione f. condizionale della pena

probe [prəʊb] s. **1** sonda f. **2** (fig.) indagine f.

to probe [prəʊb] v. tr. sondare

problem ['prɒbləm] s. problema m.

problematic(al) [ˌprɒblɪ'mætɪk((ə)l)] agg. problematico

procedural [prə'si:dʒər(ə)l] agg. procedurale

procedure [prə'si:dʒər] s. procedura f., procedimento m.

to proceed [prə'si:d] v. intr. **1** procedere, proseguire **2** agire **3** provenire

proceeding [prə'si:dɪŋ] s. **1** procedimento m. **2** al pl. riunione f. **3** al pl. (di convegno) atti m. pl.

proceeds ['prəʊsi:dz] s. pl. ricavo m., profitto m.

process ['prəʊsɛs] s. **1** andamento m., procedimento m. **2** processo m., sviluppo m. **3** elaborazione f.

to process ['prəʊsɛs] v. tr. **1** trattare, sottoporre a un processo **2** (dir) procedere contro **3** (inf.) elaborare

processing ['prəʊsɛsɪŋ] s. **1** trattamento m., lavorazione f. **2** (inf.) elaborazione f.

procession [prə'sɛʃ(ə)n] s. processione f., corteo m.

to proclaim [prə'kleɪm] v. tr. proclamare

proclamation [ˌprɒklə'meɪʃ(ə)n] s. proclamazione f.

to procreate ['prəʊkrɪeɪt] v. tr. procreare, generare

to procure [prə'kjʊər] v. tr. procurare, procacciare

to prod [prɒd] v. tr. e intr. pungolare, incitare

prodigal ['prɒdɪgəl] **A** agg. prodigo **B** s. scialacquatore m.

prodigality [ˌprɒdɪ'gælɪtɪ] s. prodigalità f., generosità f.

prodigious [prə'dɪdʒəs] agg. prodigioso

prodigy ['prɒdɪdʒɪ] s. prodigio m., portento m.

produce ['prɒdju:s] s. **1** prodotto m., risultato m. **2** produzione f. agricola, materie f. pl. prime

to produce [prə'dju:s] v. tr. **1** produrre, fabbricare, generare **2** esibire, presentare

producer [prə'dju:sər] s. produttore m.

product ['prɒdʌkt] s. prodotto m.

production [prə'dʌkʃ(ə)n] s. produzione f.

productivity [ˌprɒdʌk'tɪvɪtɪ] s. produttività f., rendimento m.

profane [prə'feɪn] agg. **1** profano **2** empio

to profess [prə'fɛs] **A** v. tr. **1** professare, dichiarare **2** pretendere di, fingere di **3** esercitare **B** v. intr. esercitare una professione

profession [prə'fɛʃ(ə)n] s. professione f.

professional [prə'fɛʃənl] **A** agg. professionale **B** s. professionista m. e f.

professionalism [prə'fɛʃnəlɪz(ə)m] s. professionismo m.

professor [prə'fɛsər] s. professore m. (universitario)

proficiency [prə'frɪʃ(ə)nsɪ] s. abilità m., competenza f., conoscenza f.

profile ['prəʊfaɪl] s. profilo m.

profit ['prɒfɪt] s. profitto m., beneficio m., guadagno m.

to profit ['prɒfɪt] **A** v. tr. giovare a **B** v. intr. beneficiare, approfittare

profitability [ˌprɒfɪtə'bɪlɪtɪ] s. redditività f.

profitable ['prɒfɪtəbl] agg. proficuo, redditizio

profound [prə'faʊnd] agg. **1** profondo **2** intenso **3** assoluto

profuse [prə'fju:s] agg. **1** profuso, abbondante **2** prodigo

profusion [prə'fju:ʒ(ə)n] s. **1** profusione

f. **2** prodigalità *f.*

progenitor [prɒ(ʊ)'dʒɛnɪtər] *s.* progenitore *m.*

prognosis [prəg'nɒʊsɪs] *s.* prognosi *f.*

prognostic [prəg'nɒstɪk] *s.* pronostico *m.*

program ['prɒʊgræm] *s.* (*USA*) programma *m.*

to **program** ['prɒʊgræm] *v. tr.* (*USA*) programmare

programme ['prɒʊgræm] *s.* programma *m.*

programmer ['prɒʊgræmər] *s.* programmatore *m.*

programming ['prɒʊgræmɪŋ] *s.* programmazione *f.*

progress ['prɒʊgrɛs] *s.* **1** avanzamento *m.* **2** andamento *m.*, corso *m.* **3** progresso *m.*, sviluppo *m.* ♦ **works in p.** lavori in corso

to **progress** [prə'grɛs] *v. intr.* progredire, avanzare

progression [prɛə'grɛʃ(ə)n] *s.* progressione *f.*

progressive [prə'grɛsɪv] *agg.* **1** progressivo **2** progressista

to **prohibit** [prə'hɪbɪt] *v. tr.* proibire

prohibition [ˌprɒ(ʊ)ɪ'bɪʃ(ə)n] *s.* **1** proibizione *f.* **2** proibizionismo *m.*

prohibitive [prə'hɪbɪtɪv] *agg.* proibitivo

project ['prɒdʒɛkt] *s.* progetto *m.*, piano *m.*

to **project** [prə'dʒɛkt] **A** *v. tr.* **1** proiettare **2** progettare **B** *v. intr.* sporgere, aggettare

projectile [prə'dʒɛktaɪl] **A** *s.* proiettile *m.* **B** *agg.* **1** propulsivo **2** proiettabile

projection [prə'dʒɛkʃ(ə)n] *s.* **1** proiezione *f.* **2** aggetto *m.*, sporgenza *f.*

projector [prə'dʒɛktər] *s.* proiettore *m.*

proletarian [ˌprɒʊlɪ'tɛərɪən] *agg. e s.* proletario *m.*

to **proliferate** [prɒ(ʊ)'lɪfəreɪt] *v. intr.* proliferare

prolific [prə'lɪfɪk] *agg.* prolifico, fecondo

prolix ['prɒʊlɪks] *agg.* prolisso

prologue ['prɒʊlɒg] *s.* prologo *m.*

to **prolong** [prə'lɒŋ] *v. tr.* prolungare

prolongation [ˌprɒʊlɒŋ'geɪʃ(ə)n] *s.* prolungamento *m.*

promenade [ˌprɒmɪ'nɑːd] *s.* lungomare *m.*, passeggiata *f.*

prominence ['prɒmɪnəns] *s.* **1** prominenza *f.*, sporgenza *f.* **2** importanza *f.*

prominent ['prɒmɪnənt] *agg.* **1** prominente, sporgente **2** importante

promiscuity [ˌprɒmɪs'kjʊ(ː)tɪ] *s.* promiscuità *f.*

promiscuous [prə'mɪskjʊəs] *agg.* **1** promiscuo, confuso **2** casuale

promise ['prɒmɪs] *s.* promessa *f.*

to **promise** ['prɒmɪs] *v. tr. e intr.* promettere ♦ **to p. oneself st.** ripromettersi q.c.

promising ['prɒmɪsɪŋ] *agg.* promettente

to **promote** [prə'mɒʊt] *v. tr.* promuovere

promoter [prə'mɒʊtər] *s.* promotore *m.*

promotion [prə'mɒʊʃ(ə)n] *s.* promozione *f.*

prompt [prɒm(p)t] **A** *agg.* **1** pronto, sollecito **2** (*di pagamento*) in contanti, a pronti **B** *s.* **1** suggerimento *m.* **2** termine *m.* di pagamento **3** (*inf.*) prompt *m. inv.* **C** *avv.* in punto

to **prompt** [prɒm(p)t] *v. tr.* **1** suggerire, consigliare **2** incitare

prompter ['prɒm(p)tər] *s.* suggeritore *m.*

pronaos [prɒ(ʊ)'neɪəs] *s.* pronao *m.*

prone [prɒʊn] *agg.* **1** prono **2** disposto, incline

prong [prɒŋ] *s.* **1** forca *f.* **2** rebbio *m.*

pronoun ['prɒʊnaʊn] *s.* pronome *m.*

to **pronounce** [prə'naʊns] **A** *v. tr.* **1** pronunciare **2** dichiarare **B** *v. intr.* pronunciarsi, dichiararsi

pronunciation [prəˌnʌnsɪ'eɪʃ(ə)n] *s.* pronuncia *f.*

proof [pruːf] **A** *s.* **1** prova *f.*, dimostrazione *f.* **2** (*tip.*) bozza *f.* **3** (*fot.*) provino *m.* **B** *agg.* (*nei composti*) a prova di, resistente a ♦ **bullet-p.** antiproiettile; **water-p.** impermeabile

prop [prɒp] *s.* puntello *m.*, sostegno *m.*

to **prop** [prɒp] *v. tr.* **1** appoggiare, puntellare **2** sostenere

propaganda [ˌprɒpə'gændə] *s.* propaganda *f.*

to **propagate** ['prɒpəgeɪt] *v. tr. e intr.* propagare, propagarsi

to **propel** [prə'pɛl] *v. tr.* muovere in avanti, spingere

propeller [prə'pɛlər] *s.* elica *f.*

proper ['prɒpər] *agg.* **1** proprio, particolare **2** appropriato, corretto **3** decoroso, rispettabile **4** propriamente detto, vero e proprio

properly ['prɒpəlɪ] *avv.* **1** bene, opportunamente **2** convenientemente **3** propriamente

property ['prɒpətɪ] *s.* **1** proprietà *f.* **2** beni *m.*, patrimonio *m.*

prophecy ['prɒfɪsɪ] *s.* profezia *f.*

prophet ['prɒfɪt] *s.* profeta *m.*

prophetic(al) [prə'fɛtɪk((ə)l)] *agg.* profe-

tico
prophylactic [ˌprəfɪ'læktɪk] *s.* preservativo *m.*
prophylaxis [ˌprəfɪ'læksɪs] *s.* profilassi *f.*
to propitiate [prə'pɪʃɪeɪt] *v. tr.* propiziare
propitious [prə'pɪʃəs] *agg.* propizio
proportion [prə'pɔːʃ(ə)n] *s.* proporzione *f.*
proportional [prə'pɔːʃənl] *agg.* proporzionale
proportionate [prə'pɔːʃnɪt] *agg.* proporzionato •
proposal [prə'pəʊz(ə)l] *s.* proposta *f.*
to propose [prə'pəʊz] *v. tr. e intr.* **1** proporre, presentare **2** fare una proposta di matrimonio
proposition [ˌprəpə'zɪʃ(ə)n] *s.* **1** affermazione *f.* **2** proposizione *f.* **3** proposta *f.*
proprietor [prə'praɪətər] *s.* proprietario *m.*, titolare *m. e f.*
propriety [prə'praɪətɪ] *s.* **1** convenienza *f.*, proprietà *f.*, correttezza *f.* **2** decoro *m.*, decenza *f.* **3** *al pl.* convenienze *f. pl.* sociali
propulsion [prə'pʌlʃ(ə)n] *s.* propulsione *f.*
propylaeum [ˌprəpɪ'liːəm] *s.* propileo *m.*
prose [prəʊz] *s.* prosa *f.*
to prosecute ['prɒsɪkjuːt] *v. tr.* **1** proseguire, portare avanti **2** (*dir*) perseguire
prosecution [ˌprɒsɪ'kjuːʃ(ə)n] *s.* **1** prosecuzione *f.* **2** (*dir*) accusa *f.*, processo *m.*
prosecutor ['prɒsɪkjuːtər] *s.* **1** prosecutore *m.* **2** (*dir*) accusatore *m.*, attore *m.*
prospect ['prɒspɛkt] *s.* prospettiva *f.*
prospective [prə'spɛktɪv] *agg.* **1** futuro, concernente il futuro **2** probabile, potenziale
prospectus [prəs'pɛktəs] *s.* prospetto *m.*, programma *m.*
to prosper ['prɒspər] *v. intr.* prosperare
prosperity [prɒs'pɛrɪtɪ] *s.* prosperità *f.*
prosperous ['prɒsp(ə)rəs] *agg.* prospero, favorevole
prosthesis ['prɒsθɪsɪs] *s.* protesi *f.*
prostitute ['prɒstɪtjuːt] *s.* prostituta *f.*
prostrate [prə'streɪt] *agg.* prostrato, abbattuto
prostyle ['prəʊstaɪl] *s.* prostilo *m.*
protagonist [prɒ(ʊ)'tægənɪst] *s.* protagonista *m. e f.*
to protect [prə'tɛkt] *v. tr.* proteggere
protection [prə'tɛkʃ(ə)n] *s.* protezione *f.*, difesa *f.*, riparo *m.*
protectionism [prə'tɛkʃənɪz(ə)m] *s.* protezionismo *m.*

protective [prə'tɛktɪv] *agg.* protettivo
protein ['prəʊtiːn] *s.* proteina *f.*
protest ['prəʊtɛst] *s.* **1** protesta *f.* **2** protesto *m.*
to protest [prə'tɛst] **A** *v. tr.* **1** dichiarare **2** mandare in protesto **B** *v. intr.* **1** protestare, reclamare **2** fare una dichiarazione
Protestant ['prɒtɪst(ə)nt] *agg. e s.* protestante *m. e f.*
Protestantism ['prɒtɪst(ə)ntɪz(ə)m] *s.* protestantesimo *m.*
protester [prə'tɛstər] *s.* dimostrante *m. e f.*
protocol ['prəʊtəkəl] *s.* protocollo *m.*
protomartyr ['prəʊtə(ʊ)ˌmaːtər] *s.* protomartire *m.*
prototype ['prəʊtətaɪp] *s.* prototipo *m.*
to protract [prə'trækt] *v. tr.* protrarre
to protrude [prə'truːd] *v. tr. e intr.* sporgere
protruding [prə'truːdɪŋ] *agg.* sporgente
protuberance [prə'tjuːb(ə)r(ə)ns] *s.* protuberanza *f.*
protuberant [prə'tjuːb(ə)r(ə)nt] *agg.* sporgente
proud [praʊd] *agg.* **1** orgoglioso, fiero **2** superbo
to prove [pruːv] **A** *v. tr.* **1** provare, dimostrare **2** mettere alla prova **3** verificare **B** *v. intr.* risultare, rivelarsi
provenance ['prɒvɪnəns] *s.* provenienza *f.*, origine *f.*
Provençal [ˌprɒvaː(n)'saːl] *agg. e s.* provenzale *m. e f.*
proverb ['prɒvɜːb] *s.* proverbio *m.*
proverbial [prə'vɜːbjəl] *agg.* proverbiale
to provide [prə'vaɪd] **A** *v. tr.* provvedere, fornire, procurare **B** *v. intr.* **1** provvedere **2** premunirsi ♦ **to p. oneself with st.** fornirsi di q.c.
provided [prə'vaɪdɪd] (*spesso* **p. that**) *cong.* purché, sempre che, a condizione che
providence ['prɒvɪd(ə)ns] *s.* **1** previdenza *f.* **2** provvidenza *f.*
provident ['prɒvɪd(ə)nt] *agg.* previdente
providential [ˌprɒvɪ'dɛnʃ(ə)l] *agg.* provvidenziale, opportuno
providing [prə'vaɪdɪŋ] *cong.* purché
province ['prɒvɪns] *s.* provincia *f.*
provincial [prə'vɪnʃ(ə)l] *agg.* provinciale
provincialism [prə'vɪnʃəlɪz(ə)m] *s.* provincialismo *m.*
provision [prə'vɪʒ(ə)n] *s.* **1** provvedimento *m.*, preparativo *m.* **2** fornitura *f.* **3** *al pl.* provviste *f. pl.*, viveri *m. pl.* **4** riserva *f.* **5** (*dir*) clausola *f.*

provisional [prə'vɪʒənl] *agg.* provvisorio

proviso [prə'vaɪzɒʊ] *s.* (*dir*) condizione *f.*

provocation [ˌprɒvə'keɪʃ(ə)n] *s.* provocazione *f.*

provocative [prə'vɒkətɪv] *agg.* provocante, stimolante

to **provoke** [prə'vɒʊk] *v. tr.* **1** provocare **2** irritare

provoking [prə'vɒʊkɪŋ] *agg.* **1** provocante **2** irritante

prow [praʊ] *s.* prua *f.*

prowess ['praʊɪs] *s.* prodezza *f.*, abilità *f.*

to **prowl** [praʊl] *v. intr.* muoversi furtivamente ♦ **to p. about** vagare

prowler ['praʊlər] *s.* malintenzionato *m.*

proximity [prɒk'sɪmɪtɪ] *s.* prossimità *f.*, vicinanza *f.*

proxy ['prɒksɪ] **A** *s.* **1** procuratore *m.* **2** procura *f.* **B** *agg.* per procura

prudence ['pruːd(ə)ns] *s.* prudenza *f.*

prudent ['pruːd(ə)nt] *agg.* prudente

prudish ['pruːdɪʃ] *s.* moralista *m. e f.*, puritano *m.*

prune [pruːn] *s.* prugna *f.* secca

to **prune** [pruːn] *v. tr.* potare

to **pry** [praɪ] *v. intr.* spiare, curiosare

psalm [saːm] *s.* salmo *m.*

pseudonym ['sjuːdənɪm] *s.* pseudonimo *m.*

psyche ['saɪkɪ] *s.* psiche *f.*

psychiatric(al) [ˌsaɪkɪ'ætrɪk((ə)l)] *agg.* psichiatrico

psychiatrist [saɪ'kaɪətrɪst] *s.* psichiatra *m. e f.*

psychic(al) ['saɪkɪk((ə)l)] *agg.* **1** psichico **2** medianico

psychoanalysis [ˌsaɪkɒ(ʊ)ə'næləsɪs] *s.* psicoanalisi *f.*

psychoanalyst [ˌsaɪkɒ(ʊ)'ænəlɪst] *s.* psicoanalista *m. e f.*

psychologic(al) [ˌsaɪkə'lɒdʒɪk((ə)l)] *agg.* psicologico

psychologist [saɪ'kɒlədʒɪst] *s.* psicologo *m.*

psychology [saɪ'kɒlədʒɪ] *s.* psicologia *f.*

psychopath ['saɪkɒ(ʊ)pæθ] *s.* psicopatico *m.*

psychosis [saɪ'kɒʊsɪs] *s.* psicosi *f.*

pub [pʌb] *s.* pub *m. inv.*

puberty ['pjuːbətɪ] *s.* pubertà *f.*

pubic ['pjuːbɪk] *agg.* pubico

public ['pʌblɪk] *agg. e s.* pubblico *m.* ♦ **p.-address system** impianto di amplificazione; **p. house** pub; **p. relations** relazioni pubbliche

publican ['pʌblɪkən] *s.* oste *m.*

publication [ˌpʌblɪ'keɪʃ(ə)n] *s.* pubblicazione *f.*

publicity [pʌb'lɪsɪtɪ] *s.* pubblicità *f.*

to **publicize** ['pʌblɪsaɪz] *v. tr.* pubblicizzare

to **publish** ['pʌblɪʃ] *v. tr.* pubblicare

publisher ['pʌblɪʃər] *s.* editore *m.*

publishing ['pʌblɪʃɪŋ] *s.* editoria *f.*

to **pucker** ['pʌkər] *v. tr.* corrugare, increspare

pudding ['pʊdɪŋ] *s.* budino *m.*

puddle ['pʌdl] *s.* pozzanghera *f.*

puff [pʌf] *s.* soffio *m.*, sbuffo *m.* ♦ **p. pastry** pasta sfoglia

to **puff** [pʌf] *v. intr.* soffiare, sbuffare ♦ **to p. out** gonfiare, spegnere con un soffio

puffy ['pʌfɪ] *agg.* **1** ansante **2** gonfio **3** paffuto

pull [pʊl] *s.* **1** strappo *m.*, tiro *m.* **2** boccata *f.*, sorso *m.* **3** maniglia *f.*, tirante *m.* **4** (*fig.*) influenza *f.*, ascendente *m.*

to **pull** [pʊl] **A** *v. tr.* **1** tirare, tendere **2** trascinare, trainare **3** estrarre, tirar fuori, cavare **4** attirare **B** *v. intr.* **1** tirare **2** lasciarsi tirare, trascinarsi ♦ **to p. about** maltrattare; **to p. apart** fare a pezzi; **to p. back** ritirarsi; **to p. down** abbassare, demolire; **to p. in** accostarsi, (*di treno*) entrare in stazione; **to p. off** togliere, togliersi, portare a segno; **to p. on** indossare; **to p. out** uscire, partire, staccare, ritirare; **to p. over** accostare; **to p. through** farcela; **to p. up** fermarsi, sradicare, strappare

pulley ['pʊlɪ] *s.* puleggia *f.*

pullover ['pʊl,ɒʊvər] *s.* pullover *m. inv.*

pulmonary ['pʌlmənərɪ] *agg.* polmonare

pulp [pʌlp] *s.* polpa *f.*

pulpit ['pʊlpɪt] *s.* pulpito *m.*

to **pulsate** [pʌl'seɪt] *v. intr.* pulsare

pulsation [pʌl'seɪʃ(ə)n] *s.* pulsazione *f.*

pulse (1) [pʌls] *s.* **1** (*med.*) polso *m.*, battito *m.* **2** impulso *m.*

pulse (2) [pʌls] *s.* legume *m.*

to **pulverize** ['pʌlvəraɪz] *v. tr. e intr.* polverizzare, polverizzarsi

to **pummel** ['pʌml] *v. tr.* prendere a pugni

pump [pʌmp] *s.* **1** pompa *f.* **2** distributore *m.* di benzina

to **pump** [pʌmp] *v. tr.* pompare ♦ **to p. up** gonfiare

pumpkin ['pʌm(p)kɪn] *s.* zucca *f.*

pun [pʌn] *s.* gioco *m.* di parole

punch (1) [pʌn(t)ʃ] *s.* pugno *m.*
punch (2) [pʌn(t)ʃ] *s.* **1** punzone *m.* **2** perforatrice *f.*
punch (3) [pʌn(t)ʃ] *s.* ponce *m. inv.*, punch *m. inv.*
to punch (1) [pʌn(t)ʃ] *v. tr.* dare un pugno a
to punch (2) [pʌn(t)ʃ] *v. tr.* punzonare, perforare
punch-up ['pʌn(t)ʃʌp] *s.* zuffa *f.*
punctual ['pʌŋ(k)tjʋəl] *agg.* puntuale
punctuality [ˌpʌŋ(k)tjʋ'ælɪtɪ] *s.* puntualità *f.*
to punctuate ['pʌŋ(k)tjʋeɪt] *v. tr.* punteggiare
punctuation [ˌpʌŋ(k)tjʋ'eɪʃ(ə)n] *s.* punteggiatura *f.*
puncture ['pʌŋktʃər] *s.* **1** (*di pneumatico*) foratura *f.* **2** puntura *f.* ♦ **to get a p.** forare
pundit ['pʌndɪt] *s.* sapientone *m.*
pungent ['pʌndʒ(ə)nt] *agg.* pungente
to punish ['pʌnɪʃ] *v. tr.* punire, infliggere una punizione
punishment ['pʌnɪʃmənt] *s.* punizione *f.*
punk [pʌŋk] *agg. e s.* punk *m. inv.*
punt [pʌnt] *s.* barchino *m.*
punter ['pʌntər] *s.* **1** scommettitore *m.* **2** (*pop.*) cliente *m. e f.*
puny ['pjuːnɪ] *agg.* gracile, sparuto
pup [pʌp] *s.* cucciolo *m.*
pupil (1) ['pjuːpl] *s.* allievo *m.*, scolaro *m.*
pupil (2) ['pjuːpl] *s.* pupilla *f.*
puppet ['pʌpɪt] *s.* burattino *m.*, fantoccio *m.*
puppeteer [ˌpʌpɪ'tɪər] *s.* burattinaio *m.*
puppy ['pʌpɪ] *s.* cucciolo *m.*
purchase ['pɜːtʃəs] *s.* **1** acquisto *m.*, compera *f.* **2** (*spec. di immobili*) valore *m.* **3** paranco *m.*
to purchase ['pɜːtʃəs] *v. tr.* **1** acquistare, comprare **2** acquisire **3** sollevare (con paranco)
purchaser ['pɜːtʃəsər] *s.* acquirente *m. e f.*, compratore *m.*
purchasing ['pɜːtʃəsɪŋ] *s.* acquisto *m.*
pure [pjʋər] *agg.* puro
purée ['pjʋəreɪ] *s.* purè *m.*
purgative ['pɜːɡətɪv] *agg. e s.* purgante *m.*
purgatory ['pɜːɡət(ə)rɪ] *s.* purgatorio *m.*
purge [pɜːdʒ] *s.* **1** purga *f.*, purgante *m.* **2** epurazione *f.*
to purge [pɜːdʒ] *v. tr.* **1** purgare, purificare **2** epurare
purging ['pɜːdʒɪŋ] *s.* purga *f.*, purificazio-

ne *f.*
to purify ['pjʋərɪfaɪ] *v. tr.* purificare
purism ['pjʋərɪz(ə)m] *s.* purismo *m.*
Puritan ['pjʋərɪt(ə)n] *agg. e s.* puritano *m.*
Puritanism ['pjʋərɪt(ə)nɪz(ə)m] *s.* puritanesimo *m.*
purity ['pjʋərɪtɪ] *s.* purezza *f.*
to purloin [pɜː'lɔɪn] *v. tr.* trafugare
purple ['pɜːpl] **A** *agg.* purpureo, violaceo **B** *s.* (*colore*) porpora *m.*, viola *m.*
to purport ['pɜːpɜːt] *v. tr.* **1** significare **2** dare a intendere
purpose ['pɜːpəs] *s.* **1** scopo *m.*, fine *m.*, intenzione *f.* **2** effetto *m.*, risultato *m.* **3** proposito *m.*, fermezza *f.* ♦ **on p.** appositamente; **to no p.** invano
purposeful ['pɜːpəsf(ʋ)l] *agg.* **1** risoluto, determinato **2** intenzionale
purpura ['pɜːpjʋərə] *s.* porpora *f.*
to purr [pɜː] *v. intr.* fare le fusa
purse [pɜːs] *s.* **1** borsellino *m.* **2** borsa *f.*
purser ['pɜːsər] *s.* commissario *m.* di bordo
pursuance [pə'sjuːəns] *s.* proseguimento *m.*
to pursue [pə'sjuː] *v. tr.* **1** inseguire **2** perseguire, aspirare a **3** proseguire, procedere
pursuit [pə'sjuːt] *s.* **1** inseguimento *m.*, ricerca *f.* **2** occupazione *f.* **3** passatempo *m.*
pus [pʌs] *s.* pus *m. inv.*
push [pʋʃ] *s.* **1** spinta *f.* **2** pressione *f.* **3** sforzo *m.* **4** energia *f.* ♦ **p.-button** pulsante
to push [pʋʃ] *v. tr.* **1** spingere, premere **2** fare pressione su **3** propagandare **4** (*pop.*) spacciare (droga) ♦ **to p. aside** scostare; **to p. back** respingere; **to p. forward** spingere innanzi, avanzare; **to p. in** intromettersi; **to p. off** andar via; **to p. out** buttar fuori; **to p. up** far salire
pushchair ['pʋʃtʃeər] *s.* passeggino *m.*
pusher ['pʋʃər] *s.* spacciatore *m.*
pussycat ['pʋsɪkæt] *s.* micio *m.*
to put [pʋt] (*pass. e p. p.* **put**) **A** *v. tr.* **1** mettere, porre, collocare **2** apporre, applicare **3** esporre, presentare, esprimere **4** sottoporre **5** valutare, calcolare **6** piantare, conficcare **7** scommettere, puntare, investire **B** *v. intr.* (*naut.*) dirigersi, far rotta per ♦ **to p. away** mettere via, mettere da parte; **to p. back** riporre, posticipare, ritardare; **to p. by** risparmiare; **to p. down** posare, sopprimere, umiliare, annotare, attribuire; **to p. forward** proporre, sugge-

rire, anticipare; **to p. in** inserire, intromettersi, presentare domanda; **to p. off** rinviare, impedire, dissuadere; **to p. on** indossare, accendere, metter su, mettere in scena; **to p. out** metter fuori, trasmettere, pubblicare, produrre, spegnere, offendere, disturbare; **to p. through** portare a compimento, far approvare, mettere in comunicazione; **to p. up** alzare, aumentare, affiggere, costruire, ospitare; **to p. up with** sopportare

putrefaction [ˌpjuːtrɪˈfækʃ(ə)n] *s.* putrefazione *f.*, marciume *m.*

to putrefy [ˈpjuːtrɪfaɪ] *v. intr.* imputridire

putty [ˈpʌtɪ] *s.* stucco *m.*, mastice *m.*

to putty [ˈpʌtɪ] *v. tr.* stuccare

puzzle [ˈpʌzl] *s.* **1** rompicapo *m.*, enigma *m.* **2** confusione *f.* ♦ **crossword p.** parole incrociate

to puzzle [ˈpʌzl] **A** *v. tr.* confondere **B** *v. intr.* essere perplesso ♦ **to p. out** decifrare

puzzling [ˈpʌzlɪŋ] *agg.* sconcertante

pyjamas [pəˈdʒaːməz] *s. pl.* pigiama *m.*

pylon [ˈpaɪlən] *s.* pilone *m.*

pyramid [ˈpɪrəmɪd] *s.* piramide *f.*

pyramidal [pɪˈræmɪdl] *agg.* piramidale

pyre [ˈpaɪər] *s.* pira *f.*

pyromaniac [ˌpaɪrɒ(ʊ)ˈmeɪnjæk] *s.* piromane *m. e f.*

pyrotechnic(al) [ˌpaɪrɒ(ʊ)ˈtɛknɪk((ə)l)] *agg.* pirotecnico

python [ˈpaɪθ(ə)n] *s.* pitone *m.*

Q

quack [kwæk] *s.* ciarlatano *m.*

quadrangle ['kwɔ,dræŋgl] *s.* **1** (*geom.*) quadrangolo *m.* **2** cortile *m.* quadrangolare interno

quadrangular [kwə'dræŋgjuləʳ] *agg.* quadrangolare

quadrant ['kwɔdr(ə)nt] *s.* quadrante *m.*

quadrature ['kwɔdrətʃəʳ] *s.* quadratura *f.*

quadrennial [kwə'drenjəl] *agg.* quadriennale

quadrilateral [,kwədrɪ'læt(ə)r(ə)l] *agg. e s.* quadrilatero *m.*

quadruped ['kwɔdrupɛd] *agg. e s.* quadrupede *m.*

quadruple ['kwɔdrupl] *agg. e s.* quadruplo *m.*

to quadruple ['kwɔdrupl] *v. tr. e intr.* quadruplicare, quadruplicarsi

quagmire ['kwægmaɪəʳ] *s.* pantano *m.*

quail [kweɪl] *s.* quaglia *f.*

to quail [kweɪl] *v. intr.* sgomentarsi, avvilirsi

quaint [kweɪnt] *agg.* **1** pittoresco **2** bizzarro, curioso

quake [kweɪk] *s.* **1** scossa *f.*, tremito *m.* **2** (*fam.*) terremoto *m.*

to quake [kweɪk] *v. intr.* tremare

Quaker ['kweɪkəʳ] *s.* quacchero *m.*

Quakeress ['kweɪkərɪs] *s.* quacchera *f.*

qualifiable ['kwɔlɪfaɪəbl] *agg.* qualificabile

qualification [,kwɔlɪfɪ'keɪʃ(ə)n] *s.* **1** qualificazione *f.* **2** requisito *m.*, qualifica *f.*, titolo *m.* **3** restrizione *f.*

qualified ['kwɔlɪfaɪd] *agg.* **1** qualificato, adatto, competente **2** condizionato, limitato **3** abilitato

to qualify ['kwɔlɪfaɪ] **A** *v. tr.* **1** qualificare, definire **2** abilitare, autorizzare **3** modificare, limitare **B** *v. intr.* qualificarsi, abilitarsi

qualitative ['kwɔlɪtətɪv] *agg.* qualitativo

quality ['kwɔlɪtɪ] *s.* qualità *f.*

qualm [kwɑːm] *s.* **1** rimorso *m.* **2** nausea *f.*

quandary ['kwɔndərɪ] *s.* difficoltà *f.*, imbarazzo *m.*

quantic ['kwɔntɪk] *agg.* quantico, quantistico

to quantify ['kwɔntɪfaɪ] *v. tr.* quantificare

quantity ['kwɔntɪtɪ] *s.* quantità *f.*, abbondanza *f.*, quantitativo *m.*

quantum ['kwɔntəm] (*pl.* **quanta**) *s.* (*fis.*) quanto *m.*

quarantine ['kwɔr(ə)ntiːn] *s.* quarantena *f.*

quarrel ['kwɔr(ə)l] *s.* disputa *f.*, litigio *m.*

to quarrel ['kwɔr(ə)l] *v. intr.* bisticciare, litigare

quarrelsome ['kwɔr(ə)lsəm] *agg.* litigioso, rissoso

quarry (1) ['kwɔrɪ] *s.* **1** cava *f.* **2** (*fig.*) miniera *f.*, fonte *f.*

quarry (2) ['kwɔrɪ] *s.* preda *f.*

quart [kwɔːt] *s.* quarto *m.* di gallone

quarter ['kwɔːtəʳ] *s.* **1** quarto *m.* **2** trimestre *m.* **3** (*USA*) quarto *m.* di dollaro **4** quartiere *m.*, rione *m.* **5** alloggio *m.*

to quarter ['kwɔːtəʳ] *v. tr.* **1** dividere in quarti **2** squartare **3** alloggiare

quarterly ['kwɔːtəlɪ] **A** *agg.* trimestrale **B** *s.* pubblicazione *f.* trimestrale **C** *avv.* trimestralmente

quartet [kwɔː'tɛt] *s.* quartetto *m.* ♦ **string q.** quartetto d'archi

quartz [kwɔːts] *s.* quarzo *m.*

to quash [kwɔʃ] *v. tr.* **1** (*dir.*) annullare **2** sottomettere

quatrain ['kwɔtreɪn] *s.* quartina *f.*

quatrefoil ['kætrəfɔɪl] *s.* (*arch.*) quadrifoglio *m.*

quaver ['kweɪvəʳ] **1** trillo *m.* **2** tremolio *m.* **3** (*mus.*) croma *f.*

quay [kiː] *s.* banchina *f.*, molo *m.*

queasy ['kwiːzɪ] *agg.* **1** nauseabondo **2** delicato di stomaco

queen [kwiːn] *s.* regina *f.*

queer [kwɪəʳ] *agg.* **1** strano, bizzarro **2** dubbio **3** indisposto **4** (*fam.*) omosessuale

to quell [kwɛl] *v. tr.* **1** reprimere, domare **2** calmare

to quench [kwɛn(t)ʃ] *v. tr.* estinguere, spegnere ♦ **q. one's thirst** dissetarsi

querulous ['kwɛrʊləs] *agg.* querulo, lamentoso

query ['kwɪərɪ] *s.* domanda *f.*, quesito *m.*

to query ['kwɪərɪ] **A** *v. tr.* **1** interrogare, indagare su **2** mettere in dubbio **B** *v. intr.* fare domande

quest [kwɛst] *s.* cerca *f.*, ricerca *f.*

question ['kwɛstʃ(ə)n] *s.* **1** domanda *f.* **2** questione *f.*, problema *m.* ♦ **q. mark** punto interrogativo

to question ['kwɛstʃ(ə)n] *v. tr.* **1** interrogare **2** dubitare di

questionable ['kwɛstʃənəbl] *agg.* **1** dubbio, incerto **2** discutibile

questionnaire [ˌkwɛstɪə'neəʳ] *s.* questionario *m.*

queue [kjuː] *s.* **1** coda *f.* **2** fila *f.*

to queue [kjuː] *v. intr.* fare la coda ♦ **to q. up** mettersi in coda

to quibble ['kwɪbl] *v. intr.* cavillare

quick [kwɪk] **A** *agg.* **1** svelto, veloce **2** pronto, acuto **3** suscettibile **B** *avv.* rapidamente **C** *s.* **1** carne *f.* viva **2** punto *m.* vivo ♦ **to sting sb. to the q.** toccare qc. sul vivo

to quicken ['kwɪk(ə)n] *v. tr. e intr.* affrettare, affrettarsi

quickly ['kwɪklɪ] *avv.* in fretta, prontamente

quickness ['kwɪknɪs] *s.* sveltezza *f.*

quicksand ['kwɪksænd] *s.* sabbie *f. pl.* mobili

quicksilver ['kwɪkˌsɪlvəʳ] *s.* mercurio *m.*, argento *m.* vivo

quick-witted ['kwɪkˌwɪtɪd] *agg.* perspicace

quid [kwɪd] *s.* (*fam.*) sterlina *f.*

quiet ['kwaɪət] **A** *agg.* **1** quieto, tranquillo **2** modesto, semplice **3** segreto **B** *s.* quiete *f.*, tranquillità *f.* ♦ **on the q.** di nascosto

to quiet ['kwaɪət] *v. tr. e intr.* calmare, calmarsi

to quieten ['kwaɪətn] *v. tr. e intr.* calmare, calmarsi

quilt [kwɪlt] *s.* trapunta *f.*, piumino *m.*

quince [kwɪns] *s.* mela *f.* cotogna

quinine [kwɪ'niːn] *s.* chinino *m.*

quinquennal [kwɪŋ'kwɛnɪəl] *agg.* quinquennale

quintal ['kwɪntl] *s.* quintale *m.*

quintet [kwɪn'tɛt] *s.* quintetto *m.*

quintuple ['kwɪntjʊpl] *agg. e s.* quintuplo *m.*

to quintuple ['kwɪntjʊpl] *v. tr. e intr.* quintuplicare, quintuplicarsi

quip [kwɪp] *s.* frizzo *m.*

quirk [kwɜːk] *s.* **1** coincidenza *f.* **2** stranezza *f.*, ghiribizzo *m.*

to quit [kwɪt] (*pass. e p. p.* **quitted** o **quit**) **A** *v. tr.* **1** abbandonare **2** smettere, cessare **3** lasciar andare, mollare **B** *v. intr.* **1** andarsene **2** dimettersi **3** arrendersi

quite [kwaɪt] *avv.* **1** proprio, del tutto, completamente **2** abbastanza, piuttosto **3** esattamente ♦ **q. a bit, q. a lot** (*di quantità*) abbastanza; **q. a while** (*di tempo*) abbastanza; **q. right** giustissimo; **q. (so)** esatto, proprio così

quits [kwɪts] *avv.* pari, alla pari

quittance ['kwɪt(ə)ns] *s.* quietanza *f.*, ricevuta *f.*

quiver (1) ['kwɪvəʳ] *s.* faretra *f.*

quiver (2) ['kwɪvəʳ] *s.* tremito *m.*

to quiver ['kwɪvəʳ] *v. intr.* fremere, tremare

quiz [kwɪz] *s.* quiz *m. inv.*

quota ['kwɒtə] *s.* quota *f.*

quotation [kwɒ(ʊ)'teɪʃ(ə)n] *s.* **1** citazione *f.* **2** (*Borsa*) quotazione *f.* **3** preventivo *m.* ♦ **q. marks** virgolette

quote [kwɒʊt] *s.* **1** citazione *f.* **2** *al pl.* virgolette *f. pl.* **3** preventivo *m.*

to quote [kwɒʊt] *v. tr.* **1** citare, riportare **2** mettere fra virgolette **3** (*Borsa*) quotare

quotient ['kwɒʊʃ(ə)nt] *s.* quoziente *m.*

R

rabbi ['ræbaɪ] *s.* rabbino *m.*

rabbinic(al) [ræ'bɪnɪk((ə)l)] *agg.* rabbinico

rabbit ['ræbɪt] *s.* coniglio *m.*

rabble ['ræbl] *s.* (*spreg.*) folla *f.*, plebaglia *f.*

rabid ['ræbɪd] *agg.* 1 (*di animale*) rabbioso 2 furioso

rabies ['reɪbiːz] *s.* (*med.*) rabbia *f.*, idrofobia *f.*

raccoon [rə'kuːn] → **racoon**

race (1) [reɪs] *s.* 1 gara *f.*, corsa *f.*, competizione *f.* 2 (*di astro*) corso *m.* 3 (*geogr*) corrente *f.*

race (2) [reɪs] *s.* 1 razza *f.* 2 categoria *f.*

to race [reɪs] **A** *v. intr.* 1 gareggiare, correre 2 andare a tutta velocità 3 (*di motore*) imballarsi **B** *v. tr.* 1 gareggiare con 2 far correre 3 far girare a vuoto

racecourse ['reɪskɔːs] *s.* ippodromo *m.*

racehorse ['reɪshɔːs] *s.* cavallo *m.* da corsa

racer ['reɪsər] *s.* 1 cavallo *m.* da corsa 2 automobile *f.* (imbarcazione *f.*, aeroplano *m.* e sim.) da competizione

racetrack ['reɪstræk] *s.* (*sport*) pista *f.*

rachis ['reɪkɪs] *s.* rachide *f.*

rachitic [ræ'kɪtɪk] *agg.* rachitico

rachitis [ræ'kaɪtɪs] *s.* rachitismo *m.*

racial ['reɪʃəl] *agg.* razziale

racing ['reɪsɪŋ] **A** *agg.* da corsa **B** *s.* corsa *f.*

racism ['reɪsɪz(ə)m] *s.* razzismo *m.*

racist ['reɪsɪst] *agg. e s.* razzista *m. e f.*

rack (1) [ræk] *s.* 1 rastrelliera *f.* 2 cremagliera *f.* ♦ **luggage r.** portabagagli; **plate r.** scolapiatti; **r. rail** rotaia a cremagliera

rack (2) [ræk] *s.* (*strumento di tortura*) ruota *f.*

rack (3) [ræk] *s.* nuvolaglia *f.*

rack (4) [ræk] *s.* rovina *f.*

to rack [ræk] *v. tr.* 1 torturare 2 sforzare ♦ **to r. one's brains** scervellarsi

racket (1) ['rækɪt] *s.* 1 baccano *m.*, fracasso *m.* 2 racket *m. inv.* 3 (*fam.*) attività *f.*, occupazione *f.*

racket (2) ['rækɪt] *s.* racchetta *f.*

rackety ['rækɪtɪ] *agg.* chiassoso, rumoroso

racoon [rə'kuːn] *s.* procione *m.*

racy ['reɪsɪ] *agg.* 1 vivace, frizzante 2 salace

radar ['reɪdər] *s.* radar *m. inv.*

radial ['reɪdjəl] *agg.* radiale

radiant ['reɪdjənt] *agg.* 1 raggiante 2 radiante

to radiate ['reɪdɪeɪt] **A** *v. intr.* diffondersi, irradiarsi **B** *v. tr.* emanare, irradiare

radiation [ˌreɪdɪ'eɪʃ(ə)n] *s.* radiazione *f.*

radiator ['reɪdɪeɪtər] *s.* radiatore *m.*

radical ['rædɪk(ə)l] *agg. e s.* radicale *m. e f.*

radicalism ['rædɪkəlɪz(ə)m] *s.* radicalismo *m.*

radio ['reɪdɪəʊ] **A** *agg.* radiofonico, (*nei composti*) radio- **B** *s.* radio *f.* ♦ **r. amateur** radioamatore

radioactive [ˌreɪdɪəʊ'æktɪv] *agg.* radioattivo

radioactivity [ˌreɪdɪəʊæk'tɪvɪtɪ] *s.* radioattività *f.*

radiography [ˌreɪdɪ'əgrəfɪ] *s.* radiografia *f.*

radiologist [ˌreɪdɪ'ələdʒɪst] *s.* radiologo *m.*

radiology [ˌreɪdɪ'ələdʒɪ] *s.* radiologia *f.*

radiophone ['reɪdɪəʊfəʊn] *s.* radiotelefono *m.*

radioscopy [ˌreɪdɪ'əskəpɪ] *s.* radioscopia *f.*

radish ['rædɪʃ] *s.* 1 ravanello *m.* 2 rafano *m.*

radium ['reɪdjəm] *s.* (*chim.*) radio *m.*

radius ['reɪdjəs] (*pl.* **radii**) *s.* 1 raggio *m.* 2 (*anat.*) radio *m.*

raffle ['ræfl] *s.* riffa *f.*, lotteria *f.*

raft [rɑːft] *s.* zattera *f.* ♦ **r. bridge** ponte galleggiante

rag [ræg] *s.* 1 straccio *m.*, brandello *m.* 2 frammento *m.* 3 *al pl.* abiti *m. pl.* vecchi 4 (*fam.*) giornalaccio *m.* ♦ **r. doll** bambola di stoffa

rage [reɪdʒ] *s.* 1 furia *f.*, rabbia *f.* 2 passione *f.*, mania *f.* ♦ **to be (all) the r.** furoreggiare

to rage [reɪdʒ] *v. intr.* 1 infuriarsi 2 imperversare, infierire

ragged ['rægɪd] *agg.* 1 lacero, cencioso 2 frastagliato, scabroso 3 irsuto, ispido 4 imperfetto, rozzo 5 aspro, stridente

raging ['reɪdʒɪŋ] **A** *agg.* infuriato **B** *s.* furia *f.*, furore *m.*

ragman ['rægmən] (*pl.* **ragmen**) *s.* straccivendolo *m.*

raid [reɪd] *s.* incursione *f.*, irruzione *f.*

to raid [reɪd] *v. tr. e intr.* assalire, fare un'incursione

rail [reɪl] *s.* **1** sbarra *f.* **2** cancellata *f.*, inferriata *f.* **3** parapetto *m.*, ringhiera *f.*, (*naut.*) battagliola *f.* **4** rotaia *f.* ♦ **by r.** su rotaia, per ferrovia

railing [ˈreɪlɪŋ] *s.* **1** sbarra *f.* **2** *al pl.* cancellata *f.* **3** ringhiera *f.*, parapetto *m.*

railroad [ˈreɪlrəʊd] *s.* (*USA*) ferrovia *f.*

railway [ˈreɪlweɪ] *s.* ferrovia *f.* ♦ **r. bridge** cavalcavia; **r. station** stazione ferroviaria; **r. track** binario

railwayman [ˈreɪlweɪmən] (*pl.* **railwaymen**) *s.* ferroviere *m.*

rain [reɪn] *s.* pioggia *f.* ♦ **in the r.** sotto la pioggia; **r. pipe** grondaia

to rain [reɪn] *v. intr. impers.* piovere ♦ **to r. down** riversarsi; **to r. off** sospendere per la pioggia; **to r. out** smettere di piovere

rainbow [ˈreɪnbəʊ] *s.* arcobaleno *m.*

raincoat [ˈreɪnkəʊt] *s.* impermeabile *m.*

rainfall [ˈreɪnfɔːl] *s.* **1** pioggia *f.*, precipitazione *f.* **2** piovosità *f.*, quantità *f.* di pioggia

rainless [ˈreɪnlɪs] *agg.* senza pioggia, secco

rainproof [ˈreɪnpruːf] *agg.* impermeabile

rainstorm [ˈreɪnstɔːm] *s.* temporale *m.*

rainwater [ˈreɪnwɔːtər] *s.* acqua *f.* piovana

rainy [ˈreɪnɪ] *agg.* piovoso

raise [reɪz] *s.* aumento *m.*

to raise [reɪz] *v. tr.* **1** alzare, elevare, innalzare **2** sollevare, proporre, provocare **3** erigere **4** allevare, coltivare **5** (*denaro*) procurarsi, raccogliere **6** aumentare, far salire

raisin [ˈreɪzn] *s.* uva *f.* passa

raising [ˈreɪzɪŋ] *s.* **1** sollevamento *m.*, aumento *m.* **2** allevamento *m.* **3** educazione *f.* **4** sopralzo *m.*

rake [reɪk] *s.* rastrello *m.*

to rake [reɪk] *v. tr.* **1** rastrellare **2** raschiare, grattare **3** setacciare ♦ **to r. in** racimolare

rally [ˈrælɪ] *s.* **1** comizio *m.*, riunione *f.*, adunata *f.* **2** ripresa *f.*, recupero *m.* **3** (*sport*) raduno *m. inv.* **4** (*nel tennis e sim.*) scambio *m.* di colpi

to rally [ˈrælɪ] **A** *v. tr.* **1** raccogliere, chiamare a raccolta, riunire **2** rianimare **B** *v. intr.* **1** raccogliersi, radunarsi **2** rianimarsi, riaversi ♦ **to r. round** venire in aiuto di, stringersi intorno a

ram [ræm] *s.* **1** montone *m.*, ariete *m.* **2** rostro *m.*

to ram [ræm] *v. tr.* **1** speronare **2** conficcare

ramble [ˈræmbl] *s.* escursione *f.*

to ramble [ˈræmbl] *v. intr.* **1** gironzolare **2** divagare

rambler [ˈræmblər] *s.* **1** escursionista *m. e f.* **2** rosa *f.* rampicante

rambling [ˈræmblɪŋ] *agg.* **1** errante, girovago **2** incoerente, sconnesso **3** (*bot.*) rampicante **4** (*di edificio*) irregolare

ramification [ˌræmɪfɪˈkeɪʃ(ə)n] *s.* diramazione *f.*

ramp [ræmp] *s.* rampa *f.*

to rampage [ræmˈpeɪdʒ] *v. intr.* scatenarsi

rampant [ˈræmpənt] *agg.* dilagante

rampart [ˈræmpɑːt] *s.* bastione *m.*

ramshackle [ˈræmˌʃækl] *agg.* decrepito, sgangherato

ran [ræn] *pass. di* **to run**

ranch [rɑːntʃ] *s.* ranch *m. inv.*

rancid [ˈrænsɪd] *agg.* rancido

rancour [ˈræŋkər] (*USA* **rancor**) *s.* rancore *m.*

random [ˈrændəm] *agg.* **1** casuale **2** irregolare

randy [ˈrændɪ] *agg.* (*fam.*) lascivo

rang [ræŋ] *pass. di* **to ring**

range [reɪn(d)ʒ] *s.* **1** (*di monti*) catena *f.*, fila *f.* **2** portata *f.*, gittata *f.* **3** raggio *m.* d'azione, gamma *f.*, campo *m.* **4** escursione *f.*, gradazione *f.*, variazione *f.*, intervallo *m.* **5** (*mus.*) estensione *f.* **6** (*di terreno*) distesa *f.* **7** cucina *f.* economica **8** poligono *m.* di tiro

to range [reɪn(d)ʒ] **A** *v. tr.* **1** disporre, allineare, schierare **2** classificare **3** percorrere, vagare per **B** *v. intr.* **1** oscillare, variare **2** estendersi **3** avere una portata di

ranger [ˈreɪn(d)ʒər] *s.* **1** guardia *f.* forestale **2** poliziotto *m.* a cavallo

rank (1) [ræŋk] *s.* **1** fila *f.*, schiera *f.* **2** rango *m.*, grado *m.* **3** posteggio *m.* di taxi

rank (2) [ræŋk] *agg.* **1** rigoglioso, lussureggiante **2** rozzo **3** puzzolente, rancido **4** vero e proprio, bell'e buono

to rankle [ˈræŋkl] *v. intr.* bruciare, far soffrire

to ransack [ˈrænsæk] *v. tr.* **1** frugare **2** saccheggiare, svaligiare

ransom [ˈrænsəm] *s.* riscatto *m.* ♦ **to hold sb. to r.** tenere in ostaggio qc. per ottenere il riscatto

to ransom [ˈrænsəm] *v. tr.* riscattare

to rant [rænt] *v. intr.* declamare

ranunculus [rəˈnʌŋkjʊləs] *s.* ranuncolo *m.*

rap [ræp] *s.* **1** colpo *m.*, colpetto *m.* **2** rimprovero *m.*

to rap [ræp] *v. tr. e intr.* picchiare, bussare

rapacious [rə'peɪʃəs] *agg.* rapace

rape (1) [reɪp] *s.* **1** stupro *m.* **2** (*letter*) ratto *m.*

rape (2) [reɪp] *s.* **1** ravizzone *m.* **2** colza *f.*

to rape [reɪp] *v. tr.* stuprare, violentare

rapid ['ræpɪd] **A** *agg.* rapido **B** *s. al pl.* rapide *f. pl.*

rapidity [rə'pɪdɪtɪ] *s.* rapidità *f.*

rapist ['reɪpɪst] *s.* stupratore *m.*

rapture ['ræptʃər] *s.* rapimento *m.*, estasi *f.*

rare (1) [reər] *agg.* **1** raro, singolare **2** rarefatto

rare (2) [reər] *agg.* poco cotto, al sangue

rarely [reəlɪ] *avv.* **1** raramente **2** ottimamente

rareness ['reənɪs] *s.* rarità *f.*

rarity ['reərɪtɪ] *s.* rarità *f.*

rascal ['ra:sk(ə)l] *s.* mascalzone *m.*

rash (1) [ræʃ] *agg.* imprudente, precipitoso

rash (2) [ræʃ] *s.* (*med.*) eruzione *f.*, esantema *m.*

rasher ['ræʃər] *s.* fetta *f.* di lardo (o prosciutto)

rashness ['ræʃnɪs] *s.* imprudenza *f.*

rasp [ra:sp] *s.* raspa *f.*

to rasp [ra:sp] *v. tr. e intr.* raspare

raspberry ['ra:zb(ə)rɪ] *s.* lampone *m.*

rasping ['ra:spɪŋ] *agg.* stridente

rat [ræt] *s.* ratto *m.*, topo *m.* ♦ **r. poison** topicida; **r. trap** trappola per topi

ratable ['reɪtəbl] *agg.* imponibile

rate [reɪt] *s.* **1** ammontare *m.*, indice *m.*, percentuale *f.* **2** velocità *f.*, ritmo *m.*, passo *m.* **3** tariffa *f.*, prezzo *m.* **4** (*fin.*) saggio *m.*, tasso *m.* **5** tassa *f.*, contributo *m.* ♦ **exchange r.** tasso di cambio

to rate [reɪt] *v. tr.* **1** valutare, stimare **2** giudicare, considerare **3** annoverare **4** tassare

rather ['ra:ðər] *avv.* **1** abbastanza, piuttosto **2** di preferenza, piuttosto che **3** (*fam.*) certamente, eccome ♦ **or r.** ovvero, o meglio

ratification [,rætɪfɪ'keɪʃ(ə)n] *s.* ratifica *f.*

to ratify ['rætɪfaɪ] *v. tr.* ratificare

rating ['reɪtɪŋ] *s.* **1** valutazione *f.*, qualifica *f.* **2** categoria *f.*, (*naut.*) rating *m. inv.* **3** (*fin.*) rating *m. inv.*

ratio ['reɪʃɪəʊ] *s.* proporzione *f.*, rapporto *m.*

ration ['ræʃ(ə)n] *s.* razione *f.*

rational ['ræʃənl] *agg.* razionale

rationale [ræʃə'na:l] *s.* ragione *f.* fondamentale

rationalism ['ræʃnəlɪz(ə)m] *s.* razionalismo *m.*

rationalistic [,ræʃnə'lɪstɪk] *agg.* razionalistico

to rationalize ['ræʃnəlaɪz] *v. tr.* razionalizzare

rattle ['rætl] *s.* **1** sonaglio *m.* **2** rumore *m.* secco **3** frastuono *m.* **4** chiacchiericcio *m.*

to rattle ['rætl] *v. intr.* sbatacchiare, tintinnare, picchiettare

rattlesnake ['rætlsneɪk] *s.* serpente *m.* a sonagli

raucous ['rɔːkəs] *agg.* rauco, cupo

ravage ['rævɪdʒ] *s.* **1** rovina *f.* **2** *al pl.* danni *m. pl.*

to ravage ['rævɪdʒ] *v. tr.* devastare

rave [reɪv] *v. intr.* **1** delirare **2** andare in estasi **3** (*di mare*) infuriare

raven ['reɪvn] *s.* corvo *m.*

ravenous ['rævɪnəs] *agg.* famelico, ingordo

ravine [rə'viːn] *s.* burrone *m.*

raving ['reɪvɪŋ] **A** *agg.* **1** delirante, furioso **2** eccezionale **B** *s.* delirio *m.*

ravishing ['rævɪʃɪŋ] *agg.* affascinante, incantevole

raw [rɔː] *agg.* **1** crudo **2** greggio **3** inesperto **4** aperto, vivo **5** (*di clima*) freddo ♦ **r. deal** trattamento ingiusto; **r. materials** materie prime

ray [reɪ] *s.* raggio *m.*

to raze [reɪz] *v. tr.* radere al suolo, abbattere

razor ['reɪzər] *s.* rasoio *m.* ♦ **r. blade** lametta

re [riː] *prep.* in relazione a

reach [riːtʃ] *s.* **1** distanza *f.*, portata *f.* **2** possibilità *f.*, campo *m.* d'azione **3** tratto *m.* di fiume, braccio *m.* di mare

to reach [riːtʃ] **A** *v. tr.* **1** giungere a, raggiungere **2** allungare, porgere **3** stendere **4** toccare **B** *v. intr.* **1** estendersi, allungarsi **2** stendere il braccio, allungare la mano

to react [rɪ(ː)'ækt] *v. intr.* reagire

reaction [rɪ(ː)'ækʃ(ə)n] *s.* reazione *f.*

reactivity [,riːæk'tɪvɪtɪ] *s.* reattività *f.*

reactor [rɪ'æktər] *s.* reattore *m.*

to read [riːd] (*pass. e p. p.* **read**) *v. tr.* **1** leggere **2** (*di strumento*) segnare **3** interpretare, capire ♦ **to r. out** leggere a voce alta; **to r. through** leggere da cima a fondo; **to r. sb. a lesson** fare la predica a qc.

readable ['ri:dəbl] *agg.* leggibile

reader ['ri:dər] *s.* **1** lettore *m.* **2** libro *m.* di lettura

reading ['ri:dɪŋ] *s.* **1** lettura *f.* **2** indicazione *f.* **3** interpretazione *f.*

to readjust [,ri:ə'dʒʌst] *v. tr.* riaggiustare

ready ['redɪ] *agg.* **1** pronto, preparato **2** disposto **3** svelto ♦ **to get r.** prepararsi; **to make r.** preparare

ready-made [,redɪ'meɪd] *agg.* confezionato, preconfezionato

to reaffirm [,ri:ə'fɜ:m] *v. tr.* riaffermare

reagent [ri:'eɪdʒənt] *s.* reagente *m.*

real [rɪəl] *agg.* **1** reale, effettivo **2** (*dir*) immobile, immobiliare ♦ **r. estate** beni immobili

realism ['rɪəlɪz(ə)m] *s.* realismo *m.*

realist ['rɪəlɪst] *s.* realista *m.* e *f.*

realistic [rɪə'lɪstɪk] *agg.* realistico

reality [rɪ'ælɪtɪ] *s.* realtà *f.*

realization [,rɪəlaɪ'zeɪʃ(ə)n] *s.* **1** comprensione *f.*, percezione *f.* **2** realizzazione *f.* **3** (*econ.*) realizzo *m.*

to realize ['rɪəlaɪz] *v. tr.* **1** capire, accorgersi **2** realizzare, effettuare

really ['rɪəlɪ] *avv.* davvero, effettivamente, veramente, proprio

realm [relm] *s.* (*letter.*) regno *m.*

realtor ['ri:əltɜ:r] *s.* (USA) agente *m.* e *f.* immobiliare

ream [ri:m] *s.* risma *f.* (di carta)

to reap [ri:p] *v. tr.* **1** mietere **2** raccogliere

to reappear [,ri:ə'pɪər] *v. intr.* riapparire

reappointment [,ri:ə'pɔɪntmənt] *s.* **1** reintegrazione *f.* **2** rielezione *f.*

rearrangement [ri:ə'reɪn(d)ʒmənt] *s.* riordinamento *m.*

rear [rɪər] **A** *agg.* posteriore **B** *s.* **1** parte *f.* posteriore, retro *m.* **2** retroguardia *f.* **3** (*fam.*) sedere *m.*

to rear [rɪər] **A** *v. tr.* **1** alzare, sollevare **2** crescere, allevare, coltivare **B** *v. intr.* innalzarsi ♦ **to r. up** impennarsi

to rearrange [,ri:ə'reɪn(d)ʒ] *v. tr.* riordinare

rearrangement [ri:ə'reɪn(d)ʒmənt] *s.* riordinamento *m.*

reason ['ri:z(ə)n] *s.* **1** ragione *f.*, motivo *m.* **2** ragione *f.*, intelletto *m.*, raziocinio *m.*

to reason ['ri:zn] **A** *v. intr.* ragionare **B** *v. tr.* **1** valutare, calcolare **2** convincere

reasonable ['ri:znəbl] *agg.* ragionevole

reasoning ['ri:znɪŋ] *s.* ragionamento *m.*

to reassure [,ri:ə'ʃʊər] *v. tr.* rassicurare

rebate ['ri:beɪt] *s.* **1** rimborso *m.* **2** riduzione *f.*

to rebate [rɪ'beɪt] *v. tr.* **1** rimborsare **2** ridurre, ribassare

rebel ['rebl] *s.* ribelle *m.*

to rebel [rɪ'bel] *v. intr.* ribellarsi

rebellion [rɪ'beljən] *s.* ribellione *f.*

rebellious [rɪ'beljəs] *agg.* ribelle

rebound ['ri:baʊnd] *s.* rimbalzo *m.*

to rebound ['rɪbaʊnd] *v. intr.* rimbalzare, ripercuotersi

rebuff [rɪ'bʌf] *s.* rifiuto *m.*

to rebuild [,ri:'bɪld] *v. tr.* ricostruire

rebuke [rɪ'bju:k] *s.* rimprovero *m.*

to rebuke [rɪ'bju:k] *v. tr.* rimproverare, sgridare

rebus ['ri:bəs] *s.* rebus *m. inv.*

to rebut [rɪ'bʌt] *v. tr.* rifiutare

recall [rɪ'kɔ:l] *s.* **1** richiamo *m.* **2** ricordo *m.*

to recall [rɪ'kɔ:l] *v. tr.* **1** richiamare **2** rievocare, richiamare alla mente **3** ricordarsi **4** (*dir*) revocare

to recant [rɪ'kænt] *v. tr.* **1** ritrattare **2** abiurare

to recapitulate [,ri:kə'pɪtjuleɪt] *v. tr. e intr.* ricapitolare

recapitulation [,ri:kə,pɪtju'leɪʃ(ə)n] *s.* ricapitolazione *f.*, riepilogo *m.*

to recede [rɪ'si:d] *v. intr.* **1** ritirarsi, allontanarsi **2** calare, svanire

receipt [rɪ'si:t] *s.* **1** ricevimento *m.* **2** ricevuta *f.*, quietanza *f.* **3** *al pl.* entrate *f. pl.*

to receive [rɪ'si:v] *v. tr.* ricevere, accogliere

receiver [rɪ'si:vər] *s.* **1** destinatario *m.* **2** (*del telefono*) ricevitore *m.* **3** apparecchio *m.* ricevente **4** ricettatore *m.* **5** (*dir*) curatore *m.* fallimentare

recent ['ri:snt] *agg.* recente

reception [rɪ'sepʃ(ə)n] *s.* **1** ricevimento *m.* **2** ricezione *f.* **3** accoglienza *f.* **4** accettazione *f.*, reception *f. inv.*

receptive [rɪ'septɪv] *agg.* ricettivo

recess [rɪ'ses] *s.* **1** intervallo *m.*, vacanza *f.* **2** rientranza *f.*, nicchia *f.* **3** recesso *m.*

recession [rɪ'seʃ(ə)n] *s.* **1** (*econ.*) recessione *f.* **2** ritiro *m.*, arretramento *m.*

recharge [ri:'tʃɑ:dʒ] *s.* ricarica *f.*

to recharge [ri:'tʃɑ:dʒ] *v. tr.* ricaricare

recidivism [rɪ'sɪdɪvɪz(ə)m] *s.* recidiva *f.*

recipe ['resɪpɪ] *s.* ricetta *f.*

recipient [rɪ'sɪpɪənt] *s.* ricevente *m.* e *f.*, destinatario *m.*

reciprocal [rɪ'sɪprək(ə)l] *agg.* reciproco

recital [rɪ'saɪtl] *s.* recital *m. inv.*

recitation [,resɪ'teɪʃ(ə)n] *s.* recitazione *f.*

to **recite** [rɪˈsaɪt] v. tr. 1 recitare, declamare 2 enumerare

reckless [ˈrɛklɪs] agg. spericolato

to **reckon** [ˈrɛk(ə)n] v. tr. 1 calcolare, computare 2 considerare, stimare 3 (fam.) credere, supporre ♦ **to r. on** fare conto su; **to r. up** fare il totale di; **to r. with/without** fare i conti con/senza

reckoning [ˈrɛkənɪŋ] s. conto m., calcolo m.

to **reclaim** [rɪˈkleɪm] v. tr. 1 reclamare, rivendicare 2 redimere, riabilitare 3 bonificare 4 ricuperare

reclamation [ˌrɛkləˈmeɪʃ(ə)n] s. 1 rivendicazione f. 2 ricupero m., ritiro m. 3 bonifica f.

to **recline** [rɪˈklaɪn] A v. tr. reclinare B v. intr. appoggiarsi, adagiarsi

recognition [ˌrɛkəgˈnɪʃ(ə)n] s. riconoscimento m.

recognizable [ˈrɛkəgnaɪzəbl] agg. riconoscibile

to **recognize** [ˈrɛkəgnaɪz] v. tr. 1 riconoscere, distinguere 2 ammettere 3 approvare, accogliere

recoil [rɪˈkɔɪl] s. 1 balzo m. indietro 2 (mecc.) contraccolpo m., rinculo m.

to **recoil** [rɪˈkɔɪl] v. intr. 1 indietreggiare, retrocedere 2 rinculare

to **recollect** (1) [ˌriːkəˈlɛkt] v. tr. raccogliere, radunare, rimettere insieme

to **recollect** (2) [ˌrɛkəˈlɛkt] v. tr. e intr. ricordare, ricordarsi

recollection [ˌrɛkəˈlɛkʃ(ə)n] s. ricordo m.

to **recommence** [ˌriːkəˈmɛns] v. tr. e intr. ricominciare

to **recommend** [ˌrɛkəˈmɛnd] v. tr. raccomandare, consigliare

recommendation [ˌrɛkəmənˈdeɪʃ(ə)n] s. raccomandazione f.

recompense [ˈrɛkəmpɛns] s. ricompensa f., compenso m.

to **recompense** [ˈrɛkəmpɛns] v. tr. ricompensare

to **reconcile** [ˈrɛkənˌsaɪl] v. tr. riconciliare, conciliare ♦ **to r. oneself** rassegnarsi

reconciliation [ˌrɛkənsɪlɪˈeɪʃ(ə)n] s. 1 riconciliazione f. 2 conciliazione f., composizione f.

to **recondition** [ˌriːkənˈdɪʃ(ə)n] v. tr. ripristinare, revisionare

reconnaissance [rɪˈkɒnɪs(ə)ns] s. perlustrazione f., ricognizione f.

to **reconnoitre** [ˌrɛkəˈnɔɪtər] v. tr. perlustrare

to **reconsider** [ˌriːkənˈsɪdər] v. tr. riconsiderare, riesaminare

to **reconstruct** [ˌriːkənsˈtrʌkt] v. tr. ricostruire

record [ˈrɛkɔːd] s. 1 documento m., registrazione f., nota f., verbale m., testimonianza f. 2 al pl. atto m. pubblico, archivio m. 3 (inf.) record m. inv. 4 (sport) record m. inv., primato m. 5 disco m. (fonografico) ♦ **r. holder** detentore di primato; **r. library** discoteca; **r. player** giradischi

to **record** [rɪˈkɔːd] v. tr. 1 registrare, prender nota di, verbalizzare 2 documentare, testimoniare 3 incidere, registrare

recorded [rɪˈkɔːdɪd] agg. registrato ♦ **r. delivery** raccomandata con ricevuta di ritorno

recorder [rɪˈkɔːdər] s. registratore m.

recording [rɪˈkɔːdɪŋ] s. registrazione f., incisione f.

to **recount** (1) [rɪˈkaʊnt] v. tr. raccontare dettagliatamente

to **recount** (2) [riːˈkaʊnt] v. tr. contare di nuovo

to **recoup** [rɪˈkuːp] v. tr. 1 rimborsare, risarcire 2 ricuperare

recourse [rɪˈkɔːs] s. ricorso m.

to **recover** [riˈkʌvər] A v. tr. riacquistare, ricuperare, ritrovare B v. intr. ristabilirsi, riprendersi, guarire

recovery [rɪˈkʌvərɪ] s. 1 ricupero m. 2 guarigione f.

recreation [ˌrɛkrɪˈeɪʃən] s. ricreazione f., divertimento m.

recreational [ˌrɛkrɪˈeɪʃənl] agg. ricreativo

recreative [ˈrɛkrɪeɪtɪv] agg. ricreativo

recrimination [rɛˌkrɪmɪˈneɪʃ(ə)n] s. recriminazione f.

recruit [rɪˈkruːt] s. 1 (mil.) recluta f. 2 principiante m. e f., novellino m.

to **recruit** [rɪˈkruːt] v. tr. 1 (mil.) reclutare 2 assumere

rectangle [ˈrɛkˌtæŋgl] s. rettangolo m.

rectangular [rɛkˈtæŋgjʊlər] agg. rettangolare

rectification [ˌrɛktɪfɪˈkeɪʃ(ə)n] s. rettifica f.

to **rectify** [ˈrɛktɪfaɪ] v. tr. rettificare

rectilinear [ˌrɛktɪˈlɪnɪər] agg. rettilineo

rector [ˈrɛktər] s. rettore m.

rectorate [ˈrɛktərət] s. rettorato m.

rectory [ˈrɛkt(ə)rɪ] s. canonica f., presbiterio m.

to recuperate [rɪ'kjuːp(ə)reɪt] **A** v. tr. ricuperare, riguadagnare **B** v. intr. **1** ristabilirsi, riprendersi **2** rifarsi

to recur [rɪ'kɜːr] v. intr. **1** ritornare, ricorrere **2** riandare col pensiero, ritornare in mente

recurrence [rɪ'kʌr(ə)ns] s. ricorso m., riapparizione f., ricorrenza f.

recurrent [rɪ'kʌr(ə)nt] agg. ricorrente

to recuse [rɪ'kjuːz] v. tr. ricusare

to recycle [riː'saɪkl] v. tr. riciclare

red [red] agg. e s. rosso m. ♦ **to be in the r.** essere in rosso

redcurrant [,red'kʌrənt] s. ribes m. rosso

to redden ['redn] **A** v. intr. arrossire **B** v. tr. **1** arrossare **2** far arrossire

reddish ['redɪʃ] agg. rossiccio

to redeem [rɪ'diːm] v. tr. **1** riscattare **2** redimere, salvare **3** compensare

redeemer [rɪ'diːmər] s. redentore m.

redemption [rɪ'dem(p)ʃ(ə)n] s. **1** redenzione f. **2** (fin.) riscatto m., rimborso m.

to redeploy [,riːdɪ'plɔɪ] v. tr. reimpiegare, riorganizzare

red-haired [,red'heəd] agg. dai capelli rossi

red-handed [,red'hændɪd] agg. con le mani nel sacco, in flagrante

redhead ['redhed] s. persona f. dai capelli rossi

red-hot [,red'hɒt] agg. **1** rovente **2** appassionato

to rediscover [,riːdɪs'kʌvər] v. tr. riscoprire, ritrovare

to redo [riː'duː] (pass. **redid**, p. p. **redone**) v. tr. rifare

redolent ['redʊlənt] agg. **1** fragrante **2** suggestivo

to redouble [rɪ'dʌbl] v. tr. e intr. raddoppiare

redress [rɪ'dres] s. riparazione f., risarcimento m.

redskin ['red,skɪn] s. pellerossa m. e f.

red tape [,red'teɪp] s. burocrazia f.

to reduce [rɪ'djuːs] v. tr. ridurre

reduction [rɪ'dʌkʃ(ə)n] s. riduzione f.

redundancy [rɪ'dʌndənsɪ] s. **1** sovrabbondanza f., eccedenza f. **2** licenziamento m. (per esuberanza di personale) **3** ridondanza f.

redundant [rɪ'dʌndənt] agg. **1** eccedente, esuberante **2** ridondante ♦ **to be made r.** essere licenziato (per esuberanza di personale)

redwood ['redwʊd] s. sequoia f.

reed [riːd] s. **1** canna f. **2** (mus.) ancia f. ♦

r.-pipe zampogna

reef (1) [riːf] s. scogliera f., banco m. ♦ **barrier r.** barriera corallina

reef (2) [riːf] s. (naut.) terzarolo m.

to reek [riːk] v. intr. puzzare

reel [riːl] s. **1** rocchetto m., bobina f. **2** (pesca) mulinello m. **3** (cine.) pizza f.

to reel (1) [riːl] v. tr. avvolgere, arrotolare ♦ **to r. in** tirare su (col mulinello); **to r. off** dipanare

to reel (2) [riːl] v. intr. **1** barcollare, vacillare **2** avere il capogiro **3** girare, turbinare

to re-elect [,riːɪ'lekt] v. tr. rieleggere

re-election [,riːɪ'lekʃ(ə)n] s. rielezione f.

to re-enter [riː'entər] v. tr. rientrare

ref [ref] s. (fam.) arbitro m.

refection [rɪ'fekʃ(ə)n] s. refezione f.

refectory [rɪ'fekt(ə)rɪ] s. refettorio m.

to refer [rɪ'fɜːr] **A** v. tr. **1** indirizzare, rinviare **2** inoltrare **B** v. intr. **1** riferirsi, riguardare, fare riferimento **2** ricorrere

referee [,refə'riː] s. **1** arbitro m. **2** garante m., referenza f.

to referee [,refə'riː] v. tr. arbitrare

reference ['refr(ə)ns] s. **1** riferimento m., rapporto m., relazione f. **2** allusione f., accenno m. **3** consultazione f. **4** referenza f., raccomandazione f.

referendum [,refə'rendəm] s. referendum m. inv.

refill ['riːfɪl] s. **1** ricambio m., ricarica f. **2** (a tavola) secondo giro m.

to refill [riː'fɪl] v. tr. riempire di nuovo, ricaricare

to refine [rɪ'faɪn] v. tr. raffinare

refined [rɪ'faɪnd] agg. raffinato

refinement [rɪ'faɪnmənt] s. **1** raffinazione f. **2** raffinatezza f.

refinery [rɪ'faɪnərɪ] s. raffineria f.

to reflect [rɪ'flekt] **A** v. tr. riflettere, rispecchiare **B** v. intr. **1** riflettersi **2** riflettere, meditare

reflection [rɪ'flekʃ(ə)n] s. **1** riflessione f., riflesso m. **2** ripercussione f. **3** meditazione f., considerazione f. **4** critica f.

reflex ['riːfleks] agg. e s. riflesso m. ♦ **r. camera** macchina fotografica reflex

reflexive [rɪ'fleksɪv] agg. riflessivo

reforestation [,riːfɒrɪs'teɪʃ(ə)n] s. rimboschimento m.

reform [rɪ'fɔːm] s. riforma f.

to reform [rɪ'fɔːm] v. tr. riformare

Reformation [,refə'meɪʃ(ə)n] s. (stor.) riforma f.

reformatory [rɪ'fɔ:mət(ə)rɪ] *s.* riformatorio *m.*

refraction [rɪ'frækʃ(ə)n] *s.* rifrazione *f.*

refrain [rɪ'freɪn] *s.* ritornello *m.*

to refrain [rɪ'freɪn] *v. intr.* trattenersi, astenersi

to refresh [rɪ'freʃ] **A** *v. tr.* **1** rinfrescare, ristorare, rianimare **2** ricaricare, rifornire **B** *v. intr.* rinfrescarsi, ristorarsi, rianimarsi

refreshing [rɪ'freʃɪŋ] *agg.* rinfrescante, ristoratore

refreshment [rɪ'freʃmənt] *s.* **1** ristoro *m.* **2** rinfresco *m.*

to refrigerate [rɪ'frɪdʒəreɪt] *v. tr.* refrigerare

refrigerator [rɪ'frɪdʒəreɪtər] *s.* **1** refrigerante *m.* **2** frigorifero *m.*

to refuel [ri:'fjuəl] **A** *v. tr.* rifornire (*carburante*) **B** *v. intr.* fare rifornimento

refuge ['refju:dʒ] *s.* rifugio *m.* ◆ **to take r.** rifugiarsi

refugee [,refju:'dʒi:] *s.* rifugiato *m.*, profugo *m.*

refund ['ri:fʌnd] *s.* rimborso *m.*

to refund [ri:'fʌnd] *v. tr.* rimborsare

to refurbish [,ri:'fɜ:bɪʃ] *v. tr.* rinnovare

refusal [rɪ'fju:z(ə)l] *s.* **1** rifiuto *m.* **2** (*dir*) diritto *m.* di opzione

refuse [rɪ'fju:s] **A** *agg.* di scarto **B** *s.* rifiuti *m. pl.*, immondizia *f.*

to refuse [rɪ'fju:z] *v. tr. e intr.* rifiutare, rifiutarsi

to refute [rɪ'fju:t] *v. tr.* confutare

to regain [rɪ'geɪn] *v. tr.* riguadagnare

regal ['ri:g(ə)l] *agg.* regale, regio

regard [rɪ'ga:d] *s.* **1** riguardo *m.*, considerazione *f.* **2** stima *f.*, ammirazione *f.* **3** *al pl.* (*nelle formule di cortesia*) saluti *m. pl.* ◆ **in r. to** in merito a

to regard [rɪ'ga:d] *v. tr.* **1** considerare, giudicare **2** stimare **3** riguardare, concernere ◆ **as regards, regarding** per quanto riguarda

regardless [rɪ'ga:dlɪs] *agg.* incurante ◆ **r. of** a dispetto di

regatta [rɪ'gætə] *s.* regata *f.*

regency ['ri:dʒ(ə)nsɪ] *s.* reggenza *f.*

to regenerate [rɪ'dʒenəreɪt] *v. tr. e intr.* rigenerare, rigenerarsi

regent ['ri:dʒ(ə)nt] *s.* reggente *m. e f.*

regime [reɪ'ʒi:m] *s.* regime *m.*

regiment ['redʒɪmənt] *s.* reggimento *m.*

region ['ri:dʒ(ə)n] *s.* regione *f.*

regional ['ri:dʒənl] *agg.* regionale

register ['redʒɪstər] *s.* **1** registro *m.* **2** lista *f.* elettorale

to register ['redʒɪstər] **A** *v. tr.* **1** registrare, iscrivere, immatricolare **2** (*corrispondenza*) raccomandare **3** (*di strumento*) segnare **B** *v. intr.* iscriversi, registrarsi

registered ['redʒɪstəd] *agg.* registrato, immatricolato ◆ **r. letter** raccomandata; **r. trademark** marchio registrato

registration [,redʒɪs'treɪʃ(ə)n] *s.* registrazione *f.*, iscrizione *f.* ◆ **r. number** numero di targa

registry ['redʒɪstrɪ] *s.* **1** registrazione *f.* **2** ufficio *m.* di registrazione ◆ **r. office** anagrafe

regnant ['regnənt] *agg.* regnante

regress ['ri:gres] *s.* regresso *m.*

regression [rɪ'greʃ(ə)n] *s.* regressione *f.*

regret [rɪ'gret] *s.* rimpianto *m.*, rincrescimento *m.*

to regret [rɪ'gret] *v. tr.* **1** rammaricarsi di **2** rimpiangere

regretfully [rɪ'gretf(ʊ)lɪ] *avv.* con rincrescimento, purtroppo

regrettable [rɪ'gretəbl] *agg.* spiacevole, deplorevole

regular ['regjulər] **A** *agg.* regolare **B** *s.* **1** soldato *m.* regolare **2** cliente *m. e f.* abituale

regularly ['regjuləlɪ] *avv.* regolarmente

to regulate ['regjuleɪt] *v. tr.* regolare

regulation [,regju'leɪʃ(ə)n] *s.* **1** regolazione *f.* **2** ordinamento *m.*, regolamento *m.*

to rehabilitate [,ri:ə'bɪlɪteɪt] *v. tr.* riabilitare

rehabilitation [,ri:ə,bɪlɪ'teɪʃ(ə)n] *s.* riabilitazione *f.*

rehearsal [rɪ'hɜ:s(ə)l] *s.* (*teatro*) prova *f.*

to rehearse [rɪ'hɜ:s] *v. tr.* (*teatro*) provare, fare le prove di

reign [reɪn] *s.* regno *m.*

to reign [reɪn] *v. intr.* regnare

to reimburse [,ri:ɪm'bɜ:s] *v. tr.* rimborsare

reimbursement [,ri:ɪm'bɜ:smənt] *s.* rimborso *m.*, risarcimento *m.*

rein [reɪn] *s.* briglia *f.*

reincarnation [,ri:ɪnka:'neɪʃ(ə)n] *s.* reincarnazione *f.*

reindeer ['reɪndɪər] *s.* renna *f.*

to reinforce [,ri:ɪn'fɔ:s] *v. tr.* rinforzare

reinforcement [,ri:ɪn'fɔ:smənt] *s.* **1** rinforzo *m.*, rafforzamento *m.* **2** *al pl.* (*mil.*) rinforzi *m. pl.*

to reinstate [,ri:ɪn'steɪt] *v. tr.* ristabilire, reintegrare to **reiterate** [riː'ɪtəreɪt] v. tr. reiterare

reject [ˈriːdʒɛkt] s. scarto m.

to **reject** [riˈdʒɛkt] v. tr. 1 rifiutare, respingere 2 scartare 3 (med.) rigettare

rejection [riˈdʒɛkʃ(ə)n] s. 1 scarto m., rifiuto m. 2 (med.) rigetto m.

to **rejoice** [riˈdʒɔɪs] v. intr. rallegrarsi

to **rejoin** [riːˈdʒɔɪn] v. tr. e intr. ricongiungere, ricongiungersi

to **rejuvenate** [riˈdʒuːvɪneɪt] v. tr. e intr. ringiovanire

relapse [riˈlæps] s. ricaduta f.

to **relapse** [riˈlæps] v. intr. 1 ricadere 2 (med.) avere una ricaduta

to **relate** [riˈleɪt] A v. tr. 1 riferire, raccontare 2 collegare, mettere in relazione B v. intr. 1 riferirsi a, concernere 2 andare d'accordo

related [riˈleɪtɪd] agg. 1 imparentato 2 connesso

relation [riˈleɪʃ(ə)n] s. 1 racconto m., relazione f. 2 rapporto m. 3 parente m. e f.

relationship [riˈleɪʃ(ə)nʃɪp] s. 1 relazione f., rapporto m. 2 parentela f.

relative [ˈrɛlətɪv] A agg. relativo B s. parente m. e f.

relativism [ˈrɛlətɪvɪz(ə)m] s. relativismo m.

relativity [ˌrɛləˈtɪvɪtɪ] s. relatività f.

to **relax** [riˈlæks] A v. tr. 1 rilassare, distendere 2 allentare, mitigare B v. intr. 1 rilassarsi, riposarsi 2 attenuarsi

relaxation [ˌriːlækˈseɪʃ(ə)n] s. 1 rilassamento m. 2 riposo m., svago m., relax m. inv. 3 mitigazione f.

relay [ˈriːleɪ] s. 1 (corsa a) staffetta f. 2 (squadra di) turno m. 3 (elettr.) relè m.

to **relay** [riˈleɪ] v. tr. 1 fornire 2 trasmettere 3 riferire

release [riˈliːs] s. 1 rilascio m., scarcerazione f. 2 quietanza f., remissione f. 3 (di film, disco) distribuzione f. 4 (inf.) versione f. 5 (mecc.) rilascio m., scatto m. 6 emissione f.

to **release** [riˈliːs] v. tr. 1 liberare, scarcerare 2 distribuire, diffondere 3 sganciare, sbloccare 4 emettere, scaricare ♦ **to r. on bail** rilasciare su cauzione

to **relegate** [ˈrɛlɪgeɪt] v. tr. relegare

to **relent** [riˈlɛnt] v. intr. placarsi, addolcirsi

relentless [riˈlɛntlɪs] agg. implacabile

relevant [ˈrɛlɪvənt] agg. relativo, pertinente, specifico

reliability [riˌlaɪəˈbɪlɪtɪ] s. affidabilità f.

reliable [riˈlaɪəbl] agg. affidabile, fidato

reliance [riˈlaɪəns] s. fiducia f.

reliant [riˈlaɪənt] agg. fiducioso

relic [ˈrɛlɪk] s. reliquia f., resto m.

relief (1) [riˈliːf] s. 1 sollievo m. 2 aiuto m., soccorso m. 3 cambio m., sostituto m.

relief (2) [riˈliːf] s. rilievo m.

to **relieve** [riˈliːv] v. tr. 1 alleviare 2 soccorrere 3 alleggerire 4 dare il cambio, sostituire

reliever [riˈliːvər] s. soccorritore m. ♦ **pain r.** farmaco antidolorifico

religion [riˈlɪdʒ(ə)n] s. religione f.

religious [riˈlɪdʒəs] agg. religioso

to **relinquish** [riˈlɪŋkwɪʃ] v. tr. abbandonare, rinunciare a

reliquary [ˈrɛlɪkwərɪ] s. reliquiario m.

relish [ˈrɛlɪʃ] s. 1 gusto m., attrattiva f. 2 condimento m., salsa f.

to **relish** [ˈrɛlɪʃ] v. tr. gustare, assaporare

to **reload** [ˌriːˈləʊd] v. tr. ricaricare

to **relocate** [ˌriːləʊˈkeɪt] v. tr. e intr. trasferire, trasferirsi

reluctance [riˈlʌktəns] s. riluttanza f.

reluctant [riˈlʌktənt] agg. riluttante, restio

to **rely** [riˈlaɪ] v. intr. 1 fare affidamento, fidarsi 2 dipendere

to **remain** [riˈmeɪn] v. intr. rimanere

remainder [riˈmeɪndər] s. 1 resto m., residuo m. 2 persone f. pl. rimanenti 3 rimanenza f.

remains [riˈmeɪnz] s. pl. rovine f. pl., resti m. pl.

remake [ˈriːmeɪk] s. remake m. inv.

to **remake** [riːˈmeɪk] (pass. e p. p. **remade**) v. tr. rifare

remark [riˈmaːk] s. osservazione f., commento m., nota f.

to **remark** [riˈmaːk] v. tr. osservare, rimarcare

remarkable [riˈmaːkəbl] agg. notevole

to **remarry** [riːˈmærɪ] v. tr. e intr. risposare, risposarsi

remedial [riˈmiːdjəl] agg. 1 riparatore 2 (med.) correttivo

remedy [ˈrɛmɪdɪ] s. rimedio m.

to **remedy** [ˈrɛmɪdɪ] v. intr. rimediare

to **remember** [riˈmɛmbər] v. tr. e intr. ricordare, ricordarsi

remembrance [riˈmɛmbr(ə)ns] s. ricordo m., memoria f.

to **remind** [riˈmaɪnd] v. tr. ricordare a, far ricordare

reminder [riˈmaɪndər] s. promemoria m. inv.

to reminisce [ˌrɛmɪˈnɪs] *v. intr.* abbandonarsi ai ricordi

reminiscence [ˌrɛmɪˈnɪsns] *s.* reminiscenza *f.*

reminiscent [ˌrɛmɪˈnɪsnt] *agg.* **1** che richiama alla mente **2** che si abbandona ai ricordi

remiss [rɪˈmɪs] *agg.* negligente

remission [rɪˈmɪʃ(ə)n] *s.* **1** remissione *f.* **2** diminuzione *f.*

to remit [rɪˈmɪt] *v. tr.* **1** rimettere, condonare **2** affidare **3** diminuire, ridurre **4** (*denaro*) rimettere, inviare **5** sospendere, differire, annullare

remittance [rɪˈmɪt(ə)ns] *s.* rimessa *f.*

remnant [ˈrɛmnənt] *s.* **1** avanzo *m.*, resto *m.* **2** scampolo *m.*

to remonstrate [ˈrɛmənstreɪt] *v. intr.* protestare, fare rimostranze

remorse [rɪˈmɔːs] *s.* rimorso *m.*

remorseless [rɪˈmɔːslɪs] *agg.* spietato, inesorabile

remote [rɪˈmout] *agg.* **1** remoto, lontano **2** estraneo, distaccato **3** comandato a distanza ♦ **r. control** telecomando

removable [rɪˈmuːvəbl] *agg.* rimovibile

removal [rɪˈmuːvəl] *s.* **1** rimozione *f.*, allontanamento *m.* **2** soppressione *f.*, destituzione *f.* **3** asportazione *f.* **4** trasferimento *m.*, trasloco *m.*

to remove [rɪˈmuːv] *v. tr.* **1** rimuovere, togliere, spostare **2** destituire **3** sopprimere, eliminare **4** trasferire

to remunerate [rɪˈmjuːnəreɪt] *v. tr.* rimunerare

remuneration [rɪˌmjuːnəˈreɪʃ(ə)n] *s.* rimunerazione *f.*

Renaissance [rəˈneɪs(ə)ns] *s.* rinascimento *m.*

to rend [rɛnd] (*pass. e p. p.* **rent**) *v. tr.* spaccare, strappare

to render [ˈrɛndər] *v. tr.* rendere

rendering [ˈrɛnd(ə)rɪŋ] *s.* **1** traduzione *f.* **2** interpretazione *f.*, esecuzione *f.*

renegade [ˈrɛnɪɡeɪd] *s.* rinnegato *m.*

to renew [rɪˈnjuː] *v. tr.* rinnovare, ripristinare

renewal [rɪˈnjuːəl] *s.* **1** rinnovo *m.* **2** ripresa *f.*

rennet [ˈrɛnɪt] *s.* caglio *m.*

to renounce [rɪˈnaʊns] *v. tr.* **1** rinunciare a **2** rinnegare

to renovate [ˈrɛnəveɪt] *v. tr.* rinnovare, ristrutturare

renovation [ˌrɛnəˈveɪʃ(ə)n] *s.* rinnovamento *m.*, ristrutturazione *f.*

renown [rɪˈnaʊn] *s.* rinomanza *f.*, fama *f.*

renowned [rɪˈnaʊnd] *agg.* rinomato

rent (1) [rɛnt] *s.* affitto *m.*, nolo *m.*

rent (2) [rɛnt] **A** *pass. e p. p. di* **to rend B** *agg.* strappato **C** *s.* strappo *m.*

to rent [rɛnt] *v. tr.* affittare

rentable [ˈrɛntəbl] *agg.* affittabile

rental [ˈrɛntl] *s.* canone *m.* (di affitto), (prezzo del) noleggio *m.*

renunciation [rɪˌnʌnsɪˈeɪʃ(ə)n] *s.* rinuncia *f.*

to rep [rɛp] *v. intr.* (*fam.*) fare il rappresentante

to repaint [riːˈpeɪnt] *v. tr.* ridipingere, riverniciare

repair [rɪˈpɛər] *s.* **1** riparazione *f.* **2** condizione *f.*, stato *m.*

to repair [rɪˈpɛər] *v. tr.* riparare, aggiustare

repairable [rɪˈpɛərəbl] *agg.* riparabile

to repatriate [riːˈpætrɪeɪt] *v. intr.* rimpatriare

repatriation [riːˌpætrɪˈeɪʃ(ə)n] *s.* rimpatrio *m.*

to repay [rɪˈpeɪ] (*pass. e p. p.* **repaid**) *v. tr.* ripagare, restituire, risarcire

repayable [riːˈpe(ɪ)əbl] *agg.* rimborsabile

repayment [rɪˈpeɪmənt] *s.* rimborso *m.*, ricompensa *f.*

repeal [rɪˈpiːl] *s.* abrogazione *f.*, revoca *f.*

to repeal [rɪˈpiːl] *v. tr.* abrogare, revocare

repeat [rɪˈpiːt] *s.* **1** ripetizione *f.* **2** replica *f.*

to repeat [rɪˈpiːt] *v. tr.* ripetere

to repel [rɪˈpɛl] *v. tr.* **1** respingere **2** ripugnare a

repellent [rɪˈpɛlənt] **A** *agg.* repellente, ripugnante **B** *s.* sostanza *f.* repellente

to repent [rɪˈpɛnt] *v. tr. e intr.* pentirsi

repentance [rɪˈpɛntəns] *s.* pentimento *m.*

repertory [ˈrɛpət(ə)rɪ] *s.* repertorio *m.*

repetition [ˌrɛpɪˈtɪʃ(ə)n] *s.* ripetizione *f.*

repetitive [rɪˈpɛtɪtɪv] *agg.* ripetitivo

to replace [rɪˈpleɪs] *v. tr.* **1** rimpiazzare, sostituire **2** riporre

replaceable [rɪˈpleɪsəbl] *agg.* sostituibile

replacement [rɪˈpleɪsmənt] *s.* **1** sostituzione *f.*, rimpiazzo *m.* **2** sostituto *m.* **3** (pezzo di) ricambio *m.*

replay [ˈriːpleɪ] *s.* **1** (*sport*) partita *f.* ripetuta **2** (*TV*) replay *m. inv.*

to replenish [rɪˈplɛnɪʃ] *v. tr.* riempire, rifornire

replete [rɪ'pli:t] *agg.* **1** pieno, zeppo **2** satollo

replica ['rɛplɪkə] *s.* **1** (*di opera d'arte*) copia *f.*, riproduzione *f.* **2** duplicato *m.*

reply [rɪ'plaɪ] *s.* **1** risposta *f.* **2** (*dir*) replica *f.*

to reply [rɪ'plaɪ] *v. tr.* rispondere, replicare

to repopulate [ˌriː'pɒpjʊleɪt] *v. tr.* ripopolare

report [rɪ'pɔ:t] *s.* **1** diceria *f.* **2** rapporto *m.*, relazione *f.*, resoconto *m.*, cronaca *f.* **3** reputazione *f.* **4** pagella *f.* **5** rimbombo *m.*, detonazione *f.*

to report [rɪ'pɔ:t] **A** *v. tr.* riportare, riferire **B** *v. intr.* **1** fare rapporto **2** fare il cronista

reportedly [rɪ'pɔ:tɪdlɪ] *avv.* a quel che si dice

reporter [rɪ'pɔ:tər] *s.* cronista *m. e f.*

reprehensible [ˌreprɪ'hensəbl] *agg.* riprovevole

to represent [ˌreprɪ'zent] *v. tr.* rappresentare

representation [ˌreprɪzen'teɪʃ(ə)n] *s.* **1** rappresentazione *f.* **2** rappresentanza *f.* **3** rimostranza *f.*

representative [ˌreprɪ'zentətɪv] **A** *agg.* rappresentativo **B** *s.* **1** esempio *m.* tipico **2** rappresentante *m. e f.*

to repress [rɪ'pres] *v. tr.* reprimere

repression [rɪ'preʃ(ə)n] *s.* repressione *f.*

reprieve [rɪ'priːv] *s.* **1** dilazione *f.* **2** sospensione *f.* (*di condanna a morte*)

reprimand ['reprimaːnd] *s.* rimprovero *m.*

to reprimand ['reprimaːnd] *v. tr.* rimproverare

reprint ['riːˌprɪnt] *s.* ristampa *f.*

to reprint [riː'prɪnt] *v. tr.* ristampare

reprisal [rɪ'praɪz(ə)l] *s.* rappresaglia *f.*

reproach [rɪ'prəʊtʃ] *s.* **1** rimprovero *m.* **2** disonore *m.*, discredito *m.*

to reproach [rɪ'prəʊtʃ] *v. tr.* rimproverare, rinfacciare

to reproduce [ˌriːprə'djuːs] *v. tr. e intr.* riprodurre, riprodursi

reproducible [ˌriːprə'djuːsəbl] *agg.* riproducibile

reproduction [ˌriːprə'dʌkʃ(ə)n] *s.* **1** riproduzione *f.*, generazione *f.* **2** copia *f.*

reproof [rɪ'pruːf] *s.* rimprovero *m.*, biasimo *m.*

to reprove [rɪ'pruːv] *v. tr.* rimproverare, biasimare

reptant ['reptənt] *agg.* **1** strisciante **2** rampicante

reptile ['reptaɪl] *s.* rettile *m.*

republic [rɪ'pʌblɪk] *s.* repubblica *f.*

republican [rɪ'pʌblɪkən] *agg.* repubblicano

to repudiate [rɪ'pjuːdɪeɪt] *v. tr.* **1** respingere, negare **2** rifiutare **3** ripudiare

repulse [rɪ'pʌls] *s.* **1** ripulsa *f.*, rifiuto *m.* **2** sconfitta *f.*, scacco *m.*

to repulse [rɪ'pʌls] *v. tr.* respingere

repulsive [rɪ'pʌlsɪv] *agg.* ripulsivo

reputable ['repjʊtəbl] *agg.* rispettabile

reputation [ˌrepjuː'teɪʃ(ə)n] *s.* reputazione *f.*, fama *f.*

repute [rɪ'pjuːt] *s.* reputazione *f.*

to repute [rɪ'pjuːt] *v. tr.* reputare

request [rɪ'kwest] *s.* domanda *f.*, richiesta *f.* ♦ **r. stop** fermata a richiesta

to request [rɪ'kwest] *v. tr.* richiedere

to require [rɪ'kwaɪər] *v. tr.* **1** richiedere, esigere **2** ordinare **3** aver bisogno di

required [rɪ'kwaɪəd] *agg.* richiesto, obbligatorio, occorrente

requirement [rɪ'kwaɪəmənt] *s.* **1** richiesta *f.*, esigenza *f.*, necessità *f.* **2** requisito *m.* **3** fabbisogno *m.*

requisite ['rekwɪzɪt] **A** *agg.* richiesto **B** *s.* requisito *m.*

requisition [ˌrekwɪ'zɪʃ(ə)n] *s.* **1** (*mil.*) requisizione *f.* **2** istanza *f.*

to requisition [ˌrekwɪ'zɪʃ(ə)n] *v. tr.* **1** (*mil.*) requisire **2** fare richiesta di

resale ['riːseɪl] *s.* rivendita *f.*

to rescind [rɪ'sɪnd] *v. tr.* rescindere

rescue ['reskjuː] *s.* salvataggio *m.*, soccorso *m.*

to rescue ['reskjuː] *v. tr.* salvare, liberare

rescuer ['reskjuər] *s.* soccorritore *m.*

research [rɪ'sɜːtʃ] *s.* ricerca *f.*, indagine *f.*

to research [rɪ'sɜːtʃ] *v. intr.* fare ricerche

researcher [rɪ'sɜːtʃər] *s.* ricercatore *m.*

resemblance [rɪ'zembləns] *s.* somiglianza *f.*

to resemble [rɪ'zembl] *v. tr.* somigliare a

to resent [rɪ'zent] *v. tr.* risentirsi di

resentful [rɪ'zentf(ʊ)l] *agg.* risentito, offeso

resentment [rɪ'zentmənt] *s.* risentimento *m.*

reservation [ˌrezə'veɪʃ(ə)n] *s.* **1** riserva *f.*, restrizione *f.* **2** prenotazione *f.* **3** scorta *f.*, provvista *f.*

reserve [rɪ'zɜːv] *s.* **1** riserva *f.* **2** riserbo *m.*

to reserve [rɪ'zɜːv] *v. tr.* **1** conservare, riservare **2** prenotare **3** riservarsi

reserved [rɪ'zɜːvd] *agg.* riservato, prenotato

reservoir ['rezəvwaːr] *s.* **1** cisterna *f.*, serbatoio *m.* **2** giacimento *m.* petrolifero **3** (*fig.*) riserva *f.*

to reset [riː'set] (*pass. e p. p.* reset) **1** rimettere a posto, risistemare **2** regolare **3** (*inf.*) eseguire un reset

to reshuffle [riː'ʃʌfl] *v. tr.* **1** rimescolare le carte **2** rimaneggiare, rimpastare

to reside [rɪ'zaɪd] *v. intr.* risiedere

residence ['rezɪd(ə)ns] *s.* **1** residenza *f.*, soggiorno *m.* **2** dimora *f.*

resident ['rezɪd(ə)nt] **A** *agg.* **1** residente, locale **B** *s.* residente *m. e f.*

residential [ˌrezɪ'denʃ(ə)l] *agg.* residenziale

residue ['rezɪdjuː] *s.* residuo *m.*

to resign [rɪ'zaɪn] **A** *v. tr.* **1** dimettersi da, abbandonare **2** consegnare, affidare **B** *v. intr.* dimettersi ◆ **to r. oneself** rassegnarsi

resignation [ˌrezɪg'neɪʃ(ə)n] *s.* **1** dimissioni *f. pl.* **2** rassegnazione *f.*

resigned [rɪ'zaɪnd] *agg.* rassegnato

resilience [rɪ'zɪlɪəns] *s.* **1** elasticità *f.* **2** capacità *f.* di ricupero

resilient [rɪ'zɪlɪənt] *agg.* **1** elastico, rimbalzante **2** che ha capacità di ricupero

resin ['rezɪn] *s.* resina *f.*

to resist [rɪ'zɪst] *v. intr.* resistere, opporsi a

resistance [rɪ'zɪst(ə)ns] *s.* resistenza *f.*

to resole [riː'səʊl] *v. tr.* risuolare

resolution [ˌrezə'luːʃ(ə)n] *s.* **1** risolutezza *f.* **2** risoluzione *f.* **3** scomposizione *f.*

to resolve [rɪ'zɒlv] *v. tr.* **1** risolvere **2** scomporre

resonance ['rezənəns] *s.* risonanza *f.*

resonant ['rezənənt] *agg.* risonante, sonoro

resort [rɪ'zɜːt] *s.* **1** luogo *m.* di soggiorno, stazione *f.* climatica **2** ricorso *m.* **3** risorsa *f.*

to resort [rɪ'zɜːt] *v. intr.* ricorrere

to resound [rɪ'zaʊnd] *v. intr.* risonare, echeggiare

resounding [rɪ'zaʊndɪŋ] *agg.* **1** risonante **2** clamoroso, strepitoso

resource [rɪ'sɜːs] *s.* risorsa *f.*

resourceful [rɪ'sɜːsf(ʊ)l] *agg.* pieno di risorse

respect [rɪ'spekt] *s.* rispetto *m.* ◆ **in r. of** riguardo a; **with r. to** in riferimento a

to respect [rɪ'spekt] *v. tr.* rispettare

respectability [rɪˌspektə'bɪlɪtɪ] *s.* rispettabilità *f.*

respectable [rɪ'spektəbl] *agg.* rispettabile

respectful [rɪ'spektf(ʊ)l] *agg.* rispettoso

respective [rɪ'spektɪv] *agg.* rispettivo

respiration [ˌrespə'reɪʃ(ə)n] *s.* respirazione *f.*

respite ['respaɪt] *s.* pausa *f.*, tregua *f.*, respiro *m.*

resplendent [rɪ'splendənt] *agg.* risplendente

to respond [rɪ'spɒnd] *v. intr.* rispondere

response [rɪ'spɒns] *s.* responso *m.*

responsibility [rɪˌspɒnsə'bɪlɪtɪ] *s.* responsabilità *f.*

responsible [rɪ'spɒnsəbl] *agg.* **1** responsabile **2** di responsabilità

responsive [rɪ'spɒnsɪv] *agg.* **1** di risposta **2** che reagisce

rest (1) [rest] *s.* **1** riposo *m.* **2** sosta *f.*, pausa *f.* **3** sostegno *m.*, appoggio *m.* **4** ricovero *m.*, alloggio *m.* ◆ **r. home** casa di riposo

rest (2) [rest] *s.* resto *m.*

to rest (1) [rest] **A** *v. tr.* **1** far riposare **2** appoggiare **B** *v. intr.* **1** riposarsi **2** appoggiarsi

to rest (2) [rest] *v. intr.* restare, rimanere, stare ◆ **to r. with** spettare a

to restart [riː'staːt] **A** *v. tr.* **1** ricominciare **2** rimettere in moto **B** *v. intr.* **1** ricominciare **2** ripartire

restaurant ['rest(ə)rənt] *s.* ristorante *m.*

restful ['restf(ʊ)l] *agg.* riposante

restitution [ˌrestɪ'tjuːʃ(ə)n] *s.* restituzione *f.*

restive ['restɪv] *agg.* **1** recalcitrante, restio **2** irrequieto

restless ['restlɪs] *agg.* **1** irrequieto **2** incessante

to restock [riː'stɒk] *v. tr.* rifornire

restoration [ˌrestə'reɪʃ(ə)n] *s.* **1** restituzione *f.* **2** restauro *m.* **3** (*stor.*) restaurazione *f.*

to restore [rɪ'stɔːr] *v. tr.* **1** restituire **2** restaurare, ripristinare **3** reintegrare **4** ristorare

restorer [rɪ'stɔːrər] *s.* restauratore *m.*

to restrain [rɪ'streɪn] *v. tr.* **1** contenere, reprimere, trattenere **2** imprigionare

restrained [rɪ'streɪnd] *agg.* riservato, controllato

restraint [rɪ'streɪnt] *s.* **1** limitazione *f.*, restrizione *f.* **2** riserbo *m.*, controllo *m.* **3**

detenzione *f.*

to restrict [rɪ'strɪkt] *v. tr.* restringere, limitare

restriction [rɪ'strɪkʃ(ə)n] *s.* restrizione *f.*, limitazione *f.*

restrictive [rɪ'strɪktɪv] *agg.* restrittivo

rest room ['restrʊm] *s.* (*USA*) toilette *f. inv.*

to restructure [ˌriː'strʌktʃəʳ] *v. tr.* ristrutturare

result [rɪ'zʌlt] *s.* risultato *m.*

to result [rɪ'zʌlt] *v. intr.* **1** risultare, derivare **2** risolversi

to resume [rɪ'zjuːm] *v. tr.* riprendere, ricominciare

résumé ['rezjuːmeɪ] *s.* **1** riassunto *m.* **2** (*USA*) curriculum *m.*

resumption [rɪ'zʌm(p)ʃ(ə)n] *s.* ripresa *f.*

resurgence [rɪ'sɜːdʒ(ə)ns] *s.* rinascita *f.*

resurrection [ˌrezə'rekʃ(ə)n] *s.* resurrezione *f.*

to resuscitate [rɪ'sʌsɪteɪt] *v. tr. e intr.* (*med.*) rianimare, rianimarsi

resuscitation [rɪˌsʌsɪ'teɪʃ(ə)n] *s.* (*med.*) rianimazione *f.*

retail ['riːteɪl] **A** *s.* (vendita al) dettaglio *m.* **B** *agg.* al dettaglio

retailer [riː'teɪləʳ] *s.* dettagliante *m.*, rivenditore *m.*

to retain [rɪ'teɪn] *v. tr.* **1** trattenere, ritenere **2** conservare

to retaliate [rɪ'tælieɪt] *v. intr.* rivalersi, far rappresaglie

retaliation [rɪˌtælɪ'eɪʃ(ə)n] *s.* rappresaglia *f.*

to retard [rɪ'taːd] *v. tr. e intr.* ritardare

retardation [ˌriːtaː'deɪʃ(ə)n] *s.* ritardo *m.*

to retch [riːtʃ] *v. intr.* avere conati di vomito

reticence ['retɪs(ə)ns] *s.* reticenza *f.*

retina ['retɪnə] *s.* (*anat.*) retina *f.*

to retire [rɪ'taɪəʳ] *v. intr.* **1** ritirarsi **2** andare in pensione

retired [rɪ'taɪəd] *agg.* a riposo, pensionato

retirement [rɪ'taɪəmənt] *s.* **1** pensionamento *m.* **2** isolamento *m.*

retiring [rɪ'taɪərɪŋ] *agg.* **1** riservato **2** uscente, che si ritira

to retort [rɪ'tɜːt] *v. tr.* **1** ritorcere **2** ribattere

to retrace [rɪ'treɪs] *v. tr.* **1** rintracciare **2** ripercorrere ♦ **to r. one's steps** ritornare sui propri passi

to retract [rɪ'trækt] *v. tr.* **1** ritirare, tirare indietro **2** ritrattare

retractive [rɪ'træktɪv] *agg.* retrattile

to retrain [riː'treɪn] *v. tr.* riqualificare

retreat [rɪ'triːt] *s.* ritirata *f.*

to retreat [rɪ'triːt] *v. intr.* **1** ritirarsi **2** battere in ritirata

retribution [ˌretrɪ'bjuːʃ(ə)n] *s.* **1** castigo *m.* **2** ricompensa *f.*

retrieval [rɪ'triːvl] *s.* **1** ricupero *m.*, ripristino *m.* **2** riparazione *f.*

to retrieve [rɪ'triːv] *v. tr.* **1** ricuperare **2** riparare, rimediare a **3** salvare **4** (*di cane da caccia*) riportare

retriever [rɪ'triːvəʳ] *s.* cane *m.* da riporto

retrograde ['retrə(ʊ)greɪd] *agg.* retrogrado

retrospect ['retrə(ʊ)spekt] *s.* esame *m.* retrospettivo

retrospective [ˌretrə(ʊ)'spektɪv] **A** *agg.* **1** retrospettivo **2** retroattivo **B** *s.* retrospettiva *f.*

return [rɪ'tɜːn] *s.* **1** ritorno *m.* **2** resa *f.* **3** profitto *m.* **4** rapporto *m.*, rendiconto *m.* **5** (*di elezione*) risultato *m.* **6** (*sport*) rimando *m.*, risposta *f.* ♦ **by r. (of mail)** a giro di posta; **in r. for** in cambio di; **r. match** rivincita *f.*; **r. ticket** biglietto di andata e ritorno

to return [rɪ'tɜːn] **A** *v. intr.* **1** ritornare **2** replicare, ribattere **B** *v. tr.* **1** restituire, ridare **2** rimettere **3** ricambiare, contraccambiare **4** rendere, produrre **5** eleggere **6** (*sport*) rinviare

reunion [riː'juːnjən] *s.* riunione *f.*

to reunite [ˌriːjuː'naɪt] *v. tr.* riunire

rev [rev] *s. acrt. di* **revolution** (*fam.*) giro *m.* (*di motore*) ♦ **r. counter** contagiri

revaluation [riːˌvæljʊ'eɪʃ(ə)n] *s.* rivalutazione *f.*

to revalue [riː'vælju] *v. tr.* rivalutare

to revamp [riː'væmp] *v. tr.* rimodernare

to reveal [rɪ'viːl] *v. tr.* rivelare

to revel ['revl] *v. intr.* divertirsi, far festa

revelation [ˌrevɪ'leɪʃ(ə)n] *s.* rivelazione *f.*

revelry ['revlrɪ] *s.* baldoria *f.*

revenge [rɪ'ven(d)ʒ] *s.* **1** vendetta *f.* **2** rivincita *f.* ♦ **to give sb. his r.** dare la rivincita a qc.

to revenge [rɪ'ven(d)ʒ] *v. tr. e intr.* vendicare, vendicarsi

revenue ['revɪnjuː] *s.* **1** reddito *m.* **2** fisco *m.*

to reverberate [rɪ'vɜːb(ə)reɪt] *v. tr. e intr.* **1** riverberare, riverberarsi **2** riecheggiare

reverberation [rɪˌvɜːbə'reɪʃ(ə)n] *s.* riverbero *m.*

to revere [rɪ'vɪəʳ] *v. tr.* venerare

reverence ['rɛv(ə)r(ə)ns] *s.* riverenza *f.*

reverend ['rɛv(ə)r(ə)nd] *agg.* reverendo

reversal [rɪ'vɜːs(ə)l] *s.* inversione *f.*, rovesciamento *m.*

reverse [rɪ'vɜːs] **A** *agg.* rovescio, inverso **B** *s.* **1** rovescio *m.*, inverso *m.* **2** (*di fortuna*) rovescio *m.* **3** (autom.) retromarcia *f.* ♦ **on the r.** a marcia indietro

to reverse [rɪ'vɜːs] **A** *v. tr.* **1** rovesciare, invertire **2** far andare in senso contrario **3** (*dir.*) revocare **B** *v. intr.* **1** funzionare in senso contrario **2** (autom.) fare retromarcia

reversibility [rɪ,vɜːsə'bɪlɪtɪ] *s.* reversibilità *f.*

reversible [rɪ'vɜːsəbl] *agg.* reversibile

to revert [rɪ'vɜːt] *v. intr.* ritornare

review [rɪ'vjuː] *s.* **1** rivista *f.*, parata *f.* **2** revisione *f.*, esame *m.*, analisi *f.* **3** rivista *f.*, periodico *m.* **4** recensione *f.*

to review [rɪ'vjuː] *v. tr.* **1** passare in rassegna **2** rivedere, riesaminare **3** recensire

reviewer [rɪ'vjuəʳ] *s.* recensore *m.*

to revile [rɪ'vaɪl] *v. tr.* ingiuriare

revisal [rɪ'vaɪz(ə)l] *s.* revisione *f.*

to revise [rɪ'vaɪz] *v. tr.* **1** rivedere, correggere **2** modificare **3** (*la lezione*) ripassare

reviser [rɪ'vaɪzəʳ] *s.* revisore *m.*

revision [rɪ'vɪʒ(ə)n] *s.* revisione *f.*

revisionist [rɪ'vɪʒ(ə)nɪst] *s.* revisionista *m. e f.*

to revisit [riː'vɪzɪt] *v. tr.* rivisitare

to revitalize [riː'vaɪtəlaɪz] *v. tr.* rivitalizzare

revival [rɪ'vaɪv(ə)l] *s.* **1** revival *m. inv.*, ripresa *f.* **2** rinascita *f.*

to revive [rɪ'vaɪv] **A** *v. tr.* **1** rianimare, ravvivare **2** far rivivere **3** rimettere in uso **B** *v. intr.* **1** rianimarsi, riprendersi **2** rivivere, tornare in vita

revocation [,rɛvə'keɪʃ(ə)n] *s.* revoca *f.*

to revoke [rɪ'vəʊk] *v. tr.* revocare

revolt [rɪ'vəʊlt] *s.* rivolta *f.*, sommossa *f.*

to revolt [rɪ'vəʊlt] **A** *v. intr.* **1** rivoltarsi, ribellarsi **2** provare disgusto **B** *v. tr.* disgustare

revolution [,rɛvə'luːʃ(ə)n] *s.* **1** rivoluzione *f.* **2** giro *m.*, rotazione *f.*

revolutionary [,rɛvə'luːʃnərɪ] *agg.* rivoluzionario

to revolve [rɪ'vɒlv] *v. intr.* ruotare

revolver [rɪ'vɒlvəʳ] *s.* rivoltella *f.*

revolving [rɪ'vɒlvɪŋ] *agg.* girevole

revue [rɪ'vjuː] *s.* (*teatro*) rivista *f.*

reward [rɪ'wɔːd] *s.* **1** ricompensa *f.*, premio *m.* **2** taglia *f.*

to reward [rɪ'wɔːd] *v. tr.* ricompensare, premiare

rewarding [rɪ'wɔːdɪŋ] *agg.* gratificante

to rewind [riː'waɪnd] (*pass. e p. p.* **rewound**) *v. tr.* **1** (*un orologio*) ricaricare **2** (*una cassetta*) riavvolgere

to reword [riː'wɜːd] *v. tr.* esprimere con altre parole

to rewrite [riː'raɪt] *v. tr.* riscrivere

rhapsodist ['ræpsədɪst] *s.* rapsodo *m.*

rhapsody ['ræpsədɪ] *s.* rapsodia *f.*

rhetoric ['rɛtərɪk] *s.* retorica *f.*

rhetorical [rɪ'tərɪk(ə)l] *agg.* retorico

rheumatism ['ruːmətɪz(ə)m] *s.* reumatismo *m.*

rhinoceros [raɪ'nəs(ə)rəs] *s.* rinoceronte *m.*

rhododendron [,rəʊdə'dɛndr(ə)n] *s.* rododendro *m.*

rhomboidal [rəm'bɔɪdl] *agg.* romboidale

rhombus ['rɒmbəs] *s.* rombo *m.*

rhubarb ['ruːbɑːb] *s.* rabarbaro *m.*

rhyme [raɪm] *s.* rima *f.*

rhythm ['rɪð(ə)m] *s.* ritmo *m.*

rhythmic(al) ['rɪðmɪk((ə)l)] *agg.* ritmico

rib [rɪb] *s.* **1** costola *f.* **2** costoletta *f.* **3** nervatura *f.*

to rib [rɪb] *v. tr.* **1** rinforzare con nervature **2** scanalare **3** (*fam.*) prendere in giro

ribbon ['rɪbən] *s.* nastro *m.* ♦ **in ribbons** a brandelli

rice [raɪs] *s.* riso *m.* ♦ **r. field** risaia

rich [rɪtʃ] *agg.* ricco ♦ **r. in** ricco di

riches ['rɪtʃɪz] *s. pl.* ricchezze *f. pl.*

richly ['rɪtʃlɪ] *avv.* **1** riccamente **2** pienamente, abbondantemente

richness ['rɪtʃnɪs] *s.* ricchezza *f.*

rickets ['rɪkɪts] *s.* rachitismo *m.*

rickety ['rɪkɪtɪ] *agg.* **1** rachitico **2** traballante

rickshaw ['rɪkʃɔː] *s.* risciò *m.*

to rid [rɪd] (*pass.* **rid**, **ridded**, *p. p.* **rid**) *v. tr.* liberare, sbarazzare ♦ **to get r. of st.** sbarazzarsi di q.c.

ridden ['rɪdn] *p. p. di* **to ride**

riddle (1) ['rɪdl] *s.* indovinello *m.*, rompicapo *m.*, enigma *m.*

riddle (2) ['rɪdl] *s.* setaccio *m.*

to riddle (1) ['rɪdl] **A** *v. tr.* risolvere (*un enigma*) **B** *v. intr.* **1** parlare per enigmi **2** proporre indovinelli

to riddle (2) ['rɪdl] *v. tr.* **1** setacciare, vagliare **2** crivellare

ride [raɪd] *s.* **1** cavalcata *f.* **2** (*su un veicolo*) giro *m.*, corsa *f.* **3** tragitto *m.* **4** (*per cavalli*) pista *f.*, sentiero *m.*

to ride [raɪd] (*pass.* **rode**, *p. p.* **ridden**) **A** *v. intr.* **1** andare a cavallo, cavalcare **2** (*in bicicletta, moto, ecc.*) andare, (*su un veicolo*) viaggiare **3** (*di fantino*) pesare **4** (*naut.*) galleggiare, fluttuare **B** *v. tr.* **1** cavalcare, montare **2** percorrere **3** opprimere ♦ **to r. a bike** andare in bicicletta; **to r. at anchor** stare alla fonda

rider [ˈraɪdər] *s.* **1** cavaliere *m.*, fantino *m.* **2** ciclista *m. e f.*, motociclista *m. e f.*, (*su un veicolo*) viaggiatore *m.*

ridge [rɪdʒ] *s.* **1** cresta *f.*, cima *f.*, colmo *m.* **2** catena *f.*, dorsale *f.*

ridicule [ˈrɪdɪkjuːl] *s.* ridicolo *m.*, derisione *f.*

to ridicule [ˈrɪdɪkjuːl] *v. tr.* ridicolizzare

ridiculous [rɪˈdɪkjʊləs] *agg.* ridicolo, assurdo

riding [ˈraɪdɪŋ] *s.* **1** cavalcata *f.* **2** equitazione *f.* **3** (*naut.*) ancoraggio *m.*

to rif [rɪf] *v. tr.* (*USA, pop.*) licenziare

rife [raɪf] *agg. pred.* **1** comune, diffuso **2** ricco, abbondante ♦ **to be r. with** abbondare di

riffraff [ˈrɪfræf] *s.* (*fam.*) canaglia *f.*, marmaglia *f.*

rifle [ˈraɪfl] *s.* **1** fucile *m.*, carabina *f.* **2** *al pl.* fucilieri *m. pl.* ♦ **r. range** poligono di tiro

to rifle [ˈraɪfl] **A** *v. tr.* saccheggiare, depredare, svaligiare **B** *v. intr.* frugare

rift [rɪft] *s.* **1** crepaccio *m.*, fenditura *f.* **2** (*fig.*) rottura *f.*, dissenso *m.* ♦ **r. valley** fossa tettonica

rig [rɪg] *s.* **1** (*naut.*) attrezzatura *f.* **2** tenuta *f.*, abbigliamento *m.* **3** impianto *m.*, installazione *f.* **4** piattaforma *f.* di trivellazione

to rig (1) [rɪg] *v. tr.* **1** (*naut.*) attrezzare **2** allestire, sistemare **3** vestire ♦ **to be rigged out as** vestirsi da; **to r. up** montare

to rig (2) [rɪg] *v. tr.* truccare, manipolare

rigging [ˈrɪgɪŋ] *s.* (*naut.*) attrezzatura *f.*, sartiame *m.*

right [raɪt] **A** *agg.* **1** giusto, retto, onesto **2** esatto, corretto **3** adatto, appropriato, conveniente **4** (*geom.*) retto **5** destro **6** sano, che sta bene **B** *s.* **1** (il) giusto *m.*, (il) bene *m.* **2** diritto *m.*, facoltà *f.* **3** destra *f.*, lato *m.* destro, mano *f.* destra **4** (*di tessuto*) diritto *m.* **C** *avv.* **1** bene, giustamen-

te, esattamente **2** direttamente, dritto **3** a destra **4** subito, immediatamente **5** del tutto, completamente ♦ **on the r., to the r.** a destra; **r. of way** (*tra veicoli*) (diritto di) precedenza; **r. on** senza interruzione; **to be r.** avere ragione

right-about [ˈraɪtəbaʊt] *s.* dietrofront *m. inv.*

righteous [ˈraɪtʃəs] *agg.* retto, virtuoso

rightful [ˈraɪtf(ʊ)l] *agg.* **1** legittimo **2** giusto, equo

right-hand [ˈraɪthænd] *agg.* **1** destro **2** fatto con la destra **3** da usare con la destra ♦ **r.-h. man** braccio destro

rigid [ˈrɪdʒɪd] *agg.* rigido

rigidity [rɪˈdʒɪdɪtɪ] *s.* rigidità *f.*

rigmarole [ˈrɪgm(ə)rəʊl] *s.* tiritera *f.*

rigorous [ˈrɪg(ə)rəs] *agg.* rigido, rigoroso

rigour [ˈrɪgər] *s.* rigore *m.*

to rile [raɪl] *v. tr.* (*fam.*) irritare

rim [rɪm] *s.* **1** bordo *m.*, ciglio *m.* **2** (*autom.*) cerchione *m.*

rime [raɪm] *s.* brina *f.*

rind [raɪnd] *s.* **1** buccia *f.*, scorza *f.* **2** cotenna *f.*

ring (1) [rɪŋ] *s.* **1** anello *m.*, cerchio *m.*, alone *m.*, collare *m.* **2** recinto *m.*, pista *f.*, quadrato *m.*, ring *m.* ♦ **r. finger** anulare; **r. road** circonvallazione

ring (2) [rɪŋ] *s.* **1** squillo *m.*, scampanellata *f.* **2** (*fam.*) telefonata *f.*

to ring (1) [rɪŋ] *v. tr.* accerchiare, circondare, cingere

to ring (2) [rɪŋ] (*pass.* **rang**, *p. p.* **rung**) **A** *v. tr.* **1** suonare **2** telefonare **B** *v. intr.* **1** suonare, squillare **2** risuonare **3** telefonare ♦ **to r. around** fare un giro di telefonate; **to r. back** richiamare; **to r. in/up** telefonare; **to r. off** metter giù (il telefono)

ringing [ˈrɪŋɪŋ] **A** *agg.* sonoro **B** *s.* suono *m.*, scampanellio *m.*

ringleader [ˈrɪŋˌliːdər] *s.* capobanda *m. inv.*

ringlet [ˈrɪŋlɪt] *s.* ricciolo *m.*

rink [rɪŋk] *s.* pista *f.* per pattinaggio

rinse [rɪns] *s.* risciacquo *m.*

to rinse [rɪns] *v. tr.* sciacquare

riot [ˈraɪət] *s.* **1** tumulto *m.*, sommossa *f.* **2** fracasso *m.*, frastuono *m.* **3** orgia *f.*, sfrenatezza *f.* **4** profusione *f.*

to riot [ˈraɪət] *v. intr.* **1** tumultuare, insorgere **2** gozzovigliare

riotous [ˈraɪətəs] *agg.* **1** sedizioso, tumultuante **2** dissoluto

rip [rɪp] *s.* strappo *m.*

to rip [rɪp] v. tr. strappare

ripe [raɪp] agg. **1** maturo **2** stagionato **3** (fig.) pronto

to ripen ['raɪp(ə)n] v. tr. e intr. **1** maturare **2** stagionare

ripeness ['raɪpnɪs] s. maturità f.

ripple ['rɪpl] s. **1** increspatura f., ondulazione f. **2** mormorio m.

to ripple ['rɪpl] v. intr. **1** incresparsi, ondularsi **2** gorgogliare, mormorare

rise [raɪz] s. **1** altura f., rialzo m. **2** salita f., ascesa f. **3** aumento m., crescita f., rialzo m. **4** progresso m., avanzamento m., promozione f. **5** innalzamento m. di livello, altezza f. **6** origine f. ◆ **to give r. to** dare origine a

to rise [raɪz] (pass. **rose**, p. p. **risen**) v. intr. **1** alzarsi, sorgere, levarsi, spuntare **2** crescere, aumentare **3** ergersi **4** insorgere, sollevarsi, ribellarsi **5** provenire, aver origine

rising ['raɪzɪŋ] **A** agg. **1** sorgente, nascente **2** crescente **3** ascendente **4** promettente **B** s. **1** rivolta f., sommossa f. **2** salita f., ascesa f. **3** crescita f. **4** miglioramento m.

risk [rɪsk] s. rischio m. ◆ **at one's own r.** a proprio rischio e pericolo

to risk [rɪsk] v. tr. e intr. rischiare

risky ['rɪskɪ] agg. rischioso

risqué [ˌriːsˈkeɪ] agg. osé

rissole ['rɪsəʊl] s. polpetta f.

rite [raɪt] s. rito m.

ritual ['rɪtjʊəl] agg. e s. rituale m.

rival ['raɪv(ə)l] agg. e s. rivale m. e f.

to rival ['raɪv(ə)l] v. tr. rivaleggiare con

rivalry ['raɪv(ə)lrɪ] s. rivalità f., concorrenza f.

to rive [raɪv] (pass. **rived**, p. p. **riven**) v. tr. strappare, spezzare

river ['rɪvər] s. fiume m. ◆ **down r.** a valle; **r.-bank** sponda; **r.-bed** alveo; **up r.** a monte

rivet ['rɪvɪt] s. rivetto m.

to rivet ['rɪvɪt] v. tr. **1** inchiodare, rivettare **2** (fig.) fissare

road [rəʊd] s. **1** strada f., via f. **2** cammino m., percorso m. **3** (naut.) rada f. ◆ **main/side r.** strada principale/secondaria; **one-way r.** senso unico; **r. hog** pirata della strada; **r. map** carta stradale; **r. sign** segnale stradale; **uneven r.** strada dissestata

roadbed ['rəʊdbɛd] s. massicciata f.

roadblock ['rəʊdblɒk] s. blocco m. stradale

roadside ['rəʊdsaɪd] s. bordo m. della strada

roadway ['rəʊdweɪ] s. carreggiata f.

roadworthy ['rəʊd,wɜːðɪ] agg. (autom.) in grado di tenere la strada

to roam [rəʊm] v. intr. vagare

roar [rɔːr] s. **1** ruggito m. **2** mugghio m., rombo m., urlo m. **3** scoppio m., scroscio m.

to roar [rɔːr] v. intr. **1** ruggire **2** rumoreggiare, mugghiare, urlare

roast [rəʊst] agg. e s. arrosto m.

to roast [rəʊst] v. tr. **1** arrostire **2** tostare

to rob [rɒb] v. tr. derubare, rapinare

robber ['rɒbər] s. ladro m., rapinatore m.

robbery ['rɒbərɪ] s. rapina f.

robe [rəʊb] s. **1** toga f. **2** accappatoio m.

robin ['rɒbɪn] s. pettirosso m.

robot ['rəʊbɒt] s. robot m. inv.

robotics [rəʊˈbɒtɪks] s. pl. (v. al sing.) robotica f.

robust [rəˈbʌst] agg. robusto, forte

rock (1) [rɒk] s. **1** roccia f. **2** macigno m., masso m. **3** scoglio m., scogliera f. **4** rocca f., rupe f. ◆ **on the rocks** con ghiaccio; **r.-bottom** fondo, punto più basso; **r. climber** rocciatore; **r. crystal** cristallo di rocca; **r. garden** giardino roccioso; **r. goat** stambecco

rock (2) [rɒk] s. **1** dondolio m., oscillazione f. **2** (mus.) rock m. inv.

to rock [rɒk] **A** v. tr. **1** dondolare **2** scuotere **B** v. intr. dondolarsi, oscillare

rocket ['rɒkɪt] s. razzo m.

rocking ['rɒkɪŋ] agg. **1** a dondolo **2** oscillante ◆ **r. chair** sedia a dondolo; **r. horse** cavallo a dondolo

rocky (1) ['rɒkɪ] agg. **1** roccioso, sassoso **2** duro come la roccia **3** saldo, irremovibile

rocky (2) ['rɒkɪ] agg. malfermo, traballante

rococo [rəˈkəʊkəʊ] agg. e s. rococò m.

rod [rɒd] s. **1** verga f., bacchetta f. **2** asta f., barra f. **3** canna f. da pesca

rode [rəʊd] pass. di **to ride**

rodent ['rəʊd(ə)nt] agg. e s. roditore m.

rodeo [rɒ(ʊ)ˈdeɪ(ʊ)] s. rodeo m.

roe (1) [rəʊ] s. capriolo m.

roe (2) [rəʊ] s. uova f. pl. di pesce

rogue [rəʊg] s. furfante m., imbroglione m.

role [rəʊl] s. ruolo m.

roll [rəʊl] s. **1** rotolo m., rullo m., rullino

m. **2** panino *m.* **3** ruolo *m.*, registro *m.* **4** (*naut., aer*) rollio *m.* **5** ondeggiamento *m.* **6** (*di tamburo*) rullo *m.* ♦ **r. call** appello

to roll [rǝʊl] **A** *v. intr.* **1** rotolare, rotolarsi **2** ruotare **3** arrotolarsi, avvolgersi **4** ondeggiare **5** (*di tamburo*) rullare **6** (*naut., aer*) rollare **B** *v. tr.* **1** far rotolare **2** far ruotare, roteare **3** avvolgere, arrotolare **4** spianare (*con rullo e sim.*) ♦ **to r. down** srotolare; **to r. in** arrivare in gran quantità; **to r. over** rivoltare, rivoltarsi; **to r. up** arrotolare, arrivare

rolled ['rǝʊld] *agg.* **1** arrotolato **2** laminato

roller ['rǝʊlǝʳ] *s.* **1** rullo *m.*, rotella *f.*, cilindro *m.* **2** rullo *m.* compressore **3** onda *f.* lunga **4** bigodino *m.* ♦ **r. coaster** montagne russe; **r. skates** pattini a rotelle

rolling ['rǝʊlɪŋ] **A** *agg.* **1** rotolante **2** rotante, girevole **3** oscillante **4** ondulato **5** rimbombante **B** *s.* rotolamento *m.* ♦ **r. mill** laminatoio; **r. pin** matterello

Roman ['rǝʊmǝn] *agg. e s.* romano *m.* ♦ **R. numeral** numero romano

romance [rǝ'mæns] *s.* **1** (*letter*) romanzo *m.* cavalleresco, racconto *m.* fantastico **2** avventura *f.* romanzesca **3** avventura *f.* sentimentale, idillio *m.* **4** (*mus.*) romanza *f.*

Romance [rǝ'mæns] *agg.* romanzo

Romanesque [ˌrǝʊmǝ'nɛsk] *agg.* romanico

romantic [rǝ'mæntɪk] *agg.* **1** romantico **2** romanzesco

Romanticism [rǝ'mæntɪsɪz(ǝ)m] *s.* romanticismo *m.*

romp [rɒmp] *s.* gioco *m.* chiassoso

rompers ['rɒmpǝz] *s. pl.* pagliaccetto *m.*

rood [ruːd] *s.* croce *f.*, crocifisso *m.*

roof [ruːf] *s.* tetto *m.*, volta *f.* ♦ **r. garden** giardino pensile; **r. rack** portapacchi

to roof [ruːf] *v. tr.* coprire con un tetto

rook (1) [rʊk] *s.* **1** corvo *m.* **2** (*fam.*) truffatore *m.*

rook (2) [rʊk] *s.* (*scacchi*) torre *f.*

room [ruːm] *s.* **1** camera *f.*, stanza *f.*, locale *m.* **2** ambiente *m.*, spazio *m.* **3** (*fig.*) possibilità *f.*

to room [ruːm] *v. tr. e intr.* (*USA*) alloggiare

roomy ['ruːmɪ] *agg.* spazioso

to roost [ruːst] *v. intr.* appollaiarsi

rooster ['ruːstǝʳ] *s.* (*USA*) gallo *m.*

root [ruːt] *s.* radice *f.*

to root (1) [ruːt] *v. intr.* attecchire, radicarsi ♦ **to r. out/up** sradicare

to root (2) [ruːt] *v. intr.* **1** grufolare **2** frugare ♦ **to r. for** fare il tifo per

rope [rǝʊp] *s.* corda *f.*, fune *f.*, cima *f.* ♦ **r. ladder** scala di corda

to rope [rǝʊp] *v. tr.* legare con corde ♦ **to r. in/off** cintare con corde

rosary ['rǝʊzǝrɪ] *s.* rosario *m.*

rose (1) [rǝʊz] *agg. e s.* rosa *f.* ♦ **r. bud** bocciolo di rosa; **r. window** rosone

rose (2) [rǝʊz] *pass. di* **to rise**

rosemary ['rǝʊzm(ǝ)rɪ] *s.* rosmarino *m.*

rosette [rɒ(ʊ)'zɛt] *s.* rosetta *f.*, coccarda *f.*

roster ['rɒstǝʳ] *s.* **1** elenco *m.*, lista *f.* **2** ruolino *m.*

rostrum ['rɒstrǝm] *s.* rostro *m.*

rosy ['rǝʊzɪ] *agg.* roseo

rot [rɒt] *s.* **1** putrefazione *f.*, marciume *m.* **2** rovina *f.* **3** (*fam.*) sciocchezze *f. pl.*

to rot [rɒt] *v. intr.* imputridire, marcire

rota ['rǝʊtǝ] *s.* tabella *f.* dei turni

rotary ['rǝʊtǝrɪ] *agg.* rotante, rotatorio

to rotate [rɒ(ʊ)'teɪt] *v. tr. e intr.* ruotare

rotation [rɒ(ʊ)'teɪʃ(ǝ)n] *s.* rotazione *f.*

rotor ['rǝʊtǝʳ] *s.* girante *f.*, rotore *m.*

rotten ['rɒtn] *agg.* **1** marcio, putrido **2** corrotto **3** sgradevole ♦ **to feel r.** sentirsi male

rotula ['rɒtjʊlǝ] *s.* rotula *f.*

rotundity [rɒ(ʊ)'tʌndɪtɪ] *s.* rotondità *f.*

rouge [ruːʒ] *s.* rossetto *m.*

rough [rʌf] **A** *agg.* **1** ruvido, irregolare, scabro **2** tempestoso, burrascoso, agitato **3** grezzo, greggio **4** rozzo, grossolano, sgarbato **5** approssimativo **6** disagevole, scomodo, difficile **7** aspro **B** *s.* **1** terreno *m.* accidentato **2** teppista *m.* e *f.* **C** *avv.* **1** rudemente **2** semplicemente ♦ **r. and ready** alla buona; **r. copy** brutta copia; **r. luck** sfortuna; **r. road** strada accidentata; **to have a r. time** passarsela male

roughage ['rʌfɪdʒ] *s.* crusca *f.* di cereali

roughcast ['rʌfkaːst] *s.* intonaco *m.* rustico

roulette [ruː'lɛt] *s.* roulette *f. inv.*

Roumanian [ruː'meɪnjǝn] *agg. e s.* romeno *m.*

round [raʊnd] **A** *agg.* **1** rotondo, circolare, rotondeggiante **2** completo, intero **3** (*di suono, voce*) pieno, sonoro **4** (*di stile*) fluente, scorrevole **B** *avv.* intorno, in giro **C** *prep.* intorno a, nelle vicinanze di, circa **D** *s.* **1** cerchio *m.*, tondo *m.*, sfera *f.* **2** giro *m.* **3** ciclo *m.*, turno *m.*, round *m. inv.* **4** colpo *m.*, scarica *f.*, proiettile *m.* ♦ **r. table**

tavola rotonda; **r.-the-clock** ventiquattr'ore su ventiquattro; **r. trip** viaggio di andata e ritorno

to round [raʊnd] **A** v. tr. **1** arrotondare **2** girare **3** accerchiare **B** v. intr. **1** arrotondarsi **2** girare, girarsi, voltarsi ♦ **to r. down** arrotondare (alla cifra inferiore); **to r. up** riunire, arrotondare (alla cifra superiore)

roundabout ['raʊndəbaʊt] **A** agg. indiretto **B** s. **1** rotatoria f. **2** giostra f.

roundish ['raʊndɪʃ] agg. tondeggiante

roundly ['raʊndlɪ] avv. **1** completamente **2** francamente, esplicitamente

roundness ['raʊndnɪs] s. rotondità f.

roundup ['raʊndʌp] s. **1** riunione f., raccolta f. **2** retata f.

to rouse [raʊz] v. tr. **1** svegliare **2** (selvaggina) stanare **3** suscitare, provocare

rout [raʊt] s. rotta f., disfatta f.

to rout [raʊt] v. tr. sconfiggere

route [ruːt] s. **1** itinerario m., percorso m., rotta f.

routine [ruːˈtiːn] s. **1** routine f. inv. **2** (teatro) numero m.

to rove [rəʊv] v. intr. vagabondare

row (1) [rəʊ] s. fila f., riga f.

row (2) s. (fam.) **1** tafferuglio m., zuffa f. **2** baccano m.

row (3) [rəʊ] s. remata f., vogata f.

to row (1) [rəʊ] **A** v. intr. remare, vogare **B** v. tr. trasportare in barca a remi

to row (2) [raʊ] **A** v. tr. (fam.) sgridare **B** v. intr. litigare, azzuffarsi

rowboat ['rəʊbəʊt] s. barca f. a remi

rowdy ['raʊdɪ] agg. litigioso, turbolento

rower ['rəʊ(ʊ)ər] s. rematore m., vogatore m.

rowing ['rəʊɪŋ] s. canottaggio m.

royal ['rɔɪ(ə)l] agg. reale

royalty ['rɔɪ(ə)ltɪ] s. **1** regalità f., dignità f. regale **2** la famiglia f. reale **3** al pl. diritti m. pl. d'autore

rub [rʌb] s. **1** sfregamento m., massaggio m. **2** (del terreno) asperità f. **3** difficoltà f.

to rub [rʌb] v. tr. **1** fregare, strofinare **2** lucidare ♦ **to r. in** far penetrare sfregando; **to r. off/out** cancellare, togliere sfregando

rubber ['rʌbər] s. **1** gomma f. ♦ **r. band** elastico; **r. dinghy/boat** gommone, canotto

rubbing ['rʌbɪŋ] s. sfregamento m., frizione f.

rubbish ['rʌbɪʃ] s. **1** immondizia f., spazzatura f. **2** macerie f. pl. **3** sciocchezze f.

pl. ♦ **r. bin** pattumiera

rubble ['rʌbl] s. **1** macerie f. pl. **2** pietrisco m. **3** detrito m.

ruby ['ruːbɪ] s. rubino m.

ruck [rʌk] s. mucchio m.

rucksack [ˈrʌksæk] s. zaino m.

rudder ['rʌdər] s. timone m.

ruddy ['rʌdɪ] agg. **1** rubicondo **2** (pop.) dannato

rude [ruːd] agg. **1** maleducato, villano **2** primitivo, grezzo **3** volgare, osceno

rudeness ['ruːdnɪs] s. maleducazione f.

rudiment ['ruːdɪmənt] s. rudimento m.

rudimentary [ˌruːdɪˈment(ə)rɪ] agg. rudimentale

rueful ['ruːf(ʊ)l] agg. addolorato

ruffian ['rʌfjən] s. furfante m.

to ruffle ['rʌfl] **A** v. tr. **1** increspare **2** arruffare, scompigliare **3** agitare, turbare **B** v. intr. **1** incresparsi **2** arruffarsi **3** agitarsi, turbarsi

rug [rʌg] s. **1** coperta f. **2** tappeto m., tappetino m.

rugby ['rʌgbɪ] s. rugby m.

rugged ['rʌgɪd] agg. **1** ruvido, aspro, irregolare **2** rozzo, rude **3** ispido, irsuto **4** duro, rigido

rugger ['rʌgər] s. (fam.) rugby m.

rugosity [rʊˈgəsɪtɪ] s. (bot.) rugosità f.

ruin [rʊɪn] s. rovina f.

to ruin [rʊɪn] v. tr. rovinare

ruinous ['ruːɪnəs] agg. **1** rovinoso **2** in rovina

rule [ruːl] s. **1** regola f., regolamento m., norma f. **2** governo m., dominazione f. **3** riga f. (da disegno)

to rule [ruːl] **A** v. tr. **1** governare, dominare **2** guidare, regolare **3** (dir.) dichiarare **B** v. intr. **1** governare **2** predominare ♦ **to r. out** escludere

ruler ['ruːlər] s. **1** governante m., sovrano m. **2** riga f. (da disegno)

ruling ['ruːlɪŋ] **A** agg. **1** dirigente, che governa **2** dominante **B** s. (dir.) decisione f.

rum [rʌm] s. rum m. inv.

rumble ['rʌmbl] s. rimbombo m., rombo m., borbottio m.

to rumble ['rʌmbl] v. intr. rimbombare, rumoreggiare

ruminant ['ruːmɪnənt] agg. e s. ruminante m.

to rummage ['rʌmɪdʒ] v. tr. e intr. frugare, perquisire

rummy ['rʌmɪ] s. ramino m.

rumour ['ruːməʳ] (*USA* **rumor**) *s.* diceria *f.*, voce *f.*

rump [rʌmp] *s.* (*di animale*) posteriore *m.*, groppa *f.* ♦ **r. steak** bistecca di scamone

rumpus ['rʌmpəs] *s.* (*fam.*) chiasso *m.*, cagnara *f.*

run [rʌn] *s.* **1** corsa *f.* tragitto *m.*, percorso *m.* **2** breve viaggio *m.*, giro *m.* **3** corso *m.*, andamento *m.*, direzione *f.* **4** serie *f.*, periodo *m.* **5** classe *f.*, categoria *f.* **6** adito *m.*, libero accesso *m.* **7** (*per animali*) recinto *m.* **8** (*sci*) pista *f.* **9** (*di libro*) tiratura *f.* ♦ **at a r.** di corsa; **in the long r.** a lungo andare; **in the short r.** a breve scadenza; **on the r.** in fuga

to run [rʌn] (*pass.* **ran**, *p. p.* **run**) **A** *v. intr.* **1** correre **2** fuggire **3** (*di veicoli*) passare, partire, fare servizio **4** andare, scorrere, estendersi **5** diventare **6** funzionare **7** essere in vigore, avere validità **8** presentarsi candidato **B** *v. tr.* **1** correre, far correre **2** dirigere, amministrare, gestire **3** far funzionare **4** seguire **5** passare, far scorrere ♦ **to r. about** correre qua e là; **to r. across** imbattersi in; **to r. along** andar via; **to r. away** fuggire; **to r. back** tornare indietro; **to r. down** scaricare, (*di batteria*) scaricarsi, (*con un'auto*) investire, indebolire; **to r. in** rodare; **to r. into** imbattersi, sbattere contro; **to r. off** scappare, duplicare; **to r. out** esaurirsi, scadere; **to r. over** traboccare, investire; **to r. through** dare una scorsa, sperperare; **to r. to** bastare per, tendere a; **to r. up** issare, mettere insieme, accumulare

runaway ['rʌnəweɪ] *s.* fuggiasco *m.*

rung (1) [rʌŋ] *p. p. di* **to ring**

rung (2) [rʌŋ] *s.* piolo *m.*

runner ['rʌnəʳ] *s.* **1** corridore *m.* **2** fattorino *m.* **3** contrabbandiere *m.* **4** (*di slitta*) pattino *m.* **5** viticcio *m.* ♦ **r. bean** fagiolo rampicante; **r.-up** secondo classificato

running ['rʌnɪŋ] **A** *agg.* **1** in corsa, da corsa **2** corrente **3** continuo, consecutivo **4** funzionante **B** *s.* **1** corsa *f.* **2** marcia *f.*, funzionamento *m.* **3** gestione *f.*, direzione *f.* ♦ **r.-in** rodaggio

runny ['rʌnɪ] *agg.* **1** liquefatto **2** che cola

run-of-the-mill [ˌrʌnəvðə'mɪl] *agg.* ordinario, comune

run-up ['rʌnˌʌp] *s.* rincorsa *f.*

runway ['rʌnweɪ] *s.* (*aer*) pista *f.*

rupture ['rʌptʃəʳ] *s.* **1** rottura *f.* **2** (*med.*) ernia *f.*

rural ['rʊər(ə)l] *agg.* campestre, rurale

ruse [ruːz] *s.* stratagemma *m.*

rush (1) [rʌʃ] *s.* **1** assalto *m.*, corsa *f.* precipitosa **2** furia *f.*, fretta *f.* **3** afflusso *m.*

rush (2) [rʌʃ] *s.* giunco *m.*

to rush [rʌʃ] **A** *v. intr.* **1** precipitarsi **2** affrettarsi **B** *v. tr.* **1** spingere, far fretta **2** spedire velocemente **3** affrettare, accelerare, prendere d'assalto

Russian ['rʌʃ(ə)n] *agg. e s.* russo *m.*

rust [rʌst] *s.* ruggine *f.*

to rust [rʌst] *v. tr. e intr.* arrugginire, arrugginirsi

rustic ['rʌstɪk] *agg.* rustico

rustle ['rʌsl] *s.* fruscio *m.*

to rustle ['rʌsl] *v. intr.* frusciare, stormire

rustproof ['rʌstpruːf] *agg.* antiruggine, inossidabile

rusty (1) ['rʌstɪ] *agg.* arrugginito

rusty (2) ['rʌstɪ] *agg.* arrabbiato

rut (1) [rʌt] *s.* **1** solco *m.*, carreggiata *f.* **2** routine *f. inv.*

rut (2) [rʌt] *s.* (*di animali*) fregola *f.*

ruthless ['ruːθlɪs] *agg.* spietato

rye [raɪ] *s.* segale *f.*

S

sabbatical [sə'bætɪk(ə)l] *agg.* sabbatico
sable ['seɪbl] *s.* zibellino *m.*
sabotage ['sæbətaːʒ] *s.* sabotaggio *m.*
to sabotage ['sæbətaːʒ] *v. tr.* sabotare
sabre ['seɪbər] *s.* sciabola *f.*
saccharin(e) ['sækərɪn] *s.* saccarina *f.*
saccharose ['sækərʊs] *s.* saccarosio *m.*
sachet ['sæʃeɪ] *s.* sacchetto *m.*, bustina *f.*
sack (1) [sæk] *s.* sacco *m.* ◆ **to get the s.** (*fam.*) essere licenziato
sack (2) [sæk] *s.* saccheggio *m.*
to sack (1) [sæk] *v. tr.* 1 insaccare 2 (*fam.*) licenziare ◆ **to s. out** andare a dormire
to sack (2) [sæk] *v. tr.* saccheggiare
sacker ['sækər] *s.* saccheggiatore *m.*
sacking ['sækɪŋ] *s.* 1 tela *f.* da sacco 2 (*fam.*) licenziamento *m.*
sacrament ['sækrəmənt] *s.* sacramento *m.*
sacrarium [sə'krɛərɪəm] *s.* sacrario *m.*
sacred ['seɪkrɪd] *agg.* sacro
sacrifice ['sækrɪfaɪs] *s.* sacrificio *m.*
to sacrifice ['sækrɪfaɪs] *v. tr.* sacrificare
sacrilege ['sækrɪlɪdʒ] *s.* sacrilegio *m.*
sad [sæd] *agg.* 1 triste, addolorato 2 (*di colore*) spento 3 scadente
saddle ['sædl] *s.* sella *f.*
to saddle ['sædl] *v. tr.* 1 sellare 2 gravare
saddlebag ['sædl,bæg] *s.* 1 bisaccia *f.* 2 (*per bicicletta e sim.*) borsa *f.*
sadism ['seɪdɪz(ə)m] *s.* sadismo *m.*
sadist ['seɪdɪst] *s.* sadico *m.*
sadistic [sə'dɪstɪk] *agg.* sadico
sadness ['sædnɪs] *s.* tristezza *f.*
sadomasochism [,seɪdəʊ'mæsəkɪz(ə)m] *s.* sadomasochismo *m.*
safari [sə'faːrɪ] *s.* safari *m. inv.*
safe [seɪf] **A** *agg.* 1 sicuro, al sicuro, protetto 2 salvo, illeso 3 cauto, prudente **B** *s.* cassaforte *f.* ◆ **s. and sound** sano e salvo; **s.-deposit box** cassetta di sicurezza; **s. room** camera blindata
safe-conduct [,seɪf'kɒndəkt] *s.* salvacondotto *m.*
safeguard ['seɪfgaːd] *s.* salvaguardia *f.*
to safeguard ['seɪfgaːd] *v. tr.* salvaguardare
safe-keeping [,seɪf'kiːpɪŋ] *s.* custodia *f.*
safety ['seɪftɪ] *s.* 1 salvezza *f.*, sicurezza *f.* 2 (*mecc.*) sicura *f.* ◆ **s. belt** cintura di sicurezza; **s. pin** spilla di sicurezza

saffron ['sæfr(ə)n] *s.* zafferano *m.*
to sag [sæg] *v. intr.* 1 incurvarsi, abbassarsi 2 diminuire, attenuarsi
saga ['saːgə] *s.* saga *f.*
sage (1) [seɪdʒ] *s.* salvia *f.*
sage (2) [seɪdʒ] *agg.* saggio
said [sɛd] *pass. e p. p. di* **to say**
sail [seɪl] *s.* vela *f.*, velatura *f.* ◆ **s. maker** velaio
to sail [seɪl] **A** *v. intr.* 1 navigare (*a vela*) 2 salpare 3 volare, sorvolare **B** *v. tr.* 1 (*una barca a vela*) condurre 2 percorrere navigando ◆ **to s. into sb.** inveire contro qc.
sailer ['seɪlər] *s.* veliero *m.*
sailing ['seɪlɪŋ] *s.* 1 navigazione *f.* 2 (*sport*) vela *f.* ◆ **s. boat** barca a vela
sailor ['seɪlər] *s.* marinaio *m.*, navigante *m.*
saint [seɪnt] *agg. e s.* santo *m.*
sake [seɪk] *s.* interesse *m.*, beneficio *m.*, vantaggio *m.* ◆ **for the s. of** per amor di
salad ['sæləd] *s.* insalata *f.* ◆ **s. bowl** insalatiera; **s. dressing** condimento per l'insalata
salami [sə'laːmɪ] *s.* salame *m.*
salary ['sælərɪ] *s.* stipendio *m.*
sale [seɪl] *s.* 1 vendita *f.* 2 liquidazione *f.*, svendita *f.*, saldo *m.* ◆ **for/on s.** in vendita; **sales** saldi
saleable ['seɪləbl] *agg.* vendibile
salesman ['seɪlzmən] (*pl.* **salesmen**) *s.* commesso *m.*, venditore *m.*
saleswoman ['seɪlz,wʊmən] (*pl.* **saleswomen**) commessa *f.*, venditrice *f.*
saline ['seɪlaɪn] *agg.* salino
saliva [sə'laɪvə] *s.* saliva *f.*
sallow ['sæləʊ] *agg.* giallastro
salmi ['sælmɪ(ː)] *s.* salmì *m.*
salmon ['sæmən] *s.* salmone *m.* ◆ **s. trout** trota salmonata; **smoked s.** salmone affumicato
salmonellosis [,sælmənə'ləʊsɪs] *s.* salmonellosi *f.*
salon [sæ'lən] *s.* 1 sala *f.* (da ricevimenti) 2 negozio *m.*, salone *m.* 3 (*letterario*) salotto *m.* ◆ **beauty s.** salone di bellezza
saloon [sə'luːn] *s.* 1 salone *m.*, sala *f.* 2 (*USA*) saloon *m. inv.* 3 (*autom.*) berlina *f.*
salt [sɔːlt] **A** *s.* sale *m.* **B** *agg. attr.* 1 salato

2 conservato sotto sale ♦ **s. lake** lago salato; **s. pit** salina

to salt [sɔːlt] v. tr. salare ♦ **to s. away** mettere sotto sale

saltcellar ['sɔːlt,selər] s. saliera f.

saltless ['sɔːltlɪs] agg. insipido

saltwater ['sɔːlt,wɔtər] agg. attr. d'acqua salata, di mare

salty ['sɔːltɪ] agg. salato

salubrious [sə'luːbrɪəs] agg. salubre, sano

salubrity [sə'luːbrɪtɪ] s. salubrità f.

salutary ['sæljʊt(ə)rɪ] agg. salutare

salutation [,sæljʊ(ː)'teɪʃ(ə)n] s. saluto m.

salute [sə'luːt] s. saluto m.

to salute [sə'luːt] v. tr. **1** salutare **2** rendere gli onori

salvage ['sælvɪdʒ] s. **1** salvataggio m., ricupero m. **2** merci f. pl. ricuperate

to salvage ['sælvɪdʒ] v. tr. salvare, ricuperare

salvation [sæl've ɪʃ(ə)n] s. salvezza f.

same [seɪm] **A** agg. stesso, medesimo **B** pron. lo stesso, la stessa cosa **C** avv. allo stesso modo ♦ **all the s.** lo stesso, ugualmente; **much the s.** quasi lo stesso; **s. here** anche da parte mia

sample ['saːmpl] s. campione m., modello m., esemplare m.

to sample ['saːmpl] v. tr. **1** assaggiare **2** campionare

sanatorium [,sænə'tɔːrɪəm] s. sanatorio m.

to sanctify ['sæŋ(k)tɪfaɪ] v. tr. santificare, consacrare

sanctimonious [,sæŋ(k)tɪ'mʊnjəs] agg. bigotto

sanction ['sæŋ(k)ʃ(ə)n] s. **1** autorizzazione f. **2** ratifica f. **3** sanzione f.

to sanction ['sæŋ(k)ʃ(ə)n] v. tr. **1** autorizzare **2** ratificare **3** sancire

sanctity ['sæŋ(k)tɪtɪ] s. santità f.

sanctuary ['sæŋ(k)tjʊərɪ] s. **1** santuario m. **2** rifugio m. **3** riserva f. naturale

sand [sænd] s. **1** sabbia f. **2** al pl. spiaggia f. ♦ **s. bath** sabbiatura; **s. glass** clessidra

to sand [sænd] v. tr. **1** coprire di sabbia **2** insabbiare **3** sabbiare, smerigliare

sandal ['sændl] s. sandalo m.

sandbar ['sæn(d)baːr] s. barra f. di sabbia

sandcastle ['sæn(d),kaːsl] s. castello m. di sabbia

sandpaper ['sæn(d),peɪpər] s. carta f. vetrata

sandstone ['sæn(d)stʊn] s. arenaria f.

sandwich ['sænwɪdʒ] s. sandwich m. inv., tramezzino m.

to sandwich ['sænwɪdʒ] v. tr. serrare, mettere in mezzo

sandy ['sændɪ] agg. **1** sabbioso **2** di color sabbia **3** (di capelli) biondo rossiccio

sane [seɪn] agg. **1** sano di mente **2** sensato

sang [sæŋ] pass. di **to sing**

sanitary ['sænɪt(ə)rɪ] agg. **1** sanitario **2** igienico ♦ **s. towel/napkin** assorbente igienico

sanitation [,sænɪ'teɪʃən] s. impianti m. pl. igienici, fognature f. pl.

sanity ['sænɪtɪ] s. **1** salute f. mentale **2** buon senso m.

sank [sæŋk] pass. di **to sink**

sap [sæp] s. linfa f.

to sap (1) [sæp] v. tr. essiccare (legno)

to sap (2) [sæp] **A** v. intr. scavare trincee **B** v. tr. **1** scavare, scalzare **2** fiaccare, indebolire

sapid ['sæpɪd] agg. sapido

sapling ['sæplɪŋ] s. alberello m.

to saponify [sə'pɒnɪfaɪ] v. tr. saponificare

sapphire ['sæfaɪər] s. zaffiro m.

sarcasm ['saːkæz(ə)m] s. sarcasmo m.

sarcastic [saː'kæstɪk] agg. sarcastico

sarcophagus [saː'kɒfəgəs] s. sarcofago m.

sardine [saː'diːn] s. sardina f.

Sardinian [saː'dɪnjən] agg. e s. sardo m.

sash (1) [sæʃ] s. fascia f., sciarpa f.

sash (2) [sæʃ] s. (di finestra) telaio m. scorrevole ♦ **s. window** finestra a ghigliottina

sat [sæt] pass. e p. p. di **to sit**

satanic(al) [sə'tænɪk((ə)l)] agg. satanico

satchel ['sætʃ(ə)l] s. cartella f.

satellite ['sætəlaɪt] s. satellite m.

to satiate ['seɪʃɪeɪt] v. tr. saziare

satin ['sætɪn] s. raso m.

satire ['sætaɪər] s. satira f.

satiric(al) [sə'tɪrɪk((ə)l)] agg. satirico

satisfaction [,sætɪs'fækʃ(ə)n] s. soddisfazione f.

satisfactory [,sætɪs'fækt(ə)rɪ] agg. soddisfacente, esauriente

to satisfy ['sætɪsfaɪ] v. tr. **1** soddisfare, appagare **2** convincere, persuadere **3** (comm.) pagare

satisfying ['sætɪsfaɪɪŋ] agg. soddisfacente

to saturate ['sætʃəreɪt] v. tr. **1** saturare **2** impregnare

saturation [,sætʃə'reɪʃ(ə)n] s. saturazione f.

Saturday ['sætədɪ] *s.* sabato *m.*

satyr ['sætər] *s.* satiro *m.*

sauce [sɔːs] *s.* **1** salsa *f.*, sugo *m.* **2** (*fam.*) impertinenza *f.* ◆ **s.-boat** salsiera

saucepan ['sɔːspən] *s.* casseruola *f.*

saucer ['sɔːsər] *s.* piattino *m.*

saucy ['sɔːsɪ] *agg.* (*fam.*) impertinente

Saudi ['saudɪ] *agg.* saudita

sauna ['sɔːnə] *s.* sauna *f.*

to saunter ['sɔːntər] *v. intr.* gironzolare

sausage ['sɔsɪdʒ] *s.* **1** salsiccia *f.* **2** *al pl.* salumi *m. pl.*

savage ['sævɪdʒ] **A** *agg.* **1** selvaggio, primitivo **2** feroce, crudele **3** non coltivato **B** *s.* **1** selvaggio *m.* **2** individuo *m.* brutale

to savage ['sævɪdʒ] *v. tr.* assalire con violenza

savanna(h) [sə'vænə] *s.* savana *f.*

save [seɪv] **A** *prep.* eccetto, salvo, tranne **B** *s.* (*sport*) parata *f.*

to save [seɪv] **A** *v. tr.* **1** salvare, preservare **2** conservare, mettere da parte, risparmiare **3** (*inf.*) salvare, memorizzare **B** *v. intr.* **1** risparmiare **2** (*sport*) parare

saver ['seɪvər] *s.* risparmiatore *m.*

saving ['seɪvɪŋ] **A** *agg.* **1** che salva **2** parsimonioso **3** economico **B** *s.* **1** salvezza *f.* **2** economia *f.*, *al pl.* risparmi *m. pl.* **C** *prep. e cong.* eccetto, tranne ◆ **savings bank** cassa di risparmio; **the s. grace** l'unica buona qualità

saviour ['seɪvjər] (*USA* **savior**) *s.* salvatore *m.*

savour ['seɪvər] (*USA* **savor**) *s.* sapore *m.*

to savour ['seɪvər] (*USA* **to savor**) *v. tr.* gustare, assaporare ◆ **to s. of** sapere di

savoury ['seɪv(ə)rɪ] *agg.* saporito, appetitoso

savoy [sə'vɔɪ] *s.* verza *f.*

saw (1) [sɔː] *s.* sega *f.*

saw (2) [sɔː] *pass. di* **to say**

to saw [sɔː] (*pass.* **sawed**, *p. p.* **sawn**, **sawed**) *v. tr.* segare

sawdust ['sɔːdʌst] *s.* segatura *f.*

sawmill ['sɔːmɪl] *s.* segheria *f.*

sawn [sɔːn] *p. p. di* **to saw**

sax [sæks] *s.* sassofono *m.*

Saxon ['sæksən] *agg. e s.* sassone *m. e f.*

saxophone ['sæksəfəʊn] *s.* sassofono *m.*

saxophonist [sæk'səfənɪst] *s.* sassofonista *m. e f.*

say [seɪ] *s.* detto *m.*, parola *f.*, voce *f.* ◆ **to have a s. in the matter** aver voce in capitolo; **to have one's s.** dire la propria

to say [seɪ] (*pass. e p. p.* **said**) *v. tr. e intr.* dire

saying ['seɪɪŋ] *s.* detto *m.*, proverbio *m.*

scab [skæb] *s.* **1** (*di ferita*) crosta *f.* **2** scabbia *f.*, rogna *f.* **3** (*fam.*) crumiro *m.*

scabrous ['skeɪbrəs] *agg.* scabroso

scaffold ['skæf(ə)ld] *s.* **1** impalcatura *f.*, ponteggio *m.* **2** patibolo *m.*

scald [skɔːld] *s.* scottatura *f.*

to scald [skɔːld] *v. tr.* scottare, ustionare

scalding ['skɔːldɪŋ] **A** *agg.* bollente **B** *s.* scottatura *f.*, ustione *f.*

scale (1) [skeɪl] *s.* **1** piatto *m.* di bilancia **2** *al pl.* bilancia *f.*

scale (2) [skeɪl] *s.* **1** scaglia *f.*, squama *f.* **2** incrostazione *f.*

scale (3) [skeɪl] *s.* **1** scala *f.*, gradazione *f.* **2** (*mus.*) scala *f.*

to scale (1) [skeɪl] *v. tr.* pesare, soppesare

to scale (2) [skeɪl] *v. tr.* **1** squamare **2** incrostare ◆ **to s. off** scrostarsi

to scale (3) [skeɪl] **A** *v. tr.* **1** scalare, arrampicarsi su **2** graduare **B** *v. intr.* arrampicarsi ◆ **to s. down/up** aumentare/diminuire progressivamente

scallion ['skæljən] *s.* scalogno *m.*

scallop ['skɒləp] *s.* **1** (*zool.*) pettine *m.* **2** conchiglia *f.* di pettine **3** dentellatura *f.*, smerlo *m.*

scalp [skælp] *s.* scalpo *m.*

scalpel ['skælp(ə)l] *s.* scalpello *m.*, bisturi *m.*

to scan [skæn] *v. tr.* **1** esaminare, scrutare **2** analizzare **3** scandire

scandal ['skændl] *s.* **1** scandalo *m.* **2** maldicenza *f.* ◆ **to talk s. about sb.** sparlare di qc.

to scandalize ['skændəlaɪz] *v. tr.* scandalizzare

scandalmonger ['skændl‚mʌŋgər] *s.* seminatore *m.* di scandali

scandalous ['skændələs] *agg.* scandaloso

Scandinavian [‚skændɪ'neɪvjən] *agg. e s.* scandinavo *m.*

scant [skænt] *agg.* scarso, insufficiente

scanty ['skæntɪ] *agg.* scarso, insufficiente

scapegoat ['skeɪpgəʊt] *s.* capro *m.* espiatorio

scapula ['skæpjʊlə] *s.* scapola *f.*

scar [skɑːr] *s.* cicatrice *f.*, sfregio *m.*

to scar [skɑːr] *v. tr.* sfregiare, deturpare

scarce [skɛəs] *agg.* **1** scarso **2** raro, introvabile ◆ **to make oneself s.** squagliarsela

scarcely ['skɛəslɪ] *avv.* appena, a malapena

scarcity ['skɛəsıtı] *s.* **1** scarsezza *f.* **2** rarità *f.*

scare [skɛəʳ] *s.* terrore *m.*, spavento *m.*, allarme *m.*

to scare [skɛəʳ] *v. tr.* spaventare, atterrire

scarecrow ['skɛəkrɒʊ] *s.* spaventapasseri *m.*

scarf [ska:f] *s.* sciarpa *f.*, foulard *m. inv.*

to scarify ['skɛərıfaɪ] *v. tr.* scarificare

scarlet ['ska:lıt] *agg.* scarlatto ♦ **s. fever** scarlattina

scarred [ska:d] *agg.* sfregiato

scary ['skɛərı] *agg.* pauroso, terrificante

to scat [skæt] *v. intr.* (*fam.*) svignarsela

scathing ['skeıðıŋ] *agg.* aspro, pungente

to scatter ['skætəʳ] **A** *v. tr.* **1** spargere, cospargere **2** disperdere **B** *v. intr.* **1** spargersi, sparpagliarsi **2** disperdersi

scatterbrain ['skætəbreɪn] *s.* sbadato *m.*

to scavenge ['skævɪn(d)ʒ] *v. tr.* **1** pulire dai rifiuti **2** frugare tra i rifiuti **3** scovare

scenario [sı'na:rɪɒʊ] *s.* sceneggiatura *f.*

scene [si:n] *s.* scena *f.* ♦ **s. painter** scenografo

scenery ['si:nərı] *s.* **1** scena *f.*, scenario *m.* **2** veduta *f.*

scenic ['si:nık] *agg.* **1** scenico **2** panoramico, pittoresco

scenographer [sı'nɒgrəfəʳ] *s.* scenografo *m.*

scenographic [,si:nɒ(ʊ)'græfık] *agg.* scenografico

scenography [sı'nɒgrəfı] *s.* scenografia *f.*

scent [sɛnt] *s.* **1** odore *m.*, profumo *m.* **2** (*miscela*) profumo *m.* **3** pista *f.*, scia *f.* **4** odorato *m.*

to scent [sɛnt] *v. tr.* **1** fiutare **2** (*fig.*) subodorare **3** profumare

sceptical ['skɛptık(ə)l] *agg.* scettico

scepticism ['skɛptısız(ə)m] *s.* scetticismo *m.*

sceptre ['sɛptəʳ] *s.* scettro *m.*

schedule ['ʃɛdjuːl] *s.* **1** tabella *f.*, elenco *m.*, distinta *f.* **2** programma *m.*, piano *m.*, orario *m.*

to schedule ['ʃɛdjuːl] *v. tr.* **1** elencare, includere in una lista **2** programmare ♦ **scheduled flight** volo di linea

schematic [skı'mætık] *agg.* schematico

scheme [ski:m] *s.* **1** schema *m.*, progetto *m.* **2** disposizione *f.*, sistema *m.* **3** intrigo *m.* **4** abbozzo *m.*

to scheme [ski:m] *v. tr. e intr.* **1** pianificare **2** complottare

scheming ['ski:mıŋ] *agg.* intrigante

schism ['sız(ə)m] *s.* scisma *m.*

schizophrenia [,skıtsɒ(ʊ)'fri:njə] *s.* schizofrenia *f.*

schizophrenic [,skıtsɒ(ʊ)'frɛnık] *agg. e s.* schizofrenico *m.*

scholar ['skɒləʳ] *s.* **1** studioso *m.*, erudito *m.* **2** borsista *m. e f.*

scholarship ['skɒləʃıp] *s.* **1** dottrina *f.* **2** borsa *f.* di studio

scholastic [skə'læstık] *agg.* **1** scolastico **2** accademico

school [sku:l] *s.* scuola *f.* ♦ **s. age** età scolare; **s.-days** giorni di scuola; **s.-friend** compagno di scuola

schoolboy ['sku:lbɔɪ] *s.* scolaro *m.*

schoolgirl ['sku:lgɜ:l] *s.* scolara *f.*

schoolroom ['sku:lrʊm] *s.* aula *f.*

schoolteacher ['sku:l,ti:tʃəʳ] *s.* insegnante *m. e f.*

schooner ['sku:nəʳ] *s.* goletta *f.*

sciatica [saı'ætıkə] *s.* sciatica *f.*

science ['saɪəns] *s.* scienza *f.* ♦ **s. fiction** fantascienza

scientific [,saɪən'tıfık] *agg.* scientifico

scientist ['saɪəntıst] *s.* scienziato *m.*

scissors ['sızəz] *s. pl.* forbici *f. pl.*

sclerosis [sklıə'rɒʊsıs] *s.* sclerosi *f.*

scoff [skɒf] *s.* beffa *f.*

to scoff (1) [skɒf] *v. intr.* farsi beffe

to scoff (2) [skɒf] *v. tr.* (*fam.*) ingozzarsi

to scold [skɒʊld] *v. tr.* rimproverare, sgridare

scolding ['skɒʊldıŋ] *s.* rimprovero *m.*

scoliosis [,skɒlı'ɒʊsıs] *s.* scoliosi *f.*

scoop [sku:p] *s.* **1** cucchiaione *m.*, mestolo *m.*, paletta *f.* **2** cucchiaiata *f.*, mestolata *f.*, palettata *f.* **3** (*fam.*) colpo *m.* di fortuna **4** scoop *m. inv.*

to scoop [sku:p] *v. tr.* **1** (*con mestolo e sim.*) tirare su, raccogliere **2** cavare **3** battere con uno scoop

scooter ['sku:təʳ] *s.* **1** monopattino *m.* **2** scooter *m. inv.*

scope [skɒʊp] *s.* **1** possibilità *f.*, opportunità *f.* **2** portata *f.*, ambito *m.*

scorch [skɔ:tʃ] *s.* bruciatura *f.*, scottatura *f.*

to scorch [skɔ:tʃ] *v. tr.* **1** bruciacchiare, scottare **2** inaridire, seccare

score [skɔ:ʳ] *s.* **1** linea *f.*, segno *m.*, tratto *m.* **2** punto *m.*, punteggio *m.*, votazione *f.* **3** (*mus.*) spartito *m.*, partitura *f.* **4** (*fam.*) colpo *m.* di fortuna **5** ventina *f.* **6** *al pl.* grande quantità *f.* **7** causa *f.*, motivo *m.* ♦

half a s. una decina; **on the s.** of a causa di; **scores** of un mucchio di; **to keep the s.** segnare i punti

to score [skɔːr] v. tr. **1** segnare, marcare **2** (sport) segnare, fare (un punto) **3** ottenere, riportare **4** (mus.) orchestrare ♦ **to s. out** cancellare; **to s. up** mettere in conto, registrare

scoreboard ['skɔːbɔːd] s. tabellone m. segnapunti

scorekeeper ['skɔːˌkiːpər] s. segnapunti m. inv.

scoria ['skɔːrɪə] s. scoria f.

scorn [skɔːn] s. disprezzo m.

to scorn [skɔːn] v. tr. disprezzare

scornful [skɔːnf(ʊ)l] agg. sprezzante

Scorpio ['skɔːpɪəʊ] s. (astr.) Scorpione m.

scorpion ['skɔːpjən] s. scorpione m.

Scot [skɔt] s. scozzese m. e f.

Scotch [skɔtʃ] A agg. scozzese B s. **1 the S.** gli scozzesi m. pl. **2** scotch m. inv., whisky m. inv. scozzese

to scotch (1) [skɔtʃ] v. tr. **1** colpire **2** mettere a tacere, rendere innocuo

to scotch (2) [skɔtʃ] v. tr. **1** bloccare (con una zeppa) **2** impedire, ostacolare

Scots [skɔts] agg. scozzese

Scotsman ['skɔtsmən] (pl. **Scotsmen**) s. scozzese m.

Scottish ['skɔtɪʃ] agg. (di cose) scozzese

scoundrel ['skaʊndr(ə)l] s. mascalzone m.

to scour (1) ['skaʊər] v. tr. **1** strofinare, lucidare **2** sgombrare

to scour (2) ['skaʊər] v. tr. **1** percorrere **2** perlustrare

scourge [skɜːdʒ] s. **1** frusta f. **2** flagello m.

to scourge [skɜːdʒ] v. tr. **1** frustare **2** affliggere

scout [skaʊt] s. **1** esploratore m. **2** scout m. inv. **3** aereo m. (o nave f.) da ricognizione

to scout [skaʊt] v. intr. andare in esplorazione ♦ **to s. around for** andare in cerca di

scouting ['skaʊtɪŋ] s. **1** esplorazione f. **2** scoutismo m.

scowl [skaʊl] s. cipiglio m., sguardo m. minaccioso

to scowl [skaʊl] v. intr. accigliarsi

to scrabble ['skræbl] v. intr. **1** raspare, grattare **2** frugare, rovistare

scraggy ['skrægɪ] agg. scheletrico

to scram [skræm] v. intr. (pop.) battersela

scramble ['skræmbl] s. **1** arrampicata f.

2 gara f., mischia f.

to scramble ['skræmbl] A v. intr. **1** arrampicarsi **2** affrettarsi **3** accapigliarsi B v. tr. **1** mescolare **2** (cuc.) strapazzare ♦ **scrambled eggs** uova strapazzate

scrap (1) [skræp] s. **1** pezzo m., frammento m. **2** avanzo m., scarto m., (di giornale) ritaglio m. **3** rottame m. ♦ **s. metal** ferraglia

scrap (2) [skræp] s. (fam.) bisticcio m.

to scrap (1) [skræp] v. tr. **1** smantellare, demolire **2** scartare

to scrap (2) [skræp] v. intr. (fam.) bisticciare

scrape [skreɪp] s. **1** graffio m., scorticatura f. **2** raschiatura f. **3** stridore m. **4** (fam.) guaio m., impiccio m.

to scrape [skreɪp] v. tr. **1** raschiare, grattare **2** scorticare **3** raggranellare ♦ **to s. along** tirare avanti; **to s. through** farcela a malapena **to s. together** raggranellare

scraper ['skreɪpər] s. raschietto m.

scrap-heap ['skræpˌhiːp] s. mucchio m. di rifiuti ♦ **on the s.** nel dimenticatoio

scraping ['skreɪpɪŋ] s. raschiatura f., scrostatura f.

scrappy ['skræpɪ] agg. frammentario, sconnesso

scratch [skrætʃ] A agg. raffazzonato, raccogliticcio B s. **1** graffio m. **2** sgorbio m. **3** grattata f. **4** linea f. di partenza ♦ **to start from s.** cominciare da zero

to scratch [skrætʃ] v. tr. **1** graffiare **2** grattare

scrawl [skrɔːl] s. scarabocchio m.

to scrawl [skrɔːl] v. tr. e intr. scarabocchiare

scrawly ['skrɔːlɪ] agg. pieno di scarabocchi

scrawny ['skrɔːnɪ] agg. magro, ossuto

scream [skriːm] s. grido m.

to scream [skriːm] v. tr. e intr. gridare

to screech [skriːtʃ] v. intr. **1** gridare **2** stridere

screen [skriːn] s. **1** cortina f., riparo m., paravento m. **2** schermo m. **3** vaglio m. ♦ **wide s.** schermo panoramico

to screen [skriːn] v. tr. **1** riparare, proteggere **2** schermare **3** setacciare, selezionare **4** (cine.) proiettare

screening ['skriːnɪŋ] s. **1** schermatura f. **2** proiezione f. **3** selezione f. **4** (med.) controllo m. (a scopo diagnostico)

screenplay ['skriːnˌpleɪ] s. sceneggiatura f.

screenwriter ['skriːnˌraɪtər] s. sceneggiatore m.

screw [skru:] *s.* **1** (*mecc.*) vite *f.* **2** giro *m.* (di vite) **3** elica *f.* ♦ **s. thread** filettatura

to screw [skru:] *v. tr.* **1** avvitare **2** torcere, accartocciare ♦ **to s. up** accartocciare, rovinare

screwdriver ['skru:,draɪvəʳ] *s.* cacciavite *m. inv.*

scribble ['skrɪbl] *s.* scarabocchio *m.*

to scribble ['skrɪbl] *v. tr. e intr.* scarabocchiare

script [skrɪpt] *s.* **1** testo *m.*, manoscritto *m.*, copione *m.* **2** esame *m.* scritto ♦ **s. writer** sceneggiatore

scripture ['skrɪptʃəʳ] *s.* (la Sacra) Scrittura *f.*

scroll [skrəʊl] *s.* **1** (*di carta*) rotolo *m.* **2** (*arch.*) voluta *f.*

to scrounge ['skraʊn(d)ʒ] *v. tr.* scroccare

scrub (1) [skrʌb] *s.* boscaglia *f.*

scrub (2) [skrʌb] *s.* spazzolata *f.*, pulitura *f.*

to scrub [skrʌb] *v. tr.* **1** pulire sfregando **2** annullare

scruff [skrʌf] *s.* collottola *f.*

scruffy ['skrʌfɪ] *agg.* (*fam.*) trasandato

scrum(mage) ['skrʌm(ɪdʒ)] *s.* (*sport*) mischia *f.*

scruple ['skru:pl] *s.* scrupolo *m.*

scrupulous ['skru:pjʊləs] *agg.* scrupoloso

scrutiny ['skru:tɪnɪ] *s.* esame *m.* minuzioso

scuba ['skju:bə] *s.* autorespiratore *m.*

to scuff [skʌf] *v. tr.* **1** (*i piedi*) strascicare **2** (*le scarpe*) consumare

scuffle ['skʌfl] *s.* mischia *f.*, tafferuglio *m.*

to scuffle ['skʌfl] *v. intr.* azzuffarsi

sculptor ['skʌlptəʳ] *s.* scultore *m.*

sculptural ['skʌlptʃ(ə)r(ə)l] *agg.* scultoreo

sculpture ['skʌlptʃəʳ] *s.* scultura *f.*

to sculpture ['skʌlptʃəʳ] *v. tr.* scolpire

scum [skʌm] *s.* **1** schiuma *f.* superficiale **2** (*fig.*) feccia *f.*

scurrilous ['skʌrɪləs] *agg.* scurrile

to scurry ['skʌrɪ] *v. intr.* correre velocemente

scurvy ['skɜ:vɪ] *s.* scorbuto *m.*

to scuttle ['skʌtl] *v. intr.* correr via

scythe [saɪð] *s.* falce *f.*

sea [si:] *s.* mare *m.* ♦ **s. level** livello del mare; **s. mile** miglio marino; **s. quake** maremoto; **s. storm** mareggiata; **s. urchin** riccio di mare

seabird ['si:bɜ:d] *s.* uccello *m.* marino

seaboard ['si:bɔ:d] *s.* costa *f.*, litorale *m.*

seafood ['si:fu:d] *s.* frutti *m. pl.* di mare

seafront ['si:frʌnt] *s.* lungomare *m.*

seagull ['si:gʌl] *s.* gabbiano *m.*

seahorse ['si:,hɔ:s] *s.* ippocampo *m.*

seal (1) [si:l] *s.* foca *f.*

seal (2) [si:l] *s.* sigillo *m.*

to seal [si:l] *v. tr.* sigillare ♦ **to s. in** chiudere dentro; **to s. off** isolare (*una zona*)

seam [si:m] *s.* **1** cucitura *f.*, giuntura *f.* **2** (*miner.*) filone *m.*, strato *m.*

seaman ['si:mən] (*pl.* **seamen**) *s.* marinaio *m.*

seamy ['si:mɪ] *agg.* **1** provvisto di cuciture **2** squallido

seaplane ['si:,pleɪn] *s.* idrovolante *m.*

search [sɜ:tʃ] *s.* **1** ricerca *f.* **2** perquisizione *f.* ♦ **s. warrant** mandato di perquisizione

to search [sɜ:tʃ] **A** *v. tr.* **1** perquisire, perlustrare **2** frugare, rovistare **B** *v. intr.* andare in cerca di ♦ **to s. about/through** frugare; **to s. out** scovare

searching ['sɜ:tʃɪŋ] **A** *agg.* **1** penetrante, scrutatore **2** approfondito, minuzioso **B** *s.* **1** esame *m.*, indagine *f.* **2** perlustrazione *f.*

searchlight ['sɜ:tʃ,laɪt] *s.* riflettore *m.*

seashore ['si:ʃɔ:ʳ] *s.* spiaggia *f.*, lido *m.*

seasickness ['si:,sɪknɪs] *s.* mal *m.* di mare

seaside ['si:,saɪd] *s.* spiaggia *f.*, lido *m.* ♦ **s. resort** stazione balneare; **to go to the s.** andare al mare

season ['si:zn] *s.* **1** stagione *f.* **2** epoca *f.*, tempo *m.* ♦ **high/low s.** alta/bassa stagione; **out of s.** fuori stagione; **s. ticket** abbonamento; **off s.** fuori stagione

to season ['si:zn] *v. tr.* **1** condire, insaporire **2** stagionare, far maturare

seasonal ['si:zənl] *agg.* stagionale

seasoned ['si:zənd] *agg.* **1** stagionato **2** condito **3** abituato, esperto

seasoning ['si:znɪŋ] *s.* **1** condimento *m.* **2** stagionatura *f.*

seat [si:t] *s.* **1** sedile *m.*, sedia *f.*, posto *m.* (a sedere) **2** seggio *m.* **3** didietro *m.*, fondo *m.* **4** sede *f.* ♦ **s. belt** cintura di sicurezza

to seat [si:t] *v. tr.* **1** far sedere **2** insediare, collocare **3** (*posti a sedere*) disporre di

seawards ['si:wədz] *avv.* verso il mare

seaweed ['si:wi:d] *s.* alga *f.* marina

sebaceous [sɪ'beɪʃəs] *agg.* sebaceo

secession [sɪ'seʃ(ə)n] *s.* secessione *f.*

secessionism [sɪ'seʃnɪz(ə)m] *s.* secessionismo *m.*

to seclude [sɪ'klu:d] *v. tr.* isolare, appartare

secluded [sɪ'klu:dɪd] *agg.* isolato, appartato

seclusion [sɪ'kluːʒ(ə)n] s. 1 isolamento m. 2 clausura f.

second ['sɛk(ə)nd] A agg. 1 secondo 2 secondario, inferiore 3 nuovo, altro B s. 1 secondo m. 2 (minuto) secondo m. C avv. secondariamente ◆ **s. born** secondogenito; **s.-class** di seconda classe, di qualità scadente; **s.-hand** usato, di seconda mano; **s.-rate** scadente; **s. thoughts** ripensamento

to second (1) ['sɛk(ə)nd] v. tr. assecondare, favorire

to second (2) ['sɛk(ə)nd] v. tr. distaccare (ad altro incarico)

secondary ['sɛk(ə)nd(ə)rɪ] agg. secondario

seconder [sɪ'k(ə)ndər] s. sostenitore m.

secondly ['sɛk(ə)ndlɪ] avv. in secondo luogo

secrecy ['siːkrɪsɪ] s. segretezza f.

secret ['siːkrɪt] agg. e s. segreto m. ◆ **to keep a s.** mantenere un segreto

secretariat [ˌsɛkrə'tɛərɪət] s. segretariato m.

secretary ['sɛkrətrɪ] s. segretario m., segretaria f.

to secrete [sɪ'kriːt] v. tr. secernere

secretion [sɪ'kriːʃ(ə)n] s. secrezione f.

secretive [sɪ'kriːtɪv] agg. riservato, segreto

sect [sɛkt] s. setta f.

sectarian [sɛk'tɛərɪən] s. settario m.

section ['sɛkʃ(ə)n] s. 1 sezione f., porzione f., parte f. 2 paragrafo m. 3 (geom.) sezione f.

sector ['sɛktər] s. settore m.

secular ['sɛkjʊlər] agg. secolare, laico

secure [sɪ'kjuːər] agg. 1 sicuro, certo 2 (dir.) garantito 3 saldo, ben fermato

to secure [sɪ'kjuːər] v. tr. 1 assicurare, difendere 2 (dir.) garantire 3 assicurare, fissare 4 assicurarsi, ottenere, procurarsi

security [sɪ'kjʊərɪtɪ] s. 1 sicurezza f., certezza f. 2 protezione f., difesa f. 3 garanzia f., cauzione f. ◆ **social s.** previdenza sociale

sedan [sɪ'dæn] s. 1 (USA) berlina f. 2 portantina f.

sedate [sɪ'deɪt] agg. calmo, posato

sedative ['sɛdətɪv] agg. e s. sedativo m.

sedentary ['sɛdnt(ə)rɪ] agg. sedentario

sediment ['sɛdɪmənt] s. sedimento m.

sedition [sɪ'dɪʃ(ə)n] s. sedizione f.

to seduce [sɪ'djuːs] v. tr. sedurre, corrompere

seducer [sɪ'djuːsər] s. seduttore m.

seduction [sɪ'dʌkʃ(ə)n] s. seduzione f.

seductive [sɪ'dʌktɪv] agg. seducente

to see [siː] (pass. saw, p. p. seen) A v. tr. 1 vedere 2 capire, rendersi conto di 3 esaminare, osservare 4 visitare 5 accompagnare B v. intr. 1 vedere, vederci 2 capire, accorgersi 3 pensare 4 fare in modo ◆ **s. you (later)** ci vediamo (più tardi); **to s. about** occuparsi di: **to s. off** salutare (alla partenza); **to s. out** accompagnare alla porta; **to s. to** occuparsi di

seed [siːd] s. seme m., semenza f.

seeding ['siːdɪŋ] s. semina f.

seedling ['siːdlɪŋ] s. piantina f.

to seek [siːk] (pass. e p. p. sought) v. tr. 1 cercare 2 chiedere 3 tentare di ◆ **to s. out** scovare

to seem [siːm] v. intr. sembrare, parere

seemingly ['siːmɪŋlɪ] avv. apparentemente

seen [siːn] p. p. di **to see**

to seep [siːp] v. intr. gocciolare, filtrare

seer ['siːər] s. veggente m. e f.

seesaw ['siːˌsɔː] A agg. ondeggiante B s. altalena f.

to seethe [siːð] v. intr. ribollire

see-through ['siːθruː] agg. (di indumento) trasparente

segment ['sɛgmənt] s. segmento m.

to segregate ['sɛgrɪgeɪt] v. tr. segregare

segregation [ˌsɛgrɪ'geɪʃ(ə)n] s. segregazione f.

seismic(al) ['saɪzmɪk((ə)l)] agg. sismico

seismologist [saɪz'mɒlədʒɪst] s. sismologo m.

to seize [siːz] v. tr. 1 afferrare, impadronirsi di 2 (dir.) confiscare ◆ **to s. on** appigliarsi a; **to s. up** gripparsi, bloccarsi

seizure ['siːʒər] s. 1 presa f., conquista f., cattura f. 2 (dir.) confisca f. 3 (med.) attacco m. 4 (mecc.) grippaggio m.

seldom ['sɛldəm] avv. raramente

select [sɪ'lɛkt] agg. scelto, selezionato

to select [sɪ'lɛkt] v. tr. scegliere, selezionare

selection [sɪ'lɛkʃ(ə)n] s. scelta f., selezione f.

selective [sɪ'lɛktɪv] agg. selettivo

self (1) [sɛlf] (pl. **selves**) s. l'io m., l'individuo m. ◆ **one's better s.** la parte migliore di sé

self (2) [sɛlf] agg. 1 della stessa sostanza 2 dello stesso colore

self- [sɛlf] pref. da sé, automatico, auto- ◆ **s.-acting** automatico; **s.-centred** egocentrico; **s.-confidence** fiducia in sé; **s.-consistent** coerente; **s.-control** autocontrollo; **s.-defence** autodifesa; **s.-employed** che lavora in proprio; **s.-explanatory** che si spiega da sé; **s.-government** autogoverno; **s.-interest** interesse personale; **s.-made** che si è fatto da sé; **s.-portrait** autoritratto; **s.-respect** amor proprio; **s.-sticking** autoadesivo; **s.-sufficient** autosufficiente; **s.-taught** autodidatta; **s.-willed** ostinato

to **sell** [sɛl] (*pass. e p. p.* **sold**) *v. tr.* vendere ♦ **to s. off** svendere; **to be sold out** essere esaurito

seller ['sɛləʳ] *s.* venditore *m.*

selling ['sɛlɪŋ] *s.* vendita *f.* ♦ **s. off** svendita

selves [sɛlvz] *pl. di* **self**

semaphore ['sɛməfɔːʳ] *s.* **1** sistema *m.* di segnalazione con bandierine **2** (*ferr*) semaforo *m.*

semblance ['sɛmbləns] *s.* **1** apparenza *f.* **2** somiglianza *f.*

semen ['siːmən] *s.* sperma *m.*

semester [sɪ'mɛstəʳ] *s.* semestre *m.*

semiaxis [ˌsɛmɪ'æksɪs] *s.* semiasse *m.*

semicircle ['sɛmɪˌsɜːkəl] *s.* semicerchio *m.*

semicircular [ˌsɛmɪ'sɜːkjuləʳ] *agg.* semicircolare

semicolon [ˌsɛmɪ'kəʊlən] *s.* punto e virgola *m.*

semiconductor [ˌsɛmɪkən'dʌktəʳ] *s.* semiconduttore *m.*

semifinal [ˌsɛmɪ'faɪnl] *s.* semifinale *f.*

seminar ['sɛmɪnaːʳ] *s.* seminario *m.* (*di studio*)

seminarist ['sɛmɪnərɪst] *s.* (*relig.*) seminarista *m.*

seminary ['sɛmɪnərɪ] *s.* (*relig.*) seminario *m.*

semolina [ˌsɛmə'liːnə] *s.* semolino *f.*

senate ['sɛnɪt] *s.* senato *m.*

senator ['sɛnətəʳ] *s.* senatore *m.*

to **send** [sɛnd] (*pass. e p. p.* **sent**) *v. tr.* mandare, inviare, spedire ♦ **to s. away** scacciare; **to s. away for** ordinare per posta; **to s. back** restituire; **to s. for** mandare a chiamare; **to s. off** spedire; **to s. out** distribuire, far circolare; **to s. up** far salire, prendere in giro

sender ['sɛndəʳ] *s.* mittente *m. e f.*

send-off ['sɛndˌɔːf] *s.* festa *f.* di commiato

senile ['siːnaɪl] *agg.* senile

senility [sɪ'nɪlɪtɪ] *s.* senilità *f.*

senior ['siːnɪəʳ] *agg.* **1** più vecchio, più anziano **2** (*abbr* **sen.**, **sr**) senior, padre, fratello maggiore

seniority [ˌsiːnɪ'ɒrɪtɪ] *s.* anzianità *f.*

sensation [sɛn'seɪʃ(ə)n] *s.* sensazione *f.*

sensational [sɛn'seɪʃənl] *agg.* sensazionale

sense [sɛns] *s.* **1** senso *m.* **2** sensazione *f.* **3** significato *m.* **4** opinione *f.* comune, buonsenso *m.*

sensibility [ˌsɛnsɪ'bɪlɪtɪ] *s.* sensibilità *f.*

sensible ['sɛnsəbl] *agg.* **1** sensato, ragionevole **2** sensibile, percepibile

sensitive ['sɛnsɪtɪv] *agg.* **1** sensibile **2** permaloso, suscettibile

sensual ['sɛnsjʊəl] *agg.* sensuale

sensuality [ˌsɛnsjʊ'ælɪtɪ] *s.* sensualità *f.*

sensuous ['sɛnsjʊəs] *agg.* sensuale, voluttuoso

sent [sɛnt] *pass. e p. p. di* **to send**

sentence ['sɛntəns] *s.* **1** sentenza *f.*, condanna *f.* **2** (*gramm.*) frase *f.*

to **sentence** ['sɛntəns] *v. tr.* pronunciare una sentenza, condannare

sentiment ['sɛntɪmənt] *s.* **1** sentimento *m.* **2** opinione *f.*

sentimental [ˌsɛntɪ'mɛntl] *agg.* sentimentale

sentry ['sɛntrɪ] *s.* sentinella *f.* ♦ **s. box** garitta

separate ['sɛprɪt] **A** *agg.* **1** separato, staccato **2** distinto **B** *s. al pl.* (*di abiti*) coordinati *m. pl.*

to **separate** ['sɛpəreɪt] *v. tr. e intr.* separare, separarsi

separation [ˌsɛpə'reɪʃ(ə)n] *s.* separazione *f.*

separator ['sɛpəreɪtəʳ] *s.* separatore *m.*

sepia ['siːpjə] *s.* nero *m.* di seppia

September [səp'tɛmbəʳ] *s.* settembre *m.*

septic ['sɛptɪk] *agg.* settico ♦ **to go s.** infettarsi

septic(a)emia [ˌsɛptɪ'siːmjə] *s.* setticemia *f.*

septum ['sɛptəm] *s.* setto *m.*

sepulchral [sɪ'pʌlkr(ə)l] *agg.* sepolcrale

sepulchre ['sɛp(ə)lkəʳ] *s.* sepolcro *f.*

sepulture ['sɛp(ə)ltʃəʳ] *s.* sepoltura *f.*

sequel ['siːkw(ə)l] *s.* **1** seguito *m.* **2** effetto *m.*

sequence ['siːkwəns] *s.* sequenza *f.*, successione *f.*, serie *f.*

to **sequestrate** [sɪ'kwɛstreɪt] *v. tr.* sequestrare

sequestration [ˌsiːkwɛsˈtreɪʃ(ə)n] s. sequestro m.

sequin ['siːkwɪn] s. lustrino m.

serene [sɪˈriːn] agg. sereno

serenity [sɪˈrɛnɪtɪ] s. serenità f.

sergeant ['saːdʒ(ə)nt] s. 1 sergente m. 2 (di polizia) brigadiere m.

serial ['sɪərɪəl] A agg. 1 seriale, in serie 2 a puntate, a fascicoli B s. 1 sceneggiato m., serial m. inv. 2 romanzo m. a puntate

to serialize ['sɪərɪəlaɪz] v. tr. pubblicare (o trasmettere) a puntate

series ['sɪəriːz] s. inv. serie f. inv.

serious ['sɪərɪəs] agg. 1 serio 2 grave

seriousness ['sɪərɪəsnɪs] s. 1 serietà f. 2 gravità f.

sermon ['sɜːmən] s. sermone m.

to sermonize ['sɜːmənaɪz] v. intr. 1 predicare 2 fare la predica

serotherapy [ˌsɪərɒ(ʊ)ˈθɛrəpɪ] s. sieroterapia f.

serpent ['sɜːp(ə)nt] s. serpente m.

serpentine ['sɜːp(ə)ntaɪn] A agg. serpentino, serpeggiante B s. serpentina f.

serrate ['sɛrɪt] agg. dentellato, seghettato

serrated [sɛˈreɪtɪd] agg. → serrate

serum ['sɪərəm] s. siero m.

servant ['sɜːv(ə)nt] s. 1 domestico m., cameriere m. 2 (fig.) servitore m. 3 impiegato m. ♦ **civil s.** dipendente pubblico

to serve [sɜːv] A v. tr. 1 servire, offrire 2 essere al servizio di 3 essere utile a 4 espiare, scontare B v. intr. 1 prestare servizio 2 servire, essere utile 3 (sport) servire ♦ **to s. out** distribuire, servire

service ['sɜːvɪs] s. 1 servizio m., prestazione f. 2 favore m. 3 al pl. servizi m. pl. 4 assistenza f., manutenzione f. 5 (di posate) servizio m. ♦ **s. charge** (al ristorante) servizio; **s. station** stazione di servizio

to service ['sɜːvɪs] v. tr. 1 revisionare 2 fornire

serviceable ['sɜːvɪsəbl] agg. 1 utile, pratico 2 resistente

serviette [ˌsɜːvɪˈɛt] s. tovagliolo m.

servile ['sɜːvaɪl] agg. servile

servo-brake ['sɜːvəˌbreɪk] s. servofreno m.

servo-control ['sɜːvɒ(ʊ)kənˌtrɒl] s. servocomando m.

servo-mechanism ['sɜːvɒ(ʊ)ˌmɛkənɪz(ə)m] s. servomeccanismo m.

servomotor ['sɜːvɒ(ʊ)ˌmɒʊtəʳ] s. servomotore m.

sesame ['sɛsəmɪ] s. sesamo m.

session ['sɛʃ(ə)n] s. 1 sessione f., seduta f. 2 anno m. accademico

set [sɛt] A agg. 1 fisso, saldo, stabilito 2 posto, collocato 3 studiato, preparato 4 pronto B s. 1 complesso m., insieme m., assortimento m., collezione f., serie f., (di posate, biancheria, ecc.) set m. inv. 2 (di persone) gruppo m. 3 (radio, TV) apparecchio m. 4 (tennis) set m. inv. 5 posizione f. 6 messa f. in piega 7 (cine., teatro) set m. inv., scene f. pl. 8 tendenza f., direzione f. 9 (bot.) pianticella f. 10 (mat.) insieme m.

to set [sɛt] (pass. e p. p. **set**) A v. tr. 1 mettere, porre, disporre, collocare 2 piantare, conficcare 3 regolare, registrare, mettere a punto, preparare 4 assegnare 5 fissare, stabilire 6 indurire, rendere solido 7 incastonare, montare 8 (inf.) impostare B v. intr. 1 tramontare 2 indurirsi, solidificarsi 3 volgersi, muoversi ♦ **to s. about** accingersi a; **to s. against** mettere contro; **to s. aside** mettere da parte, lasciare da parte; **to s. back** bloccare, ritardare, mettere indietro, (fam.) costare; **to s. in** incominciare; **to s. off** far scoppiare, far risaltare, partire; **to s. out** partire, disporre, esporre; **to s. up** installare, costituire, causare, fornire

setback ['sɛtˌbæk] s. 1 ostacolo m., intoppo m. 2 (med.) ricaduta f.

set-down ['sɛtˌdaʊn] s. rimbrotto m.

settee [sɛˈtiː] s. divano m.

setting ['sɛtɪŋ] s. 1 collocazione f., installazione f., sistemazione f. 2 incastonatura f. 3 regolazione f., messa f. a punto 4 messa f. in scena, ambientazione f. 5 tramonto m.

settle ['sɛtl] s. cassapanca f.

to settle ['sɛtl] A v. tr. 1 decidere, fissare, stabilire, risolvere, definire 2 pagare, saldare 3 sistemare, aggiustare 4 calmare B v. intr. 1 sistemarsi, accomodarsi 2 stabilirsi, insediarsi 3 calmarsi, ricomporsi 4 depositarsi, decantare, sedimentare 5 abbassarsi, assestarsi ♦ **to s. down** adagiarsi, calmarsi, stabilirsi, stabilizzarsi; **to s. in** sistemarsi; **to s. up** saldare (il conto)

settlement ['sɛtlmənt] s. 1 sistemazione f., accordo m., soluzione f. 2 saldo m., liquidazione f. 3 insediamento m., colonizzazione f., colonia f.

settler ['sɛtləʳ] s. **1** colonizzatore m. **2** (fam.) argomento m. decisivo

set-up ['sɛt,ʌp] s. **1** organizzazione f., sistemazione f. **2** situazione f.

seven ['sɛvn] agg. num. card. e s. sette m. inv.

seventeen [,sɛvn'ti:n] agg. num. card. e s. diciassette m. inv.

seventeenth [,sɛvn'ti:nθ] agg. num. ord. e s. diciassettesimo m.

seventh ['sɛvnθ] agg. num. ord. e s. settimo m.

seventhieth ['sɛvntɪɪθ] agg. num. ord. e s. settantesimo m.

seventy ['sɛvntɪ] agg. num. card. e s. settanta m. inv.

several ['sɛvr(ə)l] agg. e pron. parecchi, diversi, alcuni

severance ['sɛv(ə)r(ə)ns] s. separazione f., rottura f. ♦ **s. pay** liquidazione

severe [sɪ'vɪəʳ] agg. **1** severo, rigoroso **2** rigido, duro **3** acuto, violento **4** difficile, arduo

severity [sɪ'vɛrɪtɪ] s. **1** severità f., rigore m. **2** gravità f. **3** difficoltà f.

to sew [sɒʊ] (pass. sewed, p. p. sewn) v. tr. cucire ♦ **to s. up** rammendare

sewage ['sju:ɪdʒ] s. acque f. pl. di scolo

sewer ['sju:əʳ] s. fogna f.

sewing ['sɒ(ʊ)ɪŋ] s. **1** cucitura f. **2** cucito m. ♦ **s. machine** macchina per cucire

sewn ['sɒʊn] p. p. di **sew**

sex [sɛks] A s. sesso m. B agg. sessuale ♦ **to have s. with** avere rapporti sessuali con

sexism ['sɛksɪz(ə)m] s. discriminazione f. sessuale

sexist ['sɛksɪst] agg. sessista

sexologist [,sɛk'ɒlədʒɪst] s. sessuologo m.

sexology [,sɛk'ɒlədʒɪ] s. sessuologia f.

sextant ['sɛkst(ə)nt] s. sestante m.

sexual ['sɛksjʊəl] agg. sessuale

sexuality [,sɛksjʊ'ælɪtɪ] s. sessualità f.

sexy ['sɛksɪ] agg. (fam.) sexy

shabby ['ʃæbɪ] agg. **1** malmesso, trasandato **2** meschino

shack [ʃæk] s. capanna f.

shackles ['ʃæklz] s. pl. ferri m. pl., catene f. pl.

shade [ʃeɪd] s. **1** ombra f. **2** sfumatura f.

to shade [ʃeɪd] v. tr. ombreggiare

shading ['ʃeɪdɪŋ] s. **1** ombreggiatura f. **2** sfumatura f. **3** protezione f. (dalla luce)

shadow ['ʃædʊ] s. **1** ombra f. **2** spettro m. **3** segno m., traccia f. **4** pedinatore m.

to shadow ['ʃædʊ] v. tr. **1** ombreggiare **2** oscurare **3** pedinare

shadowy ['ʃædʊ(ʊ)ɪ] agg. **1** ombroso, ombreggiato **2** indistinto **3** irreale

shady ['ʃeɪdɪ] agg. **1** ombroso, ombreggiato **2** equivoco, losco

shaft [ʃɑ:ft] s. **1** asta f., palo m., stanga f. **2** freccia, strale m. **3** fusto m., gambo m. **4** (mecc.) albero m. **5** (miniera) pozzo m.

shaggy ['ʃægɪ] agg. irsuto, ruvido

shake [ʃeɪk] s. **1** scossa f., scossone m. **2** tremito m. **3** frappé m. inv., frullato m.

to shake [ʃeɪk] (pass. shook, p. p. shaken) A v. tr. **1** agitare, scuotere **2** impressionare **3** (fam.) liberarsi di B v. intr. **1** scuotersi, agitarsi **2** barcollare, traballare ♦ **to s. down** ambientarsi, adattarsi; **to s. hands with sb.** stringere la mano a qc.; **to s. off** scuotersi di dosso, liberarsi di; **to s. up** scuotere

shaking ['ʃeɪkɪŋ] A agg. **1** che scuote, che agita **2** tremante, traballante B s. **1** scossone m. **2** tremore m.

shaky ['ʃeɪkɪ] agg. malfermo, traballante

shall [ʃæl, ʃəl] (pass. should) v. difett. **1** (ausiliare per la formazione del futuro) (ES: **we s. be in London tomorrow** saremo a Londra domani) **2** (in frasi interr) dovere (ES: **s. I close the door?** devo chiudere la porta?)

shallop ['ʃæləp] s. scialuppa f.

shallow ['ʃælʊ] agg. **1** basso, poco profondo **2** (fig.) superficiale

sham [ʃæm] A agg. falso, simulato B s. **1** finzione f., imitazione f. **2** impostore m.

shambles ['ʃæmblz] s. pl. **1** macello m., carneficina f. **2** confusione f.

shame [ʃeɪm] s. vergogna f.

to shame [ʃeɪm] v. tr. **1** far vergognare **2** disonorare

shamefaced ['ʃeɪm,feɪst] agg. vergognoso, imbarazzato

shameful ['ʃeɪmf(ʊ)l] agg. vergognoso

shameless ['ʃeɪmlɪs] agg. svergognato

shammy ['ʃæmɪ] A s. pelle f. di daino B agg. scamosciato

shampoo [ʃæm'pu:] s. shampoo m. inv.

shamrock ['ʃæmrɒk] s. trifoglio m.

shank [ʃæŋk] s. stinco m.

shanty ['ʃæntɪ] s. baracca f. ♦ **s. town** bidonville

shape [ʃeɪp] s. **1** forma f., foggia f., sagoma

f., modello *m.* **2** condizione *f.*, forma *f.* fisica *f.* ♦ **to be in s.** essere in forma; **to be out of s.** essere fuori forma

to shape [ʃeɪp] **A** *v. tr.* **1** formare, modellare, plasmare **2** adattare **B** *v. intr.* prendere forma, concretarsi ♦ **to s. up** procedere, darsi da fare

shaped [ʃeɪpt] *agg.* (*nei composti*) a forma di ♦ **leaf-s.** a forma di foglia

shapeless [ˈʃeɪplɪs] *agg.* informe

shapely [ˈʃeɪplɪ] *agg.* armonioso, ben proporzionato

share [ʃeəʳ] *s.* **1** parte *f.*, porzione *f.*, quota *f.* **2** (*fin.*) azione *f.*

to share [ʃeəʳ] **A** *v. tr.* **1** dividere, distribuire **2** condividere, avere in comune **B** *v. intr.* partecipare ♦ **to s. out** distribuire

sharecropping [ˈʃeə,krɒpɪŋ] *s.* mezzadria *f.*

shareholder [ˈʃeə,həʊldəʳ] *s.* azionista *m. e f.*

sharing [ˈʃeərɪŋ] *s.* **1** divisione *f.*, distribuzione *f.* **2** (*econ.*) partecipazione *f.*

shark [ʃɑːk] *s.* squalo *m.*

sharp [ʃɑːp] **A** *agg.* **1** affilato, acuminato, tagliente **2** (*fig.*) acuto, sveglio, pungente **3** netto, chiaro, marcato **4** secco, brusco, improvviso **5** scaltro, disonesto, privo di scrupoli **6** energico, forte **7** (*mus.*) diesis **B** *avv.* **1** esattamente, in punto **2** bruscamente

to sharpen [ˈʃɑːp(ə)n] *v. tr.* affilare, aguzzare, appuntire

sharp-eyed [ˈʃɑːp,aɪd] *agg.* **1** dalla vista acuta **2** perspicace

to shatter [ˈʃætəʳ] **A** *v. tr.* **1** frantumare, infrangere **2** rovinare **B** *v. intr.* frantumarsi, andare in pezzi

shave [ʃeɪv] *s.* rasatura *f.*

to shave [ʃeɪv] **A** *v. tr.* **1** radere, rasare, sbarbare **2** tagliare, affettare **3** pareggiare, lisciare, piallare **4** rasentare **5** ridurre leggermente **B** *v. intr.* radersi

shaver [ˈʃeɪvəʳ] *s.* **1** rasoio *m.* (elettrico) **2** barbiere *m.*

shaving [ˈʃeɪvɪŋ] *s.* rasatura *f.* ♦ **s. brush** pennello da barba; **s. foam** schiuma da barba

shawl [ʃɔːl] *s.* scialle *m.*

she [ʃiː] **A** *pron. pers. 3ª sing. f.* ella, lei **B** *s.* femmina *f.*

sheaf [ʃiːf] (*pl.* **sheaves**) *s.* **1** covone *m.* **2** fascio *m.*

to shear [ʃiəʳ] (*pass.* **sheared**, *p. p.* **shorn**, **sheared**) *v. tr.* **1** tosare **2** tagliare, recidere

shears [ʃiəz] *s.* cesoie *f. pl.*

sheath [ʃiːθ] *s.* guaina *f.*, fodero *m.*

sheaves [ʃiːvz] *pl. di* **sheaf**

shed [ʃed] *s.* capannone *m.*

to shed [ʃed] (*pass. e p. p.* **shed**) *v. tr.* **1** spargere, versare **2** perdere, lasciar cadere **3** diffondere, emanare

sheen [ʃiːn] *s.* lucentezza *f.*

sheep [ʃiːp] *s.* pecora *f.*

sheepdog [ˈʃiːpdɒg] *s.* cane *m.* da pastore

sheepfold [ˈʃiːpfəʊld] *s.* ovile *m.*

sheepish [ˈʃiːpɪʃ] *agg.* **1** imbarazzato, vergognoso **2** mite, timido

sheer [ʃɪəʳ] **A** *agg.* **1** puro, semplice **2** liscio, non diluito **3** perpendicolare, a picco **4** sottile, diafano **B** *avv.* **1** completamente, del tutto **2** a picco

sheet [ʃiːt] *s.* **1** lenzuolo *m.* **2** foglio *m.*, lamina *f.* **3** lamiera *f.*, lastra *f.* **4** (*naut.*) scotta *f.*

sheik(h) [ʃeɪk] *s.* sceicco *m.*

shelf [ʃelf] *s.* mensola *f.*, scaffale *m.*

shell [ʃel] *s.* **1** guscio *m.*, conchiglia *f.* **2** carcassa *f.*, ossatura *f.*, struttura *f.* **3** apparenza *f.* **4** schema *m.*, schizzo *m.* **5** proiettile *m.*, granata *f.*

to shell [ʃel] *v. tr.* **1** sgusciare, sgranare **2** bombardare

shellfish [ˈʃel,fɪʃ] *s.* mollusco *m.*, crostaceo *m.*

shelter [ˈʃeltəʳ] *s.* riparo *m.*, rifugio *m.*

to shelter [ˈʃeltəʳ] **A** *v. tr.* riparare, proteggere **B** *v. intr.* ripararsi, rifugiarsi

to shelve [ʃelv] *v. tr.* accantonare, rimandare

shepherd [ˈʃepəd] *s.* pastore *m.*

to shepherd [ˈʃepəd] *v. tr.* guidare, custodire

sheriff [ˈʃerɪf] *s.* sceriffo *m.*

sherry [ˈʃerɪ] *s.* sherry *m. inv.*

shield [ʃiːld] *s.* **1** scudo *m.* **2** riparo *m.*, protezione *f.*

to shield [ʃiːld] *v. tr.* **1** proteggere, riparare **2** schermare

shift [ʃɪft] *s.* **1** cambiamento *m.*, spostamento *m.*, avvicendamento *m.* **2** turno *m.* **3** espediente *m.* ♦ **s. work** lavoro a turni; **to make s.** ingegnarsi

to shift [ʃɪft] **A** *v. tr.* **1** spostare, trasferire, cambiare **2** rimuovere **B** *v. intr.* **1** spostarsi, trasferirsi, muoversi **2** ingegnarsi **3** (*autom.*) cambiare marcia

shiftless [ˈʃɪftlɪs] *agg.* incapace, inefficiente

shifty [ˈʃɪftɪ] *agg.* sfuggente, ambiguo

shilling [ˈʃɪlɪŋ] *s.* scellino *m.*

to **shilly-shally** [ˈʃɪlɪˌʃælɪ] *v. intr.* (*fam.*) esitare

to **shimmer** [ˈʃɪmər] *v. intr.* brillare, luccicare

shin [ʃɪn] *s.* stinco *m.* ♦ **s.-bone** tibia

shine [ʃaɪn] *s.* **1** splendore *m.*, lucentezza *f.* **2** lucidata *f.*

to **shine** [ʃaɪn] (*pass. e p. p.* **shone**) **A** *v. intr.* brillare, risplendere **B** *v. tr.* **1** far luce su **2** (*pass. e p. p.* **shined**) lucidare, lustrare

shingle (1) [ˈʃɪŋgl] *s.* ciottoli *m. pl.*

shingle (2) [ˈʃɪŋgl] *s.* (*edil.*) scandola *f.*

shingles [ˈʃɪŋglz] *s. pl.* (*v. al sing.*) (*med.*) herpes zoster *m. inv.*

shining [ˈʃaɪnɪŋ] *agg.* fulgido, lucente

shiny [ˈʃaɪnɪ] *agg.* brillante, lucente

ship [ʃɪp] *s.* nave *f.* ♦ **s.'s chandler** fornitore navale

to **ship** [ʃɪp] **A** *v. tr.* **1** imbarcare **2** trasportare, spedire **B** *v. intr.* imbarcarsi

shipbuilder [ˈʃɪpˌbɪldər] *s.* costruttore *m.* navale

shipmaster [ˈʃɪpˌmaːstər] *s.* capitano *m.*

shipment [ˈʃɪpmənt] *s.* **1** carico *m.* **2** imbarco *m.*, spedizione *f.*

shipping [ˈʃɪpɪŋ] *s.* **1** imbarco *m.*, spedizione *f.* **2** naviglio *m.*, navigazione *f.* ♦ **s. agent** spedizioniere marittimo

shipshape [ˈʃɪpʃeɪp] **A** *agg.* ordinato **B** *avv.* in perfetto ordine

shipwreck [ˈʃɪprɛk] *s.* **1** naufragio *m.* **2** relitto *m.*

to **shipwreck** [ˈʃɪprɛk] **A** *v. intr.* naufragare **B** *v. tr.* far naufragare

shipyard [ˈʃɪpjaːd] *s.* cantiere *m.* navale

shire [ˈʃaɪər] *s.* contea *f.*

to **shirk** [ʃɜːk] *v. tr.* evitare, sottrarsi a

shirt [ʃɜːt] *s.* camicia *f.*, camicetta *f.*

shit [ʃɪt] *s.* (*volg.*) merda *f.*

shiver [ˈʃɪvər] *s.* brivido *m.*

to **shiver** [ˈʃɪvər] *v. intr.* rabbrividire

shivering [ˈʃɪvərɪŋ] *agg.* tremante

shoal (1) [ʃəʊl] *s.* bassofondo *m.*, secca *f.*

shoal (2) [ʃəʊl] *s.* **1** (*di pesci*) banco *m.* **2** moltitudine *f.*

shock [ʃək] *s.* **1** colpo *m.*, collisione *f.* **2** scossa *f.* **3** (*med.*) collasso *m.*, shock *m. inv.* ♦ **s. absorber** ammortizzatore

to **shock** [ʃək] **A** *v. tr.* **1** colpire, scuotere **2** scandalizzare **B** *v. intr.* scontrarsi

shocking [ˈʃəkɪŋ] *agg.* **1** vistoso **2** scioccante, scandaloso

shoe [ʃuː] *s.* **1** scarpa *f.* **2** ferro *m.* di cavallo ♦ **s. lace** stringa; **s. rack** scarpiera; **s. repairer** calzolaio

shoehorn [ˈʃuːhɔːn] *s.* calzascarpe *m. inv.*

shoemaker [ˈʃuːˌmeɪkər] *s.* calzolaio *m.*

shoeshine [ˈʃuːʃaɪn] *s.* lustrascarpe *m. inv.*

shone [ʃən] *pass. e p. p. di* to **shine**

shoo [ʃuː] *inter.* sciò

shook [ʃʊk] *pass. di* to **shake**

shoot [ʃuːt] *s.* **1** germoglio *m.* **2** battuta *f.* di caccia

to **shoot** [ʃuːt] (*pass. e p. p.* **shot**) **A** *v. tr.* **1** sparare a **2** lanciare, gettare **3** filmare, riprendere **B** *v. intr.* **1** sparare, tirare **2** andare a caccia **3** (*cine.*) girare **4** passare velocemente, sfrecciare **5** germogliare ♦ **to s. at** mirare a; **to s. down** abbattere; **to s. up** balzare fuori, salire alle stelle

shooting [ˈʃuːtɪŋ] *s.* **1** sparatoria *f.* **2** caccia *f.* ♦ **s. box** casino di caccia; **s. range** tiro a segno

shop [ʃəp] *s.* **1** bottega *f.*, negozio *m.* **2** officina *f.*, laboratorio *m.* ♦ **s. assistant** commesso, commessa; **s. lifter** taccheggiatore; **s. window** vetrina

to **shop** [ʃəp] *v. intr.* fare acquisti

shopkeeper [ˈʃəpˌkiːpər] *s.* negoziante *m.* e *f.*

shopper [ˈʃəpər] *s.* acquirente *m.* e *f.*

shopping [ˈʃəpɪŋ] *s.* **1** compere *f. pl.*, acquisti *m. pl.*, shopping *m. inv.* **2** spesa *f.* ♦ **s. mall/centre** centro commerciale

shore (1) [ʃɜːr] *s.* riva *f.*, sponda *f.*, spiaggia *f.*, lido *m.* ♦ **off s.** al largo; **on s.** a terra

shore (2) [ʃɜːr] *s.* puntello *m.*

to **shore** [ʃɜːr] *v. tr.* puntellare

shorn [ʃɜːn] *p. p. di* to **shear**

short [ʃɜːt] **A** *agg.* **1** corto, breve **2** basso, piccolo **3** scarso, insufficiente **4** brusco, rude **5** friabile **6** (*metall.*) fragile **7** (*comm.*) a breve scadenza **8** (*fam.*) (*di liquore*) liscio **B** *s.* **1** (*sillaba*) breve *f.* **2** (*cine.*) cortometraggio *m.* **3** *al pl.* pantaloni *m. pl.* corti, shorts *m. pl.* **C** *avv.* **1** bruscamente, improvvisamente **2** brevemente ♦ **in s.** in breve; **s. cut** scorciatoia; **s. lived** momentaneo, caduco; **s. of** all'infuori di; **s. pastry** pasta frolla; **s. sighted** miope; **s. story** racconto; **s. tempered** irascibile; **s.-wave** a onde corte; **to fall s. st.** non raggiungere q.c., essere inadeguato a q.c.; **to run s. of** essere a corto di

shortage [ˈʃɜːtɪdʒ] *s.* mancanza *f.*, scarsità f.

shortbread ['ʃɔːtbrɛd] s. biscotto m. di pasta frolla

short-circuit [‚ʃɔːt'sɜːkɪt] s. cortocircuito m.

shortcoming ['ʃɔːtkˌʌmɪŋ] s. 1 mancanza f., deficienza f. 2 difetto m.

to shorten ['ʃɔːtn] v. tr. accorciare, ridurre

shortfall ['ʃɔːtfɔːl] s. 1 diminuzione f. 2 (econ.) deficit m. inv.

shorthand ['ʃɔːthænd] s. stenografia f.

shortly ['ʃɔːtlɪ] avv. 1 presto, in breve tempo 2 bruscamente

shot (1) [ʃɔt] s. 1 sparo m., colpo m. 2 (sport) tiro m. 3 tiratore m. 4 pallottola f., proiettile m. 5 (atletica) peso m. 6 (fam.) prova f., tentativo m. 7 (fam.) foto f. 8 (fam.) (di droga) iniezione f. 9 (fam.) sorso m., goccio m. ◆ **s. put** lancio del peso

shot (2) [ʃɔt] pass. e p. p. di **to shoot**

shotgun ['ʃɔtgʌn] s. fucile m. da caccia, schioppo m.

should [ʃʊd, ʃəd] (pass. di **shall**) v. difett. 1 (ausiliare per la formazione del condizionale) (ES: **I s. eat it if I were not on a diet** lo mangerei se non fossi a dieta) 2 (indica suggerimento o probabilità) dovere (ES: **you s. pay your debts** dovresti pagare i tuoi debiti, **if the weather s. get worse** se il tempo dovesse peggiorare) 3 (ausiliare per la formazione del congiuntivo) (ES: **it's wonderful that you s. come** è stupendo che tu venga)

shoulder ['ʃəʊldəʳ] s. 1 spalla f. 2 (di strada) bordo m. ◆ **hard s.** corsia d'emergenza; **s. bag** borsa a tracolla; **s. blade** scapola; **s. strap** spallina

to shoulder ['ʃəʊldəʳ] v. tr. 1 portare sulle spalle 2 addossarsi

shout [ʃaʊt] s. grido m., urlo m.

to shout [ʃaʊt] v. tr. e intr. gridare, urlare ◆ **to s. sb. down** far tacere qc. gridando

shouting ['ʃaʊtɪŋ] s. grida f. pl.

shove [ʃʌv] s. spinta f.

to shove [ʃʌv] **A** v. tr. 1 spingere 2 (fam.) ficcare, mettere 3 respingere **B** v. intr. 1 farsi largo a spinte 2 spostarsi ◆ **to s. off** scostarsi da terra, andarsene

shovel ['ʃʌvl] s. pala f., paletta f.

to shovel ['ʃʌvl] v. tr. spalare

show [ʃəʊ] s. 1 mostra f., esposizione f. 2 dimostrazione f., manifestazione f. 3 apparenza f., parvenza f. 4 spettacolo m. 5 (fam.) affare m., faccenda f.

to show [ʃəʊ] (pass. **showed**, p. p. **shown**) **A** v. tr. 1 mostrare, esporre, esibire 2 indicare, rappresentare 3 provare, rivelare 4 accompagnare 5 (spettacoli, film) programmare, dare **B** v. intr. apparire, vedersi ◆ **to s. in** introdurre; **to s. off** mettere in risalto, ostentare; **to s. oneself** mostrarsi; **to s. out** accompagnare all'uscita; **to s. up** mettere in luce, farsi vivo

showcase ['ʃəʊkeɪs] s. bacheca f.

shower ['ʃaʊəʳ] s. 1 acquazzone m., scroscio m. 2 (fig.) pioggia f., scarica f., nugolo m. 3 doccia f. ◆ **to take a s.** fare la doccia

to shower ['ʃaʊəʳ] **A** v. tr. 1 far cadere, versare 2 inondare di **B** v. intr. 1 diluviare 2 fare la doccia

showing ['ʃəʊ(ʊ)ɪŋ] s. rappresentazione f., spettacolo m.

shown [ʃəʊn] p. p. di **to show**

showpiece ['ʃəʊpiːs] s. 1 pezzo m. forte 2 oggetto m. da esposizione

showroom ['ʃəʊruːm] s. sala f. da esposizione, showroom m. inv.

showy ['ʃəʊ(ʊ)ɪ] agg. appariscente, vistoso

shrank [ʃræŋk] pass. di **to shrink**

shred [ʃrɛd] s. brandello m., frammento m.

to shred [ʃrɛd] v. tr. lacerare, ridurre a brandelli

shrewd [ʃruːd] agg. accorto, sagace

shriek [ʃriːk] s. 1 grido m., strillo m. 2 fischio m.

to shriek [ʃriːk] v. intr. gridare, strillare

shrill [ʃrɪl] agg. stridulo, acuto

shrimp [ʃrɪmp] s. gamberetto m.

shrine [ʃraɪn] s. 1 reliquiario m. 2 santuario m.

shrink [ʃrɪŋk] s. (pop.) psichiatra m. e f.

to shrink [ʃrɪŋk] (pass. **shrank**, p. p. **shrunk**) **A** v. intr. 1 restringersi, ritirarsi 2 indietreggiare, tirarsi indietro, rifuggire **B** v. tr. far restringere, accorciare ◆ **to s. into oneself** chiudersi in sé

shrinkage ['ʃrɪŋkɪdʒ] s. contrazione f., restringimento m.

shrinkproof ['ʃrɪŋkpruːf] agg. irrestringibile

to shrivel ['ʃrɪvl] v. intr. raggrinzirsi

shroud [ʃraʊd] s. 1 sudario m. 2 (fig.) velo m. 3 (naut.) sartia f.

to shroud [ʃraʊd] v. tr. 1 avvolgere nel sudario 2 velare, nascondere

Shrove Tuesday [‚ʃrəʊv'tjuːzdɪ] s. martedì m. grasso

shrub [ʃrʌb] s. arbusto m.

shrubbery ['ʃrʌbərɪ] s. **1** boschetto m. **2** arbusti m. pl.

to shrug [ʃrʌg] v. intr. scrollare le spalle ♦ **to s. off** passare sopra a

shrunk [ʃrʌŋk] p. p. di **to shrink**

shuck [ʃʌk] s. **1** guscio m., baccello m. **2** conchiglia f.

shudder ['ʃʌdər] s. brivido m.

to shudder ['ʃʌdər] v. intr. rabbrividire

to shuffle ['ʃʌfl] v. tr. **1** rimescolare **2** trascinare, strascicare ♦ **to s. off** sottrarsi a

to shun [ʃʌn] v. tr. evitare, schivare

to shunt [ʃʌnt] v. tr. **1** deviare **2** smistare **3** accantonare

shunting ['ʃʌntɪŋ] s. **1** (elettr) derivazione f. **2** smistamento m.

shut [ʃʌt] agg. chiuso

to shut [ʃʌt] (pass. e p. p. **shut**) v. tr. e intr. chiudere, chiudersi ♦ **to s. down** chiudere i battenti; **to s. off** chiudere, bloccare; **to s. out** escludere; **to s. up** serrare, rinchiudere, mettere a tacere; **s. up!** piantala!

shutter ['ʃʌtər] s. **1** persiana f., saracinesca f. **2** (fot.) otturatore m.

shuttle ['ʃʌtl] s. navetta f.

shy [ʃaɪ] agg. **1** timido, pauroso **2** diffidente

shyness ['ʃaɪnɪs] s. timidezza f.

sibling ['sɪblɪŋ] s. spec. al pl. fratello m., sorella f.

sick [sɪk] agg. **1** malato, indisposto **2** che ha la nausea **3** nauseante ♦ **to be s.** stare per vomitare; **to fall s.** ammalarsi; **to feel s.** avere la nausea

sickbay ['sɪkbeɪ] s. infermeria f.

to sicken ['sɪkn] **A** v. tr. **1** nauseare, disgustare **2** far ammalare **B** v. intr. **1** ammalarsi **2** sentire nausea, essere disgustato **3** annoiarsi

sickening ['sɪknɪŋ] agg. nauseabondo

sickle ['sɪkl] s. falce f.

sickly ['sɪklɪ] agg. **1** malaticcio **2** pallido **3** malsano, nauseabondo

sickness ['sɪknɪs] s. **1** malattia f. **2** nausea f., vomito m.

side [saɪd] **A** s. **1** lato m., fianco m., fiancata f. **2** sponda f., margine m. **3** parte f., lato m. **4** partito m., fazione f., squadra f. **B** agg. **1** laterale **2** secondario ♦ **from s. to s.** da una parte all'altra; **on the other s.** d'altra parte; **s. by s.** fianco a fianco; **s. effect** effetto collaterale; **s. glance** sguardo in tralice

to side [saɪd] v. intr. parteggiare

sideboard ['saɪdbɔːd] s. credenza f.

sideboards ['saɪdbɔːdz] s. pl. basette f. pl.

sidecar ['saɪdkaː] s. sidecar m. inv.

sidelight ['saɪdlaɪt] s. (autom.) luce f. di posizione

sideline ['saɪdlaɪn] s. attività f. secondaria

sidelong ['saɪdlɒŋ] **A** agg. obliquo **B** avv. obliquamente

sideslip ['saɪdslɪp] s. slittamento m., sbandata f.

to sidestep ['saɪdstɛp] v. tr. scansare

sidewalk ['saɪd,wɔːk] s. (USA) marciapiede m.

sideways ['saɪd,weɪz] avv. lateralmente, obliquamente

siding ['saɪdɪŋ] s. (ferr.) binario m. di raccordo

to sidle ['saɪdl] v. intr. muoversi furtivamente

siege [siːdʒ] s. assedio m.

sieve [sɪv] s. setaccio m.

to sieve [sɪv] v. tr. setacciare

to sift [sɪft] v. tr. **1** setacciare **2** vagliare

sigh [saɪ] s. sospiro m.

to sigh [saɪ] v. intr. sospirare

sight [saɪt] s. **1** vista f. **2** visione f., veduta f. **3** mira f. **4** giudizio m., opinione f. **5** al pl. cose f. pl. da vedere, curiosità f.

to sight [saɪt] v. tr. **1** avvistare **2** traguardare **3** prendere la mira con, mirare a

sightseeing ['saɪt,siːɪŋ] s. giro m. turistico

sign [saɪn] s. **1** segno m., cenno m., gesto m. **2** indizio m., traccia f. **3** insegna f., segnale m. **4** (mat., astr) segno m.

to sign [saɪn] v. tr. **1** firmare, sottoscrivere **2** arruolare, ingaggiare ♦ **to s. away/over** cedere (una proprietà firmando un documento); **to s. on** arruolarsi, sottoscrivere un impegno; **to s. up** arruolarsi, iscriversi

signal ['sɪgnl] s. segnale m. ♦ **warning s.** segnale d'allarme

to signal ['sɪgnl] v. tr. e intr. segnalare

signature ['sɪgnɪtʃər] s. firma f. ♦ **s. tune** sigla musicale

signboard ['saɪnbɔːd] s. cartello m., insegna f.

signet ['sɪgnɪt] s. sigillo m.

significance [sɪg'nɪfɪkəns] s. **1** significato m. **2** importanza f.

significant [sɪg'nɪfɪkənt] agg. **1** significativo, espressivo **2** importante

to signify ['sɪgnɪfaɪ] **A** v. tr. **1** significare, voler dire **2** denotare **B** v. intr. **1** essere significativo **2** avere importanza

signpost ['saɪn,pəʊst] *s.* cartello *m.* indicatore

silence ['saɪləns] *s.* silenzio *m.*

to silence ['saɪləns] *v. tr.* far tacere

silencer ['saɪlənsəʳ] *s.* silenziatore *m.*

silent ['saɪlənt] *agg.* **1** silenzioso **2** muto

silhouette [,sɪlu(:)'ɛt] *s.* silhouette *f. inv.*, sagoma *f.* ♦ **in s.** in controluce

silicon ['sɪlɪkən] *s.* silicio *m.*

silicone ['sɪlɪkəʊn] *s.* silicone *m.*

silk [sɪlk] *s.* seta *f.*

silky ['sɪlkɪ] *agg.* **1** di seta, serico **2** morbido, lucente

sill [sɪl] *s.* soglia *f.*, davanzale *m.*

silly ['sɪlɪ] *agg. e s.* sciocco *m.*

silo ['saɪləʊ] (*pl.* **silos**) *s.* silo *m.*

silt [sɪlt] *s.* limo *m.*

silvan ['sɪlvən] *agg.* silvestre

silver ['sɪlvəʳ] **A** *s.* **1** argento *m.* **2** argenteria *f.* **B** *agg.* d'argento ♦ **s. fox** volpe argentata; **s. paper** carta stagnola; **s. wedding** nozze d'argento

to silver-plate ['sɪlvə,pleɪt] placcare d'argento

silverware ['sɪlvəwɛəʳ] *s.* argenteria *f.*

similar ['sɪmɪləʳ] *agg.* simile

similarity [,sɪmɪ'lærɪtɪ] *s.* somiglianza *f.*

simile ['sɪmɪlɪ] *s.* similitudine *f.*

similitude [sɪ'mɪlɪtjuːd] *s.* similitudine *f.*

to simmer ['sɪməʳ] *v. tr.* far bollire lentamente ♦ **to s. down** calmarsi

to simper ['sɪmpəʳ] *v. intr.* sorridere affettatamente

simple ['sɪmpl] *agg.* semplice

simplicity [sɪm'plɪsɪtɪ] *s.* semplicità *f.*

to simplify ['sɪmplɪfaɪ] *v. tr.* semplificare

simply ['sɪmplɪ] *avv.* semplicemente

to simulate ['sɪmjʊleɪt] *v. tr.* simulare

simulation [,sɪmjʊ'leɪʃ(ə)n] *s.* simulazione *f.*

simultaneous [,sɪm(ə)l'teɪnjəs] *agg.* simultaneo

sin [sɪn] *s.* peccato *m.*, colpa *f.*

to sin [sɪn] *v. intr.* peccare

since [sɪns] **A** *avv.* da allora **B** *prep.* da **C** *cong.* **1** da quando **2** poiché, giacché ♦ **ever s.** da allora in poi; **long s.** da tempo

sincere [sɪn'sɪəʳ] *agg.* sincero

sincerely [sɪn'sɪəlɪ] *avv.* sinceramente ♦ **yours s.** (*nelle lettere*) cordialmente vostro

sincerity [sɪn'sɛrɪtɪ] *s.* sincerità *f.*

sine [saɪn] *s.* (*mat.*) seno *m.*

sinew ['sɪnjuː] *s.* tendine *m.*

sinewy ['sɪnjuːɪ] *agg.* muscoloso

sinful ['sɪnf(ʊ)l] *agg.* peccaminoso

to sing [sɪŋ] (*pass.* **sang**, *p. p.* **sung**) *v. tr. e intr.* cantare

to singe ['sɪn(d)ʒ] *v. tr. e intr.* bruciacchiare, bruciacchiarsi

singer ['sɪŋəʳ] *s.* cantante *m. e f.*

singing ['sɪŋɪŋ] *s.* canto *m.*

single ['sɪŋgl] **A** *agg.* **1** singolo, semplice, individuale **2** celibe, nubile **3** sincero, leale **B** *s.* **1** singolo *m.* **2** single *m. e f. inv.* **3** (camera) singola *f.* **4** biglietto *m.* di sola andata ♦ **s. file** fila indiana

to single ['sɪŋgl] *v. tr.* scegliere ♦ **to s. out** selezionare

single-handed [,sɪŋgl'hændɪd] **A** *agg.* **1** con una mano sola **2** da solo **B** *avv.* da solo, senza aiuto

singly ['sɪŋglɪ] *avv.* singolarmente

singsong ['sɪŋ,sɒŋ] *s.* cantilena *f.*

singular ['sɪŋgjʊləʳ] *agg. e s.* singolare *m.*

sinister ['sɪnɪstəʳ] *agg.* **1** sinistro, funesto **2** infame

sink [sɪŋk] *s.* lavandino *m.*

to sink [sɪŋk] (*pass.* **sank**, *p. p.* **sunk**) **A** *v. intr.* **1** affondare **2** sprofondare **3** abbassarsi, calare **4** cadere **5** penetrare, filtrare **6** incavarsi, infossarsi **B** *v. tr.* **1** affondare **2** abbassare, far calare **3** scavare, perforare, incassare **4** dimenticare **5** (*denaro*) investire ♦ **to s. in** penetrare, far presa

sinner ['sɪnəʳ] *s.* peccatore *m.*

sinus ['saɪnəs] *s.* (*anat.*) seno *m.*

sinusitis [,saɪnə'saɪtɪs] *s.* sinusite *f.*

sip [sɪp] *s.* sorso *m.*

to sip [sɪp] *v. tr. e intr.* sorseggiare

siphon ['saɪf(ə)n] *s.* sifone *m.*

sir [sɜːʳ] *s.* **1** signore *m.* (*al vocativo*) **2** sir *m. inv.*

siren ['saɪərɪn] *s.* sirena *f.*

sirloin ['sɜːlɔɪn] *s.* lombo *m.* di manzo, controfiletto *m.*

sissy ['sɪsɪ] *s.* (*fam.*) donnicciola *f.*

sister ['sɪstəʳ] *s.* **1** sorella *f.* **2** suora *f.* **3** (infermiera) caposala *f.* ♦ **half s.** sorellastra; **s.-in-law** cognata

to sit [sɪt] (*pass. e p. p.* **sat**) *v. intr.* **1** sedere, stare seduto **2** essere in seduta **3** posare **4** (*di uccelli*) covare **5** (*di abiti*) cadere ♦ **to s. down** mettersi a sedere, accomodarsi; **to s. for** sostenere (un esame); **to s. in on** partecipare a; **to s. up** tirarsi su a sedere, stare alzato

site [saɪt] s. sito m., luogo m.

sitting ['sɪtɪŋ] s. **1** seduta f. **2** sessione f., udienza f. **3** turno m. ♦ **s. room** salotto

situated ['sɪtjueɪtɪd] agg. situato, posto

situation [ˌsɪtjuˈeɪʃ(ə)n] s. **1** situazione f., posizione f. **2** impiego m.

six [sɪks] agg. num. card. e s. sei m. inv.

sixteen [ˌsɪksˈtiːn] agg. num. card. e s. sedici m. inv.

sixteenth [ˌsɪksˈtiːnθ] agg. num. ord. e s. sedicesimo m.

sixth [sɪksθ] agg. num. ord. e s. sesto m.

sixtieth [sɪkstɪθ] agg. num. ord. e s. sessantesimo m.

sixty ['sɪkstɪ] agg. num. card. e s. sessanta m. inv.

sizable ['saɪzəbl] agg. considerevole

size (1) [saɪz] s. **1** dimensione f., grandezza f. **2** misura f., taglia f., formato m.

size (2) [saɪz] s. colla f., appretto m.

to size [saɪz] s. classificare secondo la misura ♦ **to s. up** valutare

skate (1) [skeɪt] s. pattino m.

skate (2) [skeɪt] s. (zool.) razza f.

to skate [skeɪt] v. intr. pattinare

skateboard ['skeɪtbɔːd] s. skateboard m. inv.

skater [skeɪtəʳ] s. pattinatore m.

skating ['skeɪtɪŋ] s. pattinaggio m. ♦ **figure s.** pattinaggio artistico; **ice s.** pattinaggio su ghiaccio; **roller s.** pattinaggio a rotelle; **s. rink** pista da pattinaggio

skein [skeɪn] s. matassa f.

skeleton ['skɛlɪtn] **A** s. **1** scheletro m. **2** ossatura f. **3** schema m., abbozzo m. **B** agg. ridotto (all'essenziale)

sketch [skɛtʃ] s. **1** schizzo m., abbozzo m. **2** scenetta f., sketch m. inv.

sketchy ['skɛtʃɪ] agg. abbozzato, approssimativo

skewer ['skjuəʳ] s. spiedo m.

ski [skiː] s. sci m. ♦ **s. boot** scarpone da sci; **s. jump** salto (con gli sci, dal trampolino); **s. lift** ski-lift, sciovia; **s. rack** portasci; **s. slope** pista da sci; **s. stick/pole** racchetta da sci; **water s.** sci nautico

to ski [skiː] v. intr. sciare

skid [skɪd] s. slittamento m., slittata f.

to skid [skɪd] v. intr. scivolare, slittare

skier ['skiːəʳ] s. sciatore m.

skiing ['skiːɪŋ] s. (sport) sci m.

skilful ['skɪlf(ʊ)l] agg. abile, destro

skill [skɪl] s. destrezza f., maestria f.

skilled [skɪld] agg. esperto, qualificato

to skim [skɪm] v. tr. **1** schiumare, scremare **2** sfiorare **3** scorrere, sfogliare ♦ **skimmed milk** latte scremato

to skimp [skɪmp] **A** v. tr. economizzare **B** v. intr. **1** lesinare **2** fare economie

skimpy ['skɪmpɪ] agg. scarso, misero

skin [skɪn] s. **1** pelle f. **2** buccia f., scorza f.

to skin [skɪn] v. tr. spellare, sbucciare

skin-deep [ˌskɪnˈdiːp] agg. superficiale

to skin-dive ['skɪndaɪv] v. intr. immergersi in apnea

skinny ['skɪnɪ] agg. macilento

skin-tight [ˌskɪnˈtaɪt] agg. aderente

skip [skɪp] s. **1** salto m. **2** omissione f.

to skip [skɪp] v. tr. e intr. saltare

skipper ['skɪpəʳ] s. **1** (naut.) skipper m. inv., comandante m. **2** (sport) capitano m.

skirmish ['skɜːmɪʃ] s. scaramuccia f.

skirt [skɜːt] s. **1** gonna f. **2** lembo m., margine m.

to skirt [skɜːt] v. tr. costeggiare, fiancheggiare

skit [skɪt] s. parodia f.

skittish ['skɪtɪʃ] agg. **1** vivace, volubile **2** (di cavallo) ombroso

skittle ['skɪtl] s. birillo m.

to skive [skaɪv] v. intr. (fam.) fare il lavativo, gingillarsi

to skulk [skʌlk] v. intr. **1** muoversi furtivamente **2** nascondersi

skull [skʌl] s. cranio m., teschio m.

skunk [skʌŋk] s. moffetta f.

sky [skaɪ] s. cielo m. ♦ **s. diving** paracadutismo

skylark ['skaɪlɑːk] s. allodola f.

skylight ['skaɪlaɪt] s. lucernario m.

skyscraper ['skaɪˌskreɪpəʳ] s. grattacielo m.

slab [slæb] s. **1** lastra f., piastra f. **2** fetta f.

slack [slæk] **A** agg. **1** lento, allentato **2** pigro, indolente **3** fiacco **B** s. **1** rilassamento m. **2** periodo m. morto **3** al pl. pantaloni m. pl. **4** (mecc.) gioco m.

to slacken ['slæk(ə)n] **A** v. tr. **1** allentare, mollare **2** diminuire **B** v. intr. **1** rilassarsi, rallentare il ritmo **2** ridursi

slag [slæg] s. scoria f.

slain [sleɪn] p. p. di **to slay**

to slam [slæm] **A** v. tr. **1** sbattere, chiudere violentemente **2** scaraventare **3** (fam.) criticare **B** v. intr. (di porta) sbattere

slander ['slɑːndəʳ] s. calunnia f., diffamazione f.

slang [slæŋ] *s.* gergo *m.*, slang *m. inv.*

slant [sla:nt] *s.* **1** inclinazione *f.*, pendenza *f.*, pendio *m.* **2** angolazione *f.*

to slant [sla:nt] **A** *v. intr.* **1** pendere, inclinarsi **2** propendere **B** *v. tr.* **1** deviare **2** presentare in maniera tendenziosa

slanting ['sla:ntɪŋ] *agg.* obliquo, inclinato

slap [slæp] **A** *s.* ceffone *m.*, sberla *f.* **B** *avv.* **1** improvvisamente **2** in pieno ♦ **s.-bang** di colpo

to slap [slæp] *v. tr.* **1** schiaffeggiare **2** sbattere

slapdash ['slæpdæʃ] **A** *agg.* precipitoso, affrettato **B** *avv.* frettolosamente

slap-up ['slæpʌp] *agg. (fam.)* eccellente

slash [slæʃ] *s.* **1** taglio *m.*, squarcio *m.* **2** frustata *f.* **3** *(segno grafico)* barra *f.*

to slash [slæʃ] *v. tr.* **1** tagliare, squarciare **2** frustare **3** ridurre drasticamente **4** criticare, stroncare

slat [slæt] *s.* assicella *f.*, stecca *f.*

slate [sleɪt] *s.* **1** ardesia *f.* **2** tegola *f.* d'ardesia

to slate [sleɪt] *v. tr. (fam.)* **1** criticare, stroncare **2** rimproverare

slating ['sleɪtɪŋ] *s.* stroncatura *f.*

slaughter ['slɔ:tər] *s.* massacro *m.*, strage *f.* ♦ **s. house** mattatoio

to slaughter ['slɔ:tər] *v. tr.* massacrare, macellare

slave [sleɪv] *agg. e s.* schiavo *m.*

slavery ['sleɪvərɪ] *s.* schiavitù *f.*

Slavic ['sla:vɪk] *agg. e s.* slavo *m.*

slavish ['sleɪvɪʃ] *agg.* servile

to slay [sleɪ] *(pass.* slew, *p. p.* slain) *v. tr. (letter)* ammazzare

sleazy ['sli:zɪ] *agg.* squallido

sled [sled] *s.* slitta *f.*

sledge [sledʒ] *s.* slitta *f.*

sledgehammer ['sledʒˌhæmər] *s.* mazza *f.*, maglio *m.*

sleek [sli:k] *agg.* **1** liscio, lucido **2** mellifluo **3** di lusso, elegante

sleep [sli:p] *s.* **1** sonno *m.* **2** dormita *f.* ♦ **sound s.** sonno profondo; **to go to s.** addormentarsi

to sleep [sli:p] *(pass. e p. p.* slept) *v. intr.* dormire ♦ **to s. in** dormire fino a tardi

sleeper ['sli:pər] *s.* **1** dormiglione *m.* **2** *(ferr.)* traversina *f.* **3** *(ferr.)* vagone letto *m.*

sleepiness ['sli:pɪnɪs] *s.* sonnolenza *f.*

sleeping ['sli:pɪŋ] *agg.* addormentato ♦ **s. bag** sacco a pelo; **s. car** vagone letto; **s. draught/pill** sonnifero

sleepless ['sli:plɪs] *agg.* insonne

sleeplessness ['sli:plɪsnɪs] *s.* insonnia *f.*

sleepwalker ['sli:p,wɜ:kər] *s.* sonnambulo *m.*

sleepy ['sli:pɪ] *agg.* assonnato ♦ **s. head** dormiglione

sleet [sli:t] *s.* nevischio *m.*

sleeve [sli:v] *s.* **1** manica *f.* **2** copertina *f.*, custodia *f.*

sleigh [sleɪ] *s.* slitta *f.*

sleight [slaɪt] *s.* abilità *f.* ♦ **s. of hand** gioco di prestigio

slender ['slendər] *agg.* **1** esile, snello **2** scarso, tenue

slept [slept] *pass. e p. p. di* **to sleep**

slew [slu:] *pass. di* **to slay**

slice [slaɪs] *s.* fetta *f.*, trancio *m.*

to slice [slaɪs] *v. tr.* affettare, tagliare

slick [slɪk] **A** *agg.* **1** liscio, sdrucciolevole **2** astuto **3** untuoso, viscido **B** *s.* **oil s.** chiazza *f.* di petrolio

slide [slaɪd] *s.* **1** scivolata *f.*, scivolone *m.* **2** scivolo *m.* **3** *(mecc.)* guida *f.*, cursore *m.* **4** *(per microscopio)* vetrino *m.* **5** diapositiva *f.* ♦ **s. fastener** chiusura lampo

to slide [slaɪd] *(pass. e p. p.* slid) *v. intr.* scivolare

sliding ['slaɪdɪŋ] *agg.* scorrevole, mobile ♦ **s. scale** scala mobile *(dei salari)*

slight [slaɪt] **A** *agg.* **1** esile, smilzo, minuto **2** leggero, lieve **3** insignificante **B** *s.* **1** affronto *m.*, mancanza *f.* di riguardo **2** trascuratezza *f.*

to slight [slaɪt] *v. tr.* **1** disprezzare **2** trascurare

slightly ['slaɪtlɪ] *avv.* **1** leggermente, un poco **2** scarsamente

slim [slɪm] *agg.* magro, snello

to slim [slɪm] *v. intr.* **1** dimagrire *(seguendo una dieta)* **2** fare la dieta

slime [slaɪm] *s.* limo *m.*, melma *f.*

slimming ['slɪmɪŋ] *agg.* dimagrante

slimy ['slaɪmɪ] *agg.* **1** fangoso **2** viscido

sling [slɪŋ] *s.* **1** fionda *f.* **2** imbracatura *f.* ♦ **baby s.** marsupio

to sling [slɪŋ] *(pass. e p. p.* slung) *v. tr.* **1** lanciare, scagliare **2** sospendere, imbracare **3** portare a tracolla

slip [slɪp] *s.* **1** scivolone *m.* **2** errore *m.*, svista *f.* **3** tagliando *m.*, scontrino *m.* **4** striscia *f.* **5** scivolo *m.*, imbarcadero *m.* **6** federa *f.* **7** sottoveste *f.* ♦ **s.-road** rampa di accesso *(a un'autostrada)*

to slip [slɪp] **A** *v. intr.* **1** scivolare **2** sgusciare, sgattaiolare **3** decadere, peggiorare **B** *v. tr.* **1** far scivolare, infilare **2** sciogliere, liberare **3** sottrarsi a ♦ **to let s.** lasciarsi scappare; **to s. away** svignarsela; **to s. up** sbagliare

slipper ['slɪpər] *s.* pantofola *f.*

slippery ['slɪp(ə)rɪ] *agg.* scivoloso, sdrucciolevole, viscido

slipshod ['slɪpʃɒd] *agg.* trasandato

slip-up ['slɪpʌp] *s.* (*fam.*) sbaglio *m.*

slipway ['slɪpweɪ] *s.* (*naut.*) scalo *m.*

slit [slɪt] *s.* fenditura *f.*, fessura *f.*, spacco *m.*

to slit [slɪt] (*pass. e p. p.* **slit**) *v. tr.* tagliare, fendere

to slither ['slɪðər] *v. intr.* scivolare

sliver ['slɪvər] *s.* scheggia *f.*, frammento *m.*

slob [slɒb] *s.* (*pop.*) zoticone *m.*

to slog [slɒg] *v. intr.* **1** colpire con violenza **2** sgobbare **3** procedere a fatica

slogan ['sləʊgən] *s.* slogan *m. inv.*

to slop [slɒp] **A** *v. tr.* **1** versare, rovesciare **2** schizzare **B** *v. intr.* **1** traboccare **2** sguazzare

slope [sləʊp] *s.* **1** pendio *m.*, scarpata *f.* **2** inclinazione *f.*, pendenza *f.*

to slope [sləʊp] *v. intr.* pendere, essere inclinato ♦ **to s. off** svignarsela

sloppy ['slɒpɪ] *agg.* **1** fangoso, umido *f.* trascurato, sciatto

slot [slɒt] *s.* **1** fessura *f.*, apertura *f.* **2** scanalatura *f.*

to slot [slɒt] *v. tr.* **1** (*in una fessura*) introdurre, inserire **2** scanalare

sloth [sləʊθ] *s.* pigrizia *f.*

to slouch [slaʊtʃ] *v. intr.* trascinarsi, ciondolare ♦ **to s. about** gironzolare

slow [sləʊ] **A** *agg.* **1** lento **2** tardo, ottuso **3** monotono, noioso **4** indietro, in ritardo **B** *avv.* lentamente, piano ♦ **in s. motion** al rallentatore

to slow [sləʊ] *v. tr. e intr.* rallentare

slowness ['sləʊnɪs] *s.* lentezza *f.*

sludge [slʌdʒ] *s.* fango *m.*

slug (1) [slʌg] *s.* lumaca *f.*

slug (2) [slʌg] *s.* **1** pallottola *f.*, proiettile *m.* **2** gettone *m.*

sluggish ['slʌgɪʃ] *agg.* indolente, pigro

sluice [sluːs] *s.* chiusa *f.*

slum [slʌm] *s.* **1** catapecchia *f.* **2** *al pl.* bassifondi *m. pl.*

slumber ['slʌmbər] *s.* sonno *m.*

slump [slʌmp] *s.* **1** crollo *m.*, caduta *f.* **2** (*econ.*) recessione *f.*

to slump [slʌmp] *v. intr.* crollare

slung [slʌŋ] *pass. e p. p. di* **to sling**

slur [slɜːr] *s.* **1** affronto *m.*, accusa *f.* **2** pronuncia *f.* indistinta **3** (*mus.*) legatura *f.*

to slurp [slɜːp] *v. tr. e intr.* tranguggiare

slush [slʌʃ] *s.* fanghiglia *f.* ♦ **s. fund** fondi neri

slut [slʌt] *s.* **1** sciattona *f.* **2** sgualdrina *f.*

sly [slaɪ] *agg.* furbo, scaltro

smack (1) [smæk] *s.* aroma *m.*, gusto *m.*

smack (2) [smæk] *s.* **1** schiaffo *m.* **2** (*di bacio, frusta*) schiocco *m.* **3** bacio *m.* con lo schiocco

to smack (1) [smæk] *v. intr.* sapere di

to smack (2) [smæk] *v. tr.* **1** schioccare **2** schiaffeggiare

small [smɔːl] *agg.* piccolo ♦ **s. change** spiccioli; **s. hours** ore piccole; **s. talk** chiacchiere

smallpox ['smɔːlpɒks] *s.* vaiolo *m.*

smart [smɑːt] *agg.* **1** elegante, alla moda **2** intelligente, sveglio **3** forte, acuto, aspro ♦ **the s. set** il bel mondo

to smart [smɑːt] *v. intr.* **1** bruciare, far male **2** soffrire

to smarten up ['smɑːtn ʌp] **A** *v. tr.* **1** abbellire **2** ravvivare **B** *v. intr.* farsi bello

smash [smæʃ] *s.* **1** scontro *m.*, collisione *f.* **2** tracollo *m.*, rovina *f.* **3** (*fam.*) grande successo *m.* **4** (*tennis*) smash *m. inv.*, schiacciata *f.*

to smash [smæʃ] **A** *v. tr.* **1** fracassare, schiantare **2** sconfiggere, stroncare **3** (*tennis*) schiacciare **B** *v. intr.* frantumarsi, schiantarsi

smashing ['smæʃɪŋ] *agg.* (*fam.*) formidabile

smash-up ['smæʃʌp] *s.* **1** scontro *m.*, incidente *m.* stradale **2** rovina *f.*

smattering ['smæt(ə)rɪŋ] *s.* infarinatura *f.* (*fig.*)

smell [smɛl] *s.* **1** odorato *m.* **2** odore *m.*

to smell [smɛl] (*pass. e p. p.* **smelt**) **A** *v. tr.* annusare, fiutare **B** *v. intr.* odorare, aver profumo, puzzare

smile [smaɪl] *s.* sorriso *m.*

to smile [smaɪl] *v. intr.* sorridere

smiling ['smaɪlɪŋ] *agg.* sorridente

smirk [smɜːk] *s.* sorriso *m.* affettato

smith [smɪθ] *s.* fabbro *m.*

smithery ['smɪθərɪ] *s.* fucina *f.*

smock [smɒk] *s.* grembiule *m.*

smog [smɒg] *s.* smog *m. inv.*

smoke [sməʊk] *s.* fumo *m.*

to smoke [sməʊk] **A** *v. tr.* **1** fumare **2**

affumicare **B** *v. intr.* fumare

smoker ['smʊkər] *s.* **1** fumatore *m.* **2** scompartimento *m.* per fumatori

smoking ['smʊkɪŋ] *s.* fumo *m.* ◆ **no s.** vietato fumare

smoky ['smʊkɪ] *agg.* fumoso

smooth [smu:ð] *agg.* **1** liscio, levigato **2** omogeneo, ben amalgamato **3** dolce, amabile **4** sdolcinato, mellifluo **5** facile

to **smooth** [smu:ð] *v. tr.* **1** lisciare, levigare **2** appianare

smoothness ['smu:ðnɪs] *s.* levigatezza *f.*

to **smother** ['smʌðər] *v. tr.* soffocare, reprimere

to **smoulder** ['smʊldər] (*USA* to **smolder**) *v. intr.* covare sotto la cenere

smudge [smʌdʒ] *s.* **1** macchia *f.*, sbavatura *f.* **2** (*USA*) fumo *m.* denso

to **smudge** [smʌdʒ] *v. tr.* macchiare, imbrattare

smug [smʌg] *agg.* compiaciuto

to **smuggle** ['smʌgl] *v. tr.* contrabbandare

smuggler ['smʌglər] *s.* contrabbandiere *m.*

smuggling ['smʌglɪŋ] *s.* contrabbando *m.*

smut [smʌt] *s.* **1** fuliggine *f.* **2** (*fam.*) oscenità *f.*

snack [snæk] *s.* spuntino *m.*, snack *m. inv.*

snag [snæg] *s.* **1** protuberanza *f.* **2** impedimento *m.*, ostacolo *m.*

snail [sneɪl] *s.* lumaca *f.*, chiocciola *f.*

snake [sneɪk] *s.* serpente *m.*

snap [snæp] **A** *s.* **1** scatto *m.*, schiocco *m.*, schianto *m.* **2** fermaglio *m.* **3** (*fot.*) istantanea *f.* **B** *agg.* **1** improvviso **2** a scatto

to **snap** [snæp] **A** *v. tr.* **1** spezzare **2** schioccare, far scattare **3** addentare **4** fare una foto a **B** *v. intr.* **1** spezzarsi **2** scattare, schioccare **3** parlare in modo brusco ◆ **to s. at** addentare, afferrare; **to s. up** prendere al volo

snappy ['snæpɪ] *agg.* **1** brusco, aspro **2** brillante **3** alla moda ◆ **make it s.!** sbrigati!

snapshot ['snæpʃət] *s.* (*fot.*) istantanea *f.*

snare [sneər] *s.* tranello *m.*, trappola *f.*

to **snarl** [sna:l] *v. intr.* ringhiare

snarling ['sna:lɪŋ] *agg.* ringhioso

snatch [snætʃ] *s.* **1** strappo *m.*, strattone *m.* **2** (*pop.*) scippo *m.* **3** frammento *m.*

to **snatch** [snætʃ] *v. tr.* **1** afferrare, strappare **2** scippare, rubare

sneer [snɪər] *s.* sogghigno *m.*

to **sneer** [snɪər] *v. intr.* sogghignare

sneeze [sni:z] *s.* starnuto *m.*

to **sneeze** [sni:z] *v. intr.* starnutire

to **sniff** [snɪf] *v. tr. e intr.* annusare, fiutare, tirare su con il naso

to **snigger** ['snɪgər] *v. intr.* ridacchiare

snip [snɪp] *s.* **1** forbiciata *f.* **2** ritaglio *m.*, pezzetto *m.* **3** scampolo *m.* **4** (*fam.*) affare *m.*, occasione *f.*

to **snip** [snɪp] *v. tr.* tagliare (*con forbici*)

snipe [snaɪp] *s.* beccaccino *m.*

sniper ['snaɪpər] *s.* franco tiratore *m.*

snippet ['snɪpɪt] *s.* frammento *m.*

snivelling ['snɪvlɪŋ] *agg.* piagnucoloso

snob [snɒb] *s.* snob *m.* e *f. inv.*

snobbery ['snɒbərɪ] *s.* snobismo *m.*

snobbish ['snɒbɪʃ] *agg.* snobistico, snob

to **snoop** [snu:p] *v. intr.* curiosare

snooty ['snu:tɪ] *agg.* borioso

snooze [snu:z] *s.* pisolino *m.*, dormitina *f.*

to **snooze** [snu:z] *v. intr.* sonnecchiare

to **snore** [snɔ:r] *v. intr.* russare

snorkel ['snɔ:k(ə)l] *s.* boccaglio *m.*

snort [snɔ:t] *s.* sbuffo *m.*

to **snort** [snɔ:t] *v. intr.* sbuffare

snout [snaʊt] *s.* muso *m.*, grugno *m.*

snow [snɒʊ] *s.* neve *f.*

to **snow** [snɒʊ] *v. intr.* nevicare

snowball ['snɒʊbɔ:l] *s.* palla *f.* di neve

snowbound ['snɒʊbaʊnd] *agg.* bloccato dalla neve

snowdrift ['snɒʊdrɪft] *s.* cumulo *m.* di neve

snowdrop ['snɒʊdrɒp] *s.* bucaneve *m.*

snowfall ['snɒʊfɔ:l] *s.* nevicata *f.*

snowflake ['snɒʊfleɪk] *s.* fiocco *m.* di neve

snowman ['snɒʊmæn] (*pl.* **snowmen**) *s.* pupazzo *m.* di neve

snowplough ['snɒʊˌplaʊ] (*USA* **snowplow**) *s.* spazzaneve *m. inv.*

snowshoe ['snɒʊʃu:] *s.* racchetta *f.* da neve

snowslide ['snɒʊslaɪd] *s.* slavina *f.*

snowstorm ['snɒʊstɔ:m] *s.* bufera *f.* di neve

snowy ['snɒ(ʊ)ɪ] *agg.* **1** nevoso **2** candido

snub (1) [snʌb] *s.* affronto *m.*

snub (2) [snʌb] *agg.* camuso

to **snub** [snʌb] *v. tr.* **1** rimproverare, umiliare **2** snobbare

snuff [snʌf] *s.* tabacco *m.* da fiuto

snug [snʌg] **1** comodo, accogliente **2** (*di abito*) aderente

to **snuggle** ['snʌgl] *v. intr.* rannicchiarsi

so [sɒʊ] **A** *avv.* **1** così, tanto, talmente **2** allora, così **3** molto **B** *cong.* perciò, così

♦ **and so on** e così via; **or s.** all'incirca;
so as così da; **so much** (così) tanto; **so
many** (così) tanti; **so far** finora; **so long**
a presto!; **so what?** e allora?

to soak [soʊk] **A** v. tr. **1** immergere, mettere a bagno **2** (fam.) tartassare **B** v. intr.
1 inzupparsi **2** penetrare ♦ **to s. up** assorbire

soap [soʊp] s. sapone m. ♦ **s. dish** porta-
sapone; **s. flakes** sapone in scaglie; **s.
powder** detersivo in polvere

to soap [soʊp] v. tr. insaponare

soapy ['soʊpɪ] agg. insaponato, saponoso

to soar [sɔːr] v. intr. **1** alzarsi in volo **2** (aer.)
veleggiare **3** elevarsi, svettare **4** aumentare vertiginosamente, salire alle stelle

sob [sɒb] s. singhiozzo m.

to sob [sɒb] v. intr. singhiozzare, piangere

sober ['soʊbər] agg. **1** sobrio, non ubriaco
2 moderato, equilibrato

to sober ['soʊbər] **A** v. tr. **1** calmare, moderare **2 to s. up** far passare la sbornia a
B v. intr. **1** calmarsi, rinsavire **2 to s. up**
smaltire la sbornia

so-called [ˌsoʊˈkɔːld] agg. cosiddetto

soccer ['sɒkər] s. (sport) calcio m.

sociable ['soʊʃɛbl] agg. socievole

social ['soʊʃəl] agg. **1** sociale **2** socievole
♦ **s. democracy** socialdemocrazia; **s.
security** previdenza sociale; **s. worker**
assistente sociale

socialism ['soʊʃəlɪz(ə)m] s. sociali-
smo m.

socialist ['soʊʃəlɪst] agg. e s. socialista m.
e f.

to socialize ['soʊʃəlaɪz] v. tr. e intr. socia-
lizzare

society [səˈsaɪətɪ] s. società f.

sociologist [ˌsoʊsɪˈɒlədʒɪst] s. sociolo-
go m.

sociology [ˌsoʊsɪˈɒlədʒɪ] s. sociologia f.

sock [sɒk] s. calza f. (da uomo), calzino m.

socket ['sɒkɪt] s. **1** cavità f., incavo m. **2**
presa f. di corrente **3** (elettron.) zoccolo
m. ♦ **eye s.** orbita

sod (1) [sɒd] s. zolla f.

sod (2) [sɒd] s. canaglia f.

sodium ['soʊdjəm] s. sodio m.

sofa ['soʊfə] s. sofà m.

soft [sɒft] agg. **1** molle, morbido, tenero **2**
leggero, delicato **3** sommesso, tenue **4**
gentile, amabile **5** (fam.) facile **6** leggero,
non alcolico ♦ **s. drink** bevanda non alcolica

to soften ['sɒfn] **A** v. tr. **1** ammorbidire **2**
abbassare, mitigare, attenuare **B** v. intr. **1**
ammorbidirsi **2** addolcirsi, intenerirsi **3**
placarsi ♦ **to s. up** indebolire

softness ['sɒftnɪs] s. **1** mollezza f., mor-
bidezza f. **2** mitezza f., dolcezza f. **3** stupidità f.

to soft-soap ['sɒftˌsoʊp] v. tr. (fam.) adulare, lisciare

software ['sɒftwɛər] s. software m. inv.

soggy ['sɒgɪ] agg. fradicio, inzuppato

soil (1) [sɔɪl] s. suolo m., terreno m.

soil (2) [sɔɪl] s. **1** sporco m., sudiciume m.
2 concime m.

to soil [sɔɪl] v. tr. imbrattare, sporcare

soiled [sɔɪld] agg. sporco, macchiato

solace ['sɒləs] s. conforto m., consolazione f.

solar ['soʊlər] agg. solare

sold [soʊld] pass. e p. p. di **to sell** ♦ **s. out**
(di merce) esaurito

to solder ['sɒldər] v. tr. saldare

soldier ['soʊldʒər] s. soldato m.

soldierly ['soʊldʒəlɪ] agg. militaresco

sole (1) [soʊl] agg. unico, solo

sole (2) [soʊl] s. **1** suola f. **2** (del piede)
pianta f. **3** base f., fondo m.

sole (3) [soʊl] s. sogliola f.

to sole [soʊl] v. tr. risuolare

solely ['soʊllɪ] avv. solamente, unicamente

solemn ['sɒləm] agg. solenne

solemnity [səˈlɛmnɪtɪ] s. solennità f.

solfeggio [sɒlˈfɛdʒɪoʊ] s. solfeggio m.

to solicit [səˈlɪsɪt] v. tr. **1** sollecitare **2** adescare **3** istigare

solicitation [səˌlɪsɪˈteɪʃ(ə)n] s. **1** sollecitazione f. **2** adescamento m. **3** istigazio-
ne f.

solicitor [səˈlɪsɪtər] s. procuratore m. legale

solicitous [səˈlɪsɪtəs] agg. premuroso

solid ['sɒlɪd] **A** agg. **1** solido **2** compatto,
uniforme **3** pieno, massiccio **B** s. solido
m., sostanza f. solida

solidarity [ˌsɒlɪˈdærɪtɪ] s. solidarietà f.

solidity [səˈlɪdɪtɪ] s. solidità f.

soliloquy [səˈlɪləkwɪ] s. monologo m.

solitaire [ˌsɒlɪˈtɛər] s. solitario m.

solitary ['sɒlɪt(ə)rɪ] agg. solitario ♦ **s.
confinement** cella d'isolamento

solitude ['sɒlɪtjuːd] s. solitudine f.

to solmizate ['sɒlmɪzeɪt] v. tr. e intr. (mus.)
solfeggiare

solo ['soʊloʊ] s. (mus.) assolo m.

soloist ['soʊloʊ(ʊ)ɪst] s. solista m. e f.

solstice ['sɒlstɪs] *s.* solstizio *m.*

soluble ['sɒljʊbl] *agg.* solubile

solution [sə'lu:ʃ(ə)n] *s.* soluzione *f.*

to solve [sɒlv] *v. tr.* risolvere

solvent ['sɒlv(ə)nt] **A** *agg.* **1** (*comm.*) solvibile **2** (*chim.*) solvente **B** *s.* solvente *m.*

sombre ['sɒmbər] (*USA* **somber**) *agg.* **1** scuro **2** cupo, malinconico

some [sʌm, səm] **A** *agg.* **1** (*con valore partitivo*) del, dello, dei, della, delle, un po' di (ES: **would you like s. tea?** gradisci del tè?) **2** alcuni, alcune, qualche (ES: **s. years ago** alcuni anni fa) **3** un, una, un certo, una certa, qualche (ES: **s. time or other** una volta o l'altra) **B** *pron. indef.* alcuni, alcune, qualcuno, qualcuna, un po', ne (ES: **would you like s. biscuits? I already had s.** vuoi dei biscotti? ne ho già presi) **C** *avv.* **1** circa **2** (*fam.*) un po', piuttosto

somebody ['sʌmbədɪ] *pron. indef.* qualcuno

someday ['sʌmdeɪ] *avv.* un giorno o l'altro

somehow ['sʌmhaʊ] *avv.* in qualche modo, in un modo o nell'altro

someone ['sʌmwʌn] *pron. indef.* qualcuno

someplace ['sʌmpleɪs] *avv.* (*USA*) in qualche luogo

somersault ['sʌməsɔ:lt] *s.* **1** capriola *f.* **2** salto *m.* mortale

something ['sʌmθɪŋ] *pron. indef.* qualcosa

sometime ['sʌmtaɪm] **A** *agg. attr.* di un tempo, precedente, ex, già **B** *avv.* un giorno o l'altro

sometimes ['sʌmtaɪmz] *avv.* qualche volta, talvolta

somewhat ['sʌmwɒt] *avv.* piuttosto, un po'

somewhere ['sʌmweər] *avv.* in qualche parte ♦ **s. else** in qualche altra parte

son [sʌn] *s.* figlio *m.* ♦ **s.-in-law** genero

song [sɒŋ] *s.* canto *m.*, canzone *f.* ♦ **s.-bird** uccello canoro; **s-book** canzoniere

sonic ['sɒnɪk] *agg.* sonico

sonnet ['sɒnɪt] *s.* sonetto *m.*

sonneteer [ˌsɒnɪ'tɪər] *s.* scrittore *m.* di sonetti

sonny ['sʌnɪ] *s.* (*fam.*) ragazzo *m.* mio, figlio *m.* mio

sonority [sə'nɒrɪtɪ] *s.* sonorità *f.*

sonorous [sə'nɔ:rəs] *agg.* sonoro

soon [su:n] *avv.* **1** presto, fra breve, fra poco **2** piuttosto ♦ **as s. as (possible)** non appena (possibile); **sooner or later** prima o poi

soot [sʊt] *s.* fuliggine *f.*

to soothe [su:ð] *v. tr.* consolare, calmare

to sophisticate [sə'fɪstɪkeɪt] *v. tr.* sofisticare, adulterare

sophisticated [sə'fɪstɪkeɪtɪd] *agg.* **1** sofisticato, raffinato **2** adulterato

soppy ['sɒpɪ] *agg.* (*fam.*) **1** fradicio **2** sentimentale

soprano [sə'prɑ:nəʊ] *s.* soprano *m.*

sorbet ['sɔ:bət] *s.* sorbetto *m.*

sorcerer ['sɔ:s(ə)rər] *s.* stregone *m.*, mago *m.*

sorceress ['sɔ:s(ə)rɪs] *s.* strega *f.*, maga *f.*

sorcery ['sɔ:s(ə)rɪ] *s.* stregoneria *f.*

sordid ['sɔ:dɪd] *agg.* sordido

sore [sɔ:ʳ] **A** *agg.* **1** dolorante, che fa male **2** addolorato **3** (*fam.*) irritato **B** *s.* piaga *f.*, infiammazione *f.* ♦ **to have a s. throat** avere mal di gola

sorely ['sɔ:lɪ] *avv.* grandemente, molto

sorrow ['sɒrəʊ] *s.* dolore *m.*, pena *f.*

sorrowful ['sɒrəf(ʊ)l] *agg.* **1** addolorato, afflitto **2** doloroso

sorry ['sɒrɪ] **A** *agg.* **1** spiacente, dolente **2** pentito, rammaricato **3** meschino, miserabile **B** *inter.* **1** scusi, scusate, scusa **2** prego?, come? ♦ **to be s.** dispiacersi

sort [sɔ:t] *s.* **1** genere *m.*, qualità *f.*, tipo *m.* **2** ordinamento *m.* ♦ **a s. of** una specie di

to sort [sɔ:t] *v. tr.* **1** classificare, selezionare, smistare **2** (*inf.*) ordinare

sorting ['sɔ:tɪŋ] *s.* **1** classificazione *f.* **2** smistamento *m.* **3** (*inf.*) ordinamento *m.*

so-so ['səʊsəʊ] *agg. e avv.* così così

sought [sɔ:t] *pass. e p. di* **to seek**

soul [səʊl] *s.* anima *f.*

soulful [səʊlf(ʊ)l] *agg.* sentimentale

sound (1) [saʊnd] **A** *agg.* **1** sano, in buono stato **2** solido, valido, efficace **3** accurato **4** completo, totale, profondo **B** *avv.* profondamente

sound (2) [saʊnd] *s.* **1** suono *m.*, rumore *m.* **2** tono *m.* **3** audio *m. inv.* ♦ **s. effects** effetti sonori

sound (3) [saʊnd] *s.* scandaglio *m.*, sonda *f.*

sound (4) [saʊnd] *s.* braccio *m.* di mare, stretto *m.*

to sound (1) [saʊnd] **A** *v. intr.* **1** suonare, risuonare **2** sembrare **B** *v. tr.* **1** suonare, far risuonare **2** far risapere, proclamare **3** auscultare ♦ **to s. like** assomigliare a

to sound (2) [saʊnd] *v. tr.* scandagliare, sondare ♦ **to s. out** tastare il terreno su

sounding ['saʊndɪŋ] *s.* **1** scandaglio *m.* **2**

al pl. bassi fondali *m. pl.* **3** sondaggio *m.*

soundness ['saʊndnɪs] *s.* **1** vigore *m.*, buona condizione *f.* **2** solidità *f.*

soundproof ['saʊnd‚pruːf] *agg.* insonorizzato

soundtrack ['saʊndtræk] *s.* colonna *f.* sonora

soup [suːp] *s.* minestra *f.*, zuppa *f.* ♦ **to be in the s.** trovarsi nei pasticci

sour ['saʊəʳ] *agg.* **1** acidulo, aspro **2** bisbetico, inacidito ♦ **s. orange** arancia amara

to sour ['saʊəʳ] *v. tr. e intr.* inacidire, inacidirsi

source [sɔːs] *s.* sorgente *f.*, fonte *f.*

soutane [suːˈtaːn] *s.* tonaca *f.*

south [saʊθ] **A** *s.* sud *m. inv.*, meridione *m.* **B** *agg.* del sud, meridionale **C** *avv.* a sud, da sud

southeast [‚saʊθˈiːst] **A** *s.* sud-est *m. inv.* **B** *agg.* di sud-est, sud-orientale

southerly ['sʌðəlɪ] **A** *agg.* **1** meridionale **2** proveniente da sud **B** *avv.* verso sud, da sud

southern ['sʌðən] *agg.* meridionale

southwards ['saʊθwədz] *avv.* verso sud

southwest [‚saʊθˈwest] **A** *s.* sud-ovest *m. inv.* **B** *agg.* di sud-ovest, sud-occidentale

souvenir ['suːvənɪəʳ] *s.* souvenir *m. inv.*

sovereign ['sɒvrɪn] *s.* sovrano *m.*, sovrana *f.*

soviet ['sɒvɪet] **A** *s.* soviet *m. inv.* **B** *agg.* sovietico

sow [saʊ] *s.* scrofa *f.*

to sow [saʊ] *(pass.* **sowed***, p. p.* **sowed, sown)** *v. tr.* seminare

sowing ['sɒ(ʊ)ɪŋ] *s.* semina *f.*

sown [saʊn] *p. p. di* **to sow**

soya-bean ['sɔɪəbiːn] *s.* soia *f.*

spa [spaː] *s.* terme *f. pl.*

space [speɪs] **A** *s.* spazio *m.* **B** *agg.* spaziale

to space [speɪs] *v. tr.* spaziare, distanziare

space-bar ['speɪsbaːʳ] *s.* barra *f.* spaziatrice

spaceman ['speɪsmən] *(pl.* **spacemen)** *s.* astronauta *m.*

spaceship ['speɪsʃɪp] *s.* astronave *f.*

spacing ['speɪsɪŋ] *s.* spaziatura *f.*

spacious ['speɪʃəs] *agg.* spazioso

spade [speɪd] *s.* **1** vanga *f.* **2** *(carte da gioco)* picche *m. inv.*

to spade [speɪd] *v. tr.* vangare

span [spæn] *s.* **1** spanna *f.*, palmo *m.* **2** intervallo *m.*, durata *f.* **3** larghezza *f.*, aper-

tura *f.* **4** *(aer.)* apertura *f.* alare **5** *(arch.)* campata *f.*

Spaniard ['spænjəd] *s.* spagnolo *m.*

Spanish ['spænɪʃ] *agg.* spagnolo

to spank [spæŋk] *v. tr.* sculacciare

spanking ['spæŋkɪŋ] *agg. (fam.)* magnifico, ottimo

spanner ['spænəʳ] *s. (mecc.)* chiave *f.*

spare [spɛəʳ] **A** *agg.* **1** di scorta, di ricambio **2** disponibile, libero, in più **3** scarno, sparuto **4** frugale, misero **B** *s.* (pezzo di) ricambio *m.* ♦ **s. time** tempo libero; **s. wheel** ruota *f.* di scorta

to spare [spɛəʳ] *v. tr.* **1** risparmiare, fare a meno di **2** dare, offrire, dedicare **3** evitare, risparmiarsi

spark [spaːk] *s.* scintilla *f.*

to spark [spaːk] *v. intr.* emettere scintille

sparking plug ['spaːkɪŋ plʌg] *s.* candela *f.* (d'accensione)

to sparkle ['spaːkl] *v. intr.* **1** scintillare **2** spumeggiare

sparkling ['spaːklɪŋ] *agg.* **1** scintillante **2** spumante, effervescente ♦ **s. water** acqua gassata; **s. wine** spumante

sparrow ['spærəʊ] *s.* passero *m.*

sparse [spaːs] *agg.* sparso, rado

spasm ['spæz(ə)m] *s.* spasmo *m.*, accesso *m.*

spasmodic(al) [spæzˈmɒdɪk((ə)l)] *agg.* spasmodico

spastic ['spæstɪk] *agg. e s.* spastico *m.*

spat [spæt] *pass. e p. p. di* **to spit**

spate [speɪt] *s.* **1** piena *f.* **2** grande quantità *f.*

spatter ['spætəʳ] *s.* schizzo *m.*

to spatter ['spætəʳ] *v. tr.* schizzare

spawn [spɔːn] *s.* uova *f. pl. (di pesci, molluschi)*

to speak [spiːk] *(pass.* **spoke***, p. p.* **spoken) A** *v. intr.* parlare **B** *v. tr.* **1** dire, esprimere **2** *(una lingua)* parlare ♦ **to s. about** parlare di; **to s. up** parlare a voce alta, parlare chiaro

speaker ['spiːkəʳ] **1** oratore *m.* **2** speaker *m. inv.*, annunciatore *m.* **3** altoparlante *m.*

spear [spɪəʳ] *s.* **1** lancia *f.* **2** fiocina *f.*

to spear [spɪəʳ] *v. tr.* **1** colpire (con una lancia), trafiggere **2** fiocinare

spearhead ['spɪəhed] *s.* **1** punta *f.* di lancia **2** avanguardia *f.*

to spearhead ['spɪəhed] *v. tr.* essere alla testa di

special ['speʃ(ə)l] *agg.* speciale, particolare

specialist ['spɛʃəlɪst] *s.* specialista *m. e f.*

speciality [ˌspɛʃɪ'ælɪtɪ] *s.* specialità *f.*

specialization [ˌspɛʃəlaɪ'zeɪʃ(ə)n] *s.* specializzazione *f.*

to specialize ['spɛʃəlaɪz] *v. tr. e intr.* specializzare, specializzarsi

specialized ['spɛʃəlaɪzd] *agg.* specializzato

specially ['spɛʃəlɪ] *avv.* 1 specialmente 2 appositamente

species ['spiːʃiːz] *s.* specie *f. inv.*

specific [spɪ'sɪfɪk] *agg.* specifico *m.*

to specify ['spɛsɪfaɪ] *v. tr.* specificare

specimen ['spɛsɪmɪn] *s.* esemplare *m.*, campione *m.*

speck [spɛk] *s.* 1 macchiolina *f.* 2 granello *m.*

to speckle ['spɛkl] *v. tr.* macchiettare, punteggiare

specs [spɛks] *s. pl. (fam.)* occhiali *m. pl.*

spectacle ['spɛktəkl] *s.* spettacolo *m.*

spectacular [spɛk'tækjʊlər] *agg.* spettacolare

spectator [spɛk'teɪtər] *s.* spettatore *m.*

spectre ['spɛktər] *(USA* **specter)** *s.* spettro *m.*

spectrum ['spɛktrəm] *(pl.* **spectra)** *s. (fis.)* spettro *m.*

specular ['spɛkjʊlər] *agg.* speculare

to speculate ['spɛkjʊleɪt] *v. intr.* 1 meditare, fare congetture 2 speculare

speculation [ˌspɛkjʊ'leɪʃ(ə)n] *s.* speculazione *f.*

speech [spiːtʃ] *s.* 1 linguaggio *m.*, parola *f.* 2 lingua *f.*, parlata *f.* 3 discorso *m.*

speechless ['spiːtʃlɪs] *agg.* 1 ammutolito, muto 2 inesprimibile

speed [spiːd] *s.* 1 velocità *f.*, rapidità *f.* 2 *(autom.)* marcia *f.* ♦ **s. limit** limite di velocità

to speed [spiːd] *(pass. e p. p.* **sped, speeded)** *v. intr.* 1 andare a tutta velocità 2 affrettarsi ♦ **to s. up** accelerare

speeding ['spiːdɪŋ] *s.* eccesso *m.* di velocità

speedometer [spɪ'dəmɪtər] *s.* tachimetro *m.*

speedway ['spiːdweɪ] *s.* 1 *(USA)* autostrada *f.* 2 *(per corse motociclistiche)* pista *f.*

speedy ['spiːdɪ] *agg.* veloce, rapido

spel(a)eologist [ˌspiːlɪ'ələdʒɪst] *s.* speleologo *m.*

spel(a)eology [ˌspiːlɪ'ələdʒɪ] *s.* speleologia *f.*

spell (1) [spɛl] *s.* incantesimo *m.*

spell (2) [spɛl] *s.* 1 turno *m.* di lavoro 2 periodo *m.*, intervallo *m.*

to spell [spɛl] *(pass. e p. p.* **spelt, spelled)** *v. tr.* 1 compitare 2 *(fam.)* significare

spellbound ['spɛlbaʊnd] *agg.* incantato

spelling ['spɛlɪŋ] *s.* 1 compitazione *f.* 2 ortografia *f.* ♦ **s. book** sillabario

spelt [spɛlt] *pass. e p. p. di* **to spell**

to spend [spɛnd] *(pass. e p. p.* **spent)** **A** *v. tr.* 1 spendere 2 dedicare 3 trascorrere, passare **B** *v. intr.* 1 spendere (denaro) 2 esaurirsi

spendthrift ['spɛn(d)θrɪft] *s.* spendaccione *m.*

spent [spɛnt] *pass. e p. p. di* **to spend**

sperm [spɜːm] *s.* sperma *m.*

to spew [spjuː] *v. tr. e intr.* vomitare

sphere [sfɪər] *s.* sfera *f.*

sphinx [sfɪŋks] *s.* sfinge *f.*

spice [spaɪs] *s.* 1 spezie *f. pl.*, droga *f.* 2 aroma *m.*, gusto *m.*

to spice [spaɪs] *v. tr.* aromatizzare

spick-and-span ['spɪkən'spæn] *agg.* lindo, splendente

spicy ['spaɪsɪ] *agg.* aromatico, piccante

spider ['spaɪdər] *s.* ragno *m.*

spike [spaɪk] *s.* punta *f.*, chiodo *m.*

to spill [spɪl] *(pass. e p. p.* **spilt, spilled)** **A** *v. tr.* 1 versare, rovesciare 2 far cadere **B** *v. intr.* versarsi, rovesciarsi ♦ **to s. over** traboccare

spin [spɪn] *s.* 1 rotazione *f.* 2 *(aer)* avvitamento *m.* 3 *(fam.)* giretto *m.*

to spin [spɪn] *(pass.* **spun, span,** *p. p.* **spun)** **A** *v. tr.* 1 filare 2 far girare **B** *v. intr.* girare, ruotare ♦ **to s. out** prolungare

spinach ['spɪnɪdʒ] *s.* spinacio *m.*

spinal ['spaɪnl] *agg.* spinale ♦ **s. cord** midollo spinale

spindle ['spɪndl] *s.* 1 fuso *m.* 2 *(mecc.)* mandrino *m.*

spindly ['spɪndlɪ] *agg.* affusolato

spine [spaɪn] *s.* 1 spina *f.* 2 spina *f.* dorsale *f.* 3 *(di libro)* dorso *m.*

spinet ['spɪnɛt] *s.* spinetta *f.*

spinning ['spɪnɪŋ] **A** *agg.* girevole **B** *s.* filatura *f.* ♦ **s. top** trottola

spinster ['spɪnstər] *s.* zitella *f.*

spiral ['spaɪər(ə)l] *s.* spirale *f.* ♦ **s. staircase** scala a chiocciola

spire ['spaɪər] *s.* guglia *f.*

spirit ['spɪrɪt] *s.* 1 spirito *m.* 2 *al pl.* liquori

m. pl.

spirited ['spɪrɪtɪd] *agg.* vivace, vigoroso

spirit-level ['spɪrɪt,levl] *s.* livella *f.* a bolla

spiritual ['spɪrɪtjʊəl] **A** *agg.* spirituale **B** *s.* spiritual *m.*

spiritualism ['spɪrɪtjʊəlɪz(ə)m] *s.* **1** spiritualismo *m.* **2** spiritismo *m.*

spit (1) [spɪt] *s.* spiedo *m.*

spit (2) [spɪt] *s.* sputo *m.*, saliva *f.*

to spit [spɪt] (*pass. e p. p.* **spat**) *v. tr. e intr.* **1** sputare **2** spruzzare **3** scoppiettare

spite [spaɪt] *s.* dispetto *m.*, ripicca *f.* ♦ **in s. of** nonostante; **out of s.** per dispetto

to spite [spaɪt] *v. tr.* fare un dispetto a, contrariare

spittle ['spɪtl] *s.* sputo *m.*, saliva *f.*

splash [splæʃ] *s.* **1** schizzo *m.*, spruzzo *m.* **2** tonfo *m.* **3** macchia *f.* **4** colpo *m.*, sensazione *f.*

to splash [splæʃ] **A** *v. tr.* **1** schizzare, spruzzare **2** scialacquare **3** (*fam.*) dare (*una notizia*) con grande rilievo **B** *v. intr.* **1** schizzare **2** sguazzare

spleen [spliːn] *s.* **1** milza *f.* **2** malumore *m.* **3** malinconia *f.*

splendid ['splendɪd] *agg.* splendido

splendour ['splendər] *s.* splendore *m.*

spline [splaɪn] *s.* linguetta *f.*

splinter ['splɪntər] *s.* scheggia *f.*

to splinter ['splɪntər] *v. tr. e intr.* scheggiare, scheggiarsi

split [splɪt] *s.* **1** fessura *f.*, crepa *f.* **2** rottura *f.*, scissione *f.*, divisione *f.*

to split [splɪt] (*pass. e p. p.* **split**) **A** *v. tr.* **1** fendere, spaccare **2** dividere, scindere **3** strappare, lacerare **B** *v. intr.* **1** fendersi, spaccarsi **2** dividersi, separarsi **3** strapparsi, lacerarsi ♦ **to s. up** dividersi, suddividere

splitting ['splɪtɪŋ] *s.* **1** spaccatura *f.* **2** suddivisione *f.*

to splutter ['splʌtər] *v. tr. e intr.* farfugliare

spoil [spɔɪl] *s.* spoglie *f. pl.*, bottino *m.*

to spoil [spɔɪl] (*pass. e p. p.* **spoilt, spoiled**) **A** *v. tr.* **1** guastare, rovinare **2** viziare **B** *v. intr.* guastarsi, andare a male

spoilsport ['spɔɪl,spɔːt] *s.* guastafeste *m. e f.*

spoilt [spɔɪlt] *pass. e p. p. di* **to spoil**

spoke (1) [spoʊk] *s.* **1** (*di ruota*) raggio *m.* **2** (*di scala*) piolo *m.*

spoke (2) [spoʊk] *pass. di* **to speak**

spoken [spoʊk(ə)n] *p. p. di* **to speak**

spokesman ['spoʊksmən] (*pl.* **spokes-**

men) *s.* portavoce *m. inv.*

spokeswoman ['spoʊks,wʊmən] (*pl.* **spokeswomen**) *s.* portavoce *f. inv.*

sponge [spʌn(d)ʒ] *s.* spugna *f.* ♦ **s. cake** pan di Spagna; **s. cloth** tessuto di spugna

to sponge [spʌn(d)ʒ] *v. tr.* **1** pulire con una spugna, passare una spugna su **2** (*fam.*) scroccare

sponsor ['spɒnsər] *s.* **1** (*dir.*) garante *m. e f.* **2** sponsor *m. inv.*

to sponsor ['spɒnsər] *v. tr.* **1** garantire **2** sponsorizzare

sponsorship ['spɒnsəʃɪp] *s.* **1** garanzia *f.* **2** sponsorizzazione *f.*

spontaneity [,spɒntə'niːtɪ] *s.* spontaneità *f.*

spontaneous [spɒn'teɪnjəs] *agg.* spontaneo

spook [spuːk] *s.* (*fam.*) spettro *m.*

spooky ['spuːkɪ] *agg.* (*fam.*) sinistro, pauroso

spool [spuːl] *s.* bobina *f.*

spoon [spuːn] *s.* cucchiaio *m.*

spoonful ['spuːnf(ʊ)l] *s.* cucchiaiata *f.*

sporadic [spə'rædɪk] *agg.* sporadico

sport [spɔːt] *s.* **1** sport *m. inv.* **2** *al pl.* gare *f. pl.* sportive **3** persona *f.* sportiva

sporting ['spɔːtɪŋ] *agg.* sportivo

sports [spɔːts] *agg.* **1** sportivo, dello sport **2** (*di abbigliamento*) sportivo, casual

sportswear ['spɔːtsweər] *s.* abbigliamento *m.* sportivo

spot [spɒt] *s.* **1** posto *m.*, punto *m.* **2** chiazza *f.*, macchia *f.*, pallino *m.* **3** brufolo *m.* **4** piccola quantità *f.*, goccio *m.* **5** spot *m. inv.*, annuncio *m.* pubblicitario ♦ **on the s.** sul posto, su due piedi

to spot [spɒt] *v. tr.* **1** macchiare, punteggiare **2** individuare, riconoscere

spotless ['spɒtlɪs] *agg.* immacolato

spotlight ['spɒt,laɪt] *s.* proiettore *m.*, riflettore *m.*

spotted ['spɒtɪd] *agg.* **1** chiazzato, maculato **2** a pallini

spouse [spaʊz] *s.* consorte *m. e f.*

spout [spaʊt] *s.* **1** beccuccio *m.* **2** tubo *m.* di scarico **3** getto *m.*, zampillo *m.*

to spout [spaʊt] *v. intr.* scaturire, zampillare

sprain [spreɪn] *s.* distorsione *f.*, slogatura *f.*

to sprain [spreɪn] *v. tr.* slogarsi

sprang [spræŋ] *pass. di* **to spring**

to sprawl [sprɔːl] *v. intr.* **1** adagiarsi, distendersi **2** estendersi irregolarmente

spray (1) [spreɪ] *s.* ramoscello *m.*

spray (2) [spreɪ] *s.* **1** spruzzo *m.* **2** spray *m. inv.*

to spray [spreɪ] *v. tr.* spruzzare, vaporizzare

spread [sprɛd] *s.* **1** diffusione *f.*, propagazione *f.* **2** apertura *f.*, ampiezza *f.* **3** (*fam.*) banchetto *m.* **4** (*cuc.*) pasta *f.* (*da spalmare*)

to spread [sprɛd] (*pass. e p. p.* **spread**) **A** *v. tr.* **1** stendere, spiegare **2** spargere, diffondere, propagare **3** distribuire, dividere **4** spalmare **B** *v. intr.* **1** tendersi, estendersi **2** spargersi, diffondersi, propagarsi ♦ **to s. out** sparpagliarsi

spreadsheet ['sprɛdʃiːt] *s.* (*inf.*) foglio *m.* elettronico

spree [spriː] *s.* baldoria *f.*

sprightly ['spraɪtlɪ] *agg.* allegro, vivace

spring [sprɪŋ] *s.* **1** salto *m.*, balzo *m.* **2** sorgente *f.*, fonte *f.* **3** origine *f.*, motivo *m.* **4** primavera *f.* **5** molla *f.* ♦ **hot springs** sorgente termale; **s. board** trampolino; **s.-clean** pulizie di primavera; **s. water** acqua di sorgente

to spring [sprɪŋ] (*pass.* **sprang**, *p. p.* **sprung**) **A** *v. intr.* **1** saltare, balzare **2** derivare, provenire **3** sgorgare, zampillare **B** *v. tr.* **1** saltare **2** far scattare, azionare ♦ **to s. up** saltar su, spuntare

springtime ['sprɪŋˌtaɪm] *s.* primavera *f.*

sprinkle ['sprɪŋkl] *s.* spruzzo *m.*

to sprinkle ['sprɪŋkl] *v. tr.* spruzzare

sprinkler ['sprɪŋklər] *s.* spruzzatore *m.*

sprint [sprɪnt] *s.* scatto *m.*, volata *f.*, sprint *m. inv.*

to sprint [sprɪnt] *v. intr.* scattare

sprinter ['sprɪntər] *s.* scattista *m. e f.*, velocista *m. e f.*

sprite [spraɪt] *s.* folletto *m.*

sprout [spraʊt] *s.* germoglio *m.* ♦ **Brussels sprouts** cavolini di Bruxelles

to sprout [spraʊt] *v. intr.* germogliare, spuntare

spruce (1) [spruːs] *agg.* azzimato

spruce (2) [spruːs] *s.* abete *m.* rosso

sprung [sprʌŋ] *p. p. di* **to spring**

spry [spraɪ] *agg.* attivo, energico

spun [spʌn] *pass. e p. p. di* **to spin**

spur [spɜːr] *s.* **1** sperone *m.* **2** pungolo *m.*, incentivo *m.*

to spur [spɜːr] *v. tr.* spronare, incitare

spurious ['spjʊərɪəs] *agg.* spurio

to spurn [spɜːn] *v. tr.* rifiutare, respingere

spurt [spɜːt] *s.* **1** getto *m.*, zampillo *m.* **2** scatto *m.*

to spurt [spɜːt] *v. intr.* **1** sprizzare, zampillare **2** scattare

spy [spaɪ] *s.* spia *f.*

to spy [spaɪ] **A** *v. intr.* fare la spia **B** *v. tr.* notare

spying ['spaɪɪŋ] *s.* spionaggio *m.*

squabble ['skwɒbl] *s.* diverbio *m.*, litigio *m.*

to squabble ['skwɒbl] *v. intr.* litigare

squad [skwɒd] *s.* squadra *f.*, plotone *m.*

squadron ['skwɒdr(ə)n] *s.* squadrone *m.*, squadriglia *f.*

squalid ['skwɒlɪd] *agg.* squallido

squall (1) [skwɔːl] *s.* grido *m.*

squall (2) [skwɔːl] *s.* bufera *f.*

squalor ['skwɒlər] *s.* squallore *m.*

to squander ['skwɒndər] *v. tr.* dilapidare, dissipare

square [skwɛər] **A** *agg.* **1** quadrato, (*mat.*) al quadrato **2** tarchiato, tozzo **3** sistemato, in ordine **4** giusto, onesto **5** (*sport*) pari **6** (*fam.*) abbondante, sostanzioso **7** (*fam.*) antiquato, tradizionalista **B** *s.* **1** quadrato *m.* **2** piazza *f.* **3** squadra *f.* (da disegno) **4** casella *f.*, riquadro *m.* **C** *avv.* **1** ad angolo retto, a squadra **2** esattamente ♦ **s. root** radice quadrata

to square [skwɛər] *v. tr.* **1** quadrare, squadrare **2** regolare, pareggiare **3** elevare al quadrato

squash [skwɒʃ] *s.* **1** spremuta *f.* **2** (*sport*) squash *m. inv.*

to squash [skwɒʃ] *v. tr.* schiacciare, spremere

squat [skwɒt] *agg.* **1** tozzo, tarchiato **2** accovacciato

to squat [skwɒt] *v. intr.* **1** accovacciarsi **2** occupare abusivamente

to squawk [skwɔːk] *v. intr.* emettere strida rauche

to squeak [skwiːk] *v. intr.* squittire, stridere

to squeal [skwiːl] *v. intr.* strillare

squeamish ['skwiːmɪʃ] *agg.* schifiltoso

squeeze [skwiːz] *s.* **1** compressione *f.*, stretta *f.* **2** calca *f.* **3** spremitura *f.*

to squeeze [skwiːz] *v. tr.* **1** spremere, comprimere **2** stringere **3** infilare **4** estorcere

to squelch [skwɛl(t)ʃ] **A** *v. tr.* **1** schiacciare **2** soffocare **B** *v. intr.* sguazzare, fare cic ciac

squid [skwɪd] *s.* calamaro *m.*

squiggle ['skwɪg(ə)l] *s.* ghirigoro *m.*

squint [skwɪnt] **A** *agg.* strabico **B** *s.* strabismo *m.*

squire ['skwaɪəʳ] *s.* gentiluomo *m.*

to squirm [skwɜːm] *v. intr.* **1** contorcersi **2** essere imbarazzato

squirrel ['skwɪr(ə)l] *s.* scoiattolo *m.*

squirt [skwɜːt] *s.* schizzo *m.*, zampillo *m.*

to squirt [skwɜːt] *v. tr.* schizzare

stab [stæb] *s.* **1** pugnalata *f.*, coltellata *f.* **2** fitta *f.* **3** tentativo *m.*

to stab [stæb] *v. tr.* pugnalare

stability [stə'bɪlɪtɪ] *s.* stabilità *f.*

stable ['steɪbl] *s.* scuderia *f.*, stalla *f.*

stack [stæk] *s.* **1** catasta *f.* **2** mucchio *m.*, grande quantità *f.*

to stack [stæk] *v. tr.* accatastare, ammucchiare, ammassare

stadium ['steɪdjəm] *s.* stadio *m.*

staff [stɑːf] *s.* personale *m.*, staff *m. inv.*

to staff [stɑːf] *v. tr.* fornire di personale

stag [stæg] *s.* cervo *m.*

stage [steɪdʒ] *s.* **1** palcoscenico *m.* **2** scena *f.*, teatro *m.* **3** stadio *m.*, fase *f.*, periodo *m.* **4** tappa *f.* **5** impalcatura *f.*

to stagger ['stægəʳ] **A** *v. intr.* barcollare **B** *v. tr.* **1** far barcollare **2** impressionare, sconcertare **3** scaglionare

staggering ['stæg(ə)rɪŋ] *agg.* **1** barcollante **2** sbalorditivo

stagnant ['stægnənt] *agg.* stagnante

to stagnate ['stægneɪt] *v. intr.* ristagnare

stagy ['steɪdʒɪ] *agg.* teatrale

staid [steɪd] *agg.* serio, contegnoso

stain [steɪn] *s.* **1** macchia *f.* **2** colorante *m.* ♦ **s. remover** smacchiatore

to stain [steɪn] *v. tr.* **1** macchiare, sporcare **2** colorare

stainless ['steɪnlɪs] *agg.* **1** immacolato **2** che non stinge **3** inossidabile ♦ **s. steel** acciaio inox

stair [stɛəʳ] *s.* **1** gradino *m.*, scalino *m.* **2** *al pl.* scala *f.*

staircase ['stɛəkeɪs] *s.* scala *f.*

stake [steɪk] *s.* **1** palo *m.*, piolo *m.* **2** puntata *f.*, scommessa *f.*

to stake [steɪk] *v. tr.* **1** recintare con pali **2** puntare, scommettere

stalactite ['stæləktaɪt] *s.* stalattite *f.*

stalagmite ['stæləgmaɪt] *s.* stalagmite *f.*

stale [steɪl] *agg.* **1** stantio, vecchio, raffermo **2** caduto in prescrizione

stalemate ['steɪl,meɪt] *s.* stallo *m.*, punto *m.* morto

stalk [stɔːk] *s.* gambo *m.*, stelo *m.*

stall [stɔːl] *s.* **1** stalla *f.*, box *m. inv.* **2** chiosco *m.*, edicola *f.*, bancarella *f.* **3** (*teatro*) poltrona *f.* (di platea)

to stall [stɔːl] *v. intr.* **1** impantanarsi **2** (*di motore*) spegnersi, bloccarsi **3** (*fam.*) tirare per le lunghe

stallion ['stæljən] *s.* stallone *m.*

stalwart ['stɔːlwət] *agg.* **1** forte, robusto **2** coraggioso

stamina ['stæmɪnə] *s.* vigore *m.*, capacità *f.* di resistenza

stammer ['stæməʳ] *s.* balbuzie *f.*

to stammer ['stæməʳ] *v. intr.* balbettare

stamp [stæmp] *s.* **1** bollo *m.*, francobollo *m.* **2** marchio *m.*, timbro *m.* **3** (*fig.*) impronta *f.*

to stamp [stæmp] **A** *v. tr.* **1** timbrare, marchiare, marcare **2** affrancare **3** caratterizzare **4** frantumare **B** *v. intr.* pestare i piedi

stamping ['stæmpɪŋ] *s.* affrancatura *f.*, stampigliatura *f.*

stand [stænd] *s.* **1** arresto *m.*, fermata *f.* **2** posto *m.*, posizione *f.* **3** palco *m.*, podio *m.*, tribuna *f.* **4** banco *m.*, bancarella *f.*, padiglione *m.* **5** (*di taxi*) posteggio *m.* **6** supporto *m.*, sostegno *m.*

to stand [stænd] (*pass. e p. p.* **stood**) **A** *v. intr.* **1** stare in piedi **2** stare, trovarsi **3** resistere, durare **4** ristagnare, depositarsi **B** *v. tr.* **1** mettere (*in piedi*), collocare **2** sopportare, resistere a **3** sostenere **4** sostenere le spese di ♦ **to s. by** stare vicino, tenersi pronto; **to s. down** ritirarsi; **to s. for** stare per, significare; **to s. in for sb.** fare da controfigura a qc.; **to s. out** distinguersi; **to s. up** alzarsi in piedi; **to s. up for sb.** prendere le parti di qc.; **to s. up to sb.** tener testa a qc.

standard ['stændəd] **A** *agg.* **1** standard, comune, regolare **2** di base, fondamentale **B** *s.* **1** stendardo *m.* **2** standard *m. inv.*, modello *m.*, norma *f.* **3** livello *m.*, tenore *m.* **4** base *f.*, sostegno *m.*

standardization [,stændədaɪ'zeɪʃ(ə)n] *s.* standardizzazione *f.*

to standardize ['stændədaɪz] *v. tr.* standardizzare, normalizzare, unificare

stand-by ['stæn(d)baɪ] *s.* scorta *f.*, riserva *f.*

stand-in ['stænd,ɪn] *s.* **1** sostituto *m.* **2** controfigura *f.*

standing ['stændɪŋ] **A** *agg.* **1** eretto, in piedi **2** fisso, stabile, permanente **3** fermo, inattivo **B** *s.* **1** posizione *f.*, condizione *f.* **2** durata *f.* ♦ **s. price** prezzo fisso; **s. room** posti in piedi

standoffish [,stænd'əfɪʃ] *agg.* riservato,

scostante

standpoint ['stændpɔɪnt] *s.* punto *m.* di vista

standstill ['stændstɪl] *s.* arresto *m.*, stasi *f.*, punto *m.* morto

stank [stæŋk] *pass. di* **to stink**

staple (1) ['steɪpl] *s.* **1** forcella *f.* **2** graffetta *f.*

staple (2) ['steɪpl] **A** *agg.* di base, di prima necessità **B** *s.* prodotto *m.* principale, alimento *m.* principale

to staple ['steɪpl] *v. tr.* graffettare

star [staːr] *s.* **1** stella *f.*, astro *m.* **2** stella *f.*, celebrità *f.*

to star [staːr] *v. intr.* **1** (*in un film*) essere il protagonista **2** avere come interpreti principali

starboard ['staːbəd] *s.* (*naut.*) dritta *f.*

starch [staːtʃ] *s.* amido *m.*

to starch [staːtʃ] *v. tr.* inamidare

stardom ['staːdəm] *s.* celebrità *f.*

stardust ['staːdʌst] *s.* polvere *f.* di stelle

stare [stɛər] *s.* sguardo *m.* fisso

to stare [stɛər] *v. tr.* fissare, guardare fisso

starfish ['staːfɪʃ] *s.* stella *f.* di mare

stark [staːk] *agg.* **1** desolato **2** assoluto, completo

starling ['staːlɪŋ] *s.* (*zool.*) storno *m.*

starry ['staːrɪ] *agg.* stellato

start [staːt] *s.* **1** inizio *m.*, avvio *m.*, partenza *f.* **2** balzo *m.*, sobbalzo *m.* **3** vantaggio *m.* **4** (*mecc.*) avviamento *m.*

to start [staːt] **A** *v. intr.* **1** balzare, sobbalzare **2** partire, avviarsi **3** cominciare, mettersi a **B** *v. tr.* **1** cominciare, avviare **2** mettere in moto ♦ **to s. doing st.** cominciare a fare q.c.

starter ['staːtər] *s.* **1** iniziatore *m.* **2** (*sport*) partente *m.* **3** antipasto *m.* **4** motorino *m.* d'avviamento, starter *m. inv.*

starting ['staːtɪŋ] *s.* **1** inizio *m.* **2** avviamento *m.*

to startle ['staːtl] *v. tr.* far trasalire, spaventare

starvation [staːˈveɪʃ(ə)n] *s.* inedia *f.*, fame *f.*

to starve [staːv] **A** *v. intr.* morire di fame **B** *v. tr.* far morire di fame

state [steɪt] **A** *s.* **1** stato *m.*, condizione *f.*, situazione *f.* **2** stato *m.*, nazione *f.* **B** *agg. attr.* **1** statale **2** di gala

to state [steɪt] *v. tr.* **1** dichiarare, affermare **2** stabilire

stately ['steɪtlɪ] *agg.* grandioso

statement ['steɪtmənt] *s.* **1** dichiarazione *f.* **2** rapporto *m.* ♦ **s. of account** estratto conto

statesman ['steɪtsmən] (*pl.* **statesmen**) *s.* statista *m.*

static ['stætɪk] **A** *agg.* statico **B** *s.* **1** scarica *f.* statica **2** *al pl.* (*v. al sing.*) statica *f.*

station ['steɪʃ(ə)n] *s.* stazione *f.* ♦ **s. master** capostazione

to station ['steɪʃ(ə)n] *v. tr.* collocare, appostare

stationary ['steɪʃn(ə)rɪ] *agg.* stazionario, fermo

stationer ['steɪʃnər] *s.* cartolaio *m.*

stationery ['steɪʃn(ə)rɪ] *s.* cartoleria *f.*

statistics [stəˈtɪstɪks] *s. pl.* (*v. al sing.*) statistica *f. sing.*

statue ['stætjuː] *s.* statua *f.*

status ['steɪtəs] *s.* **1** condizione *f.* sociale, posizione *f.* **2** stato *m.* giuridico

statute ['stætjuːt] *s.* legge *f.*, statuto *m.*

statutory ['stætjʊt(ə)rɪ] *agg.* prescritto dalla legge

staunch [stɔːn(t)ʃ] *agg.* **1** fedele, devoto **2** solido, resistente

stave [steɪv] *s.* **1** doga *f.* **2** pentagramma *m.* **3** strofa *f.*

to stave [steɪv] (*pass. e p. p.* **stove, staved**) **A** *v. tr.* **1** costruire con doghe **2** sfondare **B** *v. intr.* sfondarsi ♦ **to s. off** sfuggire a

stay (1) [steɪ] *s.* soggiorno *m.*, permanenza *f.*

stay (2) [steɪ] *s.* (*naut.*) strallo *m.*

to stay [steɪ] **A** *v. intr.* stare, rimanere, trattenersi, soggiornare **B** *v. tr.* **1** sopportare **2** differire ♦ **to s. in** stare in casa; **to s. on** trattenersi; **to s. up** stare alzato

stead [stɛd] *s.* **1** posto *m.*, vece *f.* **2** vantaggio *m.* ♦ **in my s.** in mia vece; **to stand sb. in good s.** tornare utile a qc.

steadfast ['stɛdfəst] *agg.* costante, risoluto

steadily ['stɛdɪlɪ] *avv.* **1** fermamente **2** costantemente

steady ['stɛdɪ] *agg.* **1** fermo, fisso, stabile **2** costante, regolare **3** serio, posato ♦ **(go) s.!** piano!, attenzione!

to steady ['stɛdɪ] **A** *v. tr.* consolidare, rinforzare **B** *v. intr.* consolidarsi, rafforzarsi

steak [steɪk] *s.* **1** bistecca *f.* **2** fetta *f.* ♦ **grilled s.** bistecca ai ferri; **rare/well-done s.** bistecca al sangue/ben cotta

to steal [stiːl] (*pass.* **stole**, *p. p.* **stolen**) **A** *v. tr.* rubare **B** *v. intr.* **1** rubare **2** muoversi furtivamente

stealth [stɛlθ] *s.* **by s.** di nascosto

stealthy ['stɛlθɪ] *agg.* furtivo

steam [sti:m] *s.* vapore *m.* ♦ **s.-engine** macchina a vapore

to **steam** [sti:m] **A** *v. tr.* **1** esporre al vapore, vaporizzare **2** cuocere a vapore **B** *v. intr.* **1** emettere vapore, fumare **2** funzionare a vapore

steamer ['sti:mər] *s.* battello *m.* a vapore

steamy ['sti:mɪ] *agg.* **1** coperto di vapore, appannato **2** che esala vapore

steel [sti:l] *s.* acciaio *m.*

steelworks ['sti:lwз:ks] *s. pl.* acciaieria *f.*

steep [sti:p] *agg.* **1** ripido, scosceso **2** (*fam.*) esorbitante, eccessivo

to **steep** [sti:p] *v. tr.* **1** bagnare, immergere, tuffare **2** impregnare

steeple ['sti:pl] *s.* **1** campanile *m.* **2** guglia *f.*

to **steer** [stɪər] **A** *v. tr.* **1** guidare, governare, pilotare **2** dirigere, indirizzare **B** *v. intr.* **1** timonare **2** governare, manovrare **3** dirigersi

steering ['stɪərɪŋ] *s.* sterzo *m.* ♦ **s. look** bloccasterzo; **s. wheel** volante, ruota del timone

steersman ['stɪəzmən] (*pl.* **steersmen**) *s.* timoniere *m.*

stele ['sti:lɪ] *s.* stele *f.*

stem [stɛm] *s.* gambo *m.*, stelo *m.*

to **stem (1)** [stɛm] *v. tr.* arginare, frenare

to **stem (2)** [stɛm] *v. intr.* derivare, scaturire

stench [stɛn(t)ʃ] *s.* puzzo *m.*

stencil ['stɛnsl] *s.* stampino *m.*, matrice *f.*

stenography [stɛ'nɒɡrəfɪ] *s.* stenografia *f.*

step [stɛp] *s.* **1** passo *m.*, andatura *f.* **2** orma *f.*, impronta *f.* **3** (*fig.*) provvedimento *m.*, misura *f.*, mossa *f.* **4** gradino *m.*, scalino *m.* **5** promozione *f.*, avanzamento *m.*

to **step** [stɛp] *v. intr.* **1** fare un passo, andare, venire **2** misurare a passi **3** mettere i piedi su ♦ **to s. down** discendere; **to s. off** scendere da; **to s. up** farsi avanti, aumentare

stepbrother ['stɛp,brʌðər] *s.* fratellastro *m.*

stepdaughter ['stɛp,dɔ:tər] *s.* figliastra *f.*

stepfather ['stɛp,fɑ:ðər] *s.* patrigno *m.*

stepladder ['stɛp,lædər] *s.* scaletta *f.*

stepmother ['stɛp,mʌðər] *s.* matrigna *f.*

stepsister ['stɛp,sɪstər] *s.* sorellastra *f.*

stepson ['stɛp,sʌn] *s.* figliastro *m.*

sterile ['stɛraɪl] *agg.* sterile

sterility [stɛ'rɪlɪtɪ] *s.* sterilità *f.*

sterilization [,stɛrɪlaɪ'zeɪʃ(ə)n] *s.* sterilizzazione *f.*

to **sterilize** ['stɛrɪlaɪz] *v. tr.* sterilizzare

sterilizer ['stɛrɪlaɪzər] *s.* sterilizzatore *m.*

sterling ['stз:lɪŋ] **A** *agg.* genuino, di buona lega **B** *s.* sterlina *f.*

stern (1) [stз:n] *agg.* severo, rigido

stern (2) [stз:n] *s.* poppa *f.*

stew [stju:] *s.* stufato *m.*

to **stew** [stju:] *v. tr.* e *intr.* stufare

steward [stjʊəd] *s.* **1** assistente *m.* di volo, steward *m. inv.* **2** (*mil.*) dispensiere *m.*

stick [stɪk] *s.* **1** bastone *m.*, bastoncino *m.*, bacchetta *f.* **2** barra *f.*, stecca *f.* **3** gambo *m.*

to **stick** [stɪk] (*pass.* e *p. p.* **stuck**) **A** *v. tr.* **1** conficcare, infilare **2** attaccare, incollare **3** (*fam.*) sopportare **B** *v. intr.* **1** conficcarsi **2** attaccarsi, appiccicarsi **3** incepparsi, bloccarsi ♦ **to s. out** sporgere; **to s. to** restare fedele a; **to s. up** attaccare, rapinare; **to s. up for** sostenere, difendere

sticker ['stɪkər] *s.* cartellino *m.* adesivo, sticker *m. inv.*

sticking ['stɪkɪŋ] *agg.* appiccicoso, adesivo ♦ **s. plaster** cerotto

sticky ['stɪkɪ] *agg.* **1** appiccicoso, adesivo **2** (*fam.*) spiacevole

stiff [stɪf] **A** *agg.* **1** duro, rigido **2** indolenzito **3** freddo, austero **4** difficile, faticoso **5** (*di prezzo*) alto **6** (*di bevanda*) forte **B** *avv.* completamente ♦ **bored s.** annoiato a morte; **s. neck** torcicollo

to **stiffen** ['stɪfn] **A** *v. tr.* irrigidire, indurire **B** *v. intr.* **1** indurirsi, irrigidirsi **2** indolenzirsi

stiffening ['stɪfnɪŋ] *s.* irrigidimento *m.*

to **stifle** ['staɪfl] *v. tr.* e *intr.* soffocare

stifling ['staɪflɪŋ] *agg.* soffocante

to **stigmatize** ['stɪɡmətaɪz] *v. tr.* stigmatizzare

stile [staɪl] *s.* scaletta *f.*

stiletto [stɪ'lɛtʊ] *s.* stiletto *m.*, punteruolo *m.* ♦ **s. heel** tacco a spillo

still (1) [stɪl] *agg.* **1** tranquillo, calmo **2** immobile, fermo ♦ **s. life** natura morta

still (2) [stɪl] *avv.* **1** ancora, tuttora **2** (*davanti a comp.*) anche, ancora **3** pure, tuttavia

stillborn ['stɪlbɔ:n] *agg.* **1** nato morto **2** fallito

stillness ['stɪlnɪs] *s.* tranquillità *f.*

stilt [stɪlt] *s.* trampolo *m.*, palo *m.*

to **stimulate** ['stɪmjʊleɪt] *v. tr.* incentivare,

stimolare

stimulus ['stɪmjʊləs] (*pl.* **stimuli**) *s.* stimolo *m.*

sting [stɪŋ] *s.* **1** pungiglione *m.*, aculeo *m.* **2** puntura *f.* **3** stimolo *m.*

to sting [stɪŋ] (*pass. e p. p.* **stung**) *v. tr.* **1** pungere **2** offendere, tormentare **3** incitare

stingy ['stɪndʒɪ] *agg.* avaro, taccagno

stink [stɪŋk] *s.* puzzo *m.*

to stink [stɪŋk] (*pass.* **stank**, **stunk**, *p. p.* **stunk**) *v. intr.* puzzare

stinking ['stɪŋkɪŋ] *agg.* **1** puzzolente, maleodorante **2** disgustoso

stint [stɪnt] *s.* **1** compito *m.*, lavoro *m.* **2** limite *m.*

to stint [stɪnt] *v. tr.* lesinare

to stipulate ['stɪpjʊleɪt] *v. tr.* stipulare, pattuire, convenire

stir [stɜːr] *s.* **1** rimescolata *f.* **2** confusione *f.*, trambusto *m.*

to stir [stɜːr] **A** *v. tr.* **1** agitare, mescolare **2** eccitare, incitare **B** *v. intr.* **1** agitarsi **2** alzarsi, essere attivo

stirrup ['stɪrəp] *s.* staffa *f.*

stitch [stɪtʃ] *s.* **1** punto *m.* **2** maglia *f.* **3** fitta *f.*

to stitch [stɪtʃ] *v. tr. e intr.* cucire

stoat [stəʊt] *s.* ermellino *m.*

stock [stɒk] **A** *s.* **1** assortimento *m.*, riserva *f.*, scorta *f.*, stock *m. inv.* **2** (*fin.*) azione *f.*, titolo *m.* **3** ceppo *m.*, tronco *m.* **4** base *f.*, sostegno *m.* **5** bestiame *m.* **6** razza *f.*, schiatta *f.* **7** materia *f.* prima **8** brodo *m.* **B** *agg.* comune, usuale ◆ **out of s.** esaurito; **s. cube** dado da brodo; **s. exchange** borsa valori; **s. farm** allevamento; **s. market** mercato azionario; **to take s.** fare l'inventario

to stock [stɒk] **A** *v. tr.* **1** fornire, approvvigionare **2** tenere in magazzino **B** *v. intr.* germogliare ◆ **to s. up** fare provviste

stockbroker ['stɒk,brəʊkər] *s.* agente *m.* di cambio

stocking ['stɒkɪŋ] *s.* calza *f.*

stockist ['stɒkɪst] *s.* grossista *m.*, fornitore *m.*

stockpile ['stɒkpaɪl] *s.* scorta *f.*

stocktaking ['stɒkteɪkɪŋ] *s.* inventario *m.*

stocky ['stɒkɪ] *agg.* tarchiato

stodgy ['stɒdʒɪ] *agg.* **1** pesante, indigesto **2** noioso

to stoke [stəʊk] *v. tr.* attizzare, alimentare

stole (1) [stəʊl] *s.* stola *f.*

stole (2) [stəʊl] *pass. di* **to steal**

stolen ['stəʊl(ə)n] *p. p. di* **to steal**

stolid ['stɒlɪd] *agg.* imperturbabile, flemmatico

stomach ['stʌmək] *s.* stomaco *m.*, pancia *f.* ◆ **s.-ache** mal di stomaco

to stomach ['stʌmək] *v. tr.* **1** digerire **2** tollerare

stone [stəʊn] **A** *s.* **1** pietra *f.*, masso *m.*, sasso *m.*, ciottolo *m.* **2** nocciolo *m.* **3** (*med.*) calcolo *m.* **B** *avv.* completamente ◆ **S. Age** età della pietra; **s.-cold** gelido

to stone [stəʊn] *v. tr.* **1** lapidare **2** pavimentare **3** snocciolare

stood [stʊd] *pass. e p. p. di* **to stand**

stool [stuːl] *s.* sgabello *m.*

stoop (1) [stuːp] *s.* curvatura *f.*, inclinazione *f.*

stoop (2) [stuːp] *s.* (*USA*) veranda *f.*

to stoop [stuːp] *v. intr.* **1** chinarsi, piegarsi **2** accondiscendere

stop [stɒp] *s.* **1** arresto *m.*, fermata *f.*, sosta *f.* **2** segno *m.* di punteggiatura, punto *m.* **3** dispositivo *m.* di arresto ◆ **s. press** notizie dell'ultima ora

to stop [stɒp] **A** *v. tr.* **1** arrestare, fermare **2** interrompere, bloccare **3** tamponare **B** *v. intr.* **1** fermarsi, smettere, cessare **2** fare una fermata, fermarsi ◆ **to s. off** fare una sosta; **to s. up** intasare, ostruire

stopover ['stɒp,əʊvər] *s.* fermata *f.*, scalo *m.*

stoppage ['stɒpɪdʒ] *s.* **1** interruzione *f.*, sosta *f.* **2** ostruzione *f.*, intasamento *m.*

stopper ['stɒpər] *s.* tappo *m.*, turacciolo *m.*

stopwatch ['stɒpwɒtʃ] *s.* cronografo *m.*

storage ['stɔːrɪdʒ] *s.* **1** immagazzinamento *m.* **2** magazzino *m.* **3** (*di batteria*) carica *f.*

store [stɔːr] *s.* **1** scorta *f.*, provvista *f.* **2** deposito *m.*, magazzino *m.* **3** negozio *m.* **4** *al pl.* depositi *m. pl.* di magazzino ◆ **department s.** grande magazzino; **s. room** dispensa, ripostiglio

to store [stɔːr] *v. tr.* **1** immagazzinare, accumulare **2** fornire, provvedere **3** (*inf.*) memorizzare

storey ['stɔːrɪ] (*USA* **story**) *s.* (*di casa*) piano *m.*

stork [stɔːk] *s.* cicogna *f.*

storm [stɔːm] *s.* **1** tempesta *f.*, burrasca *f.*, uragano *m.* **2** assalto *m.*

to storm [stɔːm] **A** *v. intr.* **1** infuriare, scatenarsi **2** precipitarsi **B** *v. tr.* assalire

stormy ['stɔːmɪ] *agg.* tempestoso

story ['stɔːrɪ] *s.* storia *f.*, racconto *m.*, narrazione *f.* ♦ **s. teller** narratore

stout [staʊt] **A** *agg.* **1** forte, robusto **2** corpulento **3** coraggioso **B** *s.* birra *f.* scura

stove (1) [stəʊv] *s.* stufa *f.*, fornello *m.*

stove (2) [stəʊv] *pass. e p. p. di* **to stave**

to stow [stəʊ] *v. tr.* mettere via, stivare ♦ **to s. away** fare il clandestino

strabismus [strə'bɪzməs] *s.* strabismo *m.*

to straddle ['strædl] *v. intr.* **1** stare a cavalcioni **2** esitare, essere titubante

to straggle ['strægl] *v. intr.* **1** disperdersi, sbandarsi **2** girovagare

straggly ['stræglɪ] *agg.* sparpagliato

straight [streɪt] **A** *agg.* **1** diritto, ritto, eretto **2** giusto, onesto **3** franco, leale **4** in ordine, a posto **5** puro, liscio **B** *avv.* **1** diritto, in linea retta **2** direttamente **3** francamente **4** onestamente ♦ **s. off** subito, senza esitazioni; **s. on** sempre dritto

to straightaway ['streɪtəweɪ] *avv.* immediatamente

to straighten ['streɪtn] *v. tr. e intr.* raddrizzare, raddrizzarsi ♦ **to s. out** mettere a posto

straightforward [,streɪt'fɔːwəd] *agg.* **1** diritto **2** retto, onesto **3** semplice, chiaro

strain [streɪn] *s.* **1** sforzo *m.*, tensione *f.* **2** preoccupazione *f.* **3** (*med.*) strappo *m.* muscolare, distorsione *f.* **4** (*tecnol.*) sollecitazione *f.*

to strain [streɪn] *v. tr.* **1** tendere, sforzare **2** affaticare **3** distorcere **4** abusare di **5** filtrare, colare

strained [streɪnd] *agg.* **1** teso, difficile **2** sforzato **3** affaticato, indebolito

strainer ['streɪnər] *s.* colino *m.*, filtro *m.*

strait [streɪt] *s.* **1** (*geogr*) stretto *m.* **2** *al pl.* ristrettezze *f. pl.*, difficoltà *f. pl.*

straitjacket ['streɪt,dʒækɪt] *s.* camicia *f.* di forza

strand [strænd] *s.* **1** filo *m.*, trefolo *m.* **2** (*di capelli*) ciocca *f.*

to strand [strænd] *v. intr.* arenarsi, incagliarsi

strange [streɪn(d)ʒ] *agg.* **1** strano, bizzarro **2** estraneo, sconosciuto **3** non abituato

stranger ['streɪn(d)ʒər] *s.* sconosciuto *m.*

to strangle ['stræŋgl] *v. tr.* strangolare, strozzare

strap [stræp] *s.* **1** cinghia *f.*, cinturino *m.* **2** spallina *f.*, bretella *f.*

strapping ['stræpɪŋ] *agg.* robusto, ben piantato

strategic(al) [strə'tiːdʒɪk((ə)l)] *agg.* strategico

strategics [strə'tiːdʒɪks] *s. pl.* (*v. al sing.*) strategia *f.*

strategy ['strætɪdʒɪ] *s.* strategia *f.*

to stratify ['strætɪfaɪ] *v. tr. e intr.* stratificare, stratificarsi

stratosphere ['strætə(ʊ)sfɪər] *s.* stratosfera *f.*

stratum ['strɑːtəm] (*pl.* **strata**) *s.* strato *m.*

straw [strɔː] *s.* **1** paglia *f.* **2** cannuccia *f.*

strawberry ['strɔːb(ə)rɪ] *s.* fragola *f.*

stray [streɪ] *agg.* **1** smarrito, randagio **2** casuale, fortuito **3** isolato, sparso

to stray [streɪ] *v. intr.* **1** vagare, vagabondare **2** deviare, divagare

streak [striːk] *s.* **1** striscia *f.*, riga *f.* **2** vena *f.*, filone *m.* **3** traccia *f.*, tocco *m.*

to streak [striːk] **A** *v. tr.* venare, screziare **B** *v. intr.* (*fam.*) andare come un lampo

stream [striːm] *s.* **1** corso *m.* d'acqua, ruscello *m.*, torrente *m.* **2** corrente *f.* **3** fiumana *f.*, flusso *m.*, fiotto *m.*

to stream [striːm] *v. intr.* **1** scorrere, fluire **2** fluttuare, ondeggiare

streamer ['striːmər] *s.* **1** stella *f.* filante **2** aurora *f.* boreale **3** (*naut.*) fiamma *f.* **4** (*USA*) titolone *m.* (*su giornale*)

streamlined ['striːmlaɪnd] *agg.* aerodinamico, affusolato

street [striːt] *s.* strada *f.*, via *f.* ♦ **s. lamp** lampione

streetcar ['striːtkɑːr] *s.* tram *m.*

strength [streŋθ] *s.* forza *f.*, energia *f.*, potenza *f.*

to strengthen ['streŋθ(ə)n] *v. tr.* fortificare, potenziare, rinforzare

strenuous ['strenjʊəs] *agg.* **1** strenuo, energico, attivo **2** faticoso, arduo

stress [stres] *s.* **1** spinta *f.*, pressione *f.* **2** tensione *f.*, stress *m. inv.* **3** (*mecc.*) sforzo *m.*, sollecitazione *f.* **4** accento *m.*

to stress [stres] *v. tr.* **1** forzare **2** accentuare **3** accentare

stretch [stretʃ] *s.* **1** stiramento *m.*, allungamento *m.*, tensione *f.* **2** distesa *f.*, estensione *f.*

to stretch [stretʃ] **A** *v. tr.* **1** tendere, distendere, tirare, allungare **2** forzare **B** *v. intr.* stendersi, distendersi, allungarsi ♦ **to s. out** tendere, allungare

stretcher ['stretʃər] *s.* barella *f.*

stretching ['stretʃɪŋ] *s.* stiramento *m.*, allungamento *m.*

to **strew** [struː] (*pass.* **strewed** *p. p.* **strewn,** **strewed**) *v. tr.* spargere, cospargere

stricken ['strɪk(ə)n] *agg.* colpito

strict [strɪkt] *agg.* **1** severo, rigoroso **2** stretto, preciso

strictness ['strɪk(t)nɪs] *s.* **1** severità *f.,* rigore *m.* **2** precisione *f.*

to **stride** [straɪd] (*pass.* **strode,** *p. p.* **stridden**) *v. intr.* camminare a gran passi

strife [straɪf] *s.* conflitto *m.*

strike [straɪk] *s.* **1** sciopero *m.* **2** (*mil.*) attacco *m.* **3** (*di giacimento*) scoperta *f.* **4** colpo *m.* di fortuna

to **strike** [straɪk] (*pass.* **struck,** *p. p.* **struck,** **stricken**) **A** *v. tr.* **1** battere, colpire **2** impressionare, trovare, scoprire **3** coniare **B** *v. intr.* **1** battere, urtare **2** battere le ore **3** penetrare, infiltrarsi **4** attecchire **5** scioperare ♦ **to s. at** colpire; **to s. down** abbattere; **to s. off** mozzare, cancellare, radiare; **to s. up** attaccare (a suonare)

striking ['straɪkɪŋ] *agg.* impressionante

string [strɪŋ] *s.* **1** stringa *f.,* legaccio *m.* **2** corda *f.,* spago *m.* **3** (*mus.*) corda *f.* **4** serie *f.,* sfilza *f.,* catena *f.* ♦ **s. bean** fagiolino

to **string** [strɪŋ] (*pass. e p. p.* **strung**) *v. tr.* **1** legare con corde **2** incordare **3** infilare ♦ **to s. out** disporre in fila; **to s. up** appendere

stringed [strɪŋd] *agg.* (*mus.*) a corda

stringent ['strɪn(d)ʒənt] *agg.* **1** rigoroso **2** impellente

strip [strɪp] *s.* striscia *f.* ♦ **s. cartoon** fumetto

to **strip** [strɪp] **A** *v. tr.* **1** strappare, togliere **2** denudare, spogliare **3** smontare, smantellare **B** *v. intr.* **1** spogliarsi, svestirsi **2** (*di vite*) spanarsi

stripe [straɪp] *s.* **1** striscia *f.* **2** gallone *m.*

striped [straɪpt] *agg.* **1** a strisce, a righe **2** gallonato

stripper ['strɪpə'] *s.* spogliarellista *m. e f.*

striptease ['strɪp,tiːz] *s.* spogliarello *m.*

to **strive** [straɪv] (*pass.* **strove,** *p. p.* **striven**) *v. intr.* sforzarsi, lottare

strode [strəʊd] *pass. di* to **stride**

stroke [strəʊk] *s.* **1** colpo *m.,* percossa *f.* **2** (*nuoto*) bracciata *f.,* (*canottaggio*) vogata *f.,* (*tennis*) battuta *f.* **3** tocco *m.,* tratto *m.* **4** (*med.*) colpo *m.* apoplettico

to **stroke (1)** [strəʊk] *v. tr.* lisciare, accarezzare

to **stroke (2)** [strəʊk] *v. intr.* vogare

stroll [strəʊl] *s.* passeggiata *f.*

to **stroll** [strəʊl] *v. intr.* passeggiare

stroller ['strəʊlə'] *s.* passeggino *m.*

strong [strɒŋ] *agg.* **1** forte, robusto **2** energico, vigoroso **3** efficace **4** considerevole ♦ **s. room** camera blindata

strongbox ['strɒŋbɒks] *s.* cassaforte *f.*

stronghold ['strɒŋhəʊld] *s.* roccaforte *f.*

strongly ['strɒŋlɪ] *avv.* **1** molto, fortemente, vivamente **2** solidamente

strophe ['strəʊfɪ] *s.* strofa *f.*

strove [strəʊv] *pass. di* to **strive**

structural ['strʌktʃ(ə)r(ə)l] *agg.* strutturale

structuralism ['strʌktʃ(ə)r(ə)lɪz(ə)m] *s.* strutturalismo *m.*

structure ['strʌktʃə'] *s.* struttura *f.*

struggle ['strʌgl] *s.* lotta *f.*

to **struggle** ['strʌgl] *v. intr.* lottare, sforzarsi

to **strum** [strʌm] *v. tr. e intr.* strimpellare

strung [strʌŋ] *pass. e p. p. di* to **string**

strut [strʌt] *s.* puntone *m.*

to **strut** [strʌt] *v. intr.* incedere impettito, pavoneggiarsi

stub [stʌb] *s.* **1** troncone *m.,* ceppo *m.* **2** mozzicone *m.* **3** matrice *f.,* talloncino *m.*

to **stub** [stʌb] *v. tr.* **1** estirpare, sradicare **2** urtare ♦ **to s. out** (*sigaretta*) spegnere

stubble ['stʌbl] *s.* stoppia *f.*

stubborn ['stʌbən] *agg.* ostinato, testardo

stubbornness ['stʌbənnɪs] *s.* ostinazione *f.,* testardaggine *f.*

stucco ['stʌkəʊ] *s.* stucco *m.*

stuck [stʌk] **A** *pass. e p. p. di* to **stick B** *agg.* **1** bloccato **2** incollato **3** (*fam.*) nei guai ♦ **s.-up** presuntuoso

stud (1) [stʌd] *s.* **1** bottoncino *m.* **2** borchia *f.* **3** perno *m.*

stud (2) [stʌd] *s.* **1** scuderia *f.* **2** stallone *m.*

student ['stjuːd(ə)nt] *s.* **1** studente *m.* **2** studioso *m.*

studio ['stjuːdɪəʊ] (*pl.* **studios**) *s.* **1** (*d'artista*) studio *m.* **2** (*cine., TV*) teatro *m.* di posa, studio *m.* **3** monolocale *m.*

studious ['stjuːdjəs] *agg.* **1** studioso **2** studiato

study ['stʌdɪ] *s.* studio *m.*

to **study** ['stʌdɪ] **A** *v. tr.* **1** studiare **2** esaminare **B** *v. intr.* studiare

stuff [stʌf] *s.* **1** materiale *m.,* sostanza *f.* **2** cosa *f.,* roba *f.*

to **stuff** [stʌf] *v. tr.* **1** riempire, imbottire **2** (*cuc.*) farcire **3** impagliare, imbalsamare

4 rimpinzare

stuffing ['stʌfɪŋ] *s.* **1** imbottitura *f.* **2** (*cuc.*) ripieno *m.* ♦ **s. box** premistoppa

stuffy ['stʌfɪ] *agg.* **1** soffocante, senz'aria **2** ottuso

to stumble ['stʌmbl] *v. intr.* **1** inciampare **2** impappinarsi **3** fare un passo falso

stumbling-block ['stʌmblɪŋblɒk] *s.* ostacolo *m.*, impedimento *m.*

stump [stʌmp] *s.* **1** ceppo *m.* **2** moncone *m.* **3** matrice *f.*

to stun [stʌn] *v. tr.* **1** stordire **2** sbalordire

stung [stʌŋ] *pass. e p. p. di* **to sting**

stunk [stʌŋk] *pass. e p. p. di* **to stink**

stunning ['stʌnɪŋ] *agg.* **1** assordante **2** (*fam.*) stupendo

stunt [stʌnt] *s.* **1** acrobazia *f.* **2** bravata *f.*, esibizione *f.* **3** trovata *f.* pubblicitaria ♦ **s. man** cascatore

stunted ['stʌntɪd] *agg.* stentato, striminzito

to stupefy ['stjuːpɪfaɪ] *v. tr.* **1** instupidire, stordire **2** stupefare

stupendous [stjuː'pɛndəs] *agg.* stupendo

stupid ['stjuːpɪd] *agg.* stupido, cretino

stupidity [stjuː'pɪdɪtɪ] *s.* stupidità *f.*

sturdy ['stɜːdɪ] *agg.* robusto, forte

stutter ['stʌtər] *s.* balbuzie *f.*

to stutter ['stʌtər] *v. intr.* balbettare

sty (1) [staɪ] *s.* porcile *m.*

sty (2) [staɪ] *s.* orzaiolo *m.*

style [staɪl] *s.* stile *m.*

stylish ['staɪlɪʃ] *agg.* elegante, alla moda

stylist ['staɪlɪst] *s.* stilista *m. e f.*

stylobate ['staɪləbeɪt] *s.* stilobate *m.*

stylus ['staɪləs] *s.* stilo *m.*

suave [swaːv] *agg.* soave

subaqueous [sʌb'eɪkwɪəs] *agg.* subacqueo

subconscious [sʌb'kɒnʃəs] *agg. e s.* subconscio *m.*

subcutaneous [ˌsʌbkjuː'teɪnjəs] *agg.* sottocutaneo

to subdivide [ˌsʌbdɪ'vaɪd] *v. tr. e intr.* suddividere, suddividersi

to subdue [səb'djuː] *v. tr.* **1** sottomettere, dominare **2** attenuare

subject ['sʌbdʒɪkt] **A** *agg.* soggetto, sottoposto **B** *s.* **1** soggetto *m.*, argomento *m.*, materia *f.* **2** (*gramm.*) soggetto *m.* **3** cittadino *m.*, suddito *m.* **4** esemplare *m.*, soggetto *m.*

to subject [səb'dʒɛkt] *v. tr.* **1** assoggettare **2** esporre, sottoporre

subjective [sʌb'dʒɛktɪv] *agg.* soggettivo

subjunctive [səb'dʒʌŋ(k)tɪv] *agg. e s.* (*gramm.*) congiuntivo *m.*

to sublet [sʌb'lɛt] (*pass. e p. p.* **sublet**) *v. tr.* subaffittare

sublime [sə'blaɪm] *agg.* sublime, eccelso

submarine ['sʌbməriːn] **A** *agg.* sottomarino, subacqueo **B** *s.* sottomarino *m.*

to submerge [səb'mɜːdʒ] *v. tr. e intr.* immergere, immergersi

submersion [səb'mɜːʃ(ə)n] *s.* immersione *f.*

submission [səb'mɪʃ(ə)n] *s.* **1** sottomissione *f.* **2** (*di domanda*) presentazione *f.*

to submit [səb'mɪt] **A** *v. tr.* sottoporre, presentare **B** *v. intr.* sottomettersi, arrendersi

subnormal [sʌb'nɔːm(ə)l] *agg.* subnormale

subordinate [sə'bɔːdɪnɪt] *agg. e s.* subordinato *m.*

to subordinate [sə'bɔːdɪneɪt] *v. tr.* subordinare

subpoena [səb'piːnə] *s.* (*dir.*) citazione *f.* in giudizio

to subscribe [səb'skraɪb] **A** *v. tr.* **1** sottoscrivere, firmare **2** contribuire con **B** *v. intr.* **1** sottoscrivere **2** approvare, aderire **3** abbonarsi

subscriber [səb'skraɪbər] *agg. e s.* abbonato *m.*

subscription [səb'skrɪpʃ(ə)n] *s.* **1** sottoscrizione *f.* **2** abbonamento *m.* ♦ **to discontinue a s.** disdire un abbonamento; **to take out a s.** abbonarsi

subsequent ['sʌbsɪkwənt] *agg.* successivo, seguente

to subside [səb'saɪd] *v. intr.* **1** calare, abbassarsi **2** calmarsi, placarsi **3** lasciarsi cadere

subsidence [səb'saɪd(ə)ns] *s.* abbassamento *m.*, cedimento *m.*

subsidiary [səb'sɪdjərɪ] **A** *agg.* sussidiario, ausiliario, accessorio **B** *s.* (società) consociata *f.*

to subsidize ['sʌbsɪdaɪz] *v. tr.* sovvenzionare

subsidy ['sʌbsɪdɪ] *s.* sussidio *m.*

subsistence [səb'sɪst(ə)ns] *s.* sussistenza *f.*, mantenimento *m.*

substance ['sʌbst(ə)ns] *s.* sostanza *f.*

substantial [səb'stænʃ(ə)l] *agg.* **1** sostanzioso, solido **2** sostanziale, notevole

substantive ['sʌbst(ə)ntɪv] *s.* sostantivo *m.*

substitute ['sʌbstɪtjuːt] *s.* **1** sostituto *m.*, delegato *m.* **2** surrogato *m.*

to substitute ['sʌbstɪtjuːt] *v. tr.* sostituire, rimpiazzare

substitution [ˌsʌbstɪ'tjuːʃ(ə)n] *s.* sostituzione *f.*

subterfuge ['sʌbtəfjuːdʒ] *s.* sotterfugio *m.*

subterranean [ˌsʌbtə'reɪnjən] *agg.* sotterraneo

to subtilize ['sʌtɪlaɪz] *v. tr. e intr.* sottilizzare

subtle ['sʌtl] *agg.* sottile

to subtract [səb'trækt] *v. tr.* sottrarre

subtraction [səb'trækʃ(ə)n] *s.* sottrazione *f.*

suburb ['sʌbɜːb] *s.* sobborgo *m.*, periferia *f.*

suburban [sə'bɜːb(ə)n] *agg.* suburbano, periferico

suburbia [sə'bɜːbɪə] *s.* sobborghi *m. pl.*

subvention [səb'venʃ(ə)n] *s.* sovvenzione *f.*

subversive [sʌb'vɜːsɪv] *agg.* sovversivo

subway ['sʌbweɪ] *s.* **1** sottopassaggio *m.* **2** (*USA*) metropolitana *f.*

to succeed [sək'siːd] **A** *v. intr.* **1** riuscire, aver successo **2** succedere **B** *v. tr.* succedere a, subentrare a

succeeding [sək'siːdɪŋ] *agg.* successivo, seguente

success [sək'ses] *s.* successo *m.*

successful [sək'sesf(ʊ)l] *agg.* riuscito, di successo

succession [sək'seʃ(ə)n] *s.* successione *f.*

successive [sək'sesɪv] *agg.* successivo

successor [sək'sesər] *s.* successore *m.*

to succumb [sə'kʌm] *v. intr.* soccombere

such [sʌtʃ, sətʃ] **A** *agg.* **1** tale, simile **2** così tanto **B** *pron.* tale, tali, questo, questa, questi, queste **C** *avv.* così, talmente, tanto ♦ **and s.** e così via, e simili; **as s.** come tale; **s. as** come, quanto; **s. that** tale che

to suck [sʌk] *v. tr.* succhiare

sucker ['sʌkər] *s.* **1** ventosa *f.* **2** (*fam.*) babbeo *m.*

to suckle ['sʌkl] *v. tr.* allattare

suction ['sʌkʃ(ə)n] *s.* **1** suzione *f.* **2** (*mecc.*) aspirazione *f.*

sudden ['sʌdn] *agg.* improvviso ♦ **all of a s.** improvvisamente

suds [sʌdz] *s. pl.* schiuma *f.* di sapone

to sue [sjuː] *v. tr.* querelare, citare in giudizio

suede [sweɪd] *s.* pelle *f.* scamosciata

suet [sjuːt] *s.* sugna *f.*

to suffer ['sʌfər] **A** *v. tr.* **1** soffrire, patire

2 sopportare **B** *v. intr.* soffrire

sufferer ['sʌf(ə)rər] *s.* sofferente *m. e f.*

suffering ['sʌf(ə)rɪŋ] *s.* sofferenza *f.*

to suffice [sə'faɪs] *v. tr. e intr.* bastare

sufficient [s(ə)'fɪʃ(ə)nt] *agg.* sufficiente, bastante

to suffocate ['sʌfəkeɪt] *v. tr. e intr.* soffocare

suffocation [ˌsʌfə'keɪʃ(ə)n] *s.* soffocamento *m.*

suffrage ['sʌfrɪdʒ] *s.* suffragio *m.*

to suffuse [sə'fjuːz] *v. tr.* soffondere

sugar ['ʃʊɡər] *s.* zucchero *m.* ♦ **cane s.** zucchero di canna; **lump s.** zucchero in zollette; **s. basin/bowl** zuccheriera; **s. beet** barbabietola da zucchero

to sugar ['ʃʊɡər] *v. tr.* zuccherare

sugared ['ʃʊɡəd] *agg.* zuccherato

sugary ['ʃʊɡərɪ] *agg.* **1** zuccherino **2** mellifluo

to suggest [sə'dʒest] *v. tr.* **1** suggerire, proporre **2** indicare, far pensare a **3** sostenere

suggestible [sə'dʒestəbl] *agg.* suggestionabile

suggestion [sə'dʒestʃ(ə)n] *s.* suggerimento *m.*

suggestive [sə'dʒestɪv] *agg.* **1** suggestivo, evocativo **2** indicativo **3** provocante, sconveniente

suicide ['sjuɪsaɪd] *s.* **1** suicidio *m.* **2** suicida *m. e f.*

suit [sjuːt] *s.* **1** abito *m.* (*da uomo*), completo *m.* **2** (*di carte da gioco*) seme *m.* **3** (*dir.*) causa *f.*

to suit [sjuːt] **A** *v. tr.* adattarsi a, soddisfare **B** *v. intr.* convenire, andare bene

suitable ['sjuːtəbl] *agg.* adatto, appropriato

suitcase ['sjuːtkeɪs] *s.* valigia *f.*

suite [swiːt] *s.* **1** appartamento *m.* **2** (*mus.*) suite *f.*

suitor ['sjuːtər] *s.* pretendente *m. e f.*

to sulk [sʌlk] *v. intr.* essere imbronciato

sulky ['sʌlkɪ] *agg.* imbronciato

sullen ['sʌlən] *agg.* scontroso

to sully ['sʌlɪ] *v. tr.* macchiare, deturpare

sulphate ['sʌlfeɪt] *s.* solfato *m.*

sulphur ['sʌlfər] *s.* zolfo *m.*

sultan ['sʌlt(ə)n] *s.* sultano *m.*

sultana [sʌl'taːnə] *s.* **1** sultana *f.* **2** uva *f.* sultanina

sultanate ['sʌltənɪt] *s.* sultanato *m.*

sultriness ['sʌltrɪnɪs] *s.* afa *f.*

sultry ['sʌltrɪ] *agg.* **1** afoso, soffocante **2** appassionato

sum [sʌm] *s.* **1** somma *f.*, addizione *f.* **2**

(di denaro) somma f., quantità f.

to **sum** [sʌm] v. tr. e intr. sommare ♦ **to s. up** ricapitolare, riassumere

to **summarize** ['sʌməraɪz] v. tr. ricapitolare, riassumere

summary ['sʌmərɪ] s. compendio m., riassunto m.

summer ['sʌmər] A s. estate f. B agg. estivo ♦ **s. house** casa di campagna, padiglione; **s. time** ora legale

summertime ['sʌmətaɪm] s. estate f.

summit ['sʌmɪt] s. 1 sommità f., vertice m. 2 summit m. inv., incontro m. al vertice

to **summon** ['sʌmən] v. tr. 1 citare in giudizio 2 convocare ♦ **to s. up** chiamare a raccolta

summons ['sʌmənz] s. citazione f.

sump [sʌmp] s. 1 pozzo m. nero 2 *(mecc.)* coppa f.

sumptuous ['sʌm(p)tjʊəs] agg. sontuoso

sun [sʌn] s. sole m.

to **sunbathe** ['sʌnbeɪð] v. intr. prendere il sole

sunburn ['sʌnbɜːn] s. scottatura f.

sunburnt ['sʌnbɜːnt] agg. scottato dal sole

Sunday ['sʌndɪ] s. domenica f.

sundial ['sʌndaɪ(ə)l] s. meridiana f.

sundown ['sʌndaʊn] s. tramonto m.

sundries ['sʌndrɪz] s. pl. 1 oggetti m. pl. vari, cianfrusaglie f. pl. 2 spese f. pl. varie

sundry ['sʌndrɪ] agg. diversi, vari

sunflower ['sʌnˌflaʊər] s. girasole m.

sung [sʌŋ] p. p. di **to sing**

sunk [sʌŋk] p. p. di **to sink**

sunlight ['sʌnlaɪt] s. luce f. del giorno

sunny ['sʌnɪ] agg. 1 soleggiato 2 allegro

sunrise ['sʌnraɪz] s. levata f. del sole

sunset ['sʌnset] s. tramonto m.

sunshade ['sʌnˌʃeɪd] s. parasole m. inv.

sunshine ['sʌnˌʃaɪn] s. (luce del) sole m.

sunstroke ['sʌnˌstrɒʊk] s. insolazione f.

suntan ['sʌnˌtæn] s. abbronzatura f.

super ['sjuːpər] agg. *(fam.)* ottimo, eccellente, di prim'ordine

superannuation [ˌsjuːpəˌrænjʊ'eɪʃ(ə)n] s. collocamento m. a riposo, pensione f.

superb [sjuː'pɜːb] agg. superbo, magnifico

supercilious [ˌsjuːpə'sɪlɪəs] agg. altezzoso

superconductivity ['sjuːpəˌkəndʌk'tɪvɪtɪ] s. superconduttività f.

superficial [ˌsjuːpə'fɪʃ(ə)l] agg. superficiale

superfluous [sjʊ(ː)'pɜːfluəs] agg. superfluo

superhuman [ˌsjuːpə'hjuːmən] agg. sovrumano

to **superimpose** [ˌsjuːp(ə)rɪm'pɒʊz] v. tr. sovrapporre

to **superintend** [ˌsjuːp(ə)rɪn'tend] v. tr. e intr. soprintendere

superior [sjuː'pɪərɪər] agg. superiore

superiority [sjuːˌpɪərɪ'ɒrɪtɪ] s. superiorità f.

superlative [sjuː'pɜːlətɪv] agg. e s. superlativo m.

supermarket ['sjuːpəˌmaːkɪt] s. supermercato m., supermarket m. inv.

supernatural [ˌsjuːpə'nætʃr(ə)l] agg. soprannaturale

superpower ['sjuːpəˌpaʊər] s. superpotenza f.

to **supersede** [ˌsjuː(ː)pə'siːd] v. tr. soppiantare, rimpiazzare

superstition [ˌsjuːpə'stɪʃ(ə)n] s. superstizione f.

superstitious [ˌsjuːpə'stɪʃəs] agg. superstizioso

supertanker ['sjuːpəˌtæŋkər] s. superpetroliera f.

to **supervene** [ˌsjuːpə'viːn] v. intr. sopraggiungere

to **supervise** ['sjuːpəvaɪz] v. tr. sovrintendere, dirigere

supervision [ˌsjuːpə'vɪʒ(ə)n] s. supervisione f.

supervisor ['sjuːpəvaɪzər] s. sorvegliante m. e f., supervisore m.

supine [sjuː'paɪn] agg. supino

supper ['sʌpər] s. cena f.

to **supplant** [sə'plaːnt] v. tr. soppiantare, scavalcare

supple ['sʌpl] agg. 1 flessibile 2 agile

supplement ['sʌplɪmənt] s. supplemento m.

to **supplement** ['sʌplɪˌmənt] v. tr. completare, integrare

supplementary [ˌsʌplɪ'ment(ə)rɪ] agg. supplementare, integrativo

supplier [sə'plaɪər] s. fornitore m.

supply [sə'plaɪ] s. 1 rifornimento m., provvista f., scorta f. 2 *(econ.)* offerta f. 3 al pl. viveri m. pl. 4 al pl. sussidi m. pl.

to **supply** [sə'plaɪ] v. tr. 1 fornire, provvedere 2 soddisfare 3 supplire

support [sə'pɜːt] s. supporto m., sostegno m.

to **support** [sə'pɜːt] v. tr. sostenere

supporter [sə'pɔːtər] s. sostenitore m., tifoso m.

to suppose [sə'pəuz] v. tr. supporre

supposedly [sə'pəuzidli] avv. 1 presumibilmente 2 apparentemente

supposition [ˌsʌpə'zɪʃ(ə)n] s. supposizione f.

suppository [sə'pəzit(ə)ri] s. supposta f.

to suppress [sə'pres] v. tr. sopprimere

supremacy [sju'preməsi] s. supremazia f.

supreme [sju(ː)'priːm] agg. supremo

surcharge ['sɜːtʃɑːdʒ] s. 1 sovraccarico m. 2 soprattassa f., maggiorazione f. 3 sovrapprezzo m.

to surcharge [sɜː'tʃɑːdʒ] v. tr. 1 sovraccaricare 2 applicare una sovrattassa, un sovrapprezzo a

sure [ʃuər] A agg. sicuro B avv. certamente, sicuramente, davvero

surely ['ʃuəli] avv. certamente

surety ['ʃuəti] s. (dir.) garanzia f.

surf [sɜːf] s. 1 cresta f. dell'onda 2 al pl. frangenti m. pl.

to surf [sɜːf] v. intr. praticare il surf

surface ['sɜːfis] s. superficie f.

to surface ['sɜːfis] A v. tr. 1 far emergere 2 spianare, pavimentare B v. intr. venire alla superficie, emergere

surfboard ['sɜːfˌbɔːd] s. (tavola da) surf m. inv.

surfeit ['sɜːfit] s. 1 eccesso m. 2 sazietà f.

surfing ['sɜːfiŋ] s. surf m. inv.

surge [sɜːdʒ] s. 1 ondata f. 2 slancio m., impeto m.

to surge [sɜːdʒ] v. intr. ondeggiare, fluttuare, agitarsi

surgeon ['sɜːdʒ(ə)n] s. chirurgo m.

surgery ['sɜːdʒəri] s. 1 chirurgia f. 2 ambulatorio m. ♦ **s. hours** orario delle visite

surgical ['sɜːdʒik(ə)l] agg. 1 chirurgico 2 ortopedico

surly ['sɜːli] agg. burbero

surname ['sɜːneim] s. cognome m.

to surpass [sɜː'pɑːs] v. tr. superare

surplus ['sɜːpləs] A agg. eccedente B s. eccedenza f., sovrappiù m. inv., surplus m. inv. ♦ **s. value** plusvalore

surprise [sə'praiz] s. sorpresa f.

to surprise [sə'praiz] v. tr. sorprendere

surprising [sə'praiziŋ] agg. sorprendente

surrealism [sə'riəliz(ə)m] s. surrealismo m.

surrealist [sə'riəlist] s. surrealista m. e f.

surrender [sə'rendər] s. 1 resa f., capitolazione f. 2 cessione f.

to surrender [sə'rendər] A v. tr. 1 cedere, consegnare 2 rinunciare a B v. intr. arrendersi, capitolare

surreptitious [ˌsʌrəp'tiʃəs] agg. 1 clandestino, furtivo 2 (dir.) surrettizio

surrogate ['sʌrəgit] s. sostituto m., surrogato m.

to surround [sə'raund] v. tr. circondare

surrounding [sə'raundiŋ] A agg. circostante B s. al pl. 1 dintorni m. pl. 2 condizioni f. pl. ambientali

surveillance [sɜː'veiləns] s. sorveglianza f.

survey ['sɜːvei] s. 1 esame m., indagine f., rassegna f. 2 perizia f., verifica f., valutazione f. 3 rilevamento m.

to survey [sɜː'vei] v. tr. 1 osservare, esaminare 2 ispezionare, sorvegliare, visitare 3 valutare, fare la perizia di 4 rilevare

surveyor [sɜː'veiər] s. ispettore m., sovraintendente m.

survival [sə'vaiv(ə)l] s. 1 sopravvivenza f. 2 reliquia f.

to survive [sə'vaiv] v. tr. e intr. sopravvivere (a)

survivor [sə'vaivər] s. superstite m. e f.

susceptible [sə'septəbl] agg. 1 sensibile 2 suscettibile

suspect [sʌs'pekt] A agg. sospetto B s. persona f. sospetta

to suspect ['səspekt] v. tr. e intr. sospettare

to suspend [səs'pend] v. tr. 1 sospendere, appendere 2 differire

suspender [səs'pendər] s. 1 giarrettiera f. 2 al pl. (USA) bretelle f. pl. ♦ **s. belt** reggicalze

suspense [səs'pens] s. suspense f. inv.

suspension [səs'penʃ(ə)n] s. sospensione f.

suspicion [səs'piʃ(ə)n] s. sospetto m.

suspicious [səs'piʃəs] agg. 1 sospettoso 2 sospetto

to sustain [səs'tein] v. tr. 1 sostenere, sopportare, reggere 2 (dir.) appoggiare, accogliere 3 confermare

sustenance ['sʌstinəns] s. sostentamento m.

sutler ['sʌtlər] s. vivandiere m.

suture ['suːtʃər] s. sutura f.

to suture ['suːtʃər] v. tr. suturare

swab [swɔb] s. (med.) tampone m.

to swagger ['swægər] v. intr. pavoneggiarsi

swallow (1) ['swɔlɒʊ] *s.* rondine *f.*
swallow (2) ['swɔlɒʊ] *s.* **1** deglutizione *f.*
2 boccone *m.*, sorso *m.*
to swallow ['swɔlɒʊ] *v. tr. e intr.* deglutire, inghiottire
swam [swæm] *pass. di* **to swim**
swamp [swɔmp] *s.* palude *f.*
to swamp [swɔmp] *v. tr.* inondare
swampy ['swɔmpɪ] *agg.* paludoso
swan [swɔn] *s.* cigno *m.*
to swap [swɔp] *v. tr.* barattare, scambiare
swarm [swɔːm] *s.* sciame *m.*
to swarm [swɔːm] *v. intr.* **1** sciamare **2** brulicare
swarthy ['swɔːðɪ] *agg.* bruno, scuro
swastika ['swæstɪkə] *s.* svastica *f.*
to swat [swɔt] *v. tr.* colpire, schiacciare
swatch [swɔtʃ] *s.* campione *m.* (di stoffa)
to sway [sweɪ] **A** *v. tr.* **1** far oscillare, far ondeggiare **2** dominare, governare **3** influenzare **B** *v. intr.* oscillare, ondeggiare
to swear [sweər] (*pass.* **swore**, *p. p.* **sworn**) *v. tr. e intr.* **1** giurare **2** imprecare, bestemmiare
swearword ['sweəwɜːd] *s.* parolaccia *f.*, imprecazione *f.*
sweat [swɛt] *s.* **1** sudore *m.* **2** sudata *f.*, faticata *f.*
to sweat [swɛt] **A** *v. intr.* **1** sudare **2** sgobbare **B** *v. tr.* **1** sudare, trasudare **2** bagnare **3** sfruttare
sweater ['swɛtər] *s.* maglione *m.*
sweatshirt ['swɛtʃɜːt] *s.* felpa *f.*
sweaty ['swɛtɪ] *agg.* sudato
Swede [swiːd] *s.* svedese *m. e f.*
Swedish ['swiːdɪʃ] *agg.* svedese
sweep [swiːp] *s.* **1** scopata *f.*, spazzata *f.* **2** movimento *m.* ampio **3** ambito *m.*, portata *f.* **4** distesa *f.*, tratto *m.* **5** spazzacamino *m.*
to sweep [swiːp] (*pass. e p. p.* **swept**) **A** *v. tr.* **1** scopare, spazzare **2** percorrere, sfiorare **3** spaziare su **B** *v. intr.* **1** incedere maestosamente **2** estendersi ♦ **to s. away** spazzar via, eliminare
sweeping ['swiːpɪŋ] **A** *agg.* **1** ampio, vasto **2** completo, assoluto **3** impetuoso **B** *s. al pl.* rifiuti *m. pl.*
sweet [swiːt] **A** *agg.* **1** dolce **2** piacevole **3** profumato **4** (*fam.*) carino **B** *s.* **1** caramella *f.* **2** dolce *m.* **3** dolcezza *f.*
to sweeten ['swiːtn] *v. tr.* **1** zuccherare **2** addolcire
sweetener ['swiːt(ə)nər] *s.* dolcificante *m.*

sweetheart ['swiːthɑːt] *s.* innamorato *m.*
sweetish ['swiːtɪʃ] *agg.* dolciastro
sweetness ['swiːtnɪs] *s.* **1** dolcezza *f.* **2** aroma *f.*, fragranza *f.*
swell [swɛl] **A** *s.* **1** rigonfiamento *m.* **2** mare *m.* lungo **3** (*mus.*) crescendo *m.* **B** *agg.* **1** elegante **2** (*fam.*) magnifico
to swell [swɛl] (*pass.* **swelled**, *p. p.* **swollen, swelled**) **A** *v. intr.* **1** dilatarsi, gonfiarsi **2** aumentare, crescere **B** *v. tr.* **1** gonfiare, dilatare **2** aumentare
swelling ['swɛlɪŋ] *s.* gonfiore *m.*, rigonfiamento *m.*
sweltering ['swɛltərɪŋ] *agg.* soffocante
swept [swɛpt] *pass. e p. p. di* **to sweep**
to swerve [swɜːv] *v. intr.* deviare, sterzare
swift (1) [swɪft] *agg.* rapido, veloce
swift (2) [swɪft] *s.* rondone *m.*
swig [swɪg] *s.* sorsata *f.*
to swig [swɪg] *v. tr.* tracannare
swim [swɪm] *s.* nuotata *f.*
to swim [swɪm] (*pass.* **swam**, *p. p.* **swum**) **A** *v. intr.* **1** nuotare **2** essere inondato, essere coperto **3** vacillare, ondeggiare **B** *v. tr.* attraversare a nuoto
swimmer ['swɪmər] *s.* nuotatore *m.*
swimming ['swɪmɪŋ] *s.* nuoto *m.* ♦ **s. pool** piscina
swimsuit ['swɪmˌsjuːt] *s.* costume *m.* da bagno
swindle ['swɪndl] *s.* truffa *f.*, imbroglio *m.*
to swindle ['swɪndl] *v. tr.* truffare, raggirare
swine [swaɪn] *s. inv.* porco *m.*
swing [swɪŋ] *s.* **1** oscillazione *f.* **2** (*mus.*) ritmo *m.* **3** altalena *f.* **4** (*mus.*) swing *m. inv.* ♦ **in full s.** in piena attività
to swing [swɪŋ] (*pass. e p. p.* **swung**) **A** *v. tr.* **1** dondolare, far oscillare **2** agitare, roteare **B** *v. intr.* **1** dondolare, oscillare **2** ruotare, girare **3** girarsi, voltarsi
swingeing ['swɪn(d)ʒɪŋ] *agg.* (*fam.*) **1** violento, duro **2** enorme
swinging ['swɪŋɪŋ] **A** *s.* oscillazione *f.* **B** *agg.* **1** oscillante, orientabile **2** veloce **3** cadenzato, ritmico
to swipe [swaɪp] *v. tr.* (*fam.*) **1** colpire **2** rubare
to swirl [swɜːl] *v. intr.* turbinare
to swish [swɪʃ] *v. intr.* frusciare
Swiss [swɪs] *agg. e s. inv.* svizzero *m.*
switch [swɪtʃ] *s.* **1** frusta *f.* **2** cambiamento *m.* **3** interruttore *m.* **4** (*ferr.*) scambio *m.*
to switch [swɪtʃ] *v. tr.* **1** frustare **2** agitare **3** deviare, smistare **4** scambiare ♦ **to s.**

off spegnere; **to s. on** accendere
switchboard ['swɪtʃbɔːd] *s.* centralino *m.*
to swivel ['swɪvl] *v. intr.* ruotare, fare perno
swollen ['swəʊl(ə)n] **A** *p. p. di* **to swell**
B *agg.* gonfio
to swoon [swuːn] *v. intr.* svenire
to swoop [swuːp] *v. intr.* avventarsi, piombare ♦ **to s. up** afferrare al volo
sword [sɔːd] *s.* spada *f.*
swordfish ['sɔːdfɪʃ] *s.* pescespada *m.*
swore [swɔːʳ] *pass. di* **to swear**
sworn [swɔːn] *p. p. di* **to swear**
to swot [swɒt] *v. intr.* sgobbare
swum [swʌm] *p. p. di* **to swim**
swung [swʌŋ] *pass. e p. p. di* **to swing**
syllable ['sɪləbl] *s.* sillaba *f.*
symbiosis [ˌsɪmbɪ'əʊsɪs] *s.* simbiosi *f.*
symbol ['sɪmb(ə)l] *s.* simbolo *m.*
symbolic(al) [sɪm'bɒlɪk((ə)l)] *agg.* simbolico
symbolist ['sɪmbəlɪst] *s.* simbolista *m. e f.*
symmetric(al) [sɪ'mɛtrɪk((ə)l)] *agg.* simmetrico
symmetry ['sɪmɪtrɪ] *s.* simmetria *f.*
sympathetic [ˌsɪmpə'θɛtɪk] *agg.* **1** comprensivo **2** congeniale **3** (*anat.*) simpatico
to sympathize ['sɪmpəθaɪz] *v. intr.* **1** mostrare comprensione **2** simpatizzare
sympathizer ['sɪmpəθaɪzəʳ] *s.* simpatiz-

zante *m. e f.*
sympathy ['sɪmpəθɪ] *s.* **1** comprensione *f.*, partecipazione *f.* **2** simpatia *f.* **3** condoglianza *f.*
symphonic [sɪm'fɒnɪk] *agg.* sinfonico
symphony ['sɪmfənɪ] *s.* sinfonia *f.*
symptom ['sɪm(p)təm] *s.* sintomo *m.*
symptomatology [ˌsɪm(p)təmə'tələdʒɪ] *s.* sintomatologia *f.*
synagogue [ˌsɪnəgəg] *s.* sinagoga *f.*
synchrony ['sɪŋkrənɪ] *s.* sincronia *f.*
syndicalist ['sɪndɪkəlɪst] *s.* sindacalista *m. e f.*
syndicate ['sɪndɪkɪt] *s.* sindacato *m.*
syndrome ['sɪndrɒm] *s.* sindrome *f.*
synonym ['sɪnənɪm] *s.* sinonimo *m.*
synonymous [sɪ'nɒnɪməs] *agg.* sinonimo
synopsis [sɪ'nɒpsɪs] *s.* sinossi *f.*
syntax ['sɪntæks] *s.* sintassi *f.*
synthesis ['sɪnθɪsɪs] (*pl.* **syntheses**) *s.* sintesi *f.*
synthetic(al) [sɪn'θɛtɪk((ə)l)] *agg.* sintetico
syphilis ['sɪfɪlɪs] *s.* sifilide *f.*
syringe ['sɪrɪn(d)ʒ] *s.* siringa *f.*
syrup ['sɪrəp] *s.* sciroppo *m.*
system ['sɪstɪm] *s.* **1** sistema *m.*, metodo *m.* **2** sistema *m.*, apparato *m.*, impianto *m.* **3** rete *f.* **4** organismo *m.*
systole [sɪstəlɪ] *s.* sistole *f.*

T

ta [ta:] *inter.* (*infantile*) grazie
tab [tæb] *s.* 1 linguetta *f.* 2 etichetta *f.*
tabby ['tæbɪ] *agg.* tigrato, a strisce ♦ **t. cat** gatto soriano
tabernacle ['tæbə(:)nækl] *s.* tabernacolo *m.*
table ['teɪbl] *s.* 1 tavolo *m.*, tavola *f.* 2 tavolata *f.* 3 tabella *f.*, elenco *m.* 4 tavoletta *f.*, lastra *f.* ♦ **t. of contents** indice; **to lay/to clear the t.** apparecchiare/sparecchiare la tavola
tablecloth ['teɪblklɒθ] *s.* tovaglia *f.*
tablemat ['teɪbl,mæt] *s.* sottopiatto *m.*
tablespoon ['teɪbl,spu:n] *s.* cucchiaio *m.* da tavola
tablet ['tæblɪt] *s.* 1 compressa *f.*, pastiglia *f.* 2 targa *f.*, tavoletta *f.*
tabloid ['tæblɔɪd] **A** *agg.* conciso, ridotto **B** *s.* 1 compressa *f.* 2 (giornale) tabloid *m. inv.*
taboo [tə'bu:] *s.* tabù *m.*
to tabulate ['tæbjʊleɪt] *v. tr.* disporre in tabelle
tachycardia [,tækɪ'ka:dɪəʳ] *s.* tachicardia *f.*
tacit ['tæsɪt] *agg.* tacito
taciturn ['tæsɪtɜ:n] *agg.* taciturno
tack [tæk] *s.* 1 bulletta *f.*, chiodino *m.* 2 imbastitura *f.* 3 linea *f.* di condotta
to tack [tæk] **A** *v. tr.* 1 imbullettare, inchiodare 2 imbastire **B** *v. intr.* (*naut.*) bordeggiare
tackle ['tækl] *s.* 1 attrezzatura *f.* 2 paranco *m.*
to tackle ['tækl] *v. tr.* 1 affrontare 2 afferrare
tacky ['tækɪ] *agg.* appicciaticcio
tact [tækt] *s.* tatto *m.*
tactful ['tæktf(ʊ)l] *agg.* pieno di tatto
tactical ['tæktɪk(ə)l] *agg.* tattico
tactics ['tæktɪks] *s. pl.* tattica *f.*
tactless ['tæktlɪs] *agg.* che manca di tatto
tadpole ['tædpɒl] *s.* girino *m.*
taenia ['ti:nɪə] *s.* tenia *f.*
tag [tæg] *s.* 1 cartellino *m.*, etichetta *f.* 2 appendice *f.*, estremità *f.* 3 puntale *m.* 4 frase *f.* fatta
to tag [tæg] *v. tr.* 1 contrassegnare (*con cartellino, etichetta*) 2 aggiungere 3 seguire

da vicino ♦ **to t. along, t. behind** pedinare
tail [teɪl] *s.* coda *f.* ♦ **t. end** parte finale; **t. lamp** luce posteriore, fanalino
to tail [teɪl] *v. tr.* 1 essere in coda a 2 seguire, pedinare ♦ **to t. away/off** assottigliarsi, disperdersi; **to t. back** incolonnarsi
tailback ['teɪlbæk] *s.* (*di veicoli*) incolonnamento *m.*
tailcoat ['teɪl,kɒt] *s.* frac *m. inv.*
tailor ['teɪləʳ] *s.* sarto *m.* ♦ **t.-made** fatto su misura; **t.'s workshop** sartoria
tailoring ['teɪlərɪŋ] *s.* sartoria *f.*
to taint [teɪnt] *v. tr.* corrompere, guastare
to take [teɪk] (*pass.* **took**, *p. p.* **taken**) **A** *v. tr.* 1 prendere, afferrare, cogliere, conquistare 2 comprendere 3 condurre, portar via, accompagnare 4 fare 5 attirare, affascinare, colpire 6 impiegare, metterci, richiedere 7 (*cine., TV*) riprendere, girare 8 contenere **B** *v. intr.* 1 far presa, attecchire 2 (*fam.*) essere fotogenico ♦ **t. it easy!** calma!; **to t. after** somigliare a; **to t. away** allontanare, rimuovere, asportare; **to t. back** riportare, ritirare; **to t. down** smantellare, registrare; **to t. in** accogliere, ospitare, comprendere, imbrogliare; **to t. off** decollare, staccare, togliere; **to t. on** imbarcare, assumere, sfidare; **to t. out** portare fuori, emettere, sottoscrivere; **to t. over** subentrare; **to t. part (in)** presenziare; **to t. to** darsi a; **to t. up** sollevare, iniziare, occupare
take-away ['teɪkəweɪ] *agg.* da asporto
take-off ['teɪk,ɔ:f] *s.* decollo *m.*
take-over ['teɪk,ɒvəʳ] *s.* (*di società*) acquisizione *f.*
taking ['teɪkɪŋ] **A** *agg.* affascinante **B** *s.* 1 presa *f.* 2 *al pl.* incasso *m.*
talc [tælk] *s.* talco *m.*
talcum ['tælkəm] *s.* talco *m.* ♦ **t. powder** borotalco
tale [teɪl] *s.* racconto *m.*, novella *f.*
talent ['tælənt] *s.* talento *m.*
talisman ['tælɪzmən] *s.* talismano *m.*
talk [tɔ:k] *s.* 1 colloquio *m.*, discorso *m.* 2 chiacchiere *f. pl.* 3 negoziato *m.*
to talk [tɔ:k] *v. intr.* 1 parlare, conversare 2

chiacchierare ♦ **to t. about** fare pettegolezzi su; **to t. out of** dissuadere da; **to t. to** rimproverare

tall [tɔːl] *agg.* **1** (*di statura*) alto **2** (*fam.*) incredibile

tally ['tælɪ] *s.* **1** cartellino *m.*, contrassegno *m.* **2** conteggio *m.*

to tally ['tælɪ] *v. intr.* corrispondere

talon ['tælən] *s.* artiglio *m.*

tamarind ['tæmərɪnd] *s.* tamarindo *m.*

tambour ['tæmbʊər] *s.* (*arch.*) tamburo *m.*

tambourine [,tæmbə'riːn] *s.* tamburello *m.*

tame [teɪm] *agg.* **1** addomesticato **2** docile, mansueto **3** insulso, noioso

to tame [teɪm] *v. tr.* addomesticare, domare

tamer ['teɪmər] *s.* domatore *m.*

to tamper ['tæmpər] *v. intr.* manomettere

tampon ['tæmpən] *s.* tampone *m.*

to tampon ['tæmpən] *v. tr.* tamponare

tamponage ['tæmpənɪdʒ] *s.* tamponamento *m.*

tan [tæn] **A** *agg.* marrone rossiccio **B** *s.* **1** abbronzatura *f.* **2** concia *f.*

to tan [tæn] **A** *v. tr.* **1** (*pelli*) conciare **2** abbronzare **B** *v. intr.* abbronzarsi

tandem ['tændəm] *s.* tandem *m. inv.*

tang [tæŋ] *s.* **1** sapore *m.* piccante **2** punta *f.*, traccia *f.*

tangent ['tæn(d)ʒ(ə)nt] *agg. e s.* tangente *f.*

tangerine [,tæn(d)ʒə'riːn] *s.* mandarino *m.*

tangle ['tæŋgl] *s.* groviglio *m.*, imbroglio *m.*

to tangle ['tæŋgl] *v. tr.* aggrovigliare, imbrogliare

tango ['tæŋgʊ] *s.* tango *m.*

tank [tæŋk] *s.* **1** serbatoio *m.*, bidone *m.* **2** carro *m.* armato

tanker ['tæŋkər] *s.* **1** autobotte *f.* **2** petroliera *f.*

tanning ['tænɪŋ] *s.* **1** abbronzatura *f.* **2** concia *f.*

to tantalize ['tæntəlaɪz] *v. tr.* tormentare

tantalizing ['tæntəlaɪzɪŋ] *agg.* allettante

tantamount ['tæntəmaʊnt] *agg. pred.* equivalente

tantrum ['tæntrəm] *s.* (*fam.*) collera *f.*

tap (1) [tæp] *s.* **1** rubinetto *m.*, spina *f.* **2** presa *f.* ♦ **on t.** alla spina, a disposizione

tap (2) [tæp] *s.* colpetto *m.* ♦ **t. dance** tip tap

to tap (1) [tæp] *v. tr.* **1** spillare **2** incidere **3** (*tel.*) intercettare

to tap (2) [tæp] **A** *v. intr.* picchiettare, bussare **B** *v. intr.* battere leggermente

tape [teɪp] *s.* nastro *m.* ♦ **t. player** mangianastri; **t. recorder** registratore

to tape [teɪp] *v. tr.* **1** registrare (*su nastro magnetico*) **2** sigillare (*con nastro adesivo*)

taper ['teɪpər] *s.* **1** candelina *f.*, lumicino *m.* **2** assottigliamento *m.*, rastremazione *f.*

tapestry ['tæpɪstrɪ] *s.* **1** arazzo *m.* **2** tappezzeria *f.*

tapeworm ['teɪp,wɜːm] *s.* tenia *f.*

tapir ['teɪpər] *s.* tapiro *m.*

tar [tɑːr] *s.* catrame *m.*

tare [tɛər] *s.* tara *f.*

target ['tɑːgɪt] *s.* **1** bersaglio *m.* **2** obiettivo *m.*

tariff ['tærɪf] *s.* tariffa *f.*

to tarnish ['tɑːnɪʃ] *v. tr.* **1** appannare, offuscare **2** macchiare

tarot ['tærʊ] *s.* tarocco *m.*

tarpaulin [tɑː'pɔːlɪn] *s.* telone *m.* impermeabile

tarragon ['tærəgən] *s.* dragoncello *m.*

tarsia ['tɑːsɪə] *s.* tarsia *f.*

tart (1) [tɑːt] *agg.* aspro, acido

tart (2) [tɑːt] *s.* torta *f.* (*di frutta*), crostata *f.*

tart (3) [tɑːt] *s.* (*fam.*) sgualdrina *f.*

tartan ['tɑːt(ə)n] *s.* tartan *m. inv.*

tartar ['tɑːtər] *s.* tartaro *m.*

task [tɑːsk] *s.* compito *m.*, mansione *f.* ♦ **t. force** unità operativa, squadra speciale

tassel ['tæs(ə)l] *s.* nappa *f.*, pennacchio *m.*

taste [teɪst] *s.* **1** gusto *m.*, sapore *m.* **2** assaggio *m.* **3** propensione *f.*, inclinazione *f.* **4** buon gusto *m.*

to taste [teɪst] **A** *v. tr.* **1** sentire (il gusto di), assaggiare **2** gustare, provare **B** *v. intr.* sapere di, avere sapore

tasteful ['teɪstf(ʊ)l] *agg.* raffinato

tasteless ['teɪstlɪs] *agg.* insapore, insipido

tasting ['teɪstɪŋ] *s.* assaggio *m.*, degustazione *f.*

tasty ['teɪstɪ] *agg.* gustoso, saporito

tatter ['tætər] *s.* straccio *m.*, brandello *m.*

tattle ['tætl] *s.* chiacchiere *f. pl.*

tattoo (1) [tə'tuː] *s.* tatuaggio *m.*

tattoo (2) [tə'tuː] *s.* **1** (*mil.*) ritirata *f.* **2** parata *f.* militare

to tattoo [tə'tuː] *v. tr.* tatuare

taught [tɔːt] *pass. e p. p. di* **to teach**

taunt [tɔːnt] *s.* scherno *m.*

tauromachy [tɔː'rɒməkɪ] *s.* tauromachia *f.*

Taurus ['tɔːrəs] s. (astr) toro m.

taut [tɔːt] agg. **1** teso, tirato **2** stiracchiato, conciso **3** pulito, in ordine

tavern ['tævən] s. taverna f.

tax [tæks] **A** agg. fiscale, di imposta **B** s. **1** tassa f. **2** peso m., onere m. ♦ **income t.** imposta sul reddito; **inheritance t.** tassa di successione; **t. allowance** detrazione fiscale; **t. disc** bollo di circolazione; **t.-free** esentasse; **t. return** dichiarazione dei redditi; **t. stamp** bollo

to tax [tæks] v. tr. **1** tassare **2** mettere alla prova

taxable ['tæksəbl] agg. tassabile

taxation [tæk'seɪʃ(ə)n] s. tassazione f.

taxi ['tæksɪ] s. taxi m. inv. ♦ **t. driver** tassista; **t. rank** (USA **t. stand**) posteggio di taxi

taximeter ['tæksɪˌmiːtər] s. tassametro m.

taxpayer ['tæksˌpeɪər] s. contribuente m. e f.

tea [tiː] s. tè m. inv. ♦ **t. set** servizio da tè; **t. towel** strofinaccio

teabag ['tiːbæg] s. bustina f. di tè

to teach [tiːtʃ] (pass. e p. p. **taught**) v. tr. e intr. insegnare

teacher ['tiːtʃər] s. insegnante m. e f., docente m. e f., professore m., maestro m.

teaching ['tiːtʃɪŋ] s. insegnamento m.

teacup ['tiːkʌp] s. tazza f. da tè

teak [tiːk] s. tek m.

team [tiːm] s. squadra f., team m. inv. ♦ **t. work** lavoro d'équipe

teapot ['tiːpɒt] s. teiera f.

tear (1) [tɪər] s. lacrima f.

tear (2) [tɛər] s. spacco m., lacerazione f.

to tear [tɛər] (pass. **tore**, p. p. **torn**) **A** v. tr. **1** lacerare, strappare **2** (fig.) dilaniare **B** v. intr. **1** lacerarsi, strapparsi **2** correre a gran velocità ♦ **to t. off** staccare; **to t. up** fare a pezzi

tearful ['tɪəf(ʊ)l] agg. lacrimoso, piangente

tearoom ['tiːruːm] s. sala f. da tè

to tease [tiːz] v. tr. canzonare, molestare, fare dispetti a

teaspoon ['tiːspuːn] s. cucchiaino m.

teatime ['tiːtaɪm] s. ora f. del tè

technical ['tɛknɪk(ə)l] agg. tecnico

technician [tɛk'nɪʃ(ə)n] s. tecnico m.

technique [tɛk'niːk] s. tecnica f.

technological [ˌtɛknə'lɒdʒɪkl] agg. tecnologico

technology [tɛk'nɒlədʒɪ] s. tecnologia f.

teddy bear ['tɛdɪˌbɛər] s. orsacchiotto m.

(di peluche)

tedious ['tiːdjəs] agg. noioso

to teem [tiːm] v. intr. **1** abbondare, brulicare **2** diluviare

teenage ['tiːnˌeɪdʒ] agg. di, per teen-ager

teen-ager ['tiːnˌeɪdʒər] s. adolescente m. e f.

teens [tiːnz] s. pl. adolescenza f.

to teeter ['tiːtər] v. intr. traballare

teeth [tiːθ] pl. di **tooth**

to teethe [tiːð] v. intr. mettere i denti

teething ['tiːðɪŋ] s. dentizione f. ♦ **t. ring** dentaruolo; **t. troubles** difficoltà iniziali

teetotal [tɪ'təʊtl] agg. e s. astemio m.

telecamera [ˌtɛlɪ'kæmərə] s. telecamera f.

telecontrol [ˌtɛlɪkən'trəʊl] s. telecomando m.

telegram ['tɛlɪgræm] s. telegramma m.

telegraph ['tɛlɪgrɑːf] s. telegrafo m.

telematics [ˌtɛlɪ'mætɪks] s. pl. (v. al sing.) telematica f.

telepathy [tɪ'lɛpəθɪ] s. telepatia f.

telephone ['tɛlɪfəʊn] s. telefono m. ♦ **t. book/directory** elenco telefonico; **t. booth** cabina telefonica; **t. exchange** centralino; **t. number** numero di telefono

to telephone ['tɛlɪfəʊn] v. tr. e intr. telefonare

telescope ['tɛlɪskəʊp] s. telescopio m.

television ['tɛlɪˌvɪʒ(ə)n] s. televisione f. ♦ **t. set** televisore

telex ['tɛlɛks] s. telex m. inv., telescrivente f.

to tell [tɛl] (pass. e p. p. **told**) **A** v. tr. **1** dire, raccontare **2** rivelare, divulgare **3** distinguere, riconoscere **B** v. intr. avere effetto, farsi sentire ♦ **to t. off** rimproverare

teller ['tɛlər] s. (banca) cassiere m.

telling ['tɛlɪŋ] agg. espressivo

telly ['tɛlɪ] s. (fam.) televisione f.

temerity [tɪ'mɛrɪtɪ] s. temerarietà f.

temper ['tɛmpər] s. **1** carattere m., umore m. **2** malumore m., collera f. **3** calma f., sangue m. freddo

to temper ['tɛmpər] v. tr. temperare, moderare

tempera ['tɛmpərə] s. tempera f.

temperament ['tɛmp(ə)rəmənt] s. temperamento m.

temperamental [ˌtɛmp(ə)rə'mɛntl] agg. **1** capriccioso, instabile **2** connaturato

temperate ['tɛmp(ə)rɪt] agg. temperato

temperature ['tɛmprɪtʃər] s. **1** temperatura f. **2** febbre f.

tempest ['tɛmpɪst] s. tempesta f.

Templar ['templər] s. templare m.

template ['templɪt] s. sagoma f.

temple (1) ['templ] s. tempio m.

temple (2) ['templ] s. tempia f.

temporary ['temp(ə)rərɪ] agg. temporaneo, provvisorio

to tempt [tem(p)t] v. tr. tentare, allettare

temptation [tem(p)'teɪʃ(ə)n] s. tentazione f.

tempting ['tem(p)tɪŋ] agg. invitante, allettante

ten [ten] agg. num. card. e s. dieci m. inv.

tenacious [tɪ'neɪʃəs] agg. tenace

tenacity [tɪ'næsɪtɪ] s. tenacia f.

tenancy ['tenənsɪ] s. locazione f., affitto m.

tenant ['tenənt] s. inquilino m.

tench [tenʃ] s. tinca f.

to tend (1) [tend] v. tr. badare a

to tend (2) [tend] v. intr. tendere

tendency ['tendənsɪ] s. tendenza f.

tendentious [ten'denʃəs] agg. tendenzioso

tender (1) ['tendər] agg. **1** tenero, molle, morbido **2** delicato

tender (2) ['tendər] s. **1** guardiano m. **2** (naut.) tender m. inv.

tender (3) ['tendər] s. **1** offerta f. **2** valuta f., moneta f.

to tender ['tendər] v. tr. offrire

tenderness ['tendənɪs] s. tenerezza f.

tendon ['tendən] s. tendine m.

tenement ['tenɪmənt] s. **1** appartamento m. **2** caseggiato m.

tenet ['tenɪt] s. principio m., canone m.

tennis ['tenɪs] s. tennis m. inv.

tenor ['tenər] s. (mus.) tenore m.

tenpin ['tenpɪn] s. (USA) birillo m.

tense (1) [tens] agg. teso, tirato

tense (2) [tens] s. (gramm.) tempo m.

tension ['tenʃ(ə)n] s. tensione f.

tent [tent] s. tenda f., tendone m. ♦ **t.-peg** picchetto per tenda

to tent [tent] v. intr. attendarsi

tentative ['tentətɪv] agg. sperimentale, provvisorio

tenth [tenθ] agg. num. ord. e s. decimo m.

tenuous ['tenjuəs] agg. tenue

tenure ['tenjuər] s. (dir) possesso m.

tepid ['tepɪd] agg. tiepido

term [tɜːm] s. **1** termine m. **2** (a scuola) trimestre m. **3** (dir) sessione f. **4** al pl. condizioni f. pl.

to term [tɜːm] v. tr. definire

terminal ['tɜːmɪnl] **A** agg. terminale, finale **B** s. **1** terminale m., estremità f. **2** capolinea m. inv., terminal m. inv. **3** (elettr) morsetto m. **4** (inf.) terminale m.

to terminate ['tɜːmɪneɪt] v. tr. terminare, porre fine a

terminology [,tɜːmɪ'nələdʒɪ] s. terminologia f.

terminus ['tɜːmɪnəs] s. capolinea m. inv.

termite ['tɜːmaɪt] s. termite f.

terrace ['terəs] s. **1** terrazzo m., terrapieno m. **2** terrazza f. **3** case f. pl. a schiera

terracotta [,terə'kətə] s. terracotta f.

terrain ['terein] s. terreno m.

terrestrial [tɪ'restrɪəl] agg. terrestre

terrible ['terəbl] agg. terribile, tremendo

terrier ['terɪər] s. terrier m. inv.

terrific [tə'rɪfɪk] agg. **1** spaventoso **2** (fam.) fantastico, straordinario

to terrify ['terɪfaɪ] v. tr. terrorizzare

territorial [,terɪ'tɔːrɪəl] agg. territoriale

territory ['terɪt(ə)rɪ] s. territorio m.

terror ['terər] s. **1** terrore m. **2** (fam.) (di bambino) peste f.

terrorism ['terərɪz(ə)m] s. terrorismo m.

terrorist ['terərɪst] s. terrorista m. e f.

terse [tɜːs] agg. conciso

tertiary ['tɜːʃərɪ] s. terziario m.

test [test] s. esame m., prova f., test m. inv. ♦ **t. pilot** pilota collaudatore; **t. tube** provetta

to test [test] v. tr. esaminare, analizzare, collaudare, sperimentare

testament ['testəmənt] s. testamento m.

testator [tes'teɪtər] s. testatore m.

testicle ['testɪkl] s. testicolo m.

to testify ['testɪfaɪ] v. tr. e intr. **1** testimoniare **2** dimostrare

testimony ['testɪmənɪ] s. testimonianza f.

testis ['testɪs] s. (pl. **testes**) s. testicolo m.

tetanus ['tetənəs] s. tetano m.

tether ['teðər] s. **1** pastoia f., catena f. **2** (fig.) campo m., portata f.

text [tekst] s. testo m.

textbook ['teks(t)bʊk] s. manuale m.

textile ['tekstaɪl] agg. tessile

texture ['tekstʃər] s. **1** trama f. **2** struttura f.

than [ðæn] cong. **1** (comparativo) che, di, di quello che (ES: **You are younger t. I am** sei più giovane di me) **2** (dopo 'other, else, rather, sooner') che (ES: **no other t.** nient'altro che, **rather t.** piuttosto che) **3** (correlativo di 'hardly, scarcely') quando, che (ES: **hardly was your mother gone t. you**

began crying tua madre era appena uscita che già iniziavi a piangere)

to thank [θæŋk] *v. tr.* ringraziare ♦ **t. you** grazie!

thankful ['θæŋkf(ʊ)l] *agg.* riconoscente

thankfulness ['θæŋkf(ʊ)lnɪs] *s.* riconoscenza *f.*

thanks [θæŋks] *s. pl.* ringraziamenti *m. pl.* ♦ **t. to** grazie a

that [ðæt] (*pl.* those) **A** *agg. dimostr.* quello, quella (ES: **t. pen** quella penna) **B** *pron. dimostr.* quello, quella, questo, questa, ciò (ES: **who's t.?** chi è quello?, **what's t.** cos'è quello?) **C** *pron. rel.* **1** che, il quale, la quale, i quali, le quali (ES: **the book t.** I read il libro che ho letto) **2** in cui, che (ES: **the day t. Kennedy was murdered** il giorno in cui Kennedy venne assassinato) **D** *cong.* che (ES: **it was so cold t. we decided to stay at home** faceva così freddo che decidemmo di stare a casa)

thatch [θætʃ] *s.* paglia *f.*

thaw [θɔː] *s.* disgelo *m.*

to thaw [θɔː] *v. tr.* sgelare, scongelare

the [ðiː] *art. determ.* il, lo, la, i, gli, le

theatre ['θɪətər] (*USA* theater) *s.* teatro *m.*

theatrical [θɪ'ætrɪk(ə)l] *agg.* teatrale

theft [θeft] *s.* furto *m.*

their [ðeər] *agg. poss.* il loro, la loro, i loro, le loro

theirs [ðeəz] *pron. poss.* il loro, la loro, i loro, le loro

them [ðem, ðəm] *pron. pers. 3ª pl. (compl.)* li, le, loro

theme [θiːm] *s.* tema *m.* ♦ **t. park** parco divertimenti; **t. song** tema musicale

themselves [ðəm'selvz] *pron. 3ª pl.* **1** (*rifl.*) se stessi, se stesse, sé, si **2** (*enf.*) essi stessi, esse stesse, proprio loro

then [ðen] **A** *avv.* **1** allora, a quel tempo **2** dopo, poi **3** allora, in tal caso **4** anche, poi **B** *cong.* dunque, allora ♦ **before t.** prima di allora; **by t.** a quel tempo, ormai; **now and t.** di tanto in tanto; **what t.?** e allora?

theologian [θɪə'loʊdʒjən] *s.* teologo *m.*

theology [θɪ'ɒlədʒɪ] *s.* teologia *f.*

theorem ['θɪərəm] *s.* teorema *m.*

theory ['θɪərɪ] *s.* teoria *f.*

therapeutic [ˌθerə'pjuːtɪk] *agg.* terapeutico

therapy ['θerəpɪ] *s.* terapia *f.*

there [ðeər] **A** *avv.* **1** là, lì (ES: **where is it? it is t.** dov'è? là) **2** ci, vi (ES: **t. is an**

apple on the table c'è una mela sul tavolo) **B** *inter.* ecco!

thereabout(s) ['ðeərə,baʊt(s)] *avv.* **1** nei pressi **2** all'incirca

thereafter [ˌðeər'aːftər] *avv.* da allora in poi, quindi

thereby [ˌðeə'baɪ] *avv.* con ciò, per mezzo di ciò

therefore ['ðeəfɜːr] *avv.* dunque, perciò, quindi

thermae ['θɜːmɪ] *s. pl.* (*archeol.*) terme *f.*

thermal ['θɜːm(ə)l] *agg.* termale

thermic ['θɜːmɪk] *agg.* termico

thermodynamics [ˌθɜːmɒ(ʊ)daɪ'næmɪks] *s. pl.* (*v. al sing.*) termodinamica *f.*

thermometer [θə'mɒmɪtər] *s.* termometro *m.*

thermos ['θɜːməs] *s.* thermos *m. inv.*

thermostat ['θɜːmɒ(ʊ)stæt] *s.* termostato *m.*

thesaurus [θiː'sɔːrəs] *s.* dizionario *m.* dei sinonimi

these [ðiːz] *pl. di* this

thesis ['θiːsɪs] (*pl.* theses) *s.* tesi *f.*

they [ðeɪ] *pron. pers. 3ª pl.* essi, esse, loro ♦ **t. say** si dice

thick [θɪk] **A** *agg.* **1** spesso, denso, folto **2** ottuso **B** *s.* il folto *m.* **C** *avv.* **1** fittamente **2** a strati spessi

to thicken ['θɪk(ə)n] **A** *v. tr.* addensare, ispessire, infoltire **B** *v. intr.* **1** addensarsi, ispessirsi, infoltirsi **2** (*del tempo*) offuscarsi

thicket ['θɪkɪt] *s.* boscaglia *f.*

thickness ['θɪknɪs] *s.* **1** densità *f.* **2** spessore *m.*

thickset [ˌθɪk'set] *agg.* **1** fitto, folto **2** tarchiato

thief [θiːf] *s.* ladro *m.*

thigh [θaɪ] *s.* coscia *f.* ♦ **t. bone** femore *m.*

thimble ['θɪmbl] *s.* ditale *m.*

thin [θɪn] *agg.* **1** sottile, fine **2** magro **3** rado, poco denso **4** diluito

to thin [θɪn] **A** *v. tr.* **1** assottigliare **2** diradare, sfoltire **3** diluire **B** *v. intr.* **1** assottigliarsi **2** diradarsi, sfoltirsi

thing [θɪŋ] *s.* cosa *f.*

to think [θɪŋk] (*pass. e p. p.* thought) *v. tr. e intr.* pensare ♦ **to t. about** pensare a; **to t. out** meditare su, escogitare; **to t. over** riflettere; **to t. up** trovare, inventare

thinker ['θɪŋkər] *s.* pensatore *m.*

thinness ['θɪnnɪs] *s.* **1** finezza *f.* **2** magrezza f.

third [θɜːd] **A** agg. num. ord. terzo **B** s. **1** terzo m. **2** (mus.) terza f. **3** (autom.) terza f. (marcia) ♦ **t.-rate** di terz'ordine, scadente

thirdly [θɜːdlɪ] avv. in terzo luogo

thirst [θɜːst] s. sete f.

thirsty [θɜːstɪ] agg. assetato

thirteen [ˌθɜːˈtiːn] agg. num. card. e s. tredici m. inv.

thirteenth [ˌθɜːˈtiːnθ] agg. num. ord. e s. tredicesimo m.

thirtieth [θɜːtɪɪθ] agg. num. ord. e s. trentesimo m.

thirty [θɜːtɪ] agg. num. card. e s. trenta m. inv.

this [ðɪs] (pl. **these**) **A** agg. dimostr. questo, questa **B** pron. dimostr. questo, questa, costui, ciò **C** avv. (fam.) così ♦ **t. evening** stasera; **t. morning** stamattina; **t. night** stanotte; **t. time** stavolta

thistle [θɪsl] s. cardo m.

thong [θɒŋ] s. cinghia f.

thorn [θɔːn] s. spina f.

thorough [θʌrə] agg. **1** completo, minuzioso, profondo **2** bell'e buono, perfetto

thoroughbred [θʌrəbred] s. purosangue m.

thoroughfare [θʌrəfeər] s. strada f. di transito ♦ **no t.** divieto di transito

thoroughly [θʌrəlɪ] avv. completamente

those [ðəʊz] pl. di **that**

though [ðəʊ] **A** cong. sebbene, benché, malgrado **B** avv. comunque

thought (1) [θɔːt] s. pensiero m.

thought (2) [θɔːt] pass. e p. p. di **to think**

thoughtful [θɔːtf(ʊ)l] agg. **1** pensieroso **2** sollecito, pieno di attenzioni

thoughtless [θɔːtlɪs] agg. **1** sconsiderato **2** noncurante

thousand [θaʊz(ə)nd] **A** agg. num. card. mille **B** s. migliaio m. ♦ **by thousands, by the t.** a migliaia; **t. millions** miliardo

to thrash [θræʃ] **A** v. tr. battere, percuotere **B** v. intr. muoversi ♦ **to t. about** dimenarsi; **to t. out** chiarire, definire

thread [θred] s. **1** filo m. **2** filetto m., filettatura f.

to thread [θred] v. tr. **1** infilare **2** filettare

threadbare [θredbeər] agg. consumato, logoro

threat [θret] s. minaccia f.

to threaten [θretn] v. tr. e intr. minacciare

threatening [θretnɪŋ] agg. minaccioso

three [θriː] agg. num. card. e s. tre m. inv.

three-dimensional [ˌθrɪdɪˈmenʃənl] agg. tridimensionale

threshing [θreʃɪŋ] s. trebbiatura f. ♦ **t. floor** aia; **t. machine** trebbiatrice

threshold [θreʃ(h)əʊld] s. soglia f.

threw [θruː] pass. di **to throw**

thrifty [θrɪftɪ] agg. parsimonioso

thrill [θrɪl] s. brivido m.

to thrill [θrɪl] **A** v. tr. eccitare, commuovere **B** v. intr. fremere, rabbrividire, eccitarsi

thriller [θrɪlər] s. thriller m. inv.

thrilling [θrɪlɪŋ] agg. elettrizzante, eccitante, sensazionale

to thrive [θraɪv] (pass. **throve**, p. p. **thriven**) v. intr. **1** prosperare, aver fortuna **2** crescere rigogliosamente

throat [θrəʊt] s. gola f.

throb [θrəb] s. **1** battito m., pulsazione f. **2** fremito m.

to throb [θrəb] v. intr. **1** battere, pulsare **2** fremere

throes [θrəʊz] s. pl. doglie f. pl., spasimi m. pl.

thrombosis [θrəmˈbəʊsɪs] s. trombosi f.

throne [θrəʊn] s. trono m.

throng [θrəŋ] s. folla f., ressa f.

to throng [θrəŋ] v. tr. e intr. affollare, affollarsi

throttle [θrɒtl] s. gola f. ♦ **t. valve** valvola a farfalla

to throttle [θrɒtl] v. tr. strangolare

through (1) [θruː] **A** avv. **1** attraverso, da parte a parte **2** da cima a fondo **3** direttamente **B** prep. **1** (moto per luogo) attraverso, per **2** (tempo) durante, per la durata di, per **3** (mezzo) mediante, per mezzo di **4** (causa) a causa di, per

through (2) [θruː] agg. **1** finito, chiuso **2** diretto

throughout [θruːˈaʊt] **A** avv. da parte a parte, dal principio alla fine, completamente **B** prep. in tutto, per tutto, durante tutto

throve [θrəʊv] pass. di **to thrive**

throw [θrəʊ] s. lancio m., tiro m.

to throw [θrəʊ] (pass. **threw**, p. p. **thrown**) v. tr. **1** buttare, lanciare, scagliare **2** abbattere, disarcionare **3** confondere, imbarazzare ♦ **to t. away** gettare via; **to t. off** togliersi, disfarsi di; **to t. out** buttar via, respingere; **to t. up** abbandonare, vomitare

thrush [θrʌʃ] s. tordo m.

thrust [θrʌst] s. spinta f.

to thrust [θrʌst] (pass. e p. p. **thrust**) **A** v.

tr. **1** spingere, ficcare **2** conficcare, piantare **B** *v. intr.* **1** ficcarsi, infilarsi, farsi largo **2** spingersi ♦ **to t. through** trafiggere

thud [θʌd] *s.* tonfo *m.*

thumb [θʌmb] *s.* pollice *m.*

to thumb [θʌmb] *v. tr.* **1** (*pagine*) sfogliare **2** lasciare ditate su **3** strimpellare ♦ **to t. a lift** fare l'autostop

thumbtack ['θʌmtæk] *s.* puntina *f.* da disegno

thump [θʌmp] *s.* **1** botta *f.*, colpo *m.* **2** tonfo *m.*

to thump [θʌmp] **A** *v. tr.* battere, picchiare **B** *v. intr.* **1** menare colpi **2** cadere con un tonfo

thunder ['θʌndər] *s.* tuono *m.*

to thunder ['θʌndər] *v. intr.* tuonare

thunderbolt ['θʌndə,bɒʊlt] *s.* fulmine *m.*

thunderclap ['θʌndə,klæp] *s.* (rombo di) tuono *m.*

thunderstorm ['θʌndə,stɔ:] *s.* temporale *m.*

thundery ['θʌndərɪ] *agg.* tempestoso, temporalesco

Thursday ['θɜ:zdɪ] *s.* giovedì *m.*

thus [ðʌs] *avv.* **1** così, pertanto, quindi **2** talmente

to thwart [θwɔ:t] *v. tr.* ostacolare

thyme [taɪm] *s.* (*bot.*) timo *m.*

thymus ['θaɪməs] *s.* (*anat.*) timo *m.*

thyroid ['θaɪrəɪd] *s.* tiroide *f.*

tiara [tɪ'a:rə] *s.* tiara *f.*

tibia ['tɪbɪə] *s.* tibia *f.*

tick (1) [tɪk] *s.* (*zool.*) zecca *f.*

tick (2) [tɪk] *s.* **1** ticchettio *m.*, tic tac *m. inv.* **2** attimo *m.* **3** visto *m.*, segno *m.*

to tick [tɪk] **A** *v. intr.* **1** ticchettare, fare tic tac **2** funzionare **B** *v. tr.* segnare, spuntare ♦ **to t. off** sgridare; **to t. over** perdere colpi, tirare avanti

ticket ['tɪkɪt] *s.* **1** biglietto *m.*, tessera *f.* **2** scontrino *m.*, cartellino *m.* ♦ **one-way t.** biglietto di sola andata; **return t.** biglietto di andata e ritorno; **t. clerk** (*in stazione*) bigliettaio; **t. collector** (*in treno*) bigliettaio, (*sui mezzi pubblici*) controllore; **t. office** biglietteria; **t. window** sportello della biglietteria

to tickle ['tɪkl] *v. tr.* **1** solleticare **2** stuzzicare, stimolare

ticklish ['tɪklɪʃ] *agg.* **1** che soffre il solletico **2** delicato **3** permaloso, suscettibile

tidal ['taɪdl] *agg.* di marea

tiddlywinks ['tɪdlɪwɪŋks] *s.* gioco *m.* delle pulci

tide [taɪd] *s.* **1** marea *f.* **2** corso *m.*, corrente *f.* ♦ **high/low t.** alta/bassa marea

to tide [taɪd] *v. intr.* navigare con la marea ♦ **to t. over** aiutare a superare

tidy ['taɪdɪ] *agg.* ordinato, pulito

to tidy ['taɪdɪ] *v. tr.* riordinare ♦ **to t. out** sgombrare; **to t. up** riordinare

tie [taɪ] *s.* **1** laccio *m.*, stringa *f.* **2** cravatta *f.* **3** legame *m.*, vincolo *m.* **4** (*sport*) pareggio *m.*, spareggio *m.*

to tie [taɪ] **A** *v. tr.* **1** legare, annodare **2** pareggiare, uguagliare **B** *v. intr.* **1** essere allacciato **2** pareggiare ♦ **to t. down** legare, vincolare; **to t. up** legare, collegare, impegnare, vincolare

tier [tɪər] *s.* fila *f.*, ordine *m.*, strato *m.*

tiger ['taɪgər] *s.* tigre *f.*

tight [taɪt] **A** *agg.* **1** teso, tirato **2** stretto, aderente **3** fermo, saldo, ben fissato **4** ermetico, stagno **5** severo, fermo, difficile **6** scarso **7** avaro, tirchio **8** (*fam.*) sbronzo **B** *avv.* **1** strettamente **2** fermamente **3** completamente

to tighten ['taɪtn] *v. tr.* **1** stringere, serrare **2** tendere, tirare

tightfisted [,taɪt'fɪstɪd] *agg.* avaro, tirchio

tightly ['taɪtlɪ] *avv.* strettamente

tightrope ['taɪt,rɒʊp] *s.* fune *f.* (*di funambolo*)

tights [taɪts] *s. pl.* **1** collant *m. inv.* **2** calzamaglia *f.*

tile [taɪl] *s.* **1** piastrella *f.* **2** tegola *f.*

till (1) [tɪl] **A** *cong.* finché, fino a che non **B** *prep.* fino a ♦ **not t.** non prima di; **t. now** finora

till (2) [tɪl] *s.* cassa *f.* ♦ **cash t.** registratore di cassa

to till [tɪl] *v. tr.* coltivare, arare, dissodare

tiller ['tɪlər] *s.* (*naut.*) barra *f.* del timone

tilt (1) [tɪlt] *s.* copertone *m.*, telone *m.*

tilt (2) [tɪlt] *s.* **1** inclinazione *f.*, pendenza *f.* **2** (*stor*) torneo *m.*, giostra *f.* ♦ **at full t.** a tutta forza

to tilt [tɪlt] **A** *v. intr.* **1** inclinarsi, piegarsi **2** (*stor*) giostrare **B** *v. tr.* inclinare, piegare ♦ **to t. up** rovesciare

timbal ['tɪmb(ə)l] *s.* (*mus.*) timballo *m.*, timpano *m.*

timber ['tɪmbər] *s.* legname *m.*

timbre ['tɪmbər] *s.* (*di voce*) timbro *m.*

time [taɪm] *s.* **1** tempo *m.* **2** momento *m.*, ora *f.* **3** periodo *m.*, epoca *f.* **4** volta *f.* **5** orario *m.* ♦ **at any t.** in qualunque momento; **at no t.** mai; **at the same t.** contemporaneamente; **at times** talvolta; **from t. to t.** di tanto in tanto; **in good t.** per tempo; **next t.** la prossima volta; **t. table** orario; **on t.** puntuale; **opening t.** ora d'apertura; **t. bomb** bomba a orologeria; **t. off** periodo di permesso; **what t. is it?** che ora è?

to time [taɪm] *v. tr.* **1** fare al momento giusto **2** determinare i tempi, l'orario **3** sincronizzare **4** cronometrare

timeless ['taɪmlɪs] *agg.* senza tempo, eterno

timeliness ['taɪmlɪnɪs] *s.* tempestività *f.*

timely ['taɪmlɪ] *agg.* tempestivo

timer ['taɪmər] *s.* **1** cronometro *m.* **2** timer *m. inv.*

timid ['tɪmɪd] *agg.* timido, timoroso

timing ['taɪmɪŋ] *s.* **1** sincronizzazione *f.* **2** tempismo *m.*

tin [tɪn] *s.* **1** (*chim.*) stagno *m.* **2** latta *f.*, lamiera *f.* **3** lattina *f.*, barattolo *m.* ♦ **t. opener** apriscatole

tinfoil ['tɪnfɔɪl] *s.* stagnola *f.*

tinge [tɪn(d)ʒ] *s.* sfumatura *f.*, traccia *f.*

to tinge [tɪn(d)ʒ] *v. tr.* sfumare

to tingle ['tɪŋgl] *v. intr.* pizzicare, formicolare

to tinker ['tɪŋkər] *v. intr.* rabberciare, rattoppare ♦ **to t. up** riparare alla meglio

to tinkle ['tɪŋkl] *v. intr.* tintinnare

tinned [tɪnd] *agg.* in scatola

tinning ['tɪnɪŋ] *s.* **1** stagnatura *f.* **2** inscatolamento *m.*

tint [tɪnt] *s.* colore *m.*, sfumatura *f.*

tiny ['taɪnɪ] *agg.* minuscolo, piccino

tip (1) [tɪp] *s.* punta *f.*, estremità *f.*

tip (2) [tɪp] *s.* **1** inclinazione *f.* **2** deposito *m.*, discarica *f.*

tip (3) [tɪp] *s.* colpetto *m.*, tocco *m.*

tip (4) [tɪp] *s.* **1** mancia *f.* **2** informazione *f.* riservata, soffiata *f.*

to tip (1) [tɪp] *v. tr.* versare, rovesciare, scaricare ♦ **to t. up** ribaltare

to tip (2) [tɪp] *v. tr.* colpire leggermente

to tip (3) [tɪp] *v. tr.* **1** dare la mancia a **2** avvertire, informare ♦ **to t. off** passare una soffiata

tipsy ['tɪpsɪ] *agg.* (*fam.*) brillo

tiptoe ['tɪptəʊ] *avv.* **on t.** in punta di piedi

tiptop [,tɪp'təp] *agg.* (*fam.*) eccellente

tire [taɪər] *s.* (*USA*) → **tyre**

to tire [taɪər] *v. tr. e intr.* stancare, stancarsi

tired ['taɪəd] *agg.* **1** stanco **2** annoiato, in-

fastidito ♦ **to get t.** affaticarsi

tiredness ['taɪədnɪs] *s.* stanchezza *f.*

tireless ['taɪəlɪs] *agg.* infaticabile

tiresome ['taɪəsəm] *agg.* noioso

tiring ['taɪərɪŋ] *agg.* faticoso

tissue ['tɪsjuː] *s.* **1** tessuto *m.* **2** fazzoletto *m.* di carta ♦ **t. paper** carta velina

titbit ['tɪtbɪt] *s.* golosità *f.*, leccornia *f.*

title ['taɪtl] *s.* titolo *m.* ♦ **t. deed** titolo di proprietà; **t. page** frontespizio

to titter ['tɪtər] *v. intr.* ridacchiare

to (1) [tuː, tʊ, tə] *prep.* **1** (*termine, destinazione*) a, verso, per (ES: **I will send a letter to you** ti manderò una lettera) **2** (*moto a luogo*) in, a, verso (ES: **to go to school** andare a scuola) **3** (*confronto, relazione, preferenza*) a, in confronto a, per (ES: **three sets to one** tre set a uno)

to (2) [tuː, tʊ, tə] *particella preposta all'infinito* **1** (*idiom.*) (ES: **to be** essere, **I want to stay** voglio rimanere) **2** di, da, per, a (ES: **is there anything to do?** c'è qualcosa da fare?)

toad [təʊd] *s.* rospo *m.*

toadstool ['təʊdstuːl] *s.* fungo *m.* velenoso

toast (1) [təʊst] *s.* pane *m.* tostato

toast (2) [təʊst] *s.* brindisi *m.*

to toast (1) [təʊst] *v. tr.* abbrustolire, tostare

to toast (2) [təʊst] *v. intr.* brindare

toaster ['təʊstər] *s.* tostapane *m. inv.*

tobacco [təˈbækəʊ] *s.* tabacco *m.*

tobacconist [təˈbækənɪst] *s.* tabaccaio *m.* ♦ **t.'s shop** tabaccheria

today [təˈdeɪ] *s. e avv.* oggi *m. inv.*

toddler ['tɒdlər] *s.* bambino *m.* ai primi passi

toe [təʊ] *s.* **1** (*del piede*) dito *m.* **2** punta *f.* ♦ **big t.** alluce; **little t.** mignolo

toenail ['təʊneɪl] *s.* (*del piede*) unghia *f.*

toffee ['tɒfɪ] *s.* caramella *f.*

toga ['təʊgə] *s.* toga *f.*

together [təˈgeðər] *avv.* **1** insieme **2** contemporaneamente **3** di seguito

toil [tɔɪl] *s.* fatica *f.*

to toil [tɔɪl] *v. intr.* affaticarsi

toilet ['tɔɪlɪt] *s.* **1** gabinetto *m.* **2** toeletta *f.* ♦ **t. case** necessaire; **t. paper** carta igienica; **t. roll** rotolo di carta igienica

token ['təʊ(ʊ)k(ə)n] *s.* **1** segno *m.*, simbolo *m.* **2** pegno *m.* **3** contrassegno *m.*, gettone *m.* **4** buono *m.*

told [təʊld] *pass. e p. p. di* **to tell**

tolerable ['tɒlərəbl] *agg.* **1** tollerabile **2**

passabile

tolerance ['tɒlər(ə)ns] *s.* tolleranza *f.*

tolerant ['tɒlər(ə)nt] *agg.* tollerante

to tolerate ['tɒləreɪt] *v. tr.* tollerare

toll (1) [tɒʊl] *s.* **1** pedaggio *m.* **2** tributo *m.*, costo *m.*

toll (2) [tɒʊl] *s.* rintocco *m.*

to toll [tɒʊl] *v. intr.* rintoccare

tomato [tə'mɑːtɒʊ] *s.* pomodoro *m.*

tomb [tuːm] *s.* tomba *f.*, sepolcro *m.*

tombola ['tɒmbələ] *s.* tombola *f.*

tomboy ['tɒmbɔɪ] *s.* maschiaccio *m.*

tombstone ['tuːmˌstɒʊn] *s.* lapide *f.*

tomcat ['tɒmˌkæt] *s.* (*fam.*) micio *m.*

tome [tɒʊm] *s.* tomo *m.*

tomfoolery [ˌtɒm'fuːlərɪ] *s.* scemenza *f.*

tomorrow [tə'mɒrɒ(ʊ)] *s. e avv.* domani *m. inv.* ♦ **the day after t.** dopodomani

ton [tʌn] *s.* tonnellata *f.*

tonality [tɒ(ʊ)'nælɪtɪ] *s.* tonalità *f.*

tone [tɒʊn] *s.* tono *m.*

to tone [tɒʊn] **A** *v. tr.* dare il tono a, intonare **B** *v. intr.* intonarsi ♦ **to t. down** attenuare; **to t. up** tonificare

tongs [tɒŋz] *s. pl.* pinze *f. pl.*

tongue [tʌŋ] *s.* lingua *f.* ♦ **t. twister** scioglilingua

tonic ['tɒnɪk] **A** *agg.* tonico, tonificante **B** *s.* **1** tonico *m.*, ricostituente *m.* **2** (*mus.*) tonica *f.* ♦ **t. water** acqua tonica

tonight [tə'naɪt] **A** *avv.* stasera, stanotte **B** *s.* questa sera, questa notte *f.*

tonnage ['tʌnɪdʒ] *s.* tonnellaggio *m.*

tonsil ['tɒnsl] *s.* tonsilla *f.*

tonsillitis [ˌtɒnsɪ'laɪtɪs] *s.* tonsillite *f.*

too [tuː] *avv.* **1** anche, pure **2** per di più, per giunta **3** troppo ♦ **t. bad** che peccato!; **t. many** troppi; **t. much** troppo

took [tʊk] *pass. di* **to take**

tool [tuːl] *s.* attrezzo *m.*, strumento *m.*, utensile *m.*

toolbox ['tuːlbɒks] *s.* cassetta *f.* portautensili

toot [tuːt] *s.* colpo *m.* di clacson

tooth [tuːθ] (*pl.* **teeth**) *s.* dente *m.*

toothache ['tuːθˌeɪk] *s.* mal *m.* di denti

toothbrush ['tuːθbrʌʃ] *s.* spazzolino *m.* da denti

toothpaste ['tuːθpeɪst] *s.* dentifricio *m.*

toothpick ['tuːθpɪk] *s.* stuzzicadenti *m. inv.*

top (1) [tɒp] *s.* **1** cima *f.*, vetta *f.*, sommità *f.* **2** parte *f.* superiore **3** tappo *m.*, coperchio *m.* **B** *agg. attr.* superiore, massimo, il più alto ♦ **t. floor** ultimo piano; **t.**

level massimo livello

top (2) [tɒp] *s.* trottola *f.*

topaz ['tɒʊpæz] *s.* topazio *m.*

topic ['tɒpɪk] *s.* argomento *m.*, tema *m.*

topical ['tɒpɪk(ə)l] *agg.* d'attualità

topmost ['tɒpmɒʊst] *agg.* il più elevato

topography [tə'pɒgrəfɪ] *s.* topografia *f.*

toponym ['tɒpənɪm] *s.* toponimo *m.*

to topple ['tɒpl] **A** *v. intr.* **1** crollare, cadere **2** traballare, vacillare **B** *v. tr.* far cadere, rovesciare

top-secret [ˌtɒp'siːkrɪt] *agg.* segretissimo, top-secret

topsy-turvy [ˌtɒpsɪ'tɜːvɪ] *avv. e agg.* sottosopra

torch [tɔːtʃ] *s.* **1** torcia *f.*, fiaccola *f.* **2** torcia *f.* elettrica, lampadina *f.* tascabile

tore [tɔːr] *pass. di* **to tear**

torment [tɔː'mɛnt] *s.* tormento *m.*

to torment [tə'mɛnt] *v. tr.* tormentare

torn [tɔːn] *p. p. di* **to tear**

tornado [tɔː'neɪdɒʊ] *s.* tornado *m. inv.*

torpedo [tɔː'piːdɒʊ] **1** (*zool.*) torpedine *f.* **2** siluro *m.*

torpor ['tɔːpər] *s.* torpore *m.*

torrent ['tɒr(ə)nt] *s.* torrente *m.*

torrential [tə'rɛnʃ(ə)l] *agg.* torrenziale

torrid ['tɒrɪd] *agg.* torrido

torsion ['tɔːʃ(ə)n] *s.* torsione *f.*

tortoise ['tɔːtəs] *s.* testuggine *f.*

tortuous ['tɔːtjʊəs] *agg.* tortuoso

torture ['tɔːtʃər] *s.* tortura *f.*

to torture ['tɔːtʃər] *v. tr.* torturare

Tory ['tɔːrɪ] *agg. e s.* conservatore *m.*

to toss [tɒs] **A** *v. tr.* **1** gettare, lanciare **2** sballottare, scuotere **B** *v. intr.* **1** lanciare una moneta, fare a testa o croce **2** agitarsi ♦ **to t. off** tracannare

tot [tɒt] *s.* **1** (*fam.*) bambino *m.* **2** sorso *m.*, goccio *m.*

total ['tɒʊtl] *agg. e s.* totale *m.*

to total ['tɒʊtl] *v. tr.* sommare, ammontare a

totem ['tɒʊtəm] *s.* totem *m. inv.*

to totter ['tɒtər] *v. intr.* barcollare, vacillare

tottery ['tɒtərɪ] *agg.* barcollante, vacillante

touch [tʌtʃ] *s.* **1** tocco *m.*, colpetto *m.* **2** tatto *m.* **3** contatto *m.*, relazione *f.* **4** tocco *m.*, modo *m.*, impronta *f.* **5** pizzico *m.*, piccola quantità *f.* ♦ **t. up** ritocco

to touch [tʌtʃ] **A** *v. tr.* **1** toccare **2** riguardare, concernere **3** raggiungere **4** essere in contatto con **5** commuovere **B** *v. intr.* toccarsi ♦ **to t. at a port** fare scalo in un porto; **to t. down** atterrare; **to t. on** sfiorare; **to t. up** ritoccare

touch-and-go [ˌtʌtʃənˈgəʊ] *agg.* incerto, rischioso

touched [tʌtʃt] *agg.* **1** commosso **2** (*fam.*) tocco

touching [ˈtʌtʃɪŋ] *agg.* toccante

touchy [ˈtʌtʃi] *agg.* permaloso

tough [tʌf] *agg.* **1** duro, coriaceo **2** forte, robusto **3** difficile

to toughen [ˈtʌfn] *v. tr. e intr.* indurire, indurirsi

toughness [ˈtʌfnɪs] *s.* durezza *f.*

toupee [ˈtuːpeɪ] *s.* toupet *m. inv.*

tour [tʊər] *s.* **1** giro *m.*, viaggio *m.*, escursione *f.* **2** tournée *f. inv.* ♦ **package t.** viaggio tutto compreso

to tour [tʊər] *v. intr.* viaggiare, girare

touring [ˈtʊərɪŋ] **A** *agg.* turistico **B** *s.* turismo *m.*, escursionismo *m.*

tourism [ˈtʊərɪz(ə)m] *s.* turismo *m.*

tourist [ˈtʊərɪst] *s.* turista *m. e f.* **B** *agg.* turistico ♦ **t. class** classe turistica

tournament [ˈtʊənəmənt] *s.* torneo *m.*

to tousle [ˈtaʊzl] *v. tr.* scompigliare

to tout [taʊt] *v. intr.* **1** fare il procacciatore, cercare clienti **2** fare il bagarinaggio

tow [təʊ] *s.* rimorchio *m.* ♦ **t. truck** carro attrezzi

to tow [təʊ] *v. tr.* rimorchiare, trainare

toward(s) [təˈwɔːd(z)] *prep.* **1** verso, in direzione di **2** nei confronti di **3** verso, circa **4** in previsione di

towel [ˈtaʊəl] *s.* asciugamano *m.* ♦ **t. rack/horse** portasciugamani

tower [ˈtaʊər] *s.* torre *f.* ♦ **t. block** palazzo a molti piani

towering [ˈtaʊərɪŋ] *agg.* torreggiante, imponente

town [taʊn] *s.* **1** città *f.* **2** cittadinanza *f.* ♦ **t. council** consiglio comunale; **t. hall** municipio; **t. planning** urbanistica

toxic [ˈtɒksɪk] *agg.* tossico

toxin [ˈtɒksɪn] *s.* tossina *f.*

toy [tɔɪ] *s.* giocattolo *m.* ♦ **t. soldier** soldatino

to toy [tɔɪ] *v. intr.* giocherellare, trastullarsi

trace [treɪs] *s.* **1** traccia *f.*, orma *f.* **2** residuo *m.* **3** tracciato *m.*

to trace [treɪs] *v. tr.* **1** tracciare **2** seguire le tracce di **3** rintracciare

trachea [trəˈkiː(ə)] *s.* trachea *f.*

tracing [ˈtreɪsɪŋ] *s.* tracciato *m.*

track [træk] *s.* **1** traccia *f.*, impronta *f.* **2**

pista *f.*, sentiero *m.* **3** binario *m.*

to track [træk] *v. tr.* **1** inseguire **2** (*un sentiero*) percorrere, (*una pista*) seguire ♦ **to t. down** scovare; **to t. out** rintracciare

tracksuit [ˈtræksuːt] *s.* tuta *f.* (sportiva)

tract (1) [trækt] *s.* tratto *m.*, distesa *f.*

tract (2) [trækt] *s.* trattatello *m.*, opuscolo *m.*

tractable [ˈtræktəbl] *agg.* trattabile

traction [ˈtrækʃ(ə)n] *s.* trazione *f.*

tractor [ˈtræktər] *s.* trattore *m.*

trade [treɪd] **A** *s.* **1** commercio *m.*, scambio *m.* **2** industria *f.*, settore *m.* **3** mestiere *m.*, occupazione *f.* **B** *agg.* commerciale ♦ **building t.** industria edilizia; **free t.** libero scambio; **t. mark** marchio registrato; **t. name** nome depositato; **t. union** sindacato; **t. winds** alisei

to trade [treɪd] **A** *v. tr.* **1** scambiare **2** commerciare **B** *v. intr.* trafficare, commerciare ♦ **to t. in** dar dentro (*l'usato*); **to t. off** controbilanciare

trader [ˈtreɪdər] *s.* commerciante *m. e f.*, mercante *m.*

tradition [trəˈdɪʃ(ə)n] *s.* tradizione *f.*

traditional [trəˈdɪʃənl] *agg.* tradizionale

traffic [ˈtræfɪk] *s.* **1** traffico *m.* **2** circolazione *f.* ♦ **t. divider** spartitraffico; **t. jam** ingorgo stradale; **t. light** semaforo

tragedy [ˈtrædʒɪdɪ] *s.* dramma *m.*, tragedia *f.*

tragic [ˈtrædʒɪk] *agg.* tragico

tragicomic(al) [ˌtrædʒɪˈkɒmɪk((ə)l)] *agg.* tragicomico

trail [treɪl] *s.* **1** traccia *f.*, orma *f.* **2** pista *f.* **3** scia *f.*

to trail [treɪl] **A** *v. tr.* **1** trascinare, tirarsi dietro **2** inseguire **B** *v. intr.* **1** strisciare **2** seguire le tracce **3** (*di pianta*) arrampicarsi

trailer [ˈtreɪlər] *s.* **1** rimorchio *m.* **2** (*USA*) roulotte *f. inv.* **3** (*cine.*) trailer *m. inv.*

train [treɪn] *s.* **1** treno *m.* **2** strascico *m.*, coda *f.*, scia *f.* **3** corteo *m.* **4** serie *f.*, successione *f.* ♦ **express t.** rapido; **fast t.** direttissimo; **slow t.** accelerato; **through t.** diretto

to train [treɪn] **A** *v. tr.* **1** allenare, addestrare, formare **2** puntare, orientare **B** *v. intr.* esercitarsi, allenarsi

trained [treɪnd] *agg.* **1** esperto, qualificato **2** ammaestrato

trainee [treɪˈniː] *s.* apprendista *m. e f.*

trainer [ˈtreɪnər] *s.* **1** allenatore *m.*, istruttore *m.* **2** scarpa *f.* da ginnastica

training ['treɪnɪŋ] s. **1** allenamento m., preparazione f., formazione f. **2** apprendistato m.

to **traipse** [treɪps] v. intr. gironzolare

trait [treɪ] s. tratto m. saliente

traitor ['treɪtər] s. traditore m.

trajectory [trə'dʒɛkt(ə)rɪ] s. traiettoria f.

tram [træm] s. tram m. inv.

tramp [træmp] s. **1** vagabondo m. **2** scarpinata f. **3** (fam.) sgualdrina f.

to **tramp** [træmp] v. intr. scarpinare, camminare pesantemente

to **trample** ['træmpl] v. tr. camminare su, calpestare

tranquil ['træŋkwɪl] agg. tranquillo

tranquillity [træŋ'kwɪlɪtɪ] s. tranquillità f.

tranquillizer ['træŋkwɪlaɪzər] s. tranquillante m., calmante m.

to **transact** [træn'zækt] v. tr. trattare

transaction [træn'zækʃ(ə)n] s. transazione f.

transatlantic [trænzət'læntɪk] agg. transatlantico

to **transcribe** [træns'kraɪb] v. tr. trascrivere

transcript ['trænskrɪpt] s. trascrizione f.

transcription [træns'krɪpʃ(ə)n] s. trascrizione f.

transept ['trænsept] s. transetto m.

transfer ['trænsfɜːr] s. trasferimento m.

to **transfer** [træns'fɜːr] v. tr. trasferire

to **transform** [træns'fɔːm] v. tr. e intr. trasformare, trasformarsi

transformer [træns'fɔːmər] s. trasformatore m.

transfusion [træns'fjuːʒ(ə)n] s. trasfusione f.

transgression [træns'grɛʃ(ə)n] s. trasgressione f.

transiency ['trænzɪənsɪ] s. transitorietà f.

transient ['trænzɪənt] agg. transitorio

transistor [træn'sɪstər] s. transistor m. inv.

transit ['trænsɪt] s. transito m., passaggio m.

transitive ['trænsɪtɪv] agg. (gramm.) transitivo

transitory ['trænsɪt(ə)rɪ] agg. passeggero

to **translate** [træns'leɪt] v. tr. tradurre

translation [træns'leɪʃ(ə)n] s. traduzione f.

translator [træns'leɪtər] s. traduttore m.

transliteration [trænzlɪtə'reɪʃ(ə)n] s. traslitterazione f.

transmission [trænz'mɪʃ(ə)n] s. trasmissione f.

to **transmit** [trænz'mɪt] v. tr. trasmettere

transmitter [trænz'mɪtər] s. trasmettitore m.

transparency [træns'pɛərənsɪ] s. **1** trasparenza f. **2** diapositiva f.

transparent [træns'pɛər(ə)nt] agg. trasparente

transpiration [trænspɪ'reɪʃ(ə)n] s. traspirazione f.

to **transpire** [træns'paɪər] v. intr. **1** traspirare **2** trapelare **3** (fam.) accadere

transplant ['trænsp:lɑːnt] s. trapianto m.

to **transplant** [træns'plɑːnt] v. tr. trapiantare

transplantation [trænsplɑːn'teɪʃ(ə)n] s. trapianto m.

transport ['trænspɔːt] s. **1** trasporto m. **2** mezzo m. di trasporto

to **transport** [træns'pɔːt] v. tr. trasportare

transportable [træns'pɔːtəbl] agg. trasportabile

transporter [træns'pɔːtər] s. trasportatore m.

transsexual [træn'sɛkʃʊəl] agg. e s. transessuale m. e f.

transversal [trænz'vɜːs(ə)l] agg. trasversale

trap [træp] s. **1** trappola f. **2** tranello m. **3** calesse m.

to **trap** [træp] v. tr. prendere in trappola, intrappolare

trap-door ['træpdɔːr] s. botola f.

trapeze [trə'piːz] s. trapezio m.

trapezium [trə'piːzɪəm] s. (geom.) trapezio m.

trappings ['træpɪŋz] s. pl. **1** bardatura f. **2** ornamenti m. pl.

traps [træps] s. pl. (fam.) bagaglio m.

trapshooting ['træpʃuːtɪŋ] s. tiro m. al piattello

trash [træʃ] s. **1** ciarpame m., robaccia f. **2** (USA) immondizie f. pl. **3** porcheria f. **4** sciocchezza f.

trauma ['trɔːmə] s. trauma m.

traumatic [trɔː'mætɪk] agg. traumatico

travel ['trævl] s. il viaggiare, viaggi m. pl. ♦ **t. agency** agenzia di viaggi

to **travel** ['trævl] **A** v. intr. viaggiare **B** v. tr. attraversare, percorrere

traveller ['trævlər] s. viaggiatore m. ♦ **t.'s cheque** travellers' chèque, assegno turistico

travelling ['trævlɪŋ] agg. **1** viaggiante **2** da viaggio, di viaggio

travertine ['trævə(:)tɪn] s. travertino m.

travesty ['trævɪstɪ] s. parodia f.

to trawl [trɔːl] v. tr. e intr. pescare a strascico

tray [treɪ] s. **1** vassoio m. **2** bacinella f.

treacherous ['tretʃ(ə)rəs] agg. sleale, infido

treachery ['tretʃ(ə)rɪ] s. tradimento m., slealtà f.

treacle ['triːkl] s. melassa f.

tread [tred] s. **1** passo m. **2** (di scalino) pedata f. **3** battistrada m. inv.

to tread [tred] (pass. **trod**, p. p. **trodden**) **A** v. tr. **1** calpestare **2** percorrere **B** v. intr. camminare, procedere

treason ['triːz(ə)n] s. tradimento m.

treasure ['treʒər] s. tesoro m.

to treasure ['treʒər] v. tr. **1** accumulare **2** custodire gelosamente

treasurer ['treʒ(ə)rər] s. tesoriere m.

treat [triːt] s. trattenimento m., festa f.

to treat [triːt] **A** v. tr. **1** trattare **2** curare **3** offrire, regalare **B** v. intr. **1** trattare, negoziare **2** trattare, discutere ♦ **to t. sb. to st.** offrire q.c. a qc.

treatable ['triːtəbl] agg. trattabile

treatise ['triːtɪz] s. trattato m.

treatment ['triːtmənt] s. trattamento m., cura f.

treaty ['triːtɪ] s. trattato m., accordo m.

treble [trebl] agg. e s. triplo m.

to treble [trebl] v. tr. e intr. triplicare, triplicarsi

tree [triː] s. albero m., arbusto m.

trefoil ['trefɔɪl] s. trifoglio m.

trek [trek] s. **1** migrazione f., spedizione f. **2** percorso m. accidentato **3** trekking m. inv.

to trek [trek] v. intr. **1** emigrare **2** fare escursioni, fare trekking

trellis ['trelɪs] s. traliccio m.

tremble ['trembl] s. tremito m.

to tremble ['trembl] v. intr. tremare

trembling ['tremblɪŋ] **A** agg. tremante **B** s. tremito m.

tremendous [trɪ'mendəs] agg. **1** formidabile, straordinario **2** tremendo, terribile

tremor ['tremər] s. **1** tremore m., tremito m. **2** (di terremoto) scossa f.

trench [tren(t)ʃ] s. **1** fosso m. **2** trincea f.

trend [trend] s. **1** direzione f. **2** andamento m., orientamento m. **3** moda f., tendenza f.

trendy ['trendɪ] agg. di moda

trepidation [ˌtrepɪ'deɪʃ(ə)n] s. trepidazione f.

to trespass ['trespəs] v. intr. **1** trasgredire **2** introdursi abusivamente

trestle ['tresl] s. **1** cavalletto m. **2** traliccio m.

trial ['traɪ(ə)l] s. **1** (dir.) giudizio m., processo m. **2** esperimento m., prova f. **3** collaudo m. **4** sofferenza f., fastidio m.

triangle ['traɪæŋgl] s. triangolo m.

triangular [traɪ'æŋgjʊlər] agg. triangolare

triangulation [traɪˌæŋgjʊ'leɪʃ(ə)n] s. triangolazione f.

tribe [traɪb] s. tribù f.

tribunal [traɪ'bjuːnl] s. tribunale m.

tribune ['trɪbjuːn] s. tribuna f.

tributary ['trɪbjʊt(ə)rɪ] agg. e s. tributario m., affluente m.

trice [traɪs] s. attimo m.

trichologist [trɪ'kɒlədʒɪst] s. tricologo m.

trichology [trɪ'kɒlədʒɪ] s. tricologia f.

trick [trɪk] s. **1** trucco m., stratagemma m. **2** scherzo m., raggiro m., inganno m. **3** abitudine f. **4** (nel gioco delle carte) mano f.

to trick [trɪk] v. tr. ingannare, raggirare

trickery ['trɪkərɪ] s. inganno m.

to trickle ['trɪkl] v. intr. gocciolare

tricky ['trɪkɪ] agg. **1** scaltro **2** complicato

tricolour ['trɪkələr] agg. tricolore

tricycle ['traɪsɪkl] s. triciclo m.

tridimensional [ˌtraɪdɪ'menʃnl] agg. tridimensionale

trifle ['traɪfl] s. inezia f., sciocchezza f.

trifling ['traɪflɪŋ] agg. irrilevante

trigger ['trɪgər] s. grilletto m.

triglyph ['traɪglɪf] s. triglifo m.

trill [trɪl] s. trillo m.

trim [trɪm] **A** agg. ordinato **B** s. **1** ordine m., disposizione f. **2** assetto m. **3** taglio m., spuntata f.

to trim [trɪm] v. tr. **1** ordinare **2** regolare **3** potare, spuntare **4** guarnire

trimming ['trɪmɪŋ] s. guarnizione f.

trinity ['trɪnɪtɪ] s. trinità f.

trinket ['trɪŋkɪt] s. gingillo m., ciondolo m.

trio ['triːəʊ] s. trio m.

trip [trɪp] s. **1** gita f., viaggio m., escursione f. **2** passo m. leggero **3** passo m. falso **4** sgambetto m.

to trip [trɪp] **A** v. intr. **1** inciampare **2** camminare con passo leggero **3** fare un passo falso **B** v. tr. **1** far inciampare **2** fare lo sgambetto

tripe [traɪp] s. **1** trippa f. **2** (fam.) sciocchezze f. pl.

triple ['trɪpl] *agg.* triplo

triplicate ['trɪplɪkɪt] **A** *agg.* triplo **B** *s.* triplice copia *f.*

to triplicate ['trɪplɪkeɪt] *v. tr.* triplicare

tripod ['traɪpɒd] *s.* treppiedi *m. inv.*

triptych ['trɪptɪk] *s.* trittico *m.*

trite [traɪt] *agg.* trito, banale

triumph ['traɪəmf] *s.* trionfo *m.*

to triumph ['traɪəmf] *v. intr.* trionfare

triumphal [traɪˈʌmf(ə)l] *agg.* trionfale

trivial ['trɪvɪəl] *agg.* insignificante, banale

trod [trɒd] *pass. di* **to tread**

trodden ['trɒdn] *p. p. di* **to tread**

troglodyte ['trɒɡlədaɪt] *s.* troglodita *m. e f.*

trolley ['trɒlɪ] *s.* carrello *m.* ♦ **t. car** tram; **t.-bus** filobus

trombone [trəmˈbəʊn] *s.* trombone *m.*

troop [truːp] **1** truppa *f.*, gruppo *m.* **2** squadrone *m.* di cavalleria **3** *al pl* truppe *f. pl.*

to troop [truːp] *v. intr.* adunarsi, ammassarsi, schierarsi **B** *v. tr.* adunare, schierare

trophy ['trəʊfɪ] *s.* trofeo *m.*, cimelio *m.*

tropic ['trɒpɪk] *s.* tropico *m.*

tropical ['trɒpɪk(ə)l] *agg.* tropicale

trot [trɒt] *s.* trotto *m.*

to trot [trɒt] *v. intr.* trottare

trotter ['trɒtər] *s.* trottatore *m.*

trouble ['trʌbl] *s.* **1** guaio *m.*, pasticcio *m.* **2** disturbo *m.*, seccatura *f.* **3** difficoltà *f.*, preoccupazione *f.*, pena *f.* **4** disgrazia *f.* **5** disturbo *m.*, malattia *f.* **6** (*tecnol.*) guasto *m.*, anomalia *f.* ♦ **to get out of t.** tirarsi fuori dai guai; **t. shooting** ricerca e riparazione dei guasti

to trouble ['trʌbl] **A** *v. tr.* **1** disturbare **2** affliggere **B** *v. intr.* **1** disturbarsi **2** preoccuparsi, affliggersi

troubled ['trʌbld] *agg.* agitato, preoccupato

troublesome ['trʌblsəm] *agg.* fastidioso

trousers ['traʊzəz] *s. pl.* pantaloni *m. pl.*

trout [traʊt] *s. inv.* trota *f.*

trowel ['traʊ(ə)l] *s.* cazzuola *f.*, paletta *f.*

truant ['truːənt] *agg. e s.* che (o chi) marina la scuola ♦ **to play t.** marinare

truce [truːs] *s.* tregua *f.*

truck (1) [trʌk] *s.* camion *m. inv.* ♦ **t. driver** camionista

truck (2) [trʌk] *s.* **1** scambio *m.* **2** rapporto *m.*, relazione *f.*

to trudge [trʌdʒ] *v. intr.* trascinarsi a fatica

true [truː] **A** *agg.* **1** vero, esatto **2** reale, autentico **3** preciso, accurato **4** puro, genuino **B** *avv.* esattamente, precisamente ♦

t.-life realistico

truffle ['trʌfl] *s.* tartufo *m.*

truly ['truːlɪ] *avv.* **1** veramente **2** sinceramente

trumpet ['trʌmpɪt] *s.* tromba *f.*

truncheon ['trʌn(t)ʃ(ə)n] *s.* sfollagente *m. inv.*

trunk [trʌŋk] *s.* **1** tronco *m.*, busto *m.* **2** (*d'albero*) tronco *m.* **3** proboscide *f.* **4** tratto *m.* **5** baule *m.* **6** calzoni *m. pl.* corti **7** (*USA, autom.*) bagagliaio *m.*

truss [trʌs] **1** travatura *f.* **2** fascio *m.* **3** (*med.*) cinto *m.* erniario

trust [trʌst] *s.* **1** fiducia *f.*, fede *f.* **2** credito *m.* **3** amministrazione *f.* fiduciaria **4** trust *m. inv.* **5** società *m.*

to trust [trʌst] **A** *v. tr.* **1** fidarsi di, aver fiducia in **2** sperare **3** far credito a **B** *v. intr.* **1** fidarsi, confidare **2** sperare **3** far credito

trustee [trʌsˈtiː] *s.* **1** amministratore *m.* fiduciario, curatore *m.* **2** amministratore *m.*

trustful ['trʌstf(ʊ)l] *agg.* fiducioso

trustworthy ['trʌst‚wɜːðɪ] *agg.* fidato

truth [truːθ] *s.* verità *f.*

truthful ['truːθf(ʊ)l] *s.* **1** vero **2** sincero

try [traɪ] *s.* prova *f.*, tentativo *m.*

to try [traɪ] **A** *v. tr.* **1** provare, tentare **2** assaggiare **3** mettere alla prova **4** collaudare **5** (*dir*) processare, giudicare **B** *v. intr.* provare, tentare ♦ **to t. for** cercare di ottenere; **to t. on** (*un vestito*) provare; **to t. out** collaudare

trying ['traɪɪŋ] *agg.* duro, difficile

tsar [zɑːr] *s.* zar *m. inv.*

T-shirt ['tiːʃɜːt] *s.* maglietta *f.*, tee shirt *f. inv.*

tub [tʌb] *s.* tinozza *f.*

tuba ['tjuːbə] *s.* tuba *f.*

tubby ['tʌbɪ] *agg.* grasso, obeso

tube [tjuːb] *s.* **1** tubo *m.* **2** tubetto *m.*, provetta *f.* **3** (*fam., USA*) metropolitana *f.* ♦ **inner t.** camera d'aria

tuber ['tjuːbər] *s.* tubero *m.*

tuberculosis [tjʊ(ː)‚bɜːkjʊˈləʊsɪs] *s.* tubercolosi

tubular ['tjuːbjʊlər] *agg.* tubolare

tuck [tʌk] *s.* **1** piega *f.* **2** (*pop.*) dolci *m. pl.*, merendine *f. pl.*

to tuck [tʌk] *v. tr.* **1** piegare **2** riporre **3** mettere, infilare ♦ **to t. away** riporre, nascondere; **to t. in** rimboccare; **to t. into** ingozzarsi; **to t. up** rimboccare

Tuesday ['tjuːzdɪ] s. martedì m. ◆ **Shrove T.** martedì grasso

tufa ['tjuːfə] s. tufo m.

tuft [tʌft] s. ciuffo m.

tug [tʌg] s. **1** strappo m., tirata f. **2** rimorchiatore m.

to tug [tʌg] v. tr. **1** tirare, strappare **2** rimorchiare ◆ **t.-of-war** tiro alla fune

tuition [tjuː(ː)'ɪʃ(ə)n] s. **1** istruzione f. **2** tassa f. scolastica

tulip ['tjuːlɪp] s. tulipano m.

tumble ['tʌmbl] s. **1** capitombolo m. **2** crollo m., caduta f.

to tumble ['tʌmbl] v. intr. **1** ruzzolare, cascare **2** agitarsi **3** gettarsi, precipitarsi ◆ **to t. down** essere in rovina

tumbler ['tʌmblər] s. **1** acrobata m. e f. **2** bicchiere m. (senza piede)

tumefaction [,tjuːmɪ'fækʃ(ə)n] s. tumefazione f.

tummy ['tʌmɪ] s. (fam.) pancia f.

tumour ['tjuːmər] (USA **tumor**) s. tumore m.

tumulus ['tjuːmjuləs] s. tumulo m.

tun [tʌn] s. tino m.

tuna ['tjuːnə] s. tonno m.

tundra ['tʌndrə] s. tundra f.

tune [tjuːn] s. **1** tono m. **2** melodia f., aria f. **3** (radio, TV) sintonia f.

to tune [tjuːn] v. tr. **1** accordare **2** mettere a punto **3** sintonizzare ◆ **to t. in** sintonizzarsi; **to t. up** accordarsi, armonizzarsi

tuneful ['tjuːnf(ʊ)l] agg. armonioso

tuner ['tjuːnər] s. **1** accordatore m. **2** sintetizzatore m.

tunic ['tjuːnɪk] s. tunica f.

tunnel ['tʌnl] s. tunnel m. inv., galleria f.

tunny ['tʌnɪ] s. tonno m.

turban ['tɜːbən] s. turbante m.

turbine ['tɜːbɪn] s. turbina f.

turbulence ['tɜːbjʊləns] s. turbolenza f.

turbulent ['tɜːbjʊlənt] agg. turbolento, agitato

tureen [təˈriːn] s. zuppiera f.

turf [tɜːf] s. zolla f., tappeto m. erboso

Turk [tɜːk] s. turco m.

turkey ['tɜːkɪ] s. tacchino m.

Turkish ['tɜːkɪʃ] agg. turco

turmoil ['tɜːmɔɪl] s. tumulto m., agitazione f.

turn [tɜːn] s. **1** giro m. **2** curva f., svolta f., cambiamento m. di direzione **3** turno m. **4** attitudine f., disposizione f. **5** numero m., esibizione f. **6** (fam.) brutto colpo m.,

accidente m. ◆ **in t.** a turno; **t.-off** svincolo; **t.-up** risvolto (dei pantaloni)

to turn [tɜːn] **A** v. tr. **1** girare, curvare, voltare **2** rivolgere, dirigere **3** rovesciare **4** distogliere, sviare **5** cambiare, trasformare **B** v. intr. **1** girare, girarsi **2** dirigersi, rivolgersi **3** trasformarsi, diventare **4** andare a male ◆ **to t. about** fare dietrofront; **to t. against** rivoltarsi contro; **to t. away** girarsi, respingere; **to t. back** tornare indietro; **to t. down** abbassare, ripiegare; **to t. in** restituire, ripiegarsi, andare a letto; **to t. off** spegnere; **to t. on** accendere, eccitare; **to t. out** spegnere, mettere alla porta, rovesciare; **to t. over** girarsi, cappottare; **to t. up** saltar fuori, sopraggiungere, rialzare

turning ['tɜːnɪŋ] **A** agg. girevole **B** s. **1** giro m. **2** curva f., svolta f. **3** sterzata f.

turnip ['tɜːnɪp] s. rapa f. ◆ **t. tops** cime di rapa

turnover ['tɜːn,ʊvər] s. **1** rovesciamento m. **2** giro m. d'affari **3** turnover m. inv., ricambio m.

turnstile ['tɜːn,staɪl] s. tornello m.

turntable ['tɜːn,teɪbl] s. (di giradischi) piatto m.

turpentine ['tɜːp(ə)ntaɪn] s. trementina f.

turquoise ['tɜːkwaːz] s. turchese m.

turret ['tʌrɪt] s. torretta f.

turtle ['tɜːtl] s. tartaruga f.

tusk [tʌsk] s. zanna f.

tussle ['tʌsl] s. rissa f.

tutor ['tjuːtər] s. **1** precettore m. **2** professore m., assistente m. e f.

tutorial [tjuː'tɜːrɪəl] s. seminario m.

TV [tiː'viː] s. TV f., televisione f.

twang [twæŋ] s. **1** vibrazione f. **2** suono m. nasale

tweed [twiːd] s. tweed m. inv.

tweezers ['twiːzəz] s. pl. pinzette f. pl.

twelfth [twelfθ] agg. num. ord. e s. dodicesimo m.

twelve [twelv] agg. num. card. e s. dodici m. inv.

twentieth ['twentɪɪθ] agg. num. ord. e s. ventesimo m.

twenty ['twentɪ] agg. num. card. e s. venti m. inv.

twice [twaɪs] avv. due volte

to twiddle ['twɪdl] **A** v. tr. far girare **B** v. intr. giocherellare

twig [twɪg] s. ramoscello m.

to twig [twɪg] v. tr. capire, afferrare

twilight ['twaɪlaɪt] *s.* crepuscolo *m.*

twin [twɪn] *agg. e s.* gemello *m.* ♦ **t. birth** parto gemellare; **t. beds** letti gemelli

twine [twaɪn] *s.* **1** spago *m.* **2** garbuglio *m.*

to twine [twaɪn] *v. tr. e intr.* torcere, attorcigliarsi

twinge [twɪn(d)ʒ] *s.* **1** fitta *f.* **2** rimorso *m.*

to twinkle ['twɪŋkl] *v. intr.* brillare, scintillare

twinkling ['twɪŋklɪŋ] *s.* scintillio *m.*

twinning ['twɪnɪŋ] *s.* gemellaggio *m.*

twirl [twɜːl] *s.* giravolta *f.*

to twirl [twɜːl] *v. tr. e intr.* roteare

twist [twɪst] *s.* **1** torsione *f.*, storta *f.* **2** curva *f.*, tornante *m.* **3** spira *f.*, spirale *f.* **4** filo *m.* ritorto, treccia *f.* **5** variazione *f.*, cambiamento *m.* **6** colpo *m.* di scena

to twist [twɪst] **A** *v. tr.* **1** torcere, distorcere **2** intrecciare, attorcigliare **B** *v. intr.* **1** intrecciarsi, attorcigliarsi **2** torcersi **3** serpeggiare

twisted ['twɪstɪd] *agg.* **1** torto, ritorto **2** contorto

twit [twɪt] *s.* **1** presa *f.* in giro **2** (*fam.*) cretino *m.*

twitch [twɪtʃ] *s.* **1** contrazione *f.* **2** strattone *m.*

two [tuː] *agg. num. card. e s.* due *m. inv.*

twofold ['tuːfəʊld] *agg.* doppio

twosome ['tuːsəm] **A** *agg.* per due, in coppia **B** *s.* coppia *f.*

two-way ['tuːweɪ] *agg.* a doppio senso

tycoon [taɪ'kuːn] *s.* magnate *m.*

tympanum ['tɪmpənəm] *s.* timpano *m.*

type [taɪp] *s.* **1** tipo *m.*, modello *m.*, esemplare *m.* **2** tipo *m.*, specie *f.*, genere *m.* **3** (*tip.*) carattere *m.*

to type [taɪp] *v. tr.* battere (*su tastiera*), dattilografare

typescript ['taɪp,skrɪpt] *s.* dattiloscritto *m.*

typesetting ['taɪp,sɛtɪŋ] *s.* composizione *f.* tipografica

typewriter ['taɪp,raɪtər] *s.* macchina *f.* per scrivere

typhoon [taɪ'fuːn] *s.* tifone *m.*

typhus ['taɪfəs] *s.* (*med.*) tifo *m.*

typical ['tɪpɪk(ə)l] *agg.* tipico

to typify ['tɪpɪfaɪ] *v. tr.* impersonare, simboleggiare

typing ['taɪpɪŋ] *s.* dattilografia *f.*

typist ['taɪpɪst] *s.* dattilografo *m.*

typographer [taɪ'pəgrəfər] *s.* tipografo *m.*

typography [taɪ'pəgrəfɪ] *s.* tipografia *f.*

typology [taɪ'pələdʒɪ] *s.* tipologia *f.*

tyrant ['taɪər(ə)nt] *s.* tiranno *m.*

tyre ['taɪər] (*USA* tire) *s.* pneumatico *m.*, gomma *f.* ♦ **flat t.** gomma a terra; **t. repairer** gommista; **t. rim** cerchione; **t. tread** battistrada

U

ubiquitous [ju(:)'bɪkwɪtəs] *agg.* onnipresente

udder ['ʌdər] *s.* (*zool.*) mammella *f.*

UFO ['juːfəʊ] *s.* ufo *m. inv.*

ugh [uh] *inter.* puh!

ugly ['ʌglɪ] *agg.* **1** brutto, sgradevole **2** minaccioso

ulcer ['ʌlsər] *s.* ulcera *f.*

ulna ['ʌlnə] *s.* ulna *f.*

ulterior [ʌl'tɪərɪər] *agg.* **1** ulteriore, successivo **2** segreto, nascosto

ultimate ['ʌltɪmɪt] *agg.* **1** ultimo, estremo **2** definitivo **3** massimo, supremo

ultimately ['ʌltɪmɪtlɪ] *avv.* **1** in definitiva **2** fondamentalmente

ultrasound [ˌʌltrə'saʊnd] *s.* ultrasuono *m.*

ultraviolet [ˌʌltrə'vaɪəlɪt] *agg. e s.* ultravioletto *m.*

umbilical [ʌm'bɪlɪk(ə)l] *agg.* ombelicale ♦ **u. cord** cordone ombelicale

umbrella [ʌm'brelə] *s.* ombrello *m.* ♦ **u. stand** portaombrelli

umpire ['ʌmpaɪər] *s.* arbitro *m.*

to umpire ['ʌmpaɪər] *v. tr. e intr.* arbitrare

umpteen ['ʌm(p)tiːn] *agg.* (*fam.*) molti

umpteenth ['ʌm(p)tiːnθ] *agg.* (*fam.*) ennesimo

unable [ʌn'eɪbl] *agg.* incapace, impossibilitato, inadatto

unabridged [ˌʌnə'brɪdʒd] *agg.* (*di edizione*) non abbreviato, integrale

unacceptable [ˌʌnək'septəbl] *agg.* inaccettabile

unaccompanied [ˌʌnə'kʌmp(ə)nɪd] *agg.* **1** solo, non accompagnato **2** (*mus.*) senza accompagnamento

unaccountable [ˌʌnə'kaʊntəbl] *agg.* **1** inesplicabile **2** irresponsabile

unaccustomed [ˌʌnə'kʌstəmd] *agg.* **1** insolito **2** non abituato

unacquainted [ˌʌnə'kweɪntɪd] *agg.* non pratico, non abituato

unaffected [ˌʌnə'fektɪd] *agg.* **1** spontaneo, sincero **2** non soggetto

unaided [ʌn'eɪdɪd] *agg.* senza aiuto

unalterable [ʌn'ɔːlt(ə)rəbl] *agg.* inalterabile

unanimity [ˌjuːnə'nɪmɪtɪ] *s.* unanimità *f.*

unanimous [juː'nænɪməs] *agg.* unanime

unanswerable [ʌn'ɑːns(ə)rəbl] *agg.* **1** incontestabile, irrefutabile **2** irresponsabile

unapproachable [ˌʌnə'prəʊtʃəbl] *agg.* inavvicinabile

unapt [ʌn'æpt] *agg.* non adatto

to unarm [ʌn'ɑːm] *v. tr.* disarmare

unashamed [ˌʌnə'ʃeɪmd] *agg.* spudorato

unassuming [ˌʌnə'sjuːmɪŋ] *agg.* senza pretese

unattached [ˌʌnə'tætʃt] *agg.* **1** libero, indipendente **2** senza legami (sentimentali)

unattainable [ˌʌnə'teɪnəbl] *agg.* irraggiungibile

unattended [ˌʌnə'tendɪd] *agg.* incustodito

unattractive [ˌʌnə'træktɪv] *agg.* poco attraente

unauthorized [ʌn'ɔːθəraɪzd] *agg.* non autorizzato

unavailable [ˌʌnə'veɪləbl] *agg.* non disponibile

unavoidable [ˌʌnə'vɔɪdəbl] *agg.* inevitabile

unaware [ˌʌnə'wɛər] *agg.* ignaro

unawares [ˌʌnə'wɛəz] *avv.* **1** inavvertitamente, inconsapevolmente **2** di sorpresa

unbalanced [ʌn'bælənst] *agg.* squilibrato

unbearable [ʌn'bɛərəbl] *agg.* insopportabile

unbeatable [ʌn'biːtəbl] *agg.* imbattibile

unbelievable [ˌʌnbɪ'liːvəbl] *agg.* incredibile

to unbend [ʌn'bend] (*pass. e p. p.* **unbent**) **A** *v. tr.* **1** raddrizzare **2** stendere, sciogliere **3** distendere, rilassare **B** *v. intr.* **1** raddrizzarsi **2** distendersi, rilassarsi

unbias(s)ed [ʌn'baɪəst] *agg.* imparziale

unborn [ʌn'bɔːn] *agg.* non ancora nato, futuro

unbreakable [ʌn'breɪkəbl] *agg.* infrangibile

unbroken [ʌn'brəʊk(ə)n] *agg.* **1** intatto **2** ininterrotto **3** indomito

to unbutton [ʌn'bʌtn] *v. tr. e intr.* sbottonare, sbottonarsi

uncalled [ʌn'kɔːld] *agg.* non chiamato, non invitato ♦ **u. for** superfluo, fuori luogo

uncanny [ʌn'kænɪ] *agg.* misterioso

unceasing [ʌn'siːsɪŋ] *agg.* incessante

uncertain [ʌn'sɜːtn] *agg.* incerto

uncertainty [ʌn'sɜːt(ə)ntɪ] *s.* incertezza *f.*

to **unchain** [ʌn'tʃeɪn] *v. tr.* sciogliere

unchanged [ʌn'tʃeɪn(d)ʒd] *agg.* immutato

unchanging [ʌn'tʃeɪn(d)ʒɪŋ] *agg.* immutabile

unchecked [ʌn'tʃɛkt] *agg.* **1** sfrenato **2** non verificato

uncivil [ʌn'sɪvl] *agg.* incivile

uncle ['ʌŋkl] *s.* zio *m.*

unclean ['ʌŋkliːn] *agg.* immondo

unclear ['ʌŋklɪər] *agg.* non chiaro, incerto

uncomfortable [ʌn'kʌmf(ə)təbl] *agg.* **1** scomodo **2** spiacevole

uncommon [ʌn'kəmən] *agg.* insolito

uncompromising [ʌn'kəmprə‚maɪzɪŋ] *agg.* intransigente

unconcerned [‚ʌnkən'sɜːnd] *agg.* **1** indifferente **2** imparziale

unconditional [‚ʌnkən'dɪʃənl] *agg.* incondizionato

unconscious [ʌn'kənʃəs] **A** *agg.* **1** inconscio **2** incosciente **B** *s.* inconscio *m.*

unconstitutional [‚ʌnkənstɪ'tjuːʃənl] *agg.* anticostituzionale

uncontrollable [‚ʌnkən'trəʊləbl] *agg.* incontrollabile

unconventional [‚ʌnkən'vɛnʃənl] *agg.* non convenzionale

uncouth [ʌn'kuːθ] *agg.* rozzo

to **uncover** [ʌn'kʌvər] *v. tr.* **1** scoprire **2** svestire **3** rivelare

undamaged [ʌn'dæmɪdʒd] *agg.* non danneggiato

undated [ʌn'deɪtɪd] *agg.* non datato

undaunted [ʌn'dɔːntɪd] *agg.* imperterrito

undecided [‚ʌndɪ'saɪdɪd] *agg.* indeciso, incerto

undeniable [‚ʌndɪ'naɪəbl] *agg.* innegabile

under ['ʌndər] **A** *prep.* **1** sotto **2** in, in corso di **3** meno di, per meno di **B** *avv.* sotto, al di sotto

underage [‚ʌndə'reɪdʒ] *agg.* minorenne

undercarriage ['ʌndə‚kærɪdʒ] *s.* carrello *m.* d'atterraggio

to **undercharge** [‚ʌndə'tʃaːdʒ] *v. tr.* far pagare meno

underclothing ['ʌndə‚kləʊðɪŋ] *s.* biancheria *f.* intima

undercover [‚ʌndə'kʌvər] *agg.* segreto

undercurrent ['ʌndə‚kʌrənt] *s.* **1** corrente *f.* sottomarina **2** tendenza *f.* occulta

to **undercut** ['ʌndə‚kʌt] (*pass. e p. p.* **undercut**) *v. tr.* **1** colpire dal basso **2** tagliare

dal basso **3** vendere a prezzo inferiore

underdevelopment [‚ʌndədɪ'vɛləpmənt] *s.* sottosviluppo *m.*

underdone [‚ʌndə'dʌn] *agg.* poco cotto, al sangue

to **underestimate** [‚ʌndər'ɛstɪmeɪt] *v. tr.* sottovalutare

underfed [‚ʌndə'fɛd] *agg.* denutrito

to **undergo** [‚ʌndə'gəʊ] (*pass.* **underwent**, *p. p.* **undergone**) *v. tr.* patire, subire

undergraduate [‚ʌndə'grædjʊɪt] *s.* studente *m.* universitario

underground [‚ʌndə'graʊnd] **A** *agg.* sotterraneo **B** *s.* **1** sottosuolo *m.* **2** metropolitana *f.* **3** movimento *m.* clandestino **C** *avv.* **1** sottoterra **2** segretamente, clandestinamente

undergrowth ['ʌndəgrəʊθ] *s.* sottobosco *m.*

underhand ['ʌndəhænd] *agg.* nascosto, clandestino

to **underlie** [‚ʌndə'laɪ] (*pass.* **underlay**, *p. p.* **underlain**) **A** *v. tr.* **1** stare sotto a **2** essere alla base di **B** *v. intr.* essere sottostante

to **underline** [‚ʌndə'laɪn] *v. tr.* sottolineare, evidenziare

underlying [‚ʌndə'laɪɪŋ] *agg.* sottostante

to **undermine** [‚ʌndə'maɪn] *v. tr.* **1** minare **2** indebolire

underneath [‚ʌndə'niːθ] **A** *avv.* sotto, disotto **B** *prep.* sotto, al di sotto di **C** *agg. pred.* inferiore

underpaid ['ʌndə‚peɪd] **A** *pass. e p. p. di* to **underpay B** *agg.* sottopagato

underpants ['ʌndəpænts] *s. pl.* mutande *f. pl.* (da uomo)

underpass ['ʌndəpaːs] *s.* sottopassaggio *m.*

to **underrate** [‚ʌndə'reɪt] *v. tr.* sottostimare

undershirt ['ʌndəʃɜːt] *s.* maglietta *f.* (intima)

underside ['ʌndəsaɪd] *s.* parte *f.* inferiore

underskirt [‚ʌndə'skɜːt] *s.* sottogonna *f.*

to **understand** [‚ʌndə'stænd] (*pass. e p. p.* **understood**) **A** *v. tr.* **1** capire, comprendere, intendere **2** venire a sapere, apprendere **3** interpretare **4** sottintendere **B** *v. intr.* **1** capire, rendersi conto **2** intendersi

understanding [‚ʌndə'stændɪŋ] **A** *agg.* comprensivo **B** *s.* **1** intelligenza *f.*, comprensione *f.* **2** accordo *m.*

to **understate** [‚ʌndə'steɪt] *v. tr.* sottovalutare, attenuare

understood [‚ʌndə'stʊd] **A** *pass. e p. p. di*

to understand B *agg.* sottinteso

understudy [ˈʌndəˌstʌdɪ] *s.* sostituto *m.* (di attore)

to undertake [ˌʌndəˈteɪk] (*pass.* **undertook**, *p. p.* **undertaken**) **A** *v. tr.* **1** intraprendere **2** assumersi l'impegno di **B** *v. intr.* garantire

undertaking [ˌʌndəˈteɪkɪŋ] *s.* **1** impresa *f.* **2** impegno *m.*

undertone [ˈʌndəˌtəʊn] *s.* **1** tono *m.* sommesso **2** senso *m.* occulto

undertook [ˌʌndəˈtʊk] *pass. di* **to undertake**

underwater [ˌʌndəˈwɜːtər] **A** *agg.* subacqueo **B** *avv.* sott'acqua

underwear [ˈʌndəwɛər] *s.* biancheria *f.* intima

underwood [ˈʌndəwʊd] *s.* sottobosco *m.*

underworld [ˈʌndəwɜːld] *s.* malavita *f.*

underwriting [ˈʌndəˌraɪtɪŋ] *s.* sottoscrizione *f.*

undeserved [ˌʌndɪˈzɜːvd] *agg.* immeritato

undesirable [ˌʌndɪˈzaɪərəbl] *agg.* indesiderabile, sgradito

undid [ʌnˈdɪd] *pass. di* **to undo**

undies [ˈʌndɪz] *s. pl.* (*fam.*) biancheria *f.* intima (*da donna*)

undifferentiated [ʌnˌdɪfəˈrenʃɪeɪtɪd] *agg.* indifferenziato

undisturbed [ˌʌndɪsˈtɜːbd] *agg.* indisturbato

to undo [ʌnˈduː] (*pass.* **undid**, *p. p.* **undone**) *v. tr.* **1** disfare, annullare **2** sciogliere, sbrogliare **3** rovinare

undoing [ʌnˈduːɪŋ] *s.* rovina *f.*

undone [ʌnˈdʌn] **A** *p. p. di* **to undo B** *agg.* **1** disfatto **2** incompiuto

undoubted [ʌnˈdaʊtɪd] *agg.* indubbio, sicuro

to undress [ʌnˈdrɛs] *v. intr.* denudarsi, spogliarsi

undue [ʌnˈdjuː] *agg.* **1** indebito **2** inadatto **3** eccessivo

undulating [ˈʌndjʊleɪtɪŋ] *agg.* **1** ondulato **2** ondeggiante

undulation [ˌʌndjʊˈleɪʃ(ə)n] *s.* ondulazione *f.*

undulatory [ˈʌndjʊlətərɪ] *agg.* **1** ondulato **2** ondulatorio

unduly [ʌnˈdjuːlɪ] *avv.* **1** eccessivamente **2** indebitamente

to unearth [ʌnˈɜːθ] *v. tr.* **1** dissotterrare **2** scoprire

unearthly [ʌnˈɜːθlɪ] *agg.* **1** non terreno,

soprannaturale **2** sinistro, misterioso **3** impossibile, assurdo

uneasiness [ʌnˈiːzɪnɪs] *s.* disagio *m.*, inquietudine *f.*

uneasy [ʌnˈiːzɪ] *agg.* inquieto, preoccupato

uneatable [ʌnˈiːtəbl] *agg.* immangiabile

uneconomic(al) [ˌʌniːkəˈnəmɪk((ə)l)] *agg.* antieconomico

uneducated [ʌnˈedjʊkeɪtɪd] *agg.* ignorante, illetterato

unemployed [ˌʌnɪmˈplɔɪd] *s.* disoccupato *m.*

unemployment [ˌʌnɪmˈplɔɪmənt] *s.* disoccupazione *f.*

unending [ʌnˈendɪŋ] *agg.* senza fine

unequal [ʌnˈiːkw(ə)l] *agg.* disuguale

unequalled [ʌnˈiːkw(ə)ld] *agg.* incomparabile

unerring [ʌnˈɜːrɪŋ] *agg.* infallibile

uneven [ʌnˈiːv(ə)n] *agg.* irregolare, ineguale

uneveness [ʌnˈiːv(ə)nɪs] *s.* disuguaglianza *f.*

unexceptionable [ˌʌnɪkˈsepʃnəbl] *agg.* ineccepibile

unexpected [ˌʌnɪksˈpektɪd] *agg.* imprevisto, improvviso, inatteso

unexplored [ˌʌnɪksˈplɔːd] *agg.* inesplorato

unfailing [ʌnˈfeɪlɪŋ] *agg.* **1** infallibile **2** immancabile **3** inesauribile

unfair [ʌnˈfeər] *agg.* ingiusto, sleale

unfaithful [ʌnˈfeɪθf(ʊ)l] *agg.* infedele

unfamiliar [ˌʌnfəˈmɪljər] *agg.* poco familiare, sconosciuto

unfashionable [ʌnˈfæʃnəbl] *agg.* fuori moda

to unfasten [ʌnˈfɑːsn] *v. tr.* slegare, slacciare

unfavourable [ʌnˈfeɪv(ə)rəbl] (*USA* **unfavorable**) *agg.* sfavorevole

unfeeling [ʌnˈfiːlɪŋ] *agg.* insensibile

unfinished [ʌnˈfɪnɪʃt] *agg.* incompiuto

unfit [ʌnˈfɪt] *agg.* **1** inadatto, incapace **2** inabile

to unfold [ʌnˈfəʊld] **A** *v. tr.* **1** schiudere, spiegare **2** rivelare **B** *v. intr.* **1** aprirsi, schiudersi **2** rivelarsi

unforeseen [ˌʌnfɔːˈsiːn] *agg.* imprevisto

unforgettable [ˌʌnfəˈgetəbl] *agg.* indimenticabile

unforgivable [ˌʌnfəˈgɪvəbl] *agg.* imperdonabile

unfortunate [ʌnˈfɔːtʃ(ə)nɪt] *agg.* sfortunato

unfounded [ʌnˈfaʊndɪd] *agg.* infondato

unfruitful [ʌnˈfruːtf(ʊ)l] *agg.* infruttuoso

unfulfilled [ˌʌnfʊlˈfɪld] *agg.* incompiuto, inappagato

ungainly [ʌnˈgeɪnlɪ] *agg.* goffo

ungodly [ʌnˈgɒdlɪ] *agg.* assurdo, impossibile

ungrateful [ʌnˈgreɪtf(ʊ)l] *agg.* ingrato

ungratefulness [ʌnˈgreɪtf(ʊ)lnɪs] *s.* ingratitudine *f.*

unhappiness [ʌnˈhæpɪnɪs] *s.* infelicità *f.*

unhappy [ʌnˈhæpɪ] *agg.* infelice

unharmed [ʌnˈhaːmd] *agg.* illeso, incolume

unhealthy [ʌnˈhɛlθɪ] *agg.* **1** malsano **2** malaticcio

unheard [ʌnˈhɜːd] *agg.* inascoltato ♦ **u. off** inaudito, incredibile

to unhinge [ʌnˈhɪn(d)ʒ] *v. tr.* scardinare

to unhook [ʌnˈhʊk] *v. tr.* sganciare

unhurt [ʌnˈhɜːt] *agg.* incolume

unification [ˌjuːnɪfɪˈkeɪʃ(ə)n] *s.* unificazione *f.*

uniform [ˈjuːnɪfɔːm] **A** *agg.* uniforme **B** *s.* uniforme *f.*, divisa *f.*

uniformity [ˌjuːnɪˈfɔːmɪtɪ] *s.* uniformità *f.*

to unify [ˈjuːnɪfaɪ] *v. tr.* unificare

unimaginable [ˌʌnɪˈmædʒ(ɪ)nəbl] *agg.* inimmaginabile

uninhabitable [ˌʌnɪnˈhæbɪtəbl] *agg.* inabitabile

uninhabited [ˌʌnɪnˈhæbɪtɪd] *agg.* disabitato

uninjured [ʌnˈɪn(d)ʒəd] *agg.* illeso

unintelligible [ˌʌnɪnˈtɛlɪdʒəbl] *agg.* incomprensibile

unintentional [ˌʌnɪnˈtɛnʃ(ə)nl] *agg.* involontario

uninterrupted [ˌʌnɪntəˈrʌptɪd] *agg.* ininterrotto, incessante

union [ˈjuːnjən] *s.* **1** unione *f.* **2** associazione *f.*, lega *f.*, consorzio *m.* **3** sindacato *m.*

unique [juːˈniːk] *agg.* unico

unit [ˈjuːnɪt] *s.* **1** unità *f.* **2** complesso *m.*, gruppo *m.* **3** (*mil.*) reparto *m.*

to unite [juːˈnaɪt] *v. tr. e intr.* unire, unirsi

united [juːˈnaɪtɪd] *agg.* unito, congiunto

unity [ˈjuːnɪtɪ] *s.* **1** unità *f.* **2** accordo *m.*

universal [ˌjuːnɪˈvɜːs(ə)l] *agg.* universale

universe [ˈjuːnɪvɜːs] *s.* universo *m.*

university [ˌjuːnɪˈvɜːsɪtɪ] *s.* università *f.*

univocal [ˌjuːnɪˈvɒʊk(ə)l] *agg.* univoco

unjust [ʌnˈdʒʌst] *agg.* ingiusto

unkempt [ʌnˈkɛm(p)t] *agg.* scarmigliato

unkind [ʌnˈkaɪnd] *agg.* **1** scortese **2** crudele

unkindness [ʌnˈkaɪn(d)nɪs] *s.* **1** scortesia *f.* **2** crudeltà *f.*

unknown [ʌnˈnɒʊn] **A** *agg.* sconosciuto **B** *s.* (*mat.*) incognita *f.*

to unlace [ʌnˈleɪs] *v. tr.* slacciare

unlawful [ʌnˈlɔːf(ʊ)l] *agg.* abusivo, illegale

to unleash [ʌnˈliːʃ] *v. tr.* sguinzagliare

unless [ənˈlɛs] *cong.* eccetto che, a meno che

unlike [ʌnˈlaɪk] **A** *agg. pred.* diverso **B** *prep.* diversamente da, a differenza di

unlikely [ʌnˈlaɪklɪ] *avv.* improbabile

unlimited [ʌnˈlɪmɪtɪd] *agg.* illimitato

unlined [ʌnˈlaɪnd] *agg.* sfoderato

to unload [ʌnˈlɒʊd] *v. tr.* **1** scaricare **2** disfarsi di

unloaded [ʌnˈlɒʊdɪd] *agg.* scarico

unloading [ʌnˈlɒʊdɪŋ] *s.* scarico *m.*

to unlock [ʌnˈlɒk] *v. tr.* **1** aprire **2** rivelare

unlucky [ʌnˈlʌkɪ] *agg.* **1** sfortunato **2** di cattivo augurio

to unmake [ʌnˈmeɪk] (*pass. e p. p.* **unmade**) *v. tr.* disfare

unmarried [ʌnˈmærɪd] *agg.* non sposato

unmatched [ʌnˈmætʃt] *agg.* **1** impareggiabile **2** scompagnato

unmistakable [ˌʌnmɪsˈteɪkəbl] *agg.* inconfondibile

to unnail [ʌnˈneɪl] *v. tr.* schiodare

unnatural [ʌnˈnætʃr(ə)l] *agg.* innaturale

unnecessary [ʌnˈnɛsɪs(ə)rɪ] *agg.* non necessario, superfluo

unnoticed [ʌnˈnɒʊtɪst] *agg.* inosservato

unobtainable [ˌʌnəbˈteɪnəbl] *agg.* non ottenibile

unobtrusive [ˌʌnəbˈtruːsɪv] *agg.* discreto, riservato

unofficial [ˌʌnəˈfɪʃ(ə)l] *agg.* non ufficiale

to unpack [ʌnˈpæk] *v. tr.* **1** (*valigie*) disfare **2** sballare

unpaid [ʌnˈpeɪd] *agg.* non pagato

unpalatable [ʌnˈpælətəbl] *agg.* sgradevole

unpleasant [ʌnˈplɛznt] *agg.* antipatico, sgradevole

to unplug [ʌnˈplʌg] *v. tr.* togliere la spina a, staccare

unpopular [ʌnˈpɒpjʊləʳ] *agg.* impopolare

unprecedented [ʌnˈprɛsɪd(ə)ntɪd] *agg.* inaudito

unpredictable [ˌʌnprɪ'dɪktəbl] *agg.* imprevedibile

unprepared [ˌʌnprɪ'pɛəd] *agg.* impreparato

unprofessional [ˌʌnprə'feʃ(ə)nl] *agg.* poco professionale

unprotected [ˌʌnprə'tɛktɪd] *agg.* indifeso

unprovided [ˌʌnprə'vaɪdɪd] *agg.* sprovvisto

unpublished [ʌn'pʌblɪʃt] *agg.* inedito

unqualified [ʌn'kwɒlɪfaɪd] *agg.* **1** incompetente **2** non abilitato, non qualificato **3** assoluto, categorico

unquestionable [ʌn'kwɛstʃ(ə)nəbl] *agg.* indiscutibile

to unravel [ʌn'ræv(ə)l] *v. tr.* districare, sbrogliare

unreal [ʌn'rɪəl] *agg.* irreale

unrealistic [ˌʌnrɪə'lɪstɪk] *agg.* non realistico

unreality [ˌʌnrɪ'ælɪtɪ] *s.* irrealtà *f.*

unreasonable [ʌn'riːz(ə)nəbl] *agg.* irragionevole

unrelated [ˌʌnrɪ'leɪtɪd] *agg.* senza rapporti

unrelenting [ˌʌnrɪ'lɛntɪŋ] *agg.* inesorabile

unreliable [ˌʌnrɪ'laɪəbl] *agg.* inaffidabile, inattendibile

unremitting [ˌʌnrɪ'mɪtɪŋ] *agg.* incessante

unrest [ʌn'rɛst] *s.* agitazione *f.*

unrestricted [ˌʌnrɪs'trɪktɪd] *agg.* illimitato, senza limiti

unripe [ʌn'raɪp] *agg.* acerbo

to unrivet [ʌn'rɪvɪt] *v. tr.* schiodare

to unroll [ʌn'rəʊl] *v. tr.* srotolare

unruly [ʌn'ruːlɪ] *agg.* indisciplinato

unsafe [ʌn'seɪf] *agg.* pericoloso, malsicuro

unsaid [ʌn'sɛd] *pass. e p. p. di* **to unsay**

unsaleable [ʌn'seɪləbl] *agg.* invendibile

unsatisfactory [ˌʌnsætɪs'fækt(ə)rɪ] *agg.* insoddisfacente

unsavoury [ʌn'seɪv(ə)rɪ] *agg.* **1** scipito **2** disgustoso

to unsay [ʌn'seɪ] (*pass. e p. p.* **unsaid**) *v. tr.* ritrattare, negare

unscathed [ʌn'skeɪðd] *agg.* illeso

to unscrew [ʌn'skruː] *v. tr.* svitare

unscrupulous [ʌn'skruːpjʊləs] *agg.* senza scrupoli

unseasoned [ʌn'siːz(ə)nd] *agg.* scondito

unseizable [ʌn'siːzəbl] *agg.* inafferrabile

unselfish [ʌn'sɛlfɪʃ] *agg.* altruista

unsettled [ʌn'sɛtld] *agg.* **1** disordinato, sconvolto **2** indeciso, incerto **3** non saldato, non pagato

unshakable [ʌn'ʃeɪkəbl] *agg.* irremovibile

to unsheathe [ʌn'ʃiːð] *v. tr.* sfoderare

unsightly [ʌn'saɪtlɪ] *agg.* brutto, sgradevole

unskilfulness [ʌn'skɪlf(ʊ)lnɪs] *s.* imperizia *f.*

unskilled [ʌn'skɪld] *agg.* inesperto

unsound [ʌn'saʊnd] *agg.* malsano

unspeakable [ʌn'spiːkəbl] *agg.* indicibile

unstable [ʌn'steɪbl] *agg.* instabile

unsteady [ʌn'stɛdɪ] *agg.* malfermo

to unstick [ʌn'stɪk] (*pass. e p. p.* **unstuck**) *v. tr.* scollare, staccare

to unstitch [ʌn'stɪtʃ] *v. tr.* scucire

unsuccessful [ˌʌns(ə)k'sɛsf(ʊ)l] *agg.* fallito, sfortunato

unsuitable [ʌn'sjuːtəbl] *agg.* **1** inadatto **2** inopportuno

unsure [ʌn'ʃʊə'] *agg.* incerto

unsuspected [ˌʌnsəs'pɛktɪd] *agg.* insospettato

unsympathetic [ˌʌnsɪmpə'θɛtɪk] *agg.* antipatico

untapped [ʌn'tæpt] *agg.* non sfruttato

untenable [ʌn'tɛnəbl] *agg.* insostenibile

unthinkable [ʌn'θɪŋkəbl] *agg.* impensabile

untidiness [ʌn'taɪdɪnɪs] *s.* disordine *m.*

untidy [ʌn'taɪdɪ] *agg.* disordinato

to untie [ʌn'taɪ] *v. tr.* **1** slegare **2** risolvere

until [ən'tɪl] **A** *prep.* fino a, fino al momento di **B** *cong.* finché non, fino a quando

untimely [ʌn'taɪmlɪ] *agg.* inopportuno

untiring [ʌn'taɪərɪŋ] *agg.* instancabile

untold [ʌn'təʊld] *agg.* **1** taciuto **2** innumerevole

untoward [ʌn'tɒ(ʊ)əd] *agg.* **1** scomodo **2** sconveniente

untranslatable [ˌʌntræns'leɪtəbl] *agg.* intraducibile

unusable [ʌn'juːzəbl] *agg.* inutilizzabile

unused [ʌn'juːzd] *agg.* **1** non usato **2** non abituato

unusual [ʌn'juːʒʊəl] *agg.* inconsueto, insolito

to unveil [ʌn'veɪl] *v. tr.* svelare

unwanted [ʌn'wɒntɪd] *agg.* non desiderato

unwavering [ʌn'weɪv(ə)rɪŋ] *agg.* incrollabile

unwelcome [ʌn'wɛlkəm] *agg.* sgradito

unwell [ʌn'wɛl] *agg. pred.* indisposto

unwieldy [ʌn'wiːldɪ] *agg.* **1** ingombrante **2** impacciato

unwilling [ʌn'wɪlɪŋ] *agg.* riluttante, non disposto

to **unwind** [ʌn'waɪnd] (*pass. e p. p.* **unwound**) **A** *v. tr.* sdipanare, srotolare **B** *v. intr.* **1** srotolarsi **2** rilassarsi

unwise [ʌn'waɪz] *agg.* malaccorto

unwitting [ʌn'wɪtɪŋ] *agg.* involontario

unworkable [ʌn'wɜːkəbl] *agg.* inattuabile

unworthy [ʌn'wɜːðɪ] *agg.* immeritevole, indegno

to **unwrap** [ʌn'ræp] *v. tr.* scartare, disfare

up [ʌp] **A** *avv.* **1** su, in alto **2** più avanti, oltre **3** completamente **B** *prep.* su, per su **C** *agg.* **1** alzato **2** finito, compiuto **3** ascendente ♦ **up against** di fronte a; **up here** quassù; **up there** lassù; **up to** fino a; **up to now** finora

upbringing [ʌp,brɪŋɪŋ] *s.* allevamento *m.* (di bambini)

to **update** [ʌp'deɪt] *v. tr.* aggiornare

upgrade ['ʌpgreɪd] **A** *s.* salita *f.*, pendenza *f.* **B** *agg. e avv.* in salita

to **upgrade** [,ʌp'greɪd] *v. tr.* **1** promuovere **2** incrementare

upheaval [ʌp'hiːv(ə)l] *s.* **1** sollevamento *m.* **2** agitazione *f.*

upheld [ʌp'held] *pass. e p. p. di* to **uphold**

uphill [,ʌp'hɪl] **A** *agg.* **1** in salita **2** faticoso **B** *s.* salita *f.* **C** *avv.* in salita

to **uphold** [ʌp'həʊld] (*pass. e p. p.* **upheld**) *v. tr.* sostenere, sorreggere

upkeep ['ʌpkiːp] *s.* manutenzione *f.*

upon [ə'pɒn] *prep.* sopra, su

upper ['ʌpər] **A** *agg.* superiore, più alto **B** *s.* **1** parte *f.* superiore **2** tomaia *f.* ♦ **u. case** maiuscolo

uppermost ['ʌpəmʊst] **A** *agg.* **1** il più alto **2** principale, predominante **B** *avv.* al di sopra, per prima cosa

upright ['ʌp,raɪt] *agg.* **1** dritto, eretto, verticale **2** integro, onesto

uprising ['ʌp,raɪzɪŋ] *s.* sollevazione *f.*

uproar ['ʌp,rɔːr] *s.* pandemonio *m.*, tumulto *m.*

to **uproot** [ʌp'ruːt] *v. tr.* sradicare

upset [ʌp'set] **A** *agg.* **1** capovolto **2** agitato, sconvolto **B** *s.* **1** capovolgimento *m.* **2** turbamento *m.*

to **upset** [ʌp'set] (*pass. e p. p.* **upset**) **A** *v. tr.* **1** capovolgere **2** agitare, sconvolgere **B** *v. intr.* capovolgersi

upsetting [ʌp'setɪŋ] *agg.* sconvolgente

upshot ['ʌpʃɒt] *s.* conclusione *f.*, risultato *m.*

upside ['ʌpsaɪd] *avv.* di sopra ♦ **u. down**

sottosopra, alla rovescia

upstairs [,ʌp'steəz] *avv.* al piano superiore

upstream [,ʌp'striːm] *agg. e avv.* **1** a monte **2** contro corrente

uptake ['ʌpteɪk] *s.* comprensione *f.*, comprendonio *m.*

up-to-date [,ʌptə'deɪt] *agg.* **1** aggiornato **2** alla moda

upturn ['ʌptɜːn] *s.* ripresa *f.*, rialzo *m.*

to **upvalue** [ʌp'vælju:] *v. tr.* sopravvalutare

upward ['ʌpwəd] **A** *agg.* ascendente **B** *avv.* **1** in su, in alto **2** oltre

uranium [ju'reɪnjəm] *s.* uranio *m.*

urban ['ɜːbən] *agg.* urbano, cittadino

urbane [ɜː'beɪn] *agg.* urbano, cortese

urbanist ['ɜːbənɪst] *s.* urbanista *m. e f.*

urbanization [,ɜːbənaɪ'zeɪʃ(ə)n] *s.* urbanizzazione *f.*

urchin ['ɜːtʃɪn] *s.* **1** monello *m.* **2** riccio *m.*, porcospino *m.*

urea ['juərɪə] *s.* urea *f.*

urethra [juə'riːθrə] *s.* uretra *f.*

urge [ɜːdʒ] *s.* impulso *m.*, stimolo *m.*

to **urge** [ɜːdʒ] *v. tr.* **1** spingere, sollecitare **2** raccomandare **3** addurre

urgency ['ɜːdʒ(ə)nsɪ] *s.* **1** urgenza *f.* **2** insistenza *f.*

urgent ['ɜːdʒ(ə)nt] *agg.* **1** urgente **2** insistente

urine ['juərɪn] *s.* urina *f.*

urn [ɜːn] *s.* urna *f.*

urologist [juə'rələdʒɪst] *s.* urologo *m.*

urticaria [,ɜːtɪ'keərɪə] *s.* orticaria *f.*

us [ʌs] *pron. pers. 1ª pl.* (*compl.*) noi, ci

usage ['juːzɪdʒ] *s.* **1** uso *m.*, applicazione *f.* **2** usanza *f.*

use [juːs] *s.* **1** uso *m.*, utilizzo *m.*, impiego *m.* **2** utilità *f.* **3** usanza *f.* ♦ **out of u.** fuori uso; **to be of u.** servire

to **use** [juːz] *v. tr.* usare, adoperare ♦ **to u. up** esaurire, consumare

used [juːzd] *agg.* usato

useful ['juːsf(ʊ)l] *agg.* utile

usefulness ['juːsf(ʊ)lnɪs] *s.* utilità *f.*

useless ['juːslɪs] *agg.* inutile

user ['juːzər] *s.* utente *m. e f.* ♦ **u.-friendly** di facile uso

usher ['ʌʃər] *s.* usciere *m.*

to **usher** ['ʌʃər] *v. tr.* fare strada a

usherette [,ʌʃə'ret] *s.* (*cine.*) maschera *f.*

usual ['juːʒʊəl] *agg.* consueto, solito ♦ **as u.** come al solito

usually ['juːʒʊəlɪ] *avv.* abitualmente, solitamente

usufruct ['juːsjuːfrʌkt] *s.* usufrutto *m.*

utensil [juːˈtɛnsl] *s.* utensile *m.*

uterus ['juːtərəs] *s.* utero *m.*

utility [juːˈtɪlɪtɪ] *s.* **1** utilità *f.* **2** *al pl.* servizi *m. pl.* pubblici **3** (*inf.*) utility *f. inv.* ♦ **u. car** utilitaria

utilization [ˌjuːtɪlaɪˈzeɪʃ(ə)n] *s.* utilizzo *m.*

to **utilize** ['juːtɪlaɪz] *v. tr.* utilizzare

utmost ['ʌtməʊst] **A** *agg.* **1** estremo **2** massimo **B** *s.* limite *m.* estremo, massimo *m.* ♦ **to the u.** a oltranza; **to try one's u.** fare del proprio meglio

utopia [juːˈtəʊpjə] *s.* utopia *f.*

utopian [juˈːtəʊpjən] *s.* utopista *m. e f.*

utter ['ʌtər] *agg.* completo, totale

to **utter** ['ʌtər] *v. tr.* **1** emettere **2** pronunciare

utterly ['ʌtəlɪ] *avv.* completamente

U-turn ['juːtɜːn] *s.* inversione *f.* a U

uxoricide [ʌkˈsɜːrɪsaɪd] *s.* uxoricida *m. e f.*

V

vacancy ['veɪk(ə)nsɪ] *s.* **1** vacanza *f.* (*l'essere vacante*) **2** posto *m.* libero ♦ **no vacancies** al completo

vacant ['veɪk(ə)nt] *agg.* **1** vacante, libero, disponibile **2** vacuo

to vacate [vəˈkeɪt] *v. tr.* sgombrare

vacation [vəˈkeɪʃ(ə)n] *s.* vacanza *f.*, ferie *f. pl.*

to vaccinate ['væksɪneɪt] *v. tr. e intr.* vaccinare, fare una vaccinazione

vaccination [ˌvæksɪˈneɪʃ(ə)n] *s.* vaccinazione *f.*

vaccine ['væksiːn] *s.* vaccino *m.*

vacuum ['vækjʊəm] *s.* vuoto *m.* ♦ **v. cleaner** aspirapolvere; **v.-packed** confezionato sotto vuoto

vagina [vəˈdʒaɪnə] *s.* vagina *f.*

vaginitis [ˌvædʒɪˈnaɪtɪs] *s.* vaginite *f.*

vagrant ['veɪgr(ə)nt] *agg. e s.* vagabondo *m.*

vague [veɪg] *agg.* **1** vago, indistinto **2** incerto

vain [veɪn] *agg.* **1** vano, inutile **2** vanitoso

valediction [ˌvælɪˈdɪkʃ(ə)n] *s.* commiato *m.*

valentine ['væləntaɪn] *s.* biglietto *m.* di S. Valentino

valerian [vəˈlɪərɪən] *s.* valeriana *f.*

valet ['vælɪt] *s.* valletto *m.*, cameriere *m.* (personale)

valiancy ['væljənsɪ] *s.* valore *m.*

valiant ['væljənt] *agg.* valoroso

valid ['vælɪd] *agg.* valido, valevole

to validate ['vælɪdeɪt] *v. tr.* **1** convalidare, render valido **2** (*inf.*) abilitare

validity [vəˈlɪdɪtɪ] *s.* validità *f.*

valley ['vælɪ] *s.* vallata *f.*, valle *f.*

valour ['vælər] *s.* valore *m.*

valuable ['væljʊæbl] **A** *agg.* pregevole, prezioso **B** *s. al pl.* oggetti *m. pl.* di valore

valuation [ˌvæljʊˈeɪʃ(ə)n] *s.* valutazione *f.*, stima *f.*

value ['væljuː] *s.* **1** valore *m.* **2** pregio *m.* ♦ **v.-added tax** imposta sul valore aggiunto

to value ['væljuː] *v. tr.* **1** valutare, stimare **2** apprezzare

valued ['væljuːd] *agg.* **1** valutato, stimato **2** apprezzato, pregiato

valve [vælv] *s.* valvola *f.*

vampire ['væmpaɪər] *s.* vampiro *m.*

van [væn] *s.* **1** furgone *m.* **2** vagone *m.*

vandal ['vænd(ə)l] *s.* vandalo *m.*

vandalic [vænˈdælɪk] *agg.* vandalico

vandalism ['vændəlɪz(ə)m] *s.* vandalismo *m.*

vane [veɪn] *s.* **1** banderuola *f.* **2** aletta *f.*, paletta *f.*

vanguard ['vængaːd] *s.* avanguardia *f.*

vanilla [vəˈnɪlə] *s.* vaniglia *f.*

to vanish ['vænɪʃ] **A** *v. intr.* sparire, svanire **B** *v. tr.* far sparire

vanity ['vænɪtɪ] *s.* vanità *f.*

to vanquish ['væŋkwɪʃ] *v. tr.* debellare

vantage ['vaːntɪdʒ] *s.* vantaggio *m.*

vaporization [ˌveɪpəraɪˈzeɪʃ(ə)n] *s.* vaporizzazione *f.*

vaporizer ['veɪpəraɪzər] *s.* vaporizzatore *m.*

vapour ['veɪpər] (*USA* **vapor**) *s.* vapore *m.*

variable ['veərɪəbl] *agg.* variabile, mutevole

variance ['veərɪəns] *s.* **1** variazione *f.* **2** divergenza *f.*, disaccordo *m.* **3** varianza *f.*

variation [ˌveərɪˈeɪʃ(ə)n] *s.* variazione *f.*

varicella [ˌværɪˈselə] *s.* varicella *f.*

varicose ['værɪkɒʊs] *agg.* varicoso

varied ['veərɪd] *agg.* vario, variato

variegated ['veərɪgeɪtɪd] *agg.* variegato

variety [vəˈraɪətɪ] *s.* varietà *f.*

various ['veərɪəs] *agg.* (*con s. pl.*) vari, diversi, parecchi

varix ['veərɪks] *s.* varice *f.*

varnish ['vaːnɪʃ] *s.* vernice *f.*

to varnish ['vaːnɪʃ] *v. tr.* verniciare

to vary ['veərɪ] **A** *v. tr.* variare, cambiare **B** *v. intr.* differire

vascular ['væskjʊlər] *agg.* vascolare

vase [vaːz] *s.* vaso *m.*

vasectomy [vəˈsektəmɪ] *s.* vasectomia *f.*

vaseline ['væsɪliːn] *s.* vaselina *f.*

vast [vaːst] *agg.* vasto

vat [væt] *s.* tino *m.*

vaudeville ['vɒʊdəvɪl] *s.* **1** vaudeville *m. inv.* **2** (*USA*) varietà *m.*

vault (1) [vɔːlt] *s.* **1** (*arch.*) volta *f.* **2** cripta *f.*, sotterraneo *m.* ♦ **barrel v.** volta a botte

vault (2) [vɔːlt] *s.* volteggio *m.* ♦ **pole v.** salto con l'asta to **vault** [vɔːlt] v. intr. volteggiare, saltare

vaulting ['vɔːltɪŋ] **A** agg. che salta **B** s. volteggio m.

to **vaunt** [vɔːnt] v. tr. e intr. vantare, vantarsi

veal [viːl] s. (cuc.) vitello m.

vector ['vɛktər] s. vettore m.

veer [vɪər] s. virata f.

to **veer** [vɪər] v. intr. virare

vegetable ['vɛdʒɪtəbl] **A** agg. vegetale **B** s. **1** vegetale m. **2** ortaggio m., al pl. verdure f. pl.

vegetal ['vɛdʒɪtl] agg. vegetale, vegetativo

vegetarian [,vɛdʒɪ'tɛərɪən] agg. e s. vegetariano m.

vegetation [,vɛdʒɪ'teɪʃ(ə)n] s. vegetazione f.

vehemence ['viːɪməns] s. veemenza f.

vehement ['viːɪmənt] agg. veemente

vehicle ['viːɪkl] s. veicolo m.

veil [veɪl] s. velo m.

to **veil** [veɪl] v. tr. velare, coprire

vein [veɪn] s. **1** vena f. **2** venatura f., nervatura f.

velocity [vɪ'lɒsɪtɪ] s. velocità f.

velvet ['vɛlvɪt] s. velluto m.

venal ['viːnl] agg. venale

vendor ['vɛndɔːr] s. venditore m.

veneer [vɪ'nɪər] s. impiallacciatura f.

to **venerate** ['vɛnəreɪt] v. tr. venerare

venereal [vɪ'nɪərɪəl] agg. venereo

Venetian [vɪ'niːʃ(ə)n] agg. e s. veneziano m. ♦ **V. blind** (tenda alla) veneziana

vengeance ['vɛn(d)ʒəns] s. vendetta f. ♦ **with a v.** a tutta forza

venison ['vɛnzn] s. (cuc.) (carne di) cervo m.

venom ['vɛnəm] s. veleno m.

venomous ['vɛnəməs] agg. velenoso

vent [vɛnt] s. **1** foro m., orifizio m., apertura f. **2** sfogo m.

to **vent** [vɛnt] v. tr. **1** scaricare, svuotare **2** sfogare

to **ventilate** ['vɛntɪleɪt] v. tr. **1** ventilare **2** (med.) ossigenare

ventilation [,vɛntɪ'leɪʃ(ə)n] s. **1** ventilazione f., aerazione f. **2** (med.) ossigenazione f.

ventilator ['vɛntɪleɪtər] s. ventilatore m.

ventriloquist [vɛn'trɪləkwɪst] s. ventriloquo m.

venture ['vɛntʃər] s. **1** avventura f., impresa f. **2** (econ.) attività f. imprenditoriale

to **venture** ['vɛntʃər] **A** v. tr. **1** rischiare, arrischiare **2** osare **B** v. intr. avventurarsi, arrischiarsi

venue ['vɛnjuː] s. **1** luogo m. di convegno **2** (dir.) sede f. di processo

veranda(h) [və'rændə] s. veranda f.

verb [vɜːb] s. verbo m.

verbal ['vɜːb(ə)l] agg. verbale

verbena [vɜː'biːnə] s. verbena f.

verdant ['vɜːd(ə)nt] agg. verdeggiante

verdict ['vɜːdɪkt] s. verdetto m.

verge [vɜːdʒ] s. **1** limite m., orlo m., margine m. **2** verga f. **3** (arch.) fusto m. ♦ **on the v. of** sul punto di

to **verge** [vɜːdʒ] v. intr. **1** declinare, tendere, volgere **2** confinare con

verifiable ['vɛrɪfaɪəbl] agg. verificabile

to **verify** ['vɛrɪfaɪ] v. tr. verificare

verisimilitude [,vɛrɪsɪ'mɪlɪtjuːd] s. verosimiglianza f.

verism ['vɪərɪz(ə)m] s. verismo m.

verist ['vɪərɪst] s. verista m. e f.

veritable ['vɛrɪtəbl] agg. vero, genuino

vermilion [və'mɪljən] agg. vermiglio

vermin ['vɜːmɪn] s. animali m. pl. nocivi, insetti m. pl. parassiti

vernacular [və'nækjʊlər] **A** agg. **1** vernacolo **2** indigeno, locale **B** s. vernacolo m.

verruca [vɛ'ruːkə] s. verruca f.

versant ['vɜːs(ə)nt] s. versante m.

versatile ['vɜːsətaɪl] agg. versatile

verse [vɜːs] s. verso m., versetto m.

versed [vɜːst] agg. versato, pratico

to **versify** ['vɜːsɪfaɪ] v. intr. verseggiare

version ['vɜːʃ(ə)n] s. versione f.

versus ['vɜːsəs] prep. contro

vertebra ['vɜːtɪbrə] s. vertebra f.

vertebral ['vɜːtɪbr(ə)l] agg. vertebrale

vertebrate ['vɜːtɪbrɪt] agg. e s. vertebrato m.

vertex ['vɜːtɛks] s. (geom.) vertice m.

vertical ['vɜːtɪk(ə)l] agg. verticale

vertiginous [vɜː'tɪdʒɪnəs] agg. **1** vertiginoso **2** che soffre di vertigini

vertigo ['vɜːtɪgəʊ] s. vertigine f.

vervain ['vɜːveɪn] s. verbena f.

verve [vɛəv] s. verve f. inv, brio m.

very ['vɛrɪ] **A** agg. (enf.) proprio, esatto, assoluto, vero e proprio **B** avv. molto, assai

vesper ['vɛspər] s. vespro m.

vessel ['vɛsl] s. **1** nave f., vascello m. **2** recipiente m. **3** (anat.) vaso m.

vest [vɛst] s. **1** canottiera f. **2** (USA) panciotto m., giubbotto m. **3** maglietta f. ♦ **life v.** giubbotto di salvataggio

vested ['vɛstɪd] agg. (dir.) acquisito

vestibule ['vɛstɪbjuːl] *s.* vestibolo *m.*

vestige ['vɛstɪdʒ] *s.* vestigio *m.*

vet [vɛt] *s.* (*fam.*) veterinario *m.*

veteran ['vɛt(ə)r(ə)n] **A** *agg.* veterano **B** *s.* veterano *m.*, reduce *m.*

veterinary ['vɛt(ə)rɪn(ə)rɪ] *agg.* veterinario ♦ **v. surgeon** (medico) veterinario

veto ['viːtɒʊ] *s.* veto *m.*

to veto ['viːtɒʊ] *v. tr.* mettere il veto a

to vex [vɛks] *v. tr.* **1** vessare, opprimere **2** irritare, contrariare

vexation [vɛk'seɪʃ(ə)n] *s.* **1** vessazione *f.* **2** fastidio *m.*, irritazione *f.*

via ['vaɪə] *prep.* per, attraverso, via

viable ['vaɪəbl] *agg.* **1** vitale **2** autosufficiente **3** praticabile, attuabile

viaduct ['vaɪədʌkt] *s.* viadotto *m.*

vibrant ['vaɪbr(ə)nt] *agg.* **1** vibrante **2** vivace

to vibrate [vaɪ'breɪt] *v. intr.* **1** vibrare **2** risuonare

vibration [vaɪ'breɪʃ(ə)n] *s.* vibrazione *f.*

vicar ['vɪkər] *s.* **1** curato *m.* **2** vicario *m.*

vicarage ['vɪkərɪdʒ] *s.* canonica *f.*

vicarious [vaɪ'kɛərɪəs] *agg.* vicario, sostituto **2** indiretto

vice (1) [vaɪs] *s.* **1** immoralità *f.* **2** vizio *m.* **3** difetto *m.*

vice (2) [vaɪs] *s.* (*mecc.*) morsa *f.*

vice (3) [vaɪs] **A** *s.* vice *m.* e *f.* **B** *prep.* al posto di

vice-president [,vaɪs'prɛzɪd(ə)nt] *s.* vicepresidente *m.*

viceroy ['vaɪsrɔɪ] *s.* viceré *m.*

vice versa [,vaɪsɪ'vɜːsɜː] *avv.* viceversa

vicinity [vɪ'sɪnɪtɪ] *s.* **1** vicinanza *f.* **2** vicinanze *f. pl.*, dintorni *m. pl.*

vicious ['vɪʃəs] *agg.* **1** cattivo, malvagio **2** pericoloso, feroce, ombroso **3** vizioso

vicissitude [vɪ'sɪsɪtjuːd] *s.* vicissitudine *f.*, vicenda *f.*

victim ['vɪktɪm] *s.* vittima *f.*

victor ['vɪktər] *s.* vincitore *m.*

Victorian [vɪk'tɔːrɪən] *agg.* vittoriano

victorious [vɪk'tɔːrɪəs] *agg.* vittorioso

victory ['vɪkt(ə)rɪ] *s.* vittoria *f.*

victual ['vɪtl] *s.* vettovaglie *f. pl.*

vicugna o **vicuña** [vɪ'kjuːnə] *s.* vigogna *f.*

video ['vɪdɪɒʊ] **A** *agg.* video **B** *s.* **1** videoregistrazione *f.* **2** videocassetta *f.* **3** videoregistratore *m.* ♦ **v. game** videogioco

to vie [vaɪ] *v. intr.* gareggiare, competere

Vietnamese [,vjɛtnə'miːz] *agg.* e *s.* vietnamita *m.* e *f.*

view [vjuː] *s.* **1** vista *f.*, veduta *f.*, visione *f.* **2** vista *f.*, panorama *m.* **3** opinione *f.*, giudizio *m.* **4** intento *m.*, mira *f.*, scopo *m.* **5** rassegna *f.*, mostra *f.* ♦ **in my v.** secondo il mio punto di vista; **in v.** in vista; **in v. of** in considerazione di; **on v.** in mostra

to view [vjuː] *v. tr.* **1** guardare, osservare **2** esaminare, ispezionare **3** considerare

viewer ['vjuːər] *s.* **1** spettatore *m.* **2** ispettore *m.*

viewfinder ['vjuːˌfaɪndər] *s.* (*fot.*) mirino *m.*

viewpoint ['vjuːpɔɪnt] *s.* punto *m.* di vista

vigil ['vɪdʒɪl] *s.* veglia *f.*

vigilance ['vɪdʒɪləns] *s.* vigilanza *f.*

vigilant ['vɪdʒɪlənt] *agg.* vigile

vignette [vɪ'njɛt] *s.* vignetta *f.*

vigorous ['vɪg(ə)rəs] *agg.* vigoroso

vigour ['vɪgər] *s.* vigore *m.*

vile [vaɪl] *agg.* **1** vile, abietto **2** (*fam.*) pessimo

villa ['vɪlə] *s.* villa *f.*

village ['vɪlɪdʒ] *s.* villaggio *m.*, paese *m.*, borgo *m.*

villain ['vɪlən] *s.* furfante *m.*, canaglia *f.*

to vindicate ['vɪndɪkeɪt] *v. tr.* **1** rivendicare **2** difendere, giustificare

vindictive [vɪn'dɪktɪv] *s.* vendicativo

vine [vaɪn] *s.* **1** (*bot.*) vite *f.*, vitigno *m.* **2** pianta *f.* rampicante

vinegar ['vɪnɪgər] *s.* aceto *m.*

vineyard ['vɪnjəd] *s.* vigna *f.*, vigneto *m.*

vintage ['vɪntɪdʒ] **A** *s.* **1** vendemmia *f.* **2** annata *f.*, raccolto *m.* **B** *agg. attr.* d'annata, pregiato ♦ **v. car** auto d'epoca

vinyl ['vaɪnɪl] *s.* vinile *m.*

viola ['vaɪələ] *s.* (*mus., bot.*) viola *f.*

to violate ['vaɪəleɪt] *v. tr.* **1** violare, infrangere **2** violentare

violence ['vaɪələns] *s.* violenza *f.*

violent ['vaɪələnt] *agg.* violento

violet ['vaɪəlɪt] *s.* violetta *f.*

violin [,vaɪə'lɪn] *s.* violino *m.*

violinist ['vaɪəlɪnɪst] *s.* violinista *m.* e *f.*

violoncellist [,vaɪələn'tʃɛlɪst] *s.* violoncellista *m.* e *f.*

violoncello [,vaɪələn'tʃɛlɒʊ] *s.* violoncello *m.*

viper ['vaɪpər] *s.* vipera *f.*

viral ['vaɪrəl] *agg.* virale

virgin ['vɜːdʒɪn] *agg.* e *s.* vergine *f.*

virginity [vɛr'dʒɪnɪtɪ] *s.* verginità *f.*

Virgo ['vɜːgɒʊ] *s.* (*astr.*) vergine *f.*

virile [vɪ'raɪl] *agg.* virile

virility [vɪ'rɪlɪtɪ] *s.* virilità *f.*

virtual ['vɜːtjʊəl] *agg.* virtuale

virtue ['vɜːtjuː] *s.* **1** virtù *f.* **2** vantaggio *m.*, merito *m.*

virtuoso [ˌvɜːtjʊ'ʊʊzɒʊ] *s.* (*mus.*) virtuoso *m.*

virtuous ['vɜːtjʊəs] *agg.* virtuoso

virus ['vaɪrəs] *s.* virus *m.*

visa ['viːzə] *s.* visto *m.* ♦ **entry v.** visto d'ingresso

to visa ['viːzə] *v. tr.* vistare

viscid ['vɪsɪd] *agg.* viscido

viscount ['vaɪkaʊnt] *s.* visconte *m.*

viscountess ['vaɪkaʊntɪs] *s.* viscontessa *f.*

visibility [ˌvɪzɪ'bɪlɪtɪ] *s.* visibilità *f.* ♦ **poor v.** visibilità scarsa

visible ['vɪzəbl] *agg.* visibile

vision ['vɪʒ(ə)n] *s.* **1** vista *f.*, capacità *f.* visiva **2** visione *f.*

visionary ['vɪʒənərɪ] *agg. e s.* visionario *m.*

visit ['vɪzɪt] *s.* visita *f.*

to visit ['vɪzɪt] *v. tr.* visitare, fare visita a, andare a trovare

visitor ['vɪzɪtər] *s.* **1** visitatore *m.*, ospite *m. e f.* **2** ispettore *m.*

visor ['vaɪzər] *s.* visiera *f.*

vista ['vɪstə] *s.* **1** vista *f.*, veduta *f.*, prospettiva *f.* **2** ricordi *m. pl.*, memorie *f. pl.*

visual ['vɪzjʊəl] *agg.* visuale, visivo

to visualize ['vɪzjʊəlaɪz] *v. tr.* **1** immaginare **2** visualizzare

vital ['vaɪtl] *agg.* vitale

vitality [vaɪ'tælɪtɪ] *s.* vitalità *f.*

vitamin ['vɪtəmɪn] *s.* vitamina *f.*

vitreous ['vɪtrɪəs] *agg.* vitreo

to vitrify ['vɪtrɪfaɪ] *v. tr. e intr.* vetrificare, vetrificarsi

vivacious [vɪ'veɪʃəs] *agg.* vivace

vivarium [vaɪ'vɛərɪəm] *s.* vivaio *m.* (di pesci)

vivid ['vɪvɪd] *agg.* vivido, vivo

vivisection [ˌvɪvɪ'sɛkʃ(ə)n] *s.* vivisezione *f.*

V-neck ['viːnɛk] *s.* scollatura *f.* a V

vocabulary [və'kæbjʊlərɪ] *s.* vocabolario *m.*

vocal ['vʊʊk(ə)l] *agg.* vocale

vocalic [vʊ(ʊ)'kælɪk] *agg.* vocalico

vocalization [ˌvʊʊkəlaɪ'zeɪʃ(ə)n] *s.* vocalizzazione *f.*

vocation [vʊ(ʊ)'keɪʃ(ə)n] *s.* **1** vocazione *f.* **2** professione *f.*

vocational [vʊ(ʊ)'keɪʃ(ə)nl] *agg.* professionale

vociferous [vɒ(ʊ)'sɪf(ə)rəs] *agg.* vociferante

vodka ['vɒdkə] *s.* vodka *f. inv.*

vogue [vʊʊg] *s.* voga *f.*, moda *f.*

voice [vɔɪs] *s.* voce *f.*

to voice [vɔɪs] *v. tr.* esprimere, dare voce a, farsi portavoce di

void [vɔɪd] **A** *agg.* **1** vuoto **2** invalido, nullo **B** *s.* vuoto *m.*

volatile ['vɒlətaɪl] *agg.* **1** volatile **2** volubile

volcanic [vɒl'kænɪk] *agg.* vulcanico

volcano [vɒl'keɪnʊʊ] *s.* vulcano *m.*

volley ['vɒlɪ] *s.* **1** raffica *f.*, scarica *f.* **2** (*sport*) colpo *m.* al volo, volée *f. inv.*

volleyball ['vɒlɪbɔːl] *s.* pallavolo *f.*

volt [vʊʊlt] *s.* volt *m. inv.*

voltage ['vʊʊltɪdʒ] *s.* voltaggio *m.*

voluble ['vɒljʊbl] *agg.* **1** loquace **2** (*bot.*) volubile

volume ['vɒljʊm] *s.* volume *m.*

voluminous [və'ljuːmɪnəs] *agg.* voluminoso

voluntary ['vɒlənt(ə)rɪ] *agg.* volontario

volunteer [ˌvɒlən'tɪər] **A** *agg.* **1** volontario **2** (*bot.*) spontaneo **B** *s.* volontario *m.*

to volunteer [ˌvɒlən'tɪər] *v. intr.* **1** arruolarsi volontario **2** offrirsi volontariamente

voluptuous [və'lʌptjʊəs] *agg.* voluttuoso

volute [və'ljuːt] *s.* voluta *f.*

vomit ['vɒmɪt] *s.* vomito *m.*

to vomit ['vɒmɪt] *v. tr. e intr.* vomitare

vortex ['vɔːtɛks] *s.* vortice *m.*

vote [vʊʊt] *s.* voto *m.*

to vote [vʊʊt] *v. tr. e intr.* votare ♦ **to v. down** respingere (con votazione); **to v. in** eleggere; **to v. out** destituire (con votazione)

voter ['vʊʊtər] *s.* elettore *m.*

voting ['vʊʊtɪŋ] *s.* votazione *f.*

votive ['vʊʊtɪv] *agg.* votivo

to vouch [vaʊtʃ] *v. intr.* garantire

voucher ['vaʊtʃər] *s.* **1** (*dir.*) garante *m.* **2** documento *m.* giustificativo **3** buono *m.*, voucher *m. inv.*

vow [vaʊ] *s.* voto *m.*, promessa *f.* solenne

to vow [vaʊ] *v. tr.* **1** fare voto di, promettere solennemente **2** votare, consacrare

vowel ['vaʊ(ə)l] *s.* vocale *f.*

voyage [vɔɪdʒ] *s.* viaggio *m.*, traversata *f.*

voyager ['vɔɪədʒər] *s.* viaggiatore *m.*, passeggero *m.*

vulgar ['vʌlgər] *agg.* volgare

vulgarity [vʌl'gærɪtɪ] *s.* volgarità *f.*

vulnerable ['vʌln(ə)rəbl] *agg.* vulnerabile

vulture ['vʌltʃər] *s.* avvoltoio *m.*

W

wad [wɔd] *s.* **1** batuffolo *m.*, tampone *m.* **2** rotolo *m.*, fascio *m.*

to wad [wɔd] *v. tr.* **1** tamponare **2** foderare

to waddle ['wɔdl] *v. intr.* camminare ondeggiando

to wade [weɪd] **A** *v. intr.* **1** passare a guado **2** procedere a stento **B** *v. tr.* guadare

wader ['weɪdə'] *s.* **1** (*zool.*) trampoliere *m.* **2** *al pl.* stivaloni *m. pl.* impermeabili

wafer ['weɪfə'] *s.* cialda *f.*

to waffle ['wɔfl] *v. intr.* (*fam.*) cianciare, sbrodolare

to waft [wɑːft] **A** *v. tr.* spargere, diffondere **B** *v. intr.* spandersi, diffondersi

to wag [wæg] **A** *v. tr.* scuotere, agitare, dimenare **B** *v. intr.* scuotersi, agitarsi, dimenarsi

wage [weɪdʒ] *s.* paga *f.*, salario *m.*

to wage [weɪdʒ] *v. tr.* **1** intraprendere, condurre **2** retribuire ◆ **to w. war** muovere guerra

to waggle ['wægl] *v. tr.* (*fam.*) agitare, dimenare, scuotere

wag(g)on ['wægən] *s.* **1** carro *m.* **2** vagone *m.*

wail [weɪl] *s.* gemito *m.*, lamento *m.*

to wail [weɪl] *v. intr.* gemere, lamentarsi

waist [weɪst] *s.* **1** vita *f.*, cintola *f.* **2** strozzatura *f.*

waistcoat ['weɪskɒt] *s.* panciotto *m.*

waistline ['weɪstlaɪn] *s.* giro *m.* vita

wait [weɪt] *s.* **1** attesa *f.* **2** agguato *m.*, imboscata *f.*

to wait [weɪt] **A** *v. intr.* **1** aspettare **2** rimanere in sospeso **3** (*a tavola*) servire **B** *v. tr.* **1** aspettare **2** ritardare, rinviare ◆ **to w. and see** stare a vedere; **to w. behind** rimanere, fermarsi; **to w. for sb.** aspettare qc.; **to w. on** servire; **to w. up** rimanere alzato

waiter ['weɪtə'] *s.* cameriere *m.*

waiting ['weɪtɪŋ] *s.* **1** attesa *f.* **2** servizio *m.* ◆ **no w.** divieto di sosta; **w. list** lista di attesa; **w. room** sala d'aspetto

waitress ['weɪtrɪs] *s.* cameriera *f.*

to waive [weɪv] *v. tr.* rinunciare a

wake (1) [weɪk] *s.* **1** veglia *f.* **2** vigilia *f.*

wake (2) [weɪk] *s.* scia *f.*

to wake [weɪk] (*pass.* **woke, waked**, *p. p.*

waked, woke, woken) **A** *v. intr.* **1** svegliarsi, destarsi **2** fare la veglia **B** *v. tr.* **1** svegliare **2** ridestare, rianimare **3** vegliare

to waken ['weɪk(ə)n] *v. tr. e intr.* svegliare, svegliarsi

walk [wɔːk] *s.* **1** camminata *f.*, passeggiata *f.* **2** percorso *m.* **3** andatura *f.*, passo *m.* **4** sentiero *m.*, viale *m.*

to walk [wɔːk] **A** *v. intr.* camminare, passeggiare **B** *v. tr.* **1** percorrere a piedi **2** far camminare **3** accompagnare ◆ **to w. away from** uscire incolume da, distanziare; **to w. in** entrare; **to w. out** uscire, scioperare, abbandonare per protesta; **to w. out on** piantare in asso; **to w. over** sconfiggere, sbaragliare; **to w. up** salire (a piedi)

walker ['wɔːkə'] *s.* camminatore *m.*, pedone *m.*

walkie-talkie [,wɔːkɪ'tɔːkɪ] *s.* walkie-talkie *m. inv.*

walking ['wɔːkɪŋ] **A** *agg.* **1** che cammina **2** da passeggio **3** a piedi **B** *s.* il camminare ◆ **w. stick** bastone da passeggio; **w. tour** escursione a piedi

walk-on ['wɔːk,ɔn] *s.* (*cine., teatro*) comparsa *f.*, figurante *m.*

walkout ['wɔːk,aʊt] *s.* (*fam.*) sciopero *m.*

walkway ['wɔːkweɪ] *s.* passaggio *m.* pedonale

wall [wɔːl] *s.* **1** muro *m.*, parete *f.* **2** *al pl.* mura *f. pl.*

to wall [wɔːl] *v. tr.* cintare, cingere di mura

wallet ['wɔlɪt] *s.* portafoglio *m.*

wallflower ['wɔːl,flaʊə'] *s.* violacciocca *f.* ◆ **to be a w.** (*fam.*) fare da tappezzeria

wallop ['wɔləp] *s.* (*fam.*) bastonata *f.*, percossa *f.*

to wallop ['wɔləp] *s.* (*fam.*) percuotere

to wallow ['wɔləʊ] *v. intr.* sguazzare, voltolarsi

wallpaper ['wɔːl,peɪpə'] *s.* carta *f.* da parati

wally ['wɔlɪ] *agg.* (*fam.*) scemo

walnut ['wɔːlnət] *s.* noce *f. e m.*

walrus ['wɔːlrəs] *s.* tricheco *m.*

waltz [wɔːls] *s.* valzer *m. inv.*

to waltz [wɔːls] *v. intr.* ballare il valzer

wan [wɔn] *agg.* pallido, esangue

wand [wɔnd] *s.* bacchetta *f.*

to wander ['wɒndər] **A** *v. intr.* **1** vagare, girovagare **2** deviare, scostarsi **3** delirare **B** *v. tr.* vagare per

wandering ['wɒnd(ə)rɪŋ] **A** *agg.* **1** errante, nomade **2** tortuoso, serpeggiante **3** delirante **B** *s.* **1** vagabondaggio *m.*, peregrinazione *f.* **2** smarrimento *m.* **3** vaneggiamento *m.*

wane [weɪn] *s.* declino *m.*

to wane [weɪn] *v. intr.* calare, declinare

wangle ['wæŋgl] *s. (pop.)* imbroglio *m.*

to wangle ['wæŋgl] *v. tr. (pop.)* procurarsi con l'inganno

want [wɒnt] *s.* **1** bisogno *m.*, necessità *f.* **2** mancanza *f.*, scarsità *f.* **3** indigenza *f.*

to want [wɒnt] **A** *v. tr.* **1** volere, desiderare **2** aver bisogno di **3** ricercare **4** *(fam.)* dovere **B** *v. intr.* mancare ♦ **to w. for** esser privo di; **what do you w.?** cosa ti serve?, cosa vuoi?

wanted ['wɒntɪd] *agg.* **1** *(dir)* ricercato **2** richiesto **3** *(negli annunci)* cercasi

wanting ['wɒntɪŋ] *agg.* mancante, carente

wanton ['wɒntən] *agg.* **1** sfrenato, sregolato **2** arbitrario, immotivato **3** licenzioso, scostumato

war [wɔːr] **A** *s.* guerra *f.* **B** *agg. attr.* bellico, di guerra ♦ **to be at w. with** essere in guerra con; **to wage w. upon** muovere guerra a

ward [wɔːd] *s.* **1** *(dir)* tutela *f.*, custodia *f.* **2** *(dir)* persona *f.* sotto tutela, pupillo *m.* **3** reparto *m.*, corsia *f.* **4** circoscrizione *f.*

warden ['wɔːdn] *s.* **1** guardiano *m.* **2** sovrintendente *m. e f.*, direttore *m.*

warder ['wɔːdər] *s.* carceriere *m.*

wardrobe ['wɔːdrəʊb] *s.* guardaroba *m. inv.*

ware [weər] *s.* articoli *m. pl.*, merce *f.*

warehouse ['weəhaʊs] *s.* magazzino *m.*

warfare ['wɔːfeər] *s.* guerra *f.*

warhead ['wɔːhed] *s. (mil.)* testata *f.*

warlike ['wɔːlaɪk] *agg.* bellico, guerriero

warm [wɔːm] *agg.* **1** caldo **2** caloroso, cordiale ♦ **to be w.** avere caldo, far caldo

to warm [wɔːm] **A** *v. tr.* **1** scaldare, riscaldare **2** animare **B** *v. intr.* **1** scaldarsi, riscaldarsi **2** animarsi

warm-blooded [,wɔːm'blʌdɪd] *agg.* a sangue caldo

warm-hearted [,wɔːm'hɑːtɪd] *agg.* affettuoso

warmonger ['wɔː,mʌŋgər] *s.* guerrafondaio *m.*

warmth [wɔːmθ] *s.* calore *m.*

to warn [wɔːn] *v. tr.* **1** avvertire, ammonire **2** *(dir)* diffidare

warning ['wɔːnɪŋ] **A** *agg.* **1** di avvertimento **2** ammonitore **B** *s.* **1** avvertimento *m.*, preavviso *m.* **2** avviso *m.*, allarme *m.* **3** *(dir)* diffida *f.* ♦ **w. light** spia luminosa

warp [wɔːp] *s.* **1** ordito *m.* **2** curvatura *f.*, deformazione *f.*

to warp [wɔːp] **A** *v. tr.* **1** curvare, distorcere, deformare **2** guastare **B** *v. intr.* **1** curvarsi, distorcersi, deformarsi **2** guastarsi

warrant ['wɒr(ə)nt] *s.* mandato *m.*, ordine *m.* ♦ **search w.** mandato di perquisizione

to warrant ['wɒr(ə)nt] *v. tr.* **1** garantire **2** autorizzare

warranty ['wɒr(ə)ntɪ] *s.* garanzia *f.*

warren ['wɒrɪn] *s.* conigliera *f.*

warrior ['wɒrɪər] *s.* guerriero *m.*

warship ['wɔːʃɪp] *s.* nave *f.* da guerra

wart [wɔːt] *s.* verruca *f.*

wartime ['wɔːtaɪm] *s.* tempo *m.* di guerra

wary ['weərɪ] *agg.* cauto, diffidente

was [wɒz, wəz] *1ª e 3ª sing. pass. di* **to be**

wash [wɒʃ] *s.* **1** lavaggio *m.*, lavata *f.* **2** bucato *m.* **3** sciabordio *m.* **4** *(di nave)* scia *f.*

to wash [wɒʃ] **A** *v. tr.* **1** lavare **2** bagnare, spruzzare **B** *v. intr.* lavarsi ♦ **to w. away/off** togliere lavando; **to w. down** lavare con un getto d'acqua; **to w. up** lavare i piatti

washable ['wɒʃəbl] *agg.* lavabile

washbasin ['wɒʃ,beɪsn] *s.* lavandino *m.*

washer ['wɒʃər] *s. (mecc.)* rondella *f.*

washing ['wɒʃɪŋ] *s.* **1** lavaggio *m.* **2** bucato *m.* ♦ **w. machine** lavabiancheria; **w. powder** detersivo in polvere

washout [,wɒʃ'aʊt] *s. (fam.)* fiasco *m.*, fallimento *m.*

washroom ['wɒʃruːm] *s.* **1** gabinetto *m.* **2** lavanderia *f.*

wasp [wɒsp] *s.* vespa *f.*

wastage ['weɪstɪdʒ] *s.* **1** spreco *m.* **2** scarti *m. pl.* **3** diminuzione *f.*, calo *m.*

waste [weɪst] **A** *agg.* **1** deserto, incolto **2** di scarto, di rifiuto **3** di scarico, di scolo **B** *s.* **1** perdita *f.*, spreco *m.* **2** scarto *m.*, rifiuti *m. pl.*, scorie *f. pl.* **3** terreno *m.* incolto, deserto *m.* ♦ **radioactive w.** scorie radioattive; **w. pipes** tubazioni di scarico

to waste [weɪst] **A** *v. tr.* **1** sciupare, sprecare, dissipare **2** devastare, rovinare **B** *v.*

intr. consumarsi, logorarsi ♦ **to w. away** deperire

wasteful ['weɪstf(ʊ)l] *agg.* **1** sprecone **2** dispendioso **3** superfluo

wastepaper ['weɪst,peɪpər] *s.* carta f. straccia ♦ **w. basket** cestino per la carta straccia

watch [wɒtʃ] *s.* **1** orologio m. (da polso) **2** guardia f., ronda f., sorveglianza f. **3** (*naut.*) turno m. di guardia, quarto m.

to watch [wɒtʃ] **A** *v. tr.* **1** osservare, guardare **2** sorvegliare, badare a, fare attenzione a **B** *v. intr.* **1** stare a guardare, osservare **2** stare in guardia, vigilare ♦ **to w. out** stare in guardia; **to w. over** vegliare su

watchdog ['wɒtʃdɒg] *s.* cane m. da guardia

watchful ['wɒtʃf(ʊ)l] *agg.* vigile

watchmaker ['wɒtʃ,meɪkər] *s.* orologiaio m.

watchman ['wɒtʃmən] (*pl.* **watchmen**) *s.* sorvegliante m., guardiano m.

watchstrap ['wɒtʃ,stræp] *s.* cinturino m. (dell'orologio)

water ['wɔːtər] *s.* acqua f. ♦ **drinking w.** acqua potabile; **high/low w.** alta/bassa marea; **mineral w.** acqua minerale; **plane w.** (*USA*) acqua naturale; **running w.** acqua corrente; **shallow w.** bassofondo; **w. cannon** idrante; **w. gate** chiusa; **w. heater** scaldabagno; **w. lily** ninfea; **w. polo** pallanuoto; **w. skiing** sci nautico

to water ['wɔːtər] **A** *v. tr.* **1** annaffiare, irrigare **2** annacquare **3** abbeverare **B** *v. intr.* **1** abbeverarsi **2** rifornirsi d'acqua **3** lacrimare ♦ **to w. down** allungare, diluire

watercolour ['wɔːtə,kʌlər] *s.* acquerello m.

watercolourist ['wɔːtə,kʌlərɪst] *s.* acquerellista m. e f.

waterfall ['wɔːtəfɔːl] *s.* cascata f.

watering ['wɔːtərɪŋ] *s.* **1** annaffiamento m., irrigazione f. **2** diluizione f. **3** rifornimento m. d'acqua ♦ **w. can** annaffiatoio

waterline ['wɔːtəlaɪn] *s.* (*naut.*) linea f. di galleggiamento

to waterlog ['wɔːtərlɒg] *v. tr.* impregnare, imbevere

watermelon ['wɔːtə,melən] *s.* cocomero m.

waterproof ['wɔːtəpruːf] *agg.* impermeabile

watershed ['wɔːtəʃəd] *s.* spartiacque m. *inv.*

watertight ['wɔːtətaɪt] *agg.* stagno, a tenuta d'acqua

waterway ['wɔːtəweɪ] *s.* canale m., via f. d'acqua

waterworks ['wɔːtəwɜːks] *s. pl.* acquedotto m., impianto m. idrico

watery ['wɔːtərɪ] *agg.* **1** acquoso **2** lacrimoso **3** insipido **4** slavato

watt [wɒt] *s.* watt m. *inv.*

wave [weɪv] *s.* **1** onda f., ondata f. **2** ondulazione f. **3** cenno m., gesto m.

to wave [weɪv] **A** *v. tr.* **1** ondeggiare, sventolare **2** fare un cenno (con la mano) **3** essere ondulato **B** *v. tr.* **1** agitare, brandire, sventolare **2** fare segno di **3** ondulare

wavefront ['weɪvfrʌnt] *s.* fronte m. d'onda

wavelength ['weɪvleŋ(k)θ] *s.* lunghezza f. d'onda

to waver ['weɪvər] *v. intr.* **1** oscillare, vacillare **2** esitare, tentennare

wavy ['weɪvɪ] *agg.* **1** ondulato **2** ondeggiante

wax [wæks] *s.* cera f.

to wax (1) [wæks] *v. tr.* dare la cera a

to wax (2) [wæks] *v. intr.* **1** (*della luna*) crescere **2** divenire, farsi

waxwork ['wæks,wɜːk] *s.* **1** modello m. di cera, statua f. di cera **2** *al pl.* museo m. delle cere

way [weɪ] *s.* **1** via f., strada f., passaggio m., percorso m., cammino m. **2** maniera f., modo m. **3** direzione f., lato m. **4** abitudine f. **5** punto m. di vista, aspetto m. **6** condizione f., stato m. ♦ **by the w.** a proposito, incidentalmente; **by w. of** via, passando per, a titolo di, invece di; **out of the w.** insolito, fuori mano; **in the wrong w.** in senso contrario; **w. in** entrata; **w. out** uscita

wayfarer ['weɪ,feərər] *s.* viandante m. e f.

to waylay ['weɪ'leɪ] (*pass. e p. p.* **waylaid**) *v. tr.* tendere un agguato a, attendere al varco

wayward ['weɪwəd] *agg.* **1** caparbio **2** capriccioso

wc [,dʌb(ə)lju:'sɪ] *s.* gabinetto m., wc m. *inv.*

we [wɪ(ː)] *pron. pers.* *1ª pl.* noi

weak [wiːk] *agg.* **1** debole **2** diluito, leggero **3** tenue

to weaken ['wiːk(ə)n] *v. tr. e intr.* indebolire, indebolirsi

weakness ['wiːknɪs] *s.* **1** debolezza f. **2** lato m. debole

wealth [welθ] *s.* **1** ricchezza f. **2** abbondanza f.

wealthy ['wɛlθɪ] *agg.* ricco

to wean [wi:n] *v. tr.* **1** svezzare **2** disabituare

weaning ['wi:nɪŋ] *s.* svezzamento *m.*

weapon ['wɛpən] *s.* arma *f.*

wear [wɛəʳ] *s.* **1** uso *m.* **2** consumo *m.*, logorio *m.* **3** durata *f.*, resistenza *f.* all'uso **4** abbigliamento *m.*

to wear [wɛəʳ] (*pass.* **wore**, *p. p.* **worn**) **A** *v. tr.* **1** indossare, portare **2** consumare **B** *v. intr.* **1** consumarsi, logorarsi **2** durare ♦ **to w. away** consumare, logorare; **to w. down** consumare, logorare, fiaccare; **to w. off** consumarsi, sparire lentamente; **to w. out** logorare, esaurire

weariness ['wɪərɪnɪs] *s.* stanchezza *f.*, fiacca *f.*

weary ['wɪərɪ] *agg.* **1** stanco **2** annoiato **3** stancante, estenuante

to weary ['wɪərɪ] *v. tr. e intr.* stancare, stancarsi

weasel ['wɪzl] *s.* donnola *f.*

weather ['wɛðəʳ] **A** *s.* tempo *m.* (atmosferico) **B** *agg. attr.* del tempo, meteorologico ♦ **bad/fine w.** tempo cattivo/buono; **w. forecast** previsioni del tempo

to weather ['wɛðəʳ] *v. tr.* **1** alterare, consumare **2** esporre all'aria **3** superare **4** (*naut.*) doppiare

weather-beaten ['wɛðə,bi:tn] *agg.* esposto alle intemperie

weathercock ['wɛðəkək] *s.* banderuola *f.*

to weave [wi:v] (*pass.* **wove**, *p. p.* **woven**) *v. tr.* **1** tessere **2** intrecciare, ordire

weaver ['wi:vəʳ] *s.* tessitore *m.*

weaving ['wi:vɪŋ] *s.* tessitura *f.*

web [wɛb] *s.* **1** tela *f.*, trama *f.* **2** ragnatela *f.*

to wed [wɛd] (*pass. e p. p.* **wedded**) *v. tr. e intr.* sposare, sposarsi

wedding ['wɛdɪŋ] *s.* matrimonio *m.*, nozze *f. pl.* ♦ **w. dress** abito da sposa; **w. list** lista di nozze; **w. ring** fede

wedge [wɛdʒ] *s.* zeppa *f.*

Wednesday ['wɛnzdɪ] *s.* mercoledì *m.*

wee [wi:] *agg.* (*fam.*) minuscolo

weed [wi:d] *s.* erbaccia *f.*

weed-killer ['wi:d,kɪlə] *s.* diserbante *m.*

weedy ['wi:dɪ] *agg.* **1** coperto di erbacce **2** allampanato

week [wi:k] *s.* settimana *f.* ♦ **last w.** la settimana scorsa; **next w.** la settimana prossima; **today w.** fra otto giorni

weekday ['wi:kdeɪ] *s.* giorno *m.* feriale

weekend [,wi:k'ɛnd] *s.* weekend *m. inv.*, fine settimana *m. inv.*

weekly ['wi:klɪ] **A** *agg. e s.* settimanale *m.* **B** *avv.* settimanalmente

to weep [wi:p] (*pass. e p. p.* **wept**) *v. tr. e intr.* **1** piangere **2** stillare, trasudare

weeping ['wi:pɪŋ] **A** *agg.* **1** piangente **2** trasudante **B** *s.* pianto *m.* ♦ **w. willow** salice piangente

weft [wɛft] *s.* (*tess.*) trama *f.*

to weigh [weɪ] **A** *v. tr.* **1** pesare **2** soppesare, valutare **B** *v. intr.* **1** pesare **2** incidere, avere peso ♦ **to w. anchor** salpare; **to w. down** piegare; **to w. in** pesarsi; **to w. up** soppesare

weight [weɪt] *s.* peso *m.* ♦ **net/gross w.** peso netto/lordo; **to lose w.** dimagrire; **to put on w.** ingrassare; **w. lifting** sollevamento pesi

weighting ['weɪtɪŋ] *s.* aggiunta *f.*, maggiorazione *f.*

weighty ['weɪtɪ] *agg.* pesante, gravoso

weir [wɪəʳ] *s.* chiusa *f.*, sbarramento *m.*

weird [wɪəd] *agg.* **1** soprannaturale, magico **2** strano

welcome ['wɛlkəm] **A** *agg.* gradito **B** *s.* benvenuto *m.*, accoglienza *f.* **C** *inter.* benvenuto ♦ **you're w.!** prego!

to welcome ['wɛlkəm] *v. tr.* **1** accogliere, dare il benvenuto **2** accettare, gradire

weld [wɛld] *s.* saldatura *f.*

to weld [wɛld] *v. tr. e intr.* saldare, saldarsi

welder ['wɛldəʳ] *s.* saldatore *m.*, saldatrice *f.*

welding ['wɛldɪŋ] *s.* saldatura *f.*

welfare ['wɛlfɛəʳ] *s.* **1** benessere *m.*, prosperità *f.* **2** sussidio *m.* ♦ **w. state** stato assistenziale; **w. work** assistenza sociale

well (1) [wɛl] *s.* **1** pozzo *m.* **2** fonte *f.*, sorgente *f.* **3** tromba *f.* delle scale

well (2) [wɛl] (*comp.* **better**, *sup.* **best**) **A** *avv.* bene **B** *agg.* **1** sano **2** opportuno, consigliabile **3** bello, buono **C** *inter.* dunque, ebbene, allora ♦ **as w.** anche; **as w. as** come pure; **very w.** ottimamente; **w. done!** ben fatto!, bravo!

well-advised [,wɛlad'vaɪzd] *agg.* saggio

well-behaved [,wɛlbɪ'heɪvd] *agg.* beneducato

well-being ['wɛl,bi:ɪŋ] *s.* benessere *m.*

well-dressed [,wɛl'drɛst] *agg.* ben vestito

well-heeled [,wɛl'hi:ld] *agg.* (*fam.*) ricco

well-known [,wɛl'nəʊn] *agg.* noto

well-meaning [,wɛl'mi:nɪŋ] *agg.* ben intenzionato

well-nigh ['wɛlnaɪ] *avv.* quasi

well-off [,wɛl'ɔ:f] *agg.* **1** benestante **2** ben fornito

well-read [,wɛl'rɛd] *agg.* colto

well-timed [,wɛl'taɪmd] *agg.* tempestivo

well-to-do [,wɛltə'du:] *agg. (fam.)* ricco

well-wisher [,wɛl'wɪʃər] *s.* fautore *m.*

Welsh [wɛlʃ] *agg. e s.* gallese *m.*

went [wɛnt] *pass. di* to go

wept [wɛpt] *pass. e p. p. di* to weep

were [wɜ:r, wər] **1** *2ª sing. e 1ª, 2ª, 3ª pl. pass. di* to be **2** *congiuntivo pass. di* to be

west [wɛst] **A** *s.* ovest *m. inv.*, occidente *m.*, ponente *m.* **B** *agg.* occidentale **C** *avv.* verso ovest, da ovest

westerly ['wɛstəlɪ] *agg.* occidentale, da ovest

western ['wɛstən] **A** *agg.* occidentale, dell'ovest **B** *s.* western *m. inv.*

westwards ['wɛstwədz] **A** *agg.* occidentale **B** *avv.* verso occidente

wet [wɛt] **A** *agg.* **1** bagnato, umido, fradicio **2** piovoso **3** *(di vernice)* non asciutto, fresco **B** *s.* umidità *f.*, pioggia *f.* ♦ **w. blanket** *(fam.)* guastafeste; **w. dock** darsena; **w. suit** muta da sub

to wet [wɛt] *(pass. e p. p. * wet, wetted*) v. tr.* bagnare, inumidire, inzuppare

to whack [wæk] *v. tr.* battere, picchiare

whale [weɪl] *s.* balena *f.*

whaler ['weɪlər] *s.* **1** baleniere *m.* **2** baleniera *f.*

whaling ['weɪlɪŋ] *s.* caccia *f.* alla balena

wharf [wɜ:f] *s.* pontile *m.*, banchina *f.*

what [wɒt] **A** *agg.* **1** *(interr.)* quale?, quali?, che? **2** *(rel.)* quello che, quella che, quelli che, quelle che **3** *(escl.)* che! **B** *pron.* **1** *(interr.)* che?, che cosa?, quale? **2** *(rel.)* ciò che **3** *(escl.)* quanto come! **C** *inter.* come! ♦ **w. for?** perché?; **w. a lot (of) ...** quanti ...!; **w. is more** peraltro

whatever [wɒt'ɛvər] **A** *agg. indef.* **1** qualunque, qualsiasi **2** *(enf.)* alcuno, di sorta, affatto **B** *pron. indef.* qualunque cosa, qualsiasi cosa, ciò che, quello che

wheat [wi:t] *s.* frumento *m.*, grano *m.*

to wheedle ['wi:dl] *v. tr.* **1** adulare **2** ottenere con lusinghe

wheel [wi:l] *s.* **1** ruota *f.* **2** volante *m.*, ruota *f.* del timone ♦ **spare w.** ruota di scorta; **w. clamp** ceppo *(per auto in sosta vietata)*

to wheel [wi:l] **A** *v. tr.* **1** spingere, tirare **2** far girare, roteare **B** *v. intr.* **1** girare, ruotare, roteare **2** girarsi **3** fare un voltafac-

cia **4** *(fam.)* andare in bicicletta

wheelbarrow ['wi:l,bærɒʊ] *s.* carriola *f.*

wheelchair ['wi:l,tʃeər] *s.* sedia *f.* a rotelle

to wheeze [wi:z] *v. intr.* ansimare

when [wɛn] **A** *avv.* **1** *(interr.)* quando? **2** *(rel.)* in cui **B** *cong.* **1** quando, nel momento in cui **2** sebbene **3** quando, qualora

whenever [wɛn'ɛvər] *avv. e cong.* **1** ogni qualvolta, ogni volta che, quando **2** una volta che, quando

where [weər] **A** *avv.* **1** *(interr.)* dove? **2** dove, nel luogo in cui **B** *cong.* dove

whereabout(s) [,weərə'baʊt(s)] **A** *avv.* *(interr.)* dove?, da che parte? **B** *cong.* dove **C** *s.* luogo *m.*

whereas [weər'æz] *cong.* **1** dal momento che, siccome **2** *(avversativo)* mentre

whereby [weə'baɪ] *avv.* **1** *(interr.)* come?, in che modo? per mezzo di che cosa? **2** *(rel.)* con cui, per mezzo di cui, per cui

whereupon [,weərə'pɒn] *cong.* dopo di che, al che

wherever [weər'ɛvər] **A** *avv.* **1** *(interr.)* dove (mai)? **2** in qualsiasi posto **B** *cong.* dovunque

wherewithal ['weəwɪðɔ:l] *s.* l'occorrente *m.*, mezzi *m. pl.*

to whet [wɛt] *v. tr.* **1** affilare **2** aguzzare, stimolare

whether ['wɛðər] *cong.* **1** *(dubitativo)* se **2** *(avversativo)* **w. ... or** o ... o

whey [weɪ] *s.* siero *m.* (del latte)

which [wɪtʃ] **A** *agg.* **1** *(interr.)* quale?, quali? **2** *(rel.)* il quale, la quale, i quali, le quali **B** *pron.* **1** *(interr.)* chi?, quale?, quali? **2** *(rel.)* il quale, la quale, i quali, le quali, che

whichever [wɪtʃ'ɛvər] **A** *agg. indef.* qualunque, qualsiasi **B** *pron. indef.* chiunque, qualunque cosa

whiff [wɪf] *s.* **1** soffio *m.*, sbuffo *m.* **2** zaffata *f.*

while [waɪl] **A** *cong.* **1** mentre, intanto che **2** sebbene, quantunque **3** *(avversativo)* mentre **B** *s.* momento *m.*

to while [waɪl] *v. tr.* **to w. away** far passare piacevolmente (il tempo)

whim [wɪm] *s.* capriccio *m.*

whimper ['wɪmpər] *s.* **1** piagnucolio *m.* **2** pigolio *m.*, uggiolio *m.*

to whimper ['wɪmpər] *v. intr.* **1** piagnucolare **2** pigolare, uggiolare

whimsical ['wɪmzɪk(ə)l] *agg.* stravagante, capriccioso

whine [waɪn] *s.* **1** uggiolio *m.* **2** gemito *m.*, lamento *m.* **3** piagnucolio *m.*

to whine [waɪn] *v. intr.* **1** uggiolare **2** gemere, lamentarsi **3** piagnucolare

whinny ['wɪnɪ] *s.* nitrito *m.*

whip [wɪp] *s.* frusta *f.*

to whip [wɪp] *v. tr.* **1** frustare, battere **2** (*cuc.*) sbattere, montare, frullare ♦ **whipped cream** panna montata

whirl [wɜːl] *s.* **1** vortice *m.* **2** turbinio *m.* ♦ **w. wind** tromba d'aria

whirlpool ['wɜːlpuːl] *s.* vortice *m.*, mulinello *m.*

to whirr [wɜːr] *v. intr.* **1** ronzare **2** rombare

whisk [wɪsk] *s.* (*cuc.*) frusta *f.*, frullino *m.*

to whisk [wɪsk] *v. tr.* (*cuc.*) frullare, sbattere

whisker ['wɪskər] *s.* **1** basetta *f.* **2** baffo *f.* di gatto

whisky ['wɪskɪ] (*USA, Irlanda* **whiskey**) *s.* whisky *m. inv.*

whisper ['wɪspər] *s.* bisbiglio *m.*, sussurro *m.*

to whisper ['wɪspər] *v. tr.* bisbigliare, sussurrare

whistle ['wɪsl] *s.* **1** fischio *m.* **2** fischietto *m.*

to whistle ['wɪsl] *v. tr. e intr.* fischiare

white [waɪt] *agg. e s.* bianco *m.* ♦ **w. coffee** caffellatte; **w. hot** incandescente

whiteness ['waɪtnɪs] *s.* **1** bianchezza *f.* **2** pallore *m.*

whitewash ['waɪtwəʃ] *s.* (bianco di) calce *f.*

Whitsunday [,wɪt'sʌndɪ] *s.* pentecoste *f.*

to whittle ['wɪtl] *v. tr.* tagliuzzare ♦ **to w. away/down** ridurre

whizz [wɪz] *s.* **1** ronzio *m.* **2** (*fam.*) genio *m.*, mago *m.*

who [huː, hʊ] *pron. sogg.* **1** (*interr*) chi? **2** (*rel.*) chi, che, il quale, la quale, i quali, le quali ♦ **w. knows** chissà

whoever [huː'evər] *pron.* **1** (*rel. indef.*) chiunque, chi **2** (*interr*) chi mai?

whole [hʊl] **A** *agg.* **1** intero, tutto **2** integro, incolume **B** *s.* il complesso *m.*, l'insieme *m.*, il tutto *m.*

wholefood ['hʊlfuːd] *s.* cibo *m.* integrale

whole-hearted [,hʊl'haːtɪd] *agg.* cordiale, generoso

wholemeal ['hʊlmiːl] *agg.* integrale

wholesale ['hʊlseɪl] **A** *agg.* all'ingrosso **B** *s.* vendita *f.* all'ingrosso

wholesaler ['hʊl,seɪlər] *s.* grossista *m.*

wholesome ['hʊlsəm] *agg.* salubre, salutare

wholly ['hʊllɪ] *avv.* completamente

whom [huːm] *pron. compl. ogg. e ind.* **1** (*interr*) chi? **2** (*rel.*) che, il quale, la quale, i quali, le quali

whooping-cough ['huːpɪŋkəf] *s.* pertosse *f.*

whore [hɜːr] *s.* (*volg.*) puttana *f.*

whose [huːz] *pron.* **1** (*interr*) di chi? **2** (*rel.*) di cui, del quale, della quale, dei quali, delle quali

why [waɪ] **A** *avv.* **1** (*interr*) perché **2** (*rel.*) per cui **B** *cong.* perché, per quale ragione **C** *inter.* ma come! ma via!

wick [wɪk] *s.* stoppino *m.*

wicked ['wɪkɪd] *agg.* **1** cattivo **2** peccaminoso

wickedness ['wɪkɪdnɪs] *s.* cattiveria *f.*

wicker ['wɪkər] **A** *s.* vimine *f.* **B** *agg.* di vimini

wide [waɪd] **A** *agg.* **1** ampio, largo **2** spalancato **3** lontano, fuori segno **B** *avv.* **1** largamente, in largo **2** completamente **3** fuori segno, a vuoto ♦ **w. angle** grandangolo

wide-awake [,waɪdə'weɪk] *agg.* perfettamente sveglio

widely ['waɪdlɪ] *avv.* ampiamente, molto

to widen ['waɪdn] *v. tr. e intr.* allargare, allargarsi

widespread ['waɪdspred] *agg.* diffuso

widget ['wɪdʒət] *s.* (*USA*) aggeggio *m.*

widow ['wɪdʊ] *s.* vedova *f.*

widower ['wɪdʊ(ə)r] *s.* vedovo *m.*

width [wɪdθ] *s.* ampiezza *f.*, larghezza *f.*

to wield [wiːld] *v. tr.* **1** brandire **2** esercitare

wife [waɪf] *s.* moglie *f.*

wig [wɪg] *s.* parrucca *f.*

to wiggle ['wɪgl] *v. tr. e intr.* dimenare, dimenarsi

wild [waɪld] **A** *agg.* **1** feroce, selvaggio **2** selvatico **3** incolto **4** scompigliato, disordinato **5** agitato, tempestoso **6** furibondo, pazzo **7** sconclusionato **8** (*fam.*) strepitoso, eccellente **B** *s.* regione *f.* selvaggia **C** *avv.* senza freno, all'impazzata

wilderness ['wɪldənɪs] *s.* **1** deserto *m.* **2** regione *f.* selvaggia, riserva *f.* naturale

wildlife ['waɪldlaɪf] *s.* natura *f.*

wildly ['waɪldlɪ] *avv.* **1** selvaggiamente **2** violentemente **3** follemente

wilful ['wɪlf(ʊ)l] *agg.* **1** caparbio **2** premeditato

wilfulness ['wɪlf(ʊ)lnɪs] *s.* **1** caparbietà *f.*

2 premeditazione *f.*

will (1) [wɪl] *v. difett.* **1** (*ausiliare per la formazione del futuro semplice o volitivo*) (ES: **he w. be here by eight o'clock** sarà qui per le otto) **2** volere, desiderare (ES: **w. you have some more coffee?** vuoi dell'altro caffè?)

will (2) [wɪl] *s.* **1** volere *m.*, volontà *f.* **2** testamento *m.*

to will [wɪl] *v. tr.* **1** volere **2** costringere **3** lasciare (per testamento)

willing ['wɪlɪŋ] *agg.* volenteroso

willingly ['wɪlɪŋlɪ] *avv.* volentieri

willow ['wɪlʊ] *s.* salice *m.* ♦ **weeping w.** salice piangente

willpower ['wɪlpaʊəʳ] *s.* forza *f.* di volontà

willy-nilly [ˌwɪlɪ'nɪlɪ] *avv.* volente o nolente

to wilt [wɪlt] *v. intr.* appassire

wily ['waɪlɪ] *agg.* astuto

win [wɪn] *s.* vincita *f.*, vittoria *f.*

to win [wɪn] (*pass. e p. p.* **won**) *v. tr.* **1** vincere, battere **2** ottenere **3** persuadere ♦ **to w. out** trionfare; **to w. over** persuadere

winch [wɪntʃ] *s.* verricello *m.*

wind [wɪnd] *s.* **1** vento *m.* **2** respiro *m.*, fiato *m.* **3** sentore *m.* ♦ **w. instrument** strumento a fiato

to wind (1) [wɪnd] *v. tr.* **1** arieggiare **2** fiutare **3** sfiatare

to wind (2) [waɪnd] (*pass. e p. p.* **wound**) **A** *v. tr.* **1** avvolgere, attorcigliare **2** caricare, girare **B** *v. intr.* **1** serpeggiare **2** avvolgersi, attorcigliarsi ♦ **to w. up** avvolgere, arrotolare, (*orologio*) caricare, concludere

windfall ['wɪn(d)fɔːl] *s.* guadagno *m.* inatteso

winding ['waɪndɪŋ] **A** *agg.* **1** sinuoso, tortuoso **2** a chiocciola **B** *s.* **1** sinuosità *f.* **2** meandro *m.*

windmill ['wɪn(d)mɪl] *s.* **1** mulino *m.* a vento **2** mulinello *m.*, girandola *f.*

window ['wɪndʊ] *s.* **1** finestra *f.* **2** vetrina *f.* **3** sportello *m.* ♦ **w. pane** vetro (di finestra)

windowsill ['wɪndʊsɪl] *s.* davanzale *m.*

windpipe ['wɪn(d)paɪp] *s.* trachea *f.*

windscreen ['wɪn(d)ˌskriːn] *s.* parabrezza *m. inv.* ♦ **w. wiper** tergicristallo

windshield ['wɪndˌʃiːld] *s.* (*USA*) parabrezza *m. inv.*

windsurf ['wɪndsɜːf] *s.* windsurf *m. inv.*

windy ['wɪndɪ] *agg.* ventoso

wine [waɪn] *s.* vino *m.* ♦ **sparkling w.** spumante; **table w.** vino da pasto; **w. cel-**

lar cantina

wing [wɪŋ] *s.* **1** ala *f.* **2** (*di porta*) battente *m.* **3** al *pl.* (*teatro*) quinte *f. pl.*

to wink [wɪŋk] *v. intr.* **1** ammiccare **2** lampeggiare

winner ['wɪnəʳ] *s.* vincitore *m.*

winning ['wɪnɪŋ] **A** *agg.* **1** vincente **2** avvincente **B** *s. solo pl.* vincite *f. pl.* (al gioco)

winter ['wɪntəʳ] **A** *s.* inverno *m.* **B** *agg. attr.* invernale

to winter ['wɪntəʳ] *v. intr.* svernare

wintry ['wɪntrɪ] *agg.* **1** invernale **2** freddo

to wipe [waɪp] *v. tr.* strofinare, asciugare, pulire ♦ **to w. off** cancellare; **to w. out** cancellare, estinguere, annullare; **to w. up** asciugare (con uno straccio)

wire ['waɪəʳ] *s.* **1** filo *m.* (metallico, elettrico), cavo *m.* **2** (*fam.*) telegramma *m.*

wireless ['waɪəlɪs] *agg. attr.* senza fili

wiring ['waɪərɪŋ] *s.* (*elettr*) impianto *m.*

wisdom ['wɪzdəm] *s.* saggezza *f.* ♦ **w. tooth** dente del giudizio

wise [waɪz] *agg.* previdente, saggio

wisecrack ['waɪzkræk] *s.* (*fam.*) spiritosaggine *f.*

wish [wɪʃ] *s.* **1** desiderio *m.* **2** augurio *m.* ♦ **best wishes** i migliori auguri

to wish [wɪʃ] *v. tr.* **1** desiderare **2** augurare

wishy-washy ['wɪʃɪˌwɒʃɪ] *agg.* **1** brodoso, annacquato **2** insipido

wisp [wɪsp] *s.* ciuffo *m.*, fascio *m.*

wistaria [wɪs'tɛərɪə] *s.* glicine *m.*

wistful ['wɪstf(ʊ)l] *agg.* **1** desideroso **2** meditabondo

wit [wɪt] *s.* **1** brio *m.*, spirito *m.* **2** persona *f.* arguta

witch [wɪtʃ] *s.* strega *f.*

witchcraft ['wɪtʃkrɑːft] *s.* stregoneria *f.*

with [wɪð] *prep.* **1** (*compagnia*) con, insieme a **2** (*mezzo, modo*) con, per mezzo di **3** (*causa*) per, di, con, a causa di **4** riguardo a, quanto a

to withdraw [wɪð'drɔː] (*pass.* **withdrew**, *p. p.* **withdrawn**) **A** *v. tr.* **1** tirare indietro **2** ritirare, prelevare **3** ritrattare **B** *v. intr.* **1** ritirarsi, allontanarsi, indietreggiare **2** ritrattare

withdrawal [wɪð'drɔː(ə)l] *s.* **1** ritirata *f.*, ritiro *m.* **2** revoca *f.*, rinuncia *f.* **3** prelievo *m.* **4** ritrattazione *f.*

to wither ['wɪðəʳ] *v. intr.* appassire

to withhold [wɪð'hʊʊld] (*pass. e p. p.* **withheld**) *v. tr.* **1** trattenere, rifiutare **2** nascondere

within [wɪ'ðɪn] **A** *prep.* **1** dentro, entro, al di qua di **2** nel giro di **B** *avv.* **1** all'interno, dentro **2** in casa

without [wɪ'ðaʊt] *prep.* senza

to withstand [wɪð'stænd] (*pass. e p. p.* **withstood**) *v. tr.* resistere a

witness ['wɪtnɪs] *s.* testimone *m. e f.*

to witness ['wɪtnɪs] *v. tr. e intr.* testimoniare

witticism ['wɪtɪsɪz(ə)m] *s.* spiritosaggine *f.*

witty ['wɪtɪ] *agg.* spiritoso

wizard ['wɪzəd] *s.* mago *m.*

to wobble ['wɒbl] *v. intr.* **1** oscillare, vacillare **2** esitare, titubare

woe [wəʊ] *s.* **1** dolore *m.* **2** calamità *f.*

woke [wəʊk] *pass. e p. p. di* **to wake**

woken [wəʊk(ə)n] *pass. e p. p. di* **to wake**

wolf [wʊlf] *s.* lupo *m.*

woman ['wʊmən] (*pl.* **women**) *s.* donna *f.*

womanly ['wʊmənlɪ] *agg.* femminile

womb [wuːm] *s.* utero *m.*

won [wʌn] *pass. e p. p. di* **to win**

wonder ['wʌndər] *s.* **1** meraviglia *f.*, prodigio *m.* **2** stupore *m.*

to wonder ['wʌndər] *v. tr. e intr.* **1** meravigliarsi (di) **2** domandarsi

wonderful ['wʌndəf(ʊ)l] *agg.* meraviglioso

to woo [wuː] *v. tr.* sollecitare, cercare

wood [wʊd] *s.* **1** bosco *m.* **2** legna *f.*, legno *m.*, legname *m.* ♦ **w. carver** intagliatore

woodcock ['wʊdkək] *s.* beccaccia *f.*

woodcut ['wʊdkʌt] *s.* incisione *f.* (su legno)

wooded ['wʊdɪd] *agg.* boscoso

wooden ['wʊdn] *agg.* **1** di legno **2** rigido

woodman ['wʊdmən] (*pl.* **woodmen**) *s.* boscaiolo *m.*

woodpecker ['wʊdˌpekər] *s.* picchio *m.*

woodwind ['wʊdwɪnd] *s.* (*mus.*) legni *m. pl.*

woodworm ['wʊdwɜːm] *s.* tarlo *m.*

woody ['wʊdɪ] *agg.* boscoso

wool [wʊl] *s.* lana *f.*

woollen ['wʊlən] (*USA* **woolen**) **A** *agg.* di lana **B** *s.* articolo *m.* di lana

word [wɜːd] *s.* **1** parola *f.*, vocabolo *m.* **2** notizia *f.*, informazione *f.* **3** parola *f.* d'ordine **4** ordine *m.*, comando *m.* ♦ **w. processing** trattamento testi

to word [wɜːd] *v. tr.* esprimere, formulare

wording ['wɜːdɪŋ] *s.* **1** espressione *f.*, formulazione *f.* **2** dicitura *f.*

wore [wɜːr] *pass. di* **to wear**

work [wɜːk] *s.* **1** lavoro *m.* **2** opera *f.* **3** al *pl.* (*v. al sing.*) officina *f.*, fabbrica *f.* **4** al

pl. meccanismo *m.* ♦ **out of w.** disoccupato

to work [wɜːk] **A** *v. intr.* **1** lavorare **2** funzionare, essere efficace **3** penetrare con difficoltà **4** contrarsi **B** *v. tr.* **1** lavorare, plasmare **2** far lavorare **3** far funzionare, manovrare, condurre **4** operare, causare, provocare **5** sfruttare ♦ **to w. in** introdurre; **to w. off** sbrigare, eliminare; **to w. out** elaborare, risolvere, calcolare, allenarsi; **to w. up** suscitare, elaborare, sviluppare

workable ['wɜːkəbl] *agg.* **1** lavorabile, sfruttabile **2** realizzabile

workaday ['wɜːkədeɪ] *agg.* **1** comune, ordinario **2** noioso

workaholic [ˌwɜːkə'hɒlɪk] *s.* (*fam.*) maniaco *m.* del lavoro

worker ['wɜːkər] *s.* lavoratore *m.*, operaio *m.*

working ['wɜːkɪŋ] **A** *agg.* **1** attivo, laborioso **2** funzionante **3** di lavoro, da lavoro **B** *s.* **1** lavoro *m.*, lavorazione *f.* **2** funzionamento *m.* **3** al *pl.* meccanismo *m.* ♦ **w. class** classe operaia; **w. day** giorno lavorativo; **w. order** efficienza

workman ['wɜːkmən] (*pl.* **workmen**) *s.* operaio *m.*

workmanship ['wɜːkmənʃɪp] *s.* **1** abilità *f.* tecnica **2** fattura *f.*, esecuzione *f.*

worksheet ['wɜːkʃiːt] *s.* foglio *m.* di lavoro

workshop ['wɜːkʃəp] *s.* laboratorio *m.*, officina *f.*

workstation ['wɜːkˌsteɪʃn] *s.* (*inf.*) stazione *f.* di lavoro

world [wɜːld] **A** *s.* mondo *m.* **B** *agg. attr.* mondiale, del mondo

worldly ['wɜːldlɪ] *agg.* mondano, terreno

worldwide [ˌwɜːld'waɪd] **A** *agg.* mondiale, universale **B** *avv.* in tutto il mondo

worm [wɜːm] *s.* verme *m.* ♦ **w. eaten** bacato, decrepito

worn [wɜːn] **A** *p. p. di* **to wear B** *agg.* **1** consumato **2** indebolito ♦ **w. out** esausto

worried ['wʌrɪd] *agg.* preoccupato

worry ['wʌrɪ] *s.* **1** preoccupazione *f.*, inquietudine *f.* **2** fastidio *m.*, guaio *m.*

to worry ['wʌrɪ] **A** *v. tr.* **1** infastidire, seccare **2** preoccupare, affliggere **3** azzannare, dilaniare **B** *v. intr.* preoccuparsi, affliggersi

worrying ['wʌrɪɪŋ] *agg.* **1** inquietante, preoccupante **2** molesto

worse [wɜːs] **A** *agg.* **1** (*comp. di* **bad**) peggio, peggiore **2** (*comp. di* **ill**) peggio, peg-

giorato **B** s. il peggio m. **C** avv. peggio ♦
to get w. peggiorare

to worsen ['wɜːsn] v. tr. e intr. peggiorare

worship ['wɜːʃɪp] s. **1** culto m., venerazione f. **2** (titolo) eccellenza f., eminenza f.

to worship ['wɜːʃɪp] v. tr. adorare, venerare

worst [wɜːst] **A** agg. (sup. di bad, ill) (il) peggiore **B** s. il peggio m. **C** avv. peggio, nel modo peggiore ♦ **at w.** al peggio

worth [wɜːθ] **A** agg. pred. **1** che vale, di valore, del valore di **2** degno, meritevole **B** s. valore m. ♦ **to be w.** meritare, valere

worthless ['wɜːθlɪs] agg. **1** di nessun valore **2** indegno, immeritevole

worthwhile [ˌwɜːθ'waɪl] agg. utile, che vale la pena

worthy ['wɜːðɪ] **A** agg. **1** meritevole, degno **2** (iron.) rispettabile **B** s. notabile m.

would [wʊd, wəd] v. difett. **1** (ausiliare per la formazione del condiz. pres. e pass.) (ES: **I w. buy it, if I had enough money** lo comprerei, se avessi denaro a sufficienza) **2** volere, avere intenzione di (passato e condizionale) (ES: **I w. not stay** non volli rimanere, **w. you be so kind to give me a pen?** vorresti per favore darmi una penna?) **3** volere (imperfetto cong.) (ES: **I could do it, if I w.** potrei farlo se volessi) **4** (idiom., indica consuetudine) (ES: **he w. stare into the distance day after day** se ne stava a guardare lontano giorno dopo giorno)

wound (1) [wuːnd] s. ferita f.

wound (2) [waʊnd] pass. e p. p. di **to wind**

to wound [wuːnd] v. tr. ferire

wove [wəʊv] pass. di **to weave**

woven ['wəʊvn] p. p. di **to weave**

wrangle ['ræŋgl] s. litigio m.

wrap [ræp] s. scialle m.

to wrap [ræp] v. tr. **1** avvolgere, fasciare **2** impacchettare, incartare

wrapper ['ræpər] s. involucro m., copertina f.

wrapping ['ræpɪŋ] s. confezione f., involucro m. ♦ **w. paper** carta da pacchi

wrath [rɒθ] s. rabbia f.

wrathful ['rɒθf(ʊ)l] agg. furibondo

to wreak [riːk] v. tr. **1** sfogare **2** provocare

wreath [riːθ] s. ghirlanda f.

wreck [rɛk] s. **1** naufragio m., disastro m. **2** relitto m.

to wreck [rɛk] **A** v. tr. **1** far naufragare **2** rovinare, distruggere **B** v. intr. **1** naufraga-

re **2** andare in pezzi

wreckage ['rɛkɪdʒ] s. relitti m. pl., rottami m. pl., macerie f. pl.

wren [rɛn] s. scricciolo m.

wrench [rɛn(t)ʃ] s. **1** strappo m., torsione f. **2** (med.) strappo m. muscolare **3** (USA) (mecc.) chiave f.

to wrench [rɛn(t)ʃ] v. tr. strappare, torcere

wrestle ['rɛsl] s. (sport) lotta f.

to wrestle ['rɛsl] v. intr. (sport) lottare

wrestler ['rɛslər] s. (sport) lottatore m.

wretched ['rɛtʃɪd] agg. **1** disgraziato, infelice **2** miserabile **3** orrendo, pessimo

to wriggle ['rɪgl] v. intr. **1** contorcersi, dimenarsi **2** essere evasivo

to wring [rɪŋ] (pass. e p. p. **wrung**) **A** v. tr. **1** torcere, strizzare **2** stringere con forza **3** estorcere **B** v. intr. contorcersi

wrinkle ['rɪŋkl] s. ruga f., piega f.

to wrinkle ['rɪŋkl] v. tr. corrugare, raggrinzire

wrist [rɪst] s. polso m.

to write [raɪt] (pass. **wrote**, p. p. **written**) **A** v. tr. **1** scrivere **2** redigere, compilare **B** v. intr. **1** scrivere **2** fare lo scrittore ♦ **to w. down** prendere nota; **to w. in** inserire (in uno scritto); **to w. off** cancellare, annullare; **to w. out** trascrivere, compilare; **to w. up** riscrivere, recensire

writer ['raɪtər] s. scrittore m.

to writhe [raɪð] v. intr. contorcersi

writing ['raɪtɪŋ] s. **1** scrittura f., calligrafia f. **2** documento m. scritto, scritta f. **3** al pl. scritti m. pl. ♦ **w.-book** quaderno; **w. pad** blocco; **w. paper** carta da lettera

written ['rɪtn] p. p. di **to write**

wrong [rɒŋ] **A** agg. **1** sbagliato, scorretto **2** inopportuno, sconveniente **3** illegittimo **4** difettoso, guasto **B** s. **1** ingiustizia f., torto m., danno m. **2** male m. peccato m. **C** avv. **1** erroneamente, male **2** impropriamente ♦ **to be w.** ingannarsi, sbagliarsi

to wrong [rɒŋ] v. tr. far torto a

wrongful ['rɒŋf(ʊ)l] agg. **1** ingiusto, iniquo **2** illegittimo

wrongly ['rɒŋlɪ] avv. **1** male, erroneamente **2** a torto

wrote [rɒʊt] pass. di **to write**

wrought [rɔːt] agg. lavorato, battuto

wrung [rʌŋ] pass. e p. p. di **wring**

wry [raɪ] agg. storto, obliquo

wryneck ['raɪnɛk] s. torcicollo m.

X

xenon ['zɛnən] *s.* xeno *m.*
xenophobia [,zɛnə'fɒʊbjə] *s.* xenofobia *f.*
xerography [zɪ'rɒgrəfɪ] *s.* xerografia *f.*
Xmas ['krɪsməs] *s.* (*abbr. fam. di* **Christmas**) Natale *m.*

X-ray ['ɛks,reɪ] *s.* **1** raggi X *m. pl.* **2** radiografia *f.* ♦ **X- r. therapy** röntgenterapia *f.*
xylography [zaɪ'lɒgrəfɪ] *s.* xilografia *f.*
xylophone ['zaɪləfɒʊn] *s.* xilofono *m.*

Y

yacht [jət] *s.* yacht *m. inv.*
yachting ['jətɪŋ] *s.* navigazione *f.* da diporto, yachting *m. inv.*
yank [jæŋk] *s.* (*fam.*) strattone *m.*
Yankee ['jæŋkɪ] *s.* (*fam.*) yankee *m. inv.*, americano *m.* (*degli USA*)
yard (1) [jɑːd] *s.* iarda *f.*
yard (2) [jɑːd] *s.* **1** cortile *m.*, recinto *m.* **2** (*ferr*.) scalo *m.* **3** cantiere *m.*
yarn [jɑːn] *s.* **1** filo *m.*, filato *m.* **2** (*fig.*) racconto *m.*, storia *f.*
yawn [jɔːn] *s.* sbadiglio *m.*
to yawn [jɔːn] *v. intr.* sbadigliare
yeah [jɛə] *avv.* (*fam.*) sì
year [jɜːʳ, jɪəʳ] *s.* **1** anno *m.*, annata *f.* **2** *al pl.* anni *m. pl.*, età *f.* ♦ **leap y.** anno bisestile; **y. book** annuario; **y. by y.** ogni anno
yearly ['jɜːlɪ] **A** *agg.* annuale, annuo **B** *avv.* annualmente
to yearn [jɜːn] *v. intr.* agognare
yeast [jiːst] *s.* lievito *m.*
yell [jɛl] *s.* urlo *m.*
to yell [jɛl] *v. tr. e intr.* urlare
yellow ['jɛlɒʊ] *agg. e s.* giallo *m.*
yelp [jɛlp] *s.* guaito *m.*
to yelp [jɛlp] *v. intr.* guaire
yeoman ['jɒʊmən] (*pl.* **yeomen**) *s.* (*stor*.) piccolo proprietario *m.* terriero
yes [jɛs] **A** *avv.* **1** sì, certo **2** davvero?, sì? **B** *inter.* non solo, anzi **C** *s.* sì *m. inv.*, risposta *f.* affermativa
yesterday ['jɛstədɪ] *avv. e s.* ieri *m. inv.* ♦ **the day before y.** ieri l'altro

yet [jɛt] **A** *cong.* ma, però, tuttavia **B** *avv.* **1** ancora, finora, tuttora **2** ancora, già ♦ **as y.** finora; **just y.** proprio ora; **not y.** (e) neppure; **y. once** ancora una volta
yew [juː] *s.* (*bot.*) tasso *m.*
yield [jiːld] *s.* **1** prodotto *m.*, raccolto *m.* **2** produzione *f.*, rendimento *m.* **3** rendita *f.* **4** (*USA*) diritto *m.* di precedenza
to yield [jiːld] **A** *v. tr.* **1** produrre, fruttare, rendere **2** concedere, dare **B** *v. intr.* **1** fruttare **2** sottomettersi **3** (*USA*) dare la precedenza
yoghurt ['jɒgɜːt] *s.* yogurt *m. inv.*
yoke [jɒʊk] *s.* giogo *m.*
to yoke [jɒʊk] *v. tr.* aggiogare
yolk [jɒʊk] *s.* tuorlo *m.*
yonder ['jɒndəʳ] *avv.* lassù
you [jʊ(ː)] *pron. pers.* 2ª *sing. e pl.* **1** tu, te, ti, voi, ve, vi **2** (*con valore impers.*) se, si (ES: **y. never can be sure!** non si può mai essere sicuri!)
young [jʌŋ] **A** *agg.* giovane **B** *s. al pl.* **1** i giovani *m. pl.* **2** (*di animale*) i piccoli *m. pl.* ♦ **y. child** bimbo; **y. lady** signorina
youngster ['jʌŋstəʳ] *s.* giovincello *m.*
your [jɜːʳ] *agg. poss.* 2ª *sing. e pl.* **1** tuo, tua, tuoi, tue, vostro, vostra, vostri, vostre, Suo, Sua, Suoi, Sue, Loro **2** (*con valore indef.*) proprio
yours [jɜːz] *pron. poss.* 2ª *sing. e pl.* il tuo, la tua, i tuoi, le tue, il vostro, la vostra, i vostri, le vostre, il Suo, la Sua, i Suoi, le Sue, il Loro, la Loro, i Loro, le Loro

yourself [jɔː'sɛlf] (*pl.* **yourselves**) *pron. 2ª sing.* **1** (*rifl.*) ti, te, te stesso, si, se, Lei stesso, Lei stessa **2** (*enf.*) tu stesso, tu stessa, Lei stesso, Lei stessa (ES: **you have done it y.** lo hai fatto tu stesso)

youth [juːθ] *s.* **1** gioventù *f.*, giovinezza *f.*

2 i giovani *m. pl.* **3** giovane *m.* ♦ **y. hostel** ostello della gioventù

youthful ['juːθf(ʊ)l] *agg.* **1** giovane **2** giovanile

yummy ['jʌmɪ] *agg.* (*fam.*) delizioso

yuppie ['jʌpɪ] *s.* yuppie *m. e f. inv.*

Z

zany ['zeɪnɪ] **A** *s.* buffone *m.* **B** *agg.* buffonesco

to zap [zæp] **A** *v. tr.* (*fam.*) eliminare, cancellare **B** *v. intr.* sfrecciare

zeal [ziːl] *s.* zelo *m.*

zebra ['ziːbrə] *s.* zebra *f.* ♦ **z. crossing** passaggio pedonale, zebre

zebrine ['ziːbraɪn] *agg.* zebrato

zebu ['ziːbuː] *s.* zebù *m.*

zed [zɛd] *s.* zeta *f. inv.*

zee [ziː] *s.* (*USA*) zeta *f. inv.*

zero ['zɪərəʊ] *s.* zero *m.*

to zero ['zɪərəʊ] *v. tr.* azzerare

zest [zɛst] *s.* **1** aroma *m.*, gusto *m.* **2** (*di arancio, limone*) scorza *f.* **3** entusiasmo *m.*, interesse *m.*

zibeline ['zɪbəlɪn] *s.* zibellino *m.*

zigzag ['zɪgzæg] **A** *s.* zigzag *m. inv.* **B** *agg.* a zigzag

to zigzag ['zɪgzæg] *v. intr.* andare a zigzag, zigzagare

zinc [zɪŋk] *s.* zinco *m.*

zing [zɪŋ] *s.* (*fam.*) **1** sibilo *m.* **2** brio *m.*

Zionism ['zaɪənɪz(ə)m] *s.* sionismo *m.*

Zionist ['zaɪənɪst] *s.* sionista *m. e f.*

zip [zɪp] *s.* **1** (o **z. fastener**) cerniera *f.*,

chiusura *f.* lampo **2** (*fam.*) fischio *m.*, sibilo *m.*

to zip [zɪp] **A** *v. tr.* **1** aprire (o chiudere) con una cerniera lampo **2** trasportare velocemente **B** *v. intr.* **1** aprire (o chiudere) una cerniera lampo **2** sfrecciare **3** fischiare, sibilare

zip code ['zɪp,kəʊd] *s.* (*USA*) codice *m.* postale

zircon ['zɜːkən] *s.* zircone *m.*

zodiac ['zəʊdɪæk] *s.* zodiaco *m.*

zodiacal [zɒ(ʊ)'daɪək(ə)l] *agg.* zodiacale

zombie ['zɒmbɪ] *s.* zombie *m. inv.*

zone [zəʊn] *s.* zona *f.*

zoo [zuː] *s.* zoo *m. inv.*

zoologist [zɒ(ʊ)'ələdʒɪst] *s.* zoologo *m.*

zoology [zɒ(ʊ)'ələdʒɪ] *s.* zoologia *f.*

zoom [zuːm] *s.* **1** rombo *m.* **2** (*cine., TV*) zumata *f.* ♦ **z. lens** zoom

zootechnical [,zɒ(ʊ)ə'tɛknɪk(ə)l] *agg.* zootecnico

zootechnics [,zɒ(ʊ)ə'tɛknɪks] *s. pl.* (*v. al sing.*) zootecnia *f.*

zucchini [zuː'kiːnɪ] *s.* (*USA*) zucchino *m.*

zygoma [zaɪ'gəʊmə] *s.* zigomo *m.*

zyme [zaɪm] *s.* enzima *m.*

ITALIANO-INGLESE
ITALIAN-ENGLISH

A

a o **ad** *prep.* **1** (*stato in luogo*) at, in (ES: **essere a casa** to be at home, **abitare a Londra** to live in London) **2** (*moto a luogo, direzione*) to, at, in (ES: **andare a teatro, a Londra** to go to the theatre, to London) **3** (*termine*) to (ES: **dai questo libro a Paolo** give this book to Paul) **4** (*tempo*) at, in (ES: **a mezzanotte** at midnight, **a maggio** in May) **5** (*mezzo*) by, in (ES: **scritto a mano** written by hand, **dipinto all'acquerello** painted in watercolours) **6** (*scopo, vantaggio, danno*) to, for (ES: **a proprio rischio** at one's own risk) **7** (*distributivo*) a, by, at (ES: **due volte al giorno** twice a day, **a uno a uno** one by one)

àbaco *s. m.* (*arch.*) abacus

abàte *s. m.* abbot

abbacchiàto *agg.* (*fam.*) depressed

abbagliànte *agg.* dazzling ◆ **luci abbaglianti** (*autom.*) high-beams, (*USA*) brights

abbagliàre *v. tr.* to dazzle

abbàglio *s. m.* blunder

abbaiàre *v. intr.* to bark

abbandonàre A *v. tr.* **1** to abandon, to desert, to leave, to forsake **2** (*rinunciare a*) to renounce, to give up **B** *v. rifl.* to let oneself go

abbandóno *s. m.* **1** abandonment **2** (*trascuratezza*) neglect

abbassaménto *s. m.* lowering

abbassàre A *v. tr.* **1** to lower **2** (*ridurre*) to reduce **3** (*far scendere*) to let down **B** *v. rifl.* **1** (*chinarsi*) to stoop **2** (*diminuire*) to lower **3** (*fig.*) to lower oneself **4** (*di vento, temperatura, ecc.*) to drop

abbastànza *avv.* **1** (*a sufficienza*) enough **2** (*alquanto*) quite, rather ◆ **averne a. di qc.** to have had enough of sb.

abbàttere A *v. tr.* **1** (*atterrare*) to knock down **2** (*demolire*) to demolish, to put down **B** *v. rifl.* **1** (*cadere*) to fall **2** (*scoraggiarsi*) to lose heart

abbazìa *s. f.* abbey

abbellìre *v. tr.* to embellish, to adorn

abbeveràre *v. tr.* to water

abbiènte *agg.* well-to-do

abbigliaménto *s. m.* clothes *pl.*, clothing ◆

negozio d'a. clothes shop

abbinàre *v. tr.* to couple, to combine

abboccàre A *v. intr.* **1** to bite **2** (*fig.*) to rise to the bait

abboccàto *agg.* sweetish

abbonaménto *s. m.* **1** (*trasporti, teatro*) season ticket **2** (*a giornale*) subscription

abbonàrsi *v. rifl.* **1** (*trasporti, teatro*) to get a season ticket **2** (*giornale*) to subscribe, to take out a subscription

abbonàto *agg. e s. m.* **1** (*trasporti, teatro*) season ticket holder **2** (*giornale*) subscriber

abbondànte *agg.* abundant, plentiful

abbondànza *s. f.* abundance, plenty

abbottonàre *v. tr.* to button up

abbozzàre *v. tr.* to sketch, to outline

abbòzzo *s. m.* sketch, outline

abbracciàre A *v. tr.* **1** to embrace, to hug **2** (*comprendere*) to enclose, to include **B** *v. rifl. rec.* to embrace each other

abbràccio *s. m.* embrace, hug

abbreviàre *v. tr.* to shorten, to cut short, to abbreviate

abbreviazióne *s. f.* abbreviation

abbronzàre A *v. tr.* to tan **B** *v. rifl.* to get brown

abbronzatùra *s. f.* tan

abbrustolìre *v. tr.* (*pane*) to toast, (*caffè, carne*) to roast

abbuffàrsi *v. rifl.* to stuff oneself

abdicàre *v. intr.* to abdicate

abdicazióne *s. f.* abdication

aberrànte *agg.* aberrant

aberrazióne *s. f.* aberration

abéte *s. m.* fir

abiètto *agg.* despicable, base

àbile *agg.* **1** able, capable **2** (*idoneo*) fit

abilità *s. f.* ability, cleverness, skill

abilitàre *v. tr.* to qualify

abilitàto *agg.* qualified

abìsso *s. m.* abyss, gulf

abitàcolo *s. m.* cockpit, cabin

abitànte *s. m. e f.* inhabitant

abitàre A *v. intr.* to live, to reside **B** *v. tr.* to inhabit, to live in

abitazióne *s. f.* residence, house

àbito *s. m.* (*da uomo*) suit, (*da donna*) dress

abituàle *agg.* habitual, usual ◆ **cliente a.**

regular customer

abitualménte *avv.* usually, regularly

abituàre **A** *v. tr.* to accustom **B** *v. rifl.* to get used (to), to get accustomed (to), to accustom oneself (to)

abitùdine *s. f.* habit, custom ♦ **come d'a.** as usual

abolìre *v. tr.* to abolish, to suppress

aboliziòne *s. f.* abolition, suppression

abolizionìsmo *s. m.* abolitionism

abominévole *agg.* abominable

aborìgeno *agg. e s. m.* aboriginal, native

aborrìre *v. tr.* to abhor

abortìre *v. intr.* to miscarry, (*volontariamente*) to abort

abòrto *s. m.* miscarriage, (*volontario*) abortion

abrasiòne *s. f.* abrasion

abrogàre *v. tr.* to abrogate, to cancel, to repeal

abrogaziòne *s. f.* abrogation, annulment, repeat

àbside *s. f.* (*arch.*) apse

abusàre *v. intr.* **1** to abuse, to misuse **2** (*approfittare*) to take advantage (of)

abusivaménte *avv.* illegally, unlawfully

abusìvo *agg.* abusive, unlawful, unauthorized

acàcia *s. f.* acacia

acànto *s. m.* acanthus

àcca *s. f.* aitch

accadèmia *s. f.* academy

accadèmico *agg.* academic

accadére *v. intr.* to happen, to occur

accalappiacàni *s. m.* dog-catcher

accalappiàre *v. tr.* to catch

accalcàrsi *v. intr. pron.* to crowd

accaldàrsi *v. intr. pron.* to grow hot

accaloràrsi *v. rifl.* to get heated

accampaménto *s. m.* camp

accampàre **A** *v. tr.* **1** to camp **2** (*fig.*) to advance **B** *v. rifl.* to camp

accaniménto *s. m.* **1** fury **2** (*ostinazione*) obstinacy

accanìrsi *v. intr. pron.* **1** to rage **2** (*ostinarsi*) to persist (in)

accanìto *agg.* **1** relentless, pitiless **2** (*ostinato*) obstinate, dogged ♦ **fumatore a.** inveterate smoker

accànto **A** *avv.* nearby **B** *agg.* next **C** *prep.* **a. a** near, by, next to, close to

accantonàre *v. tr.* to set aside

accaparràre *v. tr.* to corner, to buy up

accapigliàrsi *v. rifl. rec.* to come to blows

accappatóio *s. m.* bathrobe

accarezzàre *v. tr.* to caress, to stroke

accartocciàre *v. tr.* to crumple up

accasàre **A** *v. tr.* to marry **B** *v. intr. pron.* to get married

accasciàre **A** *v. tr.* to prostrate **B** *v. intr. pron.* **1** to fall, to collapse **2** (*fig.*) to lose heart

accattóne *s. m.* beggar

accavallàre **A** *v. tr.* **1** (*incrociare*) to cross **2** (*sovrapporre*) to overlap **3** (*lavoro a maglia*) to cross over **B** *v. intr. pron.* to overlap, to pile up

accecàre **A** *v. tr.* to blind **B** *v. intr. pron. e rifl.* to become blind

accèdere *v. intr.* **1** to approach **2** (*entrare in*) to enter

acceleràre **A** *v. tr.* to speed up, to quicken **B** *v. intr.* to accelerate

acceleratóre *s. m.* accelerator

accelerazióne *s. f.* acceleration

accèndere *v. tr.* **1** to light **2** (*interruttore, radio, ecc.*) to switch on, to turn on

accendìno *s. m.* lighter

accendìsigaro *s. m.* lighter

accennàre **A** *v. intr.* **1** (*fare cenno*) to beckon, (*col capo*) to nod, to sign **2** (*alludere a*) to hint **3** (*dare segno di*) to show signs **B** *v. tr.* to outline

accénno *s. m.* **1** (*cenno*) sign, nod **2** (*allusione*) hint

accensióne *s. f.* **1** lighting **2** (*autom.*) ignition

accentàre *v. tr.* to accent, to accentuate

accènto *s. m.* accent, stress

accentràre *v. tr.* to centralize

accentuàre *v. tr.* to accentuate, to stress, to emphasize

accerchiàre *v. tr.* to encircle, to surround

accertàre *v. tr.* **1** to ascertain **2** (*verificare*) to control, to check

accéso *agg.* **1** alight (*pred.*), lit up **2** (*in funzione*) on **3** (*di colore*) bright

accessìbile *agg.* **1** accessible **2** (*persona*) approachable **3** (*prezzo*) reasonable

accèsso *s. m.* **1** access, admittance, entry **2** (*med.*) fit, attack, access

accessòrio **A** *agg.* accessory, secondary **B** *s. m.* accessory

accétta *s. f.* hatchet

accettàbile *agg.* acceptable

accettàre *v. tr.* to accept, to agree to

accettazióne *s. f.* **1** acceptance **2** (*ufficio*) reception

accezióne *s. f.* meaning

acchiappàre v. tr. to catch
acciàcco s. m. ailment
acciaieria s. f. steelworks
acciàio s. m. steel ♦ **a. inossidabile** stainless steel
accidentàle agg. accidental
accidentàto agg. (di strada, terreno) uneven, bumpy
accidènte s. m. 1 accident 2 (fam.) (colpo) fit
accidènti inter. damn!
accigliàto agg. frowning
accìngersi v. rifl. to set about, to get ready
acciottolàto s. m. cobbled paving
acciuffàre v. tr. to seize, to catch
acciùga s. f. anchovy
acclamàre v. tr. to acclaim
acclimatàre A v. tr. to acclimatize B v. rifl. to become acclimatized, to get acclimatized
acclùdere v. tr. to enclose
acclùso agg. enclosed
accoccolàrsi v. rifl. to crouch
accogliènte agg. comfortable, cosy
accogliènza s. f. reception, welcome
accògliere v. tr. 1 (ricevere) to receive, to welcome 2 (accettare) to accept, to agree to 3 (esaudire) to grant
accollàto agg. high-necked
accoltellàre v. tr. to stab, to knife
accomiatàre A v. tr. to dismiss B v. rifl. to take leave (of)
accomodaménto s. m. agreement, settlement
accomodànte agg. obliging, accommodating
accomodàre A v. tr. 1 (riparare) to repair 2 (sistemare) to settle B v. rifl. 1 (sedersi) to sit down, to take a seat 2 (entrare) to come in ♦ **si accomodi!** take a seat!, come in!
accompagnaménto s. m. 1 (seguito) retinue 2 (mus.) accompaniment
accompagnàre v. tr. 1 to take to, to see to, (in auto) to drive 2 (mus.) to accompany
accompagnatóre s. m. companion ♦ **a. turistico** tourist guide
accomunàre v. tr. to join
acconciatùra s. f. hairstyle
accondiscéndere v. intr. to consent, to agree
acconsentìre v. intr. to consent, to assent
accontentàre A v. tr. to satisfy B v. rifl. to be satisfied (with), to be content (with)

accónto s. m. advance, part payment ♦ **in a.** in advance, on account
accoppiaménto s. m. 1 coupling, matching 2 (mecc.) connection 3 (di animali) mating
accoppiàre A v. tr. 1 to couple 2 (unire) to join B v. rifl. 1 (accordarsi) to match 2 (di animali) to mate
accorciàre A v. tr. to shorten B v. intr. pron. to shorten, to become shorten
accordàre A v. tr. 1 (concedere) to grant 2 (gramm.) to make agree 3 (mus.) to tune up B v. rifl. rec. to reach an agreement C v. intr. pron. (armonizzarsi) to match
accòrdo s. m. 1 (intesa) agreement, consent 2 (patto) arrangement, agreement 3 (mus.) chord ♦ **andare d'a. con qc.** to get on well with sb.; **essere d'a.** to agree
accòrgersi v. intr. pron. 1 (notare) to notice 2 (rendersi conto) to realize, to become aware (of)
accorgiménto s. m. 1 (accortezza) shrewdness 2 (espediente) trick, device
accórrere v. intr. to run, to rush
accòrto agg. shrewd
accostàre A v. tr. 1 to draw near 2 (porta, finestra) to set ajar 3 (persone) to approach B v. rifl. to go near
accovacciàrsi v. rifl. to crouch
accozzàglia s. f. rabble, jumble
accreditàre v. tr. 1 (una somma) to credit 2 (una notizia) to confirm 3 (diplomazia) to accredit
accréscere v. tr. e intr. pron. to increase
accrescitìvo agg. e s. m. (gramm.) augmentative
accucciàrsi v. rifl. to lie down
accudìre v. tr. e intr. to look after, to attend to
accumulàre v. tr. e intr. pron. to accumulate, to pile up
accumulatóre s. m. accumulator
accuratézza s. f. accuracy, care
accuràto agg. accurate, careful
accùsa s. f. accusation, charge
accusàre v. tr. to accuse, to charge ♦ **a. ricevuta** (comm.) to acknowledge receipt
accusatìvo agg. e s. m. (gramm.) accusative
accusàto s. m. (dir) accused
accusatóre s. m. (dir) accuser, prosecutor
acèfalo agg. acephalous
acèrbo agg. 1 unripe, green 2 (aspro) sour, sharp
àcero s. m. maple

acéto *s. m.* vinegar

àcido *agg. e s. m.* acid

acidulo *agg.* acidulous

àcino *s. m.* grape

àcne *s. f.* acne

aconfessionàle *agg.* non-denominational, undenominational

àcqua *s. f.* water ♦ **a. dolce** fresh water; **a. minerale** mineral water; **a. piovana** rainwater; **a. potabile** drinking water; **sott'a.** underwater

acquafòrte *s. f.* etching

acquamarina *s. f.* aquamarine

acquaràgia *s. f.* turpentine

acquàrio *s. m.* **1** aquarium **2** (*astr*) Aquarius

acquasantièra *s. f.* stoup

acquàtico *agg.* aquatic

acquavite *s. f.* brandy

acquazzóne *s. m.* downpour

acquedótto *s. m.* aqueduct, waterworks

àcqueo *agg.* aqueous

acquerellista *s. m. e f.* watercolourist

acquerèllo *s. m.* watercolour

acquirènte *s. m. e f.* purchaser, buyer, shopper

acquisìre *v. tr.* to acquire

acquisizióne *s. f.* acquisition

acquistàre *v. tr.* **1** (*comprare*) to buy, to purchase **2** (*ottenere*) to acquire, to gain, to obtain, to get

acquisto *s. m.* **1** purchase, buy **2** (*acquisizione*) acquisition ♦ **andare a fare acquisti** to go shopping

acquitrino *s. m.* bog, marsh, swamp

acquóso *agg.* watery

àcre *agg.* acrid, pungent

acrìlico *agg.* acrylic

acrìtico *agg.* uncritical

acròbata *s. m. e f.* acrobat

acrobazìa *s. f.* acrobatics *pl.*

acròpoli *s. f.* acropolis

acrotèrio *s. m.* acroterium

acuìre *v. tr.* to sharpen, to whet

acùleo *s. m.* **1** (*bot.*) aculeus, prickle **2** (*zool.*) aculeus, sting

acùme *s. m.* acumen, perspicacity

acùstica *s. f.* acoustics *pl.* (*v al sing.*)

acùstico *agg.* acoustic ♦ **apparecchio a.** hearing aid

acùto **A** *agg.* **1** acute, sharp **2** (*intenso*) intense **3** (*perspicace*) sharp, subtle **4** (*mus.*) high **B** *s. m.* (*mus.*) high note

ad *prep.* → **a**

adagiàre **A** *v. tr.* to lay down **B** *v. rifl.* **1** to lie down **2** (*fig.*) to subside, to sink

adàgio (1) **A** *avv.* slowly **B** *s. m.* (*mus.*) adagio

adàgio (2) *s. m.* adage, proverb

adattaménto *s. m.* adaptation

adattàre **A** *v. tr.* to fit, to adapt, to adjust **B** *v. rifl.* to adapt oneself, to fit oneself **C** *v. intr. pron.* to suit, to be suitable

adàtto *agg.* fit, suited, suitable, right

addebitàre *v. tr.* to debit, to charge

addèbito *s. m.* debit, charge

addensàre **A** *v. tr.* to thicken **B** *v. rifl.* **1** to thicken **2** (*ammassarsi*) to gather, to crowd

addentàre *v. tr.* to bite

addentràrsi *v. rifl.* to penetrate, to go into

addestraménto *s. m.* training

addestràre *v. tr. e rifl.* to train

addétto **A** *agg.* assigned (to) **B** *s. m.* **1** (*impiegato*) employee **2** (*mil., ambasciata*) attaché ♦ **a. stampa** press agent

addiàccio *s. m.* pen, (*mil.*) bivouac ♦ **dormire all'a.** to sleep in the open

addiètro *avv.* before, ago

addìo **A** *s. m.* **1** goodbye **2** (*letter.*) farewell **B** *inter.* goodbye, byebye

addirittùra *avv.* **1** (*direttamente*) directly, straight away **2** (*persino*) even **3** (*assolutamente*) absolutely

addìrsi *v. rifl.* to become, to suit

additàre *v. tr.* to point (at, out)

additìvo *agg. e s. m.* additive

addizionàre *v. tr.* to add (up), to sum (up)

addizióne *s. f.* addition

addobbàre *v. tr.* to adorn, to decorate

addòbbo *s. m.* decoration, ornament

addolcìre **A** *v. tr.* **1** to sweeten **2** (*fig.*) to soften **B** *v. intr. pron.* to soften, to become milder

addoloràre **A** *v. tr.* to pain, to grieve **B** *v. intr. pron.* to grieve, to be sorry

addòme *s. m.* abdomen

addomesticàre *v. tr.* to domesticate, to tame

addomesticàto *agg.* tame

addominàle *agg.* abdominal

addormentàre **A** *v. tr.* **1** to send to sleep **2** (*anestetizzare*) to anaesthetize **3** (*intorpidire*) to deaden **B** *v. intr. pron.* to fall asleep

addormentàto *agg.* **1** sleeping, asleep (*pred.*) **2** (*assonnato*) sleepy **3** (*fig.*) slow

addossàre **A** *v. tr.* **1** (*appoggiare*) to lean **2** (*una colpa*) to charge with **B** *v. rifl.* **1** to lean **2** (*prendere su di sé*) to take upon oneself

addosso A *avv.* on **B** *prep.* **a. a 1** on **2** (*vicino*) close to ♦ **mettere le mani a. a qc.** to lay hands on sb.; **mettersi q.c. a.** to put st. on

addùrre *v. tr.* to adduce, to advance

adeguàre A *v. tr.* to conform, to adapt **B** *v. rifl.* to conform oneself

adémpiere *v. tr. e intr.* to fulfil, to accomplish, to carry out

adèpto *s. m.* initiate

aderènte *agg.* **1** adherent, sticking **2** (*di vestito*) tight, close-fitting

aderìre *v. intr.* **1** (*attaccarsi*) to adhere, to stick **2** (*acconsentire*) to assent, (*a un invito*) to accept, (*a una richiesta*) to comply with **3** (*associarsi*) to join

adescaménto *s. m.* enticement, allurement

adescàre *v. tr.* to entice, to allure

adesióne *s. f.* **1** adhesion, adherence **2** (*fig.*) assent, agreement

adesìvo *agg. e s. m.* adhesive

adèsso *avv.* now ♦ **per a.** right now; **proprio a.** just now

adiacènte *agg.* adjacent, adjoining

adibìre *v. tr.* to use as, to assign

adiràrsi *v. intr. pron.* to get angry

àdito *s. m.* access, entrance

adocchiàre *v. tr.* to eye

adolescènte *s. m. e f.* adolescent, teenager

adolescènza *s. f.* adolescence, teens

adoperàre *v. tr.* to use, to employ

adoràre *v. tr.* to adore, to worship

adornàre *v. tr.* to adorn, to decorate

adottàre *v. tr.* to adopt

adottìvo *agg.* adoptive, adopted

adozióne *s. f.* adoption

adulàre *v. tr.* to flatter

adulazióne *s. f.* adulation, flattery

adulteràre *v. tr.* to adulterate

adultèrio *s. m.* adultery

adùlto A *agg.* adult, grown-up, (*bot., zool.*) fully-grown **B** *s. m.* grown-up

adunànza *s. f.* meeting, assembly

adunàre *v. tr. e intr. pron.* to assemble, to gather

adunàta *s. f.* assembly, (*mil.*) muster

adùnco *agg.* hooked

aeràre *v. tr.* to air, to ventilate

aerazióne *s. f.* aeration, ventilation

aèreo A *agg.* air, aerial **B** *s. m.* airplane, plane

aeròbica *s. f.* aerobics *pl.* (*v. al sing.*)

aeròbico *agg.* aerobic

aerodinàmica *s. f.* aerodynamics *pl.* (*v. al sing.*)

aerodinàmico *agg.* aerodynamic

aerofotografìa *s. f.* aerial photography

aeromodèllo *s. m.* model aircraft

aeronàutica *s. f.* aeronautics *pl.* (*v. al sing.*)

aeronàutico *agg.* aeronautic(al)

aeroplàno *s. m.* aircraft, aeroplane, plane, (*USA*) airplane

aeropòrto *s. m.* airport

aerosòl *s. m.* aerosol

aerospaziàle *agg.* aerospace

aerovìa *s. f.* airway

àfa *s. f.* sultriness

affàbile *agg.* affable

affaccendàrsi *v. rifl.* to busy oneself

affacciàrsi *v. rifl.* to appear

affamàto *agg.* hungry, starving

affannàrsi *v. intr. pron.* **1** to worry **2** (*darsi da fare*) to busy oneself

affànno *s. m.* **1** breathlessness **2** (*fig.*) worry, anxiety

affàre *s. m.* **1** affair, matter **2** (*comm.*) business, transaction, (*vantaggioso*) bargain **3** (*fam.*) (*aggeggio*) thing ♦ **concludere un a.** to strike a bargain; **fare affari** to do business; **viaggiare per affari** to travel on business

affascinànte *agg.* charming, fascinating

affascinàre *v. tr.* to charm, to fascinate

affaticàre A *v. tr.* to tire **B** *v. rifl.* to tire oneself, to get tired

affàtto *avv.* **1** quite, completely, entirely **2** (*in frasi neg.*) at all ♦ **niente a.** not at all

affermàre A *v. tr.* to assert, to affirm, to state **B** *v. rifl.* to impose oneself, to make a name for oneself

affermatìvo *agg.* affirmative

affermazióne *s. f.* **1** affirmation, assertion **2** (*successo*) achievement

afferràre *v. tr.* to seize, to grasp, to catch

affettàre (1) *v. tr.* (*tagliare a fette*) to slice

affettàre (2) *v. tr.* (*ostentare*) to affect

affettàto (1) *s. m.* (*salumi*) sliced salami

affettàto (2) *agg.* (*ostentato*) affected

affettìvo *agg.* affective

affètto *s. m.* affection, love

affettuosaménte *avv.* affectionately, lovingly

affettuóso *agg.* loving, affectionate, fond

affezionàrsi *v. rifl.* to grow fond (of)

affezionàto *agg.* affectionate, fond

affezióne *s. f.* affection, attachment ♦

prezzo d'a. fancy price

affiancàre v. tr. **1** to place side by side, to put beside **2** (aiutare) to help, to support

affiatàrsi v. rifl to get on well

affibbiàre v. tr. (fam., fig.) to saddle with, (dare) to give

affidàbile agg. reliable

affidaménto s. m. trust, confidence ♦ **fare a. su qc.** to rely (up) on sb.

affidàre **A** v. tr. **1** to entrust, to confide **2** (dir) to grant **B** v. rifl. to rely (up) on

affievolìre **A** v. tr. to weaken **B** v. intr. pron. to weaken, to grow weak

affìggere v. tr. to post up, to stick up

affilàre v. tr. to sharpen

affilàto agg. **1** sharp **2** (fig.) thin

affiliàre **A** v. tr. to affiliate **B** v. rifl. to affiliate (with), to become a member (of)

affinàre v. tr. to improve, to refine

affinché cong. so that, in order that

affìne agg. similar, analogous

affinità s. f. affinity

affioràre v. intr. **1** to surface **2** (fig.) to emerge, to appear

affissióne s. f. bill-posting ♦ **divieto d'a.** post no bills

affittacàmere s. m. e f. inv. landlord m., landlady f.

affittàre v. tr. **1** (dare in affitto) to let, to rent, to lease (out), (a noleggio) to hire (out) **2** (prendere in affitto) to rent, (a noleggio) to hire ♦ **affittasi** to rent

affìtto s. m. rent, (contratto) lease

affliggere **A** v. tr. to afflict, to distress **B** v. rifl. to grieve, to worry

afflizióne s. f. affliction, distress

afflosciàrsi v. intr. pron. to wilt, to sag

affluènte s. m. affluent, tributary

affluènza s. f. **1** flow **2** (di persone) crowd

affluìre v. intr. **1** to flow **2** (di persone) to crowd

afflùsso s. m. **1** flow **2** (econ.) inflow, influx

affogàre v. tr. e intr. to drown

affogàto agg. drowned ♦ **uova affogate** poached eggs

affollaménto s. m. crowding, over-crowding

affollàre v. tr. e intr. pron. to crowd

affollàto agg. crowded

affondàre v. tr. e intr. to sink

affrancàre **A** v. tr. **1** to free, to release **2** (corrispondenza) to stamp, to frank **B** v. rifl. to free oneself

affrancatùra s. f. (posta) stamping, postage

affrànto agg. **1** broken-hearted, disheartened **2** (distrutto) worn out

affrescàre v. tr. to fresco

affrésco s. m. fresco

affrettàre **A** v. tr. **1** to hasten, to hurry **2** (anticipare) to anticipate **B** v. rifl. to hurry, to make hasten ♦ **a. il passo** to quicken one's pace

affrontàre **A** v. tr. **1** to face, to confront **2** (fig.) to tackle, to deal with **B** v. rifl. rec. to come to blows

affrónto s. m. affront, insult

affumicàre v. tr. **1** (riempire di fumo) to fill with smoke **2** (annerire di fumo) to blacken with smoke **3** (alimenti) to smoke, to cure

affumicàto agg. (di alimenti) smoked, cured

affusolàto agg. tapered, tapering

àfono agg. voiceless, (rauco) hoarse

afóso agg. sultry

africàno agg. e s. m. African

afrodisìaco agg. e s. m. aphrodisiac

àfta s. f. aphtha

àgave s. f. agave

agènda s. f. diary

agènte s. m. agent ♦ **a. di cambio** stockbroker; **a. immobiliare** estate agent, realtor; **a. investigativo** detective; **a. di polizia** policeman

agenzìa s. f. **1** agency **2** (succursale) branch ♦ **a. di pubblicità** advertising agency; **a. di viaggi** travel agency/bureau; **a. immobiliare** estate agency

agevolàre v. tr. to facilitate

agevolazióne s. f. facilitation, facility

agévole agg. easy

agganciàre v. tr. **1** to hook **2** (ferr) to couple

aggéggio s. m. gadget, device, contraption

aggettìvo s. m. adjective

agghiacciànte agg. chilling, dreadful

agghindàre v. tr. e rifl. to deck (oneself) out

aggiornaménto s. m. **1** updating **2** (rinvio) adjournment ♦ **corso di a.** refresher course

aggiornàre **A** v. tr. **1** to update, to bring up to date **2** (rinviare) to adjourn **B** v. rifl. to keep oneself up to date

aggiornàto agg. up-to-date

aggiràre **A** v. tr. **1** to go round, to avoid **2** (mil.) to outflank **B** v. intr. pron. **1** to wander about, to go about **2** (approssi-

marsi) to be around, to be about

aggiudicàre *v. tr.* **1** to award **2** (*asta*) to knock down **3** (*aggiudicarsi*) to win

aggiùngere A *v. tr.* to add **B** *v. intr. pron.* to join, to be added

aggiùnta *s. f.* addition

aggiustàre A *v. tr.* **1** (*riparare*) to mend, to repair, to fix **2** (*sistemare*) to adjust **B** *v. intr. pron.* to come out right **C** *v. rifl.* to make do

agglomeràto *s. m.* agglomerate

aggrappàrsi *v. rifl.* to cling

aggravàre A *v. tr.* to make worse, to worsen **B** *v. intr. pron.* to become worse

aggraziàto *agg.* graceful

aggredire *v. tr.* to attack, to assault

aggregàre A *v. tr.* to aggregate **B** *v. rifl.* to join

aggressióne *s. f.* attack, assault

aggressività *s. f.* aggressiveness

aggressivo *agg.* aggressive

aggressóre *s. m.* aggressor

aggrottàre *v. tr.* to wrinkle, (*le ciglia*) to frown

aggrovigliàre A *v. tr.* to tangle **B** *v. rifl.* to get entangled

agguantàre *v. tr.* to seize, to catch

agguàto *s. m.* ambush

agiàto *agg.* well-to-do

àgile *agg.* agile, nimble

agilità *s. f.* agility, nimbleness

àgio *s. m.* **1** comfort, ease **2** (*opportunità*) chance, time ♦ **sentirsi a proprio a.** to be at one's ease

agiografia *s. f.* hagiography

agire *v. intr.* **1** to act **2** (*comportarsi*) to behave **3** (*influenzare*) to act, to influence **4** (*funzionare*) to work

agitàre A *v. tr.* **1** to agitate, to shake **2** (*fig.*) to upset **B** *v. intr. pron.* **1** to toss (about) **2** (*turbarsi*) to get excited, to become upset

agitazióne *s. f.* agitation, unrest

àglio *s. m.* garlic

agnèllo *s. m.* lamb

agnòstico *agg.* agnostic

àgo *s. m.* needle

agonìa *s. f.* death throes *pl.*, agony

agonìstico *agg.* agonistic, competitive

agonizzàre *v. intr.* to be in the throes of death

agopuntùra *s. f.* acupuncture

agósto *s. m.* August

agrària *s. f.* agriculture

agràrio *agg.* agricultural, agrarian

agrìcolo *agg.* agricultural

agricoltóre *s. m.* farmer

agricoltùra *s. f.* agriculture, farming

agrifòglio *s. m.* holly

agriturismo *s. m.* farm holidays *pl.*

àgro *agg.* **1** sour, bitter **2** (*fig.*) sharp

agrodólce *agg.* bitter-sweet, sweet-and-sour

agrùme *s. m.* citrus (fruit, tree)

aguzzàre *v. tr.* to sharpen

agùzzo *agg.* sharp

àia *s. f.* threshing-floor, farmyard

airóne *s. m.* heron

aiuòla *s. f.* flowerbed

aiutànte *s. m. e f.* assistant ♦ **a. di campo** aide-de-camp

aiutàre A *v. tr.* **1** to help, to assist, to aid **2** (*favorire*) to stimulate **B** *v. rifl.* to help oneself **C** *v. rifl. rec.* to help each other

aiùto *s. m.* **1** help, aid, assistance **2** (*persona*) helper, assistant ♦ **a.!** help!; **chiedere a.** to call for help

aizzàre *v. tr.* to incite

àla *s. f.* wing

alabàstro *s. m.* alabaster

alàno *s. m.* (*zool.*) Great Dane

alàre (1) *agg.* wing (*attr*)

alàre (2) *s. f.* firedog, andiron

àlba *s. f.* dawn

àlbatro *s. m.* albatross

albeggiàre *v. intr.* to dawn

albergatóre *s. m.* hotel keeper

alberghièro *agg.* hotel (*attr*)

albèrgo *s. m.* hotel

àlbero *s. m.* **1** tree **2** (*naut.*) mast **3** (*mecc.*) shaft

albicòcca *s. f.* apricot

àlbo *s. m.* roll, register

àlbum *s. m.* album ♦ **a. da disegno** sketchbook

albùme *s. m.* albumen

alcalìno *agg.* alkaline

àlce *s. m.* elk ♦ **a. americano** moose

alchimìa *s. f.* alchemy

àlcol *s. m.* alcohol

alcòlico A *agg.* alcoholic **B** *s. m.* alcoholic drink

alcolìsmo *s. m.* alcoholism

alcolizzato *agg. e s. m.* alcoholic

alcùno A *agg. indef.* **1** (*in frasi afferm. o interr con risposta afferm.*) some, a few (ES: **alcuni anni fa** some years ago) **2** (*in frasi neg., interr, dubit.*) any, no (ES: **senza a. dubbio** without any doubt, **in garage non c'era alcuna macchina** no car was in the garage) **B** *pron. indef.* **1** (*in frasi afferm. o interr. con risposta positiva*) some, a few, some people (ES: **alcuni pensano che pioverà** some people think that it will rain **2** (*in frasi neg., interr, dubit.*) (*persone*) anyone, anybody, no one, nobody (*cose*) any, none (ES: **non vidi a. I** didn't see anyone, I saw no one)

aldilà *s. m.* afterlife

alesàggio *s. m.* (*mecc.*) bore

alétta *s. f.* fin, flap

alettóne *s. m.* aileron

alfabèto *s. m.* alphabet

alfière *s. m.* **1** (*mil.*) ensign **2** (*fig.*) standard bearer **3** (*scacchi*) bishop

àlga *s. f.* alga, (*di mare*) seaweed

àlgebra *s. f.* algebra

aliànte *s. m.* glider

àlibi *s. m.* alibi

alìce *s. f.* anchovy

alienàre *v. tr.* to alienate

alienazióne *s. f.* alienation

alièno A *agg.* averse (to), opposed (to) **B** *s. m.* alien

alimentàre (1) *agg.* alimentary, food (*attr*)

alimentàre (2) *v. tr.* to feed, to nourish

alimentazióne *s. f.* feeding

aliménto *s. m.* **1** food, nourishment **2** *al pl.* (*dir*) alimony

alìquota *s. f.* **1** share, quote **2** (*tasse*) rate

aliscàfo *s. m.* hydrofoil

alisèi *s. m. pl.* trade winds, trades

àlito *s. m.* breath

allacciàre *v. tr.* **1** to lace (up), to tie, to fasten **2** (*abbottonare*) to button up

allagaménto *s. m.* flooding

allagàre *v. tr.* to flood, to inundate

allargàre A *v. tr.* **1** to widen, to enlarge **2** (*estendere*) to extend, to spread **3** (*un vestito*) to let out **B** *v. intr. pron.* **1** to become wide **2** (*estendersi*) to extend, to grow

allarmàre A *v. tr.* to alarm **B** *v. rifl.* to become alarmed, to worry

allàrme *s. m.* alarm

allarmìsmo *s. m.* alarmism

allattàre *v. tr.* to nurse, to suckle ♦ **a. al seno** to breast-feed, **a. artificialmente** to bottle-feed

alleànza *s. f.* alliance

alleàrsi *v. rifl.* to form an alliance

alleàto A *agg.* allied **B** *s. m.* ally

allegàre *v. tr.* to enclose, to append

allegàto *s. m.* enclosure

alleggerìre *v. tr.* to lighten, to relieve

allegorìa *s. f.* allegory

allegrìa *s. f.* mirth, cheerfulness

allégro *agg.* **1** cheerful, merry **2** (*di colore*) bright

allenaménto *s. m.* training

allenàre *v. tr. e rifl.* to train

allenatóre *s. m.* trainer, coach

allentàre A *v. tr.* to slacken, to loosen **B** *v. intr. pron.* to loosen, to become slack

allergìa *s. f.* allergy

allèrgico *agg.* allergic

allestìre *v. tr.* **1** to prepare **2** (*teatro*) to stage **3** (*naut.*) to fit out

allettàre *v. tr.* to attract, to tempt

allevaménto *s. m.* **1** (*di bambini*) upbringing **2** (*di animali*) breeding **3** (*luogo*) farm

allevàre *v. tr.* **1** (*bambini*) to bring up, to rear **2** (*animali*) to breed

alleviàre *v. tr.* to relieve, to alleviate

allibìre *v. intr.* to be astounded

allibratóre *s. m.* bookmaker

allietàre A *v. tr.* to cheer up, to gladden **B** *v. rifl.* to rejoice, to become cheerful

allièvo *s. m.* **1** pupil, student **2** (*mil.*) cadet

alligatóre *s. m.* alligator

allineàre A *v. tr.* to line up, to align **B** *v. rifl.* to fall into line (with)

allòcco *s. m.* **1** (*zool.*) tawny owl **2** (*fig.*) fool

allocuzióne *s. f.* allocution

allòdola *s. f.* skylark, meadow

alloggiàre A *v. tr.* to lodge, to put up **B** *v. intr.* to lodge, to live

allòggio *s. m.* **1** lodging, accomodation house **2** (*appartamento*) flat, apartment ♦ **vitto e a.** board and lodging

allontanaménto *s. m.* removal

allontanàre A *v. tr.* **1** to remove, to put away **2** (*mandare via*) to turn away, to send away **B** *v. intr. pron.* to go away, to go off, to depart

allóra *avv.* **1** (*in quel momento*) then **2** (*in quel tempo*) at that time, in those days **3** (*in tal caso*) then, in that case **4** (*quindi*) therefore, so ♦ **da a. in poi** from then on; **e a.?** so what?

allòro *s. m.* laurel

àlluce *s. m.* big toe

allucinànte *agg.* (*fig.*) incredible

allucinazióne *s. f.* hallucination

allùdere *v. intr.* to allude, to refer

allumìnio *s. m.* aluminium

allungàre A *v. tr.* **1** to lengthen, to prolong,

to extend **2** (*stendere*) to stretch out **3** (*porgere*) to pass **4** (*annacquare*) to water down **B** *v. intr. pron.* to lengthen

allusióne *s. f.* allusion

alluvionàle *agg.* alluvial

alluvióne *s. f.* flood, alluvion

alméno *avv.* at least

alpinìsmo *s. m.* alpinism, mountaineering

alpinìsta *s. m. e f.* alpinist, mountain-climber

alpìno *agg.* alpine ♦ **sci s.** downhill skiing

alquànto A *agg. indef.* **1** (*un po'*) some, a certain amount of **2** (*al pl.*) several, a few **B** *pron. indef.* **1** some, a certain amount **2** (*al pl.*) some, several, a few **C** *avv.* a little, rather, somewhat

alt *inter.* halt, stop

altaléna *s. f.* (*appesa*) swing, (*in bilico*) seesaw

altàre *s. m.* altar

alteràre A *v. tr.* **1** to alter, to change **2** (*falsificare*) to falsify, to forge **B** *v. rifl.* **1** to alter, to change **2** (*turbarsi*) to lose one's temper, to get angry **3** (*deteriorarsi*) to go bad, to go sour

altèrco *s. m.* wrangle, altercation

alternànza *s. f.* alternation

alternàre *v. tr. e intr. pron.* to alternate

alternativa *s. f.* **1** (*scelta*) alternative **2** (*alternanza*) alternation

alternativo *agg.* alternative

alternàto *agg.* alternating, alternate(d)

alternatóre *s. m.* (*elettr*) alternator

altèrno *agg.* alternate

altézza *s. f.* **1** height **2** (*statura*) height, stature **3** (*di stoffa*) width **4** (*profondità*) depth **5** (*di suono*) pitch **6** (*titolo*) Highness ♦ **essere all'a. di q.c.** to be up/equal to st.

altezzóso *agg.* haughty

altìccio *agg.* tipsy

altitùdine *s. f.* altitude, height

àlto A *agg.* **1** high **2** (*di statura*) tall **3** (*profondo*) deep **4** (*di stoffa*) wide **5** (*di suono*) high, loud **6** (*geogr*) upper **7** (*fig.*) high, noble **B** *s. m.* top, height **C** *avv.* high, up

altoparlànte *s. m.* loudspeaker

altopiàno *s. m.* plateau, upland, tableland

altorilièvo *s. m.* alto-rilievo, high relief

altrettànto A *agg. indef.* as much (... as), (*pl.*) as many (... as); (*in frasi neg.*) so much (... as), (*pl.*) so many (... as) **B** *pron. indef.* **1** (*correlativo*) as much (... as), (*pl.*) as many (... as) **2** (*la stessa cosa*) the same

C *avv.* **1** (*con agg. e avv.*) as (... as), (*in frasi neg.*) so (... as) **2** (*con verbi*) as much (as)

àltri *pron. indef. sing.* someone else, (*in frasi neg.*) anyone else

altriménti *avv. e cong.* otherwise

àltro A *agg. indef.* **1** other, (*un altro*) another, (*in più*) more, further (ES: **l'altra automobile** the other car, **un'altra automobile** another car, **vuoi altro caffè?** would you like more coffee?, **ho bisogno di altre notizie** I need further news) **2** (*con agg., avv. e pron. interr o indef.*) else (ES: **qualcun a.** somebody else, **nessun a.** nobody else, **in nessun a. luogo** nowhere else) **3** (*diverso*) different (**questa è un'altra cosa** that's a different thing) **B** *pron. indef.* **1** (the) other, (*un altro*) another (one), (*in più*) more; (*pl.*) others, other people (ES: **una volta o l'altra** some time or other, **tutti gli altri sono già qui** all the others are already here) **2** (*altra cosa*) something else, (*in frasi neg. e interr*) anything else (ES: **parliamo d'a.** let's talk of something else, **serve a.?** anything else?) **3** (*l'un l'altro*) one another, each other ♦ **l'a. ieri** the day before yesterday

altrónde, d' *avv.* on the other hand, however

altróve *avv.* somewhere else, elsewhere

altrùi *agg. poss. inv.* other's, other people's, someone else's

altruìsmo *s. m.* altruism, unselfishness

altruìsta *s. m. e f.* altruist

altùra *s. f.* **1** high ground **2** (*naut.*) high sea, deep sea

alùnno *s. m.* pupil

alveàre *s. m.* hive

àlveo *s. m.* river bed

alzàre A *v. tr.* **1** to lift up, to raise, (*sollevare*) to heave **2** (*il volume*) to turn up **3** (*costruire*) to build, to erect **B** *v. intr. pron.* **1** (*crescere, salire*) to raise **2** (*dal letto*) to get up **3** (*in piedi*) to stand up

amàbile *agg.* **1** lovable **2** (*di vino*) sweet

amàca *s. f.* hammock

amalgamàre *v. tr. e intr. pron.* to amalgamate

amànte A *agg.* fond, keen **B** *s. m. e f.* lover

amàre *v. tr.* **1** to love **2** (*piacere*) to be fond of, to like

amareggiàto *agg.* embittered

amaréna *s. f.* sour cherry

amarézza *s. f.* bitterness

amàro A *agg.* **1** bitter **2** (*senza zucchero*) without sugar, unsweetened **B** *s. m.* **1** (*sa-*

pore) bitter taste **2** (*liquore*) bitters *pl.*
ambasciàta *s. f.* embassy
ambasciatóre *s. m.* ambassador
ambedùe *agg. e pron.* both
ambientàle *agg.* environmental
ambientàre **A** *v. tr.* **1** to acclimatize **2** (*fig.*) to set **B** *v. rifl.* to get acclimatized, to settle down
ambiènte *s. m.* **1** environment, habitat **2** (*fig.*) environment, circle, milieu, setting **3** (*stanza*) room
ambiguità *s. f.* ambiguity
ambìguo *agg.* ambiguous
ambìre *v. tr. e intr.* to aspire (to), to long (for)
àmbito *s. m.* ambit
ambizióne *s. f.* ambition
ambizióso *agg.* ambitious
àmbo *agg.* both
àmbra *s. f.* amber ♦ **a. grigia** ambergris; **a. nera** jet
ambulànte *agg.* itinerant ♦ **venditore a.** pedlar
ambulànza *s. f.* ambulance
ambulatòrio *s. m.* surgery, (*di pronto soccorso*) first-aid station
amenità *s. f.* **1** pleasantness **2** (*facezia*) pleasantry, joke
amèno *agg.* **1** pleasant, agreeable **2** (*divertente*) funny
amenorrèa *s. f.* amenorrhea
americàno *agg. e s. m.* American
ametìsta *s. f.* amethyst
amiànto *s. m.* amiant(h)us
amichévole *agg.* friendly
amicìzia *s. f.* friendship
amìco **A** *agg.* friendly **B** *s. m.* friend
àmido *s. m.* starch
ammaccàre *v. tr.* to dent, (*di frutta*) to bruise
ammaccatùra *s. f.* dent, (*di frutta*) bruise
ammaestràre *v. tr.* to train
ammainàre *v. tr.* to furl, to strike
ammalàrsi *v. intr. pron.* to fall ill
ammalàto **A** *agg.* ill, sick, diseased **B** *s. m.* sick person
ammaliàre *v. tr.* to charm
ammànco *s. m.* shortage, deficit
ammanettàre *v. tr.* to handcuff
ammassàre **A** *v. tr.* to amass, to pile up **B** *v. intr. pron.* to crowd together, to gather together
ammattìre *v. intr.* to go mad
ammazzàre **A** *v. tr.* to kill, (*assassinare*) to murder **B** *v. rifl.* to kill oneself
ammènda *s. f.* **1** amends *pl.* **2** (*multa*) fine

amméttere *v. tr.* **1** (*accettare, introdurre*) to admit **2** (*riconoscere*) to admit, to concede, to acknowledge **3** (*supporre*) to suppose
ammezzàto *s. m.* mezzanine
ammiccàre *v. intr.* to wink
amministràre *v. tr.* **1** to manage, to direct, to run **2** (*dir., relig.*) to administer
amministratìvo *agg.* administrative
amministratóre *s. m.* manager, director ♦ **a. delegato** managing director
amministrazióne *s. f.* administration, management
ammiragliàto *s. m.* admiralty
ammiràglio *s. m.* admiral
ammiràre *v. tr.* to admire
ammiratóre *s. m.* admirer, fan
ammirazióne *s. f.* admiration
ammissìbile *agg.* admissible
ammissióne *s. f.* admission
ammobiliàre *v. tr.* to furnish
ammobiliàto *agg.* furnished
ammòllo *s. m.* soaking
ammonìaca *s. f.* ammonia
ammoniménto *s. m.* admonition, admonishment, (*avvertimento*) warming
ammonìre *v. tr.* to admonish, (*avvertire*) to warn
ammontàre (1) *v. intr.* to amount, to come to
ammontàre (2) *s. m.* amount, sum
ammorbidìre *v. tr.* to soften
ammortizzàre *v. tr.* **1** (*mecc.*) to dampen **2** (*econ.*) to amortize, to depreciate
ammortizzatóre *s. m.* (*mecc.*) shock absorber, damper
ammucchiàre *v. tr.* to pile up
ammuffìre *v. intr. e intr. pron.* to grow musty
ammuffìto *agg.* mouldy
ammutinaménto *s. m.* mutiny
ammutinàrsi *v. intr. pron.* to mutiny
ammutolìre *v. intr.* to be struck dump
amnesìa *s. f.* amnesia
amnistìa *s. f.* amnesty
àmo *s. m.* fish-hook
amoràle *agg.* amoral
amóre *s. m.* **1** love **2** (*persona amata*) beloved, love, darling **3** (*desiderio*) desire ♦ **a. proprio** self-respect
amorévole *agg.* loving
amòrfo *agg.* amorphous
amoróso *agg.* amorous
amperòmetro *s. m.* amperometer, ammeter
ampiézza *s. f.* **1** width, wideness **2** (*ab-*

bondanza) ampleness

àmpio *agg.* **1** wide, large, ample, spacious **2** *(abbondante)* abundant

amplèsso *s. m.* **1** embrace **2** *(rapporto sessuale)* sexual intercourse

ampliàre *v. tr.* to amplify, to extend

amplificàre *v. tr.* **1** to amplify **2** *(esagerare)* to magnify, to extol

amplificatóre *s. m.* amplifier

amputàre *v. tr.* to amputate

amulèto *s. m.* amulet

anabbagliànte **A** *agg.* dipped **B** *s. m.* low-beam headlight, dipped headlight

anacronìsmo *s. m.* anachronism

anacronìstico *agg.* anachronistic

anàgrafe *s. f.* registry office

anagràmma *s. m.* anagram

analcòlico **A** *agg.* non-alcoholic **B** *s. m.* soft drink

analfabèta *agg. e s. m. e f.* illiterate

analgèsico *agg. e s. m.* analgesic

anàlisi *s. f.* analysis, test

analista *s. m. e f.* analyst

analizzàre *v. tr.* to analyse

analogìa *s. f.* analogy

anàlogo *agg.* analogous

ànanas *s. m.* pineapple

anarchìa *s. f.* anarchy

anatomìa *s. f.* anatomy

ànatra *s. f.* duck

ànca *s. f.* hip

ancèlla *s. f.* maid

ànche *avv.* **1** *(pure)* also, too, as well **2** *(davanti a comp.)* even, still **3** *(persino)* even ♦ **a. se** even if

àncora (1) *s. f.* anchor

ancóra (2) *avv.* **1** still **2** *(in frasi neg.)* yet **3** *(di nuovo)* again **4** *(di più)* more

ancoràggio *s. m.* anchorage, berth

ancoràre *v. tr. e rifl.* to anchor

andaménto *s. m.* **1** *(tendenza)* trend **2** *(corso)* course, state

andàre **A** *v. intr.* **1** to go, *(a piedi)* to walk, *(in auto)* to drive **2** *(essere, stare di salute, procedere)* to be, to get on **3** *(funzionare)* to work, to run **4** *(piacere)* to like, to feel like **5** *(convenire, andar bene)* to suit, *(di misura)* to fit, *(armonizzare)* to match **6** *(essere di moda)* to be in (fashion) **7** *(in funzione dell'aus. 'essere')* to be, to get (ES: **se non vado errato** if I'm not mistaken) **8** *(dover essere)* to have to be, must be (ES: **questa macchina va riparata** this car must be repaired) **B** *v. intr. pron.* to go

(away)

andàta *s. f.* going ♦ **biglietto di a.** single/one-way ticket

andatùra *s. f.* **1** gait **2** *(velocità)* pace

andirivièni *s. m. inv.* coming and going

andróne *s. m.* entrance-hall

anèddoto *s. m.* anecdote

anelàre *v. intr.* to pant

anèllo *s. m.* **1** ring **2** *(di catena)* link

anemìa *s. f.* an(a)emia

anèmico *agg. e s. m.* an(a)emic

anemòmetro *s. m.* anemometer

anèmone *s. m.* anemone

anestesìa *s. f.* an(a)esthesia

anestètico *agg. e s. m.* an(a)esthetic

anestetizzàre *v. tr.* to an(a)esthetize

aneurìsma *s. m.* aneurism

anfetamìna *s. f.* amphetamine

anfìbio **A** *agg.* amphibious **B** *s. m.* amphibian

anfiteàtro *s. m.* amphitheatre

ànfora *s. f.* amphora

angèlico *agg.* angelic(al)

àngelo *s. m.* angel

angìna *s. f.* angina

anglicanésimo *s. m.* Anglicanism

anglicàno *agg. e s. m.* Anglican

anglicìsmo *s. m.* Anglicism

anglosàssone *agg. e s. m. e f.* Anglo-Saxon

angolàre *agg.* angular

angolazióne *s. f.* angle

àngolo *s. m.* **1** *(mat., fis.)* angle **2** corner

àngora *s. f.* angora

angòscia *s. f.* anguish, anxiety

anguìlla *s. f.* eel

angùria *s. f.* watermelon

angustiàre **A** *v. tr.* to torment **B** *v. rifl.* to worry

angùsto *agg.* narrow

ànice *s. m.* anise

ànima *s. f.* **1** soul **2** *(parte centrale)* core, centre

animàle *agg. e s. m.* animal

animàre **A** *v. tr.* to give life to, to animate **B** *v. intr. pron.* to become animated

animàto *agg.* **1** *(vivente)* animated, living **2** *(vivace)* animated, lively ♦ **cartoni animati** cartoons

animazióne *s. f.* animation ♦ **cinema d'a.** cartoon cinema

ànimo *s. m.* **1** *(mente)* mind **2** *(intenzione)* intention, thoughts *pl.* **3** *(coraggio)* courage, heart **4** *(indole)* disposition, character, nature

annacquàre *v. tr.* to water, to dilute
annaffiàre *v. tr.* to water
annaffiatóio *s. m.* watering can
annaspàre *v. intr.* to grope
annàta *s. f.* **1** year **2** (*raccolto*) vintage **3** (*di periodici*) volume
annebbiàre A *v. tr.* **1** to fog, to obscure **2** (*fig.*) to cloud **B** *v. intr. pron.* to become foggy, to grow dim
annegaménto *s. m.* drowning
annegàre *v. tr. e intr.* to drown
annerìre *v. tr. e intr. pron.* to blacken
annèttere *v. tr.* **1** to annex **2** (*accludere*) to enclose **3** (*attribuire*) to attach
annichilìre *v. tr.* to annihilate
annidàrsi *v. rifl.* **1** to nest **2** (*nascondersi*) to hide
annientàre *v. tr.* to annihilate, to destroy
anniversàrio *s. m.* anniversary
ànno *s. m.* year ♦ **l'a. prossimo** next year; **l'a. scorso** last year
annodàre *v. tr.* to knot, to tie (in knots)
annoiàre A *v. tr.* to annoy, to bore **B** *v. intr. pron.* to be bored, to get bored
annotàre *v. tr.* **1** (*postillare*) to annotate **2** (*prender nota*) to note
annotazióne *s. f.* annotation, note
annoveràre *v. tr.* to count, to number
annuàle *agg.* **1** annual, yearly **2** (*che dura un anno*) year's
annualménte *avv.* annually, yearly
annuàrio *s. m.* yearbook
annuìre *v. intr.* to nod
annullaménto *s. m.* annulment, cancellation
annullàre *v. tr.* to annul, to cancel
annunciàre *v. tr.* to announce
annunciatóre *s. m.* announcer
annùncio *s. m.* **1** announcement **2** (*pubblicitario*) advertisement, ad
ànnuo *agg.* annual, yearly
annusàre *v. tr.* to smell, to sniff
annuvolàrsi *v. intr. pron.* to cloud over, to get cloudy
àno *s. m.* anus
anomalìa *s. f.* anomaly
anòmalo *agg.* anomalous
anònimo *agg.* anonymous
anoressìa *s. f.* anorexia
anormàle *agg.* abnormal
ànsa *s. f.* **1** (*manico*) handle **2** (*di fiume*) bight, loop
ànsia *s. f.* anxiety
ansietà *s. f.* anxiety

ansimàre *v. intr.* to pant
ansiolìtico *s. m.* tranquillizer
ansióso *agg.* anxious
ànta *s. f.* shutter, (*di armadio*) door
antagonìsmo *s. m.* antagonism
antagonìsta *s. m. e f.* antagonist, opponent
antàrtico *agg.* antarctic
antecedènte *agg.* preceding, previous
antefàtto *s. m.* previous history
antenàto *s. m.* ancestor, forefather
antènna *s. f.* **1** (*radio, TV*) aerial **2** (*zool.*) antenna, feeler
anteprìma *s. f.* preview
anterióre *agg.* **1** (*che è davanti*) front **2** (*nel tempo*) former, preceding, previous
antiaèreo *agg.* anti-aircraft
antiallèrgico *s. m.* antiallergic
antiatòmico *agg.* anti-atomic
antibiòtico *s. m.* antibiotic
anticaménte *avv.* in ancient times, formerly
anticàmera *s. f.* anteroom, antechamber
antichità *s. f.* **1** antiquity **2** (*oggetto*) antique
anticiclóne *s. m.* anticyclone
anticipàre A *v. tr.* **1** to anticipate **2** (*denaro*) to advance **3** (*notizie*) to disclose, to divulge **4** (*prevenire*) to anticipate, to forestall **B** *v. intr.* to come early, to be ahead of time
antìcipo *s. m.* anticipation, advance
anticlericàle *agg. e s. m. e f.* anticlerical
antìco *agg.* **1** ancient **2** (*vecchio*) old, antique
anticoncezionàle *agg. e s. m.* contraceptive
anticonformìsmo *s. m.* nonconformism
anticonformìsta *s. m. e f.* nonconformist
anticòrpo *s. m.* antibody
anticostituzionàle *agg.* anticonstitutional, unconstitutional
anticrittogàmico *s. m.* fungicide
antidolorìfico *agg. e s. m.* analgesic
antìdoto *s. m.* antidote
antiemorràgico *agg. e s. m.* antihemorrhagic
antiestètico *agg.* unaesthetic
antifascìsta *agg. e s. m. e f.* antifascist
antifecondatìvo *agg. e s. m.* contraceptive
antifùrto *agg. e s. m. inv.* antitheft
antigèlo *agg. e s. m. inv.* antifreeze, antifreezing
antìlope *s. f.* antelope
antincèndio *agg.* anti-fire
antinevràlgico *agg.* antineuralgic
antinfiammatòrio *agg. e s. m.* anti-inflam-

matory

antinfluenzàle s. m. anti-influenza, flu (attr.)

antioràrio agg. counterclockwise, anticlockwise

antipàsto s. m. hors d'oeuvre, appetizer, starter

antipatìa s. f. antipathy, dislike

antipàtico agg. unpleasant, disagreeable

antiproièttile agg. bullet-proof

antiquariàto s. m. antique trade ◆ **mobili d'a.** antique furniture

antiquàrio A agg. antiquarian **B** s. m. antique dealer

antiquàto agg. antiquated

antiràbbico agg. antirabic

antireumàtico agg. e s. m. antirheumatic

antirùggine agg. inv. antirust, rustproof

antiscìvolo agg. anti-slip

antisemitìsmo s. m. anti-Semitism

antisèttico agg. antiseptic

antisìsmico agg. antiseismic

antistamìnico A agg. antihistaminic **B** s. m. antihistamine

antitetànico agg. antitetanus

antologìa s. f. anthology

antonomàsia s. f. antonomasia

antropologìa s. f. anthropology

antropològico agg. anthropological

antropòlogo s. m. anthropologist

antropomòrfo agg. anthropomorphous

anulàre A agg. ring-like **B** s. m. ring finger

ànzi cong. **1** (al contrario) on the contrary **2** (rafforzativo) rather **3** (o meglio) even better, or better still

anzianità s. f. seniority

anziàno A agg. **1** elderly, old **2** (di grado) senior **B** s. m. elderly person

anziché cong. **1** (piuttosto che) rather than **2** (invece di) instead of

anzitùtto avv. first of all

apatìa s. f. apathy

àpe s. f. bee

aperitìvo s. m. aperitif

apèrto agg. open ◆ **all'aria a.** in the open air

apertùra s. f. opening ◆ **orario d'a.** opening time

àpice s. m. apex

apicoltùra s. f. apiculture

apnèa s. f. apn(o)ea

apòcrifo agg. apocryphal

apòlide agg. e s. m. e f. stateless (person)

apologìa s. f. apology

apoplessìa s. f. apoplexy

apòstolo s. m. apostle

apòstrofo s. m. apostrophe

appagàre A v. tr. to satisfy, to fulfil **B** v. rifl. to be satisfied

appàlto s. m. contract

appannàre A v. tr. to mist, to tarnish **B** v. intr. pron. **1** to mist up **2** (vista) to grow dim

apparàto s. m. **1** (tecnol.) machinery, equipment **2** (anat.) apparatus, system

apparecchiàre v. tr. to prepare, (la tavola) to lay the table

apparécchio s. m. **1** apparatus, set **2** (aeroplano) aircraft

apparènte agg. apparent

apparenteménte avv. apparently

apparènza s. f. appearance

apparìre v. intr. **1** to appear **2** (sembrare) to seem, to look

appariscènte agg. striking

appartaménto s. m. flat, (USA) apartment

appartàrsi v. rifl. to withdraw, to keep apart

appartenére v. intr. to belong (to)

appassionàre A v. tr. to thrill, to move **B** v. intr. pron. to become fond of

appassionàto agg. **1** impassioned, passionate **2** (amante) keen (on)

appassìre v. intr. e intr. pron. to wither

appellàrsi v. intr. pron. to appeal

appèllo s. m. **1** (dir.) appeal **2** (chiamata) roll-call **3** (invocazione) call ◆ **fare l'a.** to call the roll

appéna A avv. **1** (a stento) hardly, scarcely **2** (soltanto) only **3** (da poco tempo) just ◆ **B** cong. as soon as ◆ **a. ... che, a. ... quando** just ... when, no sooner ... than

appèndere v. tr. to hang

appendìce s. f. appendix ◆ **romanzo d'a.** serial

appendicìte s. f. appendicitis

appesantìre A v. tr. to make heavy **B** v. intr. pron. to grow stout

appetìto s. m. appetite

appetitóso agg. appetizing

appianàre A v. tr. (fig.) to smooth away **B** v. intr. pron. to be resolved

appiattìre v. tr. e intr. pron. to flatten

appiccicàre A v. tr. to stick **B** v. intr. to be sticky

appiccicóso agg. sticky, (di persona) clinging

appièno avv. fully, completely

appìglio *s. m.* **1** hold **2** (*fig.*) pretext
appisolàrsi *v. intr. pron.* to doze off
applaudìre *v. tr. e intr.* to applaud, to clap, to cheer
applàuso *s. m.* applause, cheers *pl.*
applicàre **A** *v. tr.* **1** to apply **2** (*dir*) to enforce **B** *v. rifl.* to apply oneself
applicazióne *s. f.* **1** application **2** (*dir*) enforcement
appoggiàre **A** *v. tr.* **1** to lean, to lay **2** (*sostenere*) to support **B** *v. rifl.* **1** to lean **2** (*fig.*) to rely
appoggiatèsta *s. m. inv.* headrest
appòggio *s. m.* support
appollaiàrsi *v. rifl.* to perch
appórre *v. tr.* to affix
appositaménte *avv.* expressly, on purpose
appòsito *agg.* **1** special **2** (*adatto*) proper
appòsta *avv.* **1** (*deliberatamente*) on purpose, intentionally **2** (*con uno scopo preciso*) specially, expressly
appostàre **A** *v. tr.* to lie in wait for **B** *v. rifl.* to lie in ambush, to lie in wait
apprèndere *v. tr.* **1** to learn **2** (*venire a sapere*) to hear
apprendìsta *s. m. e f.* apprentice
apprensióne *s. f.* apprehension, anxiety
apprensìvo *agg.* apprehensive, anxious
apprèsso *avv.* **1** (*vicino*) near, close **2** (*dietro*) behind **3** (*in seguito*) after, later, below
apprètto *s. m.* starch
apprezzàbile *agg.* appreciable
apprezzaménto *s. m.* **1** appreciation **2** (*giudizio*) opinion
apprezzàre *v. tr.* to appreciate
appròccio *s. m.* approach
approdàre *v. intr.* **1** (*naut.*) to dock, to land **2** (*riuscire*) to come to
appròdo *s. m.* landing, docking
approfittàre *v. intr. e intr. pron.* **1** to profit by, to take advantage of **2** (*abusare*) to impose on
approfondìre *v. tr.* **1** to deepen **2** (*fig.*) to study in deep
appropriàto *agg.* appropriate, suitable
approssimàrsi *v. rifl. e intr. pron.* to approach, to come near
approssimatìvo *agg.* **1** approximate, rough **2** (*impreciso*) imprecise, superficial
approvàre *v. tr.* to approve
approvazióne *s. f.* approval
approvvigionaménto *s. m.* **1** supplying **2** *al pl.* (*provviste*) provisions *pl.*, supplies

pl.
appuntaménto *s. m.* appointment, date
appùnto (1) *s. m.* **1** note, record **2** (*osservazione*) remark
appùnto (2) *avv.* exactly, just
appuràre *v. tr.* **1** to ascertain **2** (*verificare*) to verify, to check
apribottìglie *s. m. inv.* bottle-opener
aprìle *s. m.* April
aprìre **A** *v. tr.* **1** to open **2** (*acqua, gas*) to turn on **3** (*cominciare*) to begin, to open **B** *v. intr. e intr. pron.* **1** to open **2** (*sbocciare*) to bloom
apriscàtole *s. m. inv.* tin-opener, can-opener
àptero *agg.* apterous
àquila *s. f.* eagle
aquilóne *s. m.* kite
àra (1) *s. f.* altar
àra (2) *s. f.* (*misura*) are
arabésco *s. m.* arabesque
aràbico *agg.* Arabic, Arabian
àrabo *agg. e s. m.* Arab, Arabian
aràchide *s. f.* peanut
aragósta *s. f.* lobster, crayfish
aràldica *s. f.* heraldry
aràldico *agg.* heraldic
arància *s. f.* orange
aranciàta *s. f.* orangeade
aràncio *s. m.* orange (tree)
arancióne *agg.* orange
aràre *v. tr.* to plough, (*USA*) to plow
aràtro *s. m.* plough, (*USA*) plow
aràzzo *s. m.* tapestry
arbitràre *v. tr.* **1** (*dir*) to arbitrate **2** (*sport*) to referee, to umpire
arbitràrio *agg.* arbitrary
arbìtrio *s. m.* **1** will **2** (*abuso*) abuse
àrbitro *s. m.* **1** (*dir*) arbitrator **2** (*sport*) referee, umpire
arbòreo *agg.* arboreal
arboricoltùra *s. f.* arboriculture
arbùsto *s. m.* shrub
àrca *s. f.* ark
arcàdico *agg.* Arcadian
arcàico *agg.* archaic
arcàngelo *s. m.* archangel
arcàno *agg.* arcane, mysterious
arcàta *s. f.* **1** arch **2** (*serie di archi*) arcade
archeologìa *s. f.* archaeology
archeològico *agg.* archaeological
archeòlogo *s. m.* archaeologist
archètipo *s. m.* archetype
archétto *s. m.* (*mus.*) bow
archibùgio *s. m.* harquebus

architétto s. m. architect

architettònico agg. architectonic, architectural

architettùra s. f. architecture

architràve s. m. architrave

archìvio s. m. archives pl., file

archivòlto s. m. archivolt

arcière s. m. archer, bowman

arcìgno agg. surly

arcipèlago s. m. archipelago

arcivéscovo s. m. archbishop

àrco s. m. 1 (arch., anat.) arch 2 (arma, mus.) bow 3 (fis., geom.) arc 4 (fig.) space

arcobaléno s. m. rainbow

ardènte agg. burning

àrdere v. tr. e intr. to burn

ardèsia s. f. slate

ardìre v. intr. to dare

ardóre s. m. ardour

àrduo agg. arduous

àrea s. f. area

arèna s. f. 1 (sabbia) sand 2 (arch.) arena

arenàrsi v. intr. pron. to strand

arenìle s. m. sandy shore

àrgano s. m. windlass, winch

argentàto agg. 1 (color argento) silvery, silver 2 (rivestito d'argento) silver-plated

argenterìa s. f. silverware

argènto s. m. silver

argìlla s. f. clay

àrgine s. m. bank, embankment, dyke

argoménto s. m. 1 (tema) subject, matter, topic 2 (prova) argument

arguìre v. tr. to deduce

argùto agg. quick-witted, witty

argùzia s. f. 1 wit 2 (motto) witty remark

ària s. f. 1 air 2 (aspetto) look, (espressione) expression 3 (mus.) tune, air, (di opera) aria ♦ **a. condizionata** air conditioned; **camera d'a.** inner tube; **darsi delle arie** to give oneself airs

àrido agg. dry, arid

arieggiàre v. tr. to air, to ventilate

arìete s. m. 1 ram 2 (astr.) Aries

arìnga s. f. herring

arióso agg. airy

aristocràtico A agg. aristocratic(al) B s. m. aristocrat

aristocrazìa s. f. aristocracy

aritmètica s. f. arithmetic

arlecchìno agg. e s. m. harlequin

àrma s. f. 1 arm, weapon 2 (mil.) force ♦ **porto d'armi** firearm licence

armàdio s. m. cupboard, wardrobe

armaméntario s. m. instruments pl.

armaménto s. m. 1 armament, arming 2 (naut.) rigging, equipment

armàre A v. tr. 1 to arm 2 (naut.) to rig, to fit out B v. rifl. to arm oneself

armàta s. f. army

armatóre s. m. shipowner

armatùra s. f. 1 (mil.) armour 2 (telaio) framework

armeggiàre v. intr. 1 (affaccendarsi) to bustle, to fuss 2 (intrigare) to intrigue

armerìa s. f. armoury

armistìzio s. m. armistice

armonìa s. f. harmony

armònico agg. harmonic

armonióso agg. harmonious

armonizzàre v. tr. e intr. pron. to harmonize

arnése s. m. 1 (attrezzo) tool, implement 2 (aggeggio) gadget, contraption, thing

àrnia s. f. hive

aròma s. m. 1 aroma, fragrance 2 (cuc.) spice

aromàtico agg. aromatic

àrpa s. f. harp

arpìa s. f. harpy

arpióne s. m. harpoon

arrabbiàrsi v. intr. pron. to get angry

arrabbiàto agg. angry

arraffàre v. tr. to snatch

arrampicàrsi v. intr. pron. to scramble (up), to climb (up)

arrampicàta s. f. climb

arrancàre v. intr. to hobble, to trudge

arrangiàre A v. tr. to arrange B v. intr. pron. 1 to manage, to do the best one can 2 (accordarsi) to come to an agreement 3 (accomodarsi) to make oneself comfortable

arrecàre v. tr. 1 (portare) to bring 2 (causare) to cause

arredaménto s. m. 1 furnishing, fitting out, interior decoration 2 (mobili) furniture, furnishings pl.

arredàre v. tr. to furnish

arredatóre s. m. interior decorator

arrèdo s. m. furnishings pl., furniture

arrèndersi v. rifl. 1 to surrender 2 (fig.) to give up

arrestàre A v. tr. 1 (fermare) to stop, to halt 2 (trarre in arresto) to arrest B v. rifl. to stop, to pause

arrèsto s. m. 1 (fermata) stop, halt, arrest 2 (dir., mil.) arrest

arretràre A v. tr. to withdraw B v. intr. to draw back

arretràto A agg. 1 behind, back, rear B (sottosviluppato) backward, underdeveloped B s. m. arrear ♦ **numero a.** back number

arricchire A v. tr. to enrich B v. rifl. e intr. pron. to become rich, to grow rich

arricciàre A v. tr. to curl B v. intr. pron. to become curly ♦ **a. il naso** to turn up one's nose

arrìnga s. f. 1 harangue 2 (dir.) pleading

arrivàre v. intr. 1 to arrive (at, in), to get (to), to reach, to come (to) 2 (giungere a) to go as far as, to go so far as, to be reduced to 3 (riuscire) to manage, to be able 4 (avere successo) to attain success 5 (accadere) to happen

arrivàto agg. successful

arrivedérci inter. goodbye, see you soon, see you later

arrivìsta s. m. e f. careerist, (pop.) go-getter

arrìvo s. m. 1 arrival 2 (sport) finish, finishing line

arrogànte agg. arrogant

arrossaménto s. m. reddening

arrossire v. intr. to blush

arrostire v. tr. to roast, (su graticola) to broil, to grill

arròsto agg. e s. m. roast

arrotàre v. tr. to sharpen

arrotolàre v. tr. to roll up

arrotondàre v. tr. 1 to round 2 (fig.) to round off

arrovellàrsi v. rifl. to strive, to work oneself up into a rage ♦ **a. il cervello** to rack one's brains

arrugginire v. tr., intr. e intr. pron. to rust

arruolàre A v. tr. to recruit, to enlist B v. rifl. to join up, to enlist

arsenàle s. m. 1 (naut.) shipyard, dockyard 2 (mil.) arsenal

àrso agg. 1 (bruciato) burnt 2 (riarso) dry

arsùra s. f. 1 (caldo) scorching heat 2 (sete) burning thirst

àrte s. f. art ♦ **belle arti** fine arts

artefàtto agg. adulterated

artéfice s. m. artificer, maker

artèria s. f. artery

arterioscleròsi s. f. arteriosclerosis

arteriòso agg. arterial

àrtico agg. arctic

articolàre (1) agg. articular

articolàre (2) A v. tr. 1 to articulate 2 (proferire) to utter 3 (fig.) to subdivide B v. rifl. 1 to articulate 2 (fig.) to be divided (into)

articolazióne s. f. articulation

artìcolo s. m. 1 (gramm.) article 2 (di giornale) article 3 (comm.) item, article

artificiàle agg. artificial

artifìcio s. m. artifice, device, stratagem ♦ **fuochi d'a.** fireworks

artigianàto s. m. handicraft, (prodotti) handicrafts

artigiàno s. m. artisan, craftsman

artiglierìa s. f. artillery

artìglio s. m. claw

artìsta s. m. e f. artist

artìstico agg. artistic

àrto s. m. 1 (anat.) limb 2 (zool.) arm

artrìte s. f. arthritis

artròsi s. f. arthrosis

arzìllo agg. lively, sprightly

ascèlla s. f. armpit

ascendènte A agg. ascendant, rising B s. m. 1 (influenza) ascendency, influence 2 (astr.) ascendant 3 (antenato) ancestor

ascensióne s. f. ascension, ascent

ascensóre s. m. lift, (USA) elevator

ascésa s. f. ascent

ascèsso s. m. abscess

ascetìsmo s. m. asceticism

àscia s. f. axe

asciugacapélli s. m. inv. hairdryer

asciugamàno s. m. towel

asciugàre A v. tr. to dry, to wipe B v. rifl. to dry oneself, to wipe oneself C v. intr. pron. to dry up, to get dry

asciugatùra s. f. drying

asciùtto agg. 1 dry 2 (fig.) brusque, curt 3 (magro) thin

ascoltàre v. tr. 1 to listen to 2 (dare retta) to pay attention to

ascoltatóre s. m. listener, pl. audience

ascólto s. m. listening ♦ **stare in a.** to be listening

asfaltàre v. tr. to asphalt

asfàlto s. m. asphalt

asfissiàre A v. tr. 1 to asphyxiate, to suffocate 2 (fig.) to bore B v. intr. to suffocate

asiàtico agg. e s. m. Asiatic, Asian

asìlo s. m. 1 (d'infanzia) kindergarten, nursery school 2 (rifugio) shelter, asylum

asimmètrico agg. asymmetric

àsino s. m. ass, donkey

àsma s. f. o m. asthma

asmàtico agg. e s. m. asthmatic

àsola *s. f.* buttonhole

aspàrago *s. m.* asparagus, (*pop.*) sparrow-grass

aspettàre *v. tr.* **1** to wait for, to await, to expect, be looking forward **2** (*prevedere*) to expect ♦ **a. un bambino** to expect a baby

aspettatìva *s. f.* **1** (*attesa*) wait **2** (*speranza*) expectation, hope **3** (*congedo*) leave (*of absence*)

aspètto *s. m.* **1** appearance, look, aspect **2** (*punto di vista*) side, point of view

aspirànte A *agg.* **1** aspiring **2** (*mecc.*) sucking **B** *s. m.* aspirant, applicant, candidate

aspirapólvere *s. m. inv.* vacuum cleaner

aspiràre A *v. tr.* **1** to breathe in, to inhale **2** (*mecc.*) to suck **3** (*fon.*) to aspirate **B** *v. intr.* to aspire

aspiratóre *s. m.* aspirator

aspirìna *s. f.* aspirin

asportàre *v. tr.* to remove, to carry away, to take away

àspro *agg.* **1** sour, tart **2** (*fig.*) harsh, rough

assaggiàre *v. tr.* to taste, to try

assàggio *s. m.* **1** tasting **2** (*piccola quantità*) taste **3** (*campione*) sample

assài *avv.* **1** (*molto*) much, very **2** (*a sufficienza*) enough **3** (*in funzione di agg.*) a lot of, many

assalìre *v. tr.* to assail, to attack

assàlto *s. m.* assault, attack

assassinàre *v. tr.* to murder, to assassinate

assassìnio *s. m.* murder, assassination

assassìno A *agg.* murderous **B** *s. m.* murderer, assassin

àsse (1) *s. f.* board

àsse (2) *s. m.* **1** (*scient.*) axis **2** (*mecc.*) axle

assediàre *v. tr.* to besiege

assèdio *s. m.* siege

assegnàre *v. tr.* to assign, to allot, to award

asségno *s. m.* **1** (*banca*) cheque, (*USA*) check **2** (*contributo*) allowance ♦ **a. in bianco** blank cheque; **a. a vuoto** uncovered cheque

assemblèa *s. f.* assembly, meeting

assènso *s. m.* assent

assentàrsi *v. intr. pron.* to go away, to absent oneself

assènte A *agg.* absent **B** *s. m. e f.* absentee

assènza *s. f.* absence

assestàre A *v. tr.* **1** to arrange, to settle **2** (*un colpo*) to deal **B** *v. rifl.* to settle

(down)

assetàto *agg.* thirsty

assètto *s. m.* **1** order, arrangement, disposition **2** (*naut., aer*) trim

assicuràre A *v. tr.* **1** (*garantire, mettere al sicuro*) to assure, to secure, to ensure, to guarantee **2** (*fissare*) to fasten, to secure **3** (*fare un'assicurazione*) to insure **B** *v. rifl.* **1** (*accertarsi*) to make sure **2** (*legarsi*) to fasten oneself **3** (*fare un'assicurazione*) to insure oneself, to take out an insurance

assicurazióne *s. f.* **1** assurance **2** (*dir*) insurance ♦ **a. sulla vita** life insurance; **a. contro l'incendio** fire insurance

assideraménto *s. m.* frostbite

assìduo *agg.* assiduous

assième *avv.* → **insieme**

assillàre *v. tr.* to pester, to bother

assistènte *s. m. e f.* assistant

assistènza *s. f.* **1** (*presenza*) presence, attendance **2** (*aiuto*) help, assistance, aid **3** (*comm.*) service **4** (*beneficenza*) welfare

assìstere A *v. tr.* **1** to assist, to help **2** (*curare*) to treat, to look after **B** *v. intr.* to be present, to attend

àsso *s. m.* ace

associàre A *v. tr.* **1** to associate, to combine **2** (*fare socio*) to take into partnership **B** *v. rifl.* **1** to join **2** (*diventare membro*) to become a member **3** (*diventare socio*) to enter into partnership

associazióne *s. f.* association

assoggettàre *v. tr.* to subject, to subdue

assolàto *agg.* sunny

assoldàre *v. tr.* to recruit, to engage

assólo *s. m.* solo

assolutaménte *avv.* absolutely

assolùto *agg.* absolute

assoluzióne *s. f.* **1** (*dir*) acquittal, discharge **2** (*relig.*) absolution

assòlvere *v. tr.* **1** (*dir*) to acquit, to discharge **2** (*relig.*) to absolve **3** (*compiere*) to accomplish, to perform

assomigliàre A *v. intr.* to resemble, to be like **B** *v. rifl. rec.* to resemble each other, to be alike

assonnàto *agg.* sleepy

assopìrsi *v. intr. pron.* **1** to doze off **2** (*calmarsi*) to cool down

assorbènte *agg. e s. m.* absorbent ♦ **a. igienico** sanitary towel

assorbiménto *s. m.* absorption

assorbìre *v. tr.* to absorb

assordànte *agg.* deafening

assordàre v. tr. to deafen
assortiménto s. m. assortment
assortìto agg. **1** assorted **2** (accoppiato) matched
assòrto agg. absorbed, engrossed
assottigliàre A v. tr. **1** to thin, to make thin **2** (ridurre) to reduce, to diminish **B** v. intr. pron. **1** to grow thin **2** (ridursi) to diminish, to be reduced
assuefàre A v. tr. to accustom **B** v. rifl. to get accustomed, to accustom oneself, to get used
assuefazióne s. f. **1** habit, inurement **2** (med.) tolerance, (dipendenza) addiction
assùmere v. tr. **1** to assume, to put on **2** (impegno, responsabilità) to undertake, to taken upon oneself **3** (in servizio) to engage, to take on, to employ **4** (ingerire) to take, to consume
assurdità s. f. absurdity
assùrdo A agg. absurd **B** s. m. absurdity
àsta s. f. **1** pole **2** (tecn.) rod, bar **3** (comm.) auction ♦ **salto con l'a.** pole-jumping; **vendere all'a.** to auction
astèmio A agg. abstemious, teetotal **B** s. m. teetotaller
astenérsi v. rifl. to abstain, to refrain
asterìsco s. m. asterisk
àstice s. m. lobster
asticèlla s. f. little bar, (per salto in alto) crossbar
astigmàtico agg. astigmatic
astinènza s. f. abstinence
àstio s. m. rancour
astràgalo s. m. **1** (anat., bot.) astragalus **2** (arch.) astragal
astrattìsmo s. m. abstractionism
astrattìsta s. m. e f. abstractionist, abstract artist
astràtto agg. e s. m. abstract
astringènte agg. e s. m. astringent
àstro s. m. **1** star, celestial body **2** (fig.) star
astrofìsica s. f. astrophysics pl. (v. al sing.)
astrolàbio s. m. astrolabe
astrologìa s. f. astrology
astrològico agg. astrologic
astròlogo s. m. astrologer
astronàuta s. m. e f. astronaut
astronàutico agg. astronautical
astronàve s. f. spaceship
astronomìa s. f. astronomy
astronòmico agg. astronomical
astrònomo s. m. astronomer
astùccio s. m. case, box

astùto agg. astute, shrewd, cunning
astùzia s. f. **1** astuteness, shrewdness **2** (azione) trick, stratagem
atàvico agg. atavic
ateìsmo s. m. atheism
atenèo s. m. university
àteo A agg. atheistic **B** s. m. atheist
atìpico agg. atypic(al)
atlànte s. m. atlas
atlàntico agg. Atlantic
atlèta s. m. e f. athlete
atlètica s. f. athletics pl. (v. al sing.)
atlètico agg. athletic
atmosfèra s. f. atmosphere
atmosfèrico agg. atmospheric(al)
atòllo s. m. atoll
atòmico agg. atomic
àtomo s. m. atom
àtrio s. m. **1** entrance hall, lobby **2** (anat.) atrium
atróce agg. atrocious, terrible
attaccaménto s. m. attachment
attaccànte s. m. (sport) forward
attaccapànni s. m. (clothes) peg, hook, (gruccia) hanger
attaccàre A v. tr. **1** (unire) to attach, to fasten, to tie **2** (appiccicare) to stick, to glue **3** (appendere) to hang **4** (assalire) to attack, to assail **5** (iniziare) to begin, to start, (iniziare a suonare) to strike up **6** (contagiare) to infect, to pass on **B** v. intr. **1** (aderire) to stick **2** (far presa) to catch on **C** v. rifl. **1** (appigliarsi) to cling **2** (affezionarsi) to become attached
attàcco s. m. **1** (mil.) attack, assault **2** (med.) attack, fit **3** (punto di unione) junction, connection **4** (avvio) opening, beginning **5** (fig.) attack **6** (per sci) fastening, binding
atteggiaménto s. m. attitude, pose
attempàto agg. elderly
attendàrsi v. intr. pron. to camp
attèndere A v. tr. to wait for, to await **B** v. intr. **1** (aspettare) to wait **2** (dedicarsi) to attend
attendìbile agg. reliable
attenérsi v. rifl. to keep to
attentaménte avv. attentively, carefully
attentàre v. intr. to attempt, to make an attempt
attentàto s. m. attempt, outrage
attènto agg. attentive, careful ♦ **a.!** take care!, be careful!
attenuànte A agg. extenuating **B** s. f. ex-

tenuating circumstance

attenuàre *v. tr.* **1** to attenuate, to mitigate **2** (*diminuire la gravità di*) to extenuate

attenzióne *s. f.* **1** attention, care **2** *al pl.* (*premure*) kindness ♦ **a.!** take care!, be careful!; **fare a.** to take care, to be careful, to look out; **prestare a. a qc.** to pay attention to sb.

atterràggio *s. m.* landing ♦ **pista d'a.** landing strip

atterràre A *v. tr.* to knock down **B** *v. intr.* to land

atterrìre A *v. tr.* to terrify **B** *v. intr. pron.* to be terrified

attésa *s. f.* **1** wait, waiting **2** *al pl.* (*aspettativa*) expectation ♦ **lista d'a.** waiting list

attéso *agg.* **1** waited for, awaited **2** (*desiderato*) longed for

attestàto *s. m.* **1** certificate **2** (*prova*) proof, (*segno*) sign

àttico *s. m.* attic

attìguo *agg.* adjoining, adjacent, next (to)

attillàto *agg.* close-fitting, tight

àttimo *s. m.* moment

attinènte *agg.* relating, concerning

attìngere *v. tr.* **1** to draw **2** (*ricavare*) to get

attiràre *v. tr.* to attract, to draw

attitùdine *s. f.* aptitude

attivàre *v. tr.* to activate, to start up

attività *s. f.* **1** activity **2** (*lavoro*) occupation, job

attìvo A *agg.* active **B** *s. m.* **1** (*comm.*) assets *pl.* **2** (*gramm.*) active form

attizzàre *v. tr.* to poke

àtto *s. m.* **1** act, action, deed **2** (*atteggiamento*) attitude, (*gesto*) gesture, (*segno*) sign **3** (*teatro*) act **4** (*attestato*) certificate, document, (*dir*) deed **5** *al pl.* (*di congresso, assemblea*) proceedings *pl.*, records *pl.* ♦ **all'a. del pagamento/della consegna** on payment/delivery; **a. di vendita** bill of sale; **mettere a. q.c.** to carry out st.

attònito *agg.* astonished, amazed

attorcigliàre *v. tr. e rifl.* to twist, to twine

attóre *s. m.* actor

attórno A *avv.* about, around, round **B** *prep.* **a. a** about, around, round

attraccàre *v. tr. e intr.* to moore, to berth, to dock

attràcco *s. m.* mooring, berthing, docking

attraènte *agg.* attractive

attràrre *v. tr.* to attract

attrattìva *s. f.* attraction

attraversaménto *s. m.* crossing ♦ **a. pedonale** pedestrian crossing

attraversàre *v. tr.* to cross, to go through

attravèrso A *avv.* through **B** *prep.* **1** through, across **2** (*tempo*) over

attrazióne *s. f.* attraction

attrezzàre *v. tr.* **1** to equip, to fit out **2** (*naut.*) to rig

attrezzatùra *s. f.* **1** equipment, outfit **2** (*naut.*) rigging

attrézzo *s. m.* tool, implement

attribuìbile *agg.* attributable

attribuìre *v. tr.* **1** to attribute, to ascribe **2** (*assegnare*) to assign, to award

attribùto *s. m.* attribute

attrìce *s. f.* actress

attrìto *s. m.* friction

attuàle *agg.* **1** present, current **2** (*di attualità*) topical

attualità *s. f.* **1** topicality, up-to-dateness **2** *al pl.* (*fatti recenti*) current events *pl.*, up-to-date news

attualménte *avv.* at present

attuàre A *v. tr.* to carry out, to put into effect **B** *v. intr. pron.* to come true

attutìre A *v. tr.* to appease, to deaden **B** *v. intr. pron.* to become appeased, to calm down, to become deadened

audàce *agg.* **1** bold, audacious **2** (*arrischiato*) risky, rash **3** (*provocante*) daring, bold

audàcia *s. f.* audacity, daring, boldness

àudio *s. m. inv.* sound, audio

audiovisìvo *agg.* audiovisual

audizióne *s. f.* (*teatro*) audition

àuge *s. f.* height ♦ **essere in a.** to enjoy great favour

auguràre *v. tr.* to wish

augùrio *s. m.* **1** wish **2** (*presagio*) omen ♦ **i migliori auguri** best wishes

àula *s. f.* **1** hall, room **2** (*di tribunale*) courtroom **3** (*di scuola*) classroom

àulico *agg.* **1** aulic **2** (*solenne*) solemn, stately

aumentàre A *v. tr.* to increase, to raise, to augment **B** *v. intr.* to increase, to grow, to rise

auménto *s. m.* **1** increase, addition **2** (*rialzo*) rise

àureo *agg.* **1** (*d'oro*) gold (*attr*) **2** (*dorato, fig.*) golden

auréola *s. f.* halo

auricolàre A *agg.* auricular **B** *s. m.* earphone

auriga *s. m.* charioteer

auròra *s. f.* dawn ♦ **a. boreale** aurora borealis

ausiliàre *agg.* auxiliary

ausiliàrio *agg.* auxiliary

auspicàbile *agg.* desirable

auspìcio *s. m.* **1** auspice, omen **2** (*protezione*) patronage

austerità *s. f.* austerity

austéro *agg.* austere

austràle *agg.* austral

australiàno *agg. e s. m.* Australian

austrìaco *agg. e s. m.* Austrian

autenticàre *v. tr.* to authenticate

autenticità *s. f.* authenticity

autèntico *agg.* authentic, genuine

autìsta *s. m. e f.* driver, (*privato*) chauffeur

àuto *abbr. di →* **automobile**

autoabbronzànte *agg.* self-tanning

autoadesìvo *agg.* self-adhesive

autobiografìa *s. f.* autobiography

autobiogràfico *agg.* autobiographic(al)

autoblìndo *s. m.* armoured car

autobótte *s. f.* tanker, tank lorry, (*USA*) tank truck

àutobus *s. m. bus* ♦ **a. a due piani** double-decker

autocàrro *s. m.* lorry, (*USA*) truck

autodidàtta *s. m. e f.* self-taught person, autodidact

autodifésa *s. f.* self-defence

autòdromo *s. m.* autodrome, circuit

autofilettànte *agg.* self-threading

autofurgóne *s. m.* van

autogól *s. m. inv.* own-goal

autògrafo **A** *agg.* autographical **B** *s. m.* autograph

autogrìll *s. m.* motorway restaurant

autogrù *s. f.* breakdown lorry, (*USA*) tow truck

autolìnea *s. f.* bus-line

autòma *s. m.* automaton

automàtico *agg.* automatic

automazióne *s. f.* automation

automèzzo *s. m.* motor vehicle

automòbile *s. f.* car

automobilìsta *s. m. e f.* (car) driver, motorist

automobilìstico *agg.* motor (*attr*)

autonoléggio *s. m.* car hire, car rental

autonomìa *s. f.* **1** autonomy, self-government **2** (*fig.*) freedom, independence **3** (*aer., naut.*) range

autònomo *agg.* autonomous

autopilòta *s. m.* autopilot

autopsìa *s. f.* autopsy

autoràdio *s. f. inv.* car radio

autóre *s. m.* author

autorespiratóre *s. m.* aqualung, scuba

autorévole *agg.* authoritative

autoriméssa *s. f.* garage

autorità *s. f.* authority

autoritarìsmo *s. m.* authoritarianism

autoritràtto *s. m.* self-portrait

autorizzàre *v. tr.* to authorize

autorizzazióne *s. f.* **1** authorization, warrant **2** (*documento*) permit

autoscàtto *s. m.* self-timer

autoscuòla *s. f.* driving school

autostòp *s. m. inv.* hitchhiking ♦ **fare l'a.** to hitchhike

autostoppìsta *s. m. e f.* hitchhiker

autostràda *s. f.* motorway, (*USA*) speedway, expressway

autostradàle *agg.* motorway (*attr*)

autosufficiènte *agg.* self-sufficient

autotrèno *s. m.* lorry with trailer, (*USA*) trailer truck

autoveìcolo *s. m.* motor vehicle

autovettùra *s. f.* motor car

autunnàle *agg.* autumnal

autùnno *s. m.* autumn, (*USA*) fall

avambràccio *s. m.* forearm

avampósto *s. m.* outpost

avanguàrdia *s. f.* vanguard, avant-garde

avànti *avv.* **1** (*di luogo*) forward, ahead, in front **2** (*di tempo*) before, forward, on ♦ **a.!** come in!; **a. e indietro** to and fro; **d'ora in a.** from now on

avantrèno *s. m.* forecarriage

avanzaménto *s. m.* **1** advancement, progress **2** (*promozione*) promotion

avanzàre **A** *v. tr.* to advance, to put forward, to present **B** *v. intr.* **1** to advance, to go forward **2** (*restare*) to be left

avanzàta *s. f.* advance

avànzo *s. m.* remainder, (*di cibo*) left-overs *pl.*

avarìa *s. f.* breakdown, damage, average

avàro *agg.* mean, miserly, stingy

avéna *s. f.* oats *pl.*

avére **A** *v. aus.* to have **B** *v. tr.* **1** (*possedere, tenere*) to have (got) **2** (*indossare*) to have on, to wear **3** (*ottenere, prendere, ricevere*) to get **4** (*provare, sentire*) to feel **5 a. da** (*dovere*) to have to ♦ **a. fame/sete** to be hungry/thirsty; **quanti ne abbiamo oggi?** what's the date today?

aviazióne s. f. aviation, (arma) Air Force
avicoltùra s. f. aviculture
avidità s. f. avidity
àvido agg. avid
avifàuna s. f. avifauna
àvo s. m. 1 (nonno) grandfather 2 al pl. ancestors
avocàdo s. m. inv. avocado
avòrio s. m. ivory
avvallaménto s. m. sinking, subsidence
avvaloràre v. tr. to convalidate
avvampàre v. intr. to flare up
avvantaggiàre A v. tr. to favour, to benefit B v. rifl. to take advantage
avvelenaménto s. m. poisoning
avvelenàre v. tr. to poison
avvenènte agg. attractive, charming
avveniménto s. m. event
avvenìre (1) s. m. future
avvenìre (2) v. intr. to happen
avvenirìstico agg. futuristic
avventàrsi v. rifl. to rush, to throw oneself
avventàto agg. rash, reckless
avventìzio agg. 1 temporary, occasional 2 (bot., dir) adventitious
avvènto s. m. advent, coming
avventùra s. f. 1 adventure 2 (sentimentale) affair, fling (fam.)
avventuràrsi v. rifl. to venture
avventurièro s. m. adventurer
avventuróso agg. adventurous
avveràrsi v. intr. pron. to come true
avvèrbio s. m. adverb
avversàrio A agg. opposing B s. m. opponent, adversary
avversióne s. f. aversion, dislike
avversità s. f. adversity
avvèrso agg. 1 (contrario) adverse, unfavourable, hostile 2 (che sente avversione) averse
avvertènza s. f. 1 (attenzione, cura) care, caution 2 (avvertimento) warning 3 al pl. instructions pl., directions pl. 4 (prefazione) preface, foreword
avvertiménto s. m. warning
avvertìre v. tr. 1 (avvisare) to inform, to advise, to point out 2 (ammonire) to warn

3 (percepire) to feel
avvézzo agg. accustomed, used
avviaménto s. m. start, starting
avviàre A v. tr. 1 (indirizzare) to direct 2 (iniziare) to begin, to start up 3 (metter in moto) to start up B v. intr. pron. to set out
avvicendàre v. tr. e rifl. rec. to alternate
avvicinàre A v. tr. 1 to bring near 2 (una persona) to approach B v. intr. pron. to come near, to approach
avvilìre A v. tr. 1 (scoraggiare) to dishearten 2 (degradare) to degrade B v. intr. pron. 1 (scoraggiarsi) to lose heart, to be disheartened 2 (degradarsi) to degrade oneself
avvincènte agg. engaging, charming
avvìncere v. tr. to attract, to charm
avvìo s. m. start
avvisàre v. tr. to inform, to advise
avvìso s. m. 1 announcement, notice 2 (avvertimento) warning 3 (opinione) opinion
avvistàre v. tr. to sight
avvitàre v. tr. to screw
avvizzìre v. intr. to wither
avvocàto s. m. lawyer
avvòlgere v. tr. 1 to wrap up 2 (arrotolare) to wind, to roll up
avvoltóio s. m. vulture
azalèa s. f. azalea
aziènda s. f. firm, business, company, establishment ♦ **a. agricola** farm
azionàre v. tr. to operate, to set in motion, to drive
azióne s. f. 1 action, (atto) act 2 (fin.) share
azionìsta s. m. e f. shareholder
azòto s. m. azote
azzannàre v. tr. to snap
azzardàre A v. tr. to hazard, to risk B v. intr. pron. to dare, to risk
azzàrdo s. m. hazard, risk ♦ **gioco d'a.** game of chance
azzeccàre v. tr. 1 (centrare) to hit, to strike 2 (indovinare) to guess
azzeràre v. tr. to set to zero
azzoppàrsi v. intr. pron. to become lame
azzuffàrsi v. rifl. e rifl. rec. to come to blows
azzùrro agg. e s. m. blue

B

babbèo s. m. fool, simpleton
bàbbo s. m. father, dad, daddy
babbùccia s. f. slipper
babilonése agg. e s. m. e f. Babylonian
baby-sitter s. f. e m. baby-sitter ♦ **fare la/il b.-s.** to baby-sit
bacàto agg. 1 worm-eaten, maggoty 2 (marcio) rotten
bàcca s. f. berry
baccalà s. m. dried salted cod
baccàno s. m. row, clamour
baccèllo s. m. pod
bacchétta s. f. 1 stick, rod 2 (di direttore d'orchestra) baton ♦ **b. magica** magic wand
bacchettóne s. m. bigot
bachèca s. f. notice board
baciàre A v. tr. to kiss B v. rifl. rec. to kiss each other
bacìllo s. m. bacillus
bacinèlla s. f. basin
bacìno s. m. 1 basin 2 (anat.) pelvis 3 (naut.) dock 4 (geol.) field
bàcio s. m. kiss
bàco s. m. worm ♦ **b. da seta** silkworm
bacùcco agg. decrepit
badàre v. intr. 1 (fare attenzione) to be careful, to pay attention, to mind 2 (prendersi cura) to look after
badìa s. f. abbey
badìle s. m. shovel
bàffo s. m. 1 moustache 2 (di animale) whiskers pl.
bagagliàio s. m. 1 (ferr.) luggage van, (USA) baggage car 2 (autom.) boot, (USA) trunk
bagàglio s. m. luggage, (USA) baggage ♦ **b. a mano** hand-luggage; **deposito bagagli** left-luggage office, checkroom; **fare/disfare i bagagli** to pack/to unpack
bagarìno s. m. tout, (USA) scalper
baglióre s. m. flash, glare
bagnànte s. m. e f. bather
bagnàre A v. tr. 1 to wet, (immergere) to dip, (inzuppare) to soak, (inumidire) to moisten, (spruzzare) to sprinkle 2 (annaffiare) to water 3 (di fiume) to flow through, (di mare) to wash B v. rifl. 1 to get wet 2 (fare il bagno) to bathe

bagnàto agg. wet
bagnìno s. m. bathing-attendant
bàgno s. m. 1 bath, (in mare) bathe 2 (stanza) bathroom, toilet ♦ **fare il b.** (in vasca) to take a bath, (al mare) to go swimming; **mettere a b.** to soak
bagnomarìa s. m. bain-marie
bagnoschiùma s. m. bubble bath
bàia s. f. bay
baionétta s. f. bayonet
balaùstra s. f. balustrade
balbettàre v. tr. e intr. to stammer, to stutter
balbuziènte s. m. e f. stammerer, stutterer
balconàta s. f. balcony
balcóne s. m. balcony
baldacchìno s. m. baldachin, canopy
baldànza s. f. self-confidence, boldness
baldòria s. f. merrymaking, good time
balèna s. f. whale ♦ **caccia alla b.** whaling
balenàre v. intr. 1 (impers.) to lighten 2 to flash
balenièra s. f. whaling ship, whaler
balèno s. m. lightning, flash ♦ **in un b.** in a flash
balèstra s. f. 1 crossbow 2 (mecc.) leaf spring
bàlia s. f. wet nurse
ballàre v. tr. e intr. to dance
ballàta s. f. ballad
ballerìna s. f. dancer, (classica) ballerina, ballet dancer
ballerìno s. m. dancer, (classico) ballet dancer
ballétto s. m. ballet
bàllo s. m. 1 dance, dancing 2 (festa) ball ♦ **corpo di b.** corps de ballet; **essere in b.** to be involved in st.
ballottàggio s. m. second ballot
balneàre agg. bathing (attr)
balòcco s. m. toy
balórdo agg. stupid, foolish
balsàmico agg. balsamic
bàlsamo s. m. balm, balsam
baluàrdo s. m. bulwark
bàlza s. f. 1 crag 2 (di vestito) frill
balzàre v. intr. to leap, to jump, to bounce
bàlzo s. m. leap, jump, bound
bambàgia s. f. cotton wool

bambìna s. f. child, baby-girl, little girl

bambinàia s. f. nursemaid

bambìno s. m. child, baby, little boy, kid

bàmbola s. f. doll

bambù s. m. bamboo

banàle agg. banal, commonplace, trivial

banàna s. f. banana

bànca s. f. bank ♦ **a mezzo b.** by banker; **b. dati** data bank; **conto in b.** bank account

bancarèlla s. f. stall

bancàrio A agg. banking, bank (attr) B s. m. bank clerk ♦ **assegno b.** cheque

bancarótta s. f. bankruptcy ♦ **fare b.** to go bankrupt

banchétto s. m. banquet

banchière s. m. banker

banchìna s. f. 1 (naut.) quay, wharf, pier 2 (ferr) platform 3 (strada) shoulder, verge

banchìsa s. f. ice pack

bànco s. m. 1 (panca) bench, (di scuola) desk, (di chiesa) pew 2 (di negozio) counter, (di mercato) stall, stand 3 (da lavoro) table, work bench 4 (geogr) bank ♦ **b. di corallo** coral reef; **b. di sabbia** sandbar

bàncomat s. m. inv. cash dispenser

banconòta s. f. banknote, (USA) bill

bànda (1) s. f. 1 (di armati) band, gang 2 (di suonatori) band

bànda (2) s. f. 1 (striscia) band, stripe 2 (fis., elettr) band

banderuòla s. f. weathercock, vane

bandièra s. f. flag, banner

bandìre v. tr. 1 to proclaim, to advertise 2 (esiliare) to exile, to banish 3 (metter da parte) to dispense with

bandìto s. m. bandit, outlaw

banditóre s. m. 1 (stor) (public) crier 2 (asta) auctioneer

bàndo s. m. 1 ban 2 (esilio) banishment 3 (annuncio pubblico) proclamation, announcement

bàndolo s. m. end of a skein

bar s. m. inv. bar

baràcca s. f. 1 hut, shed, hovel 2 (oggetto) junk

baraónda s. f. hubbub

baràre v. intr. to cheat

bàratro s. m. chasm

barattàre v. tr. to barter, to swap

baràtto s. m. barter

baràttolo s. m. jar, pot, (di latta) tin, can

bàrba s. f. 1 beard 2 (fam.) (noia) bore ♦ **b. e capelli** shave and haircut; **che b.!** what a bore!; **farsi la b.** to shave; **in b. a** in spite of

barbabiètola s. f. 1 beetroot 2 (da zucchero) sugar beet

barbacàne s. m. barbican

barbàrico agg. barbaric, barbarian

bàrbaro A agg. barbarous, barbaric B s. m. barbarian

barbecue s. m. inv. barbecue

barbière s. m. barber, (negozio) barber's shop

barbitùrico s. m. barbiturate

barbóne s. m. 1 (barba) long beard 2 (vagabondo) tramp 3 (zool.) poodle

barbóso agg. (fam.) boring

barbùto agg. bearded

bàrca s. f. boat ♦ **b. a motore** motor boat; **b. a remi** row boat; **b. a vela** sailing boat

barcaiòlo s. m. boatman

barcollàre v. intr. to stagger

barèlla s. f. stretcher

barìle s. m. barrel, cask

barìsta s. m. e f. barman m., barmaid f.

barìtono s. m. baritone

barlùme s. m. glimmer, gleam

bàro s. m. cardsharper

baròcco agg. e s. m. Baroque

baròmetro s. m. barometer

baróne s. m. baron

baronéssa s. f. baroness

bàrra s. f. 1 bar 2 (naut.) helm, tiller 3 (segno) stroke

barricàre v. tr. e rifl. to barricade (oneself)

barricàta s. f. barricade

barrièra s. f. barrier

barùffa s. f. brawl, quarrel

barzellétta s. f. joke

basàre A v. tr. to base, to found B v. rifl. to base oneself, to be founded

bàsco A agg. Basque B s. m. 1 Basque 2 (berretto) beret

bàse A s. f. base, (fig.) basis B agg. basic, base (attr)

basétta s. f. sideburns pl.

basilàre agg. basic, fundamental

basìlica s. f. basilica

basìlico s. m. basil

bàsso A agg. 1 low 2 (di statura) short 3 (di spessore) thin 4 (di acqua) shallow 5 (di suono) low, soft 6 (geogr) southern, lower B s. m. 1 lower part, bottom 2 (mus.) bass

bassofóndo *s. m.* shallow(s), shoal

bassopiàno *s. m.* lowland

bassorilièvo *s. m.* bas-relief, basso-rilievo

bàsta *inter.* (that's) enough!, that will do!

bastànte *agg.* sufficient, enough

bastàrdo *agg.* **1** bastard, illegitimate **2** (*bot., zool.*) underbred, crossbred

bastàre *v. intr.* **1** to be sufficient, to be enough, to suffice **2** (*durare*) to last

bastiménto *s. m.* vessel, ship

bastióne *s. m.* bastion, rampart

bàsto *s. m.* pack-saddle

bastonàre *v. tr.* to beat, to thrash

bastoncìno *s. m.* rod, small stick ◆ **b. da sci** ski pole

bastóne *s. m.* stick

batòsta *s. f.* blow

battage *s. m. inv.* campaign

battàglia *s. f.* battle, fight

battaglióne *s. m.* battalion

battéllo *s. m.* boat ◆ **b. a vapore** steamer; **b. di salvataggio** lifeboat

battènte *s. m.* (*di porta*) leaf, (*di finestra*) shutter

bàttere **A** *v. tr.* **1** to beat, to strike, to hit **2** (*sconfiggere*) to beat, to overcome **3** (*a macchina*) to type **4** (*moneta*) to mint **5** (*bandiera*) to fly **B** *v. intr.* **1** to beat, to knock **2** (*pulsare*) to beat **3** (*prostituirsi*) to walk the streets **C** *v. intr. pron.* to fight, (*in duello*) to duel

batterìa *s. f.* **1** battery **2** (*mus.*) drums *pl.*

battèrio *s. m.* bacterium

battesimàle *agg.* baptismal

battésimo *s. m.* baptism ◆ **nome di b.** Christian/first name

battezzàre *v. tr.* **1** to baptize, to christen **2** (*soprannominare*) to nickname

batticuòre *s. m.* heartthrob, palpitation

battimàni *s. m. inv.* (hand-)clapping, applause

battistèro *s. m.* baptistery

battistràda *s. m. inv.* **1** outrider **2** (*di pneumatico*) tread ◆ **b. liscio** smooth tread

battitappéto *s. m.* carpet cleaner

bàttito *s. m.* **1** beating **2** (*cardiaco*) heartbeat, pulsation **3** (*d'ali*) wingbeat

battùta *s. f.* **1** blow, beat, beating **2** (*di caccia*) hunting **3** (*tip.*) stroke, character **4** (*mus.*) beat, bar **5** (*teatro*) cue **6** (*frase spiritosa*) quip, witticism **7** (*tennis*) service **8** (*rastrellamento*) round-up

batùffolo *s. m.* flock

baùle *s. m.* **1** trunk **2** (*autom.*) boot, (*USA*) trunk

bàva *s. f.* slaver, dribble ◆ **b. di vento** breath

bavaglìno *s. m.* bib

bavàglio *s. m.* gag

bàvero *s. m.* collar

bazzècola *s. f.* trifle

bazzicàre *v. tr. e intr.* to frequent

beàto *agg.* **1** (*relig.*) blessed **2** happy, blissful ◆ **b. te!** lucky you!

beccàccia *s. f.* woodcock

beccaccìno *s. m.* snipe

beccàre **A** *v. tr.* **1** to peck **2** (*fam.*) (*buscare*) to catch, to get **B** *v. rifl. rec.* **1** to peck each other **2** (*litigare*) to squabble

beccheggiàre *v. intr.* to pitch

becchìno *s. m.* gravedigger, sexton

bécco *s. m.* **1** beak, bill **2** (*di bricco*) lip, spout

befàna *s. f.* **1** Befana, (*Epifania*) Epiphany **2** (*donna vecchia e brutta*) ugly old woman

bèffa *s. f.* **1** joke, cheat **2** (*scherno*) mockery

beffàrdo *agg.* mocking

beffàre **A** *v. tr.* to mock **B** *v. rifl.* to scoff at, to make fun of

bèga *s. f.* **1** quarrel, dispute **2** (*problema*) trouble, problem

begònia *s. f.* begonia

beige *agg. e s. m. inv.* beige

belàre *v. intr.* to bleat, to baa

bèlga *agg. e s. m. e f.* Belgian

bèlla *s. f.* **1** (*donna bella*) beauty, belle **2** (*fidanzata*) girlfriend **3** (*sport*) decider, (*a carte*) final game **4** (*bella copia*) fair copy

bellézza *s. f.* beauty, loveliness, good looks *pl.*, (*di uomo*) handsomeness

bèllico *agg.* war (*attr*)

bellicóso *agg.* warlike, combative

bèllo **A** *agg.* **1** beautiful, fine, lovely **2** (*di uomo*) handsome, good-looking **3** (*di tempo*) fine, nice, good **4** (*elegante*) smart **5** (*gentile*) fine, kind **6** (*piacevole*) nice, pleasant **B** *s. m.* **1** the beautiful, beauty **2** (*tempo*) fine weather **3** (*innamorato*) boyfriend

bélva *s. f.* wild beast

belvedére *s. m.* **1** (*arch.*) belvedere **2** (*luogo panoramico*) viewpoint

benché *cong.* although, though

bènda *s. f.* bandage

bendàggio *s. m.* bandaging, bandage

bendàre *v. tr.* **1** to bandage, to dress **2** (*gli occhi*) to blindfold

bène **A** *s. m.* **1** good **2** (*affetto*) fondness, love **3** (*dono*) gift, blessing **4** *al pl.* goods *pl.*, property **B** *avv.* **1** well **2** (*per bene, completamente*) properly, thoroughly **3** (*rafforzativo*) very, really, quite

benedettino *agg.* Benedictine

benedétto *agg.* blessed

benedire *v. tr.* to bless

benedizióne *s. f.* blessing, benediction

beneducàto *agg.* well-mannered

benefattóre *s. m.* benefactor

beneficènza *s. f.* charity ♦ **istituto di b.** charitable institution; **spettacolo di b.** benefit performance

beneficiàre A *v. tr.* to benefit **B** *v. intr.* to profit, to benefit from, to take advantage of

beneficiàrio *s. m.* beneficiary

beneficio *s. m.* benefit, advantage

benèfico *agg.* **1** beneficent, charitable **2** (*vantaggioso*) beneficial

benemerènza *s. f.* merit

benemèrito *agg.* meritorious

benèssere *s. m.* **1** wellbeing **2** (*prosperità*) welfare, affluence

benestànte *agg.* well-to-do

benestàre *s. m.* approval

benèvolo *agg.* benevolent, (*gentile*) kind

beniamìno *s. m.* pet

benìgno *agg.* benign

benintéso *avv.* of course

benìssimo *avv.* very well

bensì *cong.* but

benvenùto *agg., s. m. e inter.* welcome

benzìna *s. f.* petrol, (*USA*) gas, gasoline ♦ **fare b.** to get petrol/gas, to fill up

bére *v. tr.* to drink

berlìna (1) *s. f.* (*pena*) pillory

berlìna (2) *s. f.* **1** (*carrozza*) berlin **2** (*autom.*) saloon, limousine, (*USA*) sedan

bernòccolo *s. m.* **1** bump **2** (*fig.*) bent, flair

berrétto *s. m.* cap

bersagliàre *v. tr.* to bombard

bersàglio *s. m.* target, butt ♦ **tiro al b.** target-shooting

bestémmia *s. f.* **1** blasphemy, (*imprecazione*) curse **2** (*sproposito*) nonsense

bestemmiàre *v. intr.* to curse, to swear

béstia *s. f.* beast

bestiàle *agg.* **1** bestial, beastly **2** (*fam.*) terrible, incredible

bestiàme *s. m.* livestock, cattle

bestiàrio *s. m.* bestiary

béttola *s. f.* tavern

betùlla *s. f.* birch

bevànda *s. f.* drink, beverage

bevìbile *agg.* drinkable

bevitóre *s. m.* drinker

bevùta *s. f.* drink

biàda *s. f.* fodder

biancherìa *s. f.* linen ♦ **b. intima** underwear

biànco A *agg.* **1** white **2** (*non scritto*) blank **B** *s. m.* **1** white **2** (*uomo bianco*) white man ♦ **di punto in b.** all of a sudden; **in b.** (*non scritto*) blank, (*senza grassi*) plain, boiled

biasimàre *v. tr.* to blame, to reprove

biàsimo *s. m.* blame, reproof

Bìbbia *s. f.* Bible

biberòn *s. m. inv.* feeding bottle, (baby's) bottle

bìbita *s. f.* (soft) drink

bìblico *agg.* biblical

bibliòfilo *s. m.* bibliophile

bibliografìa *s. f.* bibliography

bibliotèca *s. f.* library

bibliotecàrio *s. m.* librarian

bicarbonàto *s. m.* bicarbonate

bicchière *s. m.* glass ♦ **b. di carta** paper cup

biciclétta *s. f.* bicycle, bike ♦ **andare in b.** to ride a bicycle, to cycle

bicìpite *s. m.* biceps

bicolóre *agg.* two-coloured, bicoloured

bidè *s. m.* bidet

bidèllo *s. m.* school caretaker

bidonàre *v. tr.* (*fam.*) to swindle, to cheat

bidóne *s. m.* **1** tank, drum, bin **2** (*fam.*) (*imbroglio*) swindle

biennàle *agg.* **1** (*che dura due anni*) two-year **2** (*ogni due anni*) biennial **3** (*bot.*) biennial

biènnio *s. m.* period of two years

biètola *s. f.* chard

bifocàle *agg.* bifocal

biforcàrsi *v. intr. pron.* to fork

biforcazióne *s. f.* fork

bigamìa *s. f.* bigamy

bìgamo *s. m.* bigamist

bighellonàre *v. intr.* to lounge about, to loiter, to loaf (about)

bigiotterìa *s. f.* trinkets *pl.*, costume jewellery

bigliettàio *s. m.* (*in stazione*) ticket clerk, (*in treno*) ticket collector, (*su autobus*) conductor

biglietterìa *s. f.* ticket office, booking office, (*teatro*) box office

bigliétto s. m. 1 (breve scritto) note 2 (contrassegno) ticket 3 (cartoncino) card 4 (banconota) note, (USA) bill ♦ **b. d'andata e ritorno** return ticket; **b. di sola andata** single ticket, one-way ticket; **b. da visita** (visiting) card

bignè s. m. inv. cream puff

bigodino s. m. curler

bigòtto s. m. bigot

bilància s. f. 1 balance, scales pl. 2 (astr) the Scales pl., Libra

bilanciàre A v. tr. 1 to balance 2 (soppesare) to weigh (up) B v. rifl. rec. to balance out

bilàncio s. m. balance, budget

bile s. f. bile

biliàrdo s. m. billiards pl. (v. al sing.)

bilingue agg. bilingual

bilinguìsmo s. m. bilingualism

bìmbo s. m. child, baby, kid

bimensìle agg. fortnightly

bimestràle agg. 1 two-monthly, bimonthly 2 (che dura due mesi) bimestrial, two-month

bimotóre agg. twin-engined

binàrio s. m. 1 (railway) track, line 2 (marciapiede) platform

binòcolo s. m. binoculars pl.

biochìmica s. f. biochemistry

biodegradàbile agg. biodegradable

biofìsica s. f. biophysics pl. (v. al sing.)

biografìa s. f. biography

biogràfico agg. biographical

biologìa s. f. biology

biològico agg. biological

biòlogo s. m. biologist

bióndo A agg. fair, blond (f. blonde), golden B s. m. blond colour, fair colour ♦ **b. cenere** ash-blond

biopsìa s. f. biopsy

birbànte s. m. rogue

birìllo s. m. skittle

biro s. f. inv. biro, ballpoint pen

birra s. f. beer, ale ♦ **b. alla spina** draught beer; **b. chiara/scura** lager/stout

birrerìa s. f. beer house

bis s. m. inv. (teatro) encore

bisbètico agg. crabbed, shrewish

bisbigliàre v. tr. to whisper

bìsca s. f. gambling house

bìscia s. f. snake

biscòtto s. m. biscuit, (USA) cookie

bisessuàle agg. bisexual

bisestìle agg. bissextile ♦ **anno b.** leap year

bisettimanàle agg. twice-weekly

bislàcco agg. eccentric

bislùngo agg. oblong

bisnònna s. f. great-grandmother

bisnònno s. m. great-grandfather

bisognàre v. intr. impers. to be necessary, to have to, must

bisógno s. m. 1 need, necessity 2 (mancanza) lack ♦ **aver b. di q.c.** to need st.

bisognóso agg. needy, poor

bistécca s. f. steak ♦ **b. ai ferri** grilled steak; **b. al sangue** rare steak; **b. ben cotta** well-done steak

bistecchièra s. f. grill

bisticciàre v. intr. e rifl. rec. to quarrel, to bicker, to squabble

bisticcio s. m. 1 quarrel, bicker, squabble 2 (di parole) pun

bìsturi s. m. lancet, bistoury

bisùnto agg. greasy

bìtta s. f. bollard, bitt

bivàcco s. m. bivouac, camp

bìvio s. m. crossroads, fork

bizantìno agg. e s. m. Byzantine

bìzza s. f. tantrum

bizzàrro agg. strange, odd, bizarre

bizzèffe, a loc. avv. abundantly, in great quantity

blandìre v. tr. to blandish, to soothe

blàndo agg. bland, soft, gentle

blasfèmo agg. blasphemous

blasóne s. m. coat of arms

blateràre v. tr. e intr. to blether, to chatter

blèso agg. lisping

blindàto agg. armoured

bloccàre A v. tr. 1 to block 2 (mecc.) to lock, to stall 3 (mil.) to blockade B v. intr. pron. to jam, to stick C v. rifl. to stop, to get stuck

bloccastèrzo s. m. steering lock

blòcco (1) s. m. 1 (atto di bloccare) block, stoppage, halt 2 (mil.) blockade 3 (econ.) freeze ♦ **posto di b.** road block

blòcco (2) s. m. 1 (pezzo) block 2 (comm.) bulk, lump 3 (di fogli) pad

bloc-notes s. m. inv. notepad, notebook

blu agg. e s. m. (dark) blue

blùsa s. f. blouse

bòa (1) s. m. (zool.) boa

bòa (2) s. f. (naut.) buoy

boàto s. m. rumble

bòb s. m. (sport) bob(-sleighing)

bobìna s. f. spool, (elettr) coil

bócca s. f. mouth

boccàccia s. f. grimace

boccàglio s. m. mouthpiece

boccàle s. m. jug, mug, (di birra) tankard

boccapòrto s. m. hatch

boccétta s. f. small bottle

boccheggiàre v. intr. to gasp

bocchettóne s. m. pipe union

bocchìno s. m. **1** (per sigaretta) cigarette holder **2** (di pipa e strumenti musicali) mouthpiece

bòccia s. f. bowl ♦ **giocare a bocce** to play bowls

bocciàre v. tr. **1** (respingere) to reject **2** (agli esami) to fail **3** (a bocce) to hit

boccìno s. m. jack

bocciòlo s. m. bud

boccóne s. m. mouthful, morsel, bite

boccóni avv. face downwards

bòga s. f. (zool.) boce

bòia s. m. executioner

boiàta s. f. rubbish

boicottàre v. tr. to boycott

bòlide s. m. bolide, fireball

bolìna s. f. close-hauling ♦ **navigare di b.** to sail close-hauled

bólla (1) s. f. bubble

bólla (2) s. f. (comm.) bill, note

bollàre v. tr. **1** to stamp **2** (fig.) to brand

bollènte agg. boiling, hot

bollétta s. f. bill, note ♦ **essere in b.** to be broke

bollettìno s. m. **1** (comunicato) report, bulletin **2** (pubblicazione) news, list, gazette **3** (modulo) note, bill, form ♦ **b. meteorologico** weather report

bollìre v. tr. e intr. to boil

bollìto agg. boiled

bollitóre s. m. kettle

bóllo s. m. **1** stamp **2** (sigillo) seal ♦ **b. di circolazione** road tax (stamp)

bòma s. m. boom

bómba s. f. bomb

bombardaménto s. m. bombing, bombardment

bombardàre v. tr. **1** to bomb **2** (fis., fig.) to bombard

bombardière s. m. bomber

bombétta s. f. bowler (hat)

bómbola s. f. bottle, bomb, cylinder

bombonièra s. f. bonbonnière, fancy sweet-box

bomprèsso s. m. bowsprit

bonàccia s. f. dead calm

bonàrio agg. kind

bonìfica s. f. reclamation, drainage

bonificàre v. tr. to reclaim

bonìfico s. m. (banca) money transfer

bontà s. f. **1** goodness, kindness **2** (buona qualità) excellence, good quality **3** (di cibo) tastiness

borbottàre v. tr. to mumble, to grumble, to mutter

bòrchia s. f. boss

bórdo s. m. **1** hem, border, edge **2** (naut.) board ♦ **a b.** aboard, on board

borgàta s. f. village

borghése A agg. **1** middle-class (attr), bourgeois **2** (civile) civilian **B** s. m. middle-class person ♦ **in b.** in civilian dress, in mufti

borghesìa s. f. bourgeoisie, middle class(es)

bórgo s. m. village

bòria s. f. arrogance, haughtiness

borotàlco s. m. talcum powder

borràccia s. f. water-bottle

bórsa s. f. **1** bag **2** (Borsa valori) (Stock) Exchange ♦ **b. da viaggio** travelling bag; **b. della spesa** shopping bag; **b. di studio** scholarship

borsaiòlo s. m. pickpocket

borsanéra s. f. black market

borseggiatóre s. m. pickpocket

borsellìno s. m. purse

borsétta s. f. handbag

boscàglia s. f. brush, scrub

boscaiòlo s. m. woodman

boschìvo agg. wooded, woody

bòsco s. m. wood

boscóso agg. woody, wooded

bòssolo s. m. (cartridge) case

botànica s. f. botany

botànico A agg. botanic(al) **B** s. m. botanist ♦ **orto b.** botanic garden

bòtola s. f. trapdoor

bòtta s. f. blow

bótte s. f. barrel, cask ♦ **volta a b.** barrel-vault

bottéga s. f. **1** (negozio) shop, store **2** (laboratorio) workshop, studio

bottegàio s. m. shopkeeper, storekeeper

botteghìno s. m. ticket office, (teatro) box office

bottìglia s. f. bottle ♦ **vino in b.** bottled wine

bottìno s. m. booty, loot

bòtto s. m. bang, shot ♦ **di b.** suddenly

bottóne s. m. button ♦ **b. automatico** press stud

bovíno A agg. bovine **B** s. m. al pl. cattle

box s. m. inv. **1** (garage) garage **2** (per cavalli) box **3** (per auto da corsa) pit **4** (per bambini) playpen

boxe s. f. boxing

bòzza s. f. draft, (tip.) proof

bozzèllo s. m. block

bozzétto s. m. sketch

bòzzolo s. m. cocoon

braccàre v. tr. to hunt (down)

braccétto, a loc. avv. arm in arm

bracciàle s. m. armlet, bracelet

braccialétto s. m. bracelet

bracciànte s. m. (day-)labourer, worker ♦ **b. agricolo** farmhand

bracciàta s. f. **1** armful **2** (nuoto) stroke

bràccio s. m. **1** arm **2** pl. f. (manodopera) hands pl., labourers pl. **3** (di edificio) wing **4** (di fiume) arm, (di mare) strait **5** (di gru) jib, (di bilancia) beam **6** (misura) fathom, ell

bracciòlo s. m. arm

bràcco s. m. hound

bracconière s. m. poacher

bràce s. f. embers pl. ♦ **cuocere alla b.** to barbecue

bracière s. m. brazier

braciòla s. f. chop

bradisismo s. m. bradyseism

bramàre v. tr. to desire, to long for

brànca s. f. branch

brànchia s. f. gill

brànco s. m. **1** (mandria) herd, (di lupi) pack, (di pecore, uccelli) flock **2** (spreg.) gang, pack

brancolàre v. intr. to grope

brànda s. f. camp bed

brandèllo s. m. shred

brandíre v. tr. to brandish

bràno s. m. piece, (di testo) passage

brasàto agg. braised

brasiliàno agg. e s. m. Brazilian

bràvo agg. **1** (abile) clever, skilful, capable, fine, good **2** (buono) good ♦ **b.!** bravo!, well done!

bravùra s. f. cleverness, skill

bréccia s. f. breach, gap

bretèlla s. f. brace, (USA) suspender

bréve agg. short, brief ♦ **in b.** briefly; **tra b.** shortly

brevettàre v. tr. to patent

brevétto s. m. **1** patent **2** (di pilota) pilot's licence

brézza s. f. breeze

bricco s. m. pot, jug

briccóne s. m. rascal, rogue

briciola s. f. crumb

briciolo s. m. bit

briga s. f. trouble

brigànte s. m. brigand, bandit

brigàre v. intr. to intrigue

brigàta s. f. **1** (mil.) brigade **2** (compagnia) party, company

briglia s. f. bridle

brillànte A agg. bright, brilliant **B** s. m. brilliant

brillàre A v. intr. **1** to shine, to glitter, to twinkle, to sparkle **2** (distinguersi) to shine **B** v. tr. (una mina) to set off

brillo agg. (fam.) tipsy, drunk

brina s. f. frost, hoarfrost

brindàre v. intr. to toast, to drink a toast ♦ **b. alla salute di qc.** to drink sb.'s health

brindisi s. m. toast ♦ **fare un b.** to drink a toast, to make a toast

brio s. m. liveliness, (fam.) go

britànnico agg. British

brivido s. m. shiver, shudder

brizzolàto agg. greying

bròcca s. f. pitcher, jug

broccàto s. m. brocade

bròccolo s. m. broccoli

bròdo s. m. broth

brodóso agg. watery, thin

bròglio s. m. fraud

bronchite s. f. bronchitis

bróncio s. m. pout ♦ **tenere il b.** to sulk, to pout

brónco s. m. bronchus

broncopolmonite s. f. bronchopneumonia

brontolàre v. tr. e intr. to grumble, to mutter

bronzina s. f. bush, bushing

brónzo s. m. bronze

brucàre v. tr. to browse on, to nibble at

bruciacchiàre v. tr. to scorch

bruciapélo, a loc. avv. point-blank

bruciàre A v. tr. **1** to burn **2** (incendiare) to set fire to, to burn down **B** v. intr. **1** to burn, to blaze **2** (causare bruciore) to smart, to sting **3** (scottare) to be burning **C** v. rifl. to burn oneself **D** v. intr. pron. to burn out

bruciatóre s. m. burner

bruciatùra s. f. burning, burn

brucióre s. m. burning ♦ **b. di stomaco** heartburn

brùco s. m. caterpillar

brùfolo s. m. pimple

brughièra s. f. moor, heath

brulicàre v. intr. to swarm

brùllo agg. bare, bleak

brùma s. f. fog, mist

brùno agg. brown, dark

brùsco agg. **1** sharp, brusque **2** (improvviso) abrupt

brusìo s. m. buzz, buzzing

brutàle agg. brutal

brùto agg. e s. m. brute

bruttézza s. f. ugliness

brùtto A agg. **1** ugly, nasty **2** (cattivo, sfavorevole, sgradevole) bad, nasty, unpleasant B s. m. **1** ugliness **2** (persona brutta) ugly person ♦ **brutta copia** rough copy; **brutta figura** poor figure; **b. tempo** bad weather

bruttùra s. f. ugly thing

bùca s. f. hole, pit ♦ **b. delle lettere** letter box, (USA) mailbox

bucanéve s. m. snowdrop

bucàre A v. tr. **1** to hole **2** (pneumatico) to puncture **3** (pungere) to prick B v. rifl. e intr. pron. **1** to have a puncture **2** (pungersi) to prick oneself **3** (drogarsi) to shoot up

bucàto s. m. washing, laundry ♦ **fare il b.** to do the washing

bùccia s. f. **1** peel, rind, skin **2** (di legumi) pod, husk, (USA) shuck

bucherellàre v. tr. to riddle

bùco s. m. hole

bucòlico agg. bucolic

buddìsmo s. m. Buddhism

budèllo s. m. **1** bowel, gut **2** (per corde) (cat)gut **3** (vicolo) alley

budìno s. m. pudding

bùe s. m. **1** ox **2** (cuc.) beef

bùfalo s. m. buffalo

bufèra s. f. storm ♦ **b. di neve** blizzard; **b. di vento** windstorm, gale

bùffo agg. **1** funny, droll **2** (teatro) comic, buffo

buffonàta s. f. buffoonery, tomfoolery

buffóne s. m. buffoon, fool, joker

buggeràre v. tr. to trick, to cheat

bugìa (1) s. f. lie, fib

bugìa (2) s. f. (per candela) candleholder

bugiàrdo agg. lying

bugigàttolo s. m. poky little room, closet

bugnàto s. m. ashlar

bùio A agg. dark B s. m. darkness, dark

bùlbo s. m. **1** bulb **2** (oculare) eyeball

bùlgaro agg. e s. m. Bulgarian

bullóne s. m. bolt

bungalow s. m. inv. bungalow

bunker s. m. inv. bunker

buonanòtte s. f. e inter. good night

buonaséra s. f. e inter. good evening

buongiórno s. m. e inter. good morning

buongustàio s. m. gourmet

buongùsto s. m. good taste

buòno (1) A agg. **1** good, kind **2** (di tempo) fine, good **3** (pregevole) good, fine, first-rate **4** (piacevole) fine, nice, lovely **5** (in esclamazioni) good, happy, nice B s. m. **1** (the) good **2** (persona buona) good person

buòno (2) s. m. **1** (tagliando) voucher, coupon **2** (fin.) bill, bond

buonsènso s. m. common sense

buontempóne s. m. jovial person

burattinàio s. m. puppeteer

burattìno s. m. puppet

bùrbero agg. surly, gruff

bùrla s. f. joke, trick

burlàre A v. tr. to make a joke on, to play a trick on B v. intr. pron. to make fun of

burlésco agg. burlesque

burocràtico agg. bureaucratic

burocrazìa s. f. bureaucracy

burràsca s. f. storm, tempest, (di vento) gale

bùrro s. m. butter ♦ **b. di cacao** cacao butter

burróne s. m. ravine

bus s. m. inv. bus

buscàre v. tr. to get, to catch

bussàre v. intr. to knock, to tap

bùssola s. f. compass

bùsta s. f. **1** envelope **2** (astuccio) case

bustarèlla s. f. bribe

bùsto s. m. **1** bust **2** (indumento) corset

buttàre A v. tr. **1** (lanciare) to throw, to fling, to cast **2** (gettare via) to throw away, to waste B v. intr. (di pianta) to put out, to sprout C v. rifl. to throw oneself ♦ **b. giù** (abbattere) to knock down, to demolish, (ingoiare) to gulp down, to swallow, (abbozzare) to scribble, to rough out

bùzzo s. m. (fam.) potbelly

by-pass s. m. inv. bypass

bypassàre v. tr. to bypass

C

càbala s. f. cab(b)ala
cabalìstico agg. cab(b)alistic
cabìna s. f. **1** box, booth, hut **2** (al mare) bathing hut **3** (naut.) cabin **4** (di ascensore, funivia) cage ◆ **c. di pilotaggio** cockpit; **c. telefonica** telephone booth/box
cabinàto s. m. (cabin) cruiser
cabinovìa s. f. carway, cableway
cabotàggio s. m. coasting trade
cacào s. m. **1** (bot.) cacao **2** (prodotto) cocoa
càccia (1) s. f. hunting, hunt, (con fucile) shooting, (inseguimento) chase ◆ **c. alla volpe** fox hunting; **c. al tesoro** treasure hunt; **c. grossa** big game hunting; **licenza di c.** game licence; **riserva di c.** game preserve
càccia (2) s. m. (aer.) fighter
cacciabombardière s. m. (aer.) fighter-bomber
cacciagióne s. f. game
cacciàre A v. tr. **1** to hunt, to shoot **2** (inseguire) to chase **3** (scacciare) to drive away, to chase away, to throw out **4** (fam.) (ficcare, mettere) to thrust, to put, to stick **5** (fam.) (emettere, tirare fuori) to let out, to take out **B** v. rifl. **1** (ficcarsi) to plunge **2** (andare a finire) to get to
cacciatóre s. m. hunter
cacciavite s. m. inv. screwdriver
cachemire s. m. inv. cashmire
càcio s. m. cheese
càctus s. m. inv. cactus
cadaùno agg. e pron. indef. each
cadàvere s. m. (dead) body, corpse
cadènte agg. **1** falling **2** (di edificio) crumbling, tumbledown **3** (di persona) decrepit ◆ **stella c.** shooting star
cadènza s. f. **1** cadence, rhythm **2** (accento) intonation
cadére v. intr. to fall, to drop
cadétto agg. e s. m. cadet (attr)
cadùta s. f. **1** fall, falling, drop **2** (perdita) loss **3** (comm.) drop, fall **4** (di aereo) crash ◆ **c. massi** falling rocks
cadùto agg. fallen
caffè s. m. **1** coffee **2** (bar) coffe house/shop, café ◆ **c. ristretto** strong

coffee; **c. lungo** weak coffee; **c. solubile** instant coffee
caffeìna s. f. caffeine
caffellàtte s. m. inv. white coffee
caffettièra s. f. coffeepot
cafóne s. m. boor
cagionàre v. tr. to cause
cagionévole agg. weak
cagliàre v. intr. e rifl. to curdle
càglio s. m. rennet
càgna s. f. bitch
cagnésco agg. surly ◆ **guardare qc. in c.** to scowl at sb.
càla s. f. (geogr.) creek, cove
calabróne s. m. hornet
calamàio s. m. inkpot
calamàro s. m. squid
calamìta s. f. magnet
calamità s. f. calamity, disaster
calànco s. m. gully
calàre A v. tr. **1** to lower, to let down, to drop **2** (a maglia) to cast off **B** v. intr. **1** (scendere) to go down, to come down, to fall **2** (tramontare) to set **3** (diminuire) to fall, to ebb, to drop, (di peso) to lose weight **C** v. rifl. to let oneself down
càlca s. f. throng, crowd
calcàgno s. m. heel
calcàre (1) s. m. limestone
calcàre (2) v. tr. **1** (calpestare) to tread **2** (premere) to press down **3** (sottolineare) to emphasize
calcàreo agg. calcareous
càlce s. f. lime
calcestrùzzo s. m. concrete
calciàre v. tr. to kick
calciatóre s. m. footballer
calcinàccio s. m. rubble
càlcio (1) s. m. (chim.) calcium
càlcio (2) s. m. **1** kick **2** (sport) football, soccer ◆ **c. d'angolo** corner; **c. di punizione** free kick; **c. di rigore** penalty; **partita di c.** football match
càlcio (3) s. m. (di arma) stock, butt
càlco s. m. **1** mould, cast **2** (copia) copy
calcolàre v. tr. **1** to calculate, to compute, to reckon **2** (valutare) to estimate, to calculate **3** (includere nel calcolo) to count in, to include

calcolatóre *s. m.* computer

calcolatríce *s. f.* calculator

càlcolo *s. m.* **1** calculation, reckoning, computation, (*mat.*) calculus **2** (*med.*) calculus, stone

caldàia *s. f.* boiler

caldaménte *avv.* warmly, heartily

caldarròsta *s. f.* roast chestnut

caldeggiàre *v. tr.* to support (warmly)

càldo A *agg.* **1** warm, hot **2** (*fig.*) warm, ardent, fervent **B** *s. m.* heat, hot weather

caleidoscòpio *s. m.* kaleidoscope

calendàrio *s. m.* calendar

càlibro *s. m.* **1** gauge, caliber, calibre **2** (*strumento*) callipers *pl.* **3** (*fig.*) caliber, calibre

càlice *s. m.* **1** goblet, calice **2** (*bot.*) calyx

calìgine *s. f.* haze

calligrafìa *s. f.* handwriting

calligràfico *agg.* calligraphic

callìsta *s. m. e f.* chiropodist

càllo *s. m.* corn, (*osseo*) callus

càlma *s. f.* calm

calmànte A *agg.* calming **B** *s. m.* sedative

calmàre A *v. tr.* **1** to calm (down), to appease **2** (*lenire*) to soothe **B** *v. intr. pron.* **1** to calm down **2** (*placarsi*) to abate

calmière *s. m.* ceiling price

càlmo *agg.* calm

càlo *s. m.* fall, drop, loss

calóre *s. m.* heat, warmth ♦ **colpo di c.** heatstroke

calorìa *s. f.* calorie

calòrico *agg.* caloric

calorìfero *s. m.* radiator

calorosaménte *avv.* warmly, heartily

caloróso *agg.* warm, hearty

calòtta *s. f.* cap

calpestàre *v. tr.* to trample on, to tread upon ♦ **è vietato c. l'erba** keep off the grass

calpestìo *s. m.* stamping

calùnnia *s. f.* slander

calùra *s. f.* great heat

calvàrio *s. m.* ordeal, trial

calvinìsmo *s. m.* Calvinism

calvinìsta *agg. e s. m. e f.* Calvinist

calvìzie *s. f. inv.* baldness

càlvo *agg.* bald

càlza *s. f.* **1** (*da donna*) stocking, (*da uomo*) sock **2** (*lavoro a maglia*) knitting

calzamàglia *s. f.* tights *pl.*, leotard

calzàre A *v. tr.* **1** (*mettere ai piedi*) to put on **2** (*indossare*) to wear **B** *v. intr.* to fit

calzascàrpe *s. m. inv.* shoehorn

calzatùra *s. f.* footwear ♦ **negozio di calzature** shoe shop

calzaturifìcio *s. m.* shoe factory

calzettóne *s. m.* knee sock

calzìno *s. m.* sock

calzolàio *s. m.* shoemaker, shoe repairer

calzolerìa *s. f.* shoemaker's shop, (*vendita*) shoe shop

calzoncìni *s. m. pl.* shorts *pl.*

calzóni *s. m. pl.* trousers *pl.*, (*USA*) pants *pl.*

camaleónte *s. m.* chameleon

cambiàle *s. f.* bill

cambiaménto *s. m.* change

cambiàre A *v. tr. e intr.* to change **B** *v. rifl.* to change (one's clothes)

cambiavalùte *s. m. e f. inv.* money-changer

càmbio *s. m.* **1** change, (*scambio*) exchange, (*modifica*) alteration **2** (*econ.*) exchange, change **3** (*autom.*) gear

cambùsa *s. f.* storeroom, galley

camèlia *s. f.* camelia

càmera *s. f.* **1** room **2** (*pol.*) Chamber, House **3** (*tecnol.*) chamber ♦ **c. a due letti** double room; **c. ammobiliata** furnished room; **c. da letto** bedroom; **c. d'aria** inner tube; **si affittano camere** rooms to let

cameràta (1) *s. f.* dormitory

cameràta (2) *s. m.* companion

camerièra *s. f.* (*al ristorante*) waitress, (*in albergo*) chambermaid, (*domestica*) (house)maid

camerière *s. m.* (*al ristorante*) waiter, (*domestico*) manservant

camerìno *s. m.* dressing room

càmice *s. m.* white coat

camicétta *s. f.* blouse, shirt

camìcia *s. f.* shirt ♦ **c. da notte** nightgown

caminétto *s. m.* fireplace

camìno *s. m.* **1** (*canna fumaria*) chimney **2** (*caminetto*) fireplace

càmion *s. m. inv.* lorry, (*USA*) truck ♦ **c. con rimorchio** lorry with trailer, (*USA*) trailer truck

camioncìno *s. m.* van, pick-up

camionìsta *s. m. e f.* lorry driver, (*USA*) truck driver

cammèllo *s. m.* camel

cammèo *s. m.* cameo

camminàre *v. intr.* **1** to walk, to go on foot **2** (*funzionare*) to work

camminàta *s. f.* **1** walk **2** (*andatura*) gait

cammìno *s. m.* **1** way, journey **2** (*itinerario*) route, path

camomilla *s. f.* camomile

camòscio *s. m.* chamois ♦ **pelle di c.** shammy leather

campagna *s. f.* **1** country, countryside **2** (*tenuta*) estate, property **3** (*mil.*) campaign **4** (*pubblicitaria*) campaign

campagnòlo *agg.* country (*attr*)

campàle *agg.* field (*attr*)

campàna *s. f.* bell

campanàrio *agg.* bell (*attr*)

campanèllo *s. m.* bell

campanìle *s. m.* bell tower, belfry

campanilìsmo *s. m.* parochialism

campàre *v. intr.* to live

campàta *s. f.* span, bay

campeggiàre *v. intr.* **1** to camp **2** (*risaltare*) to stand out

campeggiatóre *s. m.* camper

campéggio *s. m.* **1** (*il campeggiare*) camping **2** (*luogo*) campsite

campèstre *agg.* rural, country (*attr*)

campionàrio A *agg.* sample (*attr*), trade (*attr*) **B** *s. m.* (set of) samples *pl.* ♦ **c. di tessuti** pattern book

campionàto *s. m.* championship

campióne *agg. e s. m.* **1** (*sport*) champion **2** (*esemplare*) sample

càmpo *s. m.* **1** field **2** (*mil.*) camp **3** (*sport*) field, ground, pitch

camposànto *s. m.* cemetery

camuffàre A *v. tr.* to disguise **B** *v. rifl.* to disguise oneself, to dress as

camùso *agg.* snub

canadése *agg. e s. m. e f.* Canadian

canàglia *s. f.* scoundrel, rascal

canàle *s. m.* **1** canal **2** (*di mare*) channel **3** (*radio, TV*) channel **4** (*anat., biol.*) canal, duct

canalizzazióne *s. f.* canalization

cànapa *s. f.* hemp ♦ **c. indiana** cannabis

canarìno *s. m.* canary

canàsta *s. f.* canasta

cancellàre A *v. tr.* **1** to delete, (*con la gomma*) to erase, to rub out, (*con un frego*) to strike out, to cross out, (*con straccio, cancellino*) to wipe out **2** (*disdire, annullare*) to cancel **3** (*fig.*) to wipe out, to efface **B** *v. intr. pron.* to fade

cancellàta *s. f.* railing

cancellazióne *s. f.* cancellation, annulment

cancellerìa *s. f.* **1** (*pol.*) chancellery **2** (*articoli di cartoleria*) stationery

cancellière *s. m.* **1** (*pol.*) Chancellor **2** (*dir*) registrar

cancèllo *s. m.* gate

cancerògeno *agg.* carcinogenic

cancrèna *s. f.* gangrene

càncro *s. m.* cancer

candéggio *s. m.* bleaching

candéla *s. f.* **1** candle **2** (*autom.*) sparking plug

candelàbro *s. m.* candelabrum

candelière *s. m.* candlestick, candelabrum

candidàto *s. m.* candidate

candidatùra *s. f.* candidature

càndido *agg.* **1** (snow-)white **2** (*innocente*) pure, innocent **3** (*sincero*) candid **4** (*ingenuo*) ingenuous

candìto *s. m.* candied fruit

càne *s. m.* dog

canèstro *s. m.* basket

cangiànte *agg.* changing

cangùro *s. m.* kangaroo

canìle *s. m.* kennels *pl.*

canìno *agg. e s. m.* canine

cànna *s. f.* **1** reed, canna **2** (*bastone*) stick, cane **3** (*da pesca*) rod **4** (*di fucile*) barrel **5** (*di organo*) pipe **6** (*di bicicletta*) crossbar ♦ **c. da zucchero** sugar cane; **c. fumaria** chimney flue

cannèlla *s. f.* cinnamon

cannéto *s. m.* cane thicket

cannibalìsmo *s. m.* cannibalism

cannocchiàle *s. m.* spyglass, telescope

cannóne *s. m.* gun

cannùccia *s. f.* straw

canòa *s. f.* canoe

cànone *s. m.* **1** (*regola*) canon, rule **2** (*somma da pagare*) rent, fee **3** (*mus., relig.*) canon

canònica *s. f.* vicarage

canònico A *agg.* canonical **B** *s. m.* canon

canòro *agg.* singing, song (*attr*)

canottàggio *s. m.* rowing, boat racing

canottièra *s. f.* vest

canòtto *s. m.* dinghy, small boat, (*di gomma*) rubber boat

canovàccio *s. m.* **1** (*per piatti*) dish cloth **2** (*per ricamo*) canvas **3** (*trama*) plot **4** (*schema*) sketch

cantànte *s. m. e f.* singer

cantàre *v. tr. e intr.* **1** to sing **2** (*del gallo*) to crow **3** (*fam.*) (*tradire*) to squeal

cantàta *s. f.* (*mus.*) cantata

cantautóre *s. m.* song singer-writer

canticchiàre *v. tr. e intr.* to sing softly, to hum

cantière *s. m.* yard ♦ **c. navale** shipyard

cantilèna *s. f.* singsong

cantìna s. f. cellar

cànto s. m. **1** (il cantare) singing **2** (canzone) song, (liturgico) chant

cantonàta s. f. **1** corner **2** (fig.) blunder

cantóne s. m. **1** (angolo) corner **2** (Svizzera) canton

cantùccio s. m. nook

canzonàre v. tr. to make fun of, to tease

canzóne s. f. song

càos s. m. chaos

caòtico agg. chaotic

capàce agg. **1** able, capable **2** (esperto) skilful, clever **3** (ampio) large, spacious, capacious

capacità s. f. **1** (abilità) ability, capability, cleverness **2** (capienza) capacity **3** (dir.) capacity **4** (econ.) power, capacity

capacitàre v. tr. to persuade **B** v. rifl. to make out, to realize

capànna s. f. hut, cabin

capannèllo s. m. knot (of people)

capannóne s. m. shed

capàrbio agg. stubborn

capàrra s. f. deposit

capéllo s. m. hair

capezzàle s. m. bolster

capézzolo s. m. (anat.) nipple, (zool.) dug

capiènza s. f. capacity

capigliatùra s. f. hair

capillàre **A** agg. **1** capillary **2** (fig.) detailed **3** (diffuso) widespread, diffused **B** s. m. capillary (vessel)

capìre v. tr. to understand, to make out, to realize

capitàle (1) **A** agg. capital **B** s. f. capital (city)

capitàle (2) s. m. capital ♦ **c. azionario** share capital

capitalìsmo s. m. capitalism

capitalìsta agg. e s. m. e f. capitalist

capitanerìa s. f. harbour office

capitàno s. m. captain

capitàre v. intr. **1** (accadere) to happen, to occur **2** (giungere) to come, to turn up

capitèllo s. m. (arch.) capital

capitolàre v. intr. to capitulate

capìtolo s. m. chapter

capitómbolo s. m. tumble

càpo s. m. **1** (testa) head **2** (estremità) top, end, head **3** (chi comanda) chief, leader **4** (geogr.) cape **5** (di bestiame) animal, head **6** (di vestiario) article ♦ **a c.** (dettando) new line; **da c.** over again

capodànno s. m. New Year's Day

capofamìglia s. m. e f. head of a family

capofìtto, a loc. avv. headlong, headfirst

capogìro s. m. giddiness

capolavóro s. m. masterpiece

capolìnea s. m. terminus

capolìno s. m. peep ♦ **far c.** to peep (in, out)

capoluògo s. m. chief town

caporàle s. m. caporal

caposcuòla s. m. e f. leader of a movement

capostazióne s. m. e f. stationmaster

capostìpite s. m. e f. founder of a family, (est.) ancestor

capotrèno s. m. guard, (USA) conductor

capovòlgere **A** v. tr. **1** to turn upside down, to overturn **2** (fig.) to invert, to reverse **B** v. intr. pron. **1** to overturn, to capsize **2** to be reversed

càppa s. f. **1** (mantello) mantle, cloak **2** (di camino) cowl, (di cucina) hood **3** (naut.) cope

cappèlla (1) s. f. **1** chapel **2** (mus.) choir

cappèlla (2) s. f. (di fungo) cap

cappellàno s. m. chaplain

cappèllo s. m. hat ♦ **c. a cilindro** top hat

càppero s. m. caper

cappóne s. m. capon

cappottàre v. intr. to overturn

cappòtto s. m. (over) coat

cappuccìno (1) s. m. (relig.) Capuchin

cappuccìno (2) s. m. (bevanda) cappuccino

cappùccio s. m. hood, (di penna) cap

càpra s. f. goat

caprétto s. m. kid

caprìccio s. m. whim, caprice, fancy

capriccióso agg. whimsical, capricious, (di bambino) naughty

capricòrno s. m. Capricorn

capriòla s. f. somersault

capriòlo s. m. roe (deer)

càpro s. m. he-goat ♦ **c. espiatorio** scapegoat

càpsula s. f. **1** capsule **2** (di dente) crown

captàre v. tr. **1** (radio) to pick up **2** (attrarre) to tap

carabìna s. f. rifle

caràffa s. f. carafe, decanter

caramèlla s. f. sweet, toffee, candy

caràto s. m. carat

caràttere s. m. **1** character, temper **2** (caratteristica) feature, characteristic **3** (tip.) type, character

caratterìstica s. f. characteristic, feature

caratterìstico *agg.* characteristic, typical
caratterizzàre *v. tr.* to characterize
carboidràto *s. m.* carbohydrate
carbóne *s. m.* coal
carbonizzàre *v. tr. e intr. pron.* **1** to carbonize, to char **2** (*bruciare*) to burn
carburànte *s. m.* fuel
carburatóre *s. m.* carburettor, (*USA*) carburetor ♦ **c. ingolfato** floodied carburettor
carcàssa *s. f.* **1** carcass **2** (*spreg.*) wreck
carceràrio *agg.* prison (*attr*)
carceràto *s. m.* prisoner
càrcere *s. m.* jail, prison
carcerière *s. m.* jailor, warder
carciòfo *s. m.* artichoke
cardìaco *agg.* cardiac, heart (*attr*) ♦ **attacco c.** heart attack; **insufficienza cardiaca** cardiac failure; **trapianto c.** heart transplant
cardinàle *agg. e s. m.* cardinal ♦ **punti cardinali** cardinal points
cardinalìzio *agg.* cardinal (*attr*)
càrdine *s. m.* **1** hinge, pivot **2** (*fig.*) foundation
cardiocircolatòrio *agg.* cardiocirculatory
cardiologìa *s. f.* cardiology
cardiòlogo *s. m.* cardiologist
cardiopàtico *agg. e s. m.* cardiopath
càrdo *s. m.* thistle
carèna *s. f.* (*naut.*) hull
carènte *agg.* lacking
carènza *s. f.* **1** (*mancanza*) lack, want **2** (*scarsità*) scarcity, shortage
carestìa *s. f.* famine
carézza *s. f.* caress
cariàtide *s. f.* caryatid
cariàto *agg.* decayed
càrica *s. f.* **1** (*ufficio, dignità*) office, position **2** (*mil., elettr, di arma da fuoco*) charge **3** (*di orologio*) winding
caricàre *v. tr.* **1** to load up **2** (*di merce, passeggeri*) to take on, to load **3** (*riempire*) to fill **4** (*gravare*) to burden, to overload **5** (*mil., elettr*) to charge **6** (*orologio*) to wind up
caricatùra *s. f.* caricature
càrico A *agg.* **1** loaded, laden **2** (*elettr*) charged **3** (*riempito*) filled **B** *s. m.* **1** loading, lading **2** (*merce*) load, cargo, freight **3** (*fig.*) burden, weight ♦ **a c. di** charged to, at expense of; **essere a c. di qc.** to be dependent on sb.
càrie *s. f. inv.* decay, caries *pl.*

carìno *agg.* pretty, nice
carìsma *s. m.* charisma
carismàtico *agg.* charismatic
carità *s. f.* **1** charity **2** (*elemosina*) alms *pl.* **3** (*favore*) favour
carlìnga *s. f.* nacelle
carnagióne *s. f.* complexion
càrne *s. f.* **1** flesh **2** (*alimento*) meat
carnéfice *s. m.* executioner
carneficìna *s. f.* slaughter, massacre
carnevàle *s. m.* carnival
carnìvoro *agg.* carnivorous
carnóso *agg.* plump
càro *agg.* **1** dear, charming **2** (*costoso*) expensive, dear
carógna *s. f.* **1** carrion **2** (*fig.*) swine
caròta *s. f.* carrot
carovàna *s. f.* caravan, convoy
carovìta *s. m.* high cost of living
carpentière *s. m.* carpenter
carpìre *v. tr.* to extort, to cheat, to do out of
carpóni *avv.* on all fours
carràbile *agg.* carriageable ♦ **passo c.** (*avviso*) keep clear
carreggiàta *s. f.* carriageway, roadway, track
carrellàta *s. f.* **1** (*cin., TV*) tracking shot, dolly shot **2** (*fig.*) roundup
carrèllo *s. m.* **1** trolley, truck **2** (*aer*) undercarriage
carrétto *s. m.* handcart
carrièra *s. f.* career
carriòla *s. f.* wheelbarrow
càrro *s. m.* car, wagon ♦ **c. armato** tank
carròzza *s. f.* carriage, coach
carrozzèlla *s. f.* **1** (*di piazza*) cab **2** (*sedia a rotelle*) wheelchair
carrozzerìa *s. f.* **1** (*autom.*) bodywork, body **2** (*officina*) body shop
carrozzìna *s. f.* pram, (*USA*) baby carriage
carrùcola *s. f.* pulley
càrta *s. f.* **1** paper **2** (*documento*) card, paper, document **3** (*da gioco*) (playing) card **4** (*geografica*) map, chart **5** (*statuto*) charter ♦ **c. da lettere** writing paper; **c. di credito** credit card; **c. d'identità** identity card; **c. d'imbarco** boarding card; **c. igienica** toilet paper
cartàccia *s. f.* waste paper
cartàceo *agg.* paper (*attr*)
cartamonéta *s. f.* paper money
cartapésta *s. f.* papier-mâché
cartéggio *s. m.* correspondence
cartèlla *s. f.* **1** (*di cartone*) folder, file, (*per*

disegni, foto) portfolio **2** (*valigetta*) brief-case, (*da scuola*) satchel **3** (*pagina*) page, sheet **4** (*fin.*) bond

cartellìno s. m. **1** label, tag, ticket **2** (*di presenza*) time card

cartèllo s. m. sign-board, sign, notice, (*pubblicitario*) poster, (*stradale*) road sign

cartellóne s. m. poster, board

càrter s. m. inv. **1** (*di bicicletta*) (chain-) guard **2** (*autom.*) case

cartièra s. f. paper mill

cartilàgine s. f. cartilage

cartìna s. f. **1** (*mappa*) map **2** (*per sigarette*) cigarette paper

cartòccio s. m. paper bag, cornet

cartografìa s. f. cartography

cartogràfico agg. cartographic

cartolàio s. m. stationer

cartolerìa s. f. stationery shop

cartolìna s. f. (post)card

cartomànte s. m. e f. fortune-teller

cartomanzìa s. f. cartomancy

cartóne s. m. **1** cardboard **2** (*scatola*) carton, box ♦ **cartoni animati** cartoons

cartùccia s. f. cartridge

càsa s. f. **1** house, (*la propria abitazione*) home, (*appartamento*) flat **2** (*famiglia*) house, family **3** (*comm.*) house, firm, company ♦ **c. colonica** farmhouse; **c. da gioco** gambling house; **c. di riposo** rest home; **seconda c.** holiday home

casàcca s. f. coat

casalìnga s. f. housewife

casalìngo agg. **1** (*di casa*) homely, domestic **2** (*che ama la casa*) home-loving **3** (*fatto in casa*) homemade **4** (*semplice*) plain, homely

casàto s. m. family, house

cascàre v. intr. to fall, to tumble

cascàta s. f. waterfall, cascade

cascìna s. f. dairy farm, farmhouse

càsco s. m. **1** helmet **2** (*di parrucchiere*) hair dryer **3** (*di banane*) bunch

caseggiàto s. m. block (of flats)

caseifìcio s. m. dairy

casèlla s. f. **1** (*di schedario*) pigeon-hole **2** (*riquadro*) square ♦ **c. postale** p. o. box

casèllo s. m. (*di autostrada*) tollbooth

casèrma s. f. barracks pl.

casìno s. m. **1** (*da caccia*) shooting lodge **2** (*bordello*) brothel **3** (*fam.*) (*chiasso*) row, mess

casinò s. m. inv. casino

càso s. m. **1** chance **2** (*fatto, vicenda*) case, event, affair **3** (*eventualità*) case ♦ **in c. contrario** otherwise; **in ogni c.** in any case; **per c.** by chance; **si dà il c. che ...** it so happens that ...

casolàre s. m. homestead, cottage

càspita inter. good heavens!

càssa s. f. **1** case, chest, box **2** (*negozio*) cash desk, cash, desk, counter **3** (*banca*) bank **4** (*bara*) coffin ♦ **c. continua** night safe; **registratore di c.** cash re-gister

cassafòrte s. f. safe, strongbox

cassapànca s. f. chest, settle

casseruòla s. f. saucepan

cassétta s. f. **1** box **2** (*mus.*) cassette ♦ **c. degli attrezzi** toolbox; **c. delle lettere** letterbox, (*USA*) mailbox; **film di c.** commercial film

cassétto s. m. drawer

cassière s. m. cashier

càsta s. f. caste

castàgna s. f. chestnut

castàgno s. m. chestnut

castàno agg. brown

castellàno s. m. lord of a castle

castèllo s. m. castle ♦ **letto a c.** bunk bed

castigàre v. tr. to punish

castigàto agg. chaste, decent

castìgo s. m. punishment

castità s. f. chastity

càsto agg. chaste, pure

castòro s. m. beaver

castràre v. tr. to castrate, to geld

casuàle agg. random, casual, fortuitous

casualménte avv. by chance, accidentally

cataclìsma s. m. cataclysm

catacómba s. f. catacomb

catalogàre v. tr. to catalogue

catàlogo s. m. catalogue, (*USA*) catalog

catamaràno s. m. catamaran

catapécchia s. f. hovel, slum

catarifrangènte s. m. reflector

catàrro s. m. catarrh

catàsta s. f. stack, pile

catàsto s. m. land register

catàstrofe s. f. catastrophe, disaster

catastròfico agg. catastrophic

catechìsmo s. m. catechism

categorìa s. f. category

categòrico agg. categorical

caténa s. f. chain

cateràtta s. f. cataract

catìno s. m. basin

catràme s. m. tar

càttedra *s. f.* **1** desk **2** (*posto di insegnante*) teaching post, (*all'università*) chair **3** (*seggio*) chair

cattedràle *s. f.* cathedral

cattedràtico *s. m.* professor

cattivèria *s. f.* **1** wickedness, spite, (*di bambino*) naughtiness **2** (*azione*) wicked action

cattività *s. f.* captivity

cattivo *agg.* **1** bad **2** (*sgradevole*) nasty, bad **3** (*di tempo*) bad, (*di mare*) rough **4** (*malvagio*) wicked **5** (*di bambino*) naughty

cattolicésimo *s. m.* Catholicism

cattòlico *agg. e s. m.* Catholic

cattùra *s. f.* capture, (*arresto*) arrest

catturàre *v. tr.* to capture, to seize, to arrest

caucciù *s. m.* caoutchouc

càusa *s. f.* **1** cause **2** (*dir*) suit, case ♦ **c. di** because of, owing to; **c. civile** civil suit; **c. penale** criminal case; **far c. a qc.** to sue sb.

causàle **A** *agg.* causal **B** *s. f.* cause, reason

causàre *v. tr.* to cause, to bring about

càustico *agg.* caustic

cautèla *s. f.* caution

cautelàrsi *v. rifl.* to take precautions

càuto *agg.* cautious

cauzióne *s. f.* **1** security, deposit, caution (money) **2** (*dir*) bail ♦ **essere liberato su c.** to be released on bail

càva *s. f.* quarry

cavalcàre *v. tr. e intr.* to ride

cavalcàta *s. f.* ride

cavalcavìa *s. m. inv.* flyover, overpass

cavalcióni, (a) *avv.* astride

cavalière *s. m.* **1** (*chi cavalca*) rider **2** (*stor*) knight **3** (*mil.*) cavalryman **4** (*chi accompagna una donna*) escort, partner

cavallerésco *agg.* chivalrous

cavallerìa *s. f.* **1** (*mil.*) cavalry **2** (*stor*) chivalry **3** (*comportamento*) chivalry, gallantry

cavallerizzo *s. m.* horseman

cavallétta *s. f.* grasshopper

cavallétto *s. m.* trestle, (*per pittore*) easel, (*fot.*) tripod

cavàllo *s. m.* **1** horse **2** (*scacchi*) knight **3** (*cavallo vapore*) horsepower **4** (*di pantaloni*) crotch ♦ **andare a c.** to ride

cavallóne *s. m.* billow, (*frangente*) breaker

cavàre *v. tr.* **1** (*tirare fuori*) to take out, to draw, to pull out **2** (*togliere*) to take off, to remove **3** (*ricavare*) to get, to obtain **4** (*cavarsela*) to get off

cavatàppi *s. m.* corkscrew

càvea *s. f.* cavea

cavèrna *s. f.* cave, cavern

càvia *s. f.* guinea pig

caviàle *s. m.* caviar

cavìglia *s. f.* ankle

cavìllo *s. m.* cavil

cavità *s. f.* cavity, hollow, chamber

càvo (1) **A** *agg.* hollow **B** *s. m.* cavity, hollow ♦ **c. orale** buccal cavity

càvo (2) *s. m.* **1** (*elettr*) cable **2** (*fune*) rope

cavolfióre *s. m.* cauliflower

cavolìni di Bruxelles *s. m. pl.* Brussels sprouts *pl.*

càvolo *s. m.* cabbage

cazzòtto *s. m.* punch

cazzuòla *s. f.* trowel

ce **A** *particella pron.* to us, us (ES: **perché non ce l'hai detto prima?** why didn't you tell us before?) **B** *avv.* there (ES: **quanti gatti ci sono? ce n'è uno** how many cats are there? there is one)

céce *s. m.* chickpea

cecità *s. f.* blindness

cèco *agg. e s. m.* Czech

cèdere **A** *v. tr.* **1** (*dare*) to give **2** (*trasferire*) to hand over, to transfer **3** (*vendere*) to sell **4** (*consegnare*) to surrender, (*con trattato*) to cede **B** *v. intr.* **1** (*arrendersi*) to surrender, to yield **2** (*sprofondare, rompersi*) to give way

cedévole *agg.* **1** yielding **2** (*di terreno*) soft

cèdola *s. f.* coupon

cédro *s. m.* **1** (*agrume*) citron **2** (*albero*) cedar

cèduo *agg.* **bosco c.** coppice

cefalèa *s. f.* cephalalgy, headache

cèffo *s. m.* (*spreg.*) mug

ceffóne *s. m.* slap, cuff

celàre **A** *v. tr.* to conceal, to hide **B** *v. rifl.* to hide oneself, to conceal oneself, to be hidden

celebèrrimo *agg.* very famous

celebrànte *agg.* celebrant

celebràre *v. tr.* to celebrate

celebrazióne *s. f.* celebration

cèlebre *agg.* celebrated, famous, renowned

celebrità *s. f.* celebrity

cèlere *agg.* swift, quick

celèste **A** *agg.* **1** (*del cielo*) heavenly, celestial **2** (*colore*) light blue **B** *s. m.* light blue

cèlibe *agg.* single, unmarried

cèlla *s. f.* cell ♦ **c. frigorìfera** cold store

cèllula *s. f.* cell

cellulàre *agg.* cellular

cellulìte *s. f.* **1** (*accumulo*) cellulite **2** (*infiammazione*) cellulitis

cèltico *agg. e s. m.* Celtic

cementàre *v. tr. e intr. pron.* to cement

ceménto *s. m.* cement

céna *s. f.* dinner, supper

cenàre *v. intr.* to have dinner/supper, to dine

céncio *s. m.* rag

cencióso *agg.* ragged

cénere *s. f.* ash(es)

cénno *s. m.* **1** sign, gesture, (*con il capo*) nod, (*con la mano*) wave **2** (*allusione*) hint, mention, allusion **3** (*breve notizia*) notice, note **4** *al pl.* (*breve trattato*) outline

censiménto *s. m.* census

censóre *s. m.* censor

censùra *s. f.* censorship

centàuro *s. m.* **1** (*mitol.*) centaur **2** (*motociclista*) motorcyclist

centenàrio A *agg.* **1** (*che ha cento anni*) hundred-year-old, (*di persona*) centennial **2** (*che ricorre ogni cento anni*) centenary **B** *s. m.* **1** (*anniversario*) centenary **2** (*persona*) centenarian

centesimàle *agg.* centesimal

centèsimo A *agg. num. ord.* hundredth **B** *s. m.* **1** (*la centesima parte*) (the, a) hundredth **2** (*moneta*) cent, penny

centìgrado *agg.* centigrade

centìmetro *s. m.* centimetre, (*USA*) centimeter

centinàio *s. m.* hundred ♦ **a centinàia** by hundreds

cènto *agg. num. card. e s. m.* (a, one) hundred

centràggio *s. m.* cent(e)ring

centràle A *agg.* central **B** *s. f.* plant, station

centralinìsta *s. m. e f.* operator

centralino *s. m.* (*tel.*) exchange, (*di albergo*) switchboard

centralizzàre *v. tr.* to centralize

centràre *v. tr.* **1** (*colpire al centro*) to hit the centre of **2** (*mettere al centro, centrare*) to centre **3** (*fig.*) to grasp fully

centravànti *s. m. inv.* centre forward

centrìfuga *s. f.* **1** centrifuge **2** (*della lavatrice*) spin-dry

centrìfugo *agg.* centrifugal

centrìpeto *agg.* centripetal

cèntro *s. m.* centre, (*USA*) center

centrocàmpo *s. m.* centre field

céppo *s. m.* **1** (*d'albero*) stump, (*da ardere*) log **2** (*mecc.*) stock

céra (1) *s. f.* wax ♦ **c. vèrgine** beewax; **musèo delle cere** waxworks

céra (2) *s. f.* (*aspetto*) air, look

ceràmica *s. f.* ceramics *pl.* (*v. al sing.*), pottery

ceramìsta *s. m. e f.* ceramist

cerbiàtto *s. m.* fawn

cérca *s. f.* search

cercàre A *v. tr.* **1** to look for, for search for, to seek **2** (*richiedere*) to ask for, to want **3** (*consultando*) to look up **B** *v. intr.* to try

cérchia *s. f.* circle

cérchio *s. m.* **1** circle, ring, round **2** (*di ruota*) rim **3** (*di botte*) hoop

cerchióne *s. m.* rim

cereàle *s. m.* cereal

cerimònia *s. f.* ceremony

cerìno *s. m.* (wax) match

cèrnia *s. f.* grouper

cernièra *s. f.* hinge ♦ **c. lampo** zip, zipper

cèrnita *s. f.* selection

céro *s. m.* candle

ceròtto *s. m.* plaster

certaménte *avv.* certainly, surely, of course

certézza *s. f.* certainty

certificàto *s. m.* certificate

cèrto (1) A *agg. indef.* **1** certain (ES: **un c. giorno** a certain day) **2** (*qualche, un po'*) some (ES: **dopo un c. tempo** after some time) **3** (*di tale genere*) such (ES: **certe persone** such people) **B** *pron. indef. al pl.* some (people)

cèrto (2) A *agg.* certain, sure **B** *avv.* certainly, of course

certósa *s. f.* Chartreuse

cervellétto *s. m.* cerebellum

cervèllo *s. m.* **1** brain **2** (*fig.*) brain, mind ♦ **lambiccàrsi il c.** to rack one's brains

cervicàle *agg.* cervical

cèrvo *s. m.* deer

cesellàre *v. tr.* **1** to chisel **2** (*fig.*) to polish

cesèllo *s. m.* chisel

cesóia *s. f.* shear

cespùglio *s. m.* bush

cessàre *v. tr. e intr.* to cease, to stop

cèsso *s. m.* (*fam.*) bog

césta *s. f.* basket

cestìno *s. m.* basket ♦ **c. per i rifiuti** litterbin, wastebasket

césto *s. m.* basket

cèto *s. m.* class

cetriolìno *s. m.* gherkin

cetriòlo *s. m.* cucumber

che (1) A *agg. interr.* **1** (*riferito a un numero indefinito di cose o persone*) what (ES: **c. città preferisci?** what town do you like best?) **2** (*riferito a un numero limitato di cose o persone*) which (ES: **c. città della Francia preferisci?** which French town do you like best?) **B** *pron. interr.* what (ES: **c. stai facendo?** what are you doing?)

che (2) A *agg. escl.* **1** (*quale*) what (ES: **c. festa noiosa!** what a boring party!) **2** (*come*) how! (ES: **c. strano!** how strange!) **B** *pron. escl.* what (ES: **c. dici!** what are you saying!)

che (3) *pron. rel.* **1** (*sogg. riferito a persona*) who, that; (*sogg. riferito a cose o animali*) which, that (ES: **il ragazzo c. cadde dal tetto** the boy who fell off the roof, **l'albero c. cresce in giardino** the tree which grows in the garden) **2** (*ogg. riferito a persona*) whom, who, that; (*ogg. riferito a cose o animali*) which, that (*spesso sottinteso*) (ES: **il ragazzo che ho visto questa mattina** the boy (whom) I've seen this morning, **il libro c. vedi** the book (which) you see) **3** (*in cui, quando, con cui, per cui*) in which, on which, when (*spesso sottinteso*) (ES: **l'anno che andammo in Italia** the year (when) we went to Italy) **4** (*la qual cosa, il che*) which (ES: **mio fratello non può venire, il c. è un vero peccato** my brother cannot come, which is a real pity) **5** (*correl. di stesso, medesimo*) as, that

che (4) *pron. indef.* (*qualcosa*) something (ES: **c'è un c. di strano in quella casa** there's something strange about that house)

che (5) *cong.* **1** (*dichiarativa dopo i verbi che esprimono opinione, sentimento, ecc.*) that (*spesso sottinteso*) (ES: **mi dispiace c. tu non riesca a dormire** I'm sorry (that) you can't sleep) **2** (*dichiarativa dopo i verbi che esprimono volontà o comando o dopo loc. impers.*) idiom. (ES: **vorrei c. tu non venissi** I wish you wouldn't come) **3** (*consecutiva*) that (ES: **ti sei svegliato così tardi c. hai perso l'autobus** you woke up so late that you missed the bus) **4** (*finale*) that (*spesso sottinteso*) (ES: **bada c. non ti caschi** be careful (that) you don't drop it) **5** (*comparativa*) than (ES: **più c. mai** more than ever) **6** (*temporale*) when, since, for, after (ES: **arrivai c. tutto era**

già finito everything was already over when I got there) **7** (*eccettuativa*) only, but (ES: **non fa altro c. dormire** he does nothing but sleep) **8** (*disgiuntiva*) whether (ES: **c. tu venga o no** whether you come or not)

chetichèlla, alla *loc. avv.* secretly ♦ **entrare/uscire alla c.** to slip in/away

chi (1) *pron. rel.* **1** (*colui, colei che*) who, the person (man, boy, ecc.) who; (*coloro che*) who, those who (ES: **non conosco c. ha scritto quel libro** I don't know who wrote that book) **2** (*chiunque*) whoever, anyone who (ES: **c. vuole entrare deve suonare due volte il campanello** anyone who wants to come in must ring the bell twice) **3** (*qualcuno che*) someone who, somebody who; (*in frasi neg.*) no one who, nobody who, anyone who, anybody who (ES: **c'è c. mi aiuterà** there's someone who will help me, **non trovo c. mi dia retta** I don't find anyone who pays attention to me) **4** (*chi ... chi*) some ... some, someone ... someone (ES: **c. viene, c. va** some come, some go)

chi (2) *pron. interr.* **1** (*sogg.*) who (ES: **c. è?** who is it?) **2** (*ogg. e compl. ind.*) whom, who (ES: **a c. scrivi?** who are you writing to?)

chiàcchiera *s. f.* **1** chatt, talk **2** (*pettegolezzo*) gossip, (*notizia infondata*) rumor

chiacchieràre *v. intr.* **1** to chat, to talk **2** (*pettegolare*) to gossip

chiacchieràta *s. f.* chat, talk

chiacchieróne *s. m.* **1** chatterer **2** (*pettegolo*) gossip

chiamàre A *v. tr.* **1** to call **2** (*al telefono*) to phone **3** (*dare nome*) to name **B** *v. intr. pron.* to be called ♦ **come ti chiami?** what is your name?

chiamàta *s. f.* call ♦ **c. alle armi** call-up

chiaraménte *avv.* clearly

chiarézza *s. f.* clearness, clarity

chiariménto *s. m.* explanation

chiarìre A *v. tr.* to clear up, to explain **B** *v. intr. pron.* to become clear

chiàro A *agg.* **1** clear **2** (*di colore*) light **3** (*luminoso*) bright **4** (*evidente*) clear, evident **B** *avv.* **1** clearly **2** (*con franchezza*) frankly

chiaroscùro *s. m.* chiaroscuro

chiaroveggènte *s. m. e f.* clairvoyant

chiàsso *s. m.* uproar, noise

chiassóso *agg.* **1** rowdy, noisy **2** (*fig.*)

gaudy

chiàve *s. f.* **1** key **2** (*mecc.*) spanner, (*USA*) wrench **3** (*mus.*) clef

chiavistèllo *s. m.* bolt

chiàzza *s. f.* spot, stain

chìcco *s. m.* (*di cereale*) grain, (*di caffè*) coffe-bean, (*d'uva*) grape

chièdere A *v. tr.* **1** (*per sapere*) to ask **2** (*per avere*) to ask for **3** (*come prezzo*) to charge **4** (*richiedere*) to demand, to require **B** *v. intr. pron.* to wonder

chiérico *s. m.* cleric

chièsa *s. f.* church

chìglia *s. f.* keel

chìlo *s. m.* kilo

chilogràmmo *s. m.* kilogram(me)

chilomètrico *agg.* kilometric

chilòmetro *s. m.* kilometre, (*USA*) kilometer

chìmica *s. f.* chemistry

chìmico A *agg.* chemical **B** *s. m.* chemist

chìna *s. f.* slope

chinàre A *v. tr.* to bend, to bow, to lower **B** *v. rifl.* to stoop, to bend down

chincaglierìa *s. f.* trinkets *pl.*, fancy goods *pl.*

chiòccia *s. f.* brooding hen

chiòcciola *s. f.* snail ♦ **scala a c.** winding staircase, spiral stairs

chiòdo *s. m.* **1** nail, (*da roccia*) piton, (*da scarpe*) hobnail **2** (*idea fissa*) fixed idea ♦ **c. di garofano** clove

chiòma *s. f.* **1** hair **2** (*di albero*) foliage

chiòsco *s. m.* kiosk, stall, stand

chiòstro *s. m.* cloister

chiromànte *s. m. e f.* chiromancer

chirurgìa *s. f.* surgery

chirùrgo *s. m.* surgeon

chissà *avv.* **1** I wonder **2** (*forse*) perhaps, maybe

chitàrra *s. f.* guitar

chitarrista *s. m. e f.* guitarist

chiùdere A *v. tr.* **1** to shut, to close **2** (*recingere*) to enclose **3** (*concludere*) to conclude, to end **4** (*rinchiudere*) to shut up **5** (*spegnere*) to turn off, to switch **B** *v. intr.* to close **C** *v. rifl. e intr. pron.* **1** to close **2** (*concentrarsi*) to withdraw

chiùnque A *pron. indef.* anyone, anybody (ES: **c. è capace di farlo** anybody can do it) **B** *pron. rel. indef.* **1** (*sogg.*) whoever, (*compl.*) who(m)ever, anyone, anybody (ES: **c. telefoni, digli che sono uscito** whoever calls, tell him I'm out; **c. tu conosca,** ignoralo ignore anyone you know) **2** (*seguito da part.*) whichever (ES: **c. di loro arrivi, fallo sedere** whichever of them comes, let him sit down)

chiùsa *s. f.* lock

chiùso *agg.* **1** closed, shut **2** (*racchiuso*) enclosed **2** (*di persona*) reserved, close

chiusùra *s. f.* **1** closing, shutting **2** (*fine*) end, close **3** (*allacciatura*) fastening **4** (*serratura*) lock ♦ **c. lampo** zip

ci (1) A *pron. pers.* 1^a *pl.* **1** (*compl. ogg.*) us, (*compl. di termine*) (to) us (ES: **non ci hanno chiamato** they didn't call us) **2** (*riflessivo*) ourselves (*spesso sottinteso*) (ES: **non ci siamo vestiti come dovremmo** we did't dress ourselves as we should) **3** (*reciproco*) each other, one another (ES: **ci vediamo ogni domenica** we see each other every Sunday) **B** *pron. dimostr.* this, that, it (ES: **non ci credo** I don't believe it)

ci (2) *avv.* **1** (*qui*) here, (*là*) there, (*per questo luogo*) through (ES: **ci vado sempre** I always go there) **2** (*con il v. essere*) there (ES: **c'è** there is, **ci sono** there are)

ciabàtta *s. f.* slipper

ciàlda *s. f.* wafer

ciambèlla *s. f.* **1** (*dolce*) bun, doughnut **2** (*salvagente*) life ring

cianfrusàglia *s. f.* junk, knick-knacks *pl.*

ciào *inter.* **1** (*incontrandosi*) hullo, (*USA*) hi **2** (*accomiatandosi*) bye-bye, so long, cheerio

ciarlatàno *s. m.* charlatan, quack

ciascùno A *agg. indef.* **1** (*ogni*) every **2** (*distributivo*) each **B** *pron. indef.* **1** (*ognuno*) everybody, everyone **2** (*distributivo*) each (one)

cibàre A *v. tr.* to feed, to nourish **B** *v. rifl.* to feed, to eat

cìbo *s. m.* food

cicàla *s. f.* cicada

cicalino *s. m.* buzzer

cicatrice *s. f.* scar

cìcca *s. f.* (*di sigaretta*) cigarette end

cìccia *s. f.* (*fam.*) flesh

ciceróne *s. m.* guide, cicerone

cìclico *agg.* cyclic

ciclismo *s. m.* cycling

ciclista *s. m. e f.* **1** cyclist **2** (*chi ripara biciclette*) bicycle repairer

cìclo *s. m.* cycle

ciclomotóre *s. m.* motor-bicycle, moped

ciclóne *s. m.* cyclone

ciclòpico *agg.* cyclopean

cicógna *s. f.* stork

cicòria *s. f.* chicory

cièco *agg.* blind ♦ **vicolo c.** blind alley

cièlo *s. m.* sky, (*letter*) heaven

cifra *s. f.* **1** figure, digit, numeral, number **2** (*somma*) amount **3** (*monogramma*) cipher, monogram

ciglio *s. m.* **1** eyelashes *pl.* **2** (*bordo*) edge, brink, border ♦ **senza batter c.** without flinching

cigno *s. m.* swan

cigolàre *v. intr.* to creak, to squeak

cigolio *s. m.* creaking, squeaking

ciliègia *s. f.* cherry

cilindràta *s. f.* (piston) displacement ♦ **auto di grossa c.** high-powered car

cilindrico *agg.* cylindrical

cilindro *s. m.* cylinder

cima *s. f.* **1** top, peak, summit **2** (*naut.*) line, rope **3** (*fig.*) genious

cimèlio *s. m.* relic, antique

cimice *s. f.* bug

ciminièra *s. f.* chimney

cimiteriàle *agg.* cemeterial

cimitèro *s. m.* graveyard, cemetery, (*presso una chiesa*) churchyard

cimùrro *s. m.* distemper

cinàbro *s. m.* cinnabar

cincin *inter.* cheers

cineamatóre *s. m.* amateur film-maker

cinema *s. m. inv.* cinema, films *pl.*

cinematogràfico *agg.* cinematographic, film (*attr*)

cineprésa *s. f.* (cine) camera

cineràrio *agg.* cinerary

cinése *agg. e s. m. e f.* Chinese

cinètico *agg.* kinetic

cingere *v. tr.* **1** to gird **2** (*circondare*) to encircle, to surround

cinghia *s. f.* strap, belt

cinghiàle *s. m.* (wild) boar

cinguettàre *v. intr.* to chirp, to twitter

cinguettio *s. m.* chirping, twittering

cinico *agg.* cynical

cinismo *s. m.* cynicism

cinòfilo *s. m.* cynophilist

cinquànta *agg. num. card. e s. m. inv.* fifty

cinquantèsimo *agg. num. ord. e s. m. inv.* fiftieth

cinquantina *s. f.* about fifty

cinque *agg. num. card. e s. m. inv.* five

cinquecéntesco *agg.* sixteenth-century (*attr*)

cinquecènto *agg. num. card. e s. m. inv.* five hundred

cintùra *s. f.* belt ♦ **c. di sicurezza** safety/seat belt

cinturino *s. m.* strap

ciò *pron. dimostr.* this, that, it ♦ **c. che** what; **c. nonostante** in spite of this; **con tutto c.** for all that

ciòcca *s. f.* lock

cioccolàta *s. f.* chocolate ♦ **c. al latte/fondente** milk/plain chocolate

cioccolatìno *s. m.* chocolate

cioccolàto *s. m.* → **cioccolata**

cioè *avv.* **1** that is, i.e. (*id est*), namely **2** (*con valore di rettifica*) better, or rather ♦ **c.?** what do you mean?

ciondolàre *v. intr.* **1** to dangle **2** (*bighellonare*) to lounge about

cióndolo *s. m.* pendant

ciononostante *avv.* nevertheless, in spite of this

ciòtola *s. f.* bowl

ciòttolo *s. m.* **1** pebble, cobble **2** (*per pavimentazione*) cobblestone

cipiglio *s. m.* scowl

cipólla *s. f.* onion

cippo *s. m.* cippus

ciprèsso *s. m.* cypress

cipria *s. f.* (face) powder

circa **A** *avv.* about, approximately **B** *prep.* with regard to, about, concerning

circo *s. m.* circus

circolànte *agg.* circulating ♦ **biblioteca c.** lending library; **moneta c.** currency

circolàre (1) **A** *agg.* circular **B** *s. f.* circular (letter)

circolàre (2) *v. intr.* to circulate

circolazióne *s. f.* **1** circulation **2** (*traffico*) traffic

circolo *s. m.* **1** circle **2** (*associazione*) club

circoncisióne *s. f.* circumcision

circondàre **A** *v. tr.* to surround, to encircle **B** *v. rifl.* to surround oneself

circonferènza *s. f.* circumference

circonvallazióne *s. f.* ring road

circoscrivere *v. tr.* to circumscribe

circoscrizióne *s. f.* district ♦ **c. elettorale** constituency

circospètto *agg.* circumspect, cautious

circostànte *agg.* surrounding

circostànza *s. f.* circumstance

circùito *s. m.* circuit

cistercènse *agg.* Cistercian

cistèrna *s. f.* cistern, tank ♦ **nave c.** tanker

cisti *s. f.* cyst

citàre *v. tr.* **1** to cite, to mention **2** (*da un* *libro, da un discorso*) to quote **3** (*dir*) to summon(s), (*fare causa*) to sue

citazióne *s. f.* **1** citation **2** (*da un libro, da un discorso*) quotation **3** (*dir*) summons

citòfono *s. m.* entry phone

città *s. f.* town, (*importante*) city

cittadèlla *s. f.* citadel

cittadinànza *s. f.* **1** nationality, citizenship **2** (*popolazione di città*) citizens *pl.*

cittadìno A *agg.* town (*attr*), city (*attr*) **B** *s. m.* citizen

ciùco *s. m.* ass, donkey

ciùffo *s. m.* tuft

civétta *s. f.* **1** (*zool.*) owl **2** (*fig.*) coquette ♦ **far la c.** to flirt

civico *agg.* civic

civile *agg.* civil

civilizzazióne *s. f.* civilization

civiltà *s. f.* **1** civilization, culture **2** (*cortesia*) civility

clàcson *s. m. inv.* horn

clamóre *s. m.* outcry

clamoróso *agg.* clamorous

clandestìno *s. m.* clandestine

clarinétto *s. m.* clarinet

clàsse *s. f.* class

classicìsmo *s. m.* classicism

classicìsta *s. m. e f.* classicist

classicità *s. f.* classical antiquity

clàssico A *agg.* classic(al) **B** *s. m.* classic

classìfica *s. f.* classification, results *pl.*

classificàre A *v. tr.* to classify **B** *v. rifl.* to come

classìsta *agg.* class (*attr*)

clàusola *s. f.* clause

claustrofobìa *s. f.* claustrophobia

clausùra *s. f.* seclusion ♦ **suora di c.** cloistered nun

clàva *s. f.* club

clavicémbalo *s. m.* harpsichord

clavìcola *s. f.* clavicle

clemènte *agg.* **1** (*di persona*) clement, lenient, merciful **2** (*di tempo*) mild

clemènza *s. f.* **1** (*di persona*) clemency, leniency, mercifulness **2** (*di clima*) mildness **3** (*dir*) mercy

cleptòmane *agg. e s. m. e f.* kleptomaniac

clericàle *agg.* clerical

clèro *s. m.* clergy

clessìdra *s. f.* (*a sabbia*) sandglass, (*ad acqua*) clepsydra

cliènte *s. m. e f.* (*di negozio*) customer, (*di albergo*) guest, (*di professionista*) client

clima *s. m.* climate

climàtico *agg.* climatic ♦ **stazione climatica** health resort

climatizzazióne *s. f.* air-conditioning

clìnica *s. f.* clinic

clìnico *agg.* clinical

clòro *s. m.* chlorine

clorofìlla *s. f.* chlorophyl

club *s. m. inv.* club

coabitàre *v. intr.* to cohabit, to live together

coabitazióne *s. f.* cohabitation, house-sharing

coagulàre *v. intr. e intr. pron.* to coagulate

coalizióne *s. f.* coalition, alliance

coàtto *agg.* forced

coautóre *s. m.* coauthor

cocaìna *s. f.* cocaine

cocainòmane *s. m. e f.* cocaine addict

coccinèlla *s. f.* ladybird, ladybug

còccio *s. m.* **1** earthenware **2** (*frammento*) fragment (of pottery)

cocciùto *agg.* stubborn

còcco *agg.* coconut

coccodrìllo *s. m.* crocodile

coccolàre *v. tr.* to cuddle

cocènte *agg.* burning, scorching

cocómero *s. m.* watermelon

cocùzzolo *s. m.* top, summit

códa *s. f.* **1** tail **2** (*fila*) queue, line ♦ **fare la c.** to queue up

codàrdo *s. m.* coward

codèsto *agg. e pron. dimostr.* that

còdice *s. m.* **1** code **2** (*manoscritto*) codex

codìfica *s. f.* codification

coefficiènte *s. m.* coefficient, factor

coerènte *agg.* coherent, consistent

coerènza *s. f.* coherence, consistency

coesistènte *agg.* coexistent

coetàneo *agg. e s. m.* contemporary

coèvo *agg.* coeval, contemporary

còfano *s. m.* bonnet, (*USA*) hood

cògliere *v. tr.* **1** to pick, to gather **2** (*sorprendere*) to catch **3** (*colpire*) to hit, to get **4** (*capire*) to understand

cognàta *s. f.* sister-in-law

cognàto *s. m.* brother-in-law

cognizióne *s. f.* knowledge

cognóme *s. m.* surname, family name

coincidènza *s. f.* **1** coincidence **2** (*mezzi di trasporto*) connection

coincìdere *v. intr.* to coincide

coinvòlgere *v. tr.* to involve

colabròdo *s. m.* colander

colapàsta *s. m.* colander

colàre A *v. tr.* **1** (*filtrare*) to strain, to filter,

to drain **2** (*fondere*) to cast **B** *v. intr.* to drip
♦ **c. a picco** to sink

colàta *s. f.* **1** (*metall.*) casting **2** (*geol.*) flow

colazióne *s. f.* (*del mattino*) breakfast, (*di mezzogiorno*) lunch

colèi *pron. dimostr. f. sing.* she, the person (who)

colèra *s. m.* cholera

colesteròlo *s. m.* cholesterol

còlica *s. f.* colic

colino *s. m.* strainer

còlla *s. f.* glue

collaboràre *v. intr.* to collaborate, to cooperate

collaboratóre *s. m.* collaborator

collaborazióne *s. f.* collaboration, cooperation, (*a giornale*) contribution

collàna *s. f.* **1** necklace **2** (*raccolta*) collection

collant *s. m. inv.* tights *pl.*

collàre *s. m.* collar

collàsso *s. m.* collapse, breakdown

collaudàre *v. tr.* to test, to try out

collàudo *s. m.* test

còlle *s. m.* hill

collèga *s. m. e f.* colleague

collegaménto *s. m.* connection, link

collegàre **A** *v. tr.* to connect, to join, to link **B** *v. rifl.* **1** to join, to link up **2** (*mettersi in collegamento*) to get in touch, to link up

collegiàta *s. f.* collegiate church

collègio *s. m.* **1** (*organo consultivo*) board **2** (*consesso*) college, **3** (*convitto*) boarding school **4** (*elettorale*) constituency

còllera *s. f.* anger, fury

collèrico *agg.* irascible, hot-tempered

collètta *s. f.* collection

collettivaménte *avv.* collectively

collettività *s. f.* collectivity, community

collettivo *agg.* collective

collétto *s. m.* collar

collezionàre *v. tr.* to collect

collezióne *s. f.* collection

collezionìsta *s. m. e f.* collector

collimàre *v. intr.* to correspond

collina *s. f.* hill

collinóso *agg.* hilly

collìrio *s. m.* eyewash

collisióne *s. f.* collision

còllo (1) *s. m.* **1** neck **2** (*colletto*) collar

còllo (2) *s. m.* (*pacco*) parcel, item

collocàre **A** *v. tr.* **1** to place, to put, to set

2 (*prodotti*) to sell **B** *v. rifl. e intr. pron.* **1** to place oneself **2** (*trovare lavoro*) to find employement

collòquio *s. m.* talk, meeting

collutòrio *s. m.* mouthwash

colmàre *v. tr.* **1** to fill up **2** (*fig.*) to fill, to load

cólmo **A** *agg.* full, brimful **B** *s. m.* **1** top, summit **2** (*fig.*) height, peak

colómba *s. f.* dove

colómbo *s. m.* pigeon

còlon *s. m.* colon

colònia *s. f.* **1** colony **2** (*di vacanze*) summer camp ♦ **c. penale** penal settlement

coloniàle *agg.* colonial ♦ **generi coloniali** groceries

colonialìsta *s. m. e f.* colonialist

colonizzàre *v. tr.* to colonize

colónna *s. f.* column ♦ **c. vertebrale** backbone

colonnàto *s. m.* colonnade

colonnèllo *s. m.* colonel

colorànte *s. m.* dye

coloràre *v. tr. e intr. pron.* to colour

coloràto *agg.* stained

colóre *s. m.* colour, (*USA*) color

colorito **A** *agg.* **1** coloured, (*di viso*) rosy **2** (*fig.*) colourful **B** *s. m.* **1** (*carnagione*) complexion **2** (*fig.*) vivacity

colóro *pron. dimostr. m. e f. pl.* they, those people

colòsso *s. m.* colossus

cólpa *s. f.* **1** fault, wrong, (*peccato*) sin **2** (*colpevolezza*) guilt, guiltiness **3** (*responsabilità*) blame **4** (*dir.*) negligence

colpévole **A** *agg.* guilty, culpable **B** *s. m. e f.* culprit, offender

colpìre *v. tr.* **1** to hit, to strike **2** (*con arma da fuoco*) to shoot **3** (*fig.*) to strike **4** (*danneggiare*) to damage

cólpo *s. m.* **1** blow, stroke **2** (*d'arma da fuoco*) shot **3** (*rumore*) bang **4** (*giornalistico*) scoop **5** (*rapina*) robbery ♦ **c. di sole** sunstroke; **c. di stato** coup d'état; **c. di telefono** ring; **c. di vento** gust; **far c.** to make a sensation

coltellàta *s. f.* stab

coltèllo *s. m.* knife

coltivàbile *agg.* cultivable

coltivàre *v. tr.* to cultivate, to till, to farm

coltivatóre *s. m.* tiller, farmer, grower

coltivazióne *s. f.* cultivation, growing, farming

cólto *agg.* cultured, well-educated

cóltre s. f. blanket

coltùra s. f. 1 cultivation, farming, growing 2 (biol.) culture

colùi pron. dimostr. m. sing. he, the man, the one

còma s. m. inv. coma

comandaménto s. m. (relig.) commandment

comandànte s. m. commander, master

comandàre A v. tr. 1 to order, to command 2 (mil.) to be in command of 3 (mecc.) to control, to drive 4 (richiedere) to demand, to require B v. intr. to be in charge, to be in command

comàndo s. m. 1 (ordine) order, command 2 (autorità) command 3 (sede del comandante) headquarters pl. 4 (tecnol.) control, drive 5 (sport) lead

combaciàre v. intr. to meet, to join, to correspond

combàttere v. tr. e intr. to fight, to combat

combattiménto s. m. fight, combat

combinàre A v. tr. 1 to combine, to match 2 (organizzare, concludere) to conclude, to arrange, to settle 3 (fam.) (fare) to do, to make B v. intr. to agree C v. rifl. e intr. pron. 1 (accordarsi) to agree 2 (conciarsi) to get oneself up 3 (chim.) to combine

combinazióne s. f. 1 combination 2 (coincidenza) chance, coincidence

combustìbile A agg. combustible B s. m. fuel

cóme A avv. 1 (in frasi interr.) how, (quanto bene) how ... like 2 (in frasi escl.) how 3 (il modo in cui) how, the way, (nel modo in cui) as 4 (comp.) as (so) ... as 5 (in qualità di) as 6 (a somiglianza) like 7 (in correlazione con 'così, tanto') as, both ... and, as well as B cong. 1 (non appena) as, as soon as 2 (dichiarativa) that ♦ c. se as if, as though; c. si dice in inglese ...? what's the English for ...?

cométa s. f. comet

còmica s. f. (cin.) comedy

còmico A agg. 1 comical, funny 2 (teatro) comic B s. m. 1 (comicità) funniness, comicality 2 (attore) comic, comedian

comignolo s. m. chimney-pot

cominciàre v. tr. e intr. to begin, to start

comitàto s. m. committee, board

comitiva s. f. party, group

comizio s. m. meeting

commèdia s. f. 1 comedy, play 2 (fig.) sham, pretence

commediògrafo s. m. playwright

commemoràre v. tr. to commemorate

commemorazióne s. f. commemoration

commensàle s. m. e f. table companion

commentàre v. tr. to comment on

commentatóre s. m. commentator

comménto s. m. comment, commentary

commerciàle agg. commercial, trade (attr), business (attr)

commercialista s. m. e f. business consultant

commerciànte s. m. e f. trader, dealer, (negoziante) shopkeeper

commerciàre v. tr. e intr. to trade (in)

commèrcio s. m. trade ♦ c. all'ingrosso/al minuto wholesale/retail trade; fuori c. not for sale, (esaurito) out of stock

commèssa s. f. 1 (ordine) order, job 2 (venditrice) shop assistant, shop-girl

commèsso s. m. shop assistant, (USA) salesclerk ♦ c. viaggiatore salesman

commestìbile agg. eatable, edible

commèttere v. tr. to commit

commiàto s. m. leave-taking

comminàre v. tr. to comminate

commiseràre A v. tr. to commiserate, to pity B v. rifl. to feel sorry for oneself

commissariàto s. m. (di polizia) police station

commissàrio s. m. commissary

commissionàrio agg. commission (attr)

commissióne s. f. 1 errand 2 (incarico) commission 3 (compenso) commission, fee 4 (comitato) committee, board, commission ♦ fare commissioni to go shopping

committènte s. m. e f. customer, buyer, client

commòsso agg. moved

commovènte agg. moving

commozióne s. f. emotion ♦ c. cerebrale concussion

commuòvere A v. tr. to move, to touch B v. intr. pron. to be moved

comò s. m. chest of drawers

comodìno s. m. bedside table

comodità s. f. 1 comfort 2 (opportunità) convenience

còmodo A agg. 1 (confortevole) comfortable 2 (opportuno) convenient 3 (maneggevole) handy B s. m. comfort, convenience

compaesàno s. m. fellow countryman

compàgine *s. f.* structure, team
compagnìa *s. f.* **1** company **2** (*gruppo di persone*) group, party, gathering **3** (*società*) company, (*USA*) corporation
compàgno *s. m.* companion, mate, (*fam.*) chum
comparàbile *agg.* comparable
comparàre *v. tr.* to compare
comparatìvo *agg. e s. m.* comparative
comparìre *v. intr.* to appear
compàrsa *s. f.* **1** appearance **2** (*teatro, cin.*) walk-on, extra
compartecipazióne *s. f.* **1** sharing **2** (*parte*) share
compartiménto *s. m.* compartment
compassàto *agg.* stiff
compassióne *s. f.* compassion, pity
compàsso *s. m.* compasses *pl.*
compatìbile *agg.* **1** (*conciliabile*) compatible **2** (*scusabile*) excusable
compatibilménte *avv.* compatibly
compatìre *v. tr.* **1** (*compiangere*) to pity, to be sorry for **2** (*scusare*) to forgive
compàtto *agg.* compact
compèndio *s. m.* outline, summary, digest
compensàre **A** *v. tr.* **1** (*controbilanciare*) to compensate for **2** (*supplire a*) to make up for, to compensate **3** (*ricompensare*) to reward **4** (*pagare*) to pay **5** (*risarcire*) to indemnify **B** *v. rifl. rec.* to compensate each other
compènso *s. m.* **1** compensation **2** (*retribuzione*) remuneration, payment **3** (*ricompensa*) reward
cómpera *s. f.* purchase, shopping
competènte *agg.* competent
competènza *s. f.* **1** competence **2** (*onorario*) fee
compètere *v. intr.* **1** (*gareggiare*) to compete **2** (*spettare*) to be due
competitività *s. f.* competitiveness
competitìvo *agg.* competitive
competizióne *s. f.* competition
compiacènte *agg.* obliging
compiacènza *s. f.* **1** courtesy, kindness **2** (*compiacimento*) pleasure, satisfaction
compiacére **A** *v. tr.* to please, to gratify **B** *v. intr. pron.* **1** to be pleased (with) **2** (*congratularsi*) to congratulate
compiàngere **A** *v. tr.* to pity, to be sorry for **B** *v. rifl.* to feel sorry for oneself
cómpiere **A** *v. tr.* **1** (*finire*) to finish, to complete **2** (*effettuare*) to do, to perform, to accomplish, to achieve, to carry out **3**

(*adempiere*) to fulfil **4** (*gli anni*) to be **B** *v. intr. pron.* **1** to end **2** (*avverarsi*) to come true
compilàre *v. tr.* to compile
compilazióne *s. f.* compilation, (*di modulo*) filling in
compitàre *v. tr.* to spell out
cómpito (1) *s. m.* **1** task, duty, job **2** (*di scuola*) exercise, (*a casa*) homework
compìto (2) *agg.* polite
compleànno *s. m.* birthday
complementàre *agg.* complementary
compleménto *s. m.* **1** complement **2** (*mil.*) reserve
complessàto *agg.* full of complexes
complessità *s. f.* complexity
complessìvo *agg.* total, overall (*attr*), comprehensive
complèsso **A** *agg.* complex **B** *s. m.* **1** (*totalità*) whole **2** (*serie*) combination, set **3** (*impresa*) group, plant **4** (*mus.*) ensemble, band **5** (*psic.*) complex
completàre *v. tr.* to complete
complèto **A** *agg.* **1** complete, full, whole **2** (*totale*) complete, absolute, total **3** (*pieno*) full up **B** *s. m.* **1** set, outfit **2** (*abbigliamento*) suit ♦ **al c.** full (up)
complicàre **A** *v. tr.* to complicate **B** *v. intr. pron.* to get complicated, to thicken
complicazióne *s. f.* complication
cómplice *s. m. e f.* accomplice, party
complimentàrsi *v. intr. pron.* to congratulate
compliménto *s. m.* **1** compliment **2** *al pl.* (*cortesia eccessiva*) ceremony **3** *al pl.* (*congratulazioni*) congratulations *pl.*
complòtto *s. m.* conspiracy
componènte **A** *agg.* component **B** *s. m. e f.* **1** (*persona*) member (*cosa*) component
componìbile *agg.* modular
componiménto *s. m.* composition
compórre *v. tr.* **1** to compose, to make up, to arrange **2** (*musica*) to compose **3** (*conciliare*) to settle **4** (*tip.*) to set **5** (*numero telefonico*) to dial
comportaménto *s. m.* behaviour
comportàre **A** *v. tr.* to involve, to require **B** *v. intr. pron.* to behave, to act
compòsito *agg.* composite
compositóre *s. m.* composer
composizióne *s. f.* **1** composition **2** (*conciliazione*) settlement **3** (*tip.*) setting
compòsta *s. f.* (*cuc.*) stewed fruit, compote
compostézza *s. f.* composure

compósto A *agg.* **1** compound **2** (*formato da*) made up of **3** (*ordinato*) tidy **4** (*calmo*) composed, calm **B** *s. m.* mixture, compound

compràre *v. tr.* **1** to buy, to purchase **2** (*corrompere*) to bribe

compratóre *s. m.* **1** buyer, purchaser **2** (*dir*) vendee

comprèndere *v. tr.* **1** to comprise, to include **2** (*capire*) to understand, to realize

comprensìbile *agg.* understandable

comprensióne *s. f.* **1** comprehension, understanding **2** (*simpatia*) sympathy

comprensivo *agg.* **1** inclusive, comprehensive **2** (*che prova comprensione*) sympathetic

compréso *agg.* **1** (*incluso*) included (*pred.*), inclusive **2** (*capito*) understood **3** (*assorto*) filled with

comprèssa *s. f.* tablet

compressióne *s. f.* compression

compressóre *s. m.* compressor

comprìmere *v. tr.* to compress

compromésso *s. m.* **1** compromise **2** (*dir*) preliminary agreement

comprométtere *v. tr.* to compromise

comproprietà *s. f.* joint ownership

comproprietàrio *s. m.* joint owner

comprovàre *v. tr.* to prove

computàre *v. tr.* to calculate

computer *s. m. inv.* computer

computisterìa *s. f.* book-keeping

còmputo *s. m.* calculation

comunàle *agg.* **1** municipal, town (*attr*) **2** (*stor*) communal

comùne (1) A *agg.* **1** common **2** (*ordinario*) ordinary **B** *s. m.* common run ♦ **fuori del c.** unusual, uncommon

comùne (2) *s. m.* **1** municipality, town council **2** (*stor*) commune

comuneménte *avv.* commonly, generally

comunicàre *v. tr. e intr.* to communicate

comunicàto *s. m.* announcement, bulletin ♦ **c. stampa** press release

comunicazióne *s. f.* **1** communication **2** (*tel.*) telephone call, line **3** (*comunicato*) announcement, (*messaggio*) message, (*relazione*) report

comunióne *s. f.* **1** communion **2** (*dir*) community

comunìsmo *s. m.* communism

comunità *s. f.* community

comùnque A *avv.* **1** (*tuttavia*) but, all the same **2** (*in ogni caso*) however, anyhow,

in any case **B** *cong.* however, whatever

cón *prep.* **1** (*compagnia, unione, comparazione, relazione*) with (ES: **sono c. lei** I'm with her, **paragonare un colore c. l'altro** to compare one colour with the other) **2** (*mezzo, strumento*) with, by (ES: **scrivere c. la matita** to write with a pencil; **andare c. l'autobus** to go by bus) **3** (*maniera*) with (ES: **trattare c. cura** to handle with care) **4** (*per indicare una caratteristica*) with (ES: **un uomo c. gli occhi azzurri** a man with blue eyes) **5** (*con valore temporale*) with, at, on, in (ES: **c. la sua partenza** on his departure) **6** (*verso*) to (ES: **essere scortese c. qc.** to be impolite to sb.) **7** (*contro*) against, with (ES: **scontrarsi c. la polizia** to clash with the police) **8** (*avversativo, concessivo*) with, for (ES: **c. tutti i suoi soldi, lo detesto** for all his money, I hate him) **9** (*consecutivo*) to (ES: **c. nostro profondo rammarico** to our great regret)

conàto *s. m.* **1** effort **2** (*di vomito*) retching

cónca *s. f.* basin

concatenazióne *s. f.* concatenation, link

còncavo *agg.* concave

concèdere *v. tr.* **1** to grant, to allow, to concede **2** (*permettere*) to allow **3** (*ammettere*) to admit

concentraménto *s. m.* concentration

concentràre A *v. tr.* to concentrate **B** *v. rifl.* **1** (*riunirsi*) to concentrate, to gather **2** (*fig.*) to concentrate

concentrazióne *s. f.* concentration

concèntrico *agg.* concentric

concepìbile *agg.* conceivable

concepiménto *s. m.* conception

concepìre *v. tr.* **1** (*generare, fig.*) to conceive **2** (*immaginare, escogitare*) to imagine, to contrive **3** (*nutrire*) to entertain **4** (*comprendere*) to understand

concèrnere *v. tr.* to concern, to regard

concertàre *v. tr.* **1** (*mus.*) to harmonize **2** (*fig.*) to plan, to arrange

concertìsta *s. m. e f.* concert player

concèrto *s. m.* concert, (*composizione*) concerto

concessionàrio *s. m.* concessionaire, agent ♦ **c. d'auto** car distributor

concessióne *s. f.* concession, (*autorizzazione*) franchise

concètto *s. m.* concept, conception, idea

concettuàle *agg.* conceptual

concezióne *s. f.* conception

conchìglia *s. f.* shell, conch

cóncia *s. f.* (*di pelli*) tanning, (*di tabacco*) curing

conciàre A *v. tr.* **1** (*trattare*) to treat, (*pelli*) to tan, (*tabacco*) to cure **2** (*maltrattare*) to ill-treat, to beat up **3** (*sporcare*) to dirty, to soil **B** *v. rifl.* **1** (*sporcarsi*) to get dirty **2** (*vestirsi*) to get oneself up

conciliàre *v. tr.* **1** to reconcile, to conciliate **2** (*favorire*) to induce ♦ **c. una contravvenzione** to settle a fine

concìlio *s. m.* council

concìme *s. m.* manure, dung

concisióne *s. f.* concision

concìso *agg.* concise

concitàto *agg.* excited

concittadìno *s. m.* fellow citizen

conclùdere A *v. tr.* **1** to conclude, to end, to finish **2** (*dedurre*) to conclude, to infer **3** (*combinare*) to do **B** *v. intr. pron.* to end up, to conclude

conclusióne *s. f.* conclusion

conclusìvo *agg.* conclusive

concomitànte *agg.* concomitant

concordànza *s. f.* **1** concordance, agreement **2** (*gramm.*) concord

concordàre A *v. tr.* **1** to agree, to arrange **2** (*mettere d'accordo*) to reconcile **3** (*gramm.*) to make agree **B** *v. intr.* to agree

concordàto *s. m.* **1** (*dir.*) composition, arrangement **2** (*relig.*) concordat

concòrde *agg.* in agreement

concorrènte *s. m. e f.* **1** (*comm., sport*) competitor **2** (*candidato*) candidate, applicant

concorrènza *s. f.* competition

concórrere *v. intr.* **1** (*contribuire*) to contribute, to concur **2** (*partecipare*) to share in, to take part in **3** (*competere*) to compete

concórso *s. m.* **1** (*competizione*) competition, contest **2** (*partecipazione*) contribution **3** (*assistenza*) assistance, aid **4** (*dir.*) complicity

concretézza *s. f.* concreteness

concrèto *agg.* concrete

concussióne *s. f.* extortion

condànna *s. f.* **1** condemnation, (*dir.*) conviction **2** (*pena*) punishment

condannàre *v. tr.* **1** (*dir.*) to convict, to sentence **2** (*est.*) to condemn

condannàto *agg. e s. m.* convict

condènsa *s. f.* condensate

condensàre *v. tr. e intr. pron.* to condense

condensazióne *s. f.* condensation, condensing

condiménto *s. m.* **1** flavouring, seasoning, (*per insalata*) dressing **2** (*sostanza*) condiment, dressing, sauce

condìre *v. tr.* to flavour, to season, (*insalata*) to dress

condiscendènza *s. f.* **1** (*degnazione*) condescension **2** (*remissività*) compliance

condividere ♦ *v. tr.* to share

condizionàle *agg.* conditional

condizionaménto *s. m.* conditioning

condizionàre *v. tr.* to condition

condizionatóre *s. m.* (air-)conditioner

condizióne *s. f.* condition

condogliànza *s. f.* condolence

condomìnio *s. m.* joint ownership, (*edificio*) condominium

condonàre *v. tr.* to remit, to condone, to forgive

condóno *s. m.* remission, pardon

condótta *s. f.* **1** (*comportamento*) conduct, behaviour **2** (*conduzione*) conduct, direction **3** (*tubazione*) pipe

condottièro *s. m.* leader

condótto *s. m.* duct, pipe

conducènte *s. m.* driver

condùrre *v. tr.* **A 1** (*guidare*) to lead, to conduct, (*veicolo*) to drive **2** (*accompagnare*) to take, to bring **3** (*gestire*) to manage **4** (*effettuare*) to carry out, to conduct **B** *v. intr.* to conduct

conduttùra *s. f.* piping ♦ **c. dell'acqua** water mains

confàrsi *v. intr. pron.* to suit, to fit, to become

confederazióne *s. f.* confederation

conferènza *s. f.* **1** lecture **2** (*riunione*) conference ♦ **c. stampa** press conference

conferenzière *s. m.* lecturer

conferìre A *v. tr.* to confer, to give, to award **B** *v. intr.* to confer with

confèrma *s. f.* confirmation

confermàre A *v. tr.* to confirm **B** *v. rifl.* to prove oneself

confessàre *v. tr.* to confess

confessionàle *agg. e s. m.* confessional

confessióne *s. f.* confession

confessóre *s. m.* confessor

confetterìa *s. f.* confectionery, (*negozio*) sweet shop

confètto *s. m.* **1** sugared almond **2** (*med.*) pill

confettùra *s. f.* jam

confezionàre *v. tr.* **1** to make up, to manufacture **2** (*pacco*) to pack, to wrap up

confezióne *s. f.* **1** (*di abiti*) manufacture, tailoring, dressmaking **2** *al pl.* (*abiti*) clothes **3** (*imballaggio*) wrapping, packing **4** (*pacco*) package ♦ **c. regalo** gift wrapping

conficcàre *A v. tr.* to hammer **B** *v. rifl.* to stick

confidàre *A v. tr.* to confide **B** *v. intr.* to confide, to trust, to rely on **C** *v. rifl.* to confide in

confidènte *s. m. e f.* **1** (*amico*) confidant *m.*, confidante *f.* **2** (*informatore*) informer

confidènza *s. f.* **1** confidence, trust **2** (*cosa confidata*) confidence, secret **3** (*familiarità*) intimacy

confidenziàle *agg.* **1** confidential **2** (*cordiale*) friendly

configuràre *A v. tr.* to shape **B** *v. intr. pron.* to take shape, to assume a form

confinànte *agg.* neighbouring (*attr*), bordering

confinàre *A v. tr.* to confine **B** *v. intr.* to border on, to adjoin

confine *s. m.* border, boundary

confino *s. m.* internment

confisca *s. f.* confiscation

confiscàre *v. tr.* to confiscate

conflitto *s. m.* conflict

confluènza *s. f.* confluence

confluìre *v. intr.* **1** to flow, to meet **2** (*fig.*) to converge

confóndere *A v. tr.* **1** (*mescolare*) to confuse, to mix up **2** (*scambiare*) to mistake **3** (*disorientare*) to confuse, to embarrass **B** *v. rifl. e intr. pron.* **1** to get mixed up, to become confuse **2** (*mescolarsi*) to mix, to merge

conformàre *A v. tr.* to conform, to adapt **B** *v. rifl.* to conform, to comply with

conformeménte *avv.* according to

conformìsmo *s. m.* conformism

conformìsta *agg. e s. m. e f.* conformist

confortàre *A v. tr.* **1** (*consolare*) to comfort, to console **2** (*incoraggiare*) to encourage **3** (*sostenere*) to support **B** *v. rifl.* to take comfort

confortévole *agg.* **1** (*che conforta*) comforting **2** (*comodo*) comfortable

confòrto *s. m.* **1** comfort, consolation **2** (*incoraggiamento*) encouragement **3** (*sostegno*) support

confrontàre *v. tr.* to compare, to confront

confrónto *s. m.* comparison ♦ **in c. a** in comparison with

confusionàrio *A agg.* muddling **B** *s. m.* muddler

confusióne *s. f.* **1** muddle, confusion, mess **2** (*rumore*) row, noise **3** (*imbarazzo*) confusion, embarrassment

confùso *agg.* confused

confutàre *v. tr.* to refute

congedàre *A v. tr.* **1** to take leave of, to dismiss **2** (*mil.*) to discharge **B** *v. rifl.* **1** to take one's leave of **2** (*mil.*) to be discharged

congèdo *s. m.* **1** leave **2** (*mil.*) discharge

congegnàre *v. tr.* to contrive

congégno *s. m.* device, gear

congelàre *v. tr. e intr. pron.* to freeze

congelatóre *s. m.* freezer

congestióne *s. f.* congestion

congettùra *s. f.* conjecture

congetturàre *v. tr.* to conjecture

congiùngere *A v. tr.* **1** to join **2** (*collegare*) to connect, to join up **B** *v. rifl. e rec.* to join

congiuntivite *s. f.* conjunctivitis

congiuntìvo *agg. e s. m.* (*gramm.*) subjunctive

congiùnto *s. m.* relative

congiuntùra *s. f.* **1** (*giuntura*) joint **2** (*circostanza*) circumstance, situation **3** (*econ.*) conjuncture, situation, (*tendenza*) trend

congiunzióne *s. f.* **1** connection **2** (*gramm.*) conjunction

congiùra *s. f.* conspiracy

congiuràre *v. intr.* to conspire

conglobàre *v. tr.* to combine, to consolidate

congratulàrsi *v. intr. pron.* to congratulate

congratulazióni *s. f. pl.* congratulations *pl.*

congregazióne *s. f.* congregation

congrèsso *s. m.* congress

congruènza *s. f.* congruency

conguàglio *s. m.* balance, adjustment

coniàre *v. tr.* to coin

cònico *agg.* conic(al)

conìfera *s. f.* conifer

conìglio *s. m.* rabbit

coniugàre *v. tr.* **1** to conjugate **2** (*fig.*) to combine

coniugàto *agg.* married

coniugazióne *s. f.* conjugation

còniuge *s. m.* consort

connaturàto *agg.* ingrained

connazionàle *s. m. e f.* compatriot

connessióne *s. f.* connection

connèttere *A v. tr.* to connect, to link **B** *v.*

intr. to think straight **C** *v. intr. pron.* to be connected

connivènte *agg.* conniving

connotàto *s. m. spec. al pl.* description

còno *s. m.* cone ♦ **c. gelato** ice-cream cone

conoscènte *s. m. e f.* acquaintance

conoscènza *s. f.* **1** (*sapere*) knowledge **2** (*il conoscere una persona e la persona conosciuta*) acquaintance **3** (*coscienza*) consciousness

conóscere A *v. tr.* **1** to know **2** (*incontrare*) to meet **3** (*fare esperienza*) to experience **4** (*riconoscere*) to recognize **B** *v. rifl. rec.* **1** to know each other **2** (*fare conoscenza*) to meet

conoscitóre *s. m.* connoisseur

conosciùto *agg.* well-known, famous

conquista *s. f.* conquest

conquistàre *v. tr.* **1** to conquer **2** (*fig.*) to win **3** (*sedurre*) to conquer

consacràre A *v. tr.* to consecrate **B** *v. rifl.* to devote oneself

consanguineo A *agg.* consanguineous, akin (*pred.*) **B** *s. m.* kinsman

consapévole *agg.* conscious, aware (*pred.*)

consapevolézza *s. f.* consciousness, awareness

cònscio *agg.* conscious, aware (*pred.*)

consecutivo *agg.* **1** consecutive, in a row **2** (*seguente*) following **3** (*gramm.*) consecutive

conségna *s. f.* **1** delivery **2** (*custodia*) consignment **3** (*mil.*) orders *pl.* ♦ **c. a domicilio** home delivery; **pagamento alla c.** cash on delivery

consegnàre *v. tr.* to deliver, to hand over, to consign

conseguènte *agg.* consequent

conseguènza *s. f.* consequence

conseguire A *v. tr.* to reach, to achieve **B** *v. intr.* to result

consènso *s. m.* consent

consensuàle *agg.* consensual

consentire A *v. intr.* **1** (*essere d'accordo*) to agree **2** (*acconsentire*) to consent, to assent **B** *v. tr.* to allow

consèrva *s. f.* preserve ♦ **c. di pomodoro** tomato purée

conservànte *s. m.* preservative

conservàre A *v. tr.* to keep, to preserve **B** *v. intr. pron.* to keep, to remain

conservatóre *agg. e s. m.* conservative

conservatòrio *s. m.* conservatoire, (*USA*) conservatory

conservazióne *s. f.* conservation, preservation

consideràre A *v. tr.* **1** to consider, to think of **2** (*stimare*) to think higly of **B** *v. rifl.* to consider oneself

considerazióne *s. f.* **1** consideration **2** (*stima*) regard, respect

considerévole *agg.* considerable

consigliàbile *agg.* advisable

consigliàre A *v. tr.* to advise, to counsel **B** *v. intr. pron.* to ask advice, to consult

consiglière *s. m.* **1** adviser, counsellor **2** (*membro di consiglio*) councillor

consiglio *s. m.* **1** advice, counsel **2** (*organo collegiale*) council, board

consistènte *agg.* substantial, solid

consistènza *s. f.* **1** concistency, solidity **2** (*fondatezza*) foundation, validity

consìstere *v. intr.* to consist

consociàto *agg. e s. m.* associate

consolàre A *v. tr.* to console, to soothe, to comfort **B** *v. rifl.* **1** to take comfort **2** (*rallegrarsi*) to cheer up

consolàto *s. m.* consulate

consolazióne *s. f.* **1** consolation, comfort **2** (*gioia*) joy

cònsole *s. m.* consul

consolidàre *v. tr. e intr. pron.* to consolidate

consonànte *agg. e s. f.* consonant

cònsono *agg.* consonant, in accordance with

consòrte *s. m. e f.* consort

consorterìa *s. f.* faction, clique

consòrzio *s. m.* association, (*d'imprese*) syndicate

constàre A *v. intr.* (*essere composto*) to consist, to be made up **B** *v. intr. impers.* (*risultare*) to appear, to be proved

constatàre *v. tr.* **1** to ascertain **2** (*notare*) to note, to observe

constatazióne *s. f.* **1** ascertainment **2** (*osservazione*) observation

consuèto *agg.* usual, customary

consuetùdine *s. f.* custom

consulènte *agg. e s. m. e f.* consultant

consulènza *s. f.* advice

consultàre A *v. tr.* to consult **B** *v. intr. pron.* to confer, to consult **C** *v. rifl. rec.* to consult together, to confer

consultazióne *s. f.* consultation

consultivo *agg.* advisory

consumàre A *v. tr.* **1** to consume, to use up, (*vestiti*) to wear **2** (*dissipare*) to waste **3** (*usare*) to consume, to use **4** (*mangiare*) to eat, *(bere)* to drink **5** *(compiere)* to commit, to consummate **B** *v. intr. pron.* to consume, to wear out

consumatóre *s. m.* consumer

consumazióne *s. f.* **1** consumption **2** *(al bar)* order **3** *(compimento)* consummation

consùmo *s. m.* consumption

consuntìvo **A** *agg.* final **B** *s. m.* final balance, survey

contàbile *s. m. e f.* book-keeper, accountant

contabilità *s. f.* book-keeping, accounting

contachilòmetri *s. m.* mileometer, *(USA)* odometer

contadìno **A** *agg.* rural, country *(attr)* **B** *s. m.* farmer

contagiàre **A** *v. tr.* to infect **B** *v. intr. pron.* to get infected

contàgio *s. m.* contagion, infection

contagióso *agg.* contagious, infectious

contagìri *s. m. inv.* rev(olution) counter

contagócce *s. m. inv.* dropper

contamināre *v. tr.* to contaminate

contaminazióne *s. f.* contamination

contànte *agg. e s. m.* cash

contàre **A** *v. tr.* **1** to count **2** *(annoverare)* to have **3** *(fam.)* *(raccontare)* to tell **B** *v. intr.* **1** *(sperare)* to expect **2** *(fare assegnamento)* to count, to depend **3** *(valere)* to mean

contatóre *s. m.* meter, counter

contattàre *v. tr.* to contact

contàtto *s. m.* contact

cónte *s. m.* count, earl

contèa *s. f.* *(titolo)* earldom, *(territorio)* county, -shire

conteggiàre *v. tr.* **1** to calculate **2** *(far pagare)* to charge, to put on the bill

contéggio *s. m.* count

contégno *s. m.* **1** *(comportamento)* behaviour **2** *(atteggiamento controllato)* self-control

contemplàre *v. tr.* **1** to admire, to contemplate **2** *(prevedere)* to provide for

contemplatìvo *agg.* contemplative

contemporaneaménte *avv.* at the same time

contemporàneo *agg. e s. m.* contemporary

contèndere **A** *v. tr.* to contend for, to contest **B** *v. intr.* to quarrel, to contest **C** *v. rifl. rec.* to contend for

contenère **A** *v. tr.* **1** to contain, to hold **2** *(frenare)* to contain, to control **B** *v. rifl.* to contain oneself

contenitóre *s. m.* container

contentàre **A** *v. tr.* to satisfy, to please **B** *v. intr. pron.* to be content, to be pleased

contentézza *s. f.* contentment, satisfaction, joy

contènto *agg.* pleased, happy

contenùto *s. m.* **1** contents *pl.* **2** *(argomento)* content, subject

contésa *s. f.* **1** contest, contention **2** *(gara)* competition

contéssa *s. f.* countess

contestàre *v. tr.* **1** *(negare)* to contest, to deny **2** *(notificare)* to notify **3** *(opporsi a)* to contest, to challenge, to dispute

contestazióne *s. f.* **1** dispute, controversy **2** *(notifica)* notification **3** *(protesta)* protest

contèsto *s. m.* context

contìguo *agg.* contiguous, adjoining

continentàle *agg.* continental

continènte *s. m.* continent

continènza *s. f.* continence

contingènte **A** *agg.* contingent **B** *s. m.* **1** *(mil.)* contingent **2** *(econ.)* quota, share

contingènza *s. f.* **1** *(circostanza)* circumstance **2** *(indennità di c.)* cost-of-living allowance

continuaménte *avv.* **1** *(ininterrottamente)* continuously, non-stop **2** *(frequentemente)* continually

continuàre *v. tr. e intr.* to go on, to continue, to keep on

continuazióne *s. f.* continuation ◆ **in c.** over and over again

contìnuo *agg.* **1** continuous, non-stop **2** *(frequente)* continual

cónto *s. m.* **1** *(calcolo)* calculation **2** *(econ., banca)* account **3** *(al ristorante)* bill **4** *(considerazione)* esteem, regard ◆ **fare c. di** to imagine, *(proporsi)* to intend; **fare c. su q.c./qc.** to rely on st./sb.; **per c. mio** as for me; **rendersi conto di q.c.** to realize st.

contòrcere *v. tr. e rifl.* to twist

contorciménto *s. m.* twisting

contornàre **A** *v. tr.* **1** to surround **2** to border **B** *v. rifl.* to surround oneself

contórno *s. m.* **1** contour, outline, edge **2** *(cuc.)* vegetables *pl.*

contòrto *agg.* twisted

contrabbandàre *v. tr.* to smuggle

contrabbandière *s. m.* smuggler

contrabbàndo *s. m.* smuggling

contrabbàsso *s. m.* double bass

contraccambiàre *v. tr.* to return, to repay

contraccettìvo *agg. e s. m.* contraceptive

contraccólpo *s. m.* **1** rebound, recoil **2** *(fig.)* reaction, consequence

contraddìre **A** *v. tr. e intr.* to contradict **B** *v. rifl.* to contradict oneself

contraddistìnguere **A** *v. tr.* to mark **B** *intr. pron.* to stand out, to be characterised by

contraddittòrio **A** *agg.* contradictory **B** *s. m. (dir)* cross-examination

contraddizióne *s. f.* contradiction

contraèreo *agg.* anti-aircraft

contraffàre *v. tr.* **1** *(simulare)* to counterfeit, to imitate, to simulate **2** *(falsificare)* to counterfeit, to falsify, to forge

contraffazióne *s. f.* **1** counterfeit **2** *(falsificazione)* forgery

contrappéso *s. m.* counterbalance

contrappórre **A** *v. tr.* to oppose, to counter **B** *v. rifl.* to oppose, to set oneself against

contrapposizióne *s. f.* contrast, opposition, contraposition

contrariaménte *avv.* **1** *(in modo contrario)* contrarily, contrary to **2** *(al contrario)* on the contrary

contrariàre *v. tr.* **1** to oppose **2** *(irritare)* to vex, to irritate

contrarietà *s. f.* **1** *(opposizione)* contrariety, opposition, aversion **2** *(avversità)* misfortune, trouble, problem

contràrio **A** *agg.* **1** contrary, opposite **2** *(sfavorevole)* unfavourable **3** *(riluttante)* unwilling **B** *s. m.* contrary, opposite ♦ **al c.** on the contrary, *(a ritroso)* backwards, *(a rovescio)* inside out

contràrre **A** *v. tr.* to contract **B** *v. intr. pron.* **1** to contract **2** *(ridursi)* to fall

contrassegnàre *v. tr.* to mark

contrasségno (1) *s. m.* mark

contrasségno (2) *avv.* cash on delivery

contrastàre **A** *v. tr.* to oppose, to resist **B** *v. intr.* to be in contrast, to contrast

contràsto *s. m.* contrast

contrattaccàre *v. tr. e intr.* to counterattack

contrattàcco *s. m.* counterattack

contrattàre *v. tr.* to bargain over, to negotiate

contrattèmpo *s. m.* mishap, hitch

contràtto *s. m.* agreement, contract

contrattuàle *agg.* contractual

contravvenzióne *s. f.* **1** infringement, violation **2** *(multa)* fine

contrazióne *s. f.* contraction

contribuènte *s. m. e f.* taxpayer

contribuìre *v. intr.* to contribute

contribùto *s. m.* **1** contribution **2** *(sovvenzione)* grant

cóntro **A** *prep.* **1** against **2** *(dir, sport)* versus **B** *avv.* against ♦ **il pro e il c.** the pros and cons

controbàttere *v. tr.* to refute, to rebut

controffensìva *s. f.* counter-offensive

controfigùra *s. f.* double

controindicazióne *s. f.* contraindication

controllàre **A** *v. tr.* to check, to control **B** *v. rifl.* to control oneself

contròllo *s. m.* control

controllóre *s. m.* **1** controller **2** *(mezzi di trasporto)* ticket collector

controlùce *s. f.* backlight

contromàno *avv.* in the wrong direction

contromàrca *s. f.* check, token

contropàrte *s. f.* counterpart

contropiède *s. m.* counterattack

controproducènte *agg.* counterproductive

contrórdine *s. m.* counterorder, countermand

controrifórma *s. f.* Counter-Reformation

controsènso *s. m.* countersense, nonsense

controspionàggio *s. m.* counter-espionage

controvalóre *s. m.* equivalent, *(banca)* exchange value

controvèrsia *s. f.* controversy

controvèrso *agg.* controversial

controvòglia *avv.* unwillingly

contumàcia *s. f. (dir)* contumacy, default

contusióne *s. f.* bruise

contùso *agg.* bruised

convalescènte *agg. e s. m. e f.* convalescent

convalescènza *s. f.* convalescence

convalidàre *v. tr.* **1** to validate, to confirm **2** *(rafforzare)* to corroborate

convégno *s. m.* meeting, congress

convenévoli *s. m. pl.* compliments *pl.*, regards *pl.*

conveniènte *agg.* **1** *(adatto)* convenient, suitable **2** *(di prezzo)* good, *(di articolo)* cheap

conveniènza *s. f.* **1** convenience, suitability **2** *(vantaggio)* advantage, gain **3** *(di prezzo)* cheapness

convenìre *v. intr.* **1** *(impers.)* to be better, to suit **2** *(concordare)* to agree **3** *(essere vantaggioso)* to be worth

convènto *s. m.* convent

convenzionàle *agg.* **1** agreed, prearranged **2** *(tradizionale)* conventional

convenzióne s. f. convention

convergènza s. f. 1 convergence 2 (fig.) meeting

convèrgere v. intr. to converge

conversàre v. intr. to talk

conversazióne s. f. conversation, talk

conversióne s. f. conversion

convertìre A v. tr. to convert B v. rifl. e intr. pron. to be converted

convèsso agg. convex

convezióne s. f. convection

convìncere A v. tr. to convince B v. rifl. to convince oneself

convìnto agg. convinced

convinzióne s. f. conviction

convìtto s. m. boarding school

convivènte s. m. e f. cohabitant

convìvere v. intr. to cohabit, to live together

convocàre v. tr. to call, to convene

convocazióne s. f. convocation

convogliàre v. tr. 1 (trasportare) to carry 2 (indirizzare) to direct

convòglio s. m. 1 convoy 2 (ferr) train

convulsióne s. f. 1 fit, convulsion

convùlso agg. 1 convulsive 2 (frenetico) feverish

cooperàre v. intr. to cooperate, to collaborate

cooperatìva s. f. cooperative

cooperazióne s. f. cooperation

coordinaménto s. m. coordination

coordinàre v. tr. to coordinate

coordinàta s. f. coordinate

coordinatóre s. m. coordinator

copèrchio s. m. cover, lid, cap

copèrta s. f. 1 blanket, cover, rug 2 (naut.) deck

copertìna s. f. cover, (USA) jacket

copèrto (1) agg. 1 covered 2 (del cielo) overcast 3 (vestito) clothed 4 (nascosto) hidden

copèrto (2) s. m. 1 (posto a tavola) place, cover 2 (prezzo) cover charge

copertóne s. m. (autom.) tyre

copertùra s. f. cover, covering

còpia s. f. copy

copiàre v. tr. to copy

copióne (1) s. m. (cin., teatro) script

copióne (2) s. m. (fam.) copycat

copisterìa s. f. typing office

còppa s. f. cup ♦ **c. dell'olio** oil sump

còppia s. f. couple, pair

coprifuòco s. m. curfew

coprilètto s. m. inv. bedcover

coprìre A v. tr. 1 to cover 2 (occupare) to hold B v. rifl. to cover oneself, to wrap up C v. intr. pron. 1 to be covered 2 (rannuvolarsi) to become overcast

coràggio s. m. 1 courage, bravery 2 (impudenza) nerve, cheek ♦ **c.!** come on!, cheer up!

coraggióso agg. courageous, brave

coràle agg. choral

corallìno agg. coral

coràllo s. m. coral ♦ **banco di c.** coral reef

Coràno s. m. Koran

coràzza s. f. 1 (mil.) armour, (stor) cuirass 2 (zool.) carapace, armour

corazzàta s. f. battleship

corazzàto agg. armoured

còrda s. f. 1 rope, cord 2 (mus.) string 3 (anat.) cord ♦ **c. vocale** vocal cord; **tagliare la c.** (fig.) to slip away

cordiàle agg. 1 cordial, warm 2 (profondo) hearty ♦ **cordiali saluti** best wishes

cordialità s. f. cordiality

cordialménte avv. 1 cordially, warmly 2 (profondamente) heartily

cordòglio s. m. grief, condolence

cordóne s. m. 1 cord, string 2 (fig.) cordon

coreografìa s. f. choreography

coriàceo agg. tough, coriaceous

coriàndolo s. m. 1 (bot.) coriander 2 al pl. confetti

coricàre A v. tr. 1 to lay down 2 (mettere a letto) to put to bed B v. rifl. 1 to lie down 2 (andare a letto) to go to bed

corìnzio agg. Corinthian

corìsta s. m. e f. chorister

cormoràno s. m. cormorant

cornàcchia s. f. crow

cornamùsa s. f. bagpipes pl.

còrnea s. f. cornea

cornétta s. f. 1 (mus.) cornet 2 (tel.) receiver

cornìce s. f. 1 frame 2 (arch.) cornice 3 (scenario) setting

cornicióne s. m. cornice, moulding

còrno s. m. horn

cornucòpia s. f. cornucopia

còro s. m. chorus, choir

coròlla s. f. corolla

coróna s. f. 1 crown 2 (di fiori) wreath

coronàre v. tr. 1 to crown 2 (circondare) to surround 3 (realizzare) to realize, to crown

còrpo s. m. 1 body 2 (organismo) corps, staff

corporàle *agg.* corporal

corporatùra *s. f.* build

corporazióne *s. f.* **1** corporation **2** (*stor*) guild

corpulènto *agg.* stout

corpùscolo *s. m.* corpuscle

corredàre *v. tr.* **1** to equip, to furnish **2** (*accompagnare*) to attach, to enclose

corredino *s. m.* layette

corrèdo *s. m.* **1** equipment, kit, set **2** (*di sposa*) trousseau

corrèggere A *v. tr.* to correct **B** *v. rifl.* to correct oneself

correlazióne *s. f.* correlation

corrènte A *agg.* **1** (*che scorre*) running, flowing **2** (*scorrevole*) fluent, smooth **3** (*attuale*) current, present **4** (*di moneta*) current **5** (*comune*) common, current **6** (*ordinario*) common, ordinary **B** *s. f.* **1** current **2** (*flusso*) stream, flow

correntemènte *avv.* **1** fluently **2** (*comunemente*) currently

córrere A *v. intr.* **1** to run **2** (*precipitarsi*) to rush **3** (*di veicolo*) to speed along **4** (*gareggiare*) to race **5** (*circolare*) to go round, to circulate **B** *v. tr.* **1** (*sport*) to run, to take part in **2** (*affrontare*) to run

corrètto *agg.* **1** correct, right **2** (*onesto*) honest **3** (*educato*) polite **4** (*di caffè*) laced

correzióne *s. f.* correction

corridóio *s. m.* passage, corridor

corridóre *s. m.* runner, (*sport*) racer

corrièra *s. f.* coach

corrière *s. m.* **1** courier, messenger **2** (*chi trasporta merci*) carrier

corrimàno *s. m.* handrail

corrispettìvo A *agg.* corresponding **B** *s. m.* consideration, compensation

corrispondènte A *agg.* corresponding **B** *s. m. e f.* correspondent

corrispondènza *s. f.* correspondence

corrispóndere A *v. tr.* **1** (*pagare*) to pay **2** (*ricambiare*) to return **B** *v. intr.* **1** to correspond **2** (*coincidere*) to coincide **3** (*essere equivalente*) to be equivalent of

corroboràre *v. tr.* to corroborate

corródere *v. tr. e intr. pron.* to corrode

corrómpere A *v. tr.* to corrupt, (*con denaro*) to bribe **B** *v. intr. pron. e rifl.* **1** to become corrupted **2** (*putrefarsi*) to rot, to taint, to putrefy

corrosióne *s. f.* corrosion

corrosivo *agg.* corrosive

corrótto *agg.* corrupt

corrugàre *v. tr. e intr. pron.* to wrinkle, to corrugate

corruzióne *s. f.* corruption, (*con denaro*) bribery

córsa *s. f.* **1** run **2** (*gara*) race **3** (*di mezzo di trasporto*) trip, journey **4** (*mecc.*) stroke

corsìa *s. f.* **1** (*sport, strada*) lane **2** (*ospedale*) ward

corsìvo *s. m.* **1** (*scrittura*) cursive **2** (*tip.*) italics *pl.*

córso *s. m.* **1** course **2** (*econ.*) course, (*prezzo*) rate, (*circolazione*) circulation **3** (*di fiume*) flow

córte *s. f.* court

cortéccia *s. f.* bark

corteggiàre *v. tr.* to court

cortèo *s. m.* procession

cortése *agg.* kind, polite, courteous

cortesìa *s. f.* **1** kindness, courtesy, politeness **2** (*favore*) favour

cortigiàno A *agg.* court (*attr*) **B** *s. m.* courtier

cortìle *s. m.* courtyard

cortìna *s. f.* curtain

cortisóne *s. m.* cortisone

córto *agg.* short

cortocircùito *s. m.* short circuit

còrvo *s. m.* raven, crow

còsa *s. f.* **1** thing **2** (*faccenda*) matter **3** (*che cosa*) what ◆ **qualche/una c.** anything, something

còscia *s. f.* thigh, (*di animale*) leg

cosciènte *agg.* conscious (*pred.*)

cosciènza *s. f.* **1** conscience **2** (*consapevolezza*) awareness **3** (*responsabilità*) consciousness **4** (*conoscenza*) consciousness

coscienzióso *agg.* conscientious, scrupulous

cosciòtto *s. m.* leg

così A *avv.* **1** (*in questo modo*) like this, this way **2** (*in quel modo*) like that, that way **3** (*in tal modo*) so, thus **4** (*come segue*) as follows **5** (*tanto*) so, such as **6** (*altrettanto*) so, the same **B** *cong.* **1** (*perciò*) so, (*dunque*) then **C** *agg. pred.* (*tale, siffatto*) such, like that ◆ **c. ... come** as ... as; **c. ... da/che** so ... that, so ... as

cosicché *cong.* **1** (*in modo che*) so that **2** (*perciò*) so

cosiddétto *agg.* so-called

cosmètico *agg. e s. m.* cosmetic

còsmico *agg.* cosmic

còsmo *s. m.* cosmos

cosmopolita *agg.* cosmopolitan

còso *s. m. (fam.)* thing, thingummy

cospàrgere *v. tr.* to strew, to scatter, *(liquido)* to sprinkle

cospètto *s. m.* presence

cospìcuo *agg.* conspicuous

cospiràre *v. intr.* to conspire

cospiratóre *s. m.* conspirator

cospirazióne *s. f.* conspiracy

còsta *s. f.* **1** coast, coastline, *(litorale)* shore **2** *(anat.)* rib **3** *(di libro)* back

costànte *agg. e s. f.* constant

costàre *v. tr. e intr.* to cost ♦ **c. caro** to be expensive; **quanto costa?** how much does it cost?

costàta *s. f.* chop

costeggiàre *v. tr.* **1** *(naut.)* to coast, to hug the coast, to sail along **2** *(a terra)* to skirt

costèi *pron. dimostr. f. sing. (sogg.)* she, *(compl.)* her, *(spreg.)* this/that woman

costellazióne *s. f.* constellation

costernazióne *s. f.* consternation, dismay

costièro *agg.* coastal

costipazióne *s. f.* **1** constipation **2** *(raffreddore)* (bad) cold

costituìre **A** *v. tr.* **1** *(fondare)* to constitute, to set up **2** *(formare, comporre)* to constitute, to form, to make up **3** *(rappresentare)* to be **B** *v. rifl.* **1** *(dir.)* to give oneself up **2** *(nominarsi)* to constitute oneself **3** *(formarsi)* to become, to set oneself up

costituzionàle *agg.* constitutional

costituzióne *s. f.* **1** *(di stato)* constitution **2** *(il costituire)* establishment, setting up

còsto *s. m.* cost, *(prezzo)* price, *(spesa)* expence

còstola *s. f.* rib

costolétta *s. f.* cutlet

costóro *pron. dimostr. m. e f. pl. (sogg.)* they, *(compl.)* them, *(spreg.)* these/those people

costóso *agg.* dear, expensive

costrìngere *v. tr.* to force, to compel

costrizióne *s. f.* constraint, compulsion

costruìre *v. tr.* to build, to construct

costruzióne *s. f.* **1** construction, building **2** *(edificio)* building

costùi *pron. dimostr. m. sing. (sogg.)* he, *(compl.)* him, *(spreg.)* this/that man

costùme *s. m.* **1** *(usanza)* custom, usage, habit **2** *(vestito)* costume **3** *(da bagno)* bathing costume, bathing suit

coténna *s. f.* pigskin, *(del lardo)* rind

cotógna *s. f.* quince

cotolétta *s. f.* cutlet, chop

cotóne *s. m.* cotton

còtta *s. f. (fam.)* crush

còttimo *s. m.* piecework ♦ **lavorare a c.** to do piecework

cottùra *s. f.* cooking, *(al forno)* baking

covàre **A** *v. tr.* **1** to brood, to hatch **2** *(fig.)* to brood over, to nurse **B** *v. intr.* to smoulder

cóvo *s. m.* den

covóne *s. m.* sheaf

còzza *s. f.* mussel

cozzàre *v. intr.* **1** to butt, to crash into, to bang against, *(di veicolo)* to collide **2** *(fig.)* to collide, to clash

crac *s. m. inv. (fig.)* crash, collapse

cràmpo *s. m.* cramp

crànico *agg.* cranial

crànio *s. m.* skull, cranium

cratère *s. m.* crater

cravàtta *s. f.* tie

creàre **A** *v. tr.* **1** to create **2** *(causare)* to produce, to cause **3** *(costituire)* to form, to set up **B** *v. intr. pron.* to be created

creatività *s. f.* creativity

creàto *s. m.* creation

creatóre **A** *agg.* creating **B** *s. m.* creator

creatùra *s. f.* creature

creazióne *s. f.* creation

credènte *s. m. e f.* believer

credènza (1) *s. f.* belief

credènza (2) *s. f. (mobile)* sideboard, *(in cucina)* dresser

credenziàli *s. f. pl.* credentials *pl.*

crédere **A** *v. intr.* to believe **B** *v. tr.* **1** *(credere vero)* to believe **2** *(pensare)* to think, to suppose **C** *v. rifl.* to consider oneself

credìbile *agg.* credible, believable

crédito *s. m.* **1** credit **2** *(reputazione)* esteem, reputation

creditóre *agg. e s. m.* creditor

crèdo *s. m.* creed

crèma *s. f.* cream

cremàre *v. tr.* to cremate

cremazióne *s. f.* cremation

crèmisi *agg. e s. m.* crimson

cremóso *agg.* creamy

crèn *s. m.* horseradish

crèpa *s. f.* **1** crack, crevice **2** *(fig.)* rift

crepàccio *s. m.* cleft, *(di ghiacciaio)* crevasse

crepacuòre *s. m.* heartbreak

crepàre **A** *v. intr. (fam.)* **1** *(scoppiare)* to die of, to burst **2** *(morire)* to snuff it **B** *v.*

intr. pron. to crack

crepitàre *v. intr.* to crackle, to pop

crepuscolàre *agg.* twilight (*attr*), crepuscular

crepùscolo *s. m.* twilight

crescèndo *s. m.* crescendo

créscere A *v. intr.* **1** to grow (up) **2** (*aumentare*) to increase, to rise **B** *v. tr.* (*allevare*) to bring up

créscita *s. f.* growth, increase, rise

crèsima *s. f.* confirmation

créspo *agg.* curly, frizzy

crésta *s. f.* crest

créta *s. f.* clay

cretinàta *s. f.* silly thing

cretino *agg. e s. m.* stupid

cric *s. m.* jack

criccà *s. f.* gang

criminàle *agg. e s. m. e f.* criminal

crìmine *s. m.* crime

crinàle *s. m.* ridge

crine *s. m.* horsehair

crinièra *s. f.* mane

cripta *s. f.* crypt

criptico *agg.* cryptic

crisantèmo *s. m.* chrysanthemum

crìsi *s. f.* **1** crisis **2** (*med.*) attack, fit

cristalleria *s. f.* crystalware, glassware

cristallino *agg. e s. m.* crystalline

cristallizzàre *v. tr. e intr. pron.* to crystallize

cristallo *s. m.* crystal

cristianésimo *s. m.* Christianity

cristianità *s. f.* Christendom

cristiano *agg. e s. m.* Christian

critèrio *s. m.* **1** criterion, standard, principle **2** (*buon senso*) common sense

crìtica *s. f.* **1** criticism **2** (*saggio critico*) critical essay, (*recensione*) review **3** (*insieme dei critici*) critics *pl.*

criticàbile *agg.* criticizable

criticàre *v. tr.* to criticize

crìtico A *agg.* **1** critical **2** (*di crisi*) crucial **B** *s. m.* critic, reviewer

crivellàre *v. tr.* to riddle

crivèllo *s. m.* riddle

croccànte *agg.* crisp

crocchétta *s. f.* croquette

cróce *s. f.* cross

crocevia *s. m. inv.* crossroads

crociàta *s. f.* crusade

crocìcchio *s. m.* crossroads

crocièra *s. f.* cruise

crocifìggere *v. tr.* to crucify

crocifissióne *s. f.* crucifixion

crocifìsso *s. m.* crucifix

crogiolàrsi *v. rifl.* to bask

crogiòlo *s. m.* melting pot

crollàre *v. intr.* **1** to collapse **2** (*lasciarsi cadere*) to flop down, to slump

cròllo *s. m.* **1** collapse **2** (*fig.*) downfall, ruin **3** (*econ.*) collapse, fall, drop

cromàtico *agg.* chromatic

cromatùra *s. f.* chromium-plating

cròmo *s. m.* chromium

cromosòma *s. m.* chromosome

crònaca *s. f.* **1** chronicle **2** (*di giornale*) news **3** (*resoconto*) description, (*radio, TV*) commentary ♦ **c. mondana** society news; **c. nera** crime news

crònico *agg.* chronic

cronìsta *s. m. e f.* **1** (*stor*) chronicler **2** (*di giornale*) reporter

cronìstoria *s. f.* chronicle

cronologìa *s. f.* chronology

cronològico *agg.* chronologic

cronometràre *v. tr.* to time

cronòmetro *s. m.* chronometer, timer

cròsta *s. f.* crust ♦ **c. di formaggio** cheese rind

crostàceo *agg. e s. m.* crustacean

crostàta *s. f.* tart

crostino *s. m.* crouton

crucciàre A *v. tr.* to trouble, to worry **B** *v. intr. pron.* to worry

crùccio *s. m.* worry

cruciförme *agg.* **1** cruciform **2** (*bot.*) cruciate

crucivèrba *s. m. inv.* crossword puzzle

crudèle *agg.* cruel

crudeltà *s. f.* cruelty

crudo *agg.* **1** raw, (*poco cotto*) underdone **2** (*aspro*) harsh, crude

crumìro *s. m.* blackleg, scab

crùsca *s. f.* bran

cruscòtto *s. m.* (*autom.*) dashboard, (*aer*) instrument panel

cùbico *agg.* cubic

cubismo *s. m.* cubism

cùbo A *agg.* cubic **B** *s. m.* cube

cuccàgna *s. f.* good time ♦ **albero della c.** greasy pole

cuccétta *s. f.* berth

cucchiaiàta *s. f.* spoonful

cucchiaino *s. m.* teaspoon

cucchiàio *s. m.* spoon

cùccia *s. f.* dog's bed

cùcciolo *s. m.* cub, (*di cane, di foca*) pup-

cucìna *s. f.* **1** kitchen **2** (*il cucinare*) cooking **3** (*apparecchio*) stove, cooker ♦ **c. casalinga** homecooking; **c. vegetariana** vegetarian food

cucinàre *v. tr.* to cook

cucìre *v. tr.* to sew, to stitch

cucitùra *s. f.* seam

cucù *s. m.* cuckoo

cùculo *s. m.* cuckoo

cucùzzolo *s. m.* → **cocuzzolo**

cùffia *s. f.* **1** cap, bonnet **2** (*auricolare*) headphones *pl.*

cugìno *s. m.* cousin

cui *pron. rel. m. e f. sing. e pl.* **1** (*compl. ind.*) who(m) (*persone*), which (*cose e animali*) (*spesso sottinteso*) (ES: **la persona c. scrissi** the person to whom I wrote) **2** (*possessivo*) whose (*persone*), of which, whose (*cose e animali*) (ES: **la persona di c. ho scritto l'indirizzo** the person whose address I wrote) ♦ **in c.** (*dove*) where, (*quando*) when

culinàrio *agg.* culinary

cùlla *s. f.* cradle

cullàre *v. tr.* to rock, to cradle

culminàre *v. intr.* to culminate

cùlmine *s. m.* top

cùlto *s. m.* **1** cult, worship **2** (*religione*) religion

cultùra *s. f.* culture

culturàle *agg.* cultural

cumulatìvo *agg.* cumulative, inclusive

cùmulo *s. m.* **1** heap, pile **2** (*meteor.*) cumulus

cuneifórme *agg.* cuneiform

cùneo *s. m.* wedge

cunìcolo *s. m.* tunnel

cuòcere *v. tr. e intr.* to cook, (*alla griglia*) to grill, (*al forno*) to bake, to roast

cuòco *s. m.* cook

cuòio *s. m.* leather ♦ **articoli di c.** leather goods; **c. capelluto** scalp; **c. conciato** dressed leather

cuòre *s. m.* heart

cupidìgia *s. f.* cupidity, greed

cùpo *agg.* **1** dark, obscure **2** (*suono, colore*) deep **3** (*triste*) gloomy

cùpola *s. f.* dome

cùra *s. f.* **1** care **2** (*med.*) treatment ♦ **a c. di** (*libro*) edited by; **casa di c.** nursing home

curàbile *agg.* curable

curàre **A** *v. tr.* **1** to take care of, to look after of **2** (*med.*) to treat, to cure **3** (*fare in modo*) to make sure **4** (*un libro*) to edit **B** *v. rifl.* to take care of oneself, to follow a treatment

curàto *s. m.* curate

curatóre *s. m.* **1** (*dir*) curator **2** (*di libro*) editor

cùria *s. f.* curia

curiosàre *v. intr.* to pry, to wander

curiosità *s. f.* curiosity

curióso *agg.* curious

cursóre *s. m.* cursor

cùrva *s. f.* curve, bend

curvàre **A** *v. tr., intr. e intr. pron.* to bend, to curve **B** *v. rifl.* to bend down

curvilìneo *agg.* curvilinear

cuscinétto *s. m.* **1** pad **2** (*mecc.*) bearing ♦ **c. a sfere** ball bearing

cuscìno *s. m.* cushion, (*guanciale*) pillow

cùspide *s. f.* cusp

custòde *s. m. e f.* **1** keeper, custodian **2** (*portiere*) doorkeeper

custòdia *s. f.* **1** custody, care **2** (*astuccio*) case

custodìre *v. tr.* **1** (*conservare*) to keep, to preserve **2** (*aver cura*) to take care of, to look after

cutàneo *agg.* cutaneous, skin (*attr*)

cùte *s. f.* cutis, skin

cutìcola *s. f.* cuticle

D

da *prep.* **1** (*moto da luogo, provenienza, separazione*) from (ES: **arrivo da Londra** I'm coming from London, **separarsi da qc.** to part from sb.) **2** (*lontananza*) (away) from (ES: **essere assente da scuola** to be away from school) **3** (*moto a luogo*) to (ES: **sono andato da mia madre** I've been to my mother's) **4** (*stato in luogo*) at (ES: **dove sei? sono dal panettiere** where are you? I'm at the baker's) **5** (*moto per luogo*) through (ES: **entrare dalla finestra** to go in through the window) **6** (*agente, causa efficiente*) by (ES: **il granaio fu distrutto da un incendio** the barn was destroyed by a fire) **7** (*causa*) for, with (ES: **sta piangendo dal dolore** he's crying for pain, **tremare dal freddo** to shiver with cold) **8** (*durata nel tempo*) for (ES: **aspetto da un mese** I've been waiting for a month) **9** (*decorrenza*) (*riferito al pass.*) since, (*riferito al pres. e fut.*) (as) from (ES: **aspetto dal mese scorso** I've been waiting since last month, **da oggi in poi** from today onwards) **10** (*modo*) like (ES: **comportarsi da uomo** to behave like a man) **11** (*condizione*) as (ES: **da bambino** as a child) **12** (*uso, scopo*) *forme aggettivali* (ES: **occhiali da sole** sun glasses, **rete da pesca** fishing net) ♦ **non avere niente da fare** to have nothing to do; **tanto da** (*consec.*) so much as (to), (*a sufficienza*) enough (to); **un francobollo da 1000 lire** a 1000-lira stamp
dabbène *agg.* respectable, honest
daccàpo *avv.* **1** (*di nuovo*) over again **2** (*dall'inizio*) from the beginning
dadaìsmo *s. m.* Dadaism
dàdo *s. m.* **1** die (*pl.* dice) **2** (*mecc.*) nut **3** (*da brodo*) cube
daffàre *s. m.* work
dài *inter.* come on!
dàino *s. m.* fallow deer
daltònico *agg.* colour-blind
d'altrónde *avv.* on the other hand
dàma *s. f.* **1** lady **2** (*nel ballo*) partner **3** (*gioco*) draughts *pl.*, (*USA*) checkers *pl.*
damàsco *s. m.* damask
damigèlla *s. f.* bridesmaid
damigiàna *s. f.* demijohn

danése A *agg.* Danish **B** *s. m. e f.* Dane **C** *s. m.* (*lingua*) Danish
dannàre A *v. tr.* **1** to damn **2** (*far dannare*) to drive mad **B** *v. rifl.* **1** to be damned **2** (*affannarsi*) to strive hard
dannazióne *s. f.* damnation
danneggiàre *v. tr.* **1** to damage **2** (*sciupare*) to spoil **3** (*menomare*) to injure **4** (*nuocere*) to harm
dànno *s. m.* damage, harm, injury
dannóso *agg.* harmful
dànza *s. f.* dance, (*il danzare*) dancing
danzàre *v. tr. e intr.* to dance
danzatóre *s. m.* dancer
dappertùtto *avv.* everywhere
dapprìma *avv.* at first
dàrdo *s. m.* dart
dàre (1) A *v. tr.* **1** to give **2** (*porgere*) to pass **3** (*concedere*) to grant, to give **4** (*rappresentare*) to put on **5** (*produrre*) to yield, to bear **B** *v. intr.* **1** (*colpire, urtare*) to hit, to bump **2** (*di porta, finestra*) to look on to, to lead into **C** *v. rifl.* to devote oneself
dàre (2) *s. m.* debit
dàrsena *s. f.* wet dock
dàta *s. f.* date
datàre *v. tr. e intr.* to date
dàto (1) *agg.* given, stated ♦ **d. che** since, as
dàto (2) *s. m.* datum
dàttero *s. m.* date
dattilografàre *v. tr.* to type
dattilògrafo *s. m.* typist
davànti A *avv.* in front **B** *agg. e s. m.* front (*attr*) **C** *prep.* **a 1** in front of, opposite **2** (*prima di*) before
davanzàle *s. m.* windowsill
davvéro *avv.* really, indeed
dàzio *s. m.* duty ♦ **esente da d.** duty free
dèa *s. f.* goddess
deambulatòrio *s. m.* (*arch.*) ambulatory
debellàre *v. tr.* to wipe out
debilitàre *v. tr. e intr. pron.* to weaken
débito (1) *s. m.* **1** debt **2** (*comm.*) debit
débito (2) *agg.* due, proper
debitóre *agg. e s. m.* debtor (*attr*)
débole A *agg.* weak, faint, feeble **B** *s. m.* **1** (*punto debole*) weak point **2** (*inclina-*

zione) weakness

debolézza *s. f.* weakness

debuttàre *v. intr.* to make one's début

debùtto *s. m.* début

dècade *s. f.* (*dieci anni*) decade, ten years *pl.*, (*dieci giorni*) ten days *pl.*

decadènte *agg.* decadent

decadentismo *s. m.* decadentism

decadènza *s. f.* **1** (*decay*) decay, decline **2** (*letter*) decadence **3** (*dir*) loss

decadére *v. intr.* to decay, to decline

decadùto *agg.* impoverished

decaffeinàto *agg.* decaffeinated

decàlogo *s. m.* **1** (*relig.*) decalogue **2** (*est.*) handbook

decàno *s. m.* doyen, dean

decapitàre *v. tr.* to behead, to decapitate

decappottàbile *agg. e s. f.* convertible

deceduto *agg.* deceased, dead

decelerazióne *s. f.* deceleration

decennàle *agg. e s. m.* decennial

decènnio *s. m.* decade, decennium

decènte *agg.* **1** (*decoroso*) decent, proper, decorous **2** (*accettabile*) acceptable, reasonable

decentraménto *s. m.* decentralization

decènza *s. f.* decency

decèsso *s. m.* death

decidere **A** *v. tr. e intr.* to decide **B** *v. intr. pron.* to make up one's mind

deciduo *agg.* deciduous

decifràre *v. tr.* to decipher, to decode

decilitro *s. m.* decilitre, (*USA*) deciliter

decimàle *agg. e s. m.* decimal

decimàre *v. tr.* to decimate

dècimo *agg. num. ord. e s. m.* tenth

decina *s. f.* **1** (*dieci*) ten, half-a-score **2** (*circa dieci*) about ten

decisaménte *avv.* **1** decidedly, definitely **2** (*risolutamente*) resolutely

decisióne *s. f.* decision

decisionista *s. m. e f.* decision-maker

decisivo *agg.* decisive, conclusive

deciso *agg.* **1** decided, firm, resolute **2** (*definito*) definite

declamàre *v. tr. e intr.* to declaim

declassàre *v. tr.* to declass, to degrade

declinàre **A** *v. tr.* (*gramm.*) to decline **B** *v. intr.* **1** (*tramontare*) to set **2** (*venir meno*) to decline, to wane **3** (*degradare*) to slope down

declinazióne *s. f.* **1** (*gramm.*) declension **2** (*fis.*) declination

declino *s. m.* decline

declivio *s. m.* slope

decodificàre *v. tr.* to decode

decollàre *v. intr.* to take off

decòllo *s. m.* take-off

decoloràre *v. tr.* to decolorate, to bleach

decolorazióne *s. f.* decoloration, bleaching

decompórre **A** *v. tr.* **1** to decompose **2** (*chim.*) to dissociate **B** *v. intr. pron.* **1** to decompose **2** (*putrefarsi*) to rot, to decay

decomposizióne *s. f.* decomposition

decongestionàre *v. tr.* to decongest

decontaminàre *v. tr.* to decontaminate

decoràre *v. tr.* to decorate

decorativo *agg.* decorative

decoratóre *s. m.* decorator

decorazióne *s. f.* decoration

decòro *s. m.* **1** (*dignità*) decorum, dignity **2** (*lustro*) honour **3** (*ornamento*) décor

decoróso *agg.* decorous

decórrere *v. intr.* **1** (*trascorrere*) to elapse **2** (*avere inizio*) to start, to run, (*avere effetto*) to become effective ♦ **a d. da** starting from

decòtto *s. m.* decoction

decrepito *agg.* decrepit

decrescènte *agg.* decreasing

decréscere *v. intr.* to decrease, to diminish

decretàre *v. tr.* **1** to decree **2** (*tributare*) to confer

decréto *s. m.* decree

decurtàre *v. tr.* to curtail, to reduce

dèdalo *s. m.* maze

dèdica *s. f.* dedication

dedicàre **A** *v. tr.* **1** to dedicate **2** (*intitolare alla memoria*) to name after **B** *v. rifl.* to devote oneself

dedito *agg.* **1** devoted, dedicated **2** (*a vizio*) addicted

deducibile *agg.* **1** deducible **2** (*defalcabile*) deductible

dedùrre *v. tr.* **1** to deduce **2** (*defalcare*) to deduct

deduzióne *s. f.* deduction

defalcàre *v. tr.* to deduct

deferire *v. tr.* to refer

defezióne *s. f.* defection, desertion

deficiènte **A** *agg.* **1** (*insufficiente*) insufficient **2** (*med.*) mentally deficient **B** *s. m. e f.* **1** mentally deficient person **2** (*stupido*) stupid

dèficit *s. m. inv.* deficit

deficitàrio *agg.* **1** showing a deficit **2** (*fig.*) insufficient

definire *v. tr.* **1** to define **2** (*determinare*)

to determine, to fix **3** (*risolvere*) to settle
definitivaménte *avv.* definitively
definitivo *agg.* definitive, final
definizióne *s. f.* **1** definition **2** (*risoluzione*) settlement
deflagrazióne *s. f.* deflagration
deflèttere *v. intr.* **1** to deflect, to deviate **2** (*cedere*) to yield
deflettóre *s. m.* deflector
defluire *v. intr.* to flow
deflùsso *s. m.* downflow, (*di marea*) ebb
deformàre A *v. tr.* **1** to deform **2** (*alterare*) to distort, to warp **B** *v. intr. pron.* to get deformed, to lose one's shape
deformazióne *s. f.* deformation
defórme *agg.* deformed
deformità *s. f.* **1** deformity **2** (*med.*) deformation
defraudàre *v. tr.* to defraud, to cheat
defùnto A *agg.* dead, late (*attr*) **B** *s. m.* dead, deceased
degeneràre *v. intr.* to degenerate
degenerazióne *s. f.* degeneration
degènere *agg.* degenerate
degènte *s. m. e f.* patient
deglutìre *v. tr.* to swallow
degnàre A *v. tr.* to think worthy **B** *v. intr. pron.* do deign, to condescend
dégno *agg.* worthy
degradànte *agg.* degrading
degradàre A *v. tr.* **1** to demote **2** (*fig.*) to degrade **B** *v. rifl.* to degrade oneself **C** *v. intr. pron.* to deteriorate
degràdo *s. m.* decay, deterioration
degustàre *v. tr.* to taste
degustazióne *s. f.* tasting
delatóre *s. m.* informer
delazióne *s. f.* delation
dèlega *s. f.* **1** delegation **2** (*procura*) proxy
delegàre *v. tr.* to delegate
delegazióne *s. f.* delegation
deletèrio *agg.* deleterious, harmful
delfìno *s. m.* dolphin
deliberàre *v. tr.* **1** to deliberate **2** (*decidere*) to decide
deliberataménte *avv.* deliberately
delicataménte *avv.* gently
delicatézza *s. f.* **1** delicacy **2** (*cura*) care
delicàto *agg.* delicate
delimitàre *v. tr.* to delimit
delimitazióne *s. f.* delimitation
delineàre A *v. tr.* to outline **B** *v. intr. pron.* to loom, to take shape
delinquènte *agg. s. m. e f.* **1** criminal, delinquent **2** (*fig., fam.*) rogue
delinquènza *s. f.* delinquency, criminality
deliràre *v. intr.* to rave
delìrio *s. m.* delirium, raving
delìtto *s. m.* **1** crime **2** (*omicidio*) murder
delìzia *s. f.* delight
delizióso *agg.* delightful, (*di sapore, odore*) delicious
dèlta *s. m. inv.* delta
deltaplàno *s. m.* hang-glider
delucidazióne *s. f.* elucidation
delùdere *v. tr.* to disappoint
delusióne *s. f.* disappointment
demagogìa *s. f.* demagogy
demagògico *agg.* demagogic(al)
demaniàle *agg.* State (*attr*)
demànio *s. m.* State property
demènte A *agg.* **1** (*med.*) demented **2** (*est.*) insane, mad **B** *s. m. e f.* **1** (*med.*) dement **2** (*est.*) lunatic
demènza *s. f.* **1** (*med.*) dementia **2** (*est.*) insanity
demenziàle *agg.* **1** (*med.*) demential **2** (*est.*) crazy
demistificazióne *s. f.* demystification
democràtico A *agg.* democratic **B** *s. m.* democrat
democrazìa *s. f.* democracy
demografìa *s. f.* demography
demogràfico *agg.* demographic
demolìre *v. tr.* to demolish
demolizióne *s. f.* demolition
dèmone *s. m.* **1** d(a)emon **2** (*diavolo*) devil
demònio *s. m.* devil, demon
demonizzàre *v. tr.* to demonize
demoralizzàre A *v. tr.* to demoralize **B** *v. intr. pron.* to lose heart
demotivàre A *v. tr.* to demotivate **B** *v. intr. pron.* to become demotivated
denàro *s. m.* **1** money **2** *al pl.* (*carte da gioco*) diamonds *pl.*
denatalità *s. f.* fall in the birthrate
denaturàto *agg.* denatured
denigràre *v. tr.* to denigrate, to run down
denominàre A *v. tr.* to name, to call **B** *v. intr. pron.* to be named
denominazióne *s. f.* denomination, name
denotàre *v. tr.* to denote, to indicate
densità *s. f.* density, thickness
dènso *agg.* **1** dense, thick **2** (*pieno di*) full
dentàle *agg.* dental
dènte *s. m.* tooth ♦ **al d.** slightly underdone; **d. cariato** decayed tooth; **spazzolino**

da denti tooth-brush
dentellàto *agg.* indented
dentièra *s. f.* denture, false teeth *pl.*
dentifrìcio *s. m.* toothpaste
dentìsta *s. m. e f.* dentist
déntro A *avv.* **1** in, inside **2** (*interiormente*) inwardly **B** *prep.* **1** in, inside **2** (*entro*) within **3** (*con v. di moto*) into ♦ **d. casa** indoors; **qui d.** inside here
denudàre A *v. tr.* to strip, to denude **B** *v. rifl.* to strip (off), to undress
denùncia *s. f.* **1** accusation, complaint **2** (*dichiarazione*) declaration, report
denunciàre *v. tr.* **1** (*dir*) to denounce **2** (*manifestare*) to denote, to reveal **3** (*dichiarare*) to declare
denutrìto *agg.* underfed
denutrizióne *s. f.* malnutrition
deodorànte *agg. e s. m.* deodorant
depennàre *v. tr.* to cross out, to strike out
deperìbile *agg.* perishable
deperìre *v. intr.* **1** to waste away, to decline **2** (*di pianta*) to wither **3** (*di cose*) to perish, to decay
depilàre *v. tr.* to depilate
depilatòrio *agg.* depilatory
depilazióne *s. f.* depilation
dépliant *s. m. inv.* brochure, leaflet
deploràre *v. tr.* to deplore
deplorévole *agg.* deplorable
depórre A *v. tr.* **1** to lay (down), to put down **2** (*da una carica*) to remove, to depose **3** (*depositare*) to deposit **4** (*rinunciare*) to give up, to renounce **B** *v. intr.* (*dir*) to depose, to give evidence
deportàre *v. tr.* to deport
depositàre A *v. tr.* **1** to deposit **2** (*metter giù*) to put down **3** (*immagazzinare*) to store **4** (*un marchio*) to register **B** *v. intr. pron.* to settle, to deposit
depòsito *s. m.* **1** deposit **2** (*magazzino*) warehouse, (*mil.*) depot ♦ **d. bagagli** left-luggage (office), checkroom
deposizióne *s. f.* **1** deposition **2** (*da una carica*) removal
depravàto *agg.* depraved
depravazióne *s. f.* depravity
deprecàbile *agg.* deprecable, disgraceful
deprecàre *v. tr.* to deprecate
depredàre *v. tr.* to plunder, to pillage
depressióne *s. f.* depression
deprèsso *agg.* depressed
deprezzaménto *s. m.* depreciation
deprezzàre *v. tr.* to depreciate

deprìmere A *v. tr.* to depress **B** *v. intr. pron.* to get depressed, to lose heart
depuràre *v. tr.* to depurate
depuratóre *s. m.* depurator
deputàto *s. m.* deputy
deragliaménto *s. m.* derailment
deragliàre *v. intr.* to go off the rails ♦ **far d.** to derail
derattizzazióne *s. f.* deratization
derìdere *v. tr.* to deride, to mock
derisióne *s. f.* derision
derìva *s. f.* **1** drift **2** (*superficie*) keel
derivàre A *v. intr.* **1** (*provenire*) to derive, to come, to originate from **2** (*scaturire*) to rise **3** (*andare alla deriva*) to drift **B** *v. tr.* **1** to derive **2** (*fiume, canale*) to divert
derivazióne *s. f.* **1** derivation **2** (*elettr*) shunt
dermatìte *s. f.* dermatitis
dermatologìa *s. f.* dermatology
dermatòlogo *s. m.* dermatologist
dèroga *s. f.* derogation
derràta *s. f.* **1** *al pl.* victuals *pl.*, foodstuffs *pl.* **2** (*merci*) goods *pl.*, commodity
derubàre *v. tr.* to steal, to rob
descrittìvo *agg.* descriptive
descrìvere *v. tr.* to describe
descrizióne *s. f.* description
desèrtico *agg.* desert (*attr*), waste
desèrto A *agg.* **1** desert (*attr*) **2** (*abbandonato*) deserted, (*vuoto*) empty **B** *s. m.* **1** desert **2** (*fig.*) wilderness, wasteland
desideràre *v. tr.* **1** to want, to desire, to wish **2** (*richiedere*) to want **3** (*sessualmente*) to desire
desidèrio *s. m.* wish, desire
desideróso *agg.* longing for
design *s. m. inv.* design
designàre *v. tr.* to designate
desinènza *s. f.* (*gramm.*) ending
desìstere *v. intr.* to desist, to give up
desolànte *agg.* distressing
desolàto *agg.* **1** desolate, **2** (*sconsolato*) disconsolate, sorrowful **3** (*spiacente*) sorry
desolazióne *s. f.* desolation
dessert *s. m. inv.* dessert
destàre *v. tr. e intr. pron.* to wake (up), to awake
destinàre *v. tr.* **1** to destine **2** (*assegnare*) to assign **3** (*nominare*) to appoint **4** (*stabilire*) to fix **5** (*riservare, dedicare*) to intend, to devote
destinatàrio *s. m.* receiver, (*di lettera*) ad-

dressee

destinazióne *s. f.* destination

destino *s. m.* destiny

destituíre *v. tr.* to dismiss

destituíto *agg.* **1** (*rimosso*) dismissed **2** (*privo*) devoid, destitute

dèsto *agg.* awake

dèstra *s. f.* **1** (*mano*) right hand **2** (*parte*) right (side) **3** (*pol.*) Right ♦ **a d.** on the right

destreggiàrsi *v. intr. pron.* to manage

destrézza *s. f.* skill, dexterity

dèstro A *agg.* **1** right, right-hand (*attr*) **2** (*abile*) clever **B** *s. m.* chance

desùmere *v. tr.* to infer, to deduce

detenére *v. tr.* **1** to hold **2** (*dir*) to possess, to detain

detenùto *s. m.* prisoner, convict

detenzióne *s. f.* **1** (*possesso*) possession **2** (*imprigionamento*) detention, imprisonment

detergènte *agg. e s. m.* detergent

deterioràbile *agg.* perishable

deterioràre A *v. tr.* to deteriorate, to damage **B** *v. intr. pron.* to deteriorate, to go bad

determinàre *v. tr.* **1** to determine **2** (*causare*) to produce

determinàto *agg.* **1** (*definito*) determinate, definite **2** (*particolare*) certain **3** (*deciso*) resolute, determined

detersìvo *s. m.* detergent

detestàre *v. tr.* to detest, to hate

detraìbile *agg.* deductible

detràrre *v. tr. e intr.* to deduct, to detract

detrazióne *s. f.* deduction ♦ **d. fiscale** tax allowance

detrìto *s. m.* debris, rubble

dettagliànte *s. m. e f.* retailer

dettagliataménte *avv.* in detail

dettàglio *s. m.* **1** detail, particular **2** (*comm.*) retail

dettàre *v. tr.* to dictate

dettàto *s. m.* dictation

détto A *agg.* **1** (*chiamato*) called, named, (*soprannominato*) nicknamed **2** (*sopraddetto*) said, aforesaid **B** *s. m.* saying

deturpàre *v. tr.* to disfigure, to sully

devastàre *v. tr.* to devastate, to ravage

deviàre A *v. intr.* to deviate, to swerve **B** *v. tr.* to divert

deviazióne *s. f.* **1** deviation, deflection **2** (*stradale*) detour

devòlvere *v. tr.* to devolve, to assign

devòto *agg.* **1** (*relig.*) devotional, pious **2** (*affezionato*) devoted, sincere

devozióne *s. f.* devotion

di *prep.* **1** (*specificazione, denominazione, abbondanza, privazione, quantità, ecc.*) of (ES: **il senso dell'umorismo** a sense of humour, **la città di Oxford** the city of Oxford, **un chilo di pane** a kilo of bread) **2** (*possesso*) of, *genitivo sassone* (ES: **la coda del cane** the dog's tail) **3** (*partitivo*) some, any (ES: **vuoi ancora del caffè?** would you like any more coffee?) **4** (*appartenenza*) by (ES: **una poesia di Leopardi** a poem by Leopardi) **5** (*condizione, qualità*) at, in, by (ES: **conoscere di nome** to know by name) **6** (*argomento*) about, of (ES: **so molte cose di lui** I know a lot about him) **7** (*dopo un comp.*) than, (*dopo un sup.*) of, in (ES: **meglio di te** better than you, **il fiume più lungo del mondo** the longest river in the world) **8** (*materia, età, valore, misura*) of (*spesso idiom.*) (ES: **un tavolo di legno** a wooden table, **un conto di dieci sterline** a ten-pound bill) **9** (*causa*) of, for, with (ES: **tremare di paura** to tremble with fear, **piangere di dolore** to be crying for pain) **10** (*mezzo, strumento*) with, on (ES: **ungere di burro** to grease with butter) **11** (*moto da luogo, allontanamento, separazione, origine, provenienza*) from, out of (ES: **uscire di casa** to get out from home) **12** (*tempo*) in, at, on (ES: **di sera** in the evening, **di domenica** on Sundays) **13** (*con v. all'inf.*) *idiom.* (ES: **credo di essere proprio stanco** I think I'm really tired) **14** (*con altra prep.*) *idiom.* (ES: **dopo di te** after you)

diabète *s. m.* diabetes

diabètico *agg. e s. m.* diabetic

diàcono *s. m.* deacon

diadèma *s. m.* diadem

diafràmma *s. m.* **1** diaphragm **2** (*fig.*) screen

diàgnosi *s. f.* diagnosis

diagnosticàre *v. tr.* to diagnose

diagonàle *agg.* diagonal

diagràmma *s. m.* diagram, chart

dialettàle *agg.* dialectal

dialèttico *agg.* dialectic(al)

dialètto *s. m.* dialect

diàlisi *s. f.* dialysis

dialogàre *v. intr.* to converse, to talk together

diàlogo *s. m.* dialogue

diamànte *s. m.* diamond

diametralménte *avv.* diametrically

diàmetro s. m. diameter
diàmine inter. good heavens!
diapositìva s. f. slide
diàrio s. m. diary, journal ♦ **d. di bordo** log
diarrèa s. f. diarr(ho)ea
diàvolo s. m. devil
dibàttere **A** v. tr. to debate, to discuss **B** v. rifl. to struggle
dibàttito s. m. **1** debate, discussion **2** (disputa) controversy
dicastèro s. m. ministry
dicèmbre s. m. December
dicerìa s. f. rumour, gossip
dichiaràre **A** v. tr. to declare, (affermare) to state **B** v. rifl. to declare oneself
dichiarazióne s. f. declaration, statement
diciannòve agg. num. card. e s. m. inv. nineteen
diciassètte agg. num. card. e s. m. inv. seventeen
diciòtto agg. num. card. e s. m. inv. eighteen
didascalìa s. f. caption, legend
didascàlico agg. didactic
didàttica s. f. didactics pl. (v. al sing.)
dièci agg. num. card. e s. m. inv. ten
diesel agg. e s. m. inv. diesel
dièta s. f. diet ♦ **essere a d.** to be on a diet
dietètico agg. dietetic
dietòlogo s. m. dietician
diètro **A** avv. behind, at the back **B** prep. behind, after **C** agg. e s. m. back (attr) ♦ **d. l'angolo** round the corner
dietrofrónt s. m. about-turn
difàtti cong. in fact, as a matter of fact
difèndere **A** v. tr. **1** to defend **2** (sostenere) to maintain, to support **B** v. rifl. **1** to defend oneself **2** (cavarsela) to manage
difensìvo agg. defensive
difensóre s. m. **1** defender **2** (sostenitore) supporter, advocate
difésa s. f. defence
difettàre v. intr. **1** (avere difetti) to be defective **2** (mancare di) to be wanting, to be lacking
difettìvo agg. defective
difètto s. m. **1** (fisico) defect, (morale) fault, (imperfezione) blemish **2** (colpa) fault **3** (deficienza) deficiency, (mancanza) lack
difettóso agg. defective, faulty
diffamàre v. tr. to defame, to slander
diffamazióne s. f. defamation, slander, (a mezzo stampa) libel
differènte agg. different

differenteménte avv. differently
differènza s. f. difference
differenziàle agg. e s. m. differential
differenziàre **A** v. tr. to differentiate **B** v. rifl. e intr. pron. to be different
differìre **A** v. intr. to differ **B** v. tr. to delay, to postpone
difficile **A** agg. **1** difficult, hard **2** (incontentabile) difficult to please **3** (improbabile) unlikely **B** s. m. difficulty
difficoltà s. f. **1** difficulty **2** (obiezione) objection
diffìda s. f. warning
diffidàre **A** v. intr. to distrust, to mistrust **B** v. tr. to warn
diffidènte agg. **1** distrustful, mistrustful **2** (sospettoso) suspicious
diffidènza s. f. **1** distrust, mistrust **2** (sospetto) suspicion
diffóndere **A** v. tr. to spread, to diffuse **B** v. intr. pron. **1** to spread **2** (dilungarsi) to dwell
difformità s. f. difference, dissimilarity
diffusaménte avv. diffusely
diffusióne s. f. **1** diffusion, spread **2** (di giornale) circulation
difterìte s. f. diphtheria
dìga s. f. **1** dam, dike **2** (portuale) breakwater
digerènte agg. digestive
digerìbile agg. digestible
digerìre v. tr. to digest
digestióne s. f. digestion
digestìvo agg. e s. m. digestive
digitàle agg. digital
digitàre v. tr. to type in
digiunàre v. intr. to fast
digiùno **A** agg. fasting **B** s. m. fast
dignità s. f. dignity
dignitóso agg. **1** dignified **2** (decoroso) decent, respectable
digressióne s. f. digression
digrignàre v. tr. to gnash
dilagàre v. intr. **1** to flood, to overflow **2** (diffondersi) to spread, to increase
dilaniàre v. tr. to tear (to pieces)
dilapidàre v. tr. to squander, to waste
dilatàre v. tr. e intr. pron. to dilate, to widen, to expand
dilatazióne s. f. dilatation, expansion
dilazionàre v. tr. to delay, to defer
dilazióne s. f. delay, extension
dileguàre **A** v. tr. to disperse **B** v. intr. e intr. pron. to vanish, to disappear, to fade away

dilèmma *s. m.* dilemma

dilettànte *agg. e s. m. e f.* amateur

dilettantésco *agg.* amateurish

dilettàre **A** *v. tr.* to delight, to give pleasure to **B** *v. intr. pron.* **1** to delight, to enjoy **2** (*occuparsi per diletto*) to dabble

dilètto *s. m.* pleasure, delight

diligènte *agg.* diligent, careful

diligènza (1) *s. f.* diligence, care

diligènza (2) *s. f.* (*carrozza*) stage-coach

diluire *v. tr.* to dilute, (*con acqua*) to water

dilungàrsi *v. intr. pron.* to dwell, to talk at length

diluviàre *v. intr.* to pour

dilùvio *s. m.* deluge

dimagrànte *agg.* slimming (*attr*)

dimagrire **A** *v. tr.* **1** to make thin **2** (*smagrire*) to slim **B** *v. intr.* to grow thin, to lose weight, to slim

dimenàre **A** *v. tr.* to wag, to wave **B** *v. rifl.* to fidget, to toss about

dimensióne *s. f.* dimension, (*grandezza*) size

dimenticànza *s. f.* **1** forgetfulness **2** (*svista*) oversight, (*inavvertenza*) inadvertence

dimenticàre **A** *v. tr.* **1** to forget **2** (*perdonare*) to forgive **3** (*lasciare in un posto*) to leave **B** *v. intr. pron.* to forget

dimésso *agg.* modest, (*trascurato*) shabby

dimestichézza *s. f.* familiarity

diméttere **A** *v. tr.* **1** to discharge **2** (*da una carica*) to dismiss, to remove **B** *v. rifl.* to resign

dimezzàre **A** *v. tr.* to halve **B** *v. intr. pron.* to be halved

diminuire **A** *v. tr.* to diminish, to lessen, to reduce **B** *v. intr.* to decrease, to fall, to go down, to drop

diminutìvo *agg. e s. m.* diminutive

diminuzióne *s. f.* decrease, reduction

dimissióni *s. f. pl.* resignation ◆ **dare le d.** to resign

dimòra *s. f.* abode, home, residence

dimoràre *v. intr.* to reside, to live

dimostràbile *agg.* demonstrable

dimostràre **A** *v. tr.* **1** (*mostrare*) to show, (*età*) to look **2** (*provare*) to demonstrate, to prove, to show **B** *v. intr.* to protest, to demonstrate **C** *v. rifl.* to show oneself, to prove

dimostrazióne *s. f.* demonstration

dinàmica *s. f.* dynamics *pl.* (*v. al sing.*)

dinàmico *agg.* dynamic

dinamìsmo *s. m.* dynamism

dinamite *s. f.* dynamite

dìnamo *s. f. inv.* dynamo

dinànzi → **davanti**

dinastìa *s. f.* dynasty

diniègo *s. m.* denial

dinoccolàto *agg.* slouching

dinosàuro *s. m.* dinosaur

dintórni *s. m. pl.* neighbourhood

dìo *s. m.* god

diòcesi *s. f.* diocese

diottrìa *s. f.* diopter

dipanàre *v. tr.* **1** to wind into a ball **2** (*districare*) to disentangle

dipartiménto *s. m.* department

dipendènte **A** *agg.* dependent, subordinate **B** *s. m. e f.* employee, subordinate

dipendènza *s. f.* dependence ◆ **essere alle dipendenze di qc.** to be employed by sb.

dipèndere *v. intr.* **1** to depend (on) **2** (*derivare*) to come from, to be due to, to derive **3** (*essere alle dipendenze*) to be under the authority (of)

dipìngere *v. tr.* to paint

dipìnto *s. m.* painting

diplòma *s. m.* diploma, certificate

diplomàre **A** *v. tr.* to award a diploma to **B** *v. intr. pron.* to get a diploma

diplomàtico **A** *agg.* diplomatic **B** *s. m.* diplomat

diplomazìa *s. f.* **1** diplomacy **2** (*carriera*) diplomatic service

dipòrto *s. m.* recreation, pleasure

diradàre **A** *v. tr.* **1** to thin out **2** (*ridurre*) to reduce, to cut down **B** *v. intr. pron.* **1** to thin away, to clear away **2** (*ridursi*) to become less frequent

diramàre **A** *v. tr.* to issue, to diffuse **B** *v. intr. pron.* to branch out, (*di strada*) to branch off

diramazióne *s. f.* branch, ramification

dire **A** *v. tr.* **1** to say, (*raccontare, riferire*) to tell **2** (*significare*) to mean **3** (*dimostrare*) to show **4** (*pensare*) to think, to say **B** *v. rifl.* to profess

direttaménte *avv.* directly, straight

dirètto **A** *agg.* **1** bound, going to **2** (*indirizzato*) addressed to **3** (*immediato*) direct, immediate **4** (*condotto*) conducted, run **5** (*gramm.*) direct **B** *s. m.* **1** (*ferr.*) through train **2** (*boxe*) straight right (*destro*), straight left (*sinistro*) **C** *avv.* direct, directly

direttóre *s. m.* **1** director, manager **2** (*d'orchestra*) conductor **3** (*di giornale*) editor in chief **4** (*di prigione*) governor **5** (*di scuola*) headmaster

direzionàle *agg.* **1** (*che dirige*) executive **2** (*che indica direzione*) directional

direzióne *s. f.* **1** (*verso*) direction, course **2** (*guida*) direction, guidance, management, leadership **3** (*sede*) head office, administrative department

dirigènte **A** *agg.* managing **B** *s. m. e f.* manager, executive, (*pol.*) leader

dirigere **A** *v. tr.* **1** (*volgere*) to direct, to turn **2** (*rivolgere*) to address, to direct **3** (*amministrare*) to manage, to run **4** (*un'orchestra*) to conduct **B** *v. rifl.* to head for, to make for

dirigibile *s. m.* dirigible

dirimpètto **A** *avv.* opposite **B** *prep.* **d. a** opposite to

diritto (1) **A** *agg.* **1** straight **2** (*eretto*) upright, erect **B** *s. m.* **1** right side **2** (*di moneta*) obverse **3** (*lavoro a maglia*) plain **C** *avv.* straight, directly ♦ **vada sempre d.** go straight on

diritto (2) *s. m.* **1** (*facoltà*) right **2** (*legge*) law **3** (*tributo*) due, duty, fee ♦ **diritti d'autore** royalties; **d. civile/penale** civil/criminal law; **d. di voto** right to vote

diroccàto *agg.* crumbling, in ruins

dirottaménto *s. m.* **1** diversion **2** (*di aereo*) hijacking, skyjacking

dirottàre **A** *v. tr.* **1** to divert **2** (*un aereo*) to hijack, to skyjack **B** *v. intr.* to change course

dirottatóre *s. m.* hijacker, skyjacker

diròtto *agg.* abundant, (*di pianto*) unrestrained ♦ **piovere a d.** to pour down

dirùpo *s. m.* crag

disabitàto *agg.* uninhabited, (*abbandonato*) deserted

disabituàre **A** *v. tr.* to disaccustom **B** *v. rifl.* to lose the habit (of)

disaccòrdo *s. m.* disagreement

disadattàto *agg.* maladjusted

disadàtto *agg.* unfit, unsuitable

disadórno *agg.* unadorned, (*semplice*) plain

disagévole *agg.* uncomfortable

disagiàto *agg.* **1** (*scomodo*) uncomfortable **2** (*povero*) poor, needy

disàgio *s. m.* **1** uneasiness, uncomfortableness **2** (*disturbo*) inconvenience, trouble **3** *al pl.* discomforts *pl.*, hardship ♦ **sentirsi a d.** to feel uneasy

disàmina *s. f.* examination

disapprovàre *v. tr.* to disapprove of, to deprecate

disapprovazióne *s. f.* disapproval

disappùnto *s. m.* disappointment

disarmàre *v. tr.* **1** to disarm **2** (*smantellare*) to dismantle **3** (*naut.*) to lay up

disarmònico *agg.* discordant

disastràto *agg.* devastated, badly hit

disàstro *s. m.* **1** disaster, damage **2** (*fiasco*) failure

disastróso *agg.* disastrous, deadful

disattènto *agg.* inattentive, careless

disattenzióne *s. f.* **1** inattention, carelessness **2** (*svista*) oversight

disavànzo *s. m.* deficit

disavventùra *s. f.* mishap, misadventure

disboscàre *v. tr.* to deforest

disbrigo *s. m.* dispatching

discàpito *s. m.* detriment

discàrica *s. f.* dump

discendènte **A** *agg.* descending **B** *s. m. e f.* descendant

discéndere **A** *v. intr.* **1** to go down, to come down, to descend **2** (*declinare*) to descend, to slope down **3** (*di prezzi, temperatura*) to fall, to drop **4** (*trarre origine*) to descend, to come from **B** *v. tr.* to go down, to come down

discépolo *s. m.* disciple

discèrnere *v. tr.* **1** to discern **2** (*distinguere*) to distinguish

discésa *s. f.* **1** (*movimento*) descent **2** (*pendio*) slope, declivity **3** (*caduta*) fall, drop ♦ **strada in d.** downhill road

discesista *s. m. e f.* (*sci*) downhill racer

dischiùdere **A** *v. tr.* to open **B** *v. intr. pron.* to open out

disciògliere **A** *v. tr.* **1** (*slegare*) to unbind **2** (*sciogliere*) to dissolve **3** (*liquefare*) to melt **B** *v. intr. pron.* **1** (*slegarsi*) to loosen **2** (*sciogliersi*) to dissolve **3** (*liquefarsi*) to melt

disciplìna *s. f.* discipline

disco *s. m.* **1** disk, disc **2** (*mus.*) record, disc **3** (*sport*) discus

discolpàre *v. tr.* to clear, to excuse

discontìnuo *agg.* discontinuous

discordànte *agg.* discordant

discordàre *v. intr.* **1** to disagree, to dissent **2** (*essere differente*) to differ **3** (*di suoni*) to be discordant, (*di colori*) to clash

discòrdia *s. f.* discord, disagreement

discórrere *v. intr.* to talk

discorsìvo *agg.* conversational

discórso *s. m.* 1 speech 2 (*conversazione*) talk, conversation

discotèca *s. f.* 1 record library 2 (*locale*) disco(thèque)

discrepànza *s. f.* discrepancy

discretaménte *avv.* 1 (*con discrezione*) discreetly 2 (*a sufficienza*) quite well, fairly 3 (*piuttosto*) rather

discréto *agg.* 1 (*che ha discrezione*) discreet 2 (*abbastanza buono*) fair, fairly good 3 (*moderato*) moderate

discrezióne *s. f.* 1 (*riservatezza*) discretion 2 (*arbitrio*) judgement, discretion

discriminàre *v. tr.* to discriminate

discriminazióne *s. f.* discrimination

discussióne *s. f.* 1 discussion, debate 2 (*litigio*) argument

discùtere **A** *v. tr.* 1 to discuss, to debate 2 (*obiettare*) to question **B** *v. intr.* 1 to discuss 2 (*obiettare*) to argue

disdegnàre *v. tr.* to disdain

disdétta *s. f.* 1 (*dir.*) notice, cancellation 2 (*sfortuna*) bad luck

disdire *v. tr.* to cancel, to call off

disegnàre *v. tr.* 1 to draw 2 (*progettare*) to design, to plan 3 (*fig.*) to outline

disegnatóre *s. m.* draftsman, (*progettista*) designer, (*illustratore*) illustrator

diségno *s. m.* 1 drawing 2 (*progetto*) design, plan 3 (*motivo*) pattern

diserbànte *s. m.* herbicide

disertàre *v. intr.* to desert

disertóre *s. m.* deserter

disfaciménto *s. m.* decay, break-up

disfàre **A** *v. tr.* 1 to undo, (*distruggere*) to destroy 2 (*un meccanismo*) to take down 3 (*slegare*) to untie, unfasten 4 (*sciogliere*) to melt 5 (*sconfiggere*) to defeat **B** *v. intr. pron.* 1 to break up 2 (*sciogliersi*) to melt **C** *v. rifl.* (*liberarsi di q.c.*) to get rid of ♦ **d. le valigie** to unpack

disfàtta *s. f.* defeat, overthrow

disfunzióne *s. f.* 1 (*med.*) disorder, trouble 2 (*malfunzionamento*) malfunction

disgèlo *s. m.* thaw

disgràzia *s. f.* 1 (*sventura*) misfortune, bad luck 2 (*sfavore*) disgrace, disfavour 3 (*incidente*) accident

disgraziataménte *avv.* unfortunately

disgraziàto **A** *agg.* 1 (*sfortunato*) unfortunate, unlucky 2 (*infelice*) miserable **B** *s. m.* 1 wretch 2 (*sciagurato*) rascal

disgregàre *v. tr. e intr. pron.* to disgregate, to break up

disguìdo *s. m.* 1 mistake, error 2 (*postale*) miscarriage

disgustàre **A** *v. tr.* to disgust, to sicken **B** *v. intr. pron.* to become disgusted

disgùsto *s. m.* 1 disgust 2 (*avversione*) dislike, aversion

disgustóso *agg.* disgusting

disidratàre *v. tr.* to dehydrate

disidratazióne *s. f.* dehydration

disillùdere **A** *v. tr.* to disillusion, to disenchant, to disappoint **B** *v. rifl.* to be disenchanted

disimparàre *v. tr.* to forget

disimpegnàre **A** *v. tr.* 1 (*un oggetto*) to get out of pawn, to redeem 2 (*liberare da un impegno*) to release, to disengage 3 (*assolvere*) to carry out **B** *v. intr. pron.* 1 to release oneself 2 (*cavarsela*) to manage

disincagliàre *v. tr.* to refloat, to get afloat

disincantàto *agg.* disenchanted

disinfestàre *v. tr.* to disinfest

disinfettànte *s. m.* disinfectant

disinfettàre *v. tr.* to disinfect

disinibìto *agg.* uninhibited

disinnescàre *v. tr.* to defuse

disinquinàre *v. tr.* to depollute

disintegràre *v. tr. e intr. pron.* to disintegrate

disinteressàrsi *v. intr. pron.* to lose one's interest (in)

disinterèsse *s. m.* 1 disinterestedness, unselfishness 2 (*indifferenza*) indifference

disintossicazióne *s. f.* detoxication

disinvòlto *agg.* self-assured, confident

disinvoltùra *s. f.* 1 self-assurance, ease 2 (*superficialità*) carelessness

dislessìa *s. f.* dyslexia

dislivèllo *s. m.* 1 difference in level/height 2 (*inclinazione*) slope 3 (*ineguaglianza*) difference, inequality

dislocaménto *s. m.* 1 (*naut.*) displacement 2 (*mil.*) deployment 3 (*distribuzione*) distribution

dislocàre *v. tr.* 1 (*naut.*) to displace 2 (*collocare*) to place

dismisùra *s. f.* excess

disoccupàto *agg. e s. m.* unemployed

disoccupazióne *s. f.* unemployment

disonestà *s. f.* dishonesty

disonèsto *agg.* dishonest

disonóre *s. m.* dishonour, disgrace

disópra **A** *avv.* upstairs **B** *s. m.* top **C** *prep.* **(al) d. di** over, above

disordinàto *agg.* 1 untidy, muddled 2

(*sregolato*) intemperate, irregular
disórdine s. m. 1 disorder, untidiness, mess 2 (*sregolatezza*) intemperance 3 *al pl.* (*tumulti*) riot
disorganizzazióne s. f. disorganization
disorientaménto s. m. 1 disorientation 2 (*fig.*) confusion
disorientàre A v. tr. 1 to disorientate 2 (*fig.*) to bewilder, to disconcert B v. intr. pron. to get confused
disótto A avv. downstairs B s. m. underside C prep. (**al**) **d. di** under, below
dispàccio s. m. dispatch
disparàto agg. disparate
dispari agg. 1 odd 2 (*diseguale*) unequal
disparità s. f. difference, inequality
dispàrte, in loc. avv. aside, apart
dispendióso agg. expensive, costly
dispènsa s. f. 1 pantry, larder 2 (*pubblicazione periodica*) instalment 3 (*dir*) exemption 4 (*relig.*) dispensation
dispensàre v. tr. 1 (*distribuire*) to dispense, to distribute 2 (*esentare*) to exempt
disperàre A v. intr. to despair, to give up hope B v. intr. pron. to despair, to be desperate
disperazióne s. f. despair
dispèrdere A v. tr. 1 to disperse, to scatter 2 (*dissipare*) v. intr. pron. to waste, to dissipate B v. rifl. e intr. pron. to disperse
dispersióne s. f. dispersion
dispèrso s. m. missing person
dispètto s. m. 1 spite 2 (*stizza*) vexation, annoyance ♦ **fare dispetti** to tease
dispettóso agg. spiteful
dispiacére (1) A v. intr. 1 to dislike, not to like (*costruzione pers.*) 2 (*essere spiacente*) to be sorry 3 (*nelle frasi di cortesia*) to mind B v. intr. pron. to be sorry
dispiacére (2) s. m. 1 regret, sorrow 2 (*dolore*) grief 3 (*preoccupazione*) trouble
displùvio s. m. 1 ridge 2 (*edil.*) hip
disponìbile agg. 1 available, disposable 2 (*libero*) vacant, free, available 3 (*disposto*) helpful
dispórre A v. tr. 1 to arrange, to set out, to dispose 2 (*preparare*) to prepare, to make arrangements 3 (*deliberare*) to order B v. intr. to have at one's disposal, to dispose, to have C v. rifl. 1 (*collocarsi*) to place oneself 2 (*prepararsi*) to prepare, to get ready
dispositìvo s. m. device
disposizióne s. f. 1 disposal 2 (*collo-*

camento) disposition, arrangement 3 (*ordine*) order, instruction 4 (*inclinazione*) bent
dispòtico agg. despotic
dispregiatìvo agg. 1 disparaging 2 (*gramm.*) pejorative
disprezzàre v. tr. to despise
disprèzzo s. m. contempt
dispùta s. f. 1 dispute, discussion 2 (*lite*) quarrel
disputàre A v. intr. 1 to discuss, to dispute 2 (*gareggiare*) to contend B v. tr. 1 to dispute, to contend 2 (*sport*) to play
dissalatóre s. m. desalter
dissanguaménto s. m. bleeding
disseccàre v. tr. e intr. pron. to dry up, to wither
disseminàre v. tr. 1 to scatter, to disseminate 2 (*fig.*) to spread
dissènso s. m. dissent, disagreement
dissenterìa s. f. dysentery
dissentìre v. intr. to dissent, to disagree
dissertazióne s. f. dissertation
disservìzio s. m. inefficiency
dissestàre v. tr. to upset, to ruin
dissèsto s. m. 1 instability 2 (*econ.*) financial trouble
dissetànte agg. refreshing, thirst-quenching
dissetàre A v. tr. to quench thirst B v. rifl. to quench one's thirst
dissidènte agg. e s. m. e f. dissident
dissìdio s. m. disagreement
dissìmile agg. unlike, dissimilar
dissimulàre v. tr. to dissimulate, to dissemble
dissipàre v. tr. 1 (*disperdere*) to dispel 2 (*scialacquare*) to dissipate, to waste, to squander
dissociàre A v. tr. to dissociate B v. rifl. to dissociate oneself
dissodàre v. tr. to break up, to till
dissolùto agg. dissolute, debauched
dissolvènza s. f. fading
dissòlvere A v. tr. 1 to dissolve 2 (*disperdere*) to dissipate B v. intr. pron. 1 to dissolve 2 (*svanire*) to fade away
dissonànte agg. dissonant
dissuadére v. tr. to dissuade
distaccàre A v. tr. 1 to detach, to separate 2 (*trasferire*) to detach, to detail 3 (*sport*) to leave behind B v. intr. pron. to come off, to break off
distàcco s. m. 1 detachment 2 (*partenza*)

separation, parting **3** (*indifferenza*) detachment, indifference **4** (*sport*) lead
distante *agg.* distant, faraway (*attr*)
distanza *s. f.* distance
distanziàre *v. tr.* **1** to space out **2** (*lasciare indietro*) to outdistance, to leave behind
distàre *v. intr.* to be distant, to be ... away
distèndere A *v. tr.* **1** to spread, to stretch (out) **2** (*porre*) to lay **3** (*rilassare*) to relax **B** *v. rifl. e intr. pron.* **1** to spread, to stretch (out) **2** (*sdraiarsi*) to lie down **3** (*rilassarsi*) to relax
distensióne *s. f.* **1** stretching **2** (*rilassamento*) relaxation **3** (*pol.*) détente
distésa *s. f.* expanse, stretch
distillàre *v. tr.* to distil(l)
distillàto *s. m.* distillate
distillería *s. f.* distillery
distinguere A *v. tr.* **1** to distinguish **2** (*contrassegnare*) to mark **B** *v. intr. pron.* to distinguish oneself
distìnta *s. f.* list, note
distintìvo A *agg.* distinctive **B** *s. m.* badge
distìnto *agg.* **1** distinct **2** (*raffinato*) distinguished ◆ **distinti saluti** best regards
distinzióne *s. f.* distinction
distògliere *v. tr.* **1** (*dissuadere*) to dissuade **2** (*distrarre*) to divert, to distract **3** (*allontanare*) to remove
distòrcere A *v. tr.* to distort, to twist **B** *v. intr. pron.* to be sprained
distorsióne *s. f.* **1** distortion **2** (*med.*) sprain
distràrre A *v. tr.* **1** to distract **2** (*divertire*) to entertain, to amuse **3** (*dir*) to misappropriate **B** *v. rifl.* **1** to divert one's attention **2** (*divertirsi*) to amuse oneself
distrattaménte *avv.* absent-mindedly
distràtto *agg.* absent-minded, inattentive
distrazióne *s. f.* **1** absent-mindedness **2** (*disattenzione*) inattention, carelessness **3** (*divertimento*) recreation, amusement **4** (*dir*) misappropriation
distrétto *s. m.* district
distribuìre *v. tr.* to distribute
distributóre *s. m.* distributor, dispenser ◆ **d. di benzina** petrol pump, (*USA*) gasoline pump
distribuzióne *s. f.* distribution
districàre A *v. tr.* to disentangle **B** *v. rifl.* to disentangle oneself
distrùggere *v. tr.* **1** to destroy **2** (*fig.*) to shatter
distruzióne *s. f.* destruction

disturbàre A *v. tr.* **1** to disturb, to trouble **2** (*sconvolgere*) to upset **B** *v. rifl.* to trouble (oneself), to bother
distùrbo *s. m.* **1** trouble, inconvenience **2** (*med.*) trouble, illness **3** (*radio*) noise
disubbidiènte *agg.* disobedient
disubbidìre *v. intr.* to disobey
disuguagliànza *s. f.* inequality
disuguàle *agg.* **1** (*differente*) different **2** (*irregolare*) uneven
disumàno *agg.* inhuman
disùso *s. m.* disuse
ditàle *s. m.* thimble
ditàta *s. f.* fingerprint
dìto *s. m.* finger, (*del piede*) toe
dìtta *s. f.* firm, business
dittatóre *s. m.* dictator
dittatùra *s. f.* dictatorship
dittòngo *s. m.* diphthong
diurètico *agg. e s. m.* diuretic
diùrno *agg.* day (*attr*), day-time (*attr*)
divagàre *v. intr.* to stray, to digress
divampàre *v. intr.* to flare up
divàno *s. m.* sofa, divan
divaricàre *v. tr. e intr. pron.* to open wide
divàrio *s. m.* discrepancy, gap
divenìre → diventàre
diventàre *v. intr.* **1** to become **2** (*farsi*) to grow (into), to turn (into), to get
divèrbio *s. m.* altercation, squabble
divèrgere *v. intr.* to diverge
diversaménte *avv.* differently, otherwise
diversificàre A *v. tr.* to diversify **B** *v. intr. pron.* to differ
diversità *s. f.* diversity, difference
diversìvo *s. m.* diversion, distraction
divèrso (1) A *agg. indef. spec. al pl.* several **B** *pron. indef. al pl.* several people
divèrso (2) *agg.* different
divertènte *agg.* amusing, funny
divertiménto *s. m.* amusement, fun
divertìre A *v. tr.* to amuse, to entertain **B** *v. rifl.* to amuse oneself, to have fun, to enjoy oneself
dividèndo *s. m.* dividend
divìdere A *v. tr.* **1** to divide, to split **2** (*condividere*) to share **3** (*separare*) to part **B** *v. rifl.* to part **C** *v. rifl. rec.* to separate
divièto *s. m.* prohibition ◆ **d. d'accesso** no entry; **d. di sosta** no parking
divincolàrsi *v. rifl.* to wriggle
divinità *s. f.* divinity
divìno *agg.* divine
divìsa (1) *s. f.* uniform

divìsa (2) s. f. (*valuta*) currency
divisìbile agg. divisible
divisióne s. f. division
divisionìsmo s. m. pointillism
divìso agg. **1** divided **2** (*separato*) separated **3** (*condiviso*) shared
dìvo s. m. star
divoràre v. tr. to devour, to eat up
divorziàre v. intr. to divorce
divorziàto s. m. divorcee
divòrzio s. m. divorce
divulgàre A v. tr. to spread, to divulge **B** v. intr. pron. to spread
divulgatìvo agg. popular
dizionàrio s. m. dictionary
dóccia s. f. shower ♦ **fare la d.** to take a shower
docènte A agg. teaching **B** s. m. e f. teacher
docènza s. f. teaching
dòcile agg. docile
documentàbile agg. documentable
documentàre A v. tr. to document **B** v. rifl. to gather information
documentàrio s. m. documentary
documénto s. m. document, paper, record
dódici agg. num. card. e s. m. inv. twelve
dogàna s. f. customs pl. ♦ **dichiarazione per la d.** customs declaration; **pagare la d.** to pay duty
doganière s. m. customs officer
dòglie s. f. pl. labour
dògma s. m. dogma
dogmàtico agg. dogmatic
dólce A agg. **1** sweet **2** (*mite*) mild **3** (*tenero*) soft **B** s. m. **1** (*sapore*) sweetness **2** (*cibo*) sweet **3** (*torta*) cake
dolcézza s. f. **1** sweetness **2** (*gentilezza*) kindness **3** (*di clima*) mildness **4** (*di suono, colore*) softness
dolciàstro agg. sweetish
dolcificànte s. m. sweetener
dolciùme s. m. sweet(meat)
dolènte agg. **1** sorrowful **2** (*che fa male*) aching
dolère v. intr. e intr. pron. **1** to ache **2** (*rincrescere*) to be sorry
dòllaro s. m. dollar
dòlo s. m. (*dir*) malice, fraud
dolorànte agg. aching
dolóre s. m. **1** pain, ache **2** (*morale*) sorrow, grief
doloróso agg. **1** painful, sore **2** (*che procura dolore morale*) sorrowful, sad
dolóso agg. fraudulent ♦ **incendio d.**

arson
domànda s. f. **1** question (*richiesta*) request, (*scritta*) application **2** (*econ.*) demand
domandàre A v. tr. **1** (*per sapere*) to ask, (*per avere*) to ask for **2** (*esigere*) to demand **B** v. intr. to inquire, to ask
domàni avv. e s. m. tomorrow
domàre v. tr. to tame
domatóre s. m. tamer
domattìna avv. tomorrow morning
doménica s. f. Sunday
domèstico A agg. domestic, home (*attr*) **B** s. m. servant, domestic
domicìlio s. m. domicile ♦ **consegna a d.** home delivery
dominànte agg. e s. f. dominant
dominàre A v. tr. **1** to dominate, to rule **2** (*frenare*) to control **3** (*sovrastare*) to overlook, to dominate **B** v. intr. **1** to rule **2** (*prevalere*) to predominate **C** v. rifl. to control oneself
dominatóre s. m. ruler
dominazióne s. f. domination, rule
domìnio s. m. **1** domination, rule **2** (*territorio*) dominion **3** (*proprietà*) property **4** (*settore*) domain
donàre A v. tr. to give (as a present) **B** v. intr. (*addirsi*) to suit
donatóre s. m. donor, giver ♦ **d. di sangue** blood donor
dondolàre A v. tr. e intr. to swing, to rock **B** v. rifl. to swing, to rock oneself
dóndolo s. m. swing ♦ **a d.** rocking
dònna s. f. **1** woman **2** (*domestica*) maid **3** (*carte da gioco*) queen ♦ **d. di casa** housewife
dònnola s. f. weasel
dóno s. m. **1** gift, present **2** (*disposizione*) gift, talent
dópo A avv. **1** (*tempo*) after, afterwards, (*poi*) then, (*più tardi*) later, (*successivamente*) next **2** (*luogo*) after, next **B** prep. **1** (*tempo*) after, (*a partire da*) since **2** (*luogo*) after, (*oltre*) past, (*dietro*) behind **C** cong. after **D** agg. next, after
dopobàrba s. m. inv. aftershave
dopodomàni avv. the day after tomorrow
dopoguèrra s. m. inv. postwar period
dopoprànzo s. m. afternoon
doposcì s. m. après-ski
dopotùtto avv. after all
doppiàggio s. m. dubbing
doppiàre v. tr. **1** to double **2** (*sport*) to lap

3 (*cin.*) to dub

doppiatóre *s. m.* dubber

dóppio A *agg.* **1** double **2** (*mecc.*) dual **B** *s. m.* **1** double, twice the amount **2** (*tennis*) doubles *pl.* **C** *avv.* double ♦ **d. gioco** double-cross

doppióne *s. m.* duplicate

doppiopètto *agg.* double-breasted

doráto *agg.* gilt, (*color d'oro*) golden

dòrico *agg.* Doric

dormicchiàre *v. intr.* to doze

dormiglióne *s. m.* sleepy-head

dormíre *v. intr. e tr.* to sleep ♦ **andare a d.** to go to bed

dormíta *s. f.* sleep

dormitòrio *s. m.* dormitory

dormivéglia *s. m.* drowsiness

dorsàle A *agg.* dorsal **B** *s. f.* ridge ♦ **spina d.** backbone

dòrso *s. m.* back

dosàggio *s. m.* dosage

dosàre *v. tr.* **1** to dose, to measure out **2** (*distribuire con parsimonia*) to dole out

dòse *s. f.* dose, quantity, amount

dòsso *s. m.* (*di strada*) hump

dotàre *v. tr.* **1** to endow **2** (*fornire*) to equip, to furnish

dotazióne *s. f.* **1** (*rendita*) endowment **2** (*attrezzatura*) equipment

dòte *s. f.* **1** dowry **2** (*dono naturale*) gift, quality

dòtto *agg.* learned

dottóre *s. m.* **1** (*medico*) doctor, physician **2** (*laureato*) graduate

dottrìna *s. f.* doctrine

dóve *avv.* where

dovére (1) A *v. serv.* **1** (*obbligo*) must, to have (got) to, to be to, shall (ES: **devo correre se non voglio essere in ritardo a scuola** I must run if I don't want to be late at school, **devi imparare a controllarti** you've got to learn to control yourself, **che cosa devo fare?** what am I to do?) **2** (*necessità, opportunità, convenienza*) to have to, must, need; (*in frasi neg. e interr neg.*) not to need, need not, not to have (got) to (ES: **a che ora devi essere all'aeroporto?** what time must you be at the airport?, **questa sera non devo uscire** I needn't get out tonight) **3** (*certezza, probabilità, supposizione, inevitabilità*) must, to be bound to, to have to (ES: **Paolo deve essere sordo** Paul must be deaf **4** (*accordo, programma stabilito*) to be to, to be

due (to) (ES: **chi deve arrivare adesso?** who is to come next?, **l'aereo deve atterrare alle 12,15** the plane is due to land at 12,15) **5** (*devo?, dobbiamo?, nel senso di 'vuoi che?', 'volete che?'*) shall (ES: **devo aspettarti?** shall I wait for you?) **6** (*al condiz.*) should, ought to (ES: **dovreste aiutarlo** you ought to help him, **non avrebbe dovuto farlo** he shouldn't have done it) **7** (*al congiuntivo imperfetto*) should, were to (ES: **se dovessi tardare, precedetemi** if I should be late, just go ahead) **8** (*essere costretto, obbligato*) to be compelled to, to be forced to, to feel bound to (ES: **il ministro dovette dimettersi** the minister was forced to resign) **9** (*consiglio, suggerimento*) should have, ought to have (*con p. p.*) (ES: **dovevamo pensarci prima** we ought to have thought of it before) **B** *v. tr.* **1** (*essere debitore di*) to owe **2** (*derivare*) to take **3** (*esser dovuto*) to be due

dovére (2) *s. m.* duty ♦ **a d.** properly; **chi di d.** the person responsible

doveróso *agg.* right (and proper)

dovùnque A *avv.* (*dappertutto*) everywhere, (*in qualsiasi luogo*) anywhere **B** *cong.* wherever

dozzìna *s. f.* dozen

dozzinàle *agg.* cheap, ordinary

dragàre *v. tr.* to dredge

dràgo *s. m.* dragon

dràmma *s. m.* **1** drama, play **2** (*fig.*) tragedy

drammàtico *agg.* dramatic

drammatùrgo *s. m.* dramatist, playwright

drappeggiàre *v. tr.* to drape

drappéggio *s. m.* drapery

drappèllo *s. m.* **1** (*mil.*) squad **2** (*est.*) group

dràstico *agg.* drastic

drenàggio *s. m.* drainage, drain

drenàre *v. tr.* to drain

drìtto A *agg.* **1** straight **2** (*eretto*) upright **3** (*fam.*) (*furbo*) smart **B** *s. m.* **1** right side **2** (*fam.*) (*furbo*) smart person **3** (*maglia*) plain **C** *avv.* straight

drìzza *s. f.* halyard

drizzàre *v. tr.* **1** (*raddrizzare*) to straighten **2** (*rizzare*) to prick up

dròga *s. f.* **1** (*spezie*) spice **2** (*stupefacente*) drug, (*fam.*) dope

drogàre A *v. tr.* to drug **B** *v. rifl.* to take drugs

drogàto s. m. drug addict

drogheria s. f. grocery, grocer's shop

dromedàrio s. m. dromedary

dualismo s. m. dualism

dùbbio A agg. **1** doubtful, uncertain **2** (ambiguo) dubious **B** s. m. doubt ♦ **senza d.** no doubt, without doubt

dubbioso agg. doubtful

dubitàre v. intr. **1** to doubt, to have doubts **2** (temere) to suspect **3** (diffidare) to distrust

dùca s. m. duke

ducàto s. m. **1** dukedom, duchy **2** (moneta) ducat

duchéssa s. f. duchess

due agg. num. card. e s. m. inv. two

duecènto agg. num. card. e s. m. inv. two hundred

duèllo s. m. duel

duétto s. m. duet

dùna s. f. dune

dùnque cong. **1** (conclusione, conseguenza) so, therefore **2** (rafforzativo) so, then, well ♦ **venire al d.** to come to the point

dùo s. m. inv. duo, duet

duòmo s. m. cathedral

duplex agg. e s. m. inv. (tel.) shared

duplicàto s. m. duplicate

duplicazióne s. f. duplication

dùplice agg. double, twofold

duraménte avv. **1** hard **2** (aspramente) harshly, roughly

durànte prep. during, in, throughout

duràre v. intr. **1** to last, to go on **2** (resistere) to hold out, (di tessuto) to wear **3** (conservarsi) to keep

duràta s. f. **1** duration, length **2** (di tessuto) wear **3** (di motore) life

duratùro agg. **1** lasting **2** (di materiale) durable **3** (di colore) fast

durévole agg. lasting, durable

durézza s. f. **1** hardness **2** (asprezza) harshness **3** (rigidità) stiffness

dùro A agg. **1** hard **2** (rigido) tough, stiff **B** avv. hard

dùttile agg. ductile, pliable

E

e o **ed** *cong.* and

èbano *s. m.* ebony

ebbène *cong.* well, so

ebbrézza *s. f.* **1** drunkenness, intoxication **2** (*fig.*) elation, thrill

èbete *agg.* stupid

ebollizióne *s. f.* boiling

ebràico A *agg.* (*della lingua*) Hebrew, Hebraic, (*della religione*) Jewish **B** *s. m.* (*lingua*) Hebrew

ebrèo A *agg.* Hebrew, Jewish **B** *s. m.* Jew, Hebrew

ebùrneo *agg.* ivory (*attr*)

ecatómbe *s. f.* **1** hecatomb **2** (*fig.*) mass slaughter

eccedènte *agg. e s. m.* excess (*attr*), surplus (*attr*)

eccedènza *s. f.* excess, surplus

eccèdere A *v. tr.* to exceed, to surpass **B** *v. intr.* to go too far

eccellènte *agg.* excellent, first-rate

eccellènza *s. f.* **1** excellence **2** (*titolo*) Excellency ♦ **per e.** par excellence

eccèllere *v. intr.* to excel

eccèlso *agg.* lofty, sublime

eccèntrico *agg. e s. m.* eccentric

eccepìre *v. tr.* to object

eccessìvo *agg.* excessive

eccèsso *s. m.* excess, surplus

eccètera *avv.* etcetera, etc., and so on

eccètto *prep.* except (for), but, save (for) ♦ **e. che** unless

eccettuàre *v. tr.* to except, to leave out

eccezionàle *agg.* **1** exceptional **2** (*straordinario*) extraordinary

eccezionalménte *avv.* **1** exceptionally **2** (*straordinariamente*) extraordinarily

eccezióne *s. f.* **1** exception **2** (*obiezione*) objection ♦ **a e. di** with the exception of, except

ecchìmosi *s. f.* ecchymosis, bruise

eccìdio *s. m.* slaughter

eccitàbile *agg.* excitable

eccitànte *agg.* exciting, excitant

eccitàre A *v. tr.* **1** to excite **2** (*provocare*) to rouse, to stir up **B** *v. intr. pron.* to get excited

eccitazióne *s. f.* excitement

ecclesiàstico A *agg.* ecclesiastic(al), clerical **B** *s. m.* ecclesiastic

ècco *avv.* **1** (*qui*) here, (*là*) there **2** (*rafforzativo*) so there, there ♦ **e. fatto** that's that; **eccomi!** here I am!; **e. tutto** that's all

eccóme *avv. e inter.* rather, yes indeed

echeggiàre *v. tr. e intr.* to echo

eclèttico *agg.* eclectic

eclettìsmo *s. m.* eclecticism

eclissàre A *v. tr.* **1** to eclipse **2** (*fig.*) to eclipse, to outshine **B** *v. intr. pron.* **1** to be eclipsed **2** (*fig.*) to disappear, to vanish

eclìssi *s. f.* eclipse

eclìttico *agg.* ecliptic

èco *s. m. e f.* echo

ecografìa *s. f.* echography

ecologìa *s. f.* ecology

ecològico *agg.* ecological

economìa *s. f.* **1** economy, (*scienza*) economics *pl.* (*v. al sing.*) **2** *al pl.* (*risparmi*) savings *pl.* ♦ **fare e. su q.c.** to save money on st.

econòmico *agg.* **1** economic **2** (*poco costoso*) cheap, economic(al)

economìsta *s. m. e f.* economist

economizzàre *v. intr.* to economize

ecònomo *agg.* sparing, thrifty

ecosistèma *s. m.* ecosystem

ecumènico *agg.* (o)ecumenical

eczèma *s. m.* eczema

edèma *s. m.* (o)edema

èdera *s. f.* ivy

edìcola *s. f.* **1** news-stand, kiosk, bookstall **2** (*arch.*) aedicule

edificàbile *agg.* building (*attr*)

edificànte *agg.* edifying

edificàre *v. tr.* **1** to build **2** (*fig.*) to set up

edifìcio *s. m.* building

edìle *agg.* building (*attr*)

edilìzia *s. f.* building

edilìzio *agg.* building (*attr*) ♦ **licenza edilizia** planning permission

editóre *s. m.* **1** publisher **2** (*curatore*) editor

editorìa *s. f.* publishing

editoriàle A *agg.* publishing **B** *s. m.* (*articolo*) editorial

editto *s. m.* edict

edizióne *s. f.* edition

edonìsmo *s. m.* hedonism
educàre *v. tr.* **1** to bring up **2** (*esercitare*) to train, to educated
educativo *agg.* educational
educàto *agg.* well-mannered, polite
educazióne *s. f.* **1** upbringing **2** (*istruzione*) education, training **3** (*buone maniere*) (good) manners *pl.*, courtesy
efèbico *agg.* ephebic
effemèride *s. f.* ephemeris
effeminàto *agg.* effeminate
efferàto *agg.* brutal, ferocious, savage
effervescènte *agg.* sparkling, fizzy
effettivaménte *avv.* really, actually
effettìvo *agg.* **1** real, actual, effective **2** (*di personale*) permanent
effètto *s. m.* **1** effect **2** (*impressione*) impression, effect **3** (*comm.*) bill ♦ **effetti personali** personal belongings
effettuàbile *agg.* practicable
effettuàre **A** *v. tr.* to effect, to carry out, to make **B** *v. intr. pron.* to take place
efficàce *agg.* effective
efficàcia *s. f.* effectiveness, efficacy
efficiènte *agg.* efficient
efficiènza *s. f.* efficiency
effìgie *s. f.* effigy
effìmero *agg.* ephemeral
efflùvio *s. m.* scent, effluvium
effrazióne *s. f.* housebreaking, burglary
effusióne *s. f.* effusion
egemonìa *s. f.* hegemony
egemonizzàre *v. tr.* to monopolize
egittologìa *s. f.* Egyptology
egiziàno *agg. e s. m.* Egyptian
egìzio *agg. e s. m.* Egyptian
égli *pron. pers. 3ª sing. m.* he ♦ **e. stesso** he himself
egocèntrico *agg.* egocentric, self-centred
egoìsmo *s. m.* selfishness, egoism
egoìsta *s. m. e f.* egoist, selfish person
egrègio *agg.* **1** excellent, remarkable **2** (*nelle lettere*) dear
eiaculàre *v. tr. e intr.* to ejaculate
elaboràre *v. tr.* **1** to elaborate, to work out **2** (*inf.*) to process
elaboratóre *s. m.* computer
elaborazióne *s. f.* **1** elaboration **2** (*inf.*) processing
elargizióne *s. f.* donation
elasticità *s. f.* **1** elasticity **2** (*agilità*) agility, flexibility
elàstico **A** *agg.* elastic **B** *s. m.* rubber band
elefànte *s. m.* elephant

elegànte *agg.* elegant, smart
elèggere *v. tr.* to elect
elegìaco *agg.* elegiac
elementàre *agg.* **1** elementary **2** (*di base*) basic
eleménto *s. m.* **1** element **2** (*componente*) constituent, ingredient, element **3** (*persona*) member, person **4** *al pl.* (*rudimenti*) rudiments *pl.*
elemòsina *s. f.* alms ♦ **chiedere l'e.** to beg
elencàre *v. tr.* to list
elènco *s. m.* list ♦ **e. telefonico** telephone directory
elettoràle *agg.* electoral
elettoràto *s. m.* **1** (*insieme degli elettori*) electorate **2** (*diritto di voto*) franchise, (*diritto a essere eletto*) eligibility
elettóre *s. m.* elector, voter
elettràuto *s. m. inv.* car electrician, (*officina*) car electrical repairs
elettricìsta *s. m.* electrician
elettricità *s. f.* electricity
elèttrico *agg.* electric(al) ♦ **centrale elettrica** ower station
elettrizzànte *agg.* electrifying, thrilling
elettrizzàre **A** *v. tr.* to electrify **B** *v. intr. pron.* to be electrified
elettrocardiogràmma *s. m.* electrocardiogram
elèttrodo *s. m.* electrode
elettrodomèstico *s. m.* household appliance
elettroencefalogràmma *s. m.* electroencephalogram
elettromagnètico *agg.* electromagnetic
elettróne *s. m.* electron
elettrònica *s. f.* electronics *pl.* (*v. al sing.*)
elettrònico *agg.* electronic
elettrotècnico *agg.* electrotechnical
elevàre **A** *v. tr.* **1** to raise, to lift up **2** (*erigere*) to erect **3** (*mat.*) to raise **B** *v. intr. pron.* to rise, to overlook
elezióne *s. f.* election
èlica *s. f.* propeller
elicòttero *s. m.* helicopter
eliminàre *v. tr.* to eliminate
eliminatòrio *agg.* preliminary
èlio *s. m.* helium
elioterapìa *s. f.* heliotherapy
elipòrto *s. m.* heliport
elisabettiàno *agg.* Elizabethan
elitàrio *agg.* elitist
élite *s. f. inv.* elite

élla *pron. pers. 3ª sing. f.* she ♦ **e. stessa** she herself

ellènico *agg.* Hellenic

ellenìstico *agg.* Hellenistic

ellisse *s. f.* ellipse

ellìttico *agg.* elliptic

elmétto *s. m.* helmet

élmo *s. m.* helmet

elogiàre *v. tr.* to praise

elògio *s. m.* praise

eloquènte *agg.* eloquent

eloquènza *s. f.* eloquence

elucubrazióne *s. f.* lucubration

elùdere *v. tr.* to evade, to elude

elusìvo *agg.* elusive

emaciàto *agg.* emaciated

emanàre **A** *v. tr.* **1** (*esalare*) to exhale **2** (*ordini, leggi*) to issue **B** *v. intr.* to emanate, to proceed

emancipàre **A** *v. tr.* to emancipate **B** *v. rifl.* to become emancipated, to free oneself

emancipazióne *s. f.* emancipation

emarginàre *v. tr.* to emarginate, to exclude

emàtico *agg.* hematic

ematòlogo *s. m.* haematologist

ematòma *s. m.* hematoma

embargo *s. m.* embargo

emblèma *s. m.* emblem

emblemàtico *agg.* emblematic

embolìa *s. f.* embolism

embrióne *s. m.* embryo

emendaménto *s. m.* amendment

emendàre *v. tr.* **1** (*dir.*) to amend **2** (*correggere*) to emend, (*migliorare*) to improve

emergènte *agg.* emergent

emergènza *s. f.* emergency

emèrgere *v. intr.* to emerge

emersióne *s. f.* emergence, emersion

eméttere *v. tr.* **1** to give out, (*suono*) to utter **2** (*esprimere*) to express, to deliver **3** (*mettere in circolazione*) to issue, to draw

emettitóre *s. m.* emitter

emicrània *s. f.* migraine

emigrànte *s. m. e f.* emigrant

emigràre *v. intr.* to emigrate

emigrazióne *s. f.* emigration

eminènte *agg.* eminent, distinguished

emiràto *s. m.* emirate

emìro *s. m.* emir

emisfèro *s. m.* hemisphere

emissióne *s. f.* **1** (*fis.*) emission **2** (*econ.*) issue

emittènte **A** *agg.* **1** (*banca*) issuing **2** (*radio, TV*) broadcasting **B** *s. m. e f.* (*di cambiale*) drawer, (*di titolo*) issuer **C** *s. f.* (*radio, TV*) transmitter, broadcaster

emodiàlisi *s. f.* hemodialysis

emofilìa *s. f.* hemophilia

emorragìa *s. f.* hemorrhage

emorròidi *s. f. pl.* hemorrhoids *pl.*

emostàtico *agg.* hemostatic

emotìvo *agg.* emotional

emottìsi *s. f.* hemoptysis

emozionànte *agg.* moving, exciting

emozionàre **A** *v. tr.* to move, to excite **B** *v. intr. pron.* to get excited

emozióne *s. f.* emotion, excitement

émpio *agg.* impious

empìrico *agg.* empiric

empòrio *s. m.* emporium, trade center, general shop

emulàre *v. tr.* to emulate

èmulo *s. m.* emulator

emulsióne *s. f.* emulsion

enciclopedìa *s. f.* encyclop(a)edia

encomiàbile *agg.* praiseworthy

endèmico *agg.* endemic

endocrinòlogo *s. m.* endocrinologist

endovéna *s. f.* intravenous injection

energètico *agg.* **1** energetic, energy (*attr*) **2** (*di sostanza alimentare*) energy-giving

energìa *s. f.* energy

enèrgico *agg.* energetic, vigorous

ènfasi *s. f.* emphasis, stress

enfàtico *agg.* emphatic

enfisèma *s. m.* emphysema

enìgma *s. m.* enigma, (*indovinello*) riddle

enigmàtico *agg.* enigmatic

enigmìstica *s. f.* enigmatography, puzzles *pl.*

ennèsimo *agg.* **1** nth **2** (*fig.*) umpteenth

enologìa *s. f.* oenology

enórme *agg.* enormous, huge

enormità *s. f.* enormity, hugeness

ènte *s. m.* body, board, (*ufficio*) office, bureau, (*società*) company, agency, corporation

entràmbi **A** *agg.* both, either **B** *pron. pl.* both

entràre *v. intr.* **1** to go in, to come in, to get in, to enter **2** (*unirsi a*) to join **3** (*avere a che fare*) to have to do

entràta *s. f.* **1** entrance, entry **2** *spec. al pl.* (*econ.*) income, revenue, receipts *pl.*, earnings *pl.* ♦ **e. libera** admission free; **entrate e uscite** debit and credit

èntro *prep.* in, within, before, by ♦ **e. oggi** by this evening

entroterra s. m. inv. inland

entusiasmàre A v. tr. to arouse enthusiasm in, to carry away **B** v. intr. pron. to become enthusiastic

entusiasmo s. m. enthusiasm

entusiàsta agg. enthusiastic

enumeràre v. tr. to enumerate

enunciàre v. tr. to enunciate

enurèsi s. f. enuresis

eòlico agg. aeolian

epàtico agg. hepatic ♦ **colica epatica** liver attack

epatite s. f. hepatitis

epicèntro s. m. epicentre

èpico agg. epic

epicureìsmo s. m. epicurism

epidemìa s. f. epidemic

epidèmico agg. epidemic(al)

epidèrmico agg. epidermic

epidèrmide s. f. epidermis

epìgono s. m. imitator, follower

epìgrafe s. f. epigraph

epilessìa s. f. epilepsy

epìlogo s. m. epilogue

episcopàle agg. episcopal

episòdico agg. episodic(al)

episòdio s. m. episode

epistàssi s. f. epistaxis

epitàffio s. m. epitaph

epìteto s. m. **1** epithet **2** (insulto) insult

època s. f. **1** epoch, age **2** (tempo, periodo) time, period

epònimo A agg. eponymous **B** s. m. eponym

epopèa s. f. epos

eppure cong. and yet

epuràre v. tr. to purge

epurazióne s. f. purge

equatóre s. m. equator

equatoriàle agg. equatorial

equazióne s. f. equation

equèstre agg. equestrian ♦ **circo e.** circus

equidistànte agg. equidistant

equilibràre v. tr. e rifl. rec. to equilibrate, to balance

equilibràto agg. balanced

equilibratùra s. f. balancing

equilìbrio s. m. balance, equilibrium

equìno agg. equine, horse (attr)

equinòzio s. m. equinox

equipaggiaménto s. m. equipment

equipaggiàre A v. tr. to equip **B** v. rifl. to equip oneself, to kit oneself out

equipàggio s. m. crew

equiparàre v. tr. to make equal, to level

équipe s. f. inv. team

equità s. f. equity

equitazióne s. f. riding

equivalènte agg. e s. m. equivalent

equivalènza s. f. equivalence

equivalére v. intr. e rifl. rec. to be equivalent, to be equal in value

equivocàre v. intr. to misunderstand, to mistake

equìvoco A agg. **1** equivocal, ambiguous **2** (sospetto) dubious **B** s. m. equivocation, misunderstanding

èquo agg. fair

èra s. f. era, age

èrba s. f. grass, (medicinale, aromatica) herb, (infestante) weed

erbàrio s. m. herbarium, (libro) herbal

erbìvoro agg. herbivorous

erboristerìa s. f. herbalist's shop

erède s. m. e f. heir

eredità s. f. **1** (dir) inheritance **2** (fig.) heritage **3** (biol.) heredity ♦ **lasciare in e.** to bequeath

ereditàre v. tr. to inherit

ereditàrio agg. hereditary

eremìta s. m. hermit

èremo s. m. hermitage

eresìa s. f. heresy

erètico agg. heretical

erètto agg. **1** erect, upright **2** (costruito) erected, built **3** (istituito) founded

erezióne s. f. erection

ergàstolo s. m. life sentence

èrica s. f. heather

erìgere A v. tr. **1** to erect, to build **2** (innalzare) to raise **3** (istituire) to found **B** v. rifl. **1** (drizzarsi) to stand up **2** (fig.) to claim to be

eritèma s. m. erythema

ermafrodìto agg. hermaphrodite

ermellìno s. m. ermine

ermètico agg. **1** hermetic, airtight **2** (fig.) obscure

èrnia s. f. hernia

eròe s. m. hero

erogàre v. tr. to supply, (somma) to disburse

eròico agg. heroic

eroìna (1) s. f. heroine

eroìna (2) s. f. (chim.) heroin

eroìsmo s. m. heroism

erosióne s. f. erosion

eròtico agg. erotic

erotìsmo s. m. erotism

erràre *v. intr.* **1** (*vagare*) to wander (about), to roam **2** (*sbagliare*) to be mistaken, to make mistakes

erróre *s. m.* mistake, error ♦ **e. di stampa** misprint

erudito *s. m.* scholar

eruttàre *v. tr.* to throw out

eruzióne *s. f.* **1** eruption **2** (*med.*) rash

esacerbàre *v. tr.* to exacerbate, to exasperate

esageràre **A** *v. tr.* to exaggerate **B** *v. intr.* to overdo, to go too far

esagerazióne *s. f.* exaggeration

esagonàle *agg.* hexagonal

esàgono *s. m.* hexagon

esalàre *v. tr.* to exhale

esalazióne *s. f.* exhalation

esaltàre **A** *v. tr.* **1** to extol, to celebrate **2** (*entusiasmare*) to thrill **B** *v. intr. pron.* to become elated

esàme *s. m.* examination, exam, test

esaminàre *v. tr.* to examine

esànime *agg.* lifeless

esasperàre **A** *v. tr.* **1** to exasperate, to irritate **2** (*esacerbare*) to exacerbate, to aggravate **B** *v. intr. pron.* to become bitter

esasperazióne *s. f.* **1** exasperation, irritation **2** (*inasprimento*) aggravation

esattaménte *avv.* **1** (*in maniera esatta*) exactly, precisely, (*correttamente*) correctly **2** (*proprio*) just

esattézza *s. f.* **1** exactness **2** (*accuratezza*) accuracy

esàtto **A** *agg.* **1** exact, correct **2** (*accurato*) careful **B** *avv.* exactly

esattóre *s. m.* collector

esaudìre *v. tr.* to grant, to fulfil

esauriènte *agg.* exhaustive

esauriménto *s. m.* exhaustion, depletion ♦ **e. nervoso** nervous breakdown

esaurìre **A** *v. tr.* to exhaust **B** *v. rifl. e intr. pron.* **1** to get exhausted **2** (*di merci*) to run out, to sell out

esàusto *agg.* exhausted, worn out

esautoràre *v. tr.* to deprive of authority

esbórso *s. m.* disbursement

ésca *s. f.* bait

escatològico *agg.* eschatologic

eschimése **A** *agg.* Eskimo (*attr*) **B** *s. m. e f.* Eskimo, Husky

esclamàre *v. tr. e intr.* to exclaim, to cry (out)

esclùdere **A** *v. tr.* to exclude, to leave out **B** *v. rifl. rec.* to exclude one another

esclusìva *s. f.* exclusive right, sole right

esclusivaménte *avv.* exclusively

esclusìvo *agg.* exclusive

escogitàre *v. tr.* to contrive, to devise

escoriazióne *s. f.* excoriation, graze

escursióne *s. f.* **1** excursion, tour **2** (*scient.*) range

escursionìsmo *s. m.* tourism

esecràre *v. tr.* to execrate

esecutìvo *agg. e s. m.* executive

esecutóre *s. m.* **1** executor **2** (*mus.*) performer

esecuzióne *s. f.* **1** execution **2** (*mus.*) performance

esèdra *s. f.* exedra

eseguìre *v. tr.* to execute, to carry out, to perform

esèmpio *s. m.* **1** example, instance **2** (*modello*) model, paragon ♦ **per e.** for example, for instance

esemplàre **A** *agg.* exemplary, model (*attr*) **B** *s. m.* **1** (*modello*) model **2** (*elemento di serie*) specimen, (*copia*) copy

esemplificàre *v. tr.* to exemplify

esemplificazióne *s. f.* exemplification

esentàre *v. tr.* to exempt, to excuse

esènte *agg.* exempt, free

esenzióne *s. f.* exemption

esèquie *s. f. pl.* funeral rites *pl.*

esercitàre **A** *v. tr.* **1** to exercise **2** (*una professione*) to practise **3** (*addestrare*) to train **B** *v. rifl.* to practise, to train oneself

esercitazióne *s. f.* exercise, practice

esèrcito *s. m.* army

esercìzio *s. m.* **1** exercise **2** (*pratica*) practice **3** (*azienda commerciale*) concern, (*negozio*) shop ♦ **e. fisico** physical training

esibìre **A** *v. tr.* to exhibit, to show **B** *v. rifl.* **1** to show off **2** (*in spettacoli*) to perform

esibizióne *s. f.* **1** show, display, exhibition **2** (*di spettacolo*) performance

esibizionìsmo *s. m.* exhibitionism

esigènte *agg.* exacting, demanding

esigènza *s. f.* demand, need

esìgere *v. tr.* **1** to demand, to require, to insist on **2** (*riscuotere*) to collect, (*pretendere*) to exact

esìguo *agg.* scarce, exiguous, scanty

esilaìrante *agg.* exhilarating ♦ **gas e.** laughing gas

èsile *agg.* **1** thin, slender **2** (*debole*) weak, faint

esiliàre *v. tr.* to exile, to banish

esìlio *s. m.* exile, banishment

esìmere **A** *v. tr.* to exempt **B** *v. rifl.* to get out of

esistènte *agg.* existing

esistènza *s. f.* existence

esistere *v. intr.* to exist, to be

esitàre *v. intr.* to hesitate

esitazióne *s. f.* hesitation

èsito *s. m.* result, outcome, issue

èsodo *s. m.* exodus, flight

esoneràre *v. tr.* to exonerate, to free, to exempt

esorbitante *agg.* exorbitant

esorcizzàre *v. tr.* to exorcize

esòrdio *s. m.* 1 (*inizio*) beginning 2 (*debutto*) debut

esordire *v. intr.* to begin, to start

esortàre *v. tr.* to exhort, to urge

esortazióne *s. f.* exhortation

esotèrico *agg.* esoteric

esòtico *agg.* exotic

espàndere A *v. tr.* to expand, to extend **B** *v. intr. pron.* to expand, to spread out

espansióne *s. f.* expansion

espansivo *agg.* expansive

espatriàre *v. intr.* to expatriate

espediènte *s. m.* expedient, device

espèllere *v. tr.* 1 to expel, to turn out 2 (*emettere*) to eject, to discharge

esperiènza *s. f.* experience

esperimènto *s. m.* experiment, trial

espèrto *agg. e s. m.* expert

espiàre *v. tr.* to expiate

espiràre *v. tr. e intr.* to expire, to breathe out

espletàre *v. tr.* to dispatch

esplicativo *agg.* explanatory, explicative

esplicito *agg.* explicit

esplòdere *v. intr.* to explode, to burst

esploràre *v. tr.* 1 to explore 2 (*mil.*) to scout

esploratóre *s. m.* 1 explorer 2 (*mil.*) scout ♦ **giovane e.** boy scout

esplorazióne *s. f.* exploration, scouting

esplosióne *s. f.* explosion

esplosivo *agg. e s. m.* explosive

esponènte *s. m. e f.* exponent

espórre A *v. tr.* 1 to expose 2 (*mettere fuori*) to put out, to expose 3 (*mettere in mostra*) to show, to display 4 (*spiegare*) to expound, to explain **B** *v. rifl.* to expose oneself

esportàre *v. tr.* to export

esportazióne *s. f.* export

esposimetro *s. m.* exposure meter

esposizióne *s. f.* 1 exposure 2 (*mostra*) exhibition, exposition, show 3 (*lo spiegare*) exposition

espósto *s. m.* petition, (*denuncia*) complaint

espressaménte *avv.* 1 (*esplicitamente*) explicitly 2 (*apposta*) on purpose, specially

espressióne *s. f.* expression

espressionismo *s. m.* expressionism

espressivo *agg.* expressive

esprèsso A *agg.* 1 expressed 2 (*esplicito*) express, explicit 3 (*su richiesta*) express, made to order 4 (*veloce*) fast, express **B** *s. m.* 1 (*lettera*) express letter, (*USA*) fast letter 2 (*treno*) express 3 (*caffè*) espresso

esprimere A *v. tr.* to express **B** *v. intr. pron.* to express oneself

espròprio *s. m.* expropriation

espulsióne *s. f.* expulsion

éssa *pron. pers. 3ª sing. f.* 1 (*sogg.*) (*riferito a cosa o animale di sesso imprecisato*) it (*riferito ad animale femmina o, fam., per 'ella, lei'*) she 2 (*compl.*) (*riferito a cosa o animale di sesso imprecisato*) it, (*riferito ad animale femmina o, fam., per 'lei'*) her

ésse *pron. pers. 3ª pl. f.* 1 (*sogg.*) they 2 (*compl.*) them ♦ **e. stesse** they themselves

essènza *s. f.* essence

essenziàle *agg.* essential

essenzialménte *avv.* essentially

èssere (1) A *v. aus.* 1 (*copula, aus. del passivo*) to be (ES: **la porta è aperta** the door is open, **il presidente è eletto ogni 4 anni** the President is elected every four years) 2 (*aus. nella coniugazione attiva di v. intr., rifl. e impers.*) to have (ES: **sono già partito** I have already left) 3 (*con v. serv.*) to have (ES: **è dovuto partire improvvisamente** he has had to leave unexpectedly) **B** *v. intr.* 1 (*esistere*) to be 2 (*accadere*) to become, to happen, to be 3 (*consistere*) to consist 4 (*costare*) to be, to cost, (*valere*) to be, to be worth, (*pesare*) to be, to weigh 5 (*andare, arrivare, stare, trovarsi*) to be 6 (*diventare*) to be, to get 7 (*esserci*) to be (ES: **e. di** (*materia*) to be (made) of, (*appartenenza*) to be of, (*origine*) to be from

èssere (2) *s. m.* 1 being, (*esistenza*) existence 2 (*creatura*) creature 3 (*stato*) state, condition

éssi *pron. pers. 3ª pl. m.* 1 (*sogg.*) they 2 (*compl.*) them ♦ **e. stessi** they themselves

essiccàre A *v. tr.* **1** to dry (up) **2** (*prosciugare*) to drain **B** *v. intr. pron.* to become dray, to dry up

ésso *pron. pers.* 3ª *sing.* m. **1** (*sogg.*) (*riferito a cosa o animale di sesso imprecisato*) it (*riferito ad animale maschio o, fam., per 'egli, lui'*) he **2** (*compl.*) (*riferito a cosa o animale di sesso imprecisato*) it, (*riferito ad animale maschio o, fam., per 'lui'*) him

èst *s. m.* east

èstasi *s. f.* ecstasy

estàte *s. f.* summer

estemporàneo *agg.* extemporary

estèndere A *v. tr.* to extend, to expand **B** *v. intr. pron.* to extend, to spread, to stretch

estensióne *s. f.* **1** extension **2** (*distesa*) expanse, extent

estenuànte *agg.* exhausting, weary

esterióre *agg.* external, outer (*attr*), outward (*attr*)

esternaménte *avv.* externally

esternàre *v. tr.* to express, to disclose

estèrno A *agg.* external, outer, outside (*attr*) **B** *s. m.* outside ♦ **per uso e.** for external use only

èstero A *agg.* foreign **B** *s. m.* foreign countries *pl.* ♦ **all'e.** abroad

esteròfilo A *agg.* xenophilous **B** *s. m.* xenophile

estéso *agg.* large, wide, extensive

estètica *s. f.* aesthetics *pl.* (*v. al sing.*)

estètico *agg.* aesthetic(al)

estetìsmo *s. m.* aestheticism

estetìsta *s. m. e f.* beautician

estimatóre *s. m.* admirer

èstimo *s. m.* estimate

estìnguere *v. tr.* **1** to extinguish, to put out **2** (*saldare*) to settle

estìnto *s. m.* deceased

estintóre *s. m.* extinguisher

estinzióne *s. f.* extinction

estirpàre *v. tr.* to extirpate

estìvo *agg.* summer (*attr*)

estòrcere *v. tr.* to extort

estorsióne *s. f.* extortion

estradizióne *s. f.* extradition

estraìbile *agg.* extractable, pull-out (*attr*)

estràneo A *agg.* extraneous, foreign, unrelated (to) **B** *s. m.* stranger, outsider, foreigner

estràrre *v. tr.* **1** to extract, to pull out **2** (*a sorte*) to draw **3** (*minerale*) to mine

estrazióne *s. f.* **1** extraction **2** (*sorteggio*) drawing **3** (*da miniera*) mining

estremaménte *avv.* extremely

estremìsmo *s. m.* extremism

estremìsta *s. m. e f.* extremist

estremità *s. f.* **1** extremity, end **2** *al pl.* (*degli arti*) limbs *pl.*

estrèmo A *agg.* **1** (*nello spazio*) extreme, farthest **2** (*nel tempo*) last, final **B** *s. m.* **1** extreme **2** *al pl.* terms, essential data ♦ **l'E. Oriente** the Far East

estrìnseco *agg.* extrinsic

èstro *s. m.* **1** inspiration **2** (*capriccio*) whim, fancy

estróso *agg.* whimsical, fanciful

estrovèrso *agg.* extroverted

estuàrio *s. m.* estuary

esuberànte *agg.* exuberant

esulàre *v. intr.* **1** to go into exile **2** (*fig.*) to lie outside

èsule *s. m. e f.* exile

esultàre *v. intr.* to exult

età *s. f.* age

etèreo *agg.* ethereal

eternaménte *avv.* eternally

eternità *s. f.* eternity

etèrno *agg.* eternal

eterodòsso *agg.* heterodox

eterogèneo *agg.* heterogeneous

eterosessuàle *agg. e s. m. e f.* heterosexual

ètica *s. f.* ethics *pl.* (*v. al sing.*)

etichétta (1) *s. f.* label

etichétta (2) *s. f.* (*cerimoniale*) etiquette

ètico *agg.* ethical

etilìsmo *s. m.* alcoholism

etilìsta *s. m. e f.* alcoholic

etimologìa *s. f.* etymology

ètnico *agg.* ethnic(al)

etnologìa *s. f.* ethnology

etrùsco *agg.* Etruscan

èttaro *s. m.* hectare

ètto *s. m.* hectogram

eucaristìa *s. f.* Eucharist, Holy Communion

eufemìstico *agg.* euphemistic

euforìa *s. f.* euphoria, elation

eurìstico *agg.* heuristic

europeìsmo *s. m.* Europeanism

europèo *agg. e s. m.* European

eurovisióne *s. f.* Eurovision

eutanasìa *s. f.* euthanasia

evacuàre *v. tr. e intr.* to evacuate

evàdere A *v. tr.* **1** (*sbrigare*) to dispatch **2** (*sottrarsi a*) to evade **B** *v. intr.* to escape, to get away

evangèlico *agg.* evangelical

evaporàre *v. tr. e intr.* to evaporate
evaporazióne *s. f.* evaporation
evasióne *s. f.* **1** escape, getaway **2** (*fiscale*) evasion
evasìvo *agg.* evasive
evàso *s. m.* fugitive, runaway
evenìenza *s. f.* event, eventuality
evènto *s. m.* event
eventuàle *agg.* possible
eventualménte *avv.* in case
evidènte *agg.* evident, plain
evidènza *s. f.* evidence, obviousness
evitàre **A** *v. tr.* **1** to avoid **2** (*sfuggire a*) to escape **3** (*risparmiare*) to spare **B** *v. rifl. rec.* to avoid each other

èvo *s. m.* age, ages *pl.*, era ♦ **il Medio E.** the Middle Ages
evocàre *v. tr.* to evoke
evolutìvo *agg.* evolutive
evolùto *agg.* advanced, fully-developed
evoluzióne *s. f.* evolution
evòlvere *v. intr. e intr. pron.* to evolve
evviva *inter.* hurrah!
ex *pref.* ex, former
extra **A** *agg.* **1** (*speciale*) superior, first rate **2** (*in più*) extra, additional **B** *s. m.* extra
extraconiugàle *agg.* extramarital
extraeuropèo *agg.* non-European
extraterrèstre *agg.* extraterrestrial

F

fa *avv.* ago ♦ **un mese fa** a month ago

fabbisógno *s. m.* needs *pl.*, requirements *pl.*

fàbbrica *s. f.* factory, works

fabbricànte *s. m.* manufacturer, producer

fabbricàre *v. tr.* **1** to manufacture, to produce **2** (*costruire*) to build

fàbbro *s. m.* smith

faccènda *s. f.* **1** matter, affair, business **2** *al pl.* (*di casa*) housework

facchino *s. m.* porter

fàccia *s. f.* **1** face **2** (*espressione*) look, expression **3** (*lato*) face, side

facciàta *s. f.* **1** (*arch.*) front, façade, face **2** (*pagina*) page

facéto *agg.* facetious, witty

facèzia *s. f.* witty remark, joke

fachiro *s. m.* fakir

fàcile *agg.* **1** easy **2** (*incline*) inclined, prone **3** (*probabile*) likely, probable

facilità *s. f.* **1** ease, facility **2** (*l'esser facile*) easiness **3** (*attitudine*) aptitude

facilitàre *v. tr.* to make easy

facilitazióne *s. f.* **1** facilitation **2** (*agevolazione*) facility

facinoróso *s. m.* ruffian

facoltà *s. f.* **1** faculty **2** (*autorità*) power, authority, right **3** (*università*) faculty, school

facoltativo *agg.* optional ♦ **fermata facoltativa** request stop

facoltóso *agg.* wealthy, well-to-do

facsimile *s. m. inv.* facsimile

fàggio *s. m.* beech

fagiàno *s. m.* pheasant

fagiolino *s. m.* French bean, (*USA*) string bean

fagiòlo *s. m.* bean

fagocitàre *v. tr.* **1** (*biol.*) to phagocytize **2** (*fig.*) to absorb, to engulf

fagòtto *s. m.* bundle

falànge *s. f.* phalanx

fàlce *s. f.* sickle

falciàre *v. tr.* to sickle, to cut down

fàlco *s. m.* hawk

falcóne *s. m.* falcon

fàlda *s. f.* **1** (*geol.*) stratum, layer **2** (*di abito*) tail **3** (*di cappello*) brim **4** (*di tetto*) pitch **5** (*di monte*) foot

falegnàme *s. m.* joiner, carpenter

falèsia *s. f.* cliff

fàlla *s. f.* leak

fallàce *agg.* fallacious, misleading

fallimentàre *agg.* **1** bankruptcy (*attr*) **2** (*fig.*) ruinous

falliménto *s. m.* **1** bankruptcy **2** (*fig.*) failure

fallire A *v. intr.* **1** to go bankrupt **2** (*fig.*) to fail **B** *v. tr.* to miss

fallìto *s. m.* **1** bankrupt **2** (*fig.*) failure

fallo *s. m.* **1** error, fault, mistake **2** (*difetto*) defect, flaw **3** (*sport*) foul

falò *s. m.* bonfire

falsàre *v. tr.* **1** to distort, to misrepresent **2** (*falsificare*) to forge

falsàrio *s. m.* forger, falsifier

falsificàre *v. tr.* to falsify, to fake, (*firme e sim.*) to forge

falsificàre *v. tr.* to falsify, to forge

falsificazióne *s. f.* falsification, forgery

fàlso A *agg.* false **B** *s. m.* **1** falsehood **2** (*oggetto falsificato*) forgery, fake

fàma *s. f.* **1** (*reputazione*) reputation, repute **2** (*rinomanza*) fame, renown

fàme *s. f.* **1** hunger **2** (*carestia*) famine ♦ **avere f.** to be hungry

famèlico *agg.* ravenous, greedy

famiglia *s. f.* family

familiàre *agg.* **1** domestic, family (*attr*) **2** (*conosciuto*) familiar, well-know **3** (*semplice*) informal, homely

familiarità *s. f.* familiarity

familiarizzàre A *v. tr.* to familiarize **B** *v. intr. pron.* to become familiar, to familiarize oneself

famóso *agg.* famous

fan *s. m. e f. inv.* fan

fanàle *s. m.* laight, lamp

fanalino *s. m.* tail-lamp

fanàtico A *agg.* fanatical **B** *s. m.* fanatic

fanciùllo *s. m.* child

fandònia *s. f.* lie

fanfàra *s. f.* **1** fanfare **2** (*banda*) brass-band

fàngo *s. m.* mud

fannullóne *s. m.* idler, lounger

fantascientifico *agg.* science-fiction (*attr*)

fantasciènza *s. f.* science-fiction

fantasìa *s. f.* **1** (*fantasticheria*) fantasy, daydream **2** (*immaginazione*) fancy, imagination

fantàsma s. m. ghost, phantom

fantasticàre v. intr. to daydream

fantàstico agg. **1** fantastic(al), imaginary, fanciful **2** (straordinario) incredible, fantastic

fànte s. m. **1** infantryman **2** (carte da gioco) jack

fanterìa s. f. infantry

fantòccio s. m. puppet

farabùtto s. m. rascal

faraóne s. m. Pharaoh

faraònico agg. pharaonic

farcìre v. tr. to stuff, to fill

fardèllo s. m. bundle, burden

fàre **A** v. tr. **1** (in generale e in senso astratto) to do (ES: **che cosa fai?** what are you doing?) **2** (creare, produrre, realizzare, confezionare, cucinare, ecc.) to make (ES: **f. soldi** to make money) **3** (di professione) to be **4** (dire) to say **5** (reputare) to think **6** (scrivere) to write, (dipingere) to paint **7** (indicare) to make, to be **8** (rappresentare) to perform, (agire da, impersonare) to act **9** (pulire) to clean **10** (dedicarsi a) to go in for, (giocare a) to play **11** (generare) to bear, to have **12** (percorrere) to go **13** (trascorrere) to spend **14** (con valore causativo, seguito da inf.) to have, to get, (causare) to cause, to make, (lasciare) to let **B** v. intr. **1** (impers.) to be **2** (essere adatto) to suit **3** (stare per) to be about **C** v. rifl. e intr. pron. **1** (diventare) to become **2** (movimento) to go, to come **3** (con l'inf.) to make oneself, to get

farètra s. f. quiver

farfàlla s. f. butterfly

farìna s. f. flour, meal

farinàceo **A** agg. farinaceous **B** s. m. al pl. starches pl.

farìnge s. f. o m. pharynx

faringìte s. f. pharyngitis

farmacìa s. f. **1** (scienza e tecnica) pharmacy **2** (negozio) chemist's shop, (USA) pharmacy, drugstore

farmacìsta s. m. e f. chemist, pharmacist

fàrmaco s. m. drug, medicine

farneticàre v. intr. to rave

fàro s. m. **1** (naut.) lighthouse **2** (aer.) beacon, light **3** (autom.) headlight

fàrsa s. f. farce

fàscia s. f. **1** band, strip **2** (benda) bandage **3** (geogr.) zone, strip **4** (fig.) sector, band

fasciàre v. tr. **1** to bind, to bandage **2** (avvolgere) to wrap

fasciatùra s. f. bandage, dressing

fascìcolo s. m. **1** (incartamento) dossier, file **2** (di rivista) issue, number, instalment **3** (libretto) booklet

fàscino s. m. fascination, charm

fàscio s. m. **1** bundle, sheaf **2** (di luce) beam

fascìsmo s. m. Fascism

fàse s. f. **1** (scient.) phase **2** (stadio) phase, stage **3** (mecc.) stroke

fastìdio s. m. **1** nuisance, bother, trouble **2** (irritazione) annoyance **3** (avversione) disgust

fastidióso agg. maddening, tiresome

fàsto s. m. pomp

fastóso agg. pompous

fàta s. f. fairy

fatàle agg. **1** fatal **2** (inevitabile) fated, destined

fatalìsta s. m. e f. fatalist

fatalità s. f. **1** fate, destiny, fatality **2** (disgrazia) mishap

fatìca s. f. **1** (lavoro faticoso) labour, hard work, toil **2** (sforzo) effort, exertion **3** (stanchezza) weariness, fatigue **4** (difficoltà) difficulty **5** (mecc.) fatigue

faticàre v. intr. **1** to work hard, to toil **2** (stentare) to have difficulty

faticàta s. f. exertion, effort

faticóso agg. **1** tiring, hard **2** (difficile) difficult

fatìdico agg. fateful

fàto s. m. fate

fattìbile agg. feasible

fàtto **A** agg. **1** done, made **2** (adatto) fit **B** s. m. **1** fact, deed **2** (avvenimento) event **3** (faccenda) affair, matter ♦ **in f. di** as regard

fattóre (1) s. m. factor

fattóre (2) s. m. (di campagna) bailiff, farmer

fattorìa s. f. farm, (casa) farmhouse

fattorìno s. m. messanger, office boy

fattùra s. f. **1** (fabbricazione) making, manufacture, (lavorazione) workmanship **2** (comm.) invoice, bill **3** (fam.) (maleficio) spell

fatturàre v. tr. to invoice

fàtuo agg. fatuous, vain

fàuna s. f. fauna

fàuno s. m. faun

fautóre s. m. supporter

fàva *s. f.* broad bean

favèlla *s. f.* speech

favìlla *s. f.* spark

fàvola *s. f.* **1** tale, story, fairy story, fable **2** (*fandonia*) tall story

favolóso *agg.* fabulous

favóre *s. m.* favour ♦ **per f.** please

favorévole *agg.* favourable

favorire *v. tr.* **1** to favour, to support **2** (*promuovere*) to promote, to encourage

favoritìsmo *s. m.* favouritism

favorito *agg. e s. m.* favourite

fazióso *agg.* factious

fazzolétto *s. m.* handkerchief ♦ **f. di carta** paper tissue

febbràio *s. m.* February

fèbbre *s. f.* fever ♦ **f. da fieno** hay-fever

febbricitànte *agg.* feverish

féccia *s. f.* dregs *pl.*

fèci *s. f. pl.* faeces

fècola *s. f.* flour ♦ **f. di patate** potato flour

fecondàre *v. tr.* to fertilize

fecondazióne *s. f.* fecundation, fertilization

fecóndo *agg.* fertile, prolific

féde *s. f.* **1** faith **2** (*anello*) wedding ring

fedéle *agg.* **1** faithful, loyal **2** (*veritiero*) true, exact

fedeltà *s. f.* fidelity, faithfulness

fèdera *s. f.* pillowcase

federàle *agg.* federal

federazióne *s. f.* federation

fégato *s. m.* **1** liver **2** (*fig.*) courage, guts *pl.*

félce *s. f.* fern

felìce *agg.* **1** happy, pleased, glad **2** (*fortunato*) lucky

felicità *s. f.* happiness

felicitàrsi *v. intr. pron.* to congratulate

felicitazióni *s. f. pl.* congratulations

felino **A** *agg.* feline, catlike **B** *s. m.* feline

félpa *s. f.* **1** (*tessuto*) plush **2** (*indumento*) sweatshirt

féltro *s. m.* felt

fémmina *s. f.* **1** female **2** (*bambina, ragazza*) girl **3** (*di animale*) she-, (*di grande mammifero*) cow-

femminile *agg.* **1** (*di sesso*) female **2** (*di donna*) feminine, woman's **3** (*gramm.*) feminine

femminìsmo *s. m.* feminism

fèmore *s. m.* femur, thigh-bone

fendinébbia *agg. e s. m.* fog-light

fenìcio *agg. e s. m.* Phoenician

fenicòttero *s. m.* flamingo

fenomenàle *agg.* phenomenal

fenòmeno *s. m.* **1** phenomenon **2** (*oggetto di meraviglia*) wonder

fèretro *s. m.* coffin

feriàle *agg.* weekday (*attr*), working (*attr*)

fèrie *s. f. pl.* holidays *pl.*, vacation

feriménto *s. m.* wounding

ferire **A** *v. tr.* to wound, to injure, to hurt **B** *v. rifl. e intr. pron.* to hurt oneself, to wound oneself

ferìta *s. f.* wound, hurt

feritóia *s. f.* loophole

fèrma *s. f.* (*mil.*) service

fermàglio *s. m.* clasp, clip

fermàre **A** *v. tr.* **1** to stop, to halt **2** (*interrompere*) to stop, to interrupt **3** (*dir*) to hold **4** (*fissare*) to fix, to fasten **B** *v. intr.* to stop **C** *v. rifl. e intr. pron.* **1** to stop **2** (*trattenersi*) to stay **3** (*fare una pausa*) to make a pause **4** (*mecc.*) to stall

fermàta *s. f.* stop, halt ♦ **divieto di f.** no stopping; **f. obbligatoria/a richiesta** regular/request stop

fermentazióne *s. f.* fermentation

ferménto *s. m.* ferment

fermézza *s. f.* firmness

férmo **A** *agg.* **1** still, motionless **2** (*saldo*) firm, steady **B** *s. m.* **1** (*blocco*) lock, stop **2** (*arresto*) (provisional) arrest

fermopòsta *agg. e avv.* poste restante, (*USA*) general delivery

feróce *agg.* ferocious, fierce, wild

ferragósto *s. m.* feast of the Assumption

ferraménta *s. f.* **1** hardware, ironware, ironmongery **2** (*negozio*) hardware store, ironmonger's shop

fèrreo *agg.* iron (*attr*)

fèrro *s. m.* **1** iron **2** *al pl.* (*ceppi*) irons *pl.*, chains *pl.* **3** (*attrezzi*) instruments *pl.*, tools *pl.* ♦ **f. da calza** knitting-needle; **f. da stiro** iron; **f. di cavallo** horseshoe

ferrovìa *s. f.* railway, (*USA*) railroad ♦ **per f.** by rail

ferroviàrio *agg.* railway (*attr*), (*USA*) railroad (*attr*) ♦ **orario f.** train timetable

ferrovière *s. m.* railwayman, (*USA*) railroader

fèrtile *agg.* fertile, fruitful

fertilizzànte **A** *agg.* fertilizing **B** *s. m.* fertilizer

fèrvido *agg.* fervent

fervóre *s. m.* fervour, heat

fesserìa *s. f.* **1** nonsense, rubbish **2** (*ine-*

zia) trifle, nothing

fésso *agg.* stupid, foolish

fessùra *s. f.* crack, slit, fissure, *(per gettone)* slot

fèsta *s. f.* **1** *(solennità religiosa)* feast, festivity **2** *(giorno di vacanza)* holiday **3** *(ricevimento)* party

festeggiaménto *s. m.* celebration

festeggiàre *v. tr.* **1** to celebrate **2** *(accogliere festosamente)* to give a hearty welcome to

festività *s. f.* festivity, holiday ♦ **f. civile** public holiday

festìvo *agg.* holiday *(attr)*, Sunday *(attr)*

festóso *agg.* joyful, merry, hearty

feticcio *s. m.* fetish

feticismo *s. m.* fetishism

fèto *s. m.* f(o)etus

fétta *s. f.* slice

feudàle *agg.* feudal

feudalésimo *s. m.* feudalism

fèudo *s. m.* fief, feud

fiàba *s. f.* fairy tale, tale, story

fiabésco *agg.* **1** fairy, fairy-tale *(attr)* **2** *(favoloso)* fabulous

fiàcca *s. f.* **1** *(stanchezza)* weariness **2** *(indolenza)* indolence, laziness

fiaccàre *v. tr.* to weaken, to exhaust

fiàcco *agg.* **1** *(stanco)* weary, slack **2** *(debole)* weak, limp

fiàccola *s. f.* torch

fiàla *s. f.* phial

fiàmma *s. f.* flame, *(viva)* blaze ♦ **alla f.** flambé; **ritorno di f.** backfire

fiammànte *agg.* **1** flaming, blazing **2** *(fig.)* bright

fiammàta *s. f.* burst of flame

fiammeggiàre **A** *v. intr.* to blaze, to flame **B** *v. tr. (cuc.)* to singe

fiammìfero *s. m.* match

fiammìngo **A** *agg.* Flemish **B** *s. m.* Fleming

fiancàta *s. f.* side, flank

fiancheggiàre *v. tr.* **1** to flank **2** *(sostenere)* to support

fiànco *s. m.* **1** side **2** *(anat.)* hip, *(zool.)* flank **3** *(mil.)* flank

fiàsco *s. m.* **1** flask **2** *(insuccesso)* fiasco, flop *(fam.)*

fiàto *s. m.* breath

fibbia *s. f.* buckle

fibra *s. f.* fibre, *(USA)* fiber

ficcàre **A** *v. tr.* **1** to thrust, to drive **2** *(mettere)* to put, to stuff **B** *v. rifl.* to dive, to

hide

fico *s. m.* fig

fidanzaménto *s. m.* engagement

fidanzàrsi *v. rifl. e rifl. rec.* to become engaged, to get engaged

fidanzàta *s. f.* fiancée

fidanzàto *s. m.* fiancé

fidàre **A** *v. intr.* to trust **B** *v. intr. pron.* to trust, to rely on

fidàto *agg.* trustworthy, reliable

fidùcia *s. f.* confidence, reliance, trust

fièle *s. m.* gall

fienile *s. m.* barn, hayloft

fièno *s. m.* hay

fièra (1) *s. f.* **1** *(mostra)* fair, exhibition **2** *(festa)* fête ♦ **f. campionaria** trade fair

fièra (2) *s. f.* *(animale feroce)* wild beast

fierézza *s. f.* **1** *(orgoglio)* pride **2** *(audacia)* boldness

fierìstico *agg.* fair *(attr)*

fièro *agg.* **1** *(orgoglioso)* proud **2** *(audace)* bold **3** *(indomito)* untamed **4** *(severo)* severe

fifa *s. f.* *(fam.)* fright

figlia *s. f.* daughter

figliàstro *s. m.* stepson

figlio *s. m.* son, child

figùra *s. f.* **1** figure **2** *(forma, sagoma)* shape, form **3** *(illustrazione)* picture ♦ **fare bella/brutta f.** to cut a fine/poor figure

figuràccia *s. f.* poor figure

figuràre **A** *v. tr.* **1** to represent **2** *(immaginare)* to imagine, to picture **B** *v. intr.* **1** *(apparire)* to appear, to be **2** *(far figura)* to make a good impression

figurativo *agg.* figurative

figurìna *s. m.* **1** *(statuetta)* figurine **2** *(da raccolta)* picture-card

fila *s. f.* **1** line, file, row **2** *(coda)* queue, line **3** *(serie)* string, series ♦ **fare la f.** to queue (up)

filantropìa *s. f.* philanthropy

filàntropo *s. m.* philanthropist

filàre **A** *v. tr.* to spin **B** *v. intr.* **1** *(correre)* to run, to make off **2** *(di ragionamento)* to hang together **3** *(amoreggiare)* to flirt **4** *(comportarsi bene)* to behave

filarmònica *s. f.* philharmonic society

filastròcca *s. f.* rigmarole

filatelìa *s. f.* philately

filàto *s. m.* yarn

filétto *s. m.* **1** *(bordo)* border **2** *(mecc.)* thread **3** *(cuc.)* fillet

filiàle A agg. filial **B** s. f. branch

filifórme agg. filiform

filigràna s. f. **1** filigree **2** (della carta) watermark

film s. m. inv. **1** film, (motion) picture, (USA) movie **2** (pellicola, strato) film

filmàre v. tr. to film, to shoot

filo s. m. **1** thread, (tess.) yarn **2** (di metallo) wire **3** (tel., elettr) cable, wire **4** (di collana) string **5** (taglio) edge ♦ **f. d'erba** blade of grass; **f. spinato** barbed wire

filobus s. m. trolleybus

filologìa s. f. philology

filóne s. m. **1** (miner) vein **2** (di pane) long loaf **3** (fig.) trend, current

filosofìa s. f. philosophy

filosòfico agg. philosophic(al)

filòsofo s. m. philosopher

filtràre v. tr. e intr. to filter

filtro s. m. filter

filza s. f. string

finàle A agg. final **B** s. m. end, conclusion **C** s. f. (sport) ending, finals pl.

finalìsta s. m. e f. finalist

finalità s. f. aim, purpose, end

finalménte avv. at last, (da ultimo) finally

finànza s. f. finance

finanziaménto s. m. financing, loan, (somma) fund

finanziàrio agg. financial

finanzière s. m. **1** financier **2** (guardia di finanza) customs officer, revenue officer

finché cong. **1** until, till **2** (per tutto il tempo che) as long as

fine (1) A s. f. end, ending, conclusion **B** s. m. **1** (scopo) aim, purpose, object **2** (risultato) result, conclusion

fine (2) agg. **1** fine, thin **2** (raffinato) refined **3** (acuto) subtle

finèstra s. f. window

finestrìno s. m. window

fìngere A v. tr. e intr. to pretend, to simulate, to feign **B** v. rifl. to pretend

finimóndo s. m. bedlam, pandemonium

finìre A v. tr. **1** to finish, to end **2** (esaurire) to finish, to sell out **3** (uccidere) to kill **B** v. intr. **1** to finish, to end (up) **2** (smettere) to stop **3** (esaurirsi) to run out, to sell out **4** (cacciarsi) to get to

finìto agg. **1** finished **2** (limitato) finite **3** (rovinato) done for

finitùra s. f. finish, finishing

fino (1) agg. **1** (sottile) fine, thin **2** (acuto) subtle, sharp **3** (puro) fine, pure

fino (2) A prep. **1** (tempo) until, till, up to **2** (luogo) as far as **B** avv. even ♦ **f. da** since

finòcchio s. m. fennel

finóra avv. till now, up to now, yet

finta s. f. pretence, feint

finto agg. **1** (falso) false, insincere **2** (simulato) feigned **3** (artificiale) dummy, artificial, false

finzióne s. f. **1** pretence, make-believe **2** (invenzione) fiction, invention

fiòcco s. m. **1** bow **2** (bioccolo) flock **3** (cuc.) flake **4** (naut.) jib ♦ **con i fiocchi** excellent; **f. di neve** snowflake

fiòcina s. f. harpoon

fiòco agg. **1** weak, (di suono) faint **2** (rauco) hoarse

fiónda s. f. catapult, sling

fioràio s. m. florist

fiordalìso s. m. cornflower

fiòrdo s. m. fiord

fióre s. m. **1** flower, (di albero da frutto) blossom **2** (carte da gioco) clubs pl. **3** (parte scelta) the best part, the flower

fiorènte agg. **1** blooming **2** (fig.) flourishing

fiorétto s. m. (arma) foil

fiorièra s. f. flower box

fiorìre v. intr. **1** to flower, to blossom, to bloom **2** (fig.) to flourish

fioritùra s. f. **1** flowering, blooming, (di alberi da frutto) blossoming **2** (fig.) flourishing

firma s. f. signature

firmaménto s. m. firmament

firmàre v. tr. to sign

fisarmònica s. f. accordion

fiscàle agg. **1** fiscal, tax (attr) **2** (fig.) strict

fischiàre A v. intr. **1** to whistle, (per disapprovazione) to boo **2** (di segnale acustico) to hoot **3** (di proiettile) to whiz(z) **4** (di orecchie) to buzz **B** v. tr. to whistle, (per disapprovazione) to boo

fischio s. m. **1** whistle, (di disapprovazione) boo **2** (di segnale acustico) hoot **3** (di proiettile) whiz(z) **4** (nelle orecchie) buzzing

fisco s. m. revenue, (ufficio) tax office

fìsica s. f. physics pl. (v. al sing.)

fìsico A agg. physical **B** s. m. **1** (scienziato) physicist **2** (costituzione) physique, body

fisiologìa s. f. physiology

fisiològico agg. physiologic

fisionomìa *s. f.* physiognomy
fisionomista *s. m. e f.* physiognomist
fisioterapìa *s. f.* physiotherapy
fisioterapista *s. m. e f.* physiotherapist
fissàre **A** *v. tr.* **1** (*rendere fisso*) to fix, to fasten, to make firm **2** (*guardare fisso*) to stare, to gaze **3** (*stabilire*) to fix, to arrange, to set **4** (*prenotare*) to book, to reserve **B** *v. intr. pron.* **1** to be fixed **2** (*ostinarsi*) to set one's heart on **3** (*stabilirsi*) to settle
fissazióne *s. f.* **1** fixing, fixation **2** (*idea ossessiva*) obsession
fisso **A** *agg.* fixed **B** *avv.* fixedly
fitta *s. f.* sharp pain, pang
fittizio *agg.* fictitious
fitto *agg.* thick, packed ♦ **a capo f.** head downwards
fiumàna *s. f.* stream, flood
fiùme *s. m.* **1** river **2** (*fig.*) flood, stream
fiutàre *v. tr.* **1** to smell, to sniff **2** (*la selvaggina*) to scent **3** (*fig.*) to scent, to smell
fiùto *s. m.* **1** scent **2** (*fig.*) nose
flagellazióne *s. f.* flagellation, scourging
flagèllo *s. m.* scourge
flagrànte *agg.* flagrant
flanèlla *s. f.* flannel
flash *s. m. inv.* (*fot.*) flash **2** (*notizia giornalistica*) newsflash
flàuto *s. m.* flute
flèbile *agg.* feeble
fleboclìsi *s. f.* phleboclysis
flemmàtico *agg.* phlegmatic, cool
flessibile *agg.* flexible, supple
flessióne *s. f.* **1** flexion **2** (*calo*) decrease, drop
flessuóso *agg.* flexuous
flèttere *v. tr.* to bend, to bow
flogòsi *s. f.* phlogosis
flòra *s. f.* flora
floreàle *agg.* floral
floricoltùra *s. f.* floriculture
flòrido *agg.* flourishing, (*prosperoso*) buxom
florilègio *s. m.* florilegium, anthology
flòscio *agg.* flabby, soft
flòtta *s. f.* fleet
flottìglia *s. f.* flotilla
flùido **A** *agg.* fluid, flowing **B** *s. m.* fluid
fluìre *v. intr.* to flow
fluorescènte *agg.* fluorescent
fluòro *s. m.* fluorine
flùsso *s. m.* **1** flow, stream **2** (*fis.*) flux
fluttuànte *agg.* fluctuating, floating

fluttuàre *v. intr.* **1** to fluctuate, to rise and fall **2** (*econ.*) to fluctuate, to float
fluviàle *agg.* river (*attr*)
fobìa *s. f.* phobia
fòca *s. f.* seal
focalizzàre *v. tr.* to focus
fóce *s. f.* mouth
focolàio *s. m.* **1** (*med.*) focus **2** (*fig.*) hotbed
focolàre *s. m.* **1** hearth, fireplace **2** (*fig.*) home
fòdera *s. f.* (*interna*) lining, (*esterna*) cover
foderàre *v. tr.* (*internamente*) to line, (*esternamente*) to cover
fòdero *s. m.* sheath
fóga *s. f.* impetuosity, ardour
fòggia *s. f.* **1** manner, fashion **2** (*forma*) shape
fòglia *s. f.* leaf
fogliàme *s. m.* foliage
fogliétto *s. m.* slip of paper
fòglio *s. m.* **1** sheet **2** (*pagina*) leaf **3** (*banconota*) bank note **4** (*di metallo*) plate
fógna *s. f.* sewer, drain
fognatùra *s. f.* sewerage system, drainage system
föhn *s. m. inv.* (*asciugacapelli*) hairdryer
folclóre *s. m.* folklore
folcloristico *agg.* folklore (*attr*), folk (*attr*)
folgoràre *v. tr.* **1** (*elettr*) to electrocute **2** (*fig.*) to dazzle
folgorazióne *s. f.* **1** (*elettr*) electrocution **2** (*fig.*) flash
fòlla *s. f.* crowd, throng
fòlle *agg.* **1** mad, insane **2** (*pazzesco*) foolish, wild **3** (*mecc.*) neutral
folleggiàre *v. intr.* to make marry, to frolic
folleménte *avv.* madly
follìa *s. f.* **1** madness, insanity **2** (*azione folle*) folly
fólto *agg.* **1** thick **2** (*est.*) large, great
fomentàre *v. tr.* to foment, to encourage, to foster
fóndaco *s. m.* warehouse
fondàle *s. m.* **1** (*teatro*) back-drop **2** (*naut.*) sounding, depth
fondamentàle *agg.* fundamental, basic
fondaménto *s. m.* foundation
fondàre **A** *v. tr.* **1** to found, to erect **2** (*istituire*) to found, to establish **3** (*basare*) to found, to base, to ground **B** *v. rifl. e intr. pron.* to base oneself, to be based on
fondatóre *s. m.* founder
fondazióne *s. f.* foundation

fondènte A *agg.* melting **B** *s. m.* (dolce)
fondant ♦ **cioccolato f.** plain chocolate

fóndere *v. tr.* **1** (*liquefare*) to melt; to
fuse **2** (*metalli*) to cast, to mould **3** (*mescolare*) to blend, to merge **B** *v. intr. e intr.
pron.* to melt **C** *v. rifl. e rifl. rec.* to merge

fonderìa *s. f.* foundry

fondiàrio *agg.* land (*attr*), landed

fondìsta *s. m. e f.* long-distance runner

fóndo A *agg.* deep **B** *s. m.* **1** bottom,
(*estremità*) end **2** (*feccia*) dregs *pl.* **3**
(*sfondo*) background **4** (*econ.*) fund ♦
piatto f. soup-plate; **sci di f.** cross-
country skiing

fondovàlle *s. m.* valley bottom

fonètica *s. f.* phonetics *pl.* (*v. al sing.*)

fonètico *agg.* phonetic

fontàna *s. f.* fountain

fónte A *s. f.* source, spring **B** *s. m.* (*battesimale*) font ♦ **f. di energia** source of
power

footing *s. m. inv.* jogging

foràggio *s. m.* forage, fodder

foràre A *v. tr.* to pierce, to punch **B** *v. intr.*
(*pneumatico*) to get a flat tyre, to puncture

foratùra *s. f.* piercing, (*di pneumatico*)
puncture

fòrbici *s. f. pl.* scissors *pl.*

fórca *s. f.* **1** fork **2** (*patibolo*) gallows *pl.*

forcèlla *s. f.* fork

forchètta *s. f.* fork

forcìna *s. f.* hairpin

forènse *agg.* forensic

forèsta *s. f.* forest

forestièro A *agg.* foreign, alien **B** *s. m.*
foreigner

forfait *s. m. inv.* lump-sum ♦ **dichiarare f.**
to default, to scratch

fórfora *s. f.* dandruff

forgiàre *v. tr.* **1** to forge **2** (*modellare*) to
shape, to mould

fórma *s. f.* **1** shape, form **2** (*stampo*) mould
3 (*genere, tipo, stile, procedura*) form **4**
(*formalità*) formality, form, appearance **5**
al pl. (*di persona*) figure **6** (*forma fisica*)
form, fitness

formàggio *s. m.* cheese ♦ **f. magro**
skimmed cheese; **f. piccante** strong
cheese

formàle *agg.* formal

formalìsmo *s. m.* formalism

formalità *s. f.* formality, form ♦ **senza f.**
informally

formalizzàre A *v. tr.* to formalize **B** *v. intr.*

pron. to be shocked

formàre A *v. tr.* **1** to form, to make **2** (*modellare*) to shape, to mould **B** *v. intr. pron.* to
form

formazióne *s. f.* **1** formation **2** (*addestramento*) training

formìca *s. f.* ant

formicàio *s. m.* anthill

formicolàre *v. intr.* **1** (*brulicare*) to swarm,
to be full **2** (*prudere*) to tingle

formicolìo *s. m.* **1** swarming **2** (*intorpidimento*) tingling, pins and needles

formidàbile *agg.* **1** formidable, terrible **2**
(*straordinario*) wonderful

formóso *agg.* buxom, shapely

fòrmula *s. f.* formula

formulàre *v. tr.* **1** to formulate **2** (*esprimere*) to express

formulàrio *s. m.* formulary, form

fornàce *s. f.* furnace, (*per laterizi*) kiln

fornàio *s. m.* baker, (*negozio*) bakery

fornèllo *s. m.* stove, cooker

fòrnice *s. m.* fornix

fornìre A *v. tr.* to furnish, to supply, to provide **B** *v. rifl.* to stock up

fornitóre *s. m.* supplier

fórno *s. m.* **1** oven **2** (*negozio*) bakery

fóro (1) *s. m.* hole

fóro (2) *s. m.* (*dir*) forum, court of justice

fórse *avv.* **1** perhaps, maybe **2** (*probabilmente*) probably **3** (*circa*) about

forsennàto *s. m.* madman, lunatic

fòrte A *agg.* **1** strong **2** (*di suono*) loud **3**
(*di malattia*) bad, severe **4** (*considerevole*) large, heavy **5** (*profondo*) deep **B**
avv. **1** strongly, hard **2** (*a volume alto*)
loudly, loud **3** (*velocemente*) fast **4** (*con
intensità*) hard, hardly

fortézza *s. f.* fortress

fortificàre *v. tr.* to fortify

fortificazióne *s. f.* fortification

fortìno *s. m.* blockhouse

fortùito *agg.* fortuitous, chance (*attr*)

fortùna *s. f.* **1** fortune, luck **2** (*successo*)
success **3** (*emergenza*) emergency

fortunataménte *avv.* luckily

fortunàto *agg.* lucky, fortunate

fòrza *s. f.* **1** strength, force **2** (*potere*) power
3 (*mil., fis.*) force **4** (*violenza*) force

forzàre A *v. tr.* **1** to force, to compel **2**
(*sforzare*) to strain **B** *v. rifl.* to force oneself

forzàto *agg.* forced

forzatùra *s. f.* forcing

forzière *s. m.* coffer

foschìa *s. f.* haze, mist
fósco *agg.* gloomy, dark
fosforescènte *agg.* phosphorescent
fòsforo *s. m.* phosphor(us)
fòssa *s. f.* 1 ditch, trench 2 (*tomba*) grave
fossàto *s. m.* ditch
fòssile *agg. e s. m.* fossil
fossilizzàrsi *v. tr. e intr. pron.* to fossilize
fòsso *s. m.* ditch, trench
fòto *s. f.* →**fotografia**
fotocèllula *s. f.* photocell
fotocolor *s. m. inv.* colour photograph
fotocòpia *s. f.* photocopy
fotocopiàre *v. tr.* to photocopy
fotogènico *agg.* photogenic
fotografàre *v. tr.* to photograph, to take a picture
fotografìa *s. f.* 1 (*arte*) photography 2 (*immagine*) photo(graph)
fotogràfico *agg.* photographic ♦ **macchina fotografica** camera
fotògrafo *s. m.* photographer
fotomodèlla *s. f.* model
fotomontàggio *s. m.* photomontage
fotorepòrter *s. m. inv.* photoreporter, press-photographer
fra *prep.* 1 (*fra due termini*) between, (*fra più di due termini*) among 2 (*in mezzo*) amid, amidst 3 (*partitivo e dopo un sup. rel.*) among, of 4 (*tempo*) in, within (*distrib.*) among
fracassàre A *v. tr.* to smash, to shatter B *v. intr. pron.* to break up
fracàsso *s. m.* din, racket
fràdicio *agg.* 1 (*marcio*) rotten 2 (*zuppo*) wet through, soaked ♦ **ubriaco f.** dead drunk
fràgile *agg.* 1 fragile, brittle 2 (*fig.*) frail, fragile
fràgola *s. f.* strawberry
fragóre *s. m.* uproar, rumble
fragoróso *agg.* loud, rumbling
fragrànte *agg.* fragrant
fraintèndere *v. tr. e intr.* to misunderstand
frammentàre A *v. tr.* to split up, to subdivide B *v. intr. pron.* to fragment, to split
frammentàrio *agg.* fragmentary
framménto *s. m.* fragment, splinter
fràna *s. f.* landslide
franàre *v. intr.* 1 to slide down 2 (*est.*) to collapse, to fall in
francaménte *avv.* frankly, openly
francése A *agg.* French B *s. m. e f.* (*abitante*) Frenchman *m.*, Frenchwoman *f.* C

s. m. (*lingua*) French
franchézza *s. f.* frankness, openness
franchìgia *s. f.* immunity, franchise
frànco (1) *agg.* 1 frank, open, sincere 2 (*comm.*) free, franco
frànco (2) *s. m.* (*moneta*) franc
francobòllo *s. m.* stamp
francòfono *agg.* Francophone
frangènte *s. m.* 1 breaker 2 (*situazione difficile*) predicament, awkward situation
frangètta *s. f.* fringe
frangia *s. f.* fringe
frangiflùtti *agg. e s. m. inv.* breakwater
franóso *agg.* subject to landslides
frantóio *s. m.* crusher, (*per olive*) oil mill
frantumàre *v. tr.* to shatter, to crush
frappé *s. m.* shake
frappórre A *v. tr.* to interpose, to put B *v. rifl. e intr. pron.* to intervene, to interfere
fràsca *s. f.* branch
fràse *s. f.* 1 sentence, period 2 (*locuzione, espressione*) phrase ♦ **f. fatta** cliché
fraseològico *agg.* phraseologic(al) ♦ **verbo f.** phrasal verb
fràssino *s. m.* ash
frastagliàto *agg.* indented, jagged
frastornàre *v. tr.* to confuse, to daze
frastornàto *agg.* confused, dazed
frastuòno *s. m.* noise, din
fràte *s. m.* friar, monk, (*appellativo*) Brother
fratellànza *s. f.* brotherhood, fraternity
fratellàstro *s. m.* half-brother
fratèllo *s. m.* brother
fraternizzàre *v. intr.* to fraternize
fratèrno *agg.* fraternal
frattàglie *s. f. pl.* chitterlings *pl.*, entrails *pl.*
frattànto *avv.* meanwhile
frattùra *s. f.* 1 fracture 2 (*est.*) break, rupture
fratturàre *v. tr. e intr. pron.* to fracture, to break
frazionàre A *v. tr.* to divide, to split B *v. rifl. o intr. pron.* to split
frazióne *s. f.* 1 fraction 2 (*di comune*) hamlet
fréccia *s. f.* 1 arrow 2 (*autom.*) indicator
freddaménte *avv.* coldly, coolly
freddàre A *v. tr.* 1 to cool 2 (*ammazzare*) to kill B *v. intr. pron.* to become cold
freddézza *s. f.* coldness
fréddo A *agg.* cold, chilly, (*fresco*) cool B *s. m.* cold, coldness, chilliness
freddolóso *agg.* sensitive to cold
freddùra *s. f.* witticism
fregàre *v. tr.* 1 to rub 2 (*fam.*) (*rubare*) to

pinch, to nick **3** (*fam.*) (*imbrogliare*) to cheat ♦ **fregarsene** not to give a damn

fregàta *s. f.* (*naut.*) frigate

fregatùra *s. f.* cheat, swindle

frégio *s. m.* **1** (*arch.*) frieze **2** ornament

frèmere *v. intr.* to tremble, to quiver, to throb

frenàre A *v. tr.* **1** to brake **2** (*fig.*) to restrain, to check **B** *v. intr.* to brake **C** *v. rifl.* to restrain oneself

frenàta *s. f.* braking

frenesìa *s. f.* frenzy

frenètico *agg.* frantic, frenzied

fréno *s. m.* **1** brake **2** (*fig.*) restraint, check

frequentàre A *v. tr.* **1** to frequent, to go often to, (*scuola*) to attend **2** (*persone*) to frequent, to go round with, to associate with **B** *v. rifl. rec.* to see one another

frequènte *agg.* frequent

frequentemènte *avv.* frequently, often

frequènza *s. f.* **1** frequency **2** (*assiduità*) attendance

frèsa *s. f.* cutter

freschézza *s. f.* **1** freshness **2** (*di temperatura*) coolness

frésco A *agg.* **1** fresh **2** (*di temperatura*) cool, fresh, chilly **B** *s. m.* cool, coolness ♦ **tenere in f.** to keep in a cool place

frétta *s. f.* hurry, haste

frettolóso *agg.* hasty, hurried

friàbile *agg.* friable

friggere *v. tr. e intr.* to fry

frigido *agg.* frigid

frigo → **frigorifero**

frigorifero A *agg.* refrigerating, freezing **B** *s. m.* fridge

fringuèllo *s. m.* finch

frittàta *s. f.* omelette

fritto A *agg.* fried **B** *s. m.* fry

frittùra *s. f.* fry

frivolo *agg.* frivolous

frizióne *s. f.* **1** (*sulla pelle*) rubbing, friction **2** (*fis.*) friction **3** (*mecc., autom.*) clutch

frizzànte *agg.* **1** (*di bevanda*) fizzy, sparkling **2** (*di aria*) crisp

frodàre *v. tr.* to defraud, to cheat

fròde *s. f.* fraud, cheating

frollàre *v. tr.* to hang

frónda *s. f.* branch

frontàle *agg.* frontal

frónte *s. f.* **1** forehead **2** (*di edificio*) front, frontage **B** *s. m.* front ♦ **di f. a** opposite, in front of, (*paragone*) in comparison with

fronteggiàre A *v. tr.* to face up, **B** *v. rifl.*

rec. to face each other

frontespìzio *s. m.* frontispiece, title-page

frontièra *s. f.* frontier, boundary

frontóne *s. m.* pediment, fronton

frónzolo *s. m.* frill, frippery

fròttola *s. f.* fib

frugàle *agg.* frugal

frugàre *v. tr. e intr.* to rummage, to ransack

fruìre *v. intr.* to enjoy

frullàre *v. tr.* to whip, to whisk

frullàto *s. m.* shake

frullatóre *s. m.* mixer

fruménto *s. m.* wheat

frusciàre *v. intr.* to rustle

fruscìo *s. m.* rustle

frùsta *s. f.* **1** whip **2** (*cuc.*) whisk

frustàre *v. tr.* to whip, to flog

frustìno *s. m.* crop

frustràre *v. tr.* to frustrate

frustrazióne *s. f.* frustration

frùtta *s. f.* fruit

fruttàre A *v. tr.* to yield, to make **B** *v. intr.* to bear fruit

fruttéto *s. m.* orchard

fruttificàre *v. intr.* to fructify, to bear fruit

fruttivéndolo *s. m.* greengrocer

frùtto *s. m.* **1** fruit **2** (*econ.*) interest, return ♦ **frutti di mare** shellfish, (*USA*) seafood

fu *agg.* late

fucilàre *v. tr.* to shoot

fucilàta *s. f.* (gun)shot

fucìle *s. m.* gun, rifle

fucìna *s. f.* forge

fùga *s. f.* **1** flight, escape **2** (*fuoriuscita*) leak **3** (*mus.*) fugue **4** (*sport*) sprint

fugàce *agg.* fleeting, short-lived

fugacità *s. f.* transiency

fuggévole *agg.* fleeting

fuggiàsco *agg. e s. m.* fugitive

fuggìre A *v. intr.* to flee, to run away, to escape **B** *v. tr.* to avoid

fùlcro *s. m.* fulcrum

fùlgido *agg.* shining

fulgóre *s. m.* brightness, splendour

fulìggine *s. f.* soot

fulminànte *agg.* fulminant

fulminàre A *v. tr.* **1** to strike by lightning **2** (*colpire*) to strike down, to strike dead **B** *v. intr. pron.* (*di lampadina*) to burn out

fùlmine *s. m.* lightning, thunderbolt

fulmìneo *agg.* lightning, instantaneous

fumaiòlo *s. m.* funnel

fumàre A *v. tr.* to smoke **B** *v. intr.* **1** to smoke **2** (*emettere vapore*) to fume, to steam

fumàta *s. f.* **1** smoke **2** (*segnale*) smoke signal

fumatóre *s. m.* smoker

fumétto *s. m.* strip cartoon, comics *pl.*

fùmo *s. m.* **1** smoke **2** (*il fumare*) smoking **3** (*vapore*) fume, steam

fumóso *agg.* **1** smoky, smoking **2** (*fig.*) obscure

funàmbolo *s. m.* tigh-trope walker

fùne *s. f.* rope, cable

fùnebre *agg.* **1** funeral (*attr*) **2** (*lugubre*) funereal, mournful

funeràle *s. m.* funeral

funeràrio *agg.* funerary

funestàre *v. tr.* to devastate

fùngere *v. intr.* to act (as)

fùngo *s. m.* mushroom, (*bot., med.*) fungus ♦ **f. velenoso** toadstool

funicolàre *s. f.* funicular, cable rail

funivìa *s. f.* cableway

funzionàle *agg.* **1** functional **2** (*pratico*) practical, useful

funzionalìsmo *s. m.* functionalism

funzionalità *s. f.* functionality

funzionaménto *s. m.* working, operation

funzionàre *v. intr.* to work, to operate, to run ♦ **far f. q.c.** to operate st., to make st. work

funzionàrio *s. m.* official, functionary

funzióne *s. f.* **1** (*ruolo, scopo*) function, role, task **2** (*carica*) function, office, position **3** (*funzionamento*) operation, working **4** (*relig.*) ceremony, service **5** (*scient.*) function

fuòco *s. m.* **1** fire **2** (*fornello*) burner **3** (*fis., fot.*) focus

fuorché **A** *cong.* except, but **B** *prep.* except (for), excepting

fuòri **A** *avv.* **1** out, outside, (*all'aperto*) out-

doors **2** (*lontano*) away **B** *prep.* **f. da/di** out of, outside ♦ **f. orario** out of hours; **f. servizio** out of order

fuoribórdo *s. m. inv.* outboard

fuoriclàsse *agg. e s. m. e f.* champion

fuorilégge **A** *agg.* illegal **B** *s. m. e f.* outlaw

fuoristràda *s. m. inv.* cross-country vehicle

fuoriuscìre *v. intr.* to come out

fuoriuscìta *s. f.* discharge, emission

fùrbo *agg.* cunning, shrewd

furènte *agg.* raging, furious

furfànte *s. m. e f.* rascal

furgóne *s. m.* van

fùria *s. f.* **1** fury, rage **2** (*fretta*) rush ♦ **a f. di** by dint of; **in fretta e f.** in a rush

furibóndo *agg.* **1** furious, enraged **2** (*violento*) violent

furióso *agg.* **1** furious, raging **2** (*violento*) violent, wild

furóre *s. m.* fury, rage

furtìvo *agg.* furtive

fùrto *s. m.* theft

fùsa *s. f. pl.* purr

fuscèllo *s. m.* twig

fusìbile **A** *agg.* fusible **B** *s. m.* fuse (*elettr*)

fusióne *s. f.* **1** fusion **2** (*econ.*) merger, merging

fùso (1) *agg.* fused, melted

fùso (2) *s. m.* **1** (*tess.*) spindle **2** (*orario*) time zone

fusolièra *s. f.* fuselage

fustàgno *s. m.* fustian

fustigazióne *s. f.* flogging

fustìno *s. m.* box

fùsto *s. m.* **1** (*bot.*) stem, (*tronco*) trunk **2** (*arch.*) shaft **3** (*recipiente*) drum

fùtile *agg.* trifling

futilità *s. f.* futility

futurìsmo *s. m.* futurism

futùro *agg. e s. m.* future

G

gabbàre A *v. tr.* to cheat **B** *v. intr. pron.* to make fun

gabbia *s. f.* cage

gabbiàno *s. m.* sea-gull

gabinétto *s. m.* **1** consulting room, (*med.*) surgery, (*scient.*) laboratory **2** (*pol.*) cabinet **3** (*servizi igienici*) toilet, lavatory, wc

gaffe *s. f. inv.* blunder

gagliardétto *s. m.* pennant

gagliàrdo *agg.* strong, vigorous

gàio *agg.* gay

gàla *s. f.* **1** (*festa*) gala **2** (*trina*) frill

galànte *agg.* **1** gallant **2** (*amoroso*) love (*attr*), amorous

galanteria *s. f.* gallantry

galantuòmo *s. m.* gentleman

galàssia *s. f.* galaxy

galatèo *s. m.* etiquette, (good) manners *pl.*

galeóne *s. m.* galleon

galeòtto *s. m.* convict

galèra *s. f.* **1** (*naut.*) galley **2** (*prigione*) jail, prison

gàlla *s. f.* gall

gàlla, a *loc. avv.* afloat, floating ♦ **stare a g.** to float; **venire a g.** to surface

galleggiànte A *agg.* floating **B** *s. m.* float

galleggiàre *v. intr.* to float

galleria *s. f.* **1** (*traforo*) tunnel **2** (*di miniera*) gallery, tunnel **3** (*per esposizione*) gallery **4** (*teatro, cin.*) circle, balcony **5** (*strada coperta*) arcade

gallése A *agg.* Welsh **B** *s. m. e f.* (*abitante*) Welshman *m.*, Welshwoman *f.* **C** *s. m.* (*lingua*) Welsh

gallétta *s. f.* biscuit

gallicìsmo *s. m.* Gallicism

gallìna *s. f.* hen

gàllo *s. m.* cock

gallóne (1) *s. m.* **1** galloon **2** (*mil.*) stripe

gallóne (2) *s. m.* (*unità di misura*) gallon

galoppàre *v. intr.* to gallop

galoppatóio *s. m.* riding track

galòppo *s. m.* gallop

gàmba *s. f.* **1** leg **2** (*di lettera, di nota musicale*) stem ♦ **essere in g.** to be smart

gamberétto *s. m.* prawn, (*di mare*) shrimp

gàmbero *s. m.* crayfish

gàmbo *s. m.* stem, stalk

gàmma *s. f.* range

ganàscia *s. f.* jaw

gàncio *s. m.* hook

gànghero *s. m.* hinge

gàra *s. f.* **1** competition, contest **2** (*sport*) competition, race, match **3** (*comm.*) tender

garage *s. m. inv.* garage

garànte *s. m.* guarantee, warranter

garantìre A *v. tr.* **1** to guarantee, to warrant **2** (*rendersi garante per*) to vouch for **3** (*assicurare*) to assure **B** *v. rifl.* to secure oneself

garanzìa *s. f.* guarantee, warrant, security

garbàto *agg.* polite, well-mannered

gàrbo *s. m.* politeness

gardènia *s. f.* gardenia

gareggiàre *v. intr.* to compete

gargarìsmo *s. m.* gargle

garitta *s. f.* sentry box

garòfano *s. m.* carnation ♦ **chiodi di g.** cloves

gàrza *s. f.* gauze

garzóne *s. m.* **1** (*garzone*) boy **2** (*apprendista*) apprentice

gas *s. m.* gas ♦ **a tutto g.** at full speed; **g. di scarico** exhaust gas

gasàto *agg.* fizzy

gasòlio *s. m.* gas oil, diesel oil

gassóso *agg.* gaseous

gàstrico *agg.* gastric

gastrite *s. f.* gastritis

gastrointestinàle *agg.* gastroenteric

gastronomìa *s. f.* gastronomy

gastronòmico *agg.* gastronomic

gattìno *s. m.* kitten

gàtto *s. m.* cat

gattopàrdo *s. m.* ocelot

gàudio *s. m.* joy

gavétta *s. f.* mess tin

gavitèllo *s. m.* buoy

gay *agg. e s. m. e f. inv.* gay

gàzza *s. f.* magpie

gazzèlla *s. f.* gazelle

gazzétta *s. f.* gazette

gel *s. m. inv.* gel

gelàre *v. tr. e intr.* to freeze

gelàta *s. f.* frost

gelataio *s. m.* ice-cream man

gelateria *s. f.* ice-cream shop

gelatina *s. f.* **1** (*cuc.*) jelly, gelatine **2** (*chim.*) gelatin(e)

gelàto A *agg.* icy, frozen **B** *s. m.* ice-cream

gèlido *agg.* icy, freezing

gèlo *s. m.* **1** cold **2** (*brina*) frost

gelóne *s. m.* chilblain

gelosia *s. f.* **1** jealousy **2** (*invidia*) envy **3** (*cura scrupolosa*) solicitude

gelóso *agg.* **1** jealous **2** (*invidioso*) envious **3** (*possessivo*) particular, jealous

gèlso *s. m.* mulberry

gelsomino *s. m.* jasmin(e)

gemellàggio *s. m.* twinning

gemèllo *agg. e s. m.* twin

gèmere *v. intr.* to moan, to groan

gèmito *s. m.* moan, groan

gèmma *s. f.* **1** gem, jewel **2** (*bot.*) bud

gène *s. m.* gene

genealogia *s. f.* genealogy

generàle *agg. e s. m.* general

generalità *s. f.* **1** generality **2** (*maggior parte*) majority **3** *al pl.* personal particulars

generalizzàre *v. tr. e intr.* to generalize

generalménte *avv.* generally, as a rule

generàre A *v. tr.* **1** to give birth to, to procreate **2** (*produrre*) to produce **3** (*causare*) to beget **4** (*scient.*) to generate **B** *v. intr. pron.* to be generated

generatóre *s. m.* generator

generazionàle *agg.* generational

generazióne *s. f.* generation

gènere *s. m.* **1** kind, type, sort, family **2** (*biol.*) genus **3** (*gramm.*) gender **4** (*letter*) genre **5** (*prodotto*) product, goods *pl.* ♦ **generi alimentari** foodstuff

genèrico *agg.* generic, general

gènero *s. m.* son-in-law

generosità *s. f.* generosity

generóso *agg.* generous, liberal

gènesi *s. f.* genesis, origin

genètica *s. f.* genetics *pl.* (*v. al sing.*)

genètico *agg.* genetic

gengiva *s. f.* gum

geniàle *agg.* ingenious

genialità *s. f.* ingeniousness, genius

gènio *s. m.* **1** genius **2** (*inclinazione*) talent, gift **3** (*folletto*) genie, genius

genitàle A *agg.* genital **B** *s. m. al pl.* genitals, genitalia

genitóre *s. m.* parent

gennàio *s. m.* January

gentàglia *s. f.* rabble

gènte *s. f.* people

gentìle *agg.* **1** kind, courteous **2** (*delicato*) gentle

gentilézza *s. f.* **1** kindness **2** (*favore*) favour

gentilìzio *agg.* noble

gentiluòmo *s. m.* gentleman

genuinità *s. f.* genuineness

genuìno *agg.* genuine, authentic

geocentrìsmo *s. m.* geocentricism

geografia *s. f.* geography

geogràfico *agg.* geographic(al) ♦ **carta geografica** map

geologia *s. f.* geology

geològico *agg.* geologic(al)

geometria *s. f.* geometry

geomètrico *agg.* geometric(al)

geòrgico *agg.* georgic

geotèrmico *agg.* geothermal

gerànio *s. m.* geranium

gerarchìa *s. f.* hierarchy

geràrchico *agg.* hierarchic(al)

gerènte *s. m. e f.* manager

gergàle *agg.* slang (*attr*)

gèrgo *s. m.* slang, (*professionale*) jargon

geriatrìa *s. f.* geriatrics *pl.* (*v. al sing.*)

germànico *agg.* Germanic

gèrme *s. m.* germ

germogliàre *v. intr.* to sprout, to germinate

germóglio *s. m.* bud, sprout

geroglìfico *s. m.* hieroglyph

gerùndio *s. m.* gerund

gerundìvo *s. m.* gerundive

gèsso *s. m.* **1** chalk **2** (*med., edil., scultura*) plaster

gèsta *s. f. pl.* deeds *pl.*

gestànte *s. f.* pregnant woman

gestazióne *s. f.* gestation

gestióne *s. f.* management

gestìre (1) *v. tr.* to run, to manage

gestìre (2) *v. intr.* (*gesticolare*) to gesticulate

gèsto *s. m.* **1** gesture, sign, (*del capo*) nod, (*della mano*) wave **2** (*azione*) act, deed

gestóre *s. m.* manager

gesuìta *s. m.* Jesuit

gettàre A *v. tr.* **1** to throw, (*con forza*) to hurl **2** (*tecnol.*) to cast **B** *v. rifl. e intr. pron.* **1** to throw oneself **2** (*di fiume*) to flow

gettàta *s. f.* **1** (*tecnol.*) cast, casting **2** (*di molo*) jetty

gèttito *s. m.* yield, revenue ♦ **g. fiscale** tax revenue

gètto *s. m.* **1** jet, spurt, shoot **2** (*bot.*) sprout **3** (*tecnol.*) casting **4** (*aer*) jet

gettóne *s. m.* **1** token **2** (*per giochi*)

counter

ghétto *s. m.* ghetto

ghiacciàia *s. f.* ice-box

ghiacciàio *s. m.* glacier

ghiacciàre *v. intr. e intr. pron.* to freeze

ghiacciàto *agg.* **1** frozen **2** (*freddissimo*) icy, freezing

ghiàccio *s. m.* ice

ghiacciòlo *s. m.* **1** icicle **2** (*gelato*) ice lolly

ghiàia *s. f.* gravel

ghiaióso *agg.* gravelly

ghiànda *s. f.* acorn

ghiàndola *s. f.* gland

ghigliottina *s. f.* guillotine

ghignàre *v. intr.* to sneer

ghiòtto *agg.* **1** gluttonous, greedy **2** (*appetitoso*) delicious

ghiottóne *s. m.* glutton

ghiribizzo *s. m.* fancy, caprice

ghirigòro *s. m.* scribble

ghirlànda *s. f.* garland, wreath

ghiro *s. m.* dormouse

ghisa *s. f.* cast iron

già *avv.* **1** already **2** (*prima di ora, prima di allora*) before, already, (*nelle frasi interr*) yet **3** (*un tempo*) once, (*precedentemente*) formerly **4** (*da questo, quel momento*) (ever) since, from **5** (*per indicare consenso*) yes, of course, that's right

giàcca *s. f.* jacket ♦ **g. a vento** windcheater, anorak

giacché *cong.* as, since

giacére *v. intr.* to lie

giaciménto *s. m.* layer, body, deposit

giacinto *s. m.* hyacinth

giacobino *s. m.* Jacobin

giàda *s. f.* jade

giaggiòlo *s. m.* iris

giaguàro *s. m.* jaguar

giallo A *agg.* yellow **B** *s. m.* **1** (*colore*) yellow **2** (*libro, film*) thriller **3** (*di semaforo*) amber light

giammài *avv.* never

giapponése *agg. e s. m. e f.* Japanese

giardinàggio *s. m.* gardening

giardinière *s. m.* gardener

giardino *s. m.* garden ♦ **g. d'infanzia** kindergarten; **g. pensile** roof garden; **g. pubblico** park

giarrettièra *s. f.* garter

giavellòtto *s. m.* javelin

gigànte A *agg.* gigantic, giant (*attr*) **B** *s. m.* giant

gigantésco *agg.* gigantic, huge

gigantismo *s. m.* gigantism

gigionismo *s. m.* hamming

giglio *s. m.* lily

gilè *s. m. inv.* waistcoat

gin *s. m. inv.* gin

ginecologia *s. f.* gynaecology

ginecòlogo *s. m.* gynaecologist

ginepràio *s. m.* **1** (*bot.*) juniper bush **2** (*fig.*) fix, nole

ginépro *s. m.* juniper

ginèstra *s. f.* broom

gingillàrsi *v. intr. pron.* to dawdle, to fiddle

gingillo *s. m.* knick-knack

ginnàsio *s. m.* (*stor*) gymnasium

ginnàsta *s. m. e f.* gymnast

ginnàstica *s. f.* **1** gymnastics *pl.* (*v. al sing.*), (*fam.*) gym **2** (*attività fisica*) exercise

ginòcchio *s. m.* knee ♦ **stare in g.** to kneel

giocàre A *v. intr.* **1** to play **2** (*d'azzardo*) to gamble **3** (*scommettere*) to bet **4** (*in Borsa*) to speculate **5** (*aver peso*) to play a part **B** *v. tr.* **1** to play **2** (*scommettere*) to bet on, to gamble on **3** (*ingannare*) to fool **4** (*rischiare*) to risk

giocatóre *s. m.* **1** player **2** (*d'azzardo*) gambler

giocàttolo *s. m.* toy

giòco *s. m.* **1** (*svago*) game, amusement **2** (*con regole*) game **3** (*modo di giocare*) play **4** (*giocattolo*) toy **5** (*d'azzardo*) gambling **6** (*scherzo*) fun, joke **7** (*mecc.*) clearance, play ♦ **carte da g.** playing cards; **doppio g.** double-cross; **g. di prestigio** conjuring tricks; **g. di società** parlour game

giocolière *s. m.* juggler

giocóso *agg.* playful, merry

giógo *s. m.* yoke

giòia (1) *s. f.* joy

giòia (2) *s. f.* (*pietra preziosa*) jewel

gioiellería *s. f.* jewellery, (*negozio*) jeweller's shop

gioiellière *s. m.* jeweller

gioièllo *s. m.* jewel

gioióso *agg.* joyful

gioire *v. intr.* to rejoice

giornalàio *s. m.* newsagent

giornàle *s. m.* **1** newspaper, paper **2** (*periodico*) journal, magazine **3** (*registro*) journal **4** (*diario*) diary ♦ **g. di bordo** log; **g. radio** news

giornalièro *agg.* **1** (*di tutti i giorni*) daily, day-to-day **2** (*di un giorno*) day (*attr*)

giornalismo *s. m.* journalism

giornalista *s. m. e f.* journalist

giornalménte *avv.* daily

giornàta *s. f.* day ♦ **g. festiva/lavorativa** holiday/workday

giórno *s. m.* **1** day **2** (*luce del giorno*) daylight, day ♦ **al g. d'oggi** nowadays; **buon g.!** good morning!

giòstra *s. f.* **1** (*stor.*) joust **2** merry-go-round, roundabout

giovaménto *s. m.* benefit

gióvane A *agg.* **1** young **2** (*giovanile*) youthful, youth (*attr.*) **B** *s. m. e f.* young man *m.*, young woman *f.* ♦ **i giovani** young people, the young; **vino g.** new wine

giovanile *agg.* **1** youthful, youth (*attr.*) **2** (*di aspetto*) young-looking

giovanòtto *s. m.* young man

giovàre A *v. intr.* **1** (*essere utile*) to be useful **2** (*far bene*) to be good (for) **B** *v. intr. pron.* to take advantage

giovedì *s. m.* Thursday

gioventù *s. f.* youth, (*i giovani*) young people

gioviale *agg.* jovial, jolly

giovinézza *s. f.* youth

giradischi *s. m.* record-player

giraffa *s. f.* **1** (*zool.*) giraffe **2** (*cin.*, *TV*) boom

giraménto *s. m.* (*di capo*) giddiness

giramóndo *s. m. e f. inv.* globe trotter

giràndola *s. f.* **1** (*fuoco d'artificio*) catherine-wheel **2** (*giocattolo*) windmill **3** (*banderuola*) weathercock

girànte *s. f.* (*mecc.*) impeller, rotor

giràre A *v. tr.* **1** to turn **2** (*fare il giro, visitare*) to go round, to tour **3** (*mescolare*) to stir **4** (*avvolgere*) to wind **5** (*banca*) to endorse **6** (*cin.*) to shoot, to make **B** *v. intr.* **1** to turn **2** (*sul proprio asse*) to turn, to rotate, (*rapidamente*) to spin **3** (*andare in giro*) to go round **4** (*vagare*) to wander **C** *v. rifl.* to turn (round)

girarròsto *s. m.* spit

girasóle *s. m.* sunflower

giràta *s. f.* **1** (*giro*) turn **2** (*passeggiata*) walk, stroll **3** (*banca*) endorsement

giravòlta *s. f.* twirl

girévole *agg.* turning, revolving ♦ **ponte g.** swing bridge

girino *s. m.* tadpole

giro *s. m.* **1** (*rotazione*) turn **2** (*percorso*) round **3** (*cerchio, cerchia*) circle **4** (*viaggio*) trip, tour, **5** (*passeggiata*) stroll, walk, (*in bici, treno, ecc.*) ride, (*in auto*) drive **6** (*mecc.*) turn, revolution ♦ **a g. di posta** by mail return; **g. d'affari** turnover; **prendere in g. qc.** to make fun of sb.

girocónto *s. m.* bank giro

gironzolàre *v. intr.* to wander about, to stroll about

girotóndo *s. m.* ring-a-ring-o'-roses

girovagàre *v. intr.* to wander about, to stroll about

giròvago *s. m.* vagrant

gita *s. f.* trip, excursion

gitàno *agg.* gipsy

gitànte *s. m. e f.* excursionist

giù *avv.* down, (*al piano inferiore*) downstairs ♦ **in g.** down, downwards; **su per g.** more or less

giubbòtto *s. m.* **1** jacket **2** (*antiproiettile*) bullet-proof vest **3** (*di salvataggio*) life jacket

giubilèo *s. m.* jubilee

giùbilo *s. m.* joy

giudicàre A *v. tr.* **1** to judge **2** (*dir.*) to try **3** (*considerare*) to consider, to think **B** *v. intr.* **1** to judge **2** (*dir.*) to pass sentence

giùdice *s. m. e f.* judge

giudiziàrio *agg.* judicial

giudìzio *s. m.* **1** (*dir.*) judgment, (*causa*) trial, (*sentenza*) sentence **2** (*opinione*) judgment, opinion **3** (*discernimento*) wisdom, good sense

giudizióso *agg.* sensible

giùgno *s. m.* June

giullàre *s. m.* jester

giuménta *s. f.* mare

giùnco *s. m.* reed, rush

giùngere A *v. intr.* **1** to arrive, to reach, to come, to get **2** (*riuscire*) to succeed **B** *v. tr.* (*congiungere*) to join

giùngla *s. f.* jungle

giunònico *agg.* Junoesque

giùnta (1) *s. f.* addition ♦ **per g.** in addition

giùnta (2) *s. f.* (*comitato*) council, committee

giuntàre *v. tr.* to join

giùnto *s. m.* joint, coupling

giuntùra *s. f.* joint

giunzióne *s. f.* junction

giuraménto *s. m.* oath ♦ **sotto g.** on oath

giuràre *v. tr. e intr.* to swear ♦ **g. il falso** to perjure oneself

giuràto *s. m.* juror

giurìa s. f. jury

giuridicaménte avv. juridically

giurìdico agg. juridical

giurisdizionàle agg. jurisdictional

giurisdizióne s. f. jurisdiction

giurisprudènza s. f. jurisprudence, law

giurìsta s. m. e f. jurist

giustapposizióne s. f. juxtaposition

giustézza s. f. **1** justness **2** (esattezza) exactness

giustificàbile agg. justifiable

giustificàre A v. tr. **1** to justify **2** (scusare) to excuse B v. rifl. **1** to justify oneself **2** (scusarsi) to excuse oneself

giustificazióne s. f. justification, excuse

giustìzia s. f. justice

giustiziàre v. tr. to execute

giùsto A agg. **1** (equo) just, fair **2** (esatto) right, correct, exact **3** (adatto) right, suitable B s. m. the right C avv. **1** (esattamente) right, correctly **2** (proprio) just

glaciàle agg. glacial

glàssa s. f. icing

gli (1) art. determ. m. pl. →**i**

gli (2) pron pers. 3^a m. **1** sing. (riferito a persona o animale di sesso maschile) (to, for) him; (riferito a cosa o animale di sesso non specificato) (to, for) it **2** pl. (to, for) them

glicemìa s. f. glycemia

glicerìna s. f. glycerin

glìcine s. m. wistaria

globàle agg. global, total

glòbo s. m. globe

glòbulo s. m. (anat.) corpuscle

glòria s. f. glory

gloriòso agg. glorious

glossàrio s. m. glossary

glottologìa s. f. glottology

glucòsio s. m. glucose

glùteo s. m. gluteus

gnòmo s. m. gnome

goal s. m. inv. goal

gòbba s. f. hump

gòbbo A agg. **1** humpbacked **2** (curvo) bent B s. m. **1** humpback **2** (gobba) hump

góccia s. f. drop

góccio s. m. drop

gocciolàre v. tr. e intr. to drip

godére A v. tr. to enjoy B v. intr. **1** (rallegrarsi) to be glad, to be delighted, to take delight in, to enjoy **2** (fruire) to enjoy

godiménto s. m. enjoyment

gòffo agg. awkward, clumsy

góla s. f. **1** throat **2** (golosità) gluttony **3** (geogr.) gorge

golétta s. f. schooner

gòlf (1) s. m. inv. jumper, sweater, jersey

gòlf (2) s. m. inv. (sport) golf

gólfo s. m. gulf

golosità s. f. **1** gluttony, greediness **2** (boccone prelibato) titbit

golóso agg. greedy, gluttonous

gómito s. m. **1** elbow **2** (di strada) sharp bend **3** (mecc.) crank

gomìtolo s. m. ball

gómma s. f. **1** rubber **2** (resina) gum **3** (per cancellare) eraser **4** (pneumatico) tyre ♦ **forare una g.** to get a puncture

gommapiùma s. f. foam-rubber

gommìsta s. m. tyre repairer

gommóne s. m. rubber dinghy

gonfalóne s. m. banner

gonfiàre A v. tr. **1** to swell, (con aria) to blow (up), to inflate **2** (fig.) to swell, to exaggerate B v. intr. pron. to swell

gónfio agg. swollen, (d'aria) inflated

gonfióre s. m. swelling

gongolàre v. intr. to be overjoyed

gònna s. f. skirt ♦ **g. a pieghe** pleated skirt; **g. pantalone** divided skirt

gorgheggiàre v. intr. to trill

górgo s. m. whirlpool

gorgogliàre v. intr. to gurgle

gorìlla s. m. gorilla

gòtico agg. Gothic

gòtta s. f. gout

governànte A s. m. governor, ruler B s. f. (di casa) housekeeper, (bambinaia) nurse

governàre A v. tr. **1** to govern, to rule **2** (dirigere) to run, to conduct **3** (prendersi cura di) to take care of **4** (controllare) to control B v. intr. (naut.) to steer

governatìvo agg. government (attr), state (attr)

governatóre s. m. governor

govèrno s. m. **1** government, rule **2** (direzione) direction, running **3** (cura) care

gozzovigliàre v. intr. to guzzle

gracchiàre v. intr. to crake, (di corvo) to caw

gracidàre v. intr. to croak

gràcile agg. weak, frail

gradàsso s. m. boaster

gradazióne s. f. **1** gradation **2** (sfumatura) shade ♦ **g. alcolica** alcoholic content

gradévole agg. pleasant, agreeable

gradiménto s. m. **1** pleasure, liking **2** (ap-

provazione) approval, acceptance

gradinàta s. f. **1** steps pl. **2** (di teatro, stadio) stands pl., tiers pl.

gradìno s. m. step

gradìre v. tr. **1** to like (accogliere con piacere) to appreciate, to be pleased with

gradìto agg. **1** pleasant **2** (bene accetto) welcome, appreciated

gràdo s. m. **1** degree **2** (posizione) rank, grade **3** (mil.) rank, (gallone) stripe ♦ **essere in g. di fare q.c.** to be able to do st.

graduàle agg. gradual

gradualménte avv. gradually

graduàre v. tr. to graduate

graduàto A agg. **1** graded **2** (provvisto di scala graduata) graduated B s. m. (mil.) non-commissioned officer

graduatòria s. f. classification, list

graffètta s. f. clip

graffiànte agg. biting

graffiàre A v. tr. **1** to scratch **2** (fig.) to bite B v. intr. pron. to be scratched

gràffio s. m. scratch

graffìto s. m. graffito

grafìa s. f. handwriting

gràfica s. f. graphics pl. (v. al sing.)

graficaménte avv. graphically

gràfico A agg. graphic B s. m. **1** graph, (statistico) chart **2** (disegnatore) graphic designer

grafologìa s. f. graphology

gramàglie s. f. pl. mourning

gramìgna s. f. spear grass, weed

grammàtica s. f. grammar

grammaticàle agg. grammatical

gràmmo s. m. gram

gràna s. f. **1** (struttura) grain **2** (fam.) (problema) trouble **3** (pop.) (quattrini) money

granàio s. m. barn, granary

granàta s. f. (mil.) grenade

granàto s. m. garnet

grànchio s. m. **1** crab **2** (fig.) (errore) blunder

grandàngolo s. m. wide-angle lens

grànde A agg. **1** (di dimensioni) big, large, (largo) wide **2** (elevato) high, (di statura) tall **3** (numeroso) large, great **4** (notevole, intenso) great **5** (fuori misura) large, big **6** (adulto) grown-up B s. m. **1** (adulto) adult, grown-up **2** (personalità) great man

grandézza s. f. **1** (dimensione) size **2** (ampiezza) width, breadth **3** (fig.) greatness **4** (grandiosità) grandeur **5** (scient.) quan-

tity

grandinàre v. intr. impers. to hail

grandinàta s. f. hailstorm

gràndine s. f. hail ♦ **chicco di g.** hailstone

grandiosità s. f. grandeur, magnificence

grandióso agg. grand, magnificent

grandùca s. m. grand duke

granducàto s. m. grand duchy

granèllo s. m. grain, (di polvere) speck

granìto s. m. granite

gràno s. m. **1** (frumento) wheat **2** (granello) grain

grantùrco s. m. maize, (USA) corn ♦ **pannocchia di g.** corn-cob

granulóso agg. grainy, granular

gràppolo s. m. cluster, bunch ♦ **un g. d'uva** a bunch of grapes

gràsso A agg. **1** fat **2** (unto) greasy, fatty **3** (di pianta) succulent B s. m. **1** fat **2** (lubrificante) grease

grassòccio agg. plump

gràta s. f. grating

graticola s. f. grill

gratìfica s. f. bonus

gratificàre v. tr. to be rewarding, to gratify

gratin s. m. inv. gratin

gratis avv. free, gratis

gratitùdine s. f. gratitude

gràto agg. grateful

grattacàpo s. m. trouble

grattacièlo s. m. skyscraper

grattàre A v. tr. **1** to scratch, (raschiare) to scrape **2** (grattugiare) to grate **3** (fam.) (rubare) to pinch B v. intr. to grate C v. rifl. to scratch oneself

grattùgia s. f. grater

grattugiàre v. tr. to grate

gratùito agg. **1** free **2** (ingiustificato) gratuitous ♦ **ingresso g.** admission free

gravàme s. m. burden

gravàre A v. intr. to weigh, to lie B v. tr. to burden

gràve agg. **1** (pesante) heavy **2** (duro) harsh, severe, grievous **3** (serio, importante) serious **4** (solenne) solemn, grave **5** (fon.) grave **6** (mus.) low, grave

gravidànza s. f. pregnancy ♦ **analisi di g.** pregnancy test

gràvido agg. **1** pregnant **2** (fig.) laden

gravità s. f. **1** gravity, seriousness **2** (fis.) gravity

gravóso agg. heavy, burdensome

gràzia s. f. **1** grace **2** (favore) favour **3** (dir.) mercy graziàre *v. tr.* to pardon

gràzie *inter.* thank you!, thanks! ♦ **g. mille!** many thanks; **no, g.** no, thanks; **sì, g.** yes, please

graziόso *agg.* 1 pretty 2 (*piacevole*) pleasant

grecìsmo *s. m.* Grecism

grèco *agg. e s. m.* Greek

gregàrio *s. m.* follower

grégge *s. m.* flock

gréggio *agg.* raw, crude

grembiùle *s. m.* apron, smock, (*da bambino*) pinafore

grèmbo *s. m.* 1 lap 2 (*ventre materno*) womb

gremìto *agg.* full, packed

gréto *s. m.* pebbly shore

grétto *agg.* mean, narrow-minded

grézzo → greggio

gridàre *v. tr. e intr.* to shout, to cry, to scream

grìdo *s. m.* cry, shout, scream

grifóne *s. m.* griffin

grìgio *agg.* grey

grìglia *s. f.* 1 grill 2 (*scient.*) grid ♦ **pesce alla g.** grilled fish

grigliàta *s. f.* grill ♦ **g. mista** mixed grill

grillétto *s. m.* trigger

grìllo *s. m.* 1 cricket 2 (*fig.*) whim, fancy

grimaldèllo *s. m.* pick

grìnta *s. f.* grit

grìnza *s. f.* wrinkle, (*su stoffa*) crease

grinzόso *agg.* wrinkled, (*di stoffa*) creased

grippàre *v. intr. e intr. pron.* to seize, to bind

grissìno *s. m.* breadstick

grondàia *s. f.* gutter

grondàre **A** *v. tr.* to pour **B** *v. intr.* to stream, to drip

gròppa *s. f.* back

gróppo *s. m.* 1 knot 2 (*di vento*) squall

grossézza *s. f.* 1 largeness, bigness 2 (*dimensione*) size 3 (*spessore*) thickness

grossìsta *s. m. e f.* wholesaler

gròsso *agg.* 1 big, large, great 2 (*grave*) big, serious 3 (*importante*) big, important

grossolàno *agg.* 1 coarse, rough 2 (*madornale*) gross

grossomòdo *avv.* roughly, approximately

gròtta *s. f.* cave

grottésco *agg.* grotesque

groviglio *s. m.* tangle

gru *s. f.* crane

grùccia *s. f.* 1 crutch 2 (*per abiti*) coathanger

grugnìre *v. intr.* to grunt

grugnìto *s. m.* grunt

grùgno *s. m.* snout

grùllo *agg. e s. m.* stupid

grùmo *s. m.* 1 clot 2 (*di farina*) lump

grùppo *s. m.* 1 group, (*di persone*) party 2 (*mecc.*) unit, set ♦ **g. di lavoro** working party; **lavoro di g.** team work

grùzzolo *s. m.* hoard

guadagnàre **A** *v. tr.* to earn, to gain **B** *v. intr.* to earn

guadàgno *s. m.* gain, profit, earnings *pl.*

guadàre *v. tr.* to ford, to wade

guàdo *s. m.* ford

guaìna *s. f.* sheath

guàio *s. m.* trouble, fix

guaìre *v. intr.* to yelp, to cry

guaìto *s. m.* yelp, cry

guància *s. f.* cheek

guanciàle *s. m.* pillow

guànto *s. m.* glove

guardabòschi *s. m.* forester

guardacàccia *s. m. inv.* gamekeeper

guardàre **A** *v. tr.* 1 to look at 2 (*dare un'occhiata*) to have a look 3 (*guardare fisso*) to gaze at, to stare 4 (*guardare di sfuggita*) to glance at 5 (*guardare furtivamente*) to peep 6 (*osservare*) to watch, to look, to observe, (*scrutare*) to eye 7 (*custodire, sorvegliare*) to look after, to watch over 8 (*difendere*) to defend, (*proteggere*) to protect 9 (*considerare*) to consider, to view, to look at 10 (*esaminare*) to look over, to look into **B** *v. intr.* 1 to look at 2 (*essere orientato*) to face, to look out on 3 (*considerare*) to look on 4 (*cercare*) to try 5 (*badare*) to see, to mind, to be careful **C** *v. rifl.* 1 to look at oneself 2 (*stare in guardia*) to beware, to mind 3 (*astenersi*) to forbear, to abstain **D** *v. rifl. rec.* to look at each other

guardaròba *s. m. inv.* 1 wardrobe 2 (*stanza*) linen-room 3 (*di locale pubblico*) cloak-room, (*USA*) checkroom

guàrdia *s. f.* 1 (*sorveglianza*) guard, watch 2 (*persona*) guard

guardiàno *s. m.* keeper, warden ♦ **g. notturno** night-watchman

guardìngo *agg.* cautious

guardiòla *s. f.* 1 (*mil.*) guardroom 2 (*di portinaio*) porter's lodge

guaribile *agg.* curable, (*di ferita*) healable

guarigióne *s. f.* recovery, (*di ferita*) healing

guarìre **A** *v. intr.* 1 to recover, (*di ferita*) to heal 2 (*fig.*) to get out **B** *v. tr.* to cure, to heal

guarnigióne *s. f.* garrison

guarnìre *v. tr.* **1** (*ornare*) to trim **2** (*cuc.*) to garnish

guarniझióne *s. f.* **1** (*ornamento*) trimming **2** (*mecc.*) washer, gasket

guastafèste *s. m.* spoilsport

guastàre A *v. tr.* to spoil, to damage, to ruin **B** *v. intr. pron.* to break down, to fail

guàsto A *agg.* **1** (*danneggiato*) damaged, out of order **2** (*marcio*) rotten **B** *s. m.* breakdown, fault, failure, damage

guazzabùglio *s. m.* muddle, hotch-potch

guàzzo *s. m.* (*arte*) gouache

guèrcio *s. m.* squinter

guèrra *s. f.* war, warfare

guerreggiàre *v. intr.* to wage war, to fight

guerrièro A *agg.* warlike **B** *s. m.* warrior

guerrìglia *s. f.* guerrilla

gùfo *s. m.* owl

gùglia *s. f.* spire, (*di campanile*) steeple

guìda *s. f.* **1** guide **2** (*libro*) guide, handbook **3** (*direzione*) direction, leadership **4** (*mecc.*) guide, slide **5** (*autom.*) steering, drive, driving

guidàre *v. tr.* **1** to guide **2** (*amministrare*) to run, to manage **3** (*essere a capo*) to lead **4** (*un veicolo*) to drive

guidatóre *s. m.* driver

guinzàglio *s. m.* lead, leash

guizzàre *v. intr.* to dart

gùscio *s. m.* **1** shell **2** (*di legumi*) pod, husk

gustàre *v. tr.* **1** to enjoy **2** (*assaggiare*) to taste

gùsto *s. m.* **1** taste **2** (*aroma*) flavour **3** (*voglia*) fancy **4** (*piacere*) relish, gusto, enjoyment

gustóso *agg.* **1** tasty **2** (*divertente*) amusing

gutturàle *agg.* guttural

H

habitat *s. m. inv.* habitat

hall *s. f. inv.* hall, foyer

handicap *s. m. inv.* handicap

handicappàto A *agg.* handicapped **B** *s. m.* handicapped person, disabled person

hascisc *s. m.* hashish

hawaiàno *agg. e s. m.* Hawaiian

herpes *s. m. inv.* herpes

hobbìsta *s. m. e f.* hobbyst

hobby *s. m. inv.* hobby

hockey *s. m.* hockey ♦ **h. su ghiaccio** ice hockey; **h. su pista** roller hockey

holliwoodiano *agg.* Hollywood (*attr*)

hostess *s. f. inv.* (air-)hostess

hotel *s. m. inv.* hotel

hurrà *inter.* hurrah

I

i o **gli** *art. determ. m. pl.* the (*spesso non si traduce o si rende con un agg. poss. o un partitivo*) (ES: **i dolci fanno ingrassare** sweets make you fat, **ho comprato i biscotti** I have bought some cookies)

iàto *s. m.* hiatus

ibernazióne *s. f.* hibernation

ìbrido *agg. e s. m.* hybrid

icòna *s. f.* icon

iconoclàsta *agg. e s. m. e f.* iconoclast

iconografìa *s. f.* iconography

iconogràfico *agg.* iconographic(al)

idèa *s. f.* **1** idea **2** (*intenzione*) mind, intention **3** (*ideale*) ideal

ideàle *agg. e s. m.* ideal

idealìsmo *s. m.* idealism

idealizzàre *v. tr.* to idealize

idealménte *avv.* ideally

ideàre *v. tr.* **1** to conceive **2** (*progettare*) to plan

idem *avv.* so, too

idèntico *agg.* identical

identificàbile *agg.* identifiable

identificàre A *v. tr.* to identify **B** *v. rifl.* to identify oneself **C** *v. intr. pron.* to be identical

identificazióne *s. f.* identification

identità *s. f.* identity ♦ **carta d'i.** identity card

ideogràmma *s. m.* ideogram

ideologìa *s. f.* ideology

ideològico *agg.* ideological

idillìaco *agg.* idyllic

idiòma *s. m.* language, idiom

idiomàtico *agg.* idiomatic

idiosincrasìa *s. f.* idiosyncrasy

idiòta A *agg.* idiotic, stupid **B** *s. m. e f.* idiot

idiozìa *s. f.* **1** idiocy **2** (*azione idiota*) stupid thing

idolatràre *v. tr.* to worship

idolatrìa *s. f.* idolatry

idolo *s. m.* idol

idoneità *s. f.* fitness, suitability

idòneo *agg.* fit, suitable

idrànte *s. m.* hydrant

idratànte *agg.* **1** hydrating **2** (*di cosmetico*) moisturizing

idràulica *s. f.* hydraulics *pl.* (*v. al sing.*)

idràulico A *agg.* hydraulic **B** *s. m.* plumber

ìdrico *agg.* water (*attr*)

idrobiologìa *s. f.* hydrobiology

idrocarbùro *s. m.* hydrocarbon

idrocoltùra *s. f.* hydroponics *pl.* (*v. al sing.*)

idroelèttrico *agg.* hydroelectric

idròfilo *agg.* hydrophilic ♦ **cotone i.** cotton wool

idrofobìa *s. f.* hydrophobia

idròfobo *agg.* hydrophobic

idrògeno *s. m.* hydrogen

idrografìa *s. f.* hydrography

idrorepellènte *agg.* water-repellent

idroscàlo *s. m.* water airport

idrostàtico *agg.* hydrostatic

idrotermàle *agg.* hydrothermal

idrovolànte *s. m.* seaplane

ièlla *s. f.* (*fam.*) bad luck

ièna *s. f.* hyena

ieràtico *agg.* **1** hieratic **2** (*fig.*) solemn

ièri *avv. e s. m.* yesterday ♦ **i. mattina/sera** yesterday morning/evening; **i. l'altro, l'altro i.** the day before yesterday

iettatùra *s. f.* evil-eye

igiène *s. f.* **1** hygiene **2** (*salute*) health ♦ **i. dentale** dental care

igiènico *agg.* **1** hygienic, sanitary **2** (*salutare*) healthy ♦ **carta igienica** toilet paper

ignàro *agg.* unaware

ignìfugo *agg.* fireproof

ignòbile *agg.* ignoble, base

ignorànte *agg.* **1** ignorant, uneducated **2** (*maleducato*) rude, impolite

ignorànza *s. f.* ignorance

ignoràre A *v. tr.* **1** not to know, to be unaware of **2** (*trascurare*) to ignore **B** *v. rifl. rec.* to ignore each other

ignòto A *agg.* unknown **B** *s. m.* **1** the unknown **2** (*persona*) unknown person

igròmetro *s. m.* hygrometer

il o **lo** *art. determ. m. sing.* the (*spesso non si traduce o si rende con un agg. poss, con l'art. indef. o con un partitivo*) (ES: **adoro il vino bianco** I love white wine, **ho perso il portafoglio** I lost my wallet, **la rosa è un fiore profumato** a rose is a fragrant flower, **vai a comprare il pane** go and buy some bread)

ilare *agg.* cheerful

ilarità s. f. hilarity, cheerfulness

illanguidìre A v. intr. to languish, to grow weak **B** v. intr. pron. to become weak, to fade

illazióne s. f. illation, inference

illècito agg. illicit

illegàle agg. illegal, unlawful

illegalità s. f. illegality

illegittimo agg. illegitimate

illéso agg. **1** unhurt, unharmed **2** (fig.) intact

illetteràto agg. illiterate, ignorant

illibàto agg. pure, virgin

illimitàto agg. boundless, unlimited

illògico agg. illogical

illùdere A v. tr. to deceive, to delude **B** v. rifl. to deceive oneself, to delude oneself

illuminàre A v. tr. **1** to light up, to illuminate **2** (fig.) to enlighten **B** v. intr. pron. to lighten

illuminazióne s. f. **1** lighting, illumination **2** (fig.) flash of inspiration

illuminìsmo s. m. Enlightenment

illusióne s. f. illusion, delusion ♦ **farsi illusioni** to delude oneself; **i. ottica** optical illusion

illusionìsmo s. m. illusionism, conjuring

illustràre v. tr. to illustrate

illustrativo agg. illustrative

illustràto agg. illustrated ♦ **cartolina illustrata** picture-postcard

illustrazióne s. f. **1** (spiegazione) illustration, explanation **2** (figura) picture, illustration

illùstre agg. distinguished, famous

imbacuccàre A v. tr. to wrap up **B** v. rifl. to wrap oneself up

imballàggio s. m. **1** (l'imballare) packing **2** (involucro) package

imballàre v. tr. **1** to pack **2** (motore) to race

imbalsamàre A v. tr. to embalm, (animali) to stuff

imbandieràre v. tr. to deck with flags

imbandìre v. tr. to prepare, (la tavola) to lay

imbarazzànte agg. embarrassing

imbarazzàre A v. tr. **1** to embarrass **2** (ostacolare) to hamper **B** v. intr. pron. to be embarrassed

imbaràzzo s. m. **1** (disagio) embarrassment **2** (disturbo, impaccio) trouble, obstacle

imbarbariménto s. m. barbarization

imbarcàre A v. tr. to embark, to take on board **B** v. rifl. **1** to embark, to go aboard,

to board **2** (prendere servizio su una nave) to sign on **3** (fig.) to embark on, to engage in **C** v. intr. pron. (deformarsi) to warp

imbarcazióne s. f. boat, craft

imbàrco s. m. **1** embarkation, embarking, shipping **2** (aer) boarding

imbastìre v. tr. **1** to tack, to baste **2** (fig.) to outline

imbàttersi v. intr. pron. to run into, to run up

imbattìbile agg. **1** unbeatable **2** (insuperabile) unsurpassable

imbavagliàre v. tr. to gag

imbeccàta s. f. prompt

imbecìlle s. m. e f. stupid, imbecile

imbellìre A v. tr. to make beautiful, to embellish **B** v. intr. pron. to become beautiful

imbèrbe agg. beardless

imbestialìre A v. tr. to enrage **B** v. intr. pron. to get enraged, to become furious

imbiancàre A v. tr. to whiten, (muro) to whitewash **B** v. intr. pron. to become white

imbianchìno s. m. (house-)painter

imboccàre v. tr. **1** to feed **2** (entrare in) to enter, to come on to, to turn into **3** (portare alla bocca) to put to one's mouth

imboccatùra s. f. **1** mouth **2** (di strada, galleria) entrance **3** (di strumento a fiato) mouthpiece

imbócco s. m. entrance

imbonitóre s. m. barker

imboscàre A v. tr. to put into safe keeping **B** v. rifl. **1** (evitare il servizio militare) to evade military service **2** (eludere) to shirk **3** (scomparire) to disappear

imboscàta s. f. ambush

imboschìre v. tr. to afforest

imbottigliàre A v. tr. **1** to bottle **2** (bloccare) to blockade **B** v. intr. pron. (nel traffico) to get caught in a traffic jam

imbottìre v. tr. **1** to stuff, to pad **2** (farcire) to fill

imbottitùra s. f. stuffing, padding

imbrattàre v. tr. to dirty, to soil

imbrigliàre v. tr. to bridle

imbroccàre v. tr. **1** to hit **2** (fig.) to guess

imbrogliàre A v. tr. **1** to cheat **2** (confondere) to mix up **3** (arruffare) to tangle, to entangle **B** v. intr. pron. **1** (confondersi) to get confused **2** (arruffarsi) to get tangled, to get entangled

imbròglio s. m. **1** (inganno) cheat, swindle **2** (impiccio) scrape, fix **3** (intrico) tangle

imbroglióne s. m. cheat, swindler

imbronciàto agg. sulky

imbrunire *s. m.* nightfall

imbruttire *v. tr.* to make ugly **B** *v. intr. e intr. pron.* to become ugly

imbucàre *v. tr.* to post

imburràre *v. tr.* to butter

imbùto *s. m.* funnel

imitàre *v. tr.* **1** to imitate, to copy **2** (*fare l'imitazione*) to mimic **3** (*contraffare*) to forge

imitatóre *s. m.* **1** imitator **2** (*attore*) mimic

imitazióne *s. f.* **1** imitation **2** (*contraffazione*) fake **3** (*di attore*) impersonation, imitation

immacolàto *agg.* immaculate, spotless

immagazzinàre *v. tr.* to store (up)

immaginàre *v. tr.* **1** to imagine, to fancy **2** (*supporre*) to suppose, to think **3** (*inventare*) to invent, to think up

immaginàrio *agg.* imaginary, fictitious

immaginazióne *s. f.* imagination, fancy

immàgine *s. f.* **1** image **2** (*disegno, illustrazione*) figure, picture, illustration

immancàbile *agg.* unfailing

immàne *agg.* **1** enormous **2** (*spaventoso*) appalling, tremendous

immanènte *agg.* immanent

immangiàbile *agg.* uneatable

immatricolàre **A** *v. tr.* **1** (*persona*) to enrol **2** (*veicolo*) to register **B** *v. rifl.* to enrol oneself

immatricolazióne *s. f.* (*di persona*) enrolment, (*di veicolo*) registration

immatùro *agg.* **1** (*frutto*) unripe **2** (*fig.*) immature **3** (*prematuro*) premature, untimely

immedesimàrsi *v. rifl.* to identify oneself (with)

immediataménte *avv.* immediately

immediàto *agg.* immediate, prompt

immemoràbile *agg.* immemorial

immèmore *agg.* forgetful

immensità *s. f.* immensity

immènso *agg.* immense, huge

immèrgere **A** *v. tr.* to immerse, to dip, to plunge **B** *v. rifl.* **1** to plunge, (*di subacqueo*) to dive, (*di sottomarino*) to submerge **2** (*dedicarsi*) to immerse oneself, to give oneself up

immeritàto *agg.* undeserved

immeritévole *agg.* unworthy

immersióne *s. f.* **1** immersion, dip, plunge **2** (*di subacqueo*) dive, (*di sottomarino*) submersion **3** (*naut.*) draft

immèttere **A** *v. tr.* to introduce, to put in,

to put on **B** *v. intr.* to lead to **C** *v. rifl.* to get into, to get onto

immigràto *agg. e s. m.* immigrant

immigrazióne *s. f.* immigration

imminènte *agg.* imminent, forthcoming

immischiàre **A** *v. tr.* to involve **B** *v. intr. pron.* to meddle in, to interfere

immissàrio *s. m.* tributary

immissióne *s. f.* immission, input

immòbile **A** *agg.* immovable, (*fermo*) still, motionless **B** *s. m.* real estate immovable, (*palazzo*) building

immobiliàre *agg.* immovable ♦ **agenzia i.** (real) estate agency; **proprietà i.** real estate, real property

immobilità *s. f.* immobility

immobilizzàre **A** *v. tr.* **1** to immobilize **2** (*econ.*) to lock up, to tie up **B** *v. rifl. e intr. pron.* to freeze

immolàre **A** *v. tr.* to sacrifice **B** *v. rifl.* to sacrifice oneself

immondìzia *s. f.* garbage, rubbish, trash ♦ **vietato depositare i.** no dumping

immóndo *agg.* filthy

immoràle *agg.* immoral

immortalàre *v. tr.* to immortalize

immortàle *agg. e s. m. e f.* immortal

immortalità *s. f.* immortality

immùne *agg.* **1** immune **2** (*libero*) free, (*esente*) exempt

immunità *s. f.* **1** immunity **2** (*esenzione*) exemption

immunizzàre **A** *v. tr.* to immunize **B** *v. rifl.* to immunize oneself, to become immune

immutàbile *agg.* immutable

impacchettàre *v. tr.* to wrap up, to package

impacciàre *v. tr.* to hamper, to hinder

impacciàto *agg.* **1** (*goffo*) awkward **2** (*a disagio*) uneasy

impàccio *s. m.* **1** hindrance, obstacle **2** (*situazione difficile*) scrape, trouble **3** (*imbarazzo*) embarrassment

impàcco *s. m.* compress

impadronìrsi *v. intr. pron.* **1** to take possession, to appropriate, (*con la violenza*) to seize **2** (*fig.*) to master

impagàbile *agg.* priceless

impaginàre *v. tr.* to paginate

impagliàre *v. tr.* to stuff with straw

impalàto *agg.* stiff

impalcatùra *s. f.* **1** scaffolding **2** (*struttura*) framework

impallidire *v. intr.* **1** to turn pale **2** (*svanire*) to fade

impalpàbile *agg.* impalpable

impanàre *v. tr.* (*cuc.*) to crumb, to bread

impantanàrsi *v. intr. pron.* to stick in the mud, (*fig.*) to get bogged down

impappinàrsi *v. intr. pron.* to get flustered, to falter

imparàre *v. tr.* to learn

impareggiàbile *agg.* incomparable

imparentàrsi *v. intr. pron.* to become related to

ìmpari *agg.* unequal, uneven

impartìre *v. tr.* to impart, to give

imparziàle *agg.* impartial

imparzialità *s. f.* impartiality

impàsse *s. f. inv.* impasse

impassìbile *agg.* impassive, unmoved (*pred.*)

impastàre **A** *v. tr.* to knead, to mix **B** *v. intr. pron.* to merge

impàsto *s. m.* mixture

impàtto *s. m.* impact

impaurìre **A** *v. tr.* to frighten, to scare **B** *v. intr. pron.* to get frightened, to be scared

impaziènte *agg.* impatient

impaziènza *s. f.* impatience

impazzàta, all' *loc. avv.* wildly, madly

impazzìre *v. intr.* **1** to go mad, to go crazy **2** (*di apparecchio*) to go haywire **3** (*di salsa*) to curdle ♦ **far i.** qc. to drive sb. crazy; **i. per q.c./qc.** to be mad about st./sb.

impeccàbile *agg.* impeccable

impediménto *s. m.* impediment

impedìre *v. tr.* **1** to prevent, to keep (from) **2** (*ostruire*) to obstruct, to bar **3** (*impacciare*) to hamper, to hinder

impegnàre **A** *v. tr.* **1** (*dare in pegno*) to pawn, to pledge **2** (*investire*) to invest **3** (*vincolare*) to bind **4** (*prenotare*) to reserve, to book **5** (*mil.*) to engage **6** (*occupare*) to take up, to keep busy **B** *v. rifl.* **1** (*prendersi un impegno*) to undertake, to commit oneself, to engage oneself **2** (*dedicarsi*) to devote oneself **3** (*farsi garante*) to go bail **4** (*essere coinvolto*) to be involved

impegnatìvo *agg.* **1** binding **2** (*che richiede impegno*) exacting

impégno *s. m.* **1** engagement, (*promessa*) promise, (*obbligo*) obligation, pledge **2** (*applicazione*) care, diligence

impellènte *agg.* impelling, urgent

impenetràbile *agg.* impenetrable

impennàrsi *v. intr. pron.* **1** (*di cavallo*) to rear up **2** (*aer*) to nose up, to zoom

impennàta *s. f.* **1** (*di cavallo*) rearing up **2** (*aer*) zoom **3** (*rialzo*) sudden rise

impensàbile *agg.* unthinkable

impensierìre *v. tr. e intr. pron.* to worry

imperatìvo *agg. e s. m.* imperative

imperatóre *s. m.* emperor

imperatrìce *s. f.* empress

impercettìbile *agg.* imperceptible

imperdonàbile *agg.* unforgivable

imperfètto *agg. e s. m.* imperfect

imperfezióne *s. f.* imperfection, flaw

imperiàle *agg.* imperial

imperialìsmo *s. m.* imperialism

imperióso *agg.* imperious

imperìzia *s. f.* unskilfulness

impermeàbile **A** *agg.* impermeable, (*all'acqua*) waterproof **B** *s. m.* mackintosh, raincoat

imperniàre **A** *v. tr.* **1** to hinge, to pivot **2** (*fig.*) to base **B** *v. intr. pron.* **1** to hinge, to pivot **2** to be based

impèro *s. m.* empire

imperscrutàbile *agg.* inscrutable

impersonàle *agg.* **1** impersonal **2** (*banale*) banal

impersonàre *v. tr.* **1** to personify **2** (*interpretare*) to play, to impersonate

impertèrrito *agg.* imperturbable, impassive

impertinènte *agg.* impertinent, cheeky

imperturbàbile *agg.* imperturbable

imperversàre *v. intr.* **1** to rage **2** (*essere diffuso*) to be the rage

ìmpeto *s. m.* **1** impetus, violence **2** (*impulso*) fit, impulse

impettìto *agg.* stiff

impetuóso *agg.* **1** violent, forceful **2** (*impulsivo*) impetuous, impulsive

impiantàre *v. tr.* **1** to install **2** (*fondare*) to establish, to set up

impiànto *s. m.* plant, system, installation **2** (*costituzione*) establishment **3** (*struttura*) framework

impiastricciàre **A** *v. tr.* to smear, to dirty **B** *v. rifl.* to smear oneself, to dirty oneself

impiàstro *s. m.* **1** poultice **2** (*fam.*) (*seccatore*) bore, nuisance **3** (*fam.*) (*persona malaticcia*) weakling

impiccagióne *s. f.* hanging

impiccàre **A** *v. tr.* **1** to hang **2** (*fig.*) to put on the spot **B** *v. rifl.* to hang oneself

impicciàre **A** *v. tr. e intr.* to hinder, to be in the way **B** *v. intr. pron.* to meddle, to interfere

impìccio *s. m.* **1** hindrance, nuisance **2** (*seccatura*) fix, trouble, mess

impiegàre A *v. tr.* **1** (*usare*) to use, to make use of **2** (*spendere*) to use, to spend **3** (*di tempo, metterci*) to take **4** (*assumere*) to take on, to employ **5** (*investire*) to invest **B** *v. rifl.* to get a job

impiegàto *s. m.* employee, office-worker, clerk

impiègo *s. m.* **1** (*uso*) use **2** (*lavoro*) job, position, employment **3** (*investimento*) investment

impietosìre A *v. tr.* to move to pity **B** *v. intr. pron.* to be moved

impietóso *agg.* pitiless

impietrìre A *v. tr.* to petrify **B** *v. intr. e intr. pron.* to become petrified

impigliàre A *v. tr.* to entangle **B** *v. intr. pron.* to get caught

impigrìre A *v. tr.* to make lazy **B** *v. intr. e intr. pron.* to become lazy

implacàbile *agg.* implacable

implicàre *v. tr.* **1** to involve, to implicate **2** (*comportare*) to imply

implicazióne *s. f.* implication

implìcito *agg.* implicit

implùvio *s. m.* impluvium

impollinazióne *s. f.* pollination

imponènte *agg.* imposing

imponìbile A *agg.* taxable **B** *s. m.* taxable income

impopolàre *agg.* unpopular

impórre A *v. tr.* **1** to impose **2** (*ordinare*) to order, to force, to make **3** (*stabilire*) to fix **4** (*esigere*) to call for **B** *v. rifl. e intr. pron.* **1** to impose oneself, to stand out **2** (*farsi valere*) to assert oneself **3** (*avere successo*) to become popular, to be successful **4** (*rendersi necessario*) to be called for

importànte *agg.* important

importànza *s. f.* importance

importàre A *v. tr.* to import **B** *v. intr.* **1** (*avere importanza*) to matter, to care **2** (*essere necessario*) to be necessary ♦ **non importa!** it doesn't matter!

importazióne *s. f.* importation, import

impòrto *s. m.* amount, sum

importunàre *v. tr.* to bother

importùno *agg.* **1** boring **2** (*inopportuno*) untimely

imposizióne *s. f.* **1** imposition **2** (*ordine*) order, command ♦ **i. fiscale** taxation

impossessàrsi *v. intr. pron.* **1** to take pos-

session, to seize **2** (*fig.*) to master

impossìbile A *agg.* impossible **B** *s. m.* (the) impossible ♦ **fare l'i.** to do one's best

impossibilità *s. f.* impossibility

impossibilitàto *agg.* unable

impòsta (1) *s. f.* tax, duty

impòsta (2) *s. f.* (*di finestra*) shutter

impostàre (1) *v. tr.* **1** (*gettare le basi*) to set up, to lay down **2** (*formulare*) to set out, to lay out, to formulate

impostàre (2) *v. tr.* (*corrispondenza*) to post, to mail

impostazióne *s. f.* definition, formulation, statement

impostùra *s. f.* imposture

impotènte *agg.* impotent

impoverìre A *v. tr.* to impoverish **B** *v. intr. pron.* to become poor

impraticàbile *agg.* impracticable, (*di strada*) impassable

impratichìre A *v. tr.* to train **B** *v. intr. pron.* to practise, to get to know

imprecàre *v. intr.* to curse

imprecazióne *s. f.* curse

imprecisàto *agg.* unspecified

impregnàre A *v. tr.* **1** to soak, to impregnate **2** (*fig.*) to fill **B** *v. intr. pron.* **1** to become impregnated, to become soaked **2** (*fig.*) to be filled

imprenditóre *s. m.* entrepreneur

impreparàto *agg.* unprepared

imprésa *s. f.* **1** enterprise, undertaking **2** (*azione*) exploit **3** (*ditta*) business, enterprise, firm, concern

impresàrio *s. m.* (*teatro*) manager

impressionàbile *agg.* sensitive

impressionànte *agg.* impressive, striking, shocking

impressionàre A *v. tr.* **1** to impress, to strike, to shock **2** (*turbare*) to move, to upset **3** (*fot.*) to expose **B** *v. intr. pron.* **1** to be struck, to be shocked **2** (*fot.*) to be exposed

impressióne *s. f.* **1** impression **2** (*sensazione*) sensation, feeling **3** (*impronta*) impress, imprint

impressionìsmo *s. m.* impressionism

imprestàre *v. tr.* to lend

imprevedìbile *agg.* unforeseeable

imprevìsto A *agg.* unforeseen, unexpected **B** *s. m.* unexpected event

impreziosìre *v. tr.* to make precious

imprigionàre *v. tr.* **1** to imprison, to put in

prison **2** (*rinchiudere*) to confine, to trap
imprìmere A *v. tr.* **1** to impress, to imprint **2** (*comunicare*) to give, to impart **B** *v. intr. pron.* to be impressed
improbàbile *agg.* improbable, unlikely
imprónta *s. f.* **1** imprint, impression, mark **2** (*di piede*) footprint **3** (*traccia*) track **4** (*fig.*) stamp, mark ♦ **impronte digitali** fingerprints
impropèrio *s. m.* abuse
impròprio *agg.* improper
improrogàbile *agg.* that cannot be postponed, final
improvvisaménte *avv.* suddenly
improvvisàre A *v. tr. e intr.* to improvise **B** *v. rifl.* to play
improvvisàta *s. f.* surprise
improvviso *agg.* sudden
imprudènte *agg.* imprudent, rash
imprudènza *s. f.* imprudence, rashness
impudènte *agg.* impudent, shameless
impudènza *s. f.* impudence
impudìco *agg.* immodest, indecent
impugnàre *v. tr.* **1** to grasp, to grip **2** (*dir*) (*contestare*) to impugn, to contest
impulsivo *agg.* impulsive
impùlso *s. m.* impulse
impuneménte *avv.* with impunity
impuntàrsi *v. intr. pron.* **1** to jib, to stop dead **2** (*ostinarsi*) to be obstinated
impuntùra *s. f.* back-stitch
impurità *s. f.* impurity
impùro *agg.* impure
imputàre *v. tr.* **1** (*attribuire*) to impute, to ascribe **2** (*accusare*) to accuse, to charge
imputàto *s. m.* defendant
imputazióne *s. f.* imputation
imputridìre *v. intr.* to rot, to putrefy
in *prep.* **1** (*stato in luogo*) in, at, (*sopra*) on (ES: **in forno** in the oven, **stare in casa** to stay at home, **in prima pagina** on the front page) **2** (*moto a luogo*) to, (*verso l'interno*) into (ES: **andare in Inghilterra** to go to England, **entrare nella stanza** to get into the room) **3** (*moto per luogo*) through, across, round (ES: **correre nei campi** to run across the fields) **4** (*trasformazione*) in, into (ES: **tradurre dall'inglese in italiano** to translate from English into Italian) **5** (*tempo*) in, on, at (ES: **in primavera** in spring, **in questo momento** at this moment, **in quel giorno** on that day) **6** (*modo, condizione*) in, on, at (ES: **in fretta** in a hurry, **stare in piedi** to stand

on one's feet) **7** (*limitazione*) in, at (ES: **è bravo nel lavoro** he's good at work) **8** (*mezzo*) by, in, on (ES: **viaggiare in treno** to travel by train, **pagare in dollari** to pay in dollars) **9** (*materia*) idiom. (ES: **una borsa in pelle** a leather bag)
inàbile *agg.* unable, unfit
inabissàrsi *v. intr. pron.* to sink
inabitàbile *agg.* uninhabitable
inaccessìbile *agg.* inaccessible
inaccettàbile *agg.* unacceptable
inacidìre A *v. tr.* to sour **B** *v. intr. e intr. pron.* to turn sour
inadàtto *agg.* unsuitable, unfit
inadeguàto *agg.* inadequate
inadempiènza *s. f.* default
inafferràbile *agg.* elusive
inaffidàbile *agg.* unreliable
inalàre *v. tr.* to inhale
inalberàre A *v. tr.* to hoist **B** *v. rifl.* to get angry
inalienàbile *agg.* inalienable
inalteràbile *agg.* unalterable
inamidàre *v. tr.* to starch
inammissìbile *agg.* **1** inadmissible **2** (*ingiustificabile*) unjustifiable
inanimàto *agg.* inanimate
inappellàbile *agg.* **1** (*dir*) unappealable **2** (*est.*) final, irrevocable
inappetènza *s. f.* lack of appetite
inappuntàbile *agg.* faultless
inarcàre *v. tr., rifl. e intr. pron.* to bend, to curve
inaridìre *v. tr. e intr. pron.* to dry up, to wither
inarrestàbile *agg.* unrestrainable
inarrivàbile *agg.* **1** unattainable, unreachable **2** (*incomparabile*) incomparable
inascoltàto *agg.* unheard
inaspettàto *agg.* unexpected
inasprìre A *v. tr.* **1** to embitter, to exacerbate **2** (*aggravare*) to sharpen, to aggravate **B** *v. intr. pron.* to become embittered, to become harsher
inattaccàbile *agg.* **1** unassailable, proof (*pred.*) **2** (*irreprensibile*) irreproachable
inattendìbile *agg.* unreliable
inattéso *agg.* unexpected
inattìvo *agg.* inactive, idle
inattuàbile *agg.* impracticable
inaudìto *agg.* unprecedented
inauguràle *agg.* inaugural, opening
inauguràre *v. tr.* to inaugurate, to open
inaugurazióne *s. f.* inauguration, opening
inavvertènza *s. f.* inadvertence, oversight
inavvertitaménte *avv.* inadvertently

inavvicinàbile agg. unapproachable

incagliàre v. intr. e intr. pron. **1** (naut.) to run aground, to strand **2** (fig.) to get stuck, to come to a standstill

incalcolàbile agg. incalculable

incallito agg. **1** hardened, callous **2** (fig.) inveterate

incalzàre A v. tr. **1** to follow closely **2** (fig.) to press, to urge B v. intr. to press, to be imminent

incameràre v. tr. to appropriate

incamminàrsi A v. intr. pron. to start up B v. intr. pron. to set out, to start

incanalàre A v. tr. **1** to canalize **2** (fig.) to direct B v. intr. pron. to flow

incandescènte agg. incandescent, white-hot

incantàre A v. tr. to charm, to bewitch B v. intr. pron. **1** to be charmed, to be spellbound **2** (incepparsi) to jam

incantésimo s. m. spell, charm

incantévole agg. enchanting, charming

incànto (1) s. m. spell, enchantment

incànto (2) s. m. (asta) auction

incanutìre v. intr. to turn white

incapàce A agg. unable, incompetent B s. m. e f. incompetent

incapacità s. f. incapacity, incompetence

incaponìrsi v. intr. pron. to get obstinate

incappàre v. intr. to run into, to get into

incapricciàrsi v. intr. pron. to take a fancy

incarceràre v. tr. to imprison

incaricàre A v. tr. to charge, to entrust B v. rifl. to undertake, to take upon oneself

incaricàto s. m. delegate, appointee

incàrico s. m. **1** task, job **2** (nomina) appointment

incarnàre A v. tr. to incarnate, to embody B v. intr. pron. **1** to become incarnate **2** (di unghia) to grow in

incartamento s. m. file, dossier

incartàre v. tr. to wrap up

incassàre v. tr. **1** (merce) to pack **2** (mecc., edil.) to embed, to build in **3** (incastonare) to set **4** (riscuotere) to cash, to collect **5** (fig.) to get, to take

incàsso s. m. collection, (somma incassata) proceeds pl., takings pl.

incastonàre v. tr. to set

incastonatùra s. f. setting

incastràre A v. tr. **1** to fix, to embed, to fit in **2** (intrappolare) to set up B v. intr. pron. **1** to fit **2** (impigliarsi) to get stuck

incàstro s. m. joint

incatenàre v. tr. **1** to chain (up), to enchain **2** (fig.) to tie down

incattivìre A v. tr. to make wicked B v. intr. pron. to become wicked

incàuto agg. incautious

incavàre v. tr. to hollow out

incavàto agg. hollow

incavo s. m. **1** hollow **2** (scanalatura) groove **3** (tecnol.) dap, notch

incendiàre A v. tr. to set fire to, to set on fire B v. intr. pron. to catch fire

incendiàrio A agg. incendiary B s. m. arsonist

incèndio s. m. fire ♦ **i. doloso** arson

incenerìre A v. tr. to reduce to ashes B v. intr. pron. to be reduced to ashes

incènso s. m. incense

incensuràto agg. uncensured ♦ **essere i.** to have a clean record

incentivàre v. tr. to stimulate, to boost

incentìvo s. m. incentive

incentràre A v. tr. to centre, to base B v. intr. pron. to be based

inceppàre A v. tr. to hinder, to obstruct B v. intr. pron. to jam, to stick

incertézza s. f. **1** uncertainty, doubt **2** (indecisione) indecision

incèrto agg. **1** uncertain, doubtful **2** (indeciso) undecided, irresolute **3** (indefinito) unclear **4** (instabile) unsettled

incespicàre v. intr. to stumble

incessànte agg. unending, unceasing

incèsto s. m. incest

incètta s. f. buying up

inchièsta s. f. **1** inquiry, survey **2** (investigazione) inquiry, investigation **3** (giornalistica) report

inchinàre A v. tr. to bow, to bend B v. rifl. to bend down

inchìno s. m. bow

inchiodàre A v. tr. **1** to nail **2** (fig.) to fix B v. intr. pron. (bloccarsi) to pull up short

inchiòstro s. m. ink

inciampàre v. intr. **1** to stumble, to trip up **2** (imbattersi) to run into

inciàmpo s. m. obstacle

incidentalménte avv. incidentally

incidènte A agg. incident B s. m. **1** (infortunio) accident **2** (questione) incident

incidènza s. f. influence, effect

incìdere (1) v. tr. **1** to engrave, to carve **2** (registrare) to record **3** (med.) to incise **4** (fig.) to impress

incìdere (2) v. intr. **1** (gravare) to weigh

(on) **2** (*influenzare*) to affect, to influence
incinta *agg.* pregnant
incirca, all' *avv.* about, approximately
incisióne *s. f.* **1** (*taglio*) cut, incision **2** (*tacca*) notch **3** (*arte*) engraving **4** (*registrazione*) recording
incisivo A *agg.* incisive **B** *s. m.* incisor
incisóre *agg.* engraver
incitàre *v. tr.* to incite
incivìle *agg.* **1** uncivilized, barbaric **2** (*scortese*) rude
incivilìre A *v. tr.* to civilize **B** *v. intr. pron.* to grow civilized
inciviltà *s. f.* **1** barbarity **2** (*maleducazione*) rudeness, incivility
inclinàre A *v. tr.* to tilt, to incline **B** *v. intr.* **1** to slope, to be inclined **2** (*fig.*) to incline, to be disposed **C** *v. rifl. e intr. pron.* **1** to tilt, to slope **2** (*piegarsi*) to bend **3** (*naut.*) to list
inclinàto *agg.* inclined, sloping
inclinazióne *s. f.* inclination
incline *agg.* inclined
inclùdere *v. tr.* **1** to include **2** (*allegare*) to enclose
inclusivo *agg.* inclusive
inclùso *agg.* **1** included, inclusive **2** (*allegato*) enclosed
incoerènte *agg.* inconsistent
incògnita *s. f.* unknown quantity
incògnito A *agg.* unknown **B** *s. m.* incognito
incollàre A *v. tr.* to stick, to glue **B** *v. intr. pron.* to stick
incolonnàre *v. tr.* to put in a column
incolóre *agg.* colourless
incolpàre A *v. tr.* to charge, to blame **B** *v. rifl.* to blame oneself
incólto *agg.* **1** (*di terreno*) uncultivated, fallow **2** (*trascurato*) neglected **3** (*ignorante*) uneducated
incòlume *agg.* unscathed, unharmed
incombènte *agg.* **1** impending **2** (*spettante*) incumbent
incómbere *v. intr.* **1** to impend over, to hang over **2** (*spettare*) to be incumbent on
incominciàre *v. tr. e intr.* to begin, to start
incomparàbile *agg.* incomparable
incompetènte *agg.* incompetent
incompiùto *agg.* unfinished
incomplèto *agg.* incomplete
incomprensìbile *agg.* incomprehensible
incompréso *agg.* **1** not understood **2** (*non apprezzato*) unappreciated

inconcepìbile *agg.* inconceivable
inconciliàbile *agg.* irreconcilable
inconcludènte *agg.* inconclusive, ineffectual
incondizionàto *agg.* unconditional
inconfondìbile *agg.* unmistakable
inconfutàbile *agg.* irrefutable
incongruènte *agg.* inconsistent
inconsapévole *agg.* unaware
incònscio *agg. e s. m.* unconscious
inconsistènte *agg.* insubstantial, unfounded
inconsuèto *agg.* unusual
inconsùlto *agg.* rash
incontenìbile *agg.* uncontrollable
incontràre A *v. tr.* **1** to meet **2** (*imbattersi in*) to meet with, to come up against **B** *v. intr.* (*aver successo*) to be popular, to be a success **C** *v. intr. pron.* to meet, to see **D** *v. rifl. rec.* **1** to meet **2** (*coincidere*) to coincide
incóntro (1) *s. m.* **1** meeting **2** (*sport*) match
incóntro (a) (2) *prep.* toward(s), up to
inconveniènte *s. m.* **1** inconvenience, drawback **2** (*contrattempo*) mishap, snag
incoraggiaménto *s. m.* encouragement
incoraggiàre *v. tr.* to encourage
incorniciàre *v. tr.* to frame
incoronàre *v. tr.* to crown
incoronazióne *s. f.* coronation
incorporàre A *v. tr.* **1** to incorporate **2** (*territorio*) to annex **3** (*econ.*) to merge, to incorporate **B** *v. rifl. rec.* to merge
incórrere *v. intr.* to incur
incorruttìbile *agg.* incorruptible
incosciènte *agg.* **1** unconscious **2** (*irresponsabile*) irresponsible
incosciènza *s. f.* **1** unconsciousness **2** (*irresponsabilità*) irresponsibility, recklessness
incostànte *agg.* inconstant, variable
incredìbile *agg.* incredible, unbelievable
incrèdulo *agg.* incredulous
incrementàre *v. tr.* to increase
increménto *s. m.* increase, increment
increspàre *v. tr. e intr. pron.* (*di acqua*) to ripple, (*di capelli*) to frizz, (*di stoffa*) to gather
incriminàre *v. tr.* to incriminate
incrinàre A *v. tr.* **1** to crack **2** (*fig.*) to damage, to spoil **B** *v. intr. pron.* **1** to crack **2** (*fig.*) to break up, to deteriorate
incrinatùra *s. f.* **1** crack **2** (*fig.*) rift

incrociàre A *v. tr.* **1** to cross **2** (*incontrare*) to meet **B** *v. intr.* (*naut., aer*) to cruise **C** *v. rifl. rec.* **1** to cross, to intersect **2** (*biol.*) to interbreed

incrociatóre *s. m.* cruiser

incrócio *s. m.* **1** (*di strade*) crossing, crossroads *pl.* **2** (*biol.*) crossbreed

incrostàre A *v. tr.* to encrust **B** *v. intr. pron.* to be encrusted

incrostazióne *s. f.* encrustation

incubatrìce *s. f.* incubator

incubo *s. m.* nightmare

incùdine *s. f.* anvil

inculcàre *v. tr.* to inculcate, to instil

incunàbolo *s. m.* incunabulum

incuràbile *agg. e s. m. e f.* incurable

incuriànte *agg.* careless

incùria *s. f.* carelessness

incuriosìre A *v. tr.* to make curious, to excite curiosity **B** *v. intr. pron.* to become curious

incursióne *s. f.* raid

incurvàre *v. tr. e intr. pron.* to bend

incustodìto *agg.* unattended

incùtere *v. tr.* to arouse, to strike

ìndaco *s. m.* indigo

indaffaràto *agg.* busy

indagàre *v. tr. e intr.* to investigate, to inquire into

indàgine *s. f.* **1** investigation, inquiry **2** (*ricerca*) research, survey

indebitàre A *v. tr.* to get into debt **B** *v. rifl.* to run into debt

indèbito *agg.* **1** (*non dovuto*) not due, undue **2** (*immeritato*) undeserved **3** (*illegittimo*) illegal, unlawful

indebolìre *v. tr. e intr. pron.* to weaken

indecènte *agg.* **1** indecent **2** (*sporco*) dirty

indecènza *s. f.* **1** indecency **2** (*vergogna*) shame

indecifràbile *agg.* **1** indecipherable **2** (*illeggibile*) illegible **3** (*incomprensibile*) unintelligible

indecisióne *s. f.* indecision

indecìso *agg.* **1** undecided, unsettled **2** (*irresoluto*) irresolute

indefèsso *agg.* indefatigable

indefinìbile *agg.* indefinable

indefinìto *agg.* **1** indefinite **2** (*non risolto*) undefined

indeformàbile *agg.* non-deformable

indégno *agg.* **1** unworthy **2** (*vergognoso*) shameful

indelèbile *agg.* indelible

indènne *agg.* unhurt, unharmed, undamaged

indennità *s. f.* allowance, indemnity, compensation

indennizzàre *v. tr.* to compensate, to indemnify

indennìzzo *s. m.* indemnity, refund ♦ **domanda d'i.** claim for damages

inderogàbile *agg.* unbreakable

indesideràbile *agg.* undesirable

indeterminatézza *s. f.* indeterminateness

indeterminàto *agg.* indeterminate ♦ **a tempo i.** indefinitely

indiàno *agg. e s. m.* Indian

indiavolàto *agg.* **1** furious **2** (*frenetico*) frenzied

indicàre *v. tr.* **1** to indicate, to show, to point out, (*col dito*) to point at/to **2** (*denotare*) to be indicative of, to show, to denote **3** (*significare*) to mean **4** (*consigliare*) to suggest, to recommend **5** (*prescrivere*) to prescribe

indicatìvo *agg.* **1** indicative **2** (*approssimativo*) approximate

indicatóre A *agg.* indicative **B** *s. m.* indicator, gauge

indicazióne *s. f.* **1** indication, sign **2** (*istruzione*) direction, instruction

ìndice *s. m.* **1** (*dito*) forefinger **2** (*lancetta*) indicator, pointer **3** (*fig.*) (*indizio*) sign, indication **4** (*di libro*) (table of) contents *pl.*, (*i. analitico*) index **5** (*scient.*) index **6** (*econ.*) index, ratio

indicìbile *agg.* inexpressible

indietreggiàre *v. intr.* to draw back, to withdraw

indiètro *avv.* **1** back, behind **2** (*di orologio*) slow ♦ **all'i.** backwards

indiféso *agg.* undefended

indifferènte *agg.* **1** indifferent **2** (*disinteressato*) uninterested **3** (*insensibile*) cold, impassible

indifferènza *s. f.* indifference

indifferenziàto *agg.* undifferentiated

indigeno *agg. e s. m.* native

indigènte *agg.* indigent, poor

indigènza *s. f.* indigence, poverty

indigestióne *s. f.* indigestion

indigèsto *agg.* indigestible

indignàre A *v. tr.* to shock, to offend **B** *v. intr. pron.* to be shocked, to get angry

indimenticàbile *agg.* unforgettable

indipendènte *agg.* independent

indipendenteménte *avv.* independently

indipendènza s. f. independence
indire v. tr. to call, to declare
indirètto agg. indirect
indirizzàre A v. tr. 1 to address 2 (*dirigere*) to direct B v. rifl. 1 (*dirigersi*) to direct one's step towards 2 (*rivolgersi*) to apply, to address oneself
indirizzo s. m. 1 address 2 (*fig.*) direction, trend, turn
indiscréto agg. indiscreet, tactless
indiscùsso agg. indisputed
indiscutìbile agg. unquestionable
indispensàbile agg. indispensable
indispettìre A v. tr. to vex, to annoy B v. intr. pron. to become vexed, to become annoyed
indisposizióne s. f. indisposition
indissolùbile agg. indissoluble
indistìnto agg. indistinct
indistruttìbile agg. indestructible
indisturbàto agg. undisturbed
indivia s. f. endive
individuàle agg. individual
individualismo s. m. individualism
individualménte avv. individually
individuàre v. tr. 1 (*caratterizzare*) to individualize 2 (*localizzare*) to locate 3 (*distinguere*) to single out, to identify
individuo s. m. individual
indivisìbile agg. indivisible
indiziàto agg. e s. m. suspect
indizio s. m. 1 indication, sign, clue 2 (*dir*) circumstantial evidence
indoeuropèo agg. e s. m. Indo-European
ìndole s. f. nature
indolènte agg. indolent, lazy
indolenziménto s. m. stiffening
indolóre agg. painless
indomàni s. m. (the) following day, (the) next day
indoràre v. tr. to gild
indossàre v. tr. 1 (*portare addosso*) to wear, to have on 2 (*mettere addosso*) to put on
indossatóre s. m. model
indossatrice s. f. model
indottrinàre v. tr. to indoctrinate
indovinàre v. tr. 1 to guess 2 (*prevedere, immaginare*) to foresee, to imagine
indovinèllo s. m. riddle
indovìno s. m. fortune-teller
indubbiaménte avv. undoubtedly
indùbbio agg. undoubted
indugiàre v. intr. 1 to delay 2 (*trattenersi*) to loiter, to linger

indùgio s. m. delay
indulgènte agg. indulgent
indulgènza s. f. indulgence
indùlgere v. intr. to indulge
indùlto s. m. pardon
induménto s. m. garment, clothes pl.
indurìre A v. tr. to harden B v. intr. e intr. pron. to harden, to become hard, (*di cemento, colla, ecc.*) to set
indùrre v. tr. to induce, to persuade
indùstria s. f. industry
industriàle A agg. industrial, manufacturing B s. m. industrialist, manufacturer
industrializzazióne s. f. industrialization
industriàrsi v. intr. pron. to try
induzióne s. f. induction
inebetìto agg. dazed
inebriàre A v. tr. to intoxicate B v. intr. pron. to become intoxicated
ineccepìbile agg. unexceptionable
inèdia s. f. starvation
inèdito agg. unpublished
inefficàce agg. ineffective
inefficiènza s. f. inefficiency
ineluttàbile agg. ineluctable
inequivocàbile agg. unequivocal
inerènte agg. inherent, concerning
inèrme agg. unarmed
inerpicàrsi v. intr. pron. to climb
inèrte agg. 1 inert 2 (*immobile*) motionless
inèrzia s. f. 1 inertia 2 (*inattività*) inactivity
inesattézza s. f. inexactitude, inaccuracy
inesàtto agg. incorrect, inaccurate
inesauribile agg. inexhaustible
inesistènte agg. inexistent
inesoràbile agg. inexorable
inesperiènza s. f. inexperience
inespèrto agg. inexperienced, (*senza pratica*) inexpert
inesploràto agg. unexplored
inespugnàbile agg. inexpugnable, impregnable
inestimàbile agg. invaluable, priceless
inètto agg. 1 unfit, unsuitable 2 (*incapace*) incompetent
inevàso agg. outstanding
inevitàbile agg. unavoidable, inevitable
inèzia s. f. trifle
infagottàre v. tr. e rifl. to wrap up
infallibile agg. infallible
infamàre v. tr. to defame, to disgrace
infàme agg. infamous
infantìle agg. children's (*attr*), infantile

infanzia s. f. childhood, infancy

infarcire v. tr. to stuff, to cram

infarinàre v. tr. to flour

infarinatùra s. f. **1** flouring **2** (fig.) smattering

infarto s. m. infarct

infastidìre A v. tr. to annoy **B** v. intr. pron. to get annoyed

infaticàbile agg. tireless

infatti cong. in fact, as a matter of fact

infatuàre A v. tr. infatuate **B** v. intr. pron. to become infatuated

infatuazióne s. f. infatuation

infàusto agg. unfavourable

infecóndo agg. sterile, infertile

infedéle agg. unfaithful

infedeltà s. f. unfaithfulness

infelìce agg. **1** unhappy, wretched **2** (inappropriato) unfortunate, inappropriate **3** (malfatto) bad

infelicità s. f. **1** unhappiness **2** (inopportunità) inappropriateness

inferióre agg. **1** inferior **2** (più basso) lower **3** (sottostante) lower, below

inferiorità s. f. inferiority

infermería s. f. infirmary

infermièra s. f. nurse

infermière s. m. male nurse

infermità s. f. infirmity ♦ **i. mentale** insanity

infèrmo agg. invalid

infernàle agg. **1** infernal, hellish **2** (fig.) awful

infèrno s. m. hell

inferocìto agg. enraged

inferriàta s. f. bars pl.

infervoràre A v. tr. to animate, to arouse enthusiasm **B** v. intr. pron. to grow fervent, to get excited

infestàre v. tr. to infest

infettàre A v. tr. to infect **B** v. intr. pron. to become infected

infettìvo agg. infectious, catching

infètto agg. infected

infezióne s. f. infection

infiacchìre v. tr. e intr. pron. to weaken

infiammàbile agg. inflammable

infiammàre A v. tr. **1** to set on fire **2** (fig.) to inflame **B** v. intr. pron. **1** to take fire **2** (fig.) to become inflamed

infiammazióne s. f. inflammation

infido agg. treacherous

infierìre v. intr. **1** to be pitiless **2** (imperversare) to rage

infìggere v. tr. to drive, to fix

infilàre A v. tr. **1** to thread, to string **2** (introdurre) to insert, to slip in **3** (infilzare) to run through, to transfix **4** (indossare) to slip on, to put on **B** v. rifl. **1** (farsi largo) to thread one's way **2** (introdursi) to slip **3** (indossare) to slip on, to put on

infiltràrsi v. intr. pron. to infiltrate

infiltrazióne s. f. infiltration

infilzàre v. tr. **1** to run through, to transfix **2** (conficcare) to stick

infimo agg. lowest

infine avv. **1** (alla fine) at last **2** (da ultimo) finally **3** (in fondo) after all **4** (insomma) in short

infinità s. f. infinity

infinitesimàle agg. infinitesimal

infinìto A agg. **1** infinite **2** (interminabile) endless **3** (innumerevole) innumerable, endless **4** (gramm.) infinitive **B** s. m. **1** infinity **2** (gramm.) infinitive

infinocchiàre v. tr. (fam.) to make a fool of

infischiàrsi v. intr. pron. (fam.) not to care, to care nothing

infisso s. m. frame

infittìre v. tr. e intr. pron. to thicken

inflazionàre v. tr. **1** to inflate **2** (fig.) to overdo

inflazióne s. f. inflation

inflessìbile agg. inflexible

infliggere v. tr. to inflict

influènte agg. influential

influènza s. f. **1** influence **2** (med.) influenza, flu ♦ **prendere l'i.** to catch flu

influìre v. intr. to influence

influsso s. m. influence

infondàto agg. groundless

infóndere v. tr. to infuse

inforcàre v. tr. **1** to pitchfork **2** (bicicletta, cavallo, ecc.) to get on **3** (occhiali) to put on

informàle agg. informal

informàre A v. tr. **1** to inform, to acquaint **2** (pervadere) to pervade, to characterize **B** v. intr. pron. **1** to inquire **2** (essere pervaso) to be informed, to be pervaded

informàtica s. f. informatics pl. (v. al sing.)

informatìvo agg. informative

informatóre s. m. informer, informant

informazióne s. f. information

infórme agg. shapeless

infortunàrsi v. intr. pron. to get injured

infortùnio s. m. accident

infossàrsi v. intr. pron. **1** to become hollow

2 (*affondare*) to sink

infràngere A *v. tr.* **1** to break, to shatter **2** (*violare*) to infringe **B** *v. intr. pron.* to break, to shatter

infrangìbile *agg.* unbreakable

infrarósso *agg. e s. m.* infrared

infrasettimanàle *agg.* midweek (*attr*)

infrazióne *s. f.* infraction, infringement

infreddatùra *s. f.* cold

infreddolìto *agg.* cold

infruttuóso *agg.* **1** unfruitful, fruitless **2** (*improduttivo*) unprofitable **3** (*vano*) vain, unsuccessful

infuòri *avv.* out, outwards ♦ **all'i. di** except, apart from

infuriàre A *v. intr.* to rage **B** *v. intr. pron.* to fly into a rage, to flare up

infusióne *s. f.* infusion

infùso *s. m.* infusion

ingabbiàre *v. tr.* **1** to cage **2** (*fig.*) to enclose, to coop up

ingaggiàre *v. tr.* **1** to engage, to hire, to sign (up) **2** (*mil.*) to enlist **3** (*iniziare*) to start

ingannàre A *v. tr.* to deceive, to cheat, to swindle **B** *v. intr. pron.* to be mistaken, to be wrong ♦ **i. il tempo** to while away the time

ingannévole *agg.* deceitful, deceptive

ingànno *s. m.* deceit, deception

ingarbugliàre A *v. tr.* **1** to entangle **2** (*fig.*) to complicate, to confuse **B** *v. intr. pron.* to get entangled

ingegnàrsi *v. intr. pron.* to do one's best

ingegnère *s. m.* engineer

ingegnerìa *s. f.* engineering

ingégno *s. m.* intelligence

ingegnosità *s. f.* ingenuity, cleverness

ingegnóso *agg.* ingenious, clever

ingelosìre A *v. tr.* to make jealous **B** *v. intr. pron.* to become jealous

ingènte *agg.* great, huge

ingenuità *s. f.* ingenuousness, naïvety

ingènuo *agg.* ingenuous, naïve

ingerènza *s. f.* interference

ingerìre A *v. tr.* to swallow, to ingest **B** *v. intr. pron.* to interfere

ingessàre *v. tr.* to plaster

ingessatùra *s. f.* plaster

inghiottìre *v. tr.* to swallow

ingiallìre *v. tr. e intr. pron.* to yellow

ingigantìre A *v. tr.* to magnify **B** *v. intr. pron.* to become gigantic

inginocchiàrsi *v. intr. pron.* to kneel (down)

ingiù *avv.* down, downwards

ingiùria *s. f.* **1** insult, abuse **2** (*dir.*) slander, offence

ingiuriàre A *v. tr.* to insult, to abuse **B** *v. rifl. rec.* to insult each other

ingiurióso *agg.* insulting, abusive

ingiustificàto *agg.* unjustified

ingiustìzia *s. f.* **1** injustice, unfairness **2** (*torto*) wrong

ingiùsto *agg.* unjust, unfair

inglése A *agg.* English **B** *s. m. e f.* Englishman *m.*, Englishwoman *f.* **C** *s. m.* (*lingua*) English

inglesìsmo *s. m.* Anglicism

ingoiàre *v. tr.* to swallow

ingolfàre A *v. tr.* to flood **B** *v. intr. pron.* **1** (*impelagarsi*) to plunge into **2** (*autom.*) to flood

ingombrànte *agg.* **1** cumbersome **2** (*fig.*) awkward

ingombràre *v. tr.* **1** to encumber, to block **2** (*fig.*) to stuff

ingómbro *s. m.* **1** encumbrance, obstruction **2** (*mole*) bulk, (*dimensione*) size

ingórdo *agg.* greedy

ingorgàre A *v. tr.* to clog, to block (up) **B** *v. intr. pron.* to become blocked up, to clog up

ingórgo *s. m.* obstruction, (*del traffico*) jam

ingozzàre A *v. tr.* (*far mangiare*) to stuff, to fatten **B** *v. rifl.* to gobble, to gulp down

ingranàggio *s. m.* **1** gear **2** (*fig.*) mechanism, workings *pl.*

ingranàre A *v. tr.* to put into gear, to engage **B** *v. intr.* **1** to be in gear, to engage **2** (*fig.*) to get on (well)

ingrandiménto *s. m.* enlargement ♦ **lente d'i.** magnifying glass

ingrandìre A *v. tr.* **1** to enlarge, to expand **2** (*fis.*) to magnify **3** (*fig.*) to exaggerate **B** *v. intr. pron.* to become larger, to grow, to expand

ingrassàggio *s. m.* greasing

ingrassàre A *v. tr.* **1** to fatten, to make fat **2** (*lubrificare*) to grease **B** *v. intr. e intr. pron.* to put on weight, to fatten (up)

ingratitùdine *s. f.* ungratefulness

ingràto *agg.* ungrateful

ingraziàre *v. tr.* to ingratiate oneself with

ingrediènte *s. m.* ingredient

ingrèsso *s. m.* **1** entry **2** (*entrata*) entrance **3** (*accesso*) entry, admittance, admission ♦ **vietato l'i.** no entry

ingrossàre A *v. tr.* **1** to enlarge, to increase **2** (*gonfiare*) to swell **B** *v. intr. pron.* **1** to become bigger, to increase **2** (*gonfiarsi*) to swell up **3** (*ingrassare*) to become fat **4** (*di mare*) to rise

ingròsso, all' *loc. avv.* wholesale

inguaribile *agg.* incurable

ìnguine *s. m.* groin

inibìre A *v. tr.* **1** to inhibit **2** (*proibire*) to forbid **B** *v. rifl.* to restrain oneself

inibizióne *s. f.* inhibition

iniettàre *v. tr.* to inject

iniettóre *s. m.* injector

iniezióne *s. f.* injection

inimicàre A *v. tr.* to alienate, to make an enemy of, to antagonize **B** *v. intr. pron.* to fall out with

inimicìzia *s. f.* enmity, hostility

inimitàbile *agg.* inimitable

inimmaginàbile *agg.* unimaginable

ininfluènte *agg.* irrelevant

ininterròtto *agg.* continuous, uninterrupted

iniquità *s. f.* iniquity

iniziàle A *agg.* initial, starting **B** *s. f.* initial

iniziàre A *v. tr.* **1** to begin, to start **2** (*instradare*) to initiate, to introduce **B** *v. intr.* to begin, to start

iniziatìva *s. f.* initiative

iniziàto *s. m.* initiate

iniziatóre *agg.* initiator

inìzio *s. m.* beginning, start

innaffiàre *v. tr.* to water

innalzàre A *v. tr.* to raise **B** *v. intr. pron.* to rise

innamoràre A *v. tr.* to charm **B** *v. intr. pron. e rifl. rec.* to fall in love

innamoràto *agg.* in love (*pred.*), loving

innànzi A *avv.* **1** (*prima*) before **2** (*poi*) on, onwards **3** *agg.* previous **C** *prep.* **i. (a) 1** (*davanti a*) before, in front of **2** (*prima*) before ♦ **i. tutto** above all, first of all

innàto *agg.* innate, inborn

innaturàle *agg.* unnatural

innegàbile *agg.* undeniable

innervosìre A *v. tr.* to get on (sb.'s) nerves, to annoy **B** *v. intr. pron.* to get nervous, to get annoyed

innescàre A *v. tr.* **1** (*tecnol.*) to prime **2** (*fis.*) to trigger **B** *v. intr. pron.* to start

innésco *s. m.* **1** primer **2** (*fis., fig.*) trigger

innestàre A *v. tr.* **1** (*bot.*) to graft **2** (*inserire*) to insert, to plug in (*elettr*) **3** (*mecc.*) to engage **B** *v. intr. pron.* to be inserted, to join

innèsto *s. m.* **1** (*bot.*) graft **2** (*mecc.*) connection, joint

ìnno *s. m.* hymn ♦ **i. nazionale** national anthem

innocènte *agg.* **1** innocent **2** (*dir.*) not guilty

innocènza *s. f.* innocence

innòcuo *agg.* innocuous, harmless

innovàre *v. tr.* to innovate, to renew

innovatìvo *agg.* innovative

innovatóre *s. m.* innovator

innumerévole *agg.* innumerable, countless

inoculàre *v. tr.* to inoculate

inodóre *agg.* odourless

inoffensìvo *agg.* harmless, inoffensive

inoltràre A *v. tr.* to forward, to send, (*per posta*) to mail **B** *v. rifl.* to advance, to go forward

inóltre *avv.* besides, too, moreover

inondàre *v. tr.* to flood

inondazióne *s. f.* flooding, flood, inundation

inoperóso *agg.* inactive

inopportùno *agg.* inopportune, untimely

inorgànico *agg.* inorganic

inorgoglìre A *v. tr.* to make proud **B** *v. intr. pron.* to become proud

inorridìre A *v. tr.* to horrify **B** *v. intr.* to be horrified

inospitàle *agg.* inhospitable

inosservàto *agg.* **1** unobserved, unnoticed **2** (*inadempiuto*) not observed, unfulfilled

inossidàbile *agg.* stainless

input *s. m. inv.* input

inquadràre A *v. tr.* **1** to organize, to arrange **2** (*fot., cin.*) to frame **B** *v. intr. pron.* to fit in, to form part of

inqualificàbile *agg.* **1** unmarkable **2** (*fig.*) deplorable

inquietànte *agg.* worrying, disturbing

inquietàre A *v. tr.* to worry, to disturb **B** *v. intr. pron.* **1** (*arrabbiarsi*) to get angry **2** (*preoccuparsi*) to worry

inquièto *agg.* **1** (*agitato*) restless **2** (*preoccupato*) uneasy, worried

inquietùdine *s. f.* **1** (*agitazione*) restlessness **2** (*preoccupazione*) anxiety, worry

inquilìno *s. m.* tenant

inquinaménto *s. m.* pollution

inquinàre *v. tr.* to pollute

inquisìre *v. tr.* to investigate

inquisizióne *s. f.* inquisition

insabbiàre A *v. tr.* **1** to sand **2** (*fig.*) to shelve **B** *v. intr. pron. e rifl.* **1** to get covered with sand **2** (*arenarsi*) to run aground **3** (*fig.*) to be shelved

insaccàti *s. m. pl.* sausages

insalàta *s. f.* salad

insalùbre *agg.* unhealthy

insanàbile *agg.* 1 incurable 2 (*irrimediabile*) irremediable

insanguinàre *v. tr.* 1 to stain with blood 2 (*funestare*) to bathe in blood

insaponàre A *v. tr.* to soap B *v. rifl.* to soap oneself

insapóre *agg.* flavourless, tasteless

insaziàbile *agg.* insatiable

inscatolàre *v. tr.* to box, to tin, to can

inscenàre *v. tr.* to stage

insediaménto *s. m.* 1 settlement 2 (*in una carica*) installation

insediàre A *v. tr.* to install B *v. intr. pron.* 1 to take office, to install oneself 2 (*stabilirsi*) to settle

inségna *s. f.* 1 (*di locale*) sign 2 (*bandiera*) banner, flag

insegnaménto *s. m.* teaching

insegnànte A *agg.* teaching B *s. m. e f.* teacher

insegnàre *v. tr.* 1 to teach 2 (*indicare*) to show

inseguiménto *s. m.* pursuit, chase

inseguìre *v. tr.* 1 to chase, to run after 2 (*fig.*) to pursue

insenatùra *s. f.* inlet

insensàto *agg.* senseless

insensìbile *agg.* 1 insensitive 2 (*impercettibile*) imperceptible 3 (*indifferente*) indifferent

inseparàbile *agg.* inseparable

inseriménto *s. m.* insertion

inserìre A *v. tr.* 1 to insert, to put in, to include 2 (*elettr*) to connect, to plug in B *v. rifl. e intr. pron.* to enter

insèrto *s. m.* insert

inservìbile *agg.* useless

inserviènte *s. m. e f.* attendant

inserzióne *s. f.* 1 insertion 2 (*su giornale*) advertisement, ad

insetticìda *s. m.* insecticide

insètto *s. m.* insect

insicurézza *s. f.* insecurity

insìdia *s. f.* 1 snare, trap 2 (*pericolo*) peril, danger

insidiàre *v. tr.* to lay a trap for

insidióso *agg.* insidious

insième A *s. m.* 1 whole 2 (*assortimento*) set 3 (*mat.*) set B *avv.* 1 together 2 (*congiuntamente*) together, jointly 3 (*contemporaneamente*) together, at the same time

C *prep.* i. a/con (together) with

insìgne *agg.* eminent, distinguished

insignificànte *agg.* 1 insignificant, negligible 2 (*inespressivo*) inexpressive

insignìre *v. tr.* to confer

insincèro *agg.* insincere

insindacàbile *agg.* unquestionable

insinuàre A *v. tr.* 1 to slip, to insert 2 (*fig.*) to insinuate, to suggest B *v. intr. pron. e rifl.* 1 to insinuate oneself 2 (*penetrare*) to creep

insìpido *agg.* 1 (*senza sale*) lacking in salt 2 (*insapore*) tasteless, insipid

insistènte *agg.* 1 insistent 2 (*ripetuto*) persistent 3 (*incessante*) unceasing

insìstere *v. intr.* to insist

insoddisfacènte *agg.* unsatisfactory

insoddisfàtto *agg.* 1 unsatisfied 2 (*scontento*) dissatisfied

insoddisfazióne *s. f.* dissatisfaction

insofferènte *agg.* 1 (*irritabile*) impatient, irritable 2 (*intollerante*) intolerant

insolazióne *s. f.* 1 insolation 2 (*colpo di sole*) sunstroke

insolènte *agg.* insolent

insolentìre *v. intr.* to be insolent to

insolènza *s. f.* insolence

insòlito *agg.* unusual

insolùbile *agg.* insoluble

insolùto *agg.* 1 unsolved 2 (*non pagato*) unpaid

insolvènte *agg.* insolvent

insómma *avv.* 1 (*in breve*) in short 2 (*in conclusione*) in conclusion 3 (*dunque*) then, well 4 (*esclamativo*) well (then)

insònne *agg.* sleepless

insònnia *s. f.* insomnia, sleeplessness

insonnolìto *agg.* sleepy, drowsy

insopportàbile *agg.* unbearable, insufferable

insórgere *v. intr.* 1 (*ribellarsi*) to rise (up) 2 (*protestare*) to protest 3 (*manifestarsi*) to arise

insórto *s. m.* rebel, insurgent

insospettàbile *agg.* beyond suspicion

insospettìre A *v. tr.* to make suspicious, to arouse suspicions B *v. intr. pron.* to become suspicious

insostenìbile *agg.* 1 unsustainable, untenable 2 (*insopportabile*) unbearable

insostituìbile *agg.* irreplaceable

inspiegàbile *agg.* inexplicable

inspiràre *v. tr.* to breathe in

instàbile *agg.* 1 unstable, unsteady 2 (*mu-*

tevole) changeable

installàre A *v. tr.* to install **B** *v. rifl.* to settle (oneself) in

installazióne *s. f.* installation

instancàbile *agg.* indefatigable, untiring

instauràre A *v. tr.* to set up, to establish **B** *v. intr. pron.* to begin

insù *avv.* up, upwards

insuccèsso *s. m.* failure, flop

insudiciàre A *v. tr.* to dirty, to soil **B** *v. rifl.* to dirty oneself, to get dirty

insufficiènte *agg.* insufficient, inadequate

insufficiènza *s. f.* **1** insufficiency, inadequacy **2** (*mancanza*) lack, shortage **3** (*med.*) insufficiency **4** (*a scuola*) low mark

insulàre *agg.* insular

insulina *s. f.* insulin

insùlso *agg.* insipid, dull

insultàre *v. tr.* to insult, to abuse

insùlto *s. m.* insult, abuse

insuperàbile *agg.* insuperable

insurrezióne *s. f.* insurrection, rising

intaccàre *v. tr.* **1** (*fare tacche*) to notch **2** (*corrodere*) to corrode, to eat into **3** (*cominciare a consumare*) to draw up, to dip into **4** (*danneggiare*) to damage, to spoil

intagliàre *v. tr.* **1** to incise, to engrave **2** (*scolpire*) to carve

intàglio *s. m.* **1** (*arte*) intaglio **2** (*tacca*) notch

intangìbile *agg.* untouchable

intànto *avv.* **1** meanwhile, in the meantime, at the same time **2** (*avversativo*) but ♦ **i. che** while, as

intàrsio *s. m.* inlay

intasaménto *s. m.* stoppage, block, (*nel traffico*) jam

intasàre A *v. tr.* to obstruct, to block **B** *v. intr. pron.* to become blocked, to get stopped up

intascàre *v. tr.* to pocket

intàtto *agg.* **1** intact, untouched **2** (*illeso*) undamaged, uninjured

intavolàre *v. tr.* to start, to enter into

integràle *agg.* **1** integral, complete, comprehensive **2** (*di edizione*) unabridged **3** (*non raffinato*) wholemeal, unrefined

integralménte *avv.* in full

integrànte *agg.* integrant

integràre A *v. tr.* **1** to integrate **2** (*completare*) to supplement **B** *v. rifl.* to integrate

integrità *s. f.* integrity

intelaiatùra *s. f.* framework, (*di finestra*) sash

intellètto *s. m.* intellect

intellettuàle *agg.* intellectual

intellettualìsmo *s. m.* intellectualism

intelligènte *agg.* intelligent, clever

intelligènza *s. f.* intelligence, cleverness

intelligìbile *agg.* intelligible

intempèrie *s. f. pl.* bad weather

intempestìvo *agg.* untimely

intèndere A *v. tr.* **1** (*capire*) to understand **2** (*significare*) to mean, to intend **3** (*avere intenzione*) to intend, to propose, to be going to **4** (*udire*) to hear **B** *v. intr. pron.* to know about, to be an expert **C** *v. rifl. rec.* **1** (*mettersi d'accordo*) to come to an agreement, to agree **2** (*andare d'accordo*) to get on with

intendiménto *s. m.* **1** understanding **2** (*intenzione*) intention

intenditóre *s. m.* connoisseur, expert

intenerìre A *v. tr.* **1** to soften **2** (*fig.*) to move (to pity) **B** *v. intr. pron.* **1** to soften **2** to be moved

intensificàre *v. tr. e intr. pron.* to intensify

intensità *s. f.* intensity

intensìvo *agg.* intensive

intènso *agg.* intense

intènto A *agg.* intent **B** *s. m.* aim, purpose

intenzionàle *agg.* intentional

intenzióne *s. f.* intention

interaménte *avv.* entirely, wholly

interazióne *s. f.* interaction

intercalàre *s. m.* stock phrase

intercapèdine *s. f.* hollow space

intercèdere *v. intr.* to intercede, to plead

intercessióne *s. f.* intercession

intercettàre *v. tr.* to intercept, (*conversazione telefonica*) to tap

intercolùnnio *s. m.* intercolumn

intercomunicànte *agg.* communicating

intercontinentàle *agg.* intercontinental

interdètto *agg.* **1** (*vietato*) forbidden **2** (*dir.*) interdicted, disqualified **3** (*sorpreso*) dumbfounded

interdìre *v. tr.* **1** (*proibire*) to forbid **2** (*dir.*) to interdict, to disqualify

interdisciplinàre *agg.* interdisciplinary

interdizióne *s. f.* **1** (*proibizione*) prohibition **2** (*dir.*) interdiction, disqualification

interessaménto *s. m.* interest, concern

interessànte *agg.* interesting ♦ **essere in stato i.** to be with child, to be expecting

interessàre A *v. tr.* **1** to interest **2** (*riguardare*) to concern, to affect **B** *v. intr.* **1** to interest, to be of interest **2** (*importare*) to matter **C** *v. intr. pron.* to be interested in, to care

interèsse *s. m.* interest

interferènza *s. f.* interference

interferìre *v. intr.* to interfere

interfòno *s. m.* intercom

interiezióne *s. f.* interjection

interióra *s. f. pl.* entrails *pl.*

interióre *agg.* interior, inner

interlocutóre *s. m.* interlocutor

interlùdio *s. m.* interlude

intermediàrio *s. m.* **1** intermediary **2** (*econ.*) broker

intermèdio *agg.* intermediate

intermèzzo *s. m.* **1** (*intervallo*) break, interval **2** (*mus., teatro*) intermezzo

interminàbile *agg.* interminable

intermittènte *agg.* intermittent

internaménte *avv.* internally, inside

internàre *v. tr.* to intern

internazionàle *agg.* international

intèrno A *agg.* **1** internal, inner (*attr*), inside (*attr*) **2** (*geogr*) inland **3** (*interiore*) inner (*attr*), inward (*attr*) **4** (*econ.*) (*nazionale*) home (*attr*) **B** *s. m.* **1** interior, inside **2** (*tel.*) extension **3** (*alunno*) boarder **4** (*fodera*) lining

intéro *agg.* **1** (*tutto*) whole, all **2** (*completo*) entire, whole, complete ◆ **per i.** in full

interpellàre *v. tr.* to consult, to ask

interpórre A *v. tr.* **1** to interpose **2** (*frapporre*) to present **B** *v. rifl. e intr. pron.* to interpose, to intervene

interpretàre *v. tr.* **1** to interpret **2** (*teatro, mus.*) to play, to interpret

interpretazióne *s. f.* interpretation

intèrprete *s. m. e f.* interpreter

interrogàre *v. tr.* **1** to ask questions to **2** (*studente*) to examine, to test **3** (*dir*) to question, to interrogate

interrogatìvo A *agg.* interrogative, questioning **B** *s. m.* **1** question **2** (*fig.*) mistery ◆ **punto i.** question mark

interrogatòrio A *agg.* interrogatory **B** *s. m.* interrogation, examination

interrogazióne *s. f.* **1** question, interrogation **2** (*a scuola*) test

interrómpere A *v. tr.* **1** to interrupt, to break off, to cut off **2** (*un discorso*) to interrupt **3** (*bloccare*) to block **B** *v. intr. pron.* to stop, to break off

interruttóre *s. m.* switch

interruzióne *s. f.* interruption

intersecàre *v. tr. e rifl. rec.* to intersect

intersezióne *s. f.* intersection

interstìzio *s. m.* interstice

interurbàno *agg.* interurban ◆ **telefonata interurbana** trunk call

intervàllo *s. m.* interval

intervenìre *v. intr.* **1** to intervene **2** (*prender parte*) to be present, to attend

intervènto *s. m.* **1** intervention **2** (*discorso*) speech **3** (*presenza*) presence, attendance **4** (*med.*) operation

intervìsta *s. f.* interview

intervistàre *v. tr.* to interview

intésa *s. f.* **1** (*comprensione*) understanding **2** (*accordo*) agreement **3** (*pol.*) entente

intestàre A *v. tr.* **1** (*mettere l'intestazione*) to head **2** (*una proprietà*) to register in sb.'s name, (*un assegno*) to make out **B** *v. intr. pron.* to persist, to insist

intestazióne *s. f.* **1** heading **2** (*registrazione*) registration

intestinàle *agg.* intestinal

intestìno A *agg.* intestine, civil **B** *s. m.* intestine

intiepidìre A *v. tr.* **1** (*scaldare*) to warm **2** (*raffreddare*) to cool **B** *v. intr. pron.* **1** (*scaldarsi*) to warm up **2** (*raffreddarsi*) to cool down

intimàre *v. tr.* to order, to command, to summon

intimazióne *s. f.* order, command, summons

intimidìre A *v. tr.* **1** to overawe, to make shy **2** (*impaurire*) to intimidate **B** *v. intr. pron.* **1** to become shy **2** (*impaurirsi*) to be intimidated

intimìsta *agg.* intimist

intimità *s. f.* **1** intimacy, privacy **2** (*familiarità*) familiarity

ìntimo A *agg.* **1** intimate, close **2** (*privato*) private, intimate, **3** (*il più profondo*) inner, innermost **4** (*profondo*) profound, deep **B** *s. m.* **1** (*parte interiore*) bottom **2** (*amico*) intimate friend, close friend **3** (*animo*) hearth, soul

intimorìre A *v. tr.* to intimidate, to frighten **B** *v. intr. pron.* to be frightened

intìngolo *s. m.* sauce

intirizzìre A *v. tr.* to numb, to make stiff **B** *v. intr. pron.* to grow numb, to grow stiff

intitolàre A *v. tr.* **1** to entitle, to give a title to, to call **2** (*dedicare*) to dedicate, to name after **B** *v. intr. pron.* to be entitled, to be called, to be named

intolleràbile *agg.* intolerable, unbearable

intollerànte *agg.* intolerant

intollerànza *s. f.* intolerance

intònaco *s. m.* plaster

intonàre **A** *v. tr.* **1** (*strumento*) to tune **2** (*incominciare a cantare, suonare*) to strike up **3** (*accordare*) to match **B** *v. intr. pron.* to be in tune, to match, to fit

intontìre **A** *v. tr.* to stun, to daze **B** *v. intr. pron.* to be stunned, to be dazed

intòppo *s. m.* obstacle

intórno **A** *avv.* round, around, about **B** *prep.* **i. (a)** **1** round, around **2** (*circa*) about **3** (*riguardo a*) about, on

intorpidìre **A** *v. tr.* to numb **B** *v. intr. pron.* to grow numb

intossicàre **A** *v. tr.* to poison **B** *v. rifl. e intr. pron.* to be poisoned

intossicazióne *s. f.* poisoning

intradòsso *s. m.* intrados

intraducìbile *agg.* untranslatable

intralciàre *v. tr.* to hinder, to hamper

intransigènte *agg.* intransigent

intransitìvo *agg. e s. m.* intransitive

intraprendènte *agg.* enterprising

intraprèndere *v. tr.* to undertake, to begin

intrattàbile *agg.* intractable

intrattenère **A** *v. tr.* to entertain **B** *v. intr. pron.* **1** (*trattenersi*) to stop **2** (*soffermarsi*) to dwell (upon)

intravedére *v. tr.* **1** (*vedere di sfuggita*) to catch a glimpse of **2** (*prevedere*) to foresee

intrecciàre **A** *v. tr.* **1** to twist, to intertwine **2** (*capelli*) to plait **3** (*fig.*) to weave together **B** *v. rifl. rec.* **1** to intertwine **2** to cross each other

intréccio *s. m.* **1** intertwinement, weaving **2** (*trama*) plot

intrìco *s. m.* tangle

intrìgo *s. m.* intrigue

intrìnseco *agg.* intrinsic

introdùrre **A** *v. tr.* **1** to introduce **2** (*inserire*) to put in, to insert **3** (*far entrare*) to show in, to usher **B** *v. intr. pron.* to get in

introduzióne *s. f.* introduction

introìto *s. m.* income, revenues *pl.*

introméttere **A** *v. tr.* to interpose **B** *v. rifl.* **1** to intervene, to come between **2** (*ingerirsi*) to interfere

introspettìvo *agg.* introspective

introvàbile *agg.* not to be found

introvèrso *agg. e s. m.* introvert

intrùglio *s. m.* concoction

intrusióne *s. f.* intrusion

intrùso *s. m.* intruder

intuìre *v. tr.* to perceive by intuition, to guess

intuitìvo *agg.* intuitive

intuizióne *s. f.* intuition

inumidìre **A** *v. tr.* to damp, to moisten **B** *v. intr. pron.* to moisten, to become damp

inùtile *agg.* **1** useless, unusable, pointless **2** (*non necessario*) unnecessary

inutilità *s. f.* uselessness, pointlessness

inutilizzàbile *agg.* unusable

inutilménte *avv.* uselessly, in vain

invadènte *agg.* intrusive

invàdere *v. tr.* to invade

invaghìrsi *v. intr. pron.* **1** to take a fancy of **2** (*innamorarsi*) to fall in love with

invalidità *s. f.* **1** invalidity **2** (*di persona*) disability

invàlido **A** *agg.* **1** invalid **2** (*di persona*) disabled, invalid **B** *s. m.* disabled person

invàno *avv.* in vain, to no purpose

invasióne *s. f.* invasion

invasóre **A** *agg.* invading **B** *s. m.* invader

invecchiaménto *s. m.* ag(e)ing

invecchiàre **A** *v. tr.* **1** to age, to make old **2** (*far sembrare vecchio*) to make look older **B** *v. intr.* to age, to grow old, to get old

invéce **A** *avv.* instead, on the contrary, but **B** *prep.* **i. di** instead of **C** *cong.* **i. che** instead of

inveìre *v. intr.* to rail against, to shout abuse at

invendìbile *agg.* unsaleable

inventàre *v. tr.* to invent

inventàrio *s. m.* **1** inventory **2** (*elenco*) list

inventìva *s. f.* inventiveness

inventìvo *agg.* inventive

inventóre *s. m.* inventor

invenzióne *s. f.* **1** invention **2** (*bugia*) lie, story

invernàle *agg.* winter (*attr*)

invèrno *s. m.* winter

inverosìmile *agg.* unlikely, improbable

inversióne *s. f.* inversion, reversal ♦ **i. di marcia** U-turn

invèrso **A** *agg.* **1** opposite, contrary, reverse **2** (*mat.*) inverse **B** *s. m.* opposite, contrary

invertebràto *agg. e s. m.* invertebrate

invertìre **A** *v. tr.* to reverse, to invert **B** *v. intr. pron.* to be inverted

investigàre *v. tr. e intr.* to investigate

investigazióne *s. f.* investigation, inquiry

investiménto *s. m.* 1 investment 2 (*autom.*) collision, accident

investìre A *v. tr.* 1 (*econ.*) to invest 2 (*autom.*) to run over 3 (*assalire*) to assail 4 (*conferire una carica*) to invest, to give B *v. rifl. rec.* to collide

investitóre *s. m.* (*econ.*) investor

inviàre *v. tr.* to send, to forward

inviàto *s. m.* 1 messenger, envoy 2 (*giornalista*) correspondent

invìdia *s. f.* envy

invidiàre *v. tr.* to envy

invidióso *agg.* envious

invincìbile *agg.* invincible

invìo *s. m.* 1 (*di merce*) dispatch, forwarding 2 (*di denaro*) remittance 3 (*per posta*) mailing

invischiàre A *v. tr.* (*fig.*) to involve in B *v. intr. pron.* to get involved

invisìbile *agg.* invisible

invitànte *agg.* tempting, attractive

invitàre *v. tr.* to invite, to ask

invitàto *s. m.* guest

invìto *s. m.* invitation

invocàre *v. tr.* 1 to invoke 2 (*chiedere*) to demand 3 (*fare appello a*) to appeal to

invogliàre *v. tr.* to tempt

involontàrio *agg.* unintentional, involuntary

involtìno *s. m.* roulade

invòlucro *s. m.* wrapping, cover

involuzióne *s. f.* 1 involution 2 (*declino*) decline, regression

inzaccheràre A *v. tr.* to splash with mud B *v. rifl.* to get splashed with mud

inzuppàre A *v. tr.* 1 to soak 2 (*immergere*) to dip B *v. intr. pron.* to get soaked

ìo *pron. pers.* 1ª *sing.* (*sogg.*) I, (*pred.*) me ♦ **ìo stesso** I myself

iòdio *s. m.* iodine

iònico (1) *agg.* Ionic

iònico (2) *agg.* (*chim.*) ionic

iperbòlico *agg.* hyperbolic(al)

ipercrìtico *agg.* hypercritical

ipermercàto *s. m.* hypermarket

ipermetropìa *s. f.* hypermetropia

iperrealìsmo *s. m.* hyper-realism

ipertensióne *s. f.* hypertension

ipnòsi *s. f.* hypnosis

ipnotìsmo *s. m.* hypnotism

ipnotizzàre *v. tr.* to hypnotize

ipocrisìa *s. f.* hypocrisy

ipòcrita A *agg.* hypocritical B *s. m. e f.* hypocrite

ipogèo *s. m.* hypogeum

ipotèca *s. f.* 1 mortgage 2 (*fig.*) claim

ipotecàre *v. tr.* 1 to mortgage 2 (*fig.*) to stake a claim on

ipòtesi *s. f.* 1 hypothesis 2 (*congettura*) conjecture, supposition

ipotètico *agg.* 1 hypothetical 2 (*presunto*) presumed, supposed

ìppica *s. f.* horse racing

ìppico *agg.* horse (*attr*)

ippocàmpo *s. m.* sea-horse

ippocastàno *s. m.* chestnut

ippòdromo *s. m.* race-course

ippopòtamo *s. m.* hippopotamus

ìra *s. f.* rage, anger

irachèno *agg. e s. m.* Iraqi

iraniàno *agg. e s. m.* Iranian

irascìbile *agg.* irascible, quick-tempered

ìride *s. f.* iris

irlandése A *agg.* Irish B *s. m. e f.* Irishman *m.*, Irishwoman *f.* C *s. m.* (*lingua*) Irish

ironìa *s. f.* irony

irònico *agg.* ironic(al)

ironizzàre *v. tr. e intr.* to be ironic (about)

irradiàre A *v. tr. e intr.* to irradiate B *v. intr. pron.* to radiate, to spread out

irradiazióne *s. f.* irradiation

irraggiungìbile *agg.* unattainable

irragionévole *agg.* unreasoning, unreasonable

irrazionàle *agg.* irrational

irreàle *agg.* unreal

irrealtà *s. f.* unreality

irrecuperàbile *agg.* irretrievable

irredentìsmo *s. m.* irredentism

irregolàre *agg.* irregular

irremovìbile *agg.* inflexible

irreparàbile *agg.* irreparable

irreperìbile *agg.* not to be found

irrequièto *agg.* restless

irresistìbile *agg.* irresistible

irrespiràbile *agg.* unbreathable

irresponsàbile *agg.* irresponsible

irriducìbile *agg.* irreducible

irrigàre *v. tr.* to irrigate

irrigazióne *s. f.* irrigation

irrigidìre A *v. tr.* to stiffen B *v. intr. pron.* to become stiff

irrìguo *agg.* 1 (*che irriga*) irrigation (*attr*) 2 (*irrigato*) irrigated, (*ricco d'acqua*) (well-)watered

irrilevànte *agg.* insignificant, trifling

irrimediàbile *agg.* irremediable

irripetìbile *agg.* unrepeatable

irrisòrio *agg.* **1** derisive **2** (*inadeguato*) trifling, ridiculous

irritàbile *agg.* irritable

irritànte *agg.* **1** irritating, annoying **2** (*med.*) irritant

irritàre A *v. tr.* **1** to irritate, to annoy **2** (*med.*) to irritate **B** *v. intr. pron.* to become irritated

irritazióne *s. f.* irritation

irrómpere *v. intr.* to burst into, to break into

irroràre *v. tr.* to sprinkle, to spray

irruènte *agg.* impetuous

irruènza *s. f.* impetuosity

irruzióne *s. f.* **1** (*polizia*) raid **2** (*est.*) irruption

iscrìtto *s. m.* member

iscrìvere A *v. tr.* **1** (*una persona*) to enrol(l), to enter **2** (*registrare*) to record, to enter **3** (*geom.*) to inscribe **4** (*scolpire*) to inscribe, to engrave **B** *v. rifl.* to enrol(l) oneself, to enter

iscrizióne *s. f.* **1** enrol(l)ment, registration, entry **2** (*su pietra*) inscription

islàmico *agg.* Islamic

islamìsmo *s. m.* Islamism

islandése A *agg.* Icelandic **B** *s. m. e f.* Icelander

isòbara *s. f.* isobar

isòbata *s. f.* isobath

ìsola *s. f.* island, isle

isolaménto *s. m.* **1** isolation **2** (*tecnol.*) insulation

isolàno *agg.* island (*attr*)

isolànte *agg.* insulating

isolàre A *v. tr.* **1** to isolate **2** (*tecnol.*) to insulate **B** *v. intr. pron.* to isolate oneself, to cut oneself off

isolàto A *agg.* **1** isolated, secluded **2** (*tecnol.*) insulated **B** *s. m.* (*di case*) block

ispànico *agg.* Hispanic

ispettóre *s. m.* inspector, surveyor

ispezionàre *v. tr.* to inspect

ispezióne *s. f.* inspection

ìspido *agg.* bristly

ispiràre A *v. tr.* to inspire **B** *v. intr. pron.* to draw inspiration

ispiratóre *s. m.* inspirer

ispirazióne *s. f.* inspiration

israeliàno *agg. e s. m.* Israeli

israelìtico *agg.* Israelite

issàre *v. tr.* to hoist

istantaneaménte *avv.* instantly

istantàneo *agg.* instant, sudden

istànte *s. m.* instant, moment

istànza *s. f.* **1** (*richiesta*) request, application, petition **2** (*esigenza*) need, demand

istèrico *agg.* hysteric

isterìsmo *s. m.* hysteria

istigàre *v. tr.* to instigate, to incite

istigazióne *s. f.* instigation, incitement

istintìvo *agg.* instinctive

istìnto *s. m.* instinct

istituìre *v. tr.* to institute, to establish, to set up

istitùto *s. m.* institute, institution ◆ **i. di bellezza** beauty parlour

istituzionàle *agg.* institutional

istituzióne *s. f.* institution

ìstmo *s. m.* isthmus

ìstrice *s. m.* porcupine

istrióne *s. m.* actor, (*spreg.*) ham

istruìre *v. tr.* **1** to educate, to instruct **2** (*addestrare*) to train **3** (*dare istruzioni*) to direct, to give instructions to

istruttìvo *agg.* instructive

istruttóre *s. m.* instructor

istruttòria *s. f.* inquest

istruzióne *s. f.* **1** education, training **2** (*cultura*) learning, culture **3** *al pl.* instructions *pl.*, directions *pl.* **4** (*inf.*) statement ◆ **i. obbligatoria** compulsory education

italianìsta *s. m. e f.* Italianist

italiàno *agg. e s. m.* Italian

itàlico *agg.* Italic

ìter *s. m. inv.* course, procedure

iteratìvo *agg.* iterative

itinerànte *agg.* itinerant, wandering

itineràrio *s. m.* itinerary, route

itterìzia *s. f.* jaundice

ìttico *agg.* ichthyic, fish (*attr*) ◆ **mercato i.** fish market

ittiologìa *s. f.* ichthyology

ittìta *agg.* Hittite

iugoslàvo *agg. e s. m.* Yugoslav

iùta *s. f.* jute

J

jazz *s. m.* jazz ♦ **orchestra j.** jazz band
jazzista *s. m. e f.* jazz player
jazzistico *agg.* jazz (*attr*)
jeans *s. m. pl.* jeans *pl.*
jeep *s. f.* jeep

jet *s. m. inv.* jet
jogging *s. m. inv.* jogging
jolly *s. m. inv.* joker
judo *s. m. inv.* judo

K

karatè *s. m. inv.* karate
keniòta *agg. e s. m. e f.* Kenyan
kermesse *s. f. inv.* kermess
ketch *s. m. inv.* ketch

killer *s. m. e f. inv.* killer
kitsch *agg. e s. m. inv.* kitsch
kiwi *s. m. inv.* kiwi
koala *s. m. inv.* koala

L

la (1) *art. determ. f. sing.* the (*spesso non si traduce o si rende con un agg. poss, con l'art. indef. o con il partitivo*) (ES: **mi piace la cioccolata** I like chocolate, **dammi il cappello, per favore** give me my hat, please, **la rosa è un fiore profumato** a rose is a fragrant flower, **hai comprato la cannella?** did you buy some cinnamon?)
la (2) *pron. pers. 3ª f. sing.* **1** (*oggetto*) (*riferito a donna o animale di sesso femminile*) her, (*riferito a cosa o animale di sesso indefinito*) it **2** (*oggetto, dando del Lei*) you
là *avv.* there
làbbro *s. m.* lip
labirinto *s. m.* labyrinth, maze
laboratòrio *s. m.* **1** (*di ricerca*) laboratory, lab (*fam.*) **2** (*di artigiano*) workshop, workroom
laborióso *agg.* **1** (*industrioso*) hard-work-

ing, industrious **2** (*faticoso*) laborious, toilsome
laburista *agg.* Labour (*attr*)
làcca *s. f.* **1** lacquer, lake **2** (*per capelli*) hair spray **3** (*per unghie*) nail polish
lacchè *s. m.* lackey
làccio *s. m.* **1** lace, string **2** (*trappola*) snare ♦ **l. emostatico** tourniquet; **prendere al l.** to snare
laceràre *v. tr. e intr. pron.* to tear, to lacerate
lacerazióne *s. f.* laceration, tearing
làcero *agg.* **1** torn **2** (*med.*) lacerated
lacònico *agg.* laconic
làcrima *s. f.* **1** tear **2** (*goccia*) drop
lacrimàre *v. intr.* **1** (*per irritazione*) to water **2** (*versare lacrime*) to shed tears **3** (*stillare*) to drip
lacrimògeno *agg.* lachrymatory ♦ **gas l.** tear gas

lacrimóso *agg.* tearful

lacuàle *agg.* lake (*attr*)

lacùna *s. f.* gap

lacùstre *agg.* lake (*attr*), lacustrine

làdro *s. m.* thief, (*scassinatore*) burglar, (*rapinatore*) robber ♦ **al l.!** stop thief!

ladrocinio *s. m.* robbery

laggiù *avv.* 1 (*in basso*) down there 2 (*lontano*) over there

lagnànza *s. f.* complaint

lagnàrsi *v. intr. pron.* to complain, to moan

làgo *s. m.* lake

lagùna *s. f.* lagoon

lagunàre *agg.* lagoon (*attr*)

laicìsmo *s. m.* laicism

làico *agg.* lay, laic(al)

làma (1) *s. f.* blade

làma (2) *s. m.* (*zool.*) llama

lambìre *v. tr.* to lick

lamèlla *s. f.* (*anat., bot., zool.*) lamella, (*di fungo*) gill

lamentàre **A** *v. tr.* 1 to mourn, to lament 2 (*esprimere protesta per*) to complain **B** *v. intr. pron.* 1 to moan, to lament 2 (*lagnarsi*) to complain about

lamentèla *s. f.* complaint

laménto *s. m.* 1 lament, moan 2 (*lagnanza*) complaint 3 (*suono*) wail

lamentóso *agg.* mournful

lamétta *s. f.* razor-blade

lamièra *s. f.* plate, (*sottile*) sheet

làmina *s. f.* 1 (*anat., bot.*) lamina 2 (*metall.*) thin layer, leaf

laminàre *v. tr.* to laminate, to roll

laminàto *s. m.* 1 (*metall.*) rolled section 2 (*plastico*) laminate

làmpada *s. f.* lamp

lampadàrio *s. m.* chandelier

lampadìna *s. f.* bulb, lamp

lampànte *agg.* clear, evident

lampeggiàre **A** *v. intr.* 1 (*sfolgorare*) to flash 2 (*con luce intermittente*) to flash, to blink, to wink **B** *v. intr. impers.* to lighten

lampeggiatóre *s. m.* indicator, blinker

lampióne *s. m.* street lamp

làmpo **A** *s. m.* 1 lightning 2 (*guizzo di luce*) flash **B** *s. f.* (*cerniera*) zip (fastener)

lampóne *s. m.* raspberry

làna *s. f.* wool ♦ **di l.** woollen; **gomitolo di l.** ball of wool; **pura l.** pure wool

lancétta *s. f.* 1 (*di strumento*) pointer, needle 2 (*di orologio*) hand

lància *s. f.* 1 lance 2 (*tecnol.*) nozzle 3 (*naut.*) ship's boat, tender, launch ♦ **l. di salvataggio** lifeboat

lanciafiàmme *s. m.* flame-thrower

lanciàre **A** *v. tr.* 1 to throw, to hurl, to fling 2 (*un prodotto*) to launch **B** *v. rifl.* 1 to throw oneself, to fling, to dash 2 (*fig.*) to launch

lancinànte *agg.* piercing

làncio *s. m.* 1 throw, hurl, fling 2 (*sport*) throwing 3 (*pubblicitario*) launch, launching

lànda *s. f.* moor

lànguido *agg.* languid, faint

languìre *v. intr.* 1 to languish 2 (*venir meno*) to slacken, to drag

languóre *s. m.* weakness, languor

lanifìcio *s. m.* woollen mill

lantèrna *s. f.* lantern

lanùgine *s. f.* down

lapalissiàno *agg.* evident

lapidàre *v. tr.* to stone

lapidàrio *agg.* lapidary

làpide *s. f.* (*tombale*) tombstone, (*commemorativa*) memorial tablet

lapis *s. m. inv.* pencil

lapsus *s. m. inv.* slip

làrdo *s. m.* bacon fat, lard

larghézza *s. f.* 1 width, breadth 2 (*abbondanza*) largeness, abundance 3 (*ampiezza*) largeness, breadth

làrgo **A** *agg.* 1 broad, wide 2 (*di vestito*) loose-fitting, (*troppo grande*) big, loose 3 (*abbondante*) large **B** *s. m.* 1 width 2 (*naut.*) open sea ♦ **al l.** offshore; **farsi l.** to make one's way

làrice *s. m.* larch

larìnge *s. f.* larynx

laringite *s. f.* laryngitis

laringoiàtra *s. m. e f.* laryngologist

làrva *s. f.* 1 (*zool.*) larva, grub 2 (*apparenza*) phantom

larvàle *agg.* larval

lasciapassàre *s. m. inv.* pass

lasciàre **A** *v. tr.* 1 to leave 2 (*abbandonare*) to abandon, to quit 3 (*permettere*) to let 4 (*lasciar andare*) to let go 5 (*lasciare da parte*) to keep **B** *v. rifl.* to let oneself **C** *v. rifl. rec.* to leave each other

làscito *s. m.* legacy

laser *s. m. inv.* laser

lassatìvo *agg. e s. m.* laxative

làsso *s. m.* lapse, period

lassù *avv.* up there

làstra *s. f.* slab, (*di metallo e fot.*) plate, (*di vetro*) sheet

lastricàre *v. tr.* to pave

làstrico *s. m.* paving ♦ **essere sul l.** to be on the rocks

lastróne *s. m.* (large) slab

latènte *agg.* latent

lateràle *agg.* lateral, side (*attr*)

lateralménte *avv.* laterally

laterìzi *s. m. pl.* bricks *pl.*

latifòglio *agg.* broad-leaved

latifondìsmo *s. m.* latifundism

latifóndo *s. m.* latifundium, large estate

latinìsmo *s. m.* Latinism

latinìsta *s. m. e f.* Latinist

latinità *s. f.* Latinity

latìno *agg. e s. m.* Latin

latìno-americàno *agg. e s. m.* Latin American

latitànte *s. m. e f.* absconder

latitùdine *s. f.* latitude

làto *s. m.* side ♦ **da un l. ..., dall'altro** on the one hand ..., on the other hand

latràre *v. intr.* to bark

làtta *s. f.* **1** tin **2** (*recipiente*) can, tin

lattàio *s. m.* milkman

lattànte *s. m.* (unweaned) baby

làtte *s. m.* milk ♦ **l. in polvere** powdered milk; **l. intero** whole milk; **l. scremato** skimmed milk

làtteo *agg.* milk (*attr*)

latterìa *s. f.* dairy

latticìnio *s. m.* dairy product

lattìna *s. f.* tin, can

lattùga *s. f.* lettuce

làurea *s. f.* degree ♦ **l. ad honorem** honorary degree

laureàre **A** *v. tr.* to confer a degree **B** *v. intr. pron.* to graduate, to take a degree

laureàto *s. m.* graduate

làuro *s. m.* laurel, bay-tree

làuto *agg.* large, lavish

làva *s. f.* lava

lavabiancherìa *s. f. inv.* washing-machine

lavàbile *agg.* washable

lavàbo *s. m.* washbasin

lavàggio *s. m.* washing

lavàgna *s. f.* blackboard

lavànda (1) *s. f.* (*bot.*) lavender

lavànda (2) *s. f.* (*med.*) lavage ♦ **l. gastrica** gastric lavage

lavanderìa *s. f.* laundry, (*automatica*) laund(e)rette

lavandìno *s. m.* sink

lavapiàtti *s. m. e f. inv.* dish-washer

lavàre **A** *v. tr.* to wash **B** *v. rifl.* to wash oneself

lavastovìglie *s. f. inv.* dish-washer

lavàta *s. f.* wash

lavatrìce *s. f.* washing machine

làvico *agg.* lavic

lavorànte *s. m. e f.* worker, assistant

lavoràre **A** *v. intr.* **1** to work **2** (*funzionare*) to operate, to work **3** (*di ditta*) to do business **B** *v. tr.* to work

lavoratìvo *agg.* working

lavoratóre **A** *agg.* working **B** *s. m.* worker

lavorazióne *s. f.* working, manufacturing, (*metodo*) processing, (*fattura*) workmanship, (*realizzazione*) production

lavóro *s. m.* **1** work, (*spec. manuale*) labour **2** (*occupazione*) job, employment, work **3** (*fis.*) work **4** (*opera*) (piece of) work

lazzarétto *s. m.* lazaretto

le (1) *art. determ. f. pl.* the (*spesso non si traduce o si rende con l'agg. poss. o con il partitivo*) (ES: **battere le mani** to clap hands, **lavati le mani** wash your hands, **hai comprato le mele?** did you buy some apples?)

le (2) **A** *pron pers, 3ª sing. f.* **1** (*compl. ind.*) (to) her, (for) her (*riferito a donna o animale di sesso femminile*) (to) her, (for) her, (*riferito a cosa o animale di sesso indefinito*) (to) it, (for) it **2** (*compl. ind., dando del Lei*) (to) you, (for) you **B** *pron. pers. 3ª pl. f.* (*compl. ogg.*) them

leàle *agg.* **1** loyal **2** (*onesto*) fair

lealtà *s. f.* **1** loyalty **2** (*onestà*) fairness

lébbra *s. f.* leprosy

lebbrosàrio *s. m.* leper hospital

leccapièdi *s. m. e f.* bootlicker

leccàre *v. tr.* to lick, to lap

léccio *s. m.* ilex, holm-oak

leccornìa *s. f.* delicacy, titbit

lécito **A** *agg.* **1** (*dir*) licit, lawful **2** (*concesso*) allowed (*pred.*), right **B** *s. m.* right

lèdere *v. tr.* to damage

léga *s. f.* **1** league, alliance **2** (*metall.*) alloy

legàccio *s. m.* string

legàle **A** *agg.* **1** legal **2** (*conforme alla legge*) lawful **B** *s. m.* lawyer ♦ **ora l.** summer time

legalizzàre *v. tr.* **1** to legalize **2** (*autenticare*) to authenticate

legàme *s. m.* **1** tie, bond **2** (*connessione*) link, connection

legàre **A** *v. tr.* to tie, to bind, to fasten **B** *v. intr.* **1** (*accordarsi*) to go well, to get on well **2** (*aver connessione*) to be connected **C** *v. rifl.* to bind oneself

legàto s. m. (dir) legacy

legatorìa s. f. bookbindery

legatùra s. f. 1 fastening, binding 2 (mus.) ligature, slur

légge s. f. law ♦ **proposta di l.** bill

leggènda s. f. legend

leggendàrio agg. legendary

lèggere v. tr. to read

leggerézza s. f. 1 lightness 2 (agilità) nimbleness 3 (mancanza di serietà) thoughtlessness

leggèro agg. 1 light 2 (lieve) slight, (di suono) faint 3 (non forte) light, weak

leggiàdro agg. graceful

leggìbile agg. legible, readable

leggìo s. m. book-rest, (mus.) music-stand

legióne s. f. legion

legislatìvo agg. legislative

legislatùra s. f. legislature

legislazióne s. f. legislation, laws pl.

legittimàre v. tr. 1 to legitimize 2 (giustificare) to justify

legìttimo agg. lawful, legitimate, legal

légna s. f. wood, (da ardere) firewood

legnàme s. m. wood, (da costruzione) timber

légno s. m. 1 wood 2 (mus.) al pl. wood-winds pl. ♦ **di l.** wooden

legnóso agg. wooden, woody

legùme s. m. 1 (pianta) legume 2 al pl. (semi) pulse

lèi pron. pers. 3ª sing. f. 1 (oggetto) her 2 (sogg.) she 3 (nella forma di cortesia) you

lémbo s. m. 1 edge 2 (zona) strip

lèmma s. m. headword, entry

léna s. f. vigour

leninìsmo s. m. Leninism

lenìre v. tr. to soothe

lenitìvo agg. lenitive, soothing

lènte s. f. lens ♦ **lenti a contatto** contact lenses

lentézza s. f. slowness

lentìcchia s. f. lentil

lentìggine s. f. freckle

lènto agg. 1 slow 2 (allentato) slack

lènza s. f. fishing line

lenzuòlo s. m. sheet ♦ **l. da bagno** bath-towel

leóne s. m. lion

leonéssa s. f. lioness

leopàrdo s. m. leopard

lèpre s. f. hare

lèrcio agg. dirty

lèsbica s. f. lesbian

lesèna s. f. pilaster

lesinàre v. tr. e intr. to skimp

lesionàre A v. tr. to damage B v. intr. pron. to be damaged

lesióne s. f. 1 (med.) lesion 2 (dir) injury 3 (danno) damage

lessàre v. tr. to boil

lèssico s. m. 1 lexicon, language 2 (dizionario) dictionary, lexicon

lésso A agg. boiled B s. m. boiled beef, boiled meat

lèsto agg. quick

letàle agg. lethal

letamàio s. m. 1 dung-hill 2 (fig.) pigsty

letàme s. m. manure, dung

letàrgo s. m. 1 (med., fig.) lethargy 2 (zool.) dormancy

letìzia s. f. joy

lèttera s. f. letter ♦ **l. maiuscola/minuscola** capital/small letter

letteràle agg. literal

letteralménte avv. literally

letteràrio agg. literary, bookish

letteràto s. m. man of letters

letteratùra s. f. literature

lettìga s. f. stretcher

lètto s. m. bed ♦ **camera da l.** bedroom; **l. a castello** bunk bed; **l. a una piazza** single bed; **l. matrimoniale** double bed; **vagone l.** sleeping car

lettóre s. m. reader

lettùra s. f. reading

leucemìa s. f. leukaemia

lèva (1) s. f. lever

lèva (2) s. f. 1 (mil.) call-up, (USA) draft 2 (est.) generation

levànte A agg. rising B s. m. east

levàre A v. tr. 1 (sollevare) to raise, to lift 2 (togliere) to remove, to take away, to take off 3 (abolire) to remove, to abolish B v. rifl. e intr. pron. 1 (togliersi) to get out 2 (alzarsi dal letto) to get up, (alzarsi in piedi) to stand up, (alzarsi in volo) to take off 3 (sorgere) to rise

levàta s. f. 1 (del sole) rising 2 (della posta) collection

levatrìce s. f. midwife

levatùra s. f. stature, calibre

levigàre v. tr. to smooth

levigatézza s. f. smoothness

levrière s. m. greyhound

lezióne s. f. lesson, (all'università) lecture ♦ **ora di l.** period

lezióso agg. affected

lézzo s. m. stink

li pron. pers. 3ª pl. m. (compl. ogg.) them

lì avv. there ♦ **di lì a poco** shortly after; **lì per lì** (dapprima) at first, (sul momento) there and then; **lì vicino** near there

libagióne s. f. libation

libanése agg. e s. m. Lebanese

libbra s. f. pound

libèllo s. m. libel

libèllula s. f. dragon-fly

liberàle agg. liberal

liberalìsmo s. m. liberalism

liberalità s. f. liberality

liberalizzàre v. tr. to liberalize

liberalizzazióne s. f. liberalization

liberaménte avv. 1 freely 2 (francamente) frankly

liberàre **A** v. tr. 1 to free, to liberate, to release 2 (sgombrare) to clear **B** v. rifl. to free oneself, to get rid

liberatóre s. m. liberator

liberazióne s. f. liberation

lìbero agg. 1 free 2 (non occupato) clear, vacant, empty 3 (aperto) open

libertà s. f. freedom, liberty

libertino agg. libertine

liberty agg. e s. m. inv. art nouveau

lìbico agg. e s. m. Libyan

libìdine s. f. 1 lechery 2 (desiderio) lust, thirst

libràio s. m. bookseller

libràrio agg. book (attr)

libràrsi v. rifl. to hover

libreria s. f. 1 bookshop, (USA) bookstore 2 (mobile) bookcase

librettista s. m. e f. librettist

librétto s. m. 1 booklet, book 2 (d'opera) libretto ♦ **l. degli assegni** chequebook; **l. di lavoro** employment card

lìbro s. m. book ♦ **l. di bordo** logbook; **l. di testo** text-book; **l. giallo** thriller

liceàle agg. high-school (attr)

licènza s. f. 1 (concessione) licence, authorization 2 (scolastica) (esame) school-leaving examination, (diploma) school-leaving certificate 3 (libertà) liberty, licence

licenziaménto s. m. dismissal

licenziàre **A** v. tr. to dismiss **B** v. rifl. to resign

licenzióso agg. dissolute, licentious

licèo s. m. high school

lìdo s. m. shore, beach

lièto agg. glad, happy

lième agg. 1 light 2 (debole) gentle, slight, soft

lievitàre v. intr. 1 to rise, to ferment 2 (aumentare) to grow

lièvito s. m. yeast

lìgio agg. faithful

lìgneo agg. (di legno) wooden, (simile al legno) woody

lìlla agg. e s. m. lilac

lìma s. f. file

limaccióso agg. muddy

limàre v. tr. 1 to file 2 (fig.) to polish

lìmbo s. m. limbo

limétta s. f. nail-file

limitàre **A** v. tr. 1 (circoscrivere) to bound 2 (restringere) to limit, to restrict **B** v. rifl. to limit oneself, to restrict oneself

limitatìvo agg. limitative, restrictive

limitazióne s. f. limitation, restriction

lìmite s. m. limit, bound

lìmitrofo agg. neighbouring

limonàta s. f. lemonade

limóne s. m. lemon

limpidézza s. f. clearness, limpidity

lìmpido agg. clear, limpid

lince s. f. lynx

linciàggio s. m. lynching

linciàre v. tr. to lynch

lìndo agg. neat

lìnea s. f. 1 line 2 (del corpo) figure ♦ **in l. d'aria** as the crow flies; **l. aerea** airline; **servizio di linea** regular service

lineaménti s. m. pl. 1 features pl. 2 (fig.) outlines pl.

lineàre agg. 1 linear 2 (fig.) straightforward, consistent

linearità s. f. 1 linearity 2 (fig.) straightforwardness, consistency

linétta s. f. dash

lìnfa s. f. lymph

lingòtto s. m. bar

lìngua s. f. 1 tongue 2 (linguaggio) language, tongue

linguàggio s. m. language, speech

linguétta s. f. tongue, spline

linguìstica s. f. linguistics pl. (v. al sing.)

linguìstico agg. linguistic

lìno s. m. 1 (bot.) flax 2 (tessuto) linen

liofilizzàre v. tr. to freeze-dry, to lyophilize

lipìde s. m. lipid

liquefàre v. tr. e intr. pron. to liquefy

liquidàre v. tr. 1 (sciogliere) to liquidate, to wind up 2 (saldare) to settle, to clear, to pay off 3 (svendere) to sell off 4 (sbarazzarsi) to get rid of

liquidazióne *s. f.* **1** liquidation, winding-up **2** (*pagamento*) settlement, payment **3** (*indennità di fine rapporto*) severance pay **4** (*svendita*) clearance sale

liquidità *s. f.* liquidity

liquido A *agg.* liquid **B** *s. m.* **1** liquid, fluid **2** (*denaro*) cash

liquirìzia *s. f.* licorice

liquóre *s. m.* liquor, spirits *pl.*

lira (1) *s. f.* (*mus.*) lyre

lira (2) *s. f.* (*moneta*) lira ♦ **l. sterlina** pound sterling

lìrica *s. f.* **1** lyric poetry **2** (*componimento*) lyric **3** (*mus.*) opera

lìrico *agg.* **1** lyric(al) **2** (*mus.*) opera (*attr*)

lirismo *s. m.* lyricism

lìsca *s. f.* fishbone

lisciàre *v. tr.* **1** to smooth **2** (*accarezzare*) to stroke **3** (*lusingare*) to flatter

lìscio *agg.* **1** smooth **2** (*semplice*) plain ♦ **ballo l.** ballroom dance

lìso *agg.* worn out

lista *s. f.* list

listino *s. m.* list ♦ **l. prezzi** price-list

litanìa *s. f.* **1** litany **2** (*sequela*) string

lite *s. f.* **1** quarrel, row **2** (*dir*) lawsuit

litigàre *v. intr.* to quarrel, to have a row

litìgio *s. m.* quarrel, row

litigióso *agg.* quarrelsome

litografìa *s. f.* (*procedimento*) lithography, (*riproduzione*) lithograph

litoràle *s. m.* coast

litoràneo *agg.* coast (*attr*), coastal

litro *s. m.* litre, (*USA*) liter ♦ **mezzo l.** half a litre

liturgìa *s. f.* liturgy

litùrgico *agg.* liturgical

liutàio *s. m.* lute-maker

liùto *s. m.* lute

livèlla *s. f.* level

livellàre A *v. tr.* to level, to even up **B** *v. intr. pron.* to level out, to even out

livèllo *s. m.* **1** level **2** (*grado*) standard, level, degree ♦ **passaggio a l.** level crossing

lìvido A *agg.* livid **B** *s. m.* bruise

livóre *s. m.* spite

livrèa *s. f.* **1** livery **2** (*di uccello*) plumage

lìzza *s. f.* lists *pl.*

lo (1) *art. determ. m. sing.* →**il**

lo (2) *pron. pers.* 3^a *sing. m.* **1** (*compl. ogg.*) (*riferito a uomo o animale maschio*) him, (*riferito a cosa o animale di sesso non determinato*) it **2** (*questo, ciò*) it, that (*spesso idiom.*) (*ES:* **lo so** I know)

lòbo *s. m.* lobe

locàle A *agg.* local **B** *s. m.* **1** (*stanza*) room, premises *pl.* **2** (*treno*) slow train

località *s. f.* resort

localizzàre A *v. tr.* **1** to locate **2** (*circoscrivere*) to localize **B** *v. intr. pron.* to become localized

locànda *s. f.* inn

locandina *s. f.* playbill

locatàrio *s. m.* tenant, renter

locatóre *s. m.* lessor

locazióne *s. f.* lease

locomotìva *s. f.* locomotive

locomozióne *s. f.* locomotion

locùsta *s. f.* locust

locuzióne *s. f.* locution, expression

lodàre *v. tr.* to praise

lòde *s. f.* praise

lodévole *agg.* praiseworthy

logaritmo *s. m.* logarithm

lòggia *s. f.* **1** (*arch.*) loggia **2** (*massonica*) lodge

loggiàto *s. m.* open gallery

loggióne *s. m.* gallery

lògica *s. f.* logic

logicaménte *avv.* **1** logically **2** (*naturalmente*) obviously

lògico *agg.* logical

logoràre *v. tr. e intr. pron.* to wear out

logorìo *s. m.* wearing out

lógoro *agg.* worn-out

logorròico *agg.* logorrheic

logoterapìa *s. f.* speech therapy

lombàggine *s. f.* lumbago

lómbo *s. m.* loin

lombrìco *s. m.* earthworm

londinése A *agg.* London (*attr*) **B** *s. m. e f.* Londoner

longèvo *agg.* long-lived

longilìneo *agg.* long-limbed

longitudinàle *agg.* longitudinal

longitùdine *s. f.* longitude

lontanànza *s. f.* distance

lontàno A *agg.* **1** (*nello spazio*) far-off (*attr*), far-away (*attr*), distant (*attr*), far off (*pred.*), far away (*pred.*), far apart (*pred.*), far (*attr*) **2** (*nel tempo*) distant (*attr*), far-away (*attr*), far off (*pred.*), far away (*pred.*) **3** (*assente*) absent **4** (*vago*) faint, slight **B** *avv.* far away, a long way, in the distance, far **C** *prep.* **l. da** far from, away from

lóntra *s. f.* otter

loquàce *agg.* loquacious

lórdo agg. 1 dirty 2 (valore) gross

lordùra s. f. filth

lóro (1) A agg. poss. 3ª pl. m. e f. 1 their, (loro proprio) their own 2 (pred.) theirs 3 (nella forma di cortesia) your, yours (pred.) **B** pron. poss. m. e f. 1 theirs 2 (nella forma di cortesia) yours

lóro (2) pron. pers. 3ª pl. m. e f. 1 (compl. ogg. e ind.) them 2 (sogg.) they 3 (pred.) them, they 4 (nella forma di cortesia, sogg. e compl.) you

losànga s. f. lozenge

lósco agg. 1 (bieco) sly 2 (di dubbia onestà) suspicious, shady

lòtta s. f. 1 struggle, fight 2 (sport) wrestling

lottàre v. intr. 1 to struggle, to fight 2 (sport) to wrestle

lottatóre s. m. 1 fighter 2 (sport) wrestler

lotterìa s. f. lottery, (di beneficenza) raffle

lottizzàre v. tr. 1 to lot out 2 (pol.) to carve up

lozióne s. f. lotion

lubrificànte A agg. lubricating **B** s. m. lubricant

lubrificàre v. tr. to lubricate, to oil

lubrificazióne s. f. lubrication

lucchétto s. m. padlock

luccicàre v. intr. to glitter, to sparkle, to twinkle

lùccio s. m. pike

lùcciola s. f. firefly

lùce s. f. 1 light 2 (apertura) opening, (arch.) span 3 (finestra, vetrina) (light) window

lucènte agg. shining

lucèrna s. f. oil-lamp

lucernàrio s. m. skylight

lucèrtola s. f. lizard

lucidàre v. tr. to polish

lucidatrìce s. f. polisher

lucidità s. f. lucidity

lùcido A agg. 1 bright, shiny, (lucidato) polished 2 (fig.) lucid **B** s. m. 1 brightness, sheen 2 (materiale lucidante) polish

lucràre v. tr. to gain, to make a profit

lùcro s. m. gain, profit

lucróso agg. lucrative

ludìbrio s. m. mockery

lùdico agg. ludic, playful

lùglio s. m. July

lùgubre agg. gloomy, dismal

lùi pron. pers. 3ª sing. m. 1 (compl. ogg. e ind.) him 2 (sogg.) he 3 (pred.) he, him

lumàca s. f. snail

lùme s. m. lamp, light

luminària s. f. illuminations pl.

luminosità s. f. brightness, luminosity

luminóso agg. 1 bright, luminous 2 (fig.) brilliant

lùna s. f. moon ♦ **l. di miele** honeymoon

lùna park loc. sost. m. inv. funfair

lunàre agg. lunar, moon (attr)

lunàrio s. m. almanac

lunàtico agg. moody

lunedì s. m. Monday

lunétta s. f. lunette

lungàggine s. f. slowness

lunghézza s. f. 1 length 2 (edil.) run

lùngi avv. far

lungimirànte agg. farsighted

lùngo A agg. 1 long 2 (alto) tall 3 (lento) slow 4 (diluito) weak, thin **B** prep. 1 along, by the side of 2 (durante) during, over

lungolàgo s. m. lakeside

lungomàre s. m. seafront, promenade

lunòtto s. m. rear window, back window

luògo s. m. 1 place, spot 2 (di azione) scene, site 3 (di scritto) passage

luogotenènte s. m. lieutenant

lùpo s. m. wolf

lùppolo s. m. hop

lùrido agg. filthy, dirty

lusìnga s. f. allurement, flattery

lusingàre v. tr. to allure, to flatter

lusinghièro agg. flattering, tempting

lussàre v. tr. to dislocate

lussazióne s. f. dislocation

lùsso s. m. luxury

lussuóso agg. luxurious

lussureggiànte agg. luxuriant

lussùria s. f. lust

lussurióso agg. lustful

lustràre A v. tr. to polish **B** v. intr. to shine

lustrascàrpe s. m. e f. inv. shoeshine

lustrìno s. m. sequin

lùstro (1) A agg. bright, shining, (lucidato) polished **B** s. m. 1 shine, gloss 2 (fig.) lustre, splendour

lùstro (2) s. m. (periodo di 5 anni) five-year period

luteranésimo s. m. Lutheranism

luteràno agg. e s. m. Lutheran

lùtto s. m. mourning

luttuóso agg. 1 mournful 2 (che causa lutto) tragic, distressing

M

ma *cong.* but, (*invece*) only that, (*tuttavia*) yet, still

màcabro *agg.* macabre

macché *inter.* of course not!

màcchia (1) *s. f.* stain, spot, blot

màcchia (2) *s. f.* (*boscaglia*) bush, copse

macchiàre **A** *v. tr.* to stain, to spot **B** *v. intr. pron.* **1** to get stained **2** (*fig.*) to sully

macchiétta *s. f.* **1** speck **2** (*persona*) character

màcchina *s. f.* **1** machine, engine **2** (*autom.*) car ◆ **m. per scrivere** typewriter

macchinàre *v. tr.* to plot

macchinàrio *s. m.* machinery

macchinazióne *s. f.* machination, plot

macchinista *s. m.* (*ferr.*) engine-driver, (*naut.*) engineer

macchinóso *agg.* intricate, complex

macedònia *s. f.* fruit-salad

macellàio *s. m.* butcher

macellàre *v. tr.* to slaughter

macelleria *s. f.* butcher's shop

macèllo *s. m.* slaughter

maceràre **A** *v. tr.* **1** to soak, to steep **2** (*tecnol.*) to macerate **B** *v. rifl.* (*struggersi*) to waste away

macèrie *s. f. pl.* rubble, ruins *pl.*

macigno *s. m.* boulder, rock

macilènto *agg.* emaciated

màcina *s. f.* millstone

macinacaffè *s. m.* coffee grinder

macinapépe *s. m. inv.* pepper-mill

macinàre *v. tr.* to grind, to mill, (*carne*) to mince

macinino *s. m.* grinder, mill

macrobiòtico *agg.* macrobiotic

macroscòpico *agg.* **1** macroscopic **2** (*fig.*) gross, glaring

maculàto *agg.* spotted, (*zool.*) dappled

màdia *s. f.* kneading-trough

màdido *agg.* wet

madornàle *agg.* enormous, gross

màdre **A** *s. f.* **1** mother **2** (*matrice*) counterfoil, stub **B** *agg.* mother (*attr*) ◆ **scena m.** crucial scene

madrelingua **A** *agg. e s. f.* mother tongue **B** *s. m. e f.* native speaker

madrepàtria *s. f.* mother land, mother country

madrepèrla *s. f.* mother-of-pearl

madrigàle *s. m.* madrigal

madrina *s. f.* **1** godmother **2** (*di cerimonia*) patroness

maestà *s. f.* majesty

maestóso *agg.* majestic, magnificent

maèstra *s. f.* teacher, (school) mistress

maestràle *s. m.* mistral

maestrànze *s. f. pl.* hands *pl.*, workers *pl.*

maestrìa *s. f.* **1** mastery, skill **2** (*accortezza*) cunning

maèstro **A** *agg.* **1** (*principale*) main **2** (*abile*) masterly, skilful **B** *s. m.* master, teacher, (*di scuola*) schoolteacher

màga *s. f.* sorceress

magàgna *s. f.* **1** (*imperfezione*) flaw, defect **2** (*problema*) catch **3** (*acciacco*) infirmity

magàri **A** *inter.* and how!, you bet! **B** *cong.* **1** (*desiderativo*) if only **2** (*concessivo*) even if **C** *avv.* **1** (*forse*) perhaps, maybe **2** (*persino*) even

magazzino *s. m.* **1** (*deposito*) warehouse **2** (*negozio*) shop, store ◆ **grande m.** department store

màggio *s. m.* May

maggioràna *s. f.* marjoram

maggiorànza *s. f.* majority ◆ **la m. di** the greater part of, most

maggioràre *v. tr.* to increase, to put up

maggiorazióne *s. f.* **1** (*aumento*) increase **2** (*sovrapprezzo*) surcharge, extra charge

maggiordòmo *s. m.* butler

maggióre **A** *agg. comp.* **1** (*più grande*) greater, (*più grosso*) larger, bigger, (*più alto*) higher, taller, (*più lungo*) longer, (*più largo*) wider **2** (*più importante*) major **3** (*più anziano*) older, (*tra figli*) elder **B** *agg. sup. rel.* **1** (*il più grande*) the greatest, (*il più grosso*) the largest, the biggest, (*il più alto*) the highest, the tallest, (*il più lungo*) the longest, (*il più largo*) the widest **2** (*il più importante*) major, main **3** (*il più anziano*) oldest, (*tra figli*) eldest **C** *s. m. e f.* **1** (*il più anziano*) the oldest, (*tra figli*) the eldest **2** (*di grado*) superior **3** (*mil.*) major

maggiorénne *s. m. e f.* major, adult ◆ **diventare m.** to come of age

maggioritàrio *agg.* majority (*attr*)
maggiorménte *avv.* **1** (*di più*) more **2** (*più di tutto*) most
magìa *s. f.* **1** magic **2** (*incantesimo*) spell
màgico *agg.* magical
magistèro *s. m.* teaching
magistràle *agg.* masterly
magistràto *s. m.* **1** (*dir*) magistrate, judge **2** (*funzionario*) official
magistratùra *s. f.* **1** magistrature, magistracy **2** (*insieme dei magistrati*) the Bench
màglia *s. f.* **1** (*di filo*) stitch, (*di rete*) mesh, (*di catena*) link **2** (*lavoro a maglia*) knitting **3** (*indumento*) sweater, (*intima*) vest, (*maglietta*) T-shirt, (*sport*) shirt
maglierìa *s. f.* knitwear
magliétta *s. f.* T-shirt, (*intima*) vest
màglio *s. m.* hammer
magnànimo *agg.* magnanimous, noble
magnàte *s. m.* magnate, tycoon
magnèsio *s. m.* magnesium
magnète *s. m.* **1** (*fis.*) magnet **2** (*mecc.*) magneto
magnètico *agg.* magnetic
magnetismo *s. m.* magnetism
magnificaménte *avv.* magnificently
magnìfico *agg.* magnificent
màgno *agg.* great
magnòlia *s. f.* magnolia
màgo *s. m.* magician, wizard
màgra *s. f.* **1** (*di fiume*) minimum flow **2** (*scarsezza*) shortage **3** (*fam.*) (*figuraccia*) poor figure
magrézza *s. f.* thinness, leanness
màgro A *agg.* **1** thin, lean, slim **2** (*scarso*) poor, scanty **3** (*misero*) meagre, scant B *s. m.* (*parte magra*) lean (meat)
mài *avv.* never, ever (*in frasi interr, comparative e in presenza di negazione*) ♦ **caso m.** if; **come m.?** why?; **m. più** never again; **più che m.** more than ever
maiàle *s. m.* **1** pig **2** (*cuc.*) pork ♦ **braciole di m.** pork chops
maiòlica *s. f.* majolica
maionése *s. f.* mayonnaise
màis *s. m.* maize, (*USA*) corn
maiùscolo *agg.* capital
malaccòrto *agg.* ill-advised, imprudent
malaféde *s. f.* bad faith
malaménte *avv.* badly
malandàto *agg.* in bad condition
malànno *s. m.* **1** (*malattia*) illness, (*acciacco*) infirmity **2** (*disgrazia*) misfortune

malapéna, a *loc. avv.* hardly
malària *s. f.* malaria
malatìccio *agg.* sickly
malàto A *agg.* **1** sick (*attr*), ill (*pred.*) **2** (*di pianta*) diseased **3** (*fig.*) unsound, morbid, unhealthy B *s. m.* sick person, patient
malattìa *s. f.* **1** sickness, illness, disease **2** (*di piante*) disease
malauguratamente *avv.* unfortunately
malaugùrio *s. m.* ill omen
malavita *s. f.* (the) underworld
malcóncio *agg.* battered
malcontènto A *agg.* dissatisfied B *s. m.* discontent
malcostùme *s. m.* immorality
maldèstro *agg.* **1** clumsy **2** (*inesperto*) inexperienced
maldicènza *s. f.* **1** slander **2** (*pettegolezzo*) gossip
maldispósto *agg.* ill-disposed
màle A *s. m.* **1** (*in senso morale*) evil, wrong **2** (*dolore*) pain, ache, (*malattia*) sickness, illness, disease **3** (*sventura*) ill, misfortune, (*guaio*) trouble **4** (*danno*) harm B *avv.* badly, not well ♦ **capire m.** to misunderstand; **farsi m.** to hurt oneself; **non c'è m.** not too bad; **stare m.** (*di salute*) to be ill, (*non adattarsi*) not to suit
maledétto *agg.* cursed, damned
maledire *v. tr.* to curse, to damn
maledizióne *s. f.* curse, malediction
maleducàto *agg.* rude, ill-bred, impolite
maleducazióne *s. f.* rudeness
malefàtta *s. f.* misdeed
maleficio *s. m.* spell
malèfico *agg.* harmful
maleodorànte *agg.* stinking
malèssere *s. m.* **1** ailment, malaise **2** (*fig.*) uneasiness
malèvolo *agg.* malevolent
malfamàto *agg.* ill-famed
malfàtto *agg.* badly done
malfattóre *s. m.* criminal
malférmo *agg.* **1** unsteady, shaky **2** (*di salute*) poor, delicate
malformazióne *s. f.* malformation, deformity
malgovèrno *s. m.* misrule, bad government, (*cattiva amministrazione*) mismanagement
malgràdo A *prep.* notwithstanding, in spite of B *cong.* (al)though, even though ♦ **mio/tuo m.** against my/your will
malìa *s. f.* **1** spell **2** (*fig.*) charm

malignàre *v. intr.* to malign, to speak badly

malignità *s. f.* malignity, malice

maligno *agg.* **1** malicious, malevolent **2** (*malefico*) evil, malignant, malign **3** (*med.*) malignant

malinconìa *s. f.* **1** melancholy, sadness **2** (*pensiero*) gloom

malincònico *agg.* melancholy, sad, gloomy

malincuòre, a *loc. avv.* unwillingly

malintenzionàto *agg.* ill-intentioned

malintéso A *agg.* mistaken **B** *s. m.* misunderstanding

malìzia *s. f.* **1** malice **2** (*astuzia*) cunning **3** (*espediente*) trick

malizióso *agg.* **1** malicious **2** (*astuto*) artful

malleàbile *agg.* malleable

màlleolo *s. m.* malleolus

malmenàre *v. tr.* **1** (*picchiare*) to beat up **2** (*trattare male*) to ill-treat, to mishandle

malmésso *agg.* shabby

malnutrìto *agg.* malnourished

malnutrizióne *s. f.* malnutrition

malòcchio *s. m.* evil eye

malóra *s. f.* ruin ♦ **andare in m.** to go to the dogs (*fam.*)

malóre *s. m.* (sudden) illness

malsàno *agg.* **1** unhealthy, sickly **2** (*non salutare*) unhealthy, unwholesome **3** (*fig.*) morbid, sick

malsicùro *agg.* **1** (*poco stabile*) unsteady **2** (*privo di sicurezza*) unsafe **3** (*incerto*) uncertain **4** (*inattendibile*) unreliable

màlta *s. f.* mortar

maltèmpo *s. m.* bad weather

màlto *s. m.* malt

maltrattaménto *s. m.* abuse

maltrattàre *v. tr.* to ill-treat, to maltreat

malumóre *s. m.* **1** bad temper, bad mood **2** (*dissapore*) bad feeling **3** (*scontento*) unrest ♦ **essere di m.** to feel blue

màlva A *s. f.* (*bot.*) mallow **B** *s. m.* (*colore*) mauve

malvàgio *agg.* wicked, evil

malversazióne *s. f.* misappropriation

malvisto *agg.* disliked, unpopular

malvivènte *s. m.* delinquent

malvolentièri *avv.* unwillingly, against one's will

màmma *s. f.* mother, mummy (*fam.*)

mammèlla *s. f.* (*anat.*) mamma, (*fam.*) breast, (*di femmina d'animale*) udder

mammìfero A *agg.* mammalian **B** *s. m.* mammal, mammalian

manager *s. m. e f.* manager

manageriàle *agg.* managerial

manàta *s. f.* **1** (*manciata*) handful **2** (*colpo*) slap

mancaménto *s. m.* faint

mancànza *s. f.* **1** want, lack **2** (*assenza*) absence **3** (*fallo*) fault **4** (*difetto*) defect

mancàre A *v. intr.* **1** (*non avere a sufficienza*) to lack, to be lacking, to want, to be wanting **2** (*non esserci*) to be absent, (*non essere reperibile*) to be missing, (*essere lontano*) to be away **3** (*per arrivare a un termine stabilito*) to be (ES: **manca un quarto alle dieci** it is a quarter to ten) **4** (*per completare q.c.*) to be needed **5** (*venire meno*) to fail **6** (*agire male*) to wrong, (*sbagliare*) to make a mistake **7** (*omettere*) to omit, to fail **8** (*morire*) to pass away **9** (*essere rimpianto*) to miss (*costruzione pers.*) **B** *v. tr.* to miss

mància *s. f.* tip

manciàta *s. f.* handful

mancìno *agg.* **1** left-handed **2** (*fig.*) treacherous

mandàre *v. tr.* **1** to send, to forward, to dispatch **2** (*emettere*) to give off, to emit ♦ **m. a chiamare** to send for; **m. a rotoli, a monte** to upset; **m. giù** to swallow; **m. in onda** to broadcast

mandarìno *s. m.* tangerine

mandàto *s. m.* **1** (*incarico*) mandate, task, commission **2** (*dir., comm.*) warrant, order

mandìbola *s. f.* mandible, jaw

mandolìno *s. m.* mandolin(e)

màndorla *s. f.* almond

màndria *s. f.* herd

mandrìno *s. m.* mandrel, spindle, chuck

maneggévole *agg.* handy, manageable

maneggiàre *v. tr.* **1** (*strumenti*) to handle, to use **2** (*pasta, cera*) to knead, to mould **3** (*amministrare*) to manage

manéggio *s. m.* **1** (*il maneggiare*) handling, use **2** (*gestione*) management **3** *al pl.* (*intrighi*) intrigue **4** (*equitazione*) manège

manétte *s. f. pl.* handcuffs *pl.*

manfòrte *s. f.* help

manganèllo *s. m.* club

manganése *s. m.* manganese

mangeréccio *agg.* edible

mangiàbile *agg.* eatable

mangianàstri *s. m. inv.* cassette player

mangiàre A *v. tr.* **1** to eat, to take one's meals **2** (*consumare*) to eat up, to consume **3** (*nei giochi*) to take **B** *s. m.* **1** eating **2**

(*cibo*) food

mangiàta *s. f.* square meal, bellyful

mangiatóia *s. f.* manger

mangìme *s. m.* feedstuff, (*foraggio*) fodder

mangióne *s. m.* big eater

mangiucchiàre *v. tr.* to nibble at

màngo *s. m.* mango

manìa *s. f.* mania ♦ **m. di persecuzione** persecution complex

manìaco *agg.* 1 maniac(al) 2 (*fissato*) mad, crazy

mànica *s. f.* 1 sleeve 2 (*fam.*) (*combriccola*) gang ♦ **maniche corte/lunghe** short/long sleeves

manicarétto *s. m.* dainty, delicacy

manichìno *s. m.* dummy

mànico *s. m.* handle

manicòmio *s. m.* mental hospital, madhouse (*fam.*)

manicòtto *s. m.* muff

manicùre *s. f. e m.* 1 manicure 2 (*persona*) manicurist

manièra *s. f.* 1 manner, way 2 *al pl.* (*comportamento*) manners 3 (*stile*) style, manner

manieràto *agg.* affected

manierìsmo *s. m.* mannerism

manifattùra *s. f.* 1 manufacture 2 (*lavorazione*) workmanship 3 (*fabbrica*) factory

manifestàre **A** *v. tr.* to manifest, to show, to display, to express **B** *v. intr.* to demonstrate **C** *v. rifl. e intr. pron.* to manifest oneself, to reveal oneself, to show oneself

manifestazióne *s. f.* 1 manifestation, display 2 (*dimostrazione*) demonstration

manifèsto **A** *agg.* clear, obvious **B** *s. m.* 1 (*affisso*) placard, poster, (*avviso*) notice 2 (*ideologico, artistico*) manifesto

manìglia *s. f.* handle, (*appiglio sui mezzi pubblici*) strap

manipolàre *v. tr.* 1 to manipulate, to handle 2 (*adulterare*) to adulterate, (*falsificare*) to falsify 3 (*condizionare*) to manipulate

manipolazióne *s. f.* 1 manipulation, handling 2 (*adulterazione*) adulteration, (*falsificazione*) falsification, fiddling 3 (*condizionamento*) manipulation

maniscàlco *s. m.* horseshoer

mànna *s. f.* 1 manna 2 (*fig.*) blessing

mannàia *s. f.* axe, cleaver

màno *s. f.* 1 hand 2 (*lato*) side 3 (*tocco*) touch, hand 4 (*di vernice*) coat ♦ **contro m.** on the wrong side of the road; **di seconda m.** second-hand; **fatto a m.** handmade; **stringersi la m.** to shake hands

manodòpera *s. f.* labour

manòmetro *s. m.* manometer, gauge

manométtere *v. tr.* to tamper with

manòpola *s. f.* 1 grip, handle 2 (*girevole*) knob

manoscritto **A** *agg.* handwritten **B** *s. m.* manuscript

manovàle *s. m.* labourer

manovèlla *s. f.* crank, handle

manòvra *s. f.* 1 (*mil.*) manoeuvre 2 (*movimento*) manoeuvring, working 3 (*naut.*) rigging 4 (*fig.*) manoeuvre

manovràre **A** *v. tr.* 1 to manoeuvre, to handle, to control 2 (*fig.*) to manage, to manipulate **B** *v. intr.* 1 to manoeuvre 2 (*fig.*) to scheme

mansàrda *s. f.* mansard

mansióne *s. f.* function, task, duty

mansuèto *agg.* mild, meek

mantecàre *v. tr.* to whisk

mantèlla *s. f.* mantle, cloak

mantèllo *s. m.* 1 mantle, cloak 2 (*di animale*) coat

mantenére **A** *v. tr.* 1 to maintain, to keep, to preserve 2 (*sostenere*) to maintain, to support, to keep 3 (*rispettare*) to keep **B** *v. rifl.* to earn one's living, to keep oneself **C** *v. intr. pron.* to keep

mantenimènto *s. m.* 1 maintenance 2 (*sostentamento*) support 3 (*manutenzione*) upkeep

màntice *s. f.* 1 bellows *pl.* 2 (*di carrozza*) hood

mànto *s. m.* mantle, cloak ♦ **m. stradale** road surface

manuàle **A** *agg.* manual **B** *s. m.* manual, handbook

manualità *s. f.* 1 manual character 2 (*destrezza*) manual dexterity

manualménte *avv.* manually, by hand

manùbrio *s. m.* 1 handle, (*di veicolo*) handle bar 2 (*attrezzo ginnico*) dumb-bell

manufàtto *s. m.* handwork, handmade article

manutenzióne *s. f.* maintenance, upkeep, (*tecnica*) service

mànzo *s. m.* 1 steer 2 (*cuc.*) beef

maomettàno *agg.* Mohammedan

màppa *s. f.* map, plan

mappamóndo *s. m.* 1 (*globo*) globe 2 (*planisfero*) map of the world

maràsma *s. m.* 1 (*decadenza*) decay 2

(*caos*) chaos
maratóna *s. f.* marathon
màrca *s. f.* **1** brand, mark, (*fabbricazione*) make **2** (*bollo*) stamp **3** (*contromarca*) check **4** (*fig.*) kind, character
marcàre *v. tr.* **1** to mark, to brand **2** (*sport*) to score **3** (*accentuare*) to emphasize
marchése *s. m.* marquis, marquess
marchiàre *v. tr.* to brand, to mark, to stamp
màrchio *s. m.* **1** brand, mark, stamp **2** (*fig.*) mark ♦ **m. di fabbrica** trademark; **m. registrato** registered trademark
màrcia *s. f.* **1** march **2** (*sport*) walk **3** (*autom.*) gear, speed **4** (*mus.*) march
marciapiède *s. m.* **1** pavement, (*USA*) sidewalk **2** (*fer.*) platform
marciàre *v. intr.* to march, to walk
màrcio *agg.* rotten
marcìre *v. intr.* to rot, to go bad
marciùme *s. m.* rot
màrco *s. m.* mark
màre *s. m.* sea ♦ **andare al m.** to go to the seaside; **frutti di m.** seafood
marèa *s. f.* tide
mareggiàta *s. f.* seastorm
maremòto *s. m.* seaquake
margarìna *s. f.* margarine
margherìta *s. f.* daisy
marginàle *agg.* marginal
màrgine *s. m.* **1** (*orlo, bordo*) edge **2** (*di foglio*) margin **3** (*econ.*) margin
margòtta *s. f.* layer
mariàno *agg.* Marian
marìna **A** *s. f.* **1** navy **2** (*arte*) seascape **B** *s. m. inv.* (*naut.*) marina
marinàio *s. m.* seaman, sailor, mariner
marinàre *v. tr.* **1** (*cuc.*) to marinate, to pickle **2** (*la scuola*) to play truant
marinarésco *agg.* sailor (*attr*)
marìno *agg.* marine, sea (*attr*)
marionétta *s. f.* puppet
maritàre **A** *v. tr.* to marry **B** *v. rifl. e rifl. rec.* to get married
marìto *s. m.* husband
marìttimo *agg.* maritime, marine, sea (*attr*)
marmàglia *s. f.* rabble
marmellàta *s. f.* jam ♦ **m. di arance** marmalade
marmìtta *s. f.* silencer (*autom.*)
màrmo *s. m.* marble
marmòcchio *s. m.* kid
marmòreo *agg.* marble (*attr*)
marmòtta *s. f.* marmot
marocchìno *agg. e s. m.* Moroccan

maróso *s. m.* breaker
marróne **A** *agg.* brown **B** *s. m.* (*castagna*) chestnut
marsìna *s. f.* tails *pl.*
marsùpio *s. m.* **1** (*zool.*) marsupium, pouch **2** (*per bambini*) baby sling
martedì *s. m.* Tuesday
martellaménto *s. m.* pounding
martellàre **A** *v. tr.* **1** to hammer **2** (*fig.*) to pound **B** *v. intr.* to throb
martèllo *s. m.* hammer
martinétto *s. m.* jack
màrtire *s. m. e f.* martyr
martìrio *s. m.* **1** martyrdom **2** (*fig.*) torment
màrtora *s. f.* marten
martoriàre *v. tr.* to torment
marxìsmo *s. m.* Marxism
marxìsta *agg. e s. m. e f.* Marxist
marzapàne *s. m.* marzipan
marziàle *agg.* martial
marziàno *s. m.* Martian
màrzo *s. m.* March
mascalzóne *s. m.* rascal, scoundrel
mascàra *s. m. inv.* mascara
mascèlla *s. f.* jaw
màschera *s. f.* **1** mask **2** (*travestimento*) fancy dress **3** (*persona mascherata*) masker **4** (*di commedia*) stock character **5** (*inserviente di teatro, cinema*) usher *m.*, usherette *f.* ♦ **ballo in m.** masked ball; **m. di bellezza** face mask
mascheràre **A** *v. tr.* **1** to mask **2** (*travestire*) to dress up **3** (*nascondere*) to conceal, to disguise **B** *v. rifl.* **1** to put on a mask, (*vestirsi da*) to dress as **2** (*fig.*) to pass oneself off
mascheràta *s. f.* masquerade
maschìle *agg.* **1** male, men's **2** (*virile*) masculine, manly **3** (*gramm.*) masculine
maschìlista *agg.* male chauvinist
màschio (1) **A** *agg.* male **B** *s. m.* male, (*ragazzo*) boy, (*uomo*) man, (*figlio*) son
màschio (2) *s. m.* (*di castello*) donjon
mascolìno *agg.* masculine
mascòtte *s. f. inv.* mascot
masochìsmo *s. m.* masochism
màssa *s. f.* **1** mass, body **2** (*grande quantità*) heap, load **3** (*folla*) mass, crowd **4** (*fis.*) mass **5** (*elettr*) earth, ground
massacrànte *agg.* exhausting
massacràre *v. tr.* **1** to massacre, to slaughter **2** (*picchiare*) to beat **3** (*rovinare*) to spoil
massàcro *s. m.* **1** massacre, slaughter **2**

(fig.) disaster

massaggiàre *v. tr.* to massage

massàggio *s. m.* massage

massàia *s. f.* housewife, housekeeper

masserizie *s. f. pl.* household goods *pl.*

massicciàta *s. f.* roadbed, ballast

massìccio A *agg.* massive **B** *s. m.* massif

massificazióne *s. f.* standardization

màssima (1) *s. f.* **1** *(principio)* principle, rule **2** *(detto)* saying, maxim

màssima (2) *s. f.* *(temperatura)* maximum

massimàle *s. m.* limit, ceiling

massimalìsmo *s. m.* maximalism

màssimo A *agg.* **1** maximum, the greatest **2** *(mat.)* highest, maximum **B** *s. m.* maximum, top, peak ♦ **al m.** *(tutt'al più)* at most, *(al più tardi)* at the latest; **m. livello** top level; **tempo m.** time limit

màsso *s. m.* mass of stone, block, rock ♦ **caduta massi** falling rocks

massóne *s. m.* Freemason

massoneria *s. f.* Freemasonry

masticàre *v. tr.* **1** to chew, to masticate **2** *(borbottare)* to mumble

màstice *s. f.* mastic, putty

mastìno *s. m.* mastiff

mastodòntico *agg.* colossal, enormous

masturbazióne *s. f.* masturbation

matàssa *s. f.* **1** skein, hank **2** *(fig.)* tangle

matemàtica *s. f.* mathematics *pl. (v. al sing.)*, *(fam.)* maths *pl. (v. al sing.)*

matemàtico *agg.* mathematic(al)

materassìno *s. m.* **1** *(gonfiabile)* inflatable mattress, airbed **2** *(sport)* mat

materàsso *s. m.* mattress

matèria *s. f.* **1** matter, *(materiale)* material *(sostanza)* substance **2** *(argomento)* matter, subject, theme **3** *(disciplina)* subject ♦ **materie prime** raw materials

materiàle A *agg.* **1** material **2** *(rozzo)* rough **B** *s. m.* material, stuff

materialìsmo *s. m.* materialism

materialménte *avv.* materially

maternità *s. f.* maternity, motherhood ♦ **congedo per m.** maternity leave

matèrno *agg.* maternal, motherly, mother *(attr)*

matìta *s. f.* pencil

matriarcàle *agg.* matriarchal

matrìce *s. f.* **1** matrix **2** *(di registro, libretto)* counterfoil, stub **3** *(metall.)* mould, die **4** *(fig.)* root

matrìcola *s. f.* **1** *(registro)* roll list, register **2** *(numero)* (matriculation) number **3** *(studente)* fresher

matrìgna *s. f.* stepmother

matrimoniàle *agg.* matrimonial, marriage *(attr)*, wedding *(attr)* ♦ **camera/letto m.** double room/bed

matrimònio *s. m.* **1** marriage **2** *(cerimonia)* wedding ♦ **pubblicazioni di m.** banns

matróna *s. f.* matron

matronèo *s. m.* women's gallery

matronìmico *agg.* matronymic

mattatóio *s. m.* slaughter-house

mattìna *s. f.* morning

mattinàta *s. f.* morning

mattinièro *agg.* early-rising

mattìno *s. m.* morning

màtto A *agg.* mad, crazy **B** *s. m.* madman, lunatic ♦ **scacco m.** checkmate

mattóne *s. m.* **1** brick **2** *(fig.)* bore

mattonèlla *s. f.* tile

mattutìno A *agg.* **1** morning *(attr)* **2** *(mattiniero)* early-rising

maturàre A *v. tr.* **1** to mature, to ripen **2** *(raggiungere)* to reach gradually **B** *v. intr.* **1** *(di frutto)* to ripe **2** *(di persona, cosa)* to mature **3** *(comm.)* to fall due, *(di interessi)* to accrue **C** *v. intr. pron.* to mature, to become mature

maturazióne *s. f.* **1** maturation, ripening **2** *(comm.)* maturity, expiry, *(di interessi)* accrual

maturità *s. f.* maturity

matùro *agg.* mature, ripe

mausolèo *s. m.* mausoleum

màzza *s. f.* club

mazzàta *s. f.* blow

mazzétto *s. m.* (little) bunch

màzzo *s. m.* bunch ♦ **m. di carte** pack of cards

me *pron. pers. 1ª sing. m. e f.* **1** *(compl. ogg. e ind.)* me **2** *(con funzione di sogg.)* I

meàndro *s. m.* meander

meccànica *s. f.* **1** mechanics *pl. (v. al sing.)* **2** *(meccanismo)* mechanism

meccanicaménte *avv.* mechanically

meccànico A *agg.* mechanical **B** *s. m.* mechanic, *(tecnico)* engineer

meccanìsmo *s. m.* **1** mechanism, works *pl.* **2** *(fig.)* mechanism

meccanizzàre A *v. tr.* to mechanize **B** *v. intr. pron.* to become mechanized

meccanizzazióne *s. f.* mechanization

mecenàte *s. m. e f.* patron

mecenatìsmo *s. m.* patronage

mèda *s. f.* seamark, beacon
medàglia *s. f.* medal
medaglióne *s. m.* locket, medallion
medésimo A *agg. dimostr.* same **B** *pron. dimostr.* (*persona*) the same (one), (*cosa*) the same (thing)
mèdia *s. f.* average, mean
mediàno *agg.* medial, middle (*attr*)
mediànte *prep.* by, by means of, through
mediàre *v. tr. e intr.* to mediate
mediatóre *s. m.* **1** mediator, middleman **2** (*comm.*) broker
medicaménto *s. m.* medicament
medicàre A *v. tr.* to medicate, to treat **B** *v. rifl.* to medicate oneself
medicazióne *s. f.* dressing, medication
medicìna *s. f.* **1** medicine **2** (*medicamento*) medicine, medicament, (*USA*) drug
medicinàle A *agg.* medicinal **B** *s. m.* medicine, medicament, (*USA*) drug
mèdico A *agg.* medical **B** *s. m.* doctor
medievàle *agg.* medieval
mèdio A *agg.* **1** (*di mezzo*) middle, medium **2** (*conforme alla media*) average (*attr*), mean (*attr*) **3** (*scient.*) medium **B** *s. m.* (*dito*) middle finger
mediòcre *agg.* mediocre, second-rate, ordinary
mediocrità *s. f.* mediocrity
medioevo *s. m.* Middle Ages *pl.*
meditàre A *v. tr.* **1** to meditate, to ponder **2** (*progettare*) to plan, to intend **B** *v. intr.* to meditate (on), to brood (over), to ponder
meditazióne *s. f.* meditation
mediterràneo *agg.* Mediterranean
medùsa *s. f.* jelly-fish, medusa
megàfono *s. m.* megaphone
megalìtico *agg.* megalithic
megalòmane *agg.* megalomaniac
megalòpoli *s. f.* megalopolis
mèglio A *avv.* **1** (*comp.*) better **2** (*sup. rel.*) best **B** *agg. inv.* **1** (*migliore, preferibile*) better **2** (*sup. rel.*) best **C** *s. m. e f. inv.* (the) best (thing) ♦ **avere la m. su qc.** to have the better of sb.; **di bene in m.** better and better; **m. ancora** better still
méla *s. f.* apple ♦ **m. cotogna** quince
melagràna *s. f.* pomegranate
melanzàna *s. f.* aubergine, (*USA*) eggplant
melènso *agg.* dull
mellìfluo *agg.* honeyed, sugary
mélma *s. f.* slime, mud
melmóso *agg.* slimy, muddy

melodìa *s. f.* melody
melodióso *agg.* melodious
melodrammàtico *agg.* **1** (*mus.*) operatic **2** (*fig.*) melodramatic
melóne *s. m.* melon
membràna *s. f.* membrane
mèmbro *s. m.* **1** member **2** (*arto*) limb
memoràbile *agg.* memorable
memòria *s. f.* **1** memory **2** (*ricordo*) memory, remembrance, recollection **3** (*oggetto*) memento, (*di famiglia*) heirloom **4** (*scritto*) memoir ♦ **sapere q.c. a m.** to know st. by heart
memoriàle *s. m.* **1** (*dir*) memorial **2** (*memorie*) memoirs *pl.*
menadìto, a *loc. avv.* perfectly
mendicànte *s. m. e f.* beggar
mendicàre *v. tr. e intr.* to beg
menefreghìsmo *s. m.* indifference
menìnge *s. f.* meninx
meningìte *s. f.* meningitis
menìsco *s. m.* meniscus
méno A *avv.* **1** less, not so ... (as) **2** (*comp.*) less ... than, not so ... as, not as ... as **3** (*sup.*) the least, (*fra due*) the less **4** (*mat.*) minus **B** *agg. inv.* less, not so much, (*con s. pl.*) fewer **C** *s. m. inv.* **1** less, not as much **2** (*il minimo*) the least, as little as **3** (*mat.*) minus ♦ **a m. che** unless; **fare a m. di** to do without; **venire m.** to fail
menomàre *v. tr.* to disable, to damage
menomazióne *s. f.* disablement
menopàusa *s. f.* menopause
mènsa *s. f.* **1** table **2** (*di università*) refectory, (*di fabbrica*) canteen, (*di soldati*) cookhouse, (*di ufficiali*) mess
mensìle A *agg.* monthly **B** *s. m.* **1** (*salario*) salary **2** (*pubblicazione*) monthly
mensilménte *avv.* monthly
mènsola *s. f.* **1** shelf **2** (*arch.*) console, bracket
ménta *s. f.* mint
mentàle *agg.* mental
mentalità *s. f.* mentality, outlook
mentalménte *avv.* mentally
ménte *s. f.* mind
mentìre *v. intr.* to lie
ménto *s. m.* chin
mentòlo *s. m.* menthol
méntre A *cong.* **1** (*temporale*) while, (*quando*) as **2** (*avversativo*) whereas, while **3** (*finché*) while, as long as **B** *s. m. inv.* moment, meantime, meanwhile

menù *s. m. inv.* menu

menzionàre *v. tr.* to mention

menzógna *s. f.* lie

meravìglia *s. f.* **1** wonder **2** (*sorpresa*) astonishment, surprise **3** (*cosa meravigliosa*) wonder, marvel

meravigliàre **A** *v. tr.* to astonish, to amaze, to surprise **B** *v. intr. pron.* to be astonished, to be amazed, to wonder

meraviglióso *agg.* wonderful, marvellous

mercànte *s. m.* merchant, trader, dealer

mercanteggiàre **A** *v. tr.* to traffic in **B** *v. intr.* to bargain, to haggle

mercantìle **A** *agg.* merchant (*attr*), mercantile, commercial **B** *s. m.* merchant ship

mercantilìsmo *s. m.* mercantilism

mercanzìa *s. f.* **1** (*merce*) merchandise, goods *pl.* **2** (*roba*) stuff

mercatìno *s. m.* flea market

mercàto *s. m.* market, (*luogo*) market-place ♦ **a buon m.** cheap

mèrce *s. f.* goods *pl.*

mercé *s. f.* mercy

mercenàrio *agg. e s. m.* mercenary

mercerìa *s. f.* haberdashery

mercoledì *s. m.* Wednesday

mercùrio *s. m.* mercury, quicksilver

mèrda *s. f.* shit

merènda *s. f.* snack

meridiàna *s. f.* sun-dial

meridiàno *agg. e s. m.* meridian

meridionàle **A** *agg.* southern, south (*attr*) **B** *s. m. e f.* southerner

meridióne *s. m.* south

merìnga *s. f.* meringue

meritàre *v. tr.* **1** to deserve, to merit **2** (*valere*) to be worth **3** (*procurare*) to earn

meritévole *agg.* deserving, worthy

mèrito *s. m.* merit ♦ **in m. a** as regards, as to

meritòrio *agg.* praiseworthy

merlétto *s. m.* lace

mèrlo (1) *s. m.* (*zool.*) blackbird

mèrlo (2) *s. m.* (*arch.*) merlon

merlùzzo *s. m.* cod

meschìno *agg.* **1** poor, miserable **2** (*gretto*) mean, wretched

mescolànza *s. f.* mixture, blend

mescolàre **A** *v. tr.* **1** to mix, to blend **2** (*rimestare*) to stir **3** (*confondere*) to confuse **4** (*mettere in disordine*) to muddle **5** (*le carte*) to shuffle **B** *v. intr. pron., rifl. e rifl. rec.* to mix, to get mixed up

mése *s. m.* month

méssa (1) *s. f.* (*relig.*) mass

méssa (2) *s. f.* (*il mettere*) placing, setting ♦ **m. a fuoco** focusing; **m. a punto** setting up; **m. a terra** grounding; **m. in opera** installation; **m. in piega** set

messaggèro *s. m.* messenger

messàggio *s. m.* **1** message **2** (*discorso*) address

messàle *s. m.* missal

mèsse *s. f.* harvest

messiànico *agg.* Messianic

messicàno *agg. e s. m.* Mexican

messinscèna *s. f.* **1** (*teatro*) staging **2** (*fig.*) sham, act

mésso *s. m.* messenger

mestàre **A** *v. tr.* to stir, (*mescolare*) to mix **B** *v. intr.* to plot

mestière *s. m.* **1** trade, profession, job **2** (*esperienza*) craft, experience

mèsto *agg.* sad

méstolo *s. m.* ladle

mestruazióne *s. f.* menstruation

mèta *s. f.* **1** destination **2** (*fine*) goal, aim

metà *s. f.* **1** half **2** (*parte di mezzo*) middle

metabolìsmo *s. m.* metabolism

metafìsico *agg.* metaphysical

metàfora *s. f.* metaphor

metafòrico *agg.* metaphoric(al)

metàllico *agg.* metal (*attr*), metallic

metallizzàto *agg.* metallized

metàllo *s. m.* metal

metallùrgico *agg.* metallurgic(al)

metalmeccànico **A** *agg.* engineering **B** *s. m.* metalworker

metamorfìsmo *s. m.* metamorphism

metamòrfosi *s. f.* metamorphosis

metàno *s. m.* methane

metèora *s. f.* meteor

meteorologìa *s. f.* meteorology

meteorològico *agg.* meteorologic(al) ♦ **bollettino m.** weather report

meticolóso *agg.* meticulous, scrupulous

metòdico *agg.* methodical

metodìsta *s. m. e f.* Methodist

mètodo *s. m.* method

metodològico *agg.* methodological

mètopa *s. f.* metope

mètrico *agg.* metric

mètro *s. m.* **1** metre, (*USA*) meter **2** (*strumento*) rule **3** (*fig.*) criterion ♦ **m. cubo** cubic metre; **m. quadrato** square metre

metropolìta *s. m.* metropolitan

metropolitàna *s. f.* underground, tube

(fam.), (USA) subway

metropolitàno *agg.* metropolitan

méttere **A** *v. tr.* **1** to put, *(collocare)* to set, to place, *(disporre)* to arrange **2** *(indossare)* to put on, to wear **3** *(impiegare)* to take **4** *(investire)* to put, *(scommettere)* to bet **5** *(far pagare)* to charge **6** *(supporre)* to suppose **7** *(paragonare)* to compare **8** *(causare)* to cause, to make, to inspire **9** *(emettere)* to put forth **10** *(installare)* to lay on, to put in **B** *v. rifl. e intr. pron.* **1** to put oneself, to place oneself **2** *(cominciare)* to start, to begin, to set to **3** *(indossare)* to wear, to put on

mezzadrìa *s. f.* métayage, share-cropping

mezzalùna *s. f.* half-moon, crescent

mezzàno **A** *agg.* middle *(attr)* **B** *s. m.* pimp

mezzanòtte *s. f.* midnight

mèzzo (1) **A** *agg.* **1** half **2** *(medio)* middle, medium *(attr)* **B** *s. m.* **1** *(metà)* half **2** *(centro)* middle, centre **C** *avv.* half

mèzzo (2) *s. m.* **1** *(strumento)* means, equipment **2** *(di trasporto)* (means of) transport **3** *(fis.)* medium **4** *al pl. (mezzi economici)* means, money

mezzogiòrno *s. m.* **1** midday, noon, twelve o'clock **2** *(sud)* south ♦ **a m.** at noon

mezzòra *s. f.* half an hour

mi **A** *pron. pers. 1ª sing. m. e f.* **1** *(compl. ogg.)* me **2** *(compl. ind.)* (to, for) me **B** *pron. rifl. 1ª sing.* myself *(o idiom.)*

miagolàre *v. intr.* to mew, to miaow

miccia *s. f.* fuse

micenèo *agg.* Mycenaean

micidiàle *agg.* deadly, lethal

micio *s. m.* pussy(cat)

micròbo *s. m.* microbe

microcòsmo *s. m.* microcosm

microfilm *s. m. inv.* microfilm

micròfono *s. m.* microphone, mike *(fam.)*

microrganìsmo *s. m.* microorganism

microscòpico *agg.* microscopic(al)

microscòpio *s. m.* microscope

midóllo *s. m.* marrow ♦ **m. spinale** spinal marrow

mièle *s. m.* honey ♦ **luna di m.** honeymoon

miètere *v. tr.* to reap, to harvest

mietitùra *s. f.* **1** reaping **2** *(raccolto)* harvest **3** *(tempo)* reaping time

migliàio *s. m.* thousand

miglio (1) *s. m. (bot.)* millet

miglio (2) *s. m. (unità di misura)* mile ♦ **m. marino** nautical mile

miglioraménto *s. m.* improvement

miglioràre **A** *v. tr.* to improve, to better **B** *v. intr.* to improve, to get better

miglióre **A** *agg.* **1** *(comp.)* better **2** *(sup.)* the best, *(fra due)* the better **B** *s. m. e f.* the best

miglioria *s. f.* improvement

mignolo *s. m.* little finger, *(del piede)* little toe

migràre *v. intr.* to migrate

migratòrio *agg.* migratory

miliardàrio *agg. e s. m.* multimillionaire, *(USA)* billionaire

miliàrdo *s. m.* one thousand millions, milliard, *(USA)* billion

milionàrio *agg. e s. m.* millionaire

milióne *s. m.* million

militànte *agg. e s. m. e f.* militant

militàre (1) **A** *agg.* military **B** *s. m.* soldier

militàre (2) *v. intr.* **1** *(fare il soldato)* to serve in the army **2** *(fig.)* to militate

militarésco *agg.* military

millantàre *v. tr.* to boast of

millantatóre *s. m.* boaster, braggart

mille *agg. num. card. e s. m. inv.* (one) thousand

millenàrio *agg.* millenary

millènnio *s. m.* millennium

millepièdi *s. m. inv.* millepede

millèsimo *agg. num. ord. e s. m.* thousandth

milligràmmo *s. m.* milligram(me)

millìmetro *s. m.* millimetre, *(USA)* millimeter

milza *s. f.* spleen

mimàre *v. tr. e intr.* to mime

mimètico *agg.* mimetic(al)

mimetizzàre **A** *v. tr.* to camouflage **B** *v. rifl.* to camouflage oneself

mìmica *s. f.* **1** *(teatro)* mime **2** *(il gesticolare)* gestures *pl.*

mimo *s. m.* mime

mimòsa *s. f.* mimosa

mina *s. f.* **1** mine **2** *(di matita)* lead

minàccia *s. f.* menace, threat

minacciàre *v. tr.* to threaten, to menace

minaccióso *agg.* threatening, menacing

minàre *v. tr.* **1** to mine **2** *(insidiare)* to undermine

minaréto *s. m.* minaret

minatóre *s. m.* miner

minatòrio *agg.* threatening, minatory

mineràle **A** *agg.* mineral **B** *s. m.* mineral, *(da cui si estrae un metallo)* ore ♦ **acqua m.** mineral water

mineralogìa *s. f.* mineralogy

mineràrio *agg.* mining, mineral, mine *(attr)*,

ore (*attr*)

minèstra *s. f.* soup ♦ **m. di verdura** vegetable soup

mingherlino *agg.* thin

miniatùra *s. f.* miniature, (*di manoscritti*) illumination

miniaturista *s. m. e f.* miniaturist, (*di manoscritti*) illuminator

minièra *s. f.* mine, pit

minigònna *s. f.* miniskirt

mìnima *s. f.* **1** (*temperatura*) minimum temperature **2** (*mus.*) minim

minimizzàre *v. tr.* to minimize

mìnimo A *agg.* **1** (the) least, the smallest, the slightest, minimum (*attr*) **2** (*molto piccolo*) very small, very slight, minimal **B** *s. m.* **1** minimum **2** (*di motore*) lowest gear **3** (*la minima cosa*) the least

ministèro *s. m.* **1** (*funzione*) office, function, (*relig.*) ministry **2** (*insieme dei ministri*) Ministry, Board, (*USA*) Department

ministro *s. m.* minister

minorànza *s. f.* minority

minóre A *agg.* **1** (*più piccolo*) smaller, (*più corto*) shorter, (*più basso*) lower **2** (*meno*) less(er) **3** (*meno importante*) minor **4** (*più giovane*) younger **B** *agg. sup. rel.* **1** (*il più piccolo*) the smallest, (*il più corto*) the shortest, (*il più basso*) the lowest **2** (*il minimo*) the least **3** (*il meno importante*) minor **4** (*il più giovane*) the youngest, (*tra due*) the younger **C** *s. m. e f.* **1** (*il più giovane*) the youngest, (*fra due*) the younger **2** (*di grado*) junior

minorènne A *agg.* underage **B** *s. m. e f.* minor

minuétto *s. m.* minuet

minùscolo *agg.* **1** (*di lettera*) small, (*tip.*) lower case **2** (*piccolo*) tiny

minùta *s. f.* draft, rough copy

minùto (1) A *agg.* **1** minute, small, tiny **2** (*delicato*) delicate, frail **3** (*particolareggiato*) detailed, minute **4** (*di poco conto*) petty, small **B** *s. m.* (*comm.*) retail

minùto (2) *s. m.* minute ♦ **lancetta dei minuti** minute hand

minùzia *s. f.* **1** trifle **2** (*meticolosità*) meticulousness

mìo A *agg. poss. 1ª sing.* **1** my **2** (*pred.*) mine **B** *pron. poss.* mine **C** *s. m.* **1** (*denaro, averi*) my own money, my income **2** *al pl.* (*parenti*) my family, (*genitori*) my parents

mìope *agg.* myopic, shortsighted

mìra *s. f.* **1** aim **2** (*fig.*) target, aim, goal, design ♦ **prendere di m. qc.** to pick on sb.

miràbile *agg.* admirable

miràcolo *s. m.* miracle

miracolóso *agg.* miraculous

miràggio *s. m.* mirage

miràre *v. intr.* to aim

mirìade *s. f.* myriad

mirino *s. m.* **1** sight **2** (*fot.*) finder

mirtillo *s. m.* bilberry

misàntropo A *agg.* misanthropic **B** *s. m.* misanthrope

miscèla *s. f.* mixture, blend

miscelatóre *s. m.* mixer

miscellànea *s. f.* miscellany

mìschia *s. f.* scuffle, fray

mischiàre A *v. tr.* to mix, to mingle, to blend **B** *v. rifl.* **1** to mix, to mingle **2** (*intromettersi*) to meddle, to interfere

miscredènte A *agg.* misbelieving **B** *s. m. e f.* misbeliever

miscùglio *s. m.* mixture

miseràbile *agg.* **1** miserable, wretched **2** (*scarso*) poor, scanty **3** (*spregevole*) despicable, mean

miseràndo *agg.* miserable

misèria *s. f.* **1** poverty **2** (*meschinità*) meanness **3** (*inezia*) trifle **4** *al pl.* (*disgrazie*) troubles *pl.*, misfortunes *pl.*

misericòrdia *s. f.* mercy

mìsero *agg.* **1** poor, miserable, wretched **2** (*scarso*) poor, scanty **3** (*meschino*) mean, miserable **4** (*infelice*) unfortunate

misfàtto *s. m.* misdeed, crime

misògino A *agg.* misogynous **B** *s. m.* misogynist

mìssile *s. m.* missile

missionàrio *agg. e s. m.* missionary

missióne *s. f.* mission

misterióso *agg.* mysterious

mistèro *s. m.* mystery

mìstica *s. f.* **1** mystical theology **2** (*est.*) mystique

misticìsmo *s. m.* mysticism

mìstico *agg.* mystic(al)

mistificàre *v. tr.* to mystify, to hoax

mistificatóre *s. m.* mystifier, hoaxer

mìsto A *agg.* mixed **B** *s. m.* mixture

mistùra *s. f.* mixture, blend

misùra *s. f.* **1** measure, measurement **2** (*taglia*) size **3** (*limite*) limit, proportion, (*moderazione*) moderation **4** (*provvedimento*) measure, step

misuràbile *agg.* measurable
misuràre *v. tr.* **1** to measure, (*tecnol.*) to gauge **2** (*valutare*) to estimate, to judge **3** (*provare indossando*) to try on **4** (*limitare*) to limit, to moderate **B** *v. intr.* to measure **C** *v. rifl.* **1** (*contenersi*) to limit oneself **2** (*cimentarsi*) to measure oneself
misuràto *agg.* measured
misuratóre *s. m.* meter, gauge
misurino *s. m.* (small) measure
mite *agg.* **1** mild, meek **2** (*moderato*) moderate **3** (*di clima*) mild
mitico *agg.* mythical, legendary
mitigàre **A** *v. tr.* to mitigate, to alleviate **B** *v. intr. pron.* **1** to calm down **2** (*del clima*) to become mild
mitilo *s. m.* mussel
mitizzàre *v. tr.* to mythicize
mito *s. m.* myth
mitologia *s. f.* mythology
mitològico *agg.* mythologic(al)
mitòmane *agg. e s. m. e f.* mythomaniac
mitra (1) *s. f.* (*relig.*) mitre
mitra (2) *s. m.* (*arma*) submachine gun
mitragliatrice *s. f.* machine gun
mittènte *s. m. e f.* sender
mnemònico *agg.* mnemonic
mòbile **A** *agg.* **1** (*che si muove*) mobile, moving, (*che può essere mosso*) movable **2** (*mutevole*) changeable, mutable, unstable **B** *s. m.* piece of furniture, *al pl.* furniture ♦ **s. mobile** escalator
mobilia *s. f.* furniture
mobiliàre *agg.* movable, personal
mobilità *s. f.* **1** mobility **2** (*mutevolezza*) inconstancy
mobilitàre *v. tr. e rifl.* to mobilize
mobilitazióne *s. f.* mobilization
mocassino *s. m.* moccasin
mòccolo *s. m.* **1** (*di candela*) candle-end **2** (*fam.*) (*bestemmia*) oath
mòda *s. f.* **1** fashion, style **2** (*maniera*) manner, custom, fashion **3** (*mat.*) mode ♦ **alla m.** fashionable; **fuori m.** out of fashion
modalità *s. f.* modality, (*procedura*) formality
modanatùra *s. f.* moulding
modèlla *s. f.* model
modellàre **A** *v. tr.* to model, to mould **B** *v. rifl.* to model oneself
modellismo *s. m.* model-making, modelling
modèllo **A** *s. m.* **1** model **2** (*stampo*)

mould **3** (*di abito*) pattern **B** *agg.* model, exemplary
modem *s. m. inv.* modem
moderàre **A** *v. tr.* **1** to moderate, to check, to curb **2** (*contenere*) to reduce, to regulate **B** *v. rifl.* to moderate oneself
moderàto *agg.* moderate
moderatóre **A** *agg.* moderating **B** *s. m.* moderator
moderazióne *s. f.* moderation
modernariàto *s. m.* modern antiques *pl.*
modernismo *s. m.* modernism
modernità *s. f.* modernity
modernizzàre **A** *v. tr.* to modernize, to update **B** *v. rifl.* to bring oneself up-to-date
modèrno *agg.* modern, up-to-date (*attr*)
modèstia *s. f.* modesty
modèsto *agg.* modest
mòdico *agg.* moderate, reasonable
modìfica *s. f.* modification
modificàbile *agg.* modifiable
modificàre *v. tr. e intr. pron.* to modify, to change
mòdo *s. m.* **1** way, manner **2** (*mezzo*) means, (*occasione*) way **3** (*maniera*) manners *pl.*, (*misura*) measure **4** (*gramm.*) mood **5** (*locuzione*) expression **6** (*mus.*) mode ♦ **in che m.?** how?; **in m. che/da** so that, in such a way as to; **in ogni m.** anyway, in any case; **in qualche m.** somehow; **per m. di dire** so to say
modulàre *agg.* modular
modulazióne *s. f.* modulation
mòdulo *s. m.* **1** form, (*USA*) blank **2** (*arch., tecnol.*) module **3** (*mat., fis.*) modulus
mògano *s. m.* mahogany
mògio *agg.* dejected, depressed
mòglie *s. f.* wife ♦ **prender m.** to get married
mòina *s. f.* simpering ♦ **fare le moine** to simper
mòla *s. f.* **1** (*di mulino*) millstone **2** (*molatrice*) grinder
molàre (1) *agg. e s. m.* (*dente*) molar
molàre (2) *v. tr.* **1** to grind **2** (*tagliare*) to cut
mòle *s. f.* **1** bulk, mass **2** (*dimensione*) size, dimension
molècola *s. f.* molecule
molestàre *v. tr.* to molest, to bother, to tease
molèstia *s. f.* nuisance, bother
molèsto *agg.* troublesome, annoying, bothering
mòlla *s. f.* **1** spring **2** (*fig.*) incentive, main-

spring **3** *al pl.* (*per afferrare*) tongs *pl.*

mollàre A *v. tr.* **1** (*allentare*) to slacken **2** (*lasciar andare*) to let go **3** (*fam.*) (*abbandonare*) to quit, to leave **4** (*fam.*) (*appioppare*) to give **B** *v. intr.* to give in

mòlle *agg.* **1** soft **2** (*debole*) weak, flabby

mollétta *s. f.* **1** (*per bucato*) clothes-peg, clothes-pin **2** (*per capelli*) hair-grip **3** (*per afferrare*) tongs *pl.*

mollìca *s. f.* crumb

mollùsco *s. m.* mollusc, shellfish

mòlo *s. m.* mole, pier, wharf

moltéplice *agg.* manifold, various

moltiplicàre *v. tr., rifl. e intr. pron.* to multiply

moltiplicazióne *s. f.* multiplication

moltìssimo A *agg. indef. sup.* **1** very much, (*in frasi afferm.*) a great deal of **2** (*tempo*) very long **3** *al pl.* very many, (*in frasi afferm.*) a great many **B** *pron. indef.* **1** very much, (*in frasi afferm.*) a grat deal **2** (*tempo*) a very long time **3** *al pl.* very many, (*in frasi afferm.*) a great many **C** *avv.* very much

moltitùdine *s. f.* multitude, (*folla*) crowd

mólto A *agg. indef.* **1** much, a lot of, lots of, a great deal of, a great quantity of **2** (*tempo*) long **3** (*grande*) great **4** *al pl.* many, a lot of, lots of, a great many **B** *pron. indef.* **1** much, a great deal, a lot **2** (*molto tempo*) a long time **3** *al pl.* many, a lot of, (*molta gente*) many people, a lot of people **C** *avv.* **1** (*con agg. e avv. di grado positivo, con participio pres.*) very **2** (*con agg. e avv. di grado comp.*) much **3** (*con p. p.*) much, greatly, **4** (*con verbo*) much, very much, a lot **5** (*a lungo*) long, (*spesso*) often

momentaneaménte *avv.* at the moment, at present

momentàneo *agg.* momentary, temporary

moménto *s. m.* **1** moment **2** (*circostanza, tempo*) time **3** (*opportunità*) opportunity, chance

mònaca *s. f.* nun

monacàle *agg.* monastic

monachésimo *s. m.* monasticism

mònaco *s. m.* monk

monàrca *s. m.* monarch

monarchìa *s. f.* monarchy

monàrchico *agg.* **1** monarchic(al) **2** (*fautore della monarchia*) monarchist

monastèro *s. m.* monastery, (*di monache*) convent

monàstico *agg.* monastic

mónco *agg.* **1** maimed **2** (*fig.*) incomplete

moncóne *s. m.* stump

mondàno *agg.* **1** worldly, earthly, mundane **2** (*della società elegante*) worldly, society (*attr*) ♦ **vita mondana** society life

mondàre *v. tr.* to clean

mondiàle *agg.* world (*attr*), world-wide

móndo *s. m.* **1** world **2** (*grande quantità*) a world of, a lot of

monèllo *s. m.* rascal

monéta *s. f.* **1** coin, piece **2** (*denaro*) money **3** (*spicciolo*) change

monetàrio *agg.* monetary

mongolfièra *s. f.* hot-hair balloon

mònito *s. m.* warning

monitor *s. m. inv.* monitor

monitoràre *v. tr.* to monitor

monocoltùra *s. f.* monoculture

monocòrde *agg.* monotonous

monocromàtico *agg.* monochrome, monochromatic

monogamìa *s. f.* monogamy

monografìa *s. f.* monograph

monolìtico *agg.* monolithic

monolocàle *s. m.* bedsitter, studio

monòlogo *s. m.* monologue

monomanìaco *agg.* monomaniac

monopòlio *s. m.* monopoly

monopósto *agg. inv.* single-seater (*attr*)

monosìllabo *s. m.* monosyllable

monoteìsmo *s. m.* monotheism

monotonìa *s. f.* monotony

monòtono *agg.* monotonous

monsóne *s. m.* monsoon

montacàrichi *s. m. inv.* goods-lift, (*USA*) elevator

montàggio *s. m.* **1** assembly **2** (*cin.*) editing

montàgna *s. f.* mountain

montagnóso *agg.* mountainous

montàno *agg.* mountain (*attr*)

montàre A *v. tr.* **1** (*salire*) to mount, to climb **2** (*cavalcare*) to ride **3** (*mettere insieme*) to assemble, (*un film*) to edit **4** (*gonfiare*) to exaggerate **5** (*incastonare*) to mount, to set **B** *v. intr.* **1** to mount, to climb, to get on **2** (*salire*) to rise **C** *v. intr. pron.* to get big-headed

montatùra *s. f.* **1** (*di occhiali*) frame, (*di pietra*) setting, mounting **2** (*fig.*) stunt

mónte *s. m.* **1** mountain, mount (*davanti a nome proprio*) ♦ **andare a m.** to fail; **m. di pietà** pawnshop; **m. premi** prize money

montgomery s. m. inv. duffel coat
montóne s. m. ram, (carne) mutton ♦ **pelle di m.** sheepskin
montuóso agg. mountainous
monumentàle agg. monumental
monuménto s. m. monument
moquette s. f. inv. moquette, carpet
mòra (1) s. f. **1** (di rovo) blackberry **2** (di gelso) mulberry
mòra (2) s. f. (ritardo) delay, (dilazione) extension
moràle A agg. moral **B** s. f. morals pl. **C** s. m. morale, spirits pl.
moralìsmo s. m. moralism
moralità s. f. morality
moralizzàre v. tr. to moralize
moralménte avv. morally
mòrbido agg. soft, smooth
morbìllo s. m. measles pl. (v. al sing.)
mòrbo s. m. disease, illness
morbóso agg. morbid
mordàce agg. biting, cutting
mordènte s. m. **1** (chim.) mordant **2** (fig.) bite, drive
mòrdere v. tr. to bite, to bite into
morèna s. f. moraine
morènte agg. dying
morfologìa s. f. morphology
morfològico agg. morphologic(al)
moribóndo agg. dying
morigeràto agg. moderate, sober
morìre v. intr. **1** to die **2** (cessare, spegnersi) to die out, to go out, (di suono) to die away **3** (terminare) to end
mormoràre A v. tr. **1** to murmur, to whisper **2** (borbottare) to mutter **B** v. intr. **1** to murmur **2** (parlar male) to speak ill
morosità s. f. arrearage
mòrsa s. f. vice, (USA) vise
morsétto s. m. **1** (mecc.) clamp **2** (elettr) terminal
morsicàre v. tr. to bite
mòrso s. m. **1** bite **2** (boccone) bit, scrap **3** (puntura) sting **4** (del cavallo) bit
mortàio s. m. mortar
mortàle A agg. **1** (che è soggetto a morte) mortal **2** (che cagiona morte) mortal, deadly **3** (come la morte) deathlike, deathly **B** s. m. e f. mortal
mortalità s. f. mortality ♦ **indice di m.** death rate
mòrte s. f. death
mortificàre A v. tr. to mortify **B** v. rifl. to mortify oneself **C** v. intr. pron. to feel mor-

tified
mortificazióne s. f. mortification
mòrto A agg. dead **B** s. m. dead person, (cadavere) corpse ♦ **i morti** the dead; **natura morta** still life; **stagione morta** off season
mortòrio s. m. funeral
mosàico s. m. mosaic
mósca s. f. fly
moscerìno s. m. midge, gnat
moschèa s. f. mosque
moschétto s. m. musket
móscio agg. **1** flabby **2** (fig.) limp
moscóne s. m. bluebottle
mòssa s. f. **1** movement **2** (nel gioco) move
móstra s. f. **1** show, exhibition **2** (ostentazione) display
mostràre A v. tr. **1** to show, to display **2** (ostentare) to show off **3** (indicare) to show, to point out **4** (dimostrare) to prove **B** v. rifl. e intr. pron. **1** to show oneself **2** (apparire) to appear
móstro s. m. monster
mostruóso agg. **1** monstrous **2** (enorme) enormous
motel s. m. inv. motel
motivàre v. tr. **1** to justify **2** (causare) to cause **3** (suscitare interesse) to motivate
motivazióne s. f. motivation, reason
motìvo s. m. **1** motive, reason, ground **2** (mus.) motif, theme **3** (elemento decorativo) pattern, motif ♦ **m. conduttore** leitmotif
mòto (1) s. m. **1** motion, movement **2** (esercizio fisico) exercise **3** (sommossa) rebellion, revolt **4** (impulso) impulse
mòto (2) s. m. motorcycle
motocicletta s. f. motorcycle
motociclìsmo s. m. motorcycling
motociclìsta s. m. e f. motorcyclist
motóre A agg. motor, driving, propelling **B** s. m. engine, motor
motorìno s. m. moped ♦ **m. d'avviamento** starter
motorizzàre v. tr. e rifl. to motorize
motoscàfo s. m. motorboat
mòtto s. m. **1** saying **2** (facezia) witticism
movènte s. m. motive
movimentàre v. tr. to enliven, to animate
moviménto s. m. **1** movement **2** (moto) motion **3** (andirivieni) flow, bustle
mozióne s. f. motion
mozzàre v. tr. to cut off ♦ **m. il fiato** to

take breath away

mozzicóne *s. m.* stub, end

mózzo (1) *s. m.* **1** (*naut.*) ship boy **2** (*di stalla*) stable boy

mòzzo (2) *s. m.* (*mecc.*) hub

mùcca *s. f.* cow

mùcchio *s. m.* heap, stack ♦ **un m. di gente** a lot of people

mùco *s. m.* mucus

mucósa *s. f.* mucosa, mucous membrane

mùffa *s. f.* mould

muggìre *v. intr.* **1** to moo, to low **2** (*mugghiare*) to bellow

muggìto *s. m.* moo, lowing

mughétto *s. m.* **1** lily of the valley **2** (*med.*) thrush

mugnàio *s. m.* miller

mugolàre *v. intr.* to howl, to whimper

mulattièra *s. f.* muletrack

mulinàre **A** *v. tr.* **1** to whirl **2** (*fig.*) to brood over **B** *v. intr.* to whirl around

mulinèllo *s. m.* **1** (*d'acqua*) whirlpool, (*d'aria*) whirlwind **2** (*per canna da pesca*) reel

mulìno *s. m.* mill ♦ **m. a vento** windmill

mùlo *s. m.* mule

mùlta *s. f.* fine

multàre *v. tr.* to fine

multicolóre *agg.* multicoloured

multifórme *agg.* multiform

multinazionàle *agg.* multinational

mùltiplo *agg. e s. m.* multiple

mùmmia *s. f.* mummy

mùngere *v. tr.* to milk

municipàle *agg.* municipal, town (*attr*)

municipalità *s. f.* municipality

municìpio *s. m.* **1** municipality, town council **2** (*palazzo*) town hall

munificènza *s. f.* munificence, liberality

munìre **A** *v. tr.* **1** (*fortificare*) to fortify **2** (*provvedere*) to provide, to supply **B** *v. rifl.* to equip oneself, to supply oneself

munizióni *s. f. pl.* munitions *pl.*

muòvere **A** *v. tr.* **1** to move **2** (*suscitare*) to move, to induce **3** (*sollevare*) to raise, to bring up **B** *v. intr.* to move **C** *v. rifl.* to move, to stir, to go

muràglia *s. f.* wall

muràle *agg.* mural, wall (*attr*)

muràre *v. tr.* **1** to wall up **2** (*circondare di mura*) to wall

muratóre *s. m.* bricklayer, mason

murèna *s. f.* moray

mùro *s. m.* **1** wall **2** *al pl.* (*mura*) walls *pl.*

mùschio *s. m.* **1** musk **2** (*bot.*) moss

muscolàre *agg.* muscular

mùscolo *s. m.* **1** muscle **2** (*mitilo*) mussel

muscolóso *agg.* muscular, brawny

musèo *s. m.* museum

museruòla *s. f.* muzzle

mùsica *s. f.* music

musicàle *agg.* musical

musicassétta *s. f.* cassette

musicìsta *s. m. e f.* musician

mùso *s. m.* **1** (*di animale*) snout, muzzle **2** (*di auto, aereo*) nose **3** (*di persona*) mug **4** (*broncio*) long face

musóne *s. m.* (*fam.*) sulky person

mùssola *s. f.* muslin

musulmàno *agg. e s. m.* Muslim, Moslem

mùta *s. f.* **1** (*di uccelli*) moult, (*di serpenti*) shedding **2** (*di cani*) pack **3** (*tuta per immersioni*) wet suit

mutaménto *s. m.* change

mutànde *s. f. pl.* briefs *pl.*, (*da uomo*) pants *pl.*, underpants *pl.*, (*da donna*) panties *pl.*

mutàre *v. tr., intr. e intr. pron.* to change

mutazióne *s. f.* change, mutation

mutévole *agg.* changeable, variable

mutilàre *v. tr.* to maim, to mutilate

mutilàto *s. m.* cripple

mutilazióne *s. f.* maiming, mutilation

mutìsmo *s. m.* mutism, silence

mùto *agg.* dumb, mute ♦ **film m.** silent film

mùtuo (1) *agg.* mutual, reciprocal

mùtuo (2) *s. m.* loan

N

nabàbbo *s. m.* nabob

nàcchere *s. f. pl.* castanets *pl.*

nàfta *s. f.* diesel oil, naphta

naftalìna *s. f.* (*tarmicida in palline*) moth-balls *pl.*

nàiade *s. f.* naiad

naïf *agg. inv.* naive, naïf

nailon *s. m. inv.* nylon

nànna *s. f.* (*fam.*) bye-bye

nàno *agg. e s. m.* dwarf

napoletàno *agg. e s. m.* Neapolitan

nàppa *s. f.* 1 (*fiocco*) tassel 2 (*pelle*) soft leather

narcisìsmo *s. m.* narcissism

narcisìsta *s. m. e f.* narcissist

narcìso *s. m.* (*bot.*) narcissus

narcòsi *s. f.* narcosis

narcòtico *agg. e s. m.* narcotic

narìce *s. f.* nostril

narràre *v. tr. e intr.* to tell, to narrate

narratìva *s. f.* fiction

narratìvo *agg.* narrative

narratóre *s. m.* 1 narrator, story-teller 2 (*scrittore*) writer

narrazióne *s. f.* 1 narration, telling 2 (*racconto*) tale, story

nartèce *s. m.* narthex

nasàle *agg.* nasal

nascènte *agg.* rising

nàscere *v. intr.* 1 to be born 2 (*trarre origine*) to come, (*derivare*) to arise, to derive, to be due 3 (*sorgere*) to rise 4 (*di piante*) to spring up, to come up, to grow 5 (*di capelli, unghie, corna*) to sprout 6 (*di fiume*) to rise ◆ **far n.** to give rise to, to originate

nàscita *s. f.* 1 birth 2 (*origine*) origin, extraction ◆ **luogo di n.** birthplace

nascitùro *agg.* unborn

nascóndere A *v. tr.* to hide, to conceal B *v. rifl. e intr. pron.* to hide (oneself), to be hidden

nascondìglio *s. m.* hiding-place

nascondìno *s. m.* hide-and-seek

nascósto *agg.* hidden

nasèllo *s. m.* hake

nàso *s. m.* nose

nàstro *s. m.* 1 ribbon 2 (*tecnol.*) tape, ribbon, band ◆ **n. di partenza** starting tape

natàle A *agg.* native B *s. m.* 1 (*Natale*) Christmas 2 (*giorno natale*) birthday 3 *al pl.* (*nascita*) birth ◆ **buon N.** merry Christmas

natalità *s. f.* natality, birthrate

natalìzio *agg.* Christmas (*attr*)

natànte *s. m.* boat, craft

nàtica *s. f.* buttock

natìo *agg.* native

natività *s. f.* nativity

natìvo *agg. e s. m.* native

nàto *agg.* born

natùra *s. f.* 1 nature 2 (*genere*) type, kind, nature 3 (*carattere*) nature, character ◆ **pagare in n.** to pay in kind

naturàle *agg.* natural

naturalézza *s. f.* 1 truthfulness 2 (*semplicità*) simplicity

naturalìsmo *s. m.* naturalism

naturalìsta *s. m. e f.* naturalist

naturalizzàre A *v. tr.* to naturalize B *v. rifl.* to become naturalized

naturalménte *avv.* 1 naturally 2 (*certamente*) of course

naturìsmo *s. m.* naturism

naturìsta *s. m. e f.* naturist

naufragàre *v. intr.* 1 (*di nave*) to be wrecked, (*di persona*) to be shipwrecked 2 (*fig.*) to be wrecked, to fail

naufràgio *s. m.* 1 shipwreck, wreck 2 (*fig.*) wreck, failure

nàufrago *s. m.* shipwrecked person

naumachìa *s. f.* naumachia

nàusea *s. f.* nausea ◆ **avere la n.** to feel sick

nauseabóndo *agg.* nauseating, sickening

nauseàre *v. tr. e intr.* to nauseate, to make sick

nàutica *s. f.* 1 nautical science 2 (*attività*) boating

nàutico *agg.* nautical

navàle *agg.* naval

navàta *s. f.* (*centrale*) nave, (*laterale*) aisle

nàve *s. f.* ship, vessel, boat

navétta *s. f.* shuttle

navigàbile *agg.* navigable

navigabilità *s. f.* navigability

navigàre *v. tr. e intr.* to sail, to navigate

navigatóre A *agg.* seafaring B *s. m.* 1

navigator 2 (*marinaio*) sailor

navigazióne *s. f.* 1 navigation, (*a vela*) sailing 2 (*viaggio*) voyage, (*traversata*) crossing ♦ **compagnia di n.** shipping line

navìglio *s. m.* ships *pl.*, fleet

nazionàle A *agg.* national **B** *s. f.* (*sport*) national team

nazionalìsmo *s. m.* nationalism

nazionalista *agg. e s. m. e f.* nationalist

nazionalità *s. f.* nationality

nazionalizzàre *v. tr.* to nationalize

naziòne *s. f.* nation, country

nazìsmo *s. m.* Nazism

né *cong.* neither, nor ♦ **né ... né** (neither) ... nor; **né l'uno né l'altro** neither; **né più né meno** exactly

ne A *pron. m. e f., sing. e pl.* 1 (*specificazione, argomento*) of, about (him, her, them, this, that) (ES: **che ne sai?** what do you know about it?) 2 (*poss.*) his, her, its, their (ES: **quale ragazza? non ne ricordo il nome** which girl? I don't remember her name) 3 (*partitivo*) some, any (ES: **chi ne vuol comprare?** who wants to buy some?, **non ne ho** I haven't any) 4 (*causale*) for it, about it (ES: **ne sono felice** I'm very happy about it) 5 (*pleonastico*) (ES: **me ne vado** I'm going away) **B** *avv.* (*moto da luogo*) from it, from here, out of it (ES: **andiamocene da qui** let us go away from here)

neànche A *avv.* 1 neither, nor 2 (*rafforzativo di altra negazione*) even (ES: **non l'ho n. visto** I haven't even seen him) **B** *cong.* **n. a/se** even if

nébbia *s. f.* fog, (*leggera*) mist

nebbióso *agg.* foggy, misty

nebulósa *s. f.* nebula

nebulóso *agg.* nebulous, vague

nécessaire *s. m. inv.* toilet-case ♦ **n. per barba** shaving set

necessariaménte *avv.* necessarily, of necessity

necessàrio *agg.* necessary, indispensable

necessità *s. f.* necessity, (*bisogno*) need

necessitàre A *v. tr.* to necessitate **B** *v. intr.* 1 (*aver bisogno*) to need 2 (*essere necessario*) to be necessary

necrològio *s. m.* obituary

necròpoli *s. f.* necropolis

nefàndo *agg.* wicked

nefàsto *agg.* inauspicious, fateful

negàre *v. tr.* 1 to deny 2 (*rifiutare*) to refuse

negativaménte *avv.* negatively

negatìvo *agg. e s. m.* negative

negazióne *s. f.* 1 denial, (*rifiuto*) refusal 2 (*gramm.*) negative 3 (*contrario*) negation

negligènte *agg.* negligent

negligènza *s. f.* 1 negligence 2 (*trascuratezza*) shabbiness

negoziànte *s. m. e f.* dealer, trader, (*esercente*) shop-keeper

negoziàre *v. tr.* 1 to deal in, to trade in 2 (*trattare*) to negotiate

negoziàto *s. m.* negotiation

negòzio *s. m.* shop, (*USA*) store

négro *agg. e s. m.* black

nemìco A *agg.* 1 (*ostile*) adverse, inimical, opposed 2 (*che detesta*) fearful 3 (*del nemico*) enemy (*attr*) **B** *s. m.* enemy

nemméno *avv. e cong.* → **neanche**

nènia *s. f.* 1 sing-song 2 (*funebre*) dirge

nèo *s. m.* 1 spot, mole, (*med.*) naevus 2 (*fig.*) flaw

neoclassicìsmo *s. m.* neoclassicism

neoclàssico *agg.* neoclassic(al)

neòfita *s. m. e f.* neophyte, novice

neolatìno *agg.* neo-Latin

neolìtico *s. m.* Neolithic

neologìsmo *s. m.* neologism

neon *s. m. inv.* neon

neonàto *s. m.* (newborn) baby

neorealìsmo *s. m.* neorealism

neozelandése A *agg.* New Zealand (*attr*) **B** *s. m. e f.* New Zealander

nepotìsmo *s. m.* nepotism

neppùre *avv. e cong.* → **neanche**

nèrbo *s. m.* 1 scourge 2 (*fig.*) strength

nerborùto *agg.* brawny

nerétto *s. m.* (*tip.*) boldface

néro A *agg.* 1 black 2 (*scuro*) dark 3 (*tetro*) gloomy 4 (*profondo*) dire **B** *s. m.* black

nervatùra *s. f.* 1 (*arch., mecc.*) ribs *pl.* 2 (*bot.*) nervation

nèrvo *s. m.* nerve ♦ **avere i nervi** to be in a bad mood

nervosìsmo *s. m.* nervousness, irritation

nervóso A *agg.* 1 nervous 2 (*irritabile*) irritable, nervy 3 (*incisivo*) incisive **B** *s. m.* nervousness ♦ **avere il n.** to be on edge; **esaurimento n.** nervous breakdown

nèspola *s. f.* medlar

nèsso *s. m.* connection, nexus

nessùno A *agg. indef.* 1 no, (*con altra negazione*) any 2 (*qualche*) any **B** *pron.*

indef. **1** (*persona*) nobody, no one, (*cosa*) none; (*con partitivo*) none; (*con altra negazione*) anybody, anyone, any **2** (*qualcuno*) anybody, anyone, (*con partitivo*) any **C** *s. m.* nobody, no one

nèttare *s. m.* nectar

nettézza *s. f.* **1** cleanness **2** (*precisione*) clarity

nétto *agg.* **1** clean **2** (*preciso*) clear, clearcut, sharp **3** (*comm.*) net ♦ **di n.** clean through; **prezzo n.** net price

netturbìno *s. m.* dustman, (*USA*) garbage collector

neurologìa *s. f.* neurology

neuròlogo *s. m.* neurologist

neuropsichiàtra *s. m. e f.* neuropsychiatrist

neuropsichiatrìa *s. f.* neuropsychiatry

neutràle *agg.* neutral

neutralità *s. f.* neutrality

neutralizzàre *v. tr.* to neutralize

nèutro *agg.* **1** neutral **2** (*biol., gramm.*) neuter

neutróne *s. m.* neutron

nevàio *s. m.* snowfield

néve *s. f.* snow ♦ **fiocco di n.** snowflake

nevicàre *v. intr. impers.* to snow

nevicàta *s. f.* snowfall

nevìschio *s. m.* sleet

nevóso *agg.* snowy, (*coperto di neve*) snow-covered

nevralgìa *s. f.* neuralgia

nevrastènico *agg.* **1** neurasthenic **2** (*irritabile*) irritable

nevròsi *s. f.* neurosis

nevròtico *agg.* neurotic

nìbbio *s. m.* kite

nìcchia *s. f.* niche

nicchiàre *v. intr.* to hedge, to hesitate

nichilìsmo *s. m.* nihilism

nicotìna *s. f.* nicotine

nidiàta *s. f.* nestful, brood

nidificàre *v. intr.* to nest

nìdo *s. m.* **1** nest **2** (*covo*) den ♦ **n. d'infanzia** crèche, nursery

niènte A *pron. indef.* **1** nothing, (*con altra negazione*) anything **2** (*qualcosa*) anything **B** *s. m.* nothing **C** *agg. inv.* no, (*con altra negazione*) any **D** *avv.* not at all

nientemèno *avv.* no less than

nìnfa *s. f.* nymph

ninfèa *s. f.* waterlily

ninfèo *s. m.* nymphaeum

ninnanànna *s. f.* lullaby

nìnnolo *s. m.* knick-knack

nipóte *s. m. e f.* (*di zii*) nephew *m.*, niece *f.*, (*di nonni*) grandson *m.*, granddaughter *f.*

nirvàna *s. m. inv.* nirvana

nìtido *agg.* clear, limpid

nitràto *s. m.* nitrate

nìtrico *agg.* nitric

nitrìre *v. intr.* to neigh

nitrìto (1) *s. m.* neigh, whinny

nitrìto (2) *s. m.* (*chim.*) nitrite

nitroglicerìna *s. f.* nitroglycerine

no A *avv.* no, not **B** *s. m. inv.* no, (*rifiuto*) refusal ♦ **dire di no** to say no; **un giorno sì e uno no** every other day; **sì e no** (*circa*) about

nòbile *agg. e s. m. e f.* noble

nobiliàre *agg.* nobiliary, noble

nobiltà *s. f.* nobility

nòcca *s. f.* knuckle

nocciòla *s. f.* hazel(-nut)

nòcciolo *s. m.* **1** stone **2** (*fig.*) heart, kernel

nóce *s. f.* walnut ♦ **n. di cocco** coconut; **n. moscata** nutmeg

nocìvo *agg.* harmful, noxious

nòdo *s. m.* **1** knot **2** (*ferr.*) junction **3** (*scient.*) node **4** (*del legno*) knag **5** (*punto cruciale*) crux **6** (*unità di misura*) knot

nodóso *agg.* knotty

nói *pron. pers. 1ª pl. m. e f.* **1** (*sogg.*) we **2** (*compl.*) us ♦ **n. stessi** we ourselves

nòia *s. f.* **1** boredom **2** (*fastidio*) annoyance, nuisance, bother

noióso *agg.* **1** boring, tiresome **2** (*fastidioso*) annoying, troublesome

noleggiàre *v. tr.* **1** (*prendere a noleggio*) to hire, to rent, (*naut., aer.*) to charter **2** (*dare a noleggio*) to hire out, to rent, to let out

noleggiatóre *s. m.* hirer, renter, charterer

noléggio *s. m.* **1** hire, rent, charter **2** (*prezzo*) hire (rate), rental

nòmade A *agg.* nomadic **B** *s. m. e f.* nomad

nóme *s. m.* **1** name **2** (*gramm.*) noun **3** (*soprannome*) nickname ♦ **farsi un n.** to make one's name; **n. commerciale** trade name; **n. e cognome** full name

nomèa *s. f.* reputation

nomìgnolo *s. m.* nickname

nòmina *s. f.* nomination, appointment

nominàle *agg.* nominal

nominàre *v. tr.* **1** (*menzionare*) to mention **2** (*designare*) to designate, to appoint, to name

nominatìvo *agg.* **1** (*gramm.*) nominative **2** (*comm.*) registered

non *avv.* not

non- *pref.* (*davanti ad agg. e s.*) non-, un-, in-

nonché *cong.* **1** (*tanto meno*) let alone, still less **2** (*e inoltre*) as well as

noncurànte *agg.* careless

noncurànza *s. f.* carelessness, nonchalance

nondiméno *cong.* nevertheless

nònna *s. f.* grandmother, (*fam.*) grandma

nònno *s. m.* grandfather, (*fam.*) grandpa

nonnùlla *s. m. inv.* trifle

nòno *agg. num. ord.* ninth

nonostànte A *prep.* in spite of, despite, notwithstanding **B** *cong.* **n. che** (even) though, although

nontiscordardimé *s. m.* forget-me-not

nòrd *s. m.* north ◆ **n.-est** northeast; **n.-ovest** northwest

nòrdico *agg.* **1** northern **2** (*dell'Europa settentrionale*) Nordic

nòrma *s. f.* **1** rule, norm, standard **2** (*avvertenza*) instruction, direction **3** (*consuetudine*) custom, norm

normàle *agg.* normal, standard (*attr*)

normalità *s. f.* normality

normalizzàre *v. tr.* to normalize

normalménte *avv.* normally

normànno *agg. e s. m.* Norman

normatìva *s. f.* set of rules

norvegése *agg. e s. m. e f.* Norwegian

nosocòmio *s. m.* hospital

nostalgìa *s. f.* longing (for), nostalgia, (*di casa*) homesickness

nostàlgico *agg.* nostalgic, (*di casa*) homesick

nostràno *agg.* local, home (*attr*)

nòstro A *agg. poss.* 1ª *pl.* **1** our **2** (*pred.*) ours **B** *pron. poss.* **1** ours **2** *al pl.* (*la nostra famiglia*) our family, our relatives, (*i nostri amici*) our friends

nòta *s. f.* **1** (*segno*) sign, mark **2** (*appunto, commento*) note **3** (*mus.*) note **4** (*lista*) list **5** (*conto*) bill

notàbile *s. m.* notable

notàio *s. m.* notary (public)

notàre *v. tr.* **1** (*annotare*) to note, to take note of **2** (*osservare*) to notice, to observe

notévole *agg.* **1** (*pregevole*) remarkable, notable **2** (*grande*) considerable

notìfica *s. f.* notification, notice

notificàre *v. tr.* **1** (*dir*) to notify, to serve **2** (*render noto*) to advise, to announce

notìzia *s. f.* **1** piece of news, news **2** (*informazione*) information

notiziàrio *s. m.* news

nòto *agg.* well-known, known

notorietà *s. f.* notoriety, renown

notòrio *agg.* well-known, (*spreg.*) notorious

nottàmbulo *s. m.* night bird

nottàta *s. f.* night

nòtte *s. f.* night ◆ **buona n.** good night; **di n.** by night; **la n. scorsa** last night; **questa n.** tonight

nottùrno *agg.* nocturnal, night (*attr*)

novànta *agg. num. card. e s. m. inv.* ninety

novantèsimo *agg. num. ord. e s. m.* ninetieth

nòve *agg. num. card. e s. m. inv.* nine

novecentésco *agg.* twentieth-century (*attr*)

novecènto *agg. num. card. e s. m. inv.* nine hundred ◆ **il N.** the twentieth century

novèlla *s. f.* tale, short story

novellìno *agg.* raw, green

novèllo *agg.* **1** new, spring **2** (*secondo*) second

novèmbre *s. m.* November

novilùnio *s. m.* new moon

novità *s. f.* **1** novelty **2** (*innovazione*) change, innovation **3** (*notizia*) news

novizìato *s. m.* novitiate

novìzio *s. m.* novice

noziòne *s. f.* knowledge, notion

nòzze *s. f. pl.* wedding, marriage ◆ **n. d'oro** golden wedding; **viaggio di n.** honeymoon

nùbe *s. f.* cloud

nubifràgio *s. m.* cloudburst

nùbile *agg.* unmarried, single

nùca *s. f.* nape

nucleàre *agg.* nuclear ◆ **energia n.** nuclear power

nùcleo *s. m.* **1** nucleus **2** (*gruppo*) group, (*squadra*) squad, team ◆ **n. familiare** family unit

nudìsmo *s. m.* nudism

nudìsta *agg. e s. m. e f.* nudist

nùdo *agg.* bare, naked, nude, (*svestito*) unclothed ◆ **a piedi nudi** barefoot; **mezzo n.** half-nacked

nùgolo *s. m.* cloud

nùlla → niente

nullaòsta *s. m. inv.* permit, authorization

nullità *s. f.* **1** nullity **2** (*cosa o persona*) nonentity **3** (*non validità*) invalidity

nùllo *agg.* **1** (*dir*) null, invalid **2** (*di nessuna importanza*) of no importance

numeràle *agg. e s. m.* numeral

numeràre *v. tr.* to number

numeràto *agg.* numbered ◆ **posti nume-**

rati numbered seats

numerazióne s. f. numbering, numeration

numericaménte avv. numerically

numèrico agg. numerical

nùmero s. m. **1** number **2** (cifra) figure, digit **3** (taglia, misura) size **4** (di spettacolo) turn ♦ **n. civico** street number; **n. di telefono** telephon number

numeróso agg. numerous, large

numismàtica s. f. numismatics pl. (v. al sing.)

nùnzio s. m. nuncio

nuòcere v. intr. to damage, to do harm (to), to harm

nuòra s. f. daughter-in-law

nuotàre v. intr. to swim

nuotàta s. f. swim

nuotatóre s. m. swimmer

nuòto s. m. swimming

nuòva s. f. news

nuovaménte avv. again

nuòvo agg. e s. m. new ♦ **di n.** again; **n. di zecca** brand-new

nutriènte agg. nourishing

nutriménto s. m. nourishment, food

nutrire A v. tr. to feed, to nourish **B** v. intr. to be nutritious **C** v. rifl. to feed (on)

nutritivo agg. **1** nutritive **2** (nutriente) nourishing

nutrizióne s. f. nourishment

nùvola s. f. cloud

nuvolóso agg. cloudy, overcast

nuziàle agg. wedding (attr), nuptial

O

o o **od** *cong.* or ♦ **o ... o** either ... or

òasi *s. f.* oasis

obbediènte *agg.* obedient

obbediènza *s. f.* obedience

obbedire *v. intr.* to obey, to comply

obbligàre A *v. tr.* **1** to oblige, to compel **2** (*costringere*) to force, to make **3** (*impegnare*) to bind **B** *v. rifl.* to bind oneself, to engage oneself

obbligatòrio *agg.* compulsory

obbligazióne *s. f.* **1** obligation **2** (*fin.*) bond, debenture

òbbligo *s. m.* obligation

obbròbrio *s. m.* disgrace

obelisco *s. m.* obelisk

oberàre *v. tr.* to overload

oberàto *agg.* overburdened

obesità *s. f.* obesity

obèso *agg.* obese

obiettàre *v. tr. e intr.* to object

obiettività *s. f.* objectivity

obiettivo A *agg.* objective **B** *s. m.* **1** objective **2** (*scopo*) aim, goal, target, objective **3** (*fot.*) lens

obiettóre *s. m.* objector ♦ **o. di coscienza** conscientious objector

obiezióne *s. f.* objection

obitòrio *s. m.* mortuary, morgue

oblìo *s. m.* oblivion

oblìquo *agg.* **1** oblique, (*inclinato*) slanting **2** (*indiretto*) indirect

obliteràre *v. tr.* **1** to obliterate **2** (*biglietto*) to stamp

oblò *s. m.* bull's eye

oblùngo *agg.* oblong

òboe *s. m.* oboe

òbolo *s. m.* mite

obsolescènza *s. f.* obsolescence

obsolèto *agg.* obsolete

òca *s. f.* goose

occasionàle *agg.* **1** immediate **2** (*casuale*) fortuitous, chance (*attr*) **3** (*saltuario*) occasional

occasionalménte *avv.* **1** occasionally **2** (*per caso*) by chance

occasióne *s. f.* **1** occasion **2** (*opportunità*) opportunity, chance, occasion **3** (*affare*) bargain

occhiàie *s. f. pl.* shadows *pl.*

occhialàio *s. m.* optician

occhiàli *s. m. pl.* glasses *pl.* ♦ **o. da sole** sun-glasses

occhiàta (1) *s. f.* look, glance

occhiàta (2) *s. f.* (*zool.*) saddled bream

occhieggiàre A *v. tr.* to eye **B** *v. intr.* to peep

occhièllo *s. m.* **1** buttonhole **2** (*tecnol.*) eye

òcchio *s. m.* **1** eye **2** (*vista*) sight **3** (*sguardo*) look, glance, eye ♦ **a o. nudo** with the nacked eye; **a quattr'occhi** in private; **chiudere un o. su q.c.** to turn a blind eye on st.; **dare nell'o.** to attract attention

occidentàle *agg.* west (*attr*), western, (*da occidente*) westerly

occidènte *s. m.* west

occipitàle *agg.* occipital

occlùdere *v. tr.* to occlude

occlusióne *s. f.* occlusion

occorrènte A *agg.* necessary, required **B** *s. m.* the necessary

occorrènza *s. f.* necessity ♦ **all'o.** in case of need

occórrere A *v. intr.* **1** to need, to want, to be needed, to be wanted (ES: **occorrono molti più soldi** much more money is needed) **2** (*tempo*) to take (ES: **per cuocere una torta di mele occorre mezz'ora** it takes half an hour to cook an apple pie) **B** *v. intr. impers.* to be necessary, to need, to must, to have to (ES: **non occorre che ti muova** you needn't move)

occultàre *v. tr.* to hide, to conceal, (*astr.*) to occult

occùlto *agg.* **1** (*nascosto*) hidden **2** (*magico*) occult

occupàre A *v. tr.* **1** to occupy, to take possession of **2** (*spazio*) to take up **3** (*tempo*) to spend, to occupy **4** (*carica*) to hold **5** (*impiegare*) to employ **6** (*impegnare*) to keep busy **B** *v. intr. pron.* **1** to attend to, to be responsible for, (*come lavoro*) to do as a job, (*commerciare*) to deal in **2** (*interessarsi*) to be interested in, to be concerned with **3** (*prendersi cura*) to look after, to see to **4** (*impicciarsi*) to get involved in **5** (*trovar lavoro*) to find a job

occupàto *agg.* **1** (*impegnato*) busy, engaged **2** (*non libero*) taken, engaged **3** (*soggetto a occupazione*) occupied **4** (*impiegato*) employed

occupazióne *s. f.* **1** occupation **2** (*attività*) job, employment, occupation **3** (*dir*) occupancy

oceànico *agg.* oceanic, ocean (*attr*)

oceàno *s. m.* ocean

oceanografìa *s. f.* oceanography

òcra *s. f.* ochre

oculàre *agg.* ocular, eye (*attr*) ♦ **testimone o.** eye-witness

oculàto *agg.* cautious, shrewd

oculìsta *s. m. e f.* oculist

òde *s. f.* ode

odiàre A *v. tr.* to hate **B** *v. rifl. rec.* to hate each other

odièrno *agg.* today's (*attr*)

òdio *s. m.* hatred, hate

odióso *agg.* hateful, hideous, detestable

odissèa *s. f.* odyssey

odontoiatrìa *s. f.* odontology

odontotècnico *s. m.* dental mechanic

odoràre *v. tr. e intr.* to smell

odoràto *s. m.* smell

odóre *s. m.* **1** smell, odour, scent **2** (*piacevole*) perfume, scent **3** (*fig.*) odour **4** *al pl.* (*cuc.*) herbs

odoróso *agg.* sweet-smelling, fragrant

offéndere A *v. tr.* **1** to offend **2** (*danneggiare*) to damage, to injure **3** (*violare*) to break, to infringe **B** *v. intr. pron.* to be offended, to take offence **C** *v. rifl. rec.* to offend each other, to insult each other

offensìva *s. f.* offensive

offensìvo *agg.* offensive

offerènte *s. m. e f.* offerer, (*a un'asta*) bidder

offèrta *s. f.* **1** offer **2** (*donazione*) offering, donation **3** (*comm.*) offer, (*econ.*) supply, (*a un'asta*) bidding

offésa *s. f.* **1** offence, insult **2** (*torto*) wrong

offéso *agg.* **1** offended, hurt **2** (*ferito*) injured

officiàre *v. tr.* to serve

officìna *s. f.* workshop, shop ♦ **o. meccanica** machine-shop

offrìre A *v. tr.* **1** to offer **2** (*a un'asta*) to bid **3** (*esporre*) to expose **B** *v. rifl.* to offer oneself **C** *v. intr. pron.* (*presentarsi*) to offer oneself, to arise ♦ **offrirsi volontario** to volunteer

offuscàre A *v. tr.* to darken, to dim **B** *v. intr. pron.* to darken, to get dark, to grow dark, to become obscured

oftàlmico *agg.* ophthalmic

oftalmologìa *s. f.* ophthalmology

oggettivàre *v. tr.* to objectify

oggettività *s. f.* objectivity

oggettìvo *agg.* objective

oggètto *s. m.* **1** object, thing **2** (*argomento*) subject, subject matter **3** (*motivo*) object, subject **4** (*scopo*) object, purpose **5** (*gramm.*) object ♦ **oggetti preziosi** valuables; **oggetti personali** personal belongings

òggi *avv. e s. m.* today ♦ **a tutt'o.** till today; **o. stesso** this very day

oggigiórno *avv.* nowadays

ogìva *s. f.* ogive

ógni *agg. indef.* **1** (*ciascuno*) every, each, (*tutti*) all **2** (*qualsiasi*) any, all **3** (*distributivo*) every ♦ **o. due giorni** every two days, every second day; **o. giorno** every day; **o. tanto** every now and then

ognùno *pron. indef.* **1** everybody, everyone **2** (*con partitivo*) each (one), every (single) one, all

olandése A *agg.* Dutch **B** *s. m. e f.* Dutchman *m.*, Dutchwoman *f.* **C** *s. m.* (*lingua*) Dutch

oleodótto *s. m.* oil pipeline

oleóso *agg.* oily, oil (*attr*)

olfatto *s. m.* (sense of) smell

oliàre *v. tr.* to oil

oliatóre *s. m.* oiler

oligarchìa *s. f.* oligarchy

olìmpiadi *s. f. pl.* Olympic games *pl.*, Olympics *pl.*

olìmpico *agg.* **1** (*dell'Olimpo*) Olympian **2** (*delle Olimpiadi*) Olympic

olimpiònico *agg.* Olympic

òlio *s. m.* oil ♦ **o. d'oliva/di semi** olive/seed oil; **quadro a o.** oil painting; **sott'o.** in oil

olìva *s. f.* olive

olivàstro *agg.* olive

olìvo *s. m.* olive tree

ólmo *s. m.* elm

olocàusto *s. m.* holocaust

oltraggiàre *v. tr.* to outrage, to insult

oltràggio *s. m.* outrage

oltraggióso *agg.* outrageous

oltrànza, a *loc. avv.* to the death, to the bitter end

óltre A *avv.* **1** (*di luogo*) farther (on), further (on) **2** (*di tempo*) longer, more, over **3** (*di quantità*) over, more **B** *prep.* **1** (*di* *luogo*) beyond, on the other side of, over **2** (*più di*) more than, over **3 o. a** (*in aggiunta*) besides, in addition to, as well as ♦ **o. tutto** and besides

oltremàre *avv.* overseas

oltrepassàre *v. tr.* **1** to go beyond **2** (*eccedere*) to exceed

omàggio *s. m.* **1** (*ossequio*) homage **2** *al pl.* (*saluto*) regards *pl.*, compliments *pl.* **3** (*offerta*) (free) gift, (*comm.*) free sample, giveaway ♦ **biglietto in o.** complimentary ticket

ombelicàle *agg.* umbilical

ombelico *s. m.* navel

ómbra *s. f.* **1** shade, shadow **2** (*parvenza*) shadow, hint **3** (*spettro*) shade

ombreggiàre *v. tr.* to shade

ombreggiatùra *s. f.* shading

ombrellàio *s. m.* umbrella-maker, (*venditore*) umbrella-seller

ombrèllo *s. m.* umbrella ♦ **o. da sole** sunshade, parasol

ombrellóne *s. m.* beach-umbrella

ombrétto *s. m.* eye shadow

ombrìna *s. f.* (*zool.*) umbrine

ombróso *agg.* **1** shady, shadowy **2** (*di cavallo*) skittish **3** (*di persona*) touchy

omelette *s. f. inv.* omelette

omelìa *s. f.* homily

omeopatìa *s. f.* hom(o)eopathy

omeopàtico *agg.* hom(o)eopathic

òmero *s. m.* humerus

ométtere *v. tr.* to omit, to leave out

omicìda *s. m. e f.* homicide, murderer

omicìdio *s. m.* homicide, murder

omissióne *s. f.* omission

omogeneità *s. f.* homogeneity

omogeneizzàto *s. m.* homogenized food

omogèneo *agg.* homogeneous

omologàre *v. tr.* **1** to homologate, to approve, to validate **2** (*riconoscere*) to recognize

omologìa *s. f.* homology

omònimo A *agg.* homonymous **B** *s. m.* **1** homonym **2** (*persona*) namesake

omosessuàle *agg. e s. m. e f.* homosexual

óncia *s. f.* ounce

ónda *s. f.* wave

ondàta *s. f.* wave ♦ **o. di caldo** heat-wave

ónde *cong.* **1** (*affinché*) in order that, so that **2** (*cosicché*) so that

ondeggiàre *v. intr.* **1** to rock, to roll **2** (*oscillare*) to wave, to sway

ondulàto *agg.* **1** wavy, undulating **2** (*di la-*

miera, cartone) corrugated

ondulatòrio *agg.* undulatory

ondulazióne *s. f.* **1** undulation **2** (*di capelli*) wave

ònere *s. m.* burden, (*dovere*) duty, (*spesa*) charge

oneróso *agg.* onerous, burdensome

onestà *s. f.* honesty

onèsto *agg.* honest

ònice *s. f.* onyx

onìrico *agg.* oneiric

onnipotènte *agg.* **1** (*di Dio*) omnipotent, almighty **2** (*di persona*) all-powerful

onnipresènte *agg.* omnipresent, ubiquitous

onnìvoro *agg.* omnivorous

onomàstico *s. m.* name-day

onorànze *s. f. pl.* honour

onoràre A *v. tr.* **1** to honour **2** (*conferire onore*) to do honour to **B** *v. rifl.* to be honoured

onoràrio (1) *agg.* honorary

onoràrio (2) *s. m.* fee, emolument

onóre *s. m.* honour

onorificènza *s. f.* honour, (*decorazione*) decoration

onorìfico *agg.* honorary

ónta *s. f.* **1** (*disonore*) dishonour, disgrace **2** (*offesa*) offence ♦ **a o. di** in spite of

opàco *agg.* opaque

opàle *s. m.* opal

opalescènte *agg.* opalescent

òpera *s. f.* **1** work **2** (*melodramma*) opera **3** (*ente*) institution

operàio A *agg.* (*che lavora*) worker (*attr*), (*di operai*) working, workers' **B** *s. m.* workman, worker, hand ♦ **o. specializzato** skilled worker

operàre A *v. tr.* **1** to do, to work, to perform **2** (*med.*) to operate on **B** *v. intr.* to operate, to work, to act **C** *v. intr. pron.* **1** (*accadere*) to occur **2** (*farsi operare*) to be operated on

operatìvo *agg.* **1** (*in vigore*) operative **2** (*pratico*) operating

operatóre *s. m.* operator

operatòrio *agg.* operating

operazióne *s. f.* **1** operation **2** (*econ.*) transaction, operation

operétta *s. f.* operetta

operóso *agg.* industrious, active

opinàbile *agg.* debatable

opinióne *s. f.* opinion

òppio *s. m.* opium

oppórre v. tr., intr. pron. e rifl. to oppose

opportunaménte avv. opportunely, suitably

opportunìsmo s. m. opportunism

opportunìsta s. m. e f. opportunist

opportunità s. f. 1 timeliness, advisability 2 (occasione) opportunity, occasion, chance

opportùno agg. opportune, timely, (appropriato) appropriate

oppositóre s. m. opponent

opposizióne s. f. opposition

oppósto A agg. 1 opposite 2 (contrario) opposite, opposing, contrary **B** s. m. opposite, contrary ♦ **all'o.** on the contrary

oppressióne s. f. oppression

oppressìvo agg. oppressive

oppressóre s. m. oppressor

opprimènte agg. oppressive

opprìmere v. tr. to oppress, to weigh down

oppugnàre v. tr. to impugn, to refute

oppùre cong. 1 or 2 (altrimenti) or else, otherwise

optàre v. intr. to opt (for), to decide (for)

opulènza s. f. wealth, opulence

opùscolo s. m. booklet

opzionàle agg. optional

opzióne s. f. option, choice

óra (1) s. f. 1 hour 2 (nel computo del tempo) time 3 (tempo) time, (momento) moment ♦ **che o. è?** what time is it?; **o. di chiusura** closing time; **ore dei pasti** meal time; **ore di punta** peak hours; **o. legale** summer time; **un'o. e mezza** an hour and a half

óra (2) A avv. 1 (adesso) now, at present 2 (poco fa) just 3 (tra poco) in a minute, shortly **B** cong. 1 (allora) now 2 (invece) but ♦ **d'o. in poi** from now on; **o. che** now that; **or o.** just now; **prima d'o.** before

oràcolo s. m. oracle

òrafo s. m. goldsmith

oràle agg. oral

oràrio A agg. hourly, hour (attr) **B** s. m. 1 time, hours pl., schedule 2 (tabella) timetable

oràta s. f. (zool.) gilthead

oratóre s. m. orator, speaker

oratòrio s. m. oratory

orazióne s. f. 1 (preghiera) prayer 2 (discorso) oration

òrbita s. f. 1 orbit 2 (anat.) eye-socket, orbit

orchèstra s. f. orchestra, (piccola) band ♦ **direttore d'o.** conductor

orchestràre v. tr. to orchestrate

orchidèa s. f. orchid

òrco s. m. ogre

òrda s. f. horde

ordìgno s. m. device, contrivance

ordinàle agg. ordinal

ordinaménto s. m. 1 order, arrangement 2 (regolamento) regulations pl., rules pl.

ordinànza s. f. ordinance, order, injunction

ordinàre A v. tr. 1 (mettere in ordine) to put in order, to arrange 2 (comandare) to order, to command, to direct 3 (commissionare) to order 4 (prescrivere) to prescribe 5 (relig.) to ordain **B** v. rifl. to arrange oneself, to draw oneself up

ordinàrio agg. 1 ordinary, usual 2 (grossolano) common

ordinazióne s. f. 1 order 2 (relig.) ordination

órdine s. m. order ♦ **di prim'o.** first-class, first-rate; **o. del giorno** agenda; **o. professionale** professional association; **parola d'o.** password

ordìre v. tr. to plot, to plan

ordìto s. m. warp

orecchiàbile agg. catchy

orecchìno s. m. ear-ring

orécchio s. m. ear

orecchióni s. m. pl. (fam.) mumps pl.

oréfice s. m. goldsmith, (gioielliere) jeweller

oreficerìa s. f. 1 (arte) jeweller's art, goldsmith's art 2 (negozio) jeweller's (shop), goldsmith's (shop)

òrfano agg. e s. m. orphan

orfanotròfio s. m. orphanage

organétto s. m. barrel organ

organicità s. f. organicity

orgànico A agg. 1 organic 2 (sistematico) organized, systematic **B** s. m. staff

organigràmma s. m. organization chart

organìsmo s. m. 1 organism 2 (organizzazione) organization, body

organizzàre A v. tr. to organize **B** v. rifl. to organize oneself

organizzatóre A agg. organizing **B** s. m. organizer

organizzazióne s. f. organization

òrgano s. m. 1 organ 2 (apparato, ente) body, branch, organ 3 (mecc.) part, unit

orgàsmo s. m. 1 orgasm 2 (agitazione) excitement

òrgia *s. f.* orgy

orgóglio *s. m.* pride

orgoglióso *agg.* proud

orientàbile *agg.* adjustable

orientàle *agg.* oriental, eastern, east (*attr*), (*da oriente*) easterly

orientaménto *s. m.* **1** orientation **2** (*tendenza*) trend ♦ **senso dell'o.** sense of direction

orientàre **A** *v. tr.* **1** to orient, to orientate **2** (*indirizzare*) to steer **B** *v. rifl.* **1** to orientate oneself, to take one's bearings **2** (*tendere*) to tend **3** (*intraprendere*) to take up

orientativo *agg.* indicative

oriènte *s. m.* east

orìgano *s. m.* oregano, origanum, wild marjoram

originàle **A** *agg.* **1** original **2** (*nuovo*) new, original **3** (*non contraffatto*) genuine, real **4** (*strano*) strange, queer **B** *s. m.* **1** original **2** (*persona*) eccentric

originalità *s. f.* **1** originality **2** (*novità*) novelty **3** (*stranezza*) strangeness

originàre **A** *v. tr.* to originate, to cause **B** *v. intr. e intr. pron.* to originate, to arise, to spring

originàrio *agg.* **1** original, primary **2** (*nativo*) native

orìgine *s. f.* origin

origliàre *v. tr.* to eavesdrop

orìna *s. f.* urine

orinàre *v. tr. e intr.* to urinate

orizzontàle *agg.* horizontal

orizzontalménte *avv.* horizontally

orizzontàrsi *v. rifl.* **1** to orientate oneself, to get one's bearings **2** (*raccapezzarsi*) to find one's way

orizzónte *s. m.* horizon

orlàre *v. tr.* **1** to hem **2** (*bordare*) to border, to edge

órlo *s. m.* **1** (*di vestito, tenda, ecc.*) hem **2** (*margine*) border, edge, brink, rim, lip

órma *s. f.* **1** footprint, track **2** (*fig.*) trace, mark

ormài *avv.* **1** by now, by this time, (*riferito al pass.*) by then, by that time **2** (*quasi*) almost, nearly

ormeggiàre *v. tr. e intr. pron.* to moor

orméggio *s. m.* mooring

ormóne *s. m.* hormone

ornamentàle *agg.* ornamental

ornaménto *s. m.* ornament

ornàre **A** *v. tr.* to adorn, to decorate **B** *v. rifl.* to adorn oneself

ornitologìa *s. f.* ornithology

òro *s. m.* gold ♦ **o. zecchino** fine gold; **placcato in o.** gold plated

orografìa *s. f.* orography

orologiàio *s. m.* watchmaker, (*riparatore*) watch-repairer

orològio *s. m.* clock, (*da polso, da tasca*) watch

oròscopo *s. m.* horoscope

orrèndo *agg.* horrible, dreadful

orrìbile *agg.* horrible, dreadful

òrrido *agg.* horrid, horrible

orripilànte *agg.* horrifying

orróre *s. m.* horror ♦ **film dell'o.** horror film

orsacchiòtto *s. m.* (*giocattolo*) teddy bear

òrso *s. m.* bear ♦ **o. bruno** brown bear; **o. grigio** grizzly; **o. polare** sea bear

ortàggio *s. m.* vegetable

ortìca *s. f.* nettle

orticària *s. f.* nettle rash

orticoltùra *s. f.* horticulture

òrto *s. m.* vegetable garden, kitchen garden ♦ **o. botanico** botanical garden

ortodossìa *s. f.* orthodoxy

ortodòsso *agg. e s. m.* orthodox

ortogonàle *agg.* orthogonal

ortografìa *s. f.* orthography ♦ **errore di o.** spelling mistake

ortopedìa *s. f.* orthop(a)edics *pl.* (*v. al sing.*)

ortopèdico **A** *agg.* orthop(a)edic(al) **B** *s. m.* orthop(a)edist

orzaiòlo *s. m.* sty(e)

òrzo *s. m.* barley

osannàre *v. tr.* to acclaim

osàre **A** *v. intr.* to dare **B** *v. tr.* to risk, to attempt

oscenità *s. f.* obscenity

oscèno *agg.* obscene

oscillàre *v. intr.* **1** to swing, to sway, to rock, to oscillate **2** (*variare*) to fluctuate **3** (*essere dubbioso*) to waver **4** (*elettr*) to oscillate

oscillazióne *s. f.* **1** swinging, oscillation **2** (*variazione*) fluctuation **3** (*fis.*) oscillation

oscuraménto *s. m.* **1** darkening, obscuring **2** (*mil.*) blackout

oscurantìsmo *s. m.* obscurantism

oscuràre **A** *v. tr.* to darken, to obscure, to black out **B** *v. intr. e intr. pron.* to darken, to become obscure

oscurità *s. f.* darkness, obscurity

oscùro **A** *agg.* **1** dark, obscure **2** (*poco noto*) obscure, unknown **B** *s. m.* dark ♦

essere all'o. di q.c. to be in the dark about st.

ospedàle *s. m.* hospital

ospedalièro *agg.* hospital (*attr*)

ospitàle *agg.* hospitable

ospitalità *s. f.* hospitality

ospitàre *v. tr.* **1** to give hospitality to, to put up, to take in **2** (*di albergo*) to accommodate **3** (*contenere*) to house

òspite *s. m. e f.* **1** (*chi ospita*) host *m.*, hostess *f.* **2** (*persona ospitata*) guest ♦ **camera degli ospiti** guest-room; **o. d'onore** special guest; **o. pagante** paying guest

ospizio *s. m.* hospice, home

ossatùra *s. f.* **1** skeleton, bones *pl.* **2** (*struttura*) framework, structure

òsseo *agg.* bony, osseous

ossèquio *s. m.* **1** (*omaggio*) homage **2** *al pl.* (*saluti*) regards *pl.*, respects *pl.* **3** (*obbedienza*) obedience

ossequióso *agg.* deferential, respectful

osservàbile *agg.* noticeable, visible

osservànza *s. f.* observance

osservàre *v. tr.* **1** to observe, to watch, to examine **2** (*rispettare*) to keep, to observe, to respect **3** (*notare*) to notice, to point out **4** (*obiettare*) to object

osservatóre *s. m.* observer

osservatòrio *s. m.* observatory

osservazióne *s. f.* **1** observation **2** (*rimprovero*) reproach

ossessionàre *v. tr.* to haunt, to obsess

ossessióne *s. f.* obsession

ossessivo *agg.* haunting, obsessive

ossia *cong.* **1** (*cioè*) that is, id est, (*abbr* i.e.), or **2** (*o meglio*) or rather

ossidàre *v. tr. e intr. pron.* to oxidize

òssido *s. m.* oxide

ossigenàre *v. tr.* **1** to oxygenate **2** (*i capelli*) to peroxide, to bleach

ossìgeno *s. m.* oxygen

òsso *s. m.* **1** bone **2** (*nocciolo*) stone, pit

ossùto *agg.* bony

ostacolàre *v. tr.* to hinder, to hamper

ostàcolo *s. m.* **1** obstacle, hindrance, handicap **2** (*ippica*) jump, (*atletica*) hurdle

ostàggio *s. m.* hostage

òste *s. m.* host, innkeeper

osteggiàre *v. tr.* to oppose, to be hostile to

ostello *s. m.* (*youth*) hostel

ostensòrio *s. m.* ostensory

ostentàre *v. tr.* **1** to show off, to parade **2** (*fingere*) to feign

ostentazióne *s. f.* ostentation, showing off

osterìa *s. f.* tavern, pub

ostetrìcia *s. f.* obstetrics *pl.* (*v. al sing.*)

ostètrico A *agg.* obstetric(al) **B** *s. m.* obstetrician

òstia *s. f.* **1** (*relig.*) host **2** (*cialda*) wafer

òstico *agg.* hard, difficult

ostìle *agg.* hostile

ostilità *s. f.* hostility

ostinàrsi *v. intr. pron.* to persist, to insist

ostinàto *agg.* obstinate, stubborn

ostinazióne *s. f.* obstinacy, stubbornness

ostracìsmo *s. m.* ostracism

òstrica *s. f.* oyster

ostruìre A *v. tr.* to obstruct, to block (up) **B** *v. intr. pron.* to become obstructed

ostruzióne *s. f.* obstruction

ostruzionìsmo *s. m.* obstructionism, (*USA*) filibustering

otìte *s. f.* otitis

otorinolaringoiàtra *s. m. e f.* otorhinolaryngologist

ótre *s. m.* wineskin

ottagonàle *agg.* octagonal

ottànta *agg. num. card. e s. m. inv.* eighty

ottantèsimo *agg. num. ord. e s. m.* eightieth

ottàva *s. f.* octave

ottàvo *agg. num. ord. e s. m.* eighth

ottemperàre *v. intr.* to comply, to observe

ottenebràre *v. tr. e intr. pron.* to darken, to cloud

ottenére *v. tr.* **1** to obtain, to get **2** (*ricavare*) to obtain, to extract

òttica *s. f.* **1** optics *pl.* (*v. al sing.*) **2** (*fig.*) point of view

òttico A *agg.* optic(al) **B** *s. m.* optician

ottimàle *agg.* optimal, optimum (*attr*)

ottimaménte *avv.* very well

ottimìsmo *s. m.* optimism

ottimìsta A *agg.* optimistic **B** *s. m. e f.* optimist

ottimizzàre *v. tr.* to optimize

òttimo A *agg. sup. rel.* **1** very good, excellent, first-rate **2** (*ottimale*) optimal, optimum (*attr*) **B** *s. m.* **1** the best **2** (*l'optimum*) optimum

òtto *agg. num. card. e s. m. inv.* eight

ottóbre *s. m.* October

ottocentésco *agg.* nineteenth-century (*attr*)

ottocènto *agg. num. card. e s. m. inv.* eight hundred ♦ **l'O.** the nineteenth century

ottomàno *agg. e s. m.* Ottoman

ottóne *s. m.* brass

otturàre A *v. tr.* **1** to block (up), to stop (up) **2** (*un dente*) to fill **B** *v. intr. pron.* to get blocked up, to clog

otturatóre *s. m.* **1** (*arma*) breech-block **2** (*fot.*) shutter

otturazióne *s. f.* **1** blocking (up), stopping **2** (*di dente*) filling

ottùso *agg.* **1** obtuse **2** (*fig.*) dull, obtuse

ovàia *s. f.* ovary

ovàle *agg. e s. m.* oval

ovàtta *s. f.* cotton wool, (*per imbottitura*) padding

ovattàre *v. tr.* **1** to pad **2** (*fig.*) to attenuate, to muffle

ovazióne *s. f.* ovation

òvest *s. m.* west

ovìle *s. m.* sheepfold, pen

ovìno A *agg.* ovine, sheep (*attr*) **B** *s. m.* sheep

ovìparo *agg.* oviparous

ovoidàle *agg.* ovoid(al)

òvulo *s. m.* (*biol.*) ovum, ovule

ovùnque *avv.* → **dovunque**

ovvéro *cong.* **1** (*ossia*) or, that is **2** (*o meglio*) or rather

ovviaménte *avv.* obviously

ovviàre *v. intr.* to get out of

òvvio *agg.* clear, obvious, evident

oziàre *v. intr.* to idle about, to laze about

òzio *s. m.* **1** idleness, laziness **2** (*riposo*) leisure

ozióso *agg.* idle

ozòno *s. m.* ozone

P

pacàto *agg.* calm, quiet
pacchétto *s. m.* packet
pacchiàno *agg.* garish, showy
pàcco *s. m.* parcel, pack, package
pàce *s. f.* peace
pachidèrma *s. m.* pachyderm
pacificàre **A** *v. tr.* **1** to pacify, to appease **2** (*riconciliare*) to reconcile **B** *v. intr. pron.* **1** to make it up **2** (*calmarsi*) to calm down **C** *v. rifl. rec.* to reconcile oneself
pacificazióne *s. f.* **1** pacification **2** (*riconciliazione*) reconciliation
pacifico *agg.* peaceful, pacific
pacifismo *s. m.* pacifism
pacifista *s. m. e f.* pacifist
padèlla *s. f.* frying pan
padiglióne *s. m.* **1** pavilion **2** (*anat.*) auricle
pàdre *s. m.* father
padrino *s. m.* godfather
padronàle *agg.* master's, (*principale*) main
padronànza *s. f.* mastery, command, control ◆ **p. di sé** self-control
padróne *s. m.* **1** master **2** (*proprietario*) owner **3** (*di casa*) landlord
padroneggiàre *v. tr.* to master, to command, to control **B** *v. rifl.* to control oneself
paesàggio *s. m.* landscape, scenery, view
paesaggista *s. m. e f.* landscape painter
paesàno *agg.* **1** country (*attr*), rural **2** (*di paese*) village (*attr*)
paése *s. m.* **1** (*nazione*) country **2** (*territorio*) land, country **3** (*villaggio*) village
paffùto *agg.* chubby
pàga *s. f.* pay, wages *pl.*
pagàbile *agg.* payable
pagàia *s. f.* paddle
pagaménto *s. m.* payment ◆ **condizioni di p.** terms of payment; **p. alla consegna** cash on delivery; **p. a saldo** settlement
paganésimo *s. m.* paganism, heathenism
pagàno *agg. e s. m.* pagan, heathen
pagàre *v. tr. e intr.* to pay ◆ **p. da bere a qc.** to stand sb. a drink
pagèlla *s. f.* (school) report
pagèllo *s. m.* sea-bream
pàggio *s. m.* pageboy
pagherò *s. m. inv.* (*comm.*) I owe you (*abbr* IOU)

pàgina *s. f.* page ◆ **p. bianca** blank page; **prima p.** front page
pàglia *s. f.* straw
pagliaccétto *s. m.* rompers *pl.*
pagliàccio *s. m.* clown, buffoon
pagliàio *s. m.* straw-stack
pagliétta *s. f.* **1** (*cappello*) straw hat **2** (*per pulire*) steel wool
pagnòtta *s. f.* loaf
pagòda *s. f.* pagoda
pàio *s. m.* **1** pair **2** (*circa due*) couple
paiòlo *s. m.* pot
pàla *s. f.* **1** shovel **2** (*di remo, elica, ventilatore*) blade, (*di mulino*) vane **3** (*d'altare*) altar-piece
paladino *s. m.* paladin, champion
palafitta *s. f.* **1** palafitte **2** (*edil.*) pilework
palàmito *s. m.* boulter
palàto *s. m.* palate
palàzzo *s. m.* **1** palace **2** (*casa signorile*) mansion **3** (*edificio*) building ◆ **p. dello sport** stadium
pàlco *s. m.* **1** (*teatro*) box **2** (*tribuna*) stand, platform **3** (*palcoscenico*) stage
palcoscènico *s. m.* stage
paleoantropologia *s. f.* paleoanthropology
paleocristiàno *agg.* early Christian
paleografia *s. f.* pal(a)eography
paleolitico *agg.* Pal(a)eolithic
palesàre **A** *v. tr.* to reveal, to disclose **B** *v. rifl. o intr. pron.* to show oneself
palése *agg.* evident, manifest, clear
palestinése *agg. e s. m. e f.* Palestinian
palèstra *s. f.* gymnasium
palétta *s. f.* **1** (small) shovel, (*per la spazzatura*) dustpan **2** (*del capostazione*) bat
palétto *s. m.* **1** stake, pole, post **2** (*chiavistello*) bolt
palizzàta *s. f.* fence
pàlla *s. f.* ball
pallacanèstro *s. f.* basketball
pallamàno *s. f.* handball
pallanuòto *s. f.* water polo
pallavólo *s. f.* volleyball
palliativo *agg. e s. m.* palliative
pàllido *agg.* **1** pale **2** (*fig.*) faint, dim, slight
pallino *s. m.* **1** (*bocce*) jack **2** (*biliardo*) cue ball **3** (*da caccia*) shot **4** (*fig.*) mania

♦ **disegno a pallini** polka-dot pattern
pallóne *s. m.* **1** ball **2** (*calcio*) football **3** (*aerostato*) balloon
pallóre *s. m.* pallor
pallòttola *s. f.* **1** pellet **2** (*proiettile*) bullet
pallottolière *s. m.* abacus
pàlma *s. f.* palm ♦ **p. da cocco** coconut-palm; **p. da datteri** date-palm
palmipede *agg.* web-footed
palmizio *s. m.* palm(-tree)
pàlmo *s. m.* **1** (*della mano*) palm **2** (*spanna*) span ♦ **a p. a p.** inch by inch
pàlo *s. m.* **1** pole, post, stake **2** (*fam.*) (*complice*) lookout
palombàro *s. m.* diver
palómbo *s. m.* smooth hound
palpàre *v. tr.* to feel, to finger, (*med.*) to palpate
pàlpebra *s. f.* eyelid
palpitàre *v. intr.* to palpitate, to throb
palpitazióne *s. f.* palpitation, throbbing
pàlpito *s. m.* throb
paltò *s. m.* overcoat
palùde *s. f.* marsh, bog, swamp, fen
paludóso *agg.* marshy, boggy, swampy
palùstre *agg.* marsh (*attr*), fen (*attr*)
pànca *s. f.* bench, form, (*di chiesa*) pew
pancétta *s. f.* **1** (*pancia*) paunch, belly **2** (*cuc.*) bacon
panchìna *s. f.* bench
pància *s. f.* belly, stomach, tummy (*fam.*) ♦ **mal di p.** belly-ache
panciòtto *s. m.* waistcoat, (*USA*) vest
pàncreas *s. m.* pancreas
pànda *s. m. inv.* panda
pandemònio *s. m.* pandemonium, uproar
pàne *s. m.* **1** bread **2** (*fig.*) (*il necessario*) bread, living, food **3** (*forma*) block, cake, loaf ♦ **p. fresco** fresh bread; **p. integrale** wholemeal bread; **p. tostato** toast
panegìrico *s. m.* panegyric
panellenìsmo *s. m.* Panhellenism
panetteria *s. f.* bakery, (*negozio*) baker's (shop)
panettière *s. m.* baker
pànfilo *s. m.* yacht
pangrattàto *s. m.* breadcrumbs *pl.*
pànico *s. m.* panic
panière *s. m.* basket
panificio *s. m.* bakery, baker's (shop)
panino *s. m.* roll, (*imbottito*) sandwich
pànna *s. f.* cream ♦ **caffè con p.** coffee with cream; **p. montata** whipped cream
panne *s. f. inv.* breakdown

pannéggio *s. m.* drapery
pannèllo *s. m.* panel
pànno *s. m.* cloth ♦ **mettersi nei panni di qc.** to put oneself in sb.'s shoes
pannòcchia *s. f.* cob
pannolino *s. m.* napkin, (*USA*) diaper
panoràma *s. m.* **1** view, panorama **2** (*fig.*) survey, outline
panoràmica *s. f.* **1** (*panorama*) view, panorama **2** (*fig.*) survey **3** (*cin.*) panning
panoràmico *agg.* panoramic ♦ **schermo p.** wide screen; **strada panoramica** panoramic drive
pansé *s. f.* pansy
pantagruèlico *agg.* Pantagruelian
pantalóni *s. m. pl.* trousers *pl.*, pants *pl.* ♦ **p. corti** shorts; **un paio di p.** a pair of trousers
pantàno *s. m.* morass, quagmire
panteìsmo *s. m.* pantheism
pantèra *s. f.* panther
pantòfola *s. f.* slipper
pantomìma *s. f.* pantomime
panzàna *s. f.* fib, lie
paonàzzo *agg.* purple, violet
pàpa *s. m.* pope
papà *s. m.* daddy, dad, pa
papàia *s. f.* papaya
papàle *agg.* papal
papàto *s. m.* papacy
papàvero *s. m.* poppy
pàpera *s. f.* **1** duckling, gosling **2** (*errore*) slip
pàpero *s. m.* gosling
papiro *s. m.* papyrus
papìsmo *s. m.* papism
pàppa *s. f.* pap, baby food
pappagàllo *s. m.* parrot
pappagòrgia *s. f.* double chin
pàra *s. f.* para rubber
paràbola (1) *s. f.* (*racconto*) parable
paràbola (2) *s. f.* **1** (*geom.*) parabola **2** (*fig.*) course
parabrézza *s. m. inv.* windscreen, (*USA*) windshield
paracadùte *s. m. inv.* parachute
paracadutìsmo *s. m.* parachuting ♦ **p. acrobàtico** skydiving
paracàrro *s. m.* kerbstone
paradìso *s. m.* paradise, heaven
paradossàle *agg.* **1** paradoxical **2** (*bizzarro*) strange
paradòsso *s. m.* paradox
parafàngo *s. m.* mudguard, (*USA*) fender

paraffina *s. f.* paraffin

paràfrasi *s. f.* paraphrase

parafùlmine *s. m.* lightning-rod

paràggi *s. m. pl.* neighbourhood

paragonàbile *agg.* comparable

paragonàre A *v. tr.* to compare B *v. rifl.* to compare oneself

paragóne *s. m.* 1 comparison 2 (*esempio*) analogy

paràgrafo *s. m.* paragraph

paràlisi *s. f.* paralysis

paralìtico *agg. e s. m.* paralytic

paralizzàre *v. tr.* to paralyse

parallelepìpedo *s. m.* parallelepiped

parallelìsmo *s. m.* parallelism

parallèlo *agg. e s. m.* parallel

paralùme *s. m.* lampshade

paràmetro *s. m.* parameter

paranòia *s. f.* paranoia

paranòico *agg. e s. m.* paranoiac

paranormàle *agg.* paranormal

paraòcchi *s. m. pl.* blinkers *pl.*

parapètto *s. m.* parapect, (*naut.*) bulwark

parapìglia *s. m.* turmoil, confusion

parapsicologìa *s. f.* parapsychology

paràre *v. tr.* 1 (*addobbare*) to adorn, to decorate 2 (*riparare*) to shield 3 (*evitare*) to parry, (*calcio*) to save ♦ **andare a p.** to drive at

parasóle A *agg. inv.* sun (*attr*) B *s. m. inv.* parasol, sunshade

parassìta A *agg.* parasitic(al) B *s. m.* parasite

paràta (1) *s. f.* parade

paràta (2) *s. f.* (*sport*) parry

paratìa *s. f.* bulkhead

paraùrti *s. m.* bumper

paravènto *s. m.* screen

parcèlla *s. f.* fee, bill

parcheggiàre *v. tr.* to park

parchéggio *s. m.* 1 parking 2 (*posteggio*) (car) park ♦ **divieto di p.** no parking

parchìmetro *s. m.* parking-meter

pàrco (1) *s. m.* park

pàrco (2) *agg.* frugal, moderate

parécchio A *agg. indef.* 1 (quite a) lot of, rather a lot of, plenty of 2 (*tempo*) (quite) a long, rather a long 3 *al pl.* several, quite a lot of, rather a lot of B *pron. indef.* 1 quite a lot, rather a lot 2 *al pl.* several, quite a few, quite a lot C *avv.* quite, very, quite a lot

pareggiàre A *v. tr.* 1 to equalize, to make equal 2 (*comm.*) to balance, to square, to settle 3 (*uguagliare*) to match 4 (*livellare*) to level 5 (*tagliando*) to trim B *v. intr.* (*finire pari*) to draw, to tie

paréggio *s. m.* 1 (*comm.*) balance, squaring 2 (*sport*) draw, tie

parentàdo *s. m.* relatives *pl.*

parènte *s. m. e f.* relative, relation

parentèla *s. f.* 1 relationship, kinship 2 (*insieme dei parenti*) relatives *pl.*

parèntesi *s. f.* 1 (*segno*) parenthesis, bracket 2 (*inciso*) digression 3 (*intervallo*) interval, period

parére (1) *v. intr.* 1 to seem, to appear, to look (like) 2 (*impers.*) to seem, (*credere*) to think ♦ **mi pare di sì** I think so; **pare impossibile che ...** it seems impossible that ...

parére (2) *s. m.* opinion, advice ♦ **a mio p.** in my opinion

paréte *s. f.* 1 wall 2 (*superficie*) side, surface 3 (*di montagna*) face

pàri A *agg.* 1 equal, same, (*simile*) like, similar 2 (*di punteggio, conto*) equal, even 3 (*di numero*) even 4 (*allo stesso livello*) level, equal 5 (*equivalente*) equivalent, equal B *s. m.* 1 (*pareggio*) draw, tie 2 (*numero pari*) even number 3 (*persona*) equal, peer ♦ **alla p.** at the same level, (*presso famiglia*) au pair, (*fin.*) at par; **fare p. e dìspari** to play odds and evens

parigìno *agg. e s. m.* Parisian

parìglia *s. f.* pair ♦ **rendere la p.** to give tit for tat

parità *s. f.* 1 parity, equality 2 (*pareggio*) draw, tie

parlamentàre *agg.* parliamentary

parlaménto *s. m.* Parliament

parlantìna *s. f.* talkativeness

parlàre A *v. intr.* to speak, to talk B *v. tr.* to speak C *v. rifl. rec.* to speak to each other

parlàta *s. f.* way of speaking, (*dialetto*) dialect

parlatòrio *s. m.* parlour

parodìa *s. f.* parody

paròla *s. f.* 1 word 2 (*facoltà di parlare*) speech 3 (*promessa*) word, promise 4 (*discorso*) words *pl.*, speech 5 *al pl.* (*di canzone*) lyrics *pl.* ♦ **p. d'órdine** password; **paróle incrociate** crossword puzzle; **rivolgere la p. a qc.** to address sb.

parolàccia *s. f.* swearword, four-letter word

parossìstico *agg.* paroxysmal

parricìda *s. m.* parricide

parròcchia *s. f.* parish
parrocchiàle *agg.* parish (*attr*), parochial
pàrroco *s. m.* (*cattolico*) parish priest, (*protestante*) parson, vicar
parrùcca *s. f.* wig
parrucchière *s. m.* hairdresser
parsimònia *s. f.* thriftiness, parsimony
parsimonióso *agg.* thrifty
pàrte *s. f.* **1** (*porzione*) part, share, portion **2** (*luogo, regione*) parts *pl.*, region **3** (*lato*) side, part **4** (*direzione*) way, direction **5** (*ruolo*) part, rôle **6** (*partito, fazione*) party, faction ♦ **a p. ciò** apart from that; **d'altra p.** on the other side; **farsi da p.** to step aside; **p. civile** plaintiff
partecipàre A *v. intr.* **1** to participate (in), to share, to take part (in) **2** (*essere presente*) to be present (at), to attend **B** *v. tr.* (*annunciare*) to announce, to inform
partecipazióne *s. f.* **1** participation **2** (*presenza*) presence, attendance **3** (*fin.*) holding, interest **4** (*annuncio*) announcement, (*scritto*) card ♦ **p. di nozze** wedding card
partécipe *agg.* participating ♦ **essere p. di q.c.** to take part in st., to share st.; **rendere p. qc. di q.c.** to acquaint sb. with st.
parteggiàre *v. intr.* to side (with), to support
partènza *s. f.* **1** departure **2** (*sport*) start ♦ **essere in p.** to be about to leave
particèlla *s. f.* particle
particìpio *s. m.* participle
particolàre A *agg.* **1** particular, special, peculiar **2** (*privato*) particular, private **3** (*strano*) peculiar, strange **4** (*accurato*) detailed **B** *s. m.* particular, detail
particolarità *s. f.* particularity, peculiarity
partigiàno *agg. e s. m.* partisan
partìre *v. intr.* **1** to leave, to go away **2** (*decollare*) to take off, (*salpare*) to sail **3** (*mettersi in moto*) to start **4** (*iniziare*) to start **5** (*provenire*) to come **6** (*fam.*) (*rompersi*) to go ♦ **a p. da** beginning from, as from; **p. per l'estero** to go abroad
partìta *s. f.* **1** (*comm.*) lot, parcel, stock **2** (*giocata*) game, (*sport*) match **3** (*scrittura contabile*) entry
partìto *s. m.* **1** party **2** (*risoluzione*) decision, resolution **3** (*occasione di matrimonio*) match
partitùra *s. f.* score
partizióne *s. f.* partition, division
pàrto *s. m.* (child)birth, delivery ♦ **p. ce-**

sàreo caesarian birth; **sala p.** delivery room
partorìre *v. tr.* to bear, to give birth to
parvènza *s. f.* **1** appearance **2** (*traccia*) semblance
parziàle *agg.* partial
pascolàre *v. tr. e intr.* to graze, to pasture
pàscolo *s. m.* pasture, grazing
pàsqua *s. f.* Easter
pasquàle *agg.* Easter (*attr*)
pasquétta *s. f.* Easter Monday
passàbile *agg.* fairly good
passàggio *s. m.* **1** passage, passing **2** (*transito*) transit **3** (*luogo dove si passa*) passage, way, (*attraversamento*) crossing **4** (*su veicolo*) lift **5** (*letter., mus.*) passage **6** (*fig.*) (*cambiamento*) shift, (*trasferimento*) handing, transfer ♦ **p. pedonale** pedestrian crossing; **vietato il p.** no transit
passànte A *s. m. e f.* passer-by **B** *s. m.* (*di cintura*) loop ♦ **p. ferroviario** railway link
passapòrto *s. m.* passport ♦ **mettere il visto su un p.** to visa a passport; **p. scaduto** expired passport
passàre A *v. intr.* **1** to pass, (*attraverso*) to pass through, to go through, (*vicino*) to pass by, to go by **2** (*trascorrere*) to pass, to go by, to elapse **3** (*cessare*) to pass away, to cease **4** (*fare visita*) to call on, to call at **5** (*diventare*) to become **6** (*essere considerato*) to be considered, (*essere scambiato*) to pass off as, to be taken for **7** (*essere approvato*) to be passed, to get through **8** (*intercorrere*) to be **9** (*a carte*) to pass **B** *v. tr.* **1** (*attraversare*) to pass, to cross, (*valicare*) to go beyond **2** (*trascorrere*) to pass, to spend **3** (*far passare*) to pass **4** (*dare*) to give, to hand, to pass **5** (*cospargere di*) to put, to spread **6** (*sopportare*) to go through, to pass through **7** (*trafiggere*) to pass through **8** (*promuovere*) to pass
passatèmpo *s. m.* pastime, (*il p. preferito*) hobby
passàto A *agg.* **1** past **2** (*scorso*) last **B** *s. m.* **1** past **2** (*gramm.*) past, perfect **3** (*cuc.*) soup
passaverdùra *s. m. inv.* vegetable mill
passeggèro A *agg.* passing, transitory **B** *s. m.* passenger
passeggiàre *v. intr.* to walk, to take a walk, to stroll

passeggiàta s. f. **1** walk, (*in bici, a cavallo*) ride **2** (*luogo*) walk, promenade
passeggino s. m. pushchair, (*USA*) stroller
passéggio s. m. walk, stroll
passerèlla s. f. **1** (*per imbarco e sbarco*) gangway **2** (*teatro*) parade **3** (*per sfilate di moda*) catwalk
pàssero s. m. sparrow
passìbile agg. liable
passionàle agg. **1** of passion, passional **2** (*appassionato*) passionate
passióne s. f. passion
passìvo A agg. passive **B** s. m. **1** (*econ.*) deficit, liabilities pl. **2** (*gramm.*) passive
pàsso (1) s. m. **1** step, pace **2** (*andatura*) pace, walk **3** (*rumore*) footstep, (*orma*) footprint **4** (*brano*) passage **5** (*tecnol.*) pitch
pàsso (2) s. m. **1** (*passaggio*) passage, way **2** (*valico*) pass
pàsta s. f. **1** (*impasto*) dough, pastry **2** (*pasticcino*) pastry, cake **3** (*per minestra*) pasta **4** (*sostanza pastosa*) paste **5** (*fig.*) nature ♦ **p. frolla** short pastry; **p. sfoglia** puff pastry
pastasciùtta s. f. pasta
pastèlla s. f. batter
pastèllo agg. e s. m. pastel
pastìcca s. f. tablet, lozenge
pasticcerìa s. f. **1** confectionery **2** (*negozio*) pastry-shop, confectioner's shop
pasticciàre v. tr. e intr. to mess up, to make a mess
pasticcière s. m. confectioner
pasticcìno s. m. pastry, cake
pasticcio s. m. **1** mess **2** (*cuc.*) pie
pastìglia s. f. **1** pastille, lozenge, sweet, drop **2** (*di freni*) pad
pastinàca s. f. parsnip
pàsto s. m. meal
pastoràle agg. pastoral
pastóre s. m. **1** shepherd **2** (*relig.*) pastor, minister
pastorìzia s. f. sheep-farming
pastorizzàre v. tr. to pasteurize
pastóso agg. mellow, soft
pastràno s. m. overcoat
pastùra s. f. pasture
patàta s. f. potato ♦ **p. americana** sweet potato, batata; **patate fritte** fried potatoes, chips, (*USA*) French fries
paté s. m. inv. paté
patèma s. m. anxiety
patènte s. f. licence, permit ♦ **p. di guida**

driving licence
paternalìsmo s. m. paternalism
paternità s. f. paternity, fatherhood
patèrno agg. paternal, (*da padre*) fatherly
patètico agg. pathetic
pàthos s. m. pathos
patìbolo s. m. gallows, scaffold
pàtina s. f. patina
pàtio s. m. patio
patìre A v. intr. to suffer **B** v. tr. **1** to suffer, to undergo **2** (*sopportare*) to bear, to stand
patìto A agg. sickly **B** s. m. fan
patologìa s. f. pathology
patològico agg. pathologic(al)
pàtria s. f. **1** (*native*) country, homeland **2** (*luogo di nascita*) birthplace, home
patriàrca s. m. patriarch
patriarcàto s. m. **1** patriarchy **2** (*relig.*) patriarchate
patrìgno s. m. stepfather
patrimoniàle agg. patrimonial ♦ **imposta p.** property tax
patrimònio s. m. **1** patrimony, property **2** (*somma considerevole*) fortune **3** (*fig.*) heritage
patriòta s. m. e f. patriot
patriòttico agg. patriotic
patriottìsmo s. m. patriotism
patrocinàre v. tr. **1** (*dir*) to plead, to defend **2** (*sponsorizzare*) to sponsor, to support
patrocìnio s. m. **1** (*dir*) pleading, defence **2** (*sponsorizzazione*) patronage, sponsorship
patronàto s. m. patronage
patronìmico agg. e s. m. patronymic
patróno s. m. **1** (*dir*) counsel **2** (*protettore*) patron, supporter **3** (*santo*) patron saint
pàtta s. f. flap, (*di pantaloni*) fly
patteggiàre v. tr. e intr. to negotiate
pattinàggio s. m. skating ♦ **p. artistico** figure-skating; **p. a rotelle** roller-skating; **p. su ghiaccio** ice-skating; **pista di p.** skating-rink
pattinàre v. intr. to skate
pattinatóre s. m. skater
pàttino s. m. skate
pàtto s. m. **1** agreement, pact **2** (*condizione*) term, condition ♦ **a p. che** on condition that; **venire a patti** to come to terms
pattùglia s. f. patrol
pattuìre v. tr. to agree upon, to stipulate
pattumièra s. f. dustbin, (*USA*) garbage-can
paùra s. f. fear, dread, (*spavento*) fright,

scare ♦ **aver p. di q.c.** to be afraid of st.

pauróso agg. 1 (che ha paura) fearful, timorous 2 (che incute paura) frightening

pàusa s. f. 1 pause, (nel lavoro) break 2 (mus.) rest

pavimentàre v. tr. 1 (di casa) to floor 2 (di strada) to pave

pavimentazióne s. f. 1 (di casa) flooring 2 (di strada) paving

paviménto s. m. floor

pavóne s. m. peacock

pavoneggiàrsi v. intr. pron. to strut about

paziente v. intr. to be patient

pazientàre v. intr. to be patient

paziènte agg. e s. m. patient

paziènza s. f. patience ♦ **p.!** never mind!

pazzésco agg. 1 mad, crazy, foolish 2 (eccessivo) absurd, senseless

pazzìa s. f. madness

pàzzo A agg. 1 mad, crazy, insane, lunatic 2 (eccessivo) wild B s. m. madman, lunatic

pècca s. f. fault

peccaminóso agg. sinful

peccàre v. intr. 1 (fare peccato) to sin 2 (essere difettoso) to be faulty, to lack

peccàto s. m. sin ♦ **che p.!** what a pity!

peccatóre s. m. sinner

péce s. f. pitch

pècora s. f. sheep

peculàto s. m. peculation

peculiàre agg. peculiar, characteristic

peculiarità s. f. peculiarity

pedàggio s. m. toll

pedagogìa s. f. pedagogy

pedalàre v. intr. to pedal, to cycle

pedàle s. m. pedal

pedàna s. f. 1 footboard, (della cattedra) dais 2 (salto) springboard, (lancio) circle, (scherma) piste

pedànte A agg. pedantic B s. m. e f. pedant

pedanterìa s. f. pedantry

pedàta s. f. 1 kick 2 (impronta) footprint

pedèstre agg. pedestrian, dull

pediàtra s. m. e f. p(a)ediatrician

pediatrìa s. f. p(a)ediatrics pl. (v. al sing.)

pedicùre s. m. e f. inv. pedicure, chiropodist

pedìna s. f. (dama) man, (scacchi, fig.) pawn

pedinàre v. tr. to tag after, to tail

pedonàle agg. pedestrian (attr) ♦ **isola p.** pedestrian precinct; **passaggio p.** pedestrian crossing

pedonalizzàre v. tr. to pedestrianize

pedóne s. m. 1 pedestrian 2 (pedina) pawn

pèggio A agg. inv. worse B s. m. e f. inv. the worst (thing) C avv. 1 (comp.) worse 2 (sup. rel.) worst, (tra due) worse ♦ **alla meno p.** anyhow, somehow; **alla p.** at worst; **p. che mai** worse than ever

peggioraménto s. m. worsening

peggioràre A v. tr. to worsen, to make worse B v. intr. to get worse

peggiorativo agg. e s. m. pejorative

peggióre agg. 1 (comp.) worse 2 (sup. rel.) the worst, (tra due) the worse

pégno s. m. pawn, pledge

pelàme s. m. coat

pelàre v. tr. 1 (sbucciare) to peel, (spellare) to skin 2 (fig., fam.) to fleece

pelàto agg. 1 (calvo) bald, hairless 2 (sbucciato) peeled

pellàme s. m. skins pl.

pèlle s. f. 1 skin, (carnagione) complexion 2 (cuoio) hide, leather 3 (buccia) peel, skin, rind

pellegrinàggio s. m. pilgrimage

pellegrìno s. m. pilgrim

pelleróssa s. m. e f. American Indian

pelletterìa s. f. 1 leather goods pl. 2 (negozio) leather goods shop

pellicàno s. m. pelican

pelliccerìa s. f. 1 furs pl. 2 (negozio) furrier's shop

pelliccia s. f. 1 fur 2 (indumento) fur coat

pellìcola s. f. 1 (membrana) film, pellicle 2 (fot., cin.) film

pélo s. m. 1 hair 2 (pelame) coat, hair, (pelliccia) fur 3 (di tessuto) pile

pelóso agg. hairy

péltro s. m. pewter

pelùria s. f. down

péna s. f. 1 (dir) punishment, penalty 2 (sofferenza) pain, suffering, sorrow 3 (fatica) trouble ♦ **a mala p.** hardly; **mi fa p.** I feel sorry for him; **non ne vale la p.** it isn't worth it; **p. capitale** capital punishment

penàle A agg. penal B s. f. penalty, fine ♦ **codice p.** criminal code

penalità s. f. penalty

penalizzàre v. tr. 1 to penalize 2 (danneggiare) to damage

penàre v. intr. 1 to suffer 2 (far fatica) to find it difficult

pendènte A agg. 1 hanging 2 (inclinato) leaning 3 (dir) pending, outstanding B s. m. pendant, (orecchino) ear-drop

pendènza s. f. 1 slope, incline 2 (grado d'inclinazione) gradient 3 (dir) pending suit 4 (comm.) outstanding account

pèndere v. intr. **1** to hang (down) **2** (inclinare) to lean **3** (di superficie) to slant, to slope **4** (incombere) to hang over **5** (propendere) to be inclined, to tend **6** (dir) to be pending

pendìce s. f. slope

pendìo s. m. slope, slant

pèndola s. f. pendulum-clock

pendolàre A agg. **1** pendular **2** (di lavoratore) commuting **B** s. m. e f. commuter

pèndolo s. m. pendulum ♦ **orologio a p.** pendulum-clock

pène s. m. penis

penetràre A v. tr. **1** to seep into, to penetrate, to pierce **2** (fig.) to penetrate **B** v. intr. **1** to penetrate into, to pierce into **2** (entrare) to enter, (furtivamente) to steal into

penetrazióne s. f. penetration

penicillìna s. f. penicillin

peninsulàre agg. peninsular

penìsola s. f. peninsula

penitènte agg. e s. m. e f. penitent

penitènza s. f. **1** penance **2** (castigo) punishment **3** (nei giochi) forfeit

penitenziàrio A agg. penitentiary **B** s. m. prison, (USA) penitentiary

pénna s. f. **1** (per scrivere) pen **2** (di uccello) feather **3** (scrittore) writer ♦ **p. a sfera** ballpoint pen; **p. stilografica** fountain-pen

pennàcchio s. m. plume

pennarèllo s. m. felt-tip pen

pennellàta s. f. brush stroke

pennèllo s. m. brush ♦ **p. da barba** shaving-brush; **stare a p.** to fit perfectly

pennìno s. m. nib

pennóne s. m. **1** (naut.) yard **2** (stendardo) pennon

penómbra s. f. gloom, semi-darkness

penóso agg. painful

pensàre A v. tr. **1** to think **2** (proporsi, decidere) to think, to decide **3** (considerare) to consider, to bear in mind **4** (immaginare) to think, to imagine **B** v. intr. **1** to think (of) **2** (badare) to mind, to take care of, to see to **3** (giudicare) to think

pensatóre s. m. thinker

pensièro s. m. **1** thought **2** (opinione) opinion, mind **3** (attenzione) thought, care **4** (preoccupazione) trouble, worry **5** (dono) gift

pensieróso agg. thoughtful, pensive

pènsile agg. pensile, hanging, suspended ♦

giardino p. roof garden

pensilìna s. f. cantilever roof, shelter

pensionaménto s. m. retirement

pensionànte s. m. e f. boarder

pensionàto s. m. **1** (persona) pensioner, retired person **2** (istituto) boarding-house, hostel, (per anziani) rest home

pensióne s. f. **1** (assegno) pension, annuity **2** (vitto e alloggio) board and lodging **3** (luogo) boarding-house, guest-house ♦ **andare in p.** to retire

pensóso agg. thoughtful, pensive

pentagonàle agg. pentagonal

pentàgono s. m. pentagon

pentagràmma s. m. pentagram, stave

pentecòste s. f. Whitsunday

pentiménto s. m. repentance

pentìrsi v. intr. pron. to repent, to regret

péntola s. f. pot, pan, saucepan ♦ **p. a pressione** pressure cooker

penùltimo agg. penultimate, second-last, last but one

penùria s. f. scarcity, shortage

penzolàre v. intr. to dangle, to hang down

penzolóni avv. hanging

pepàre v. tr. to pepper

pepàto agg. **1** peppery **2** (fig.) sharp

pépe s. m. pepper ♦ **p. in grani** whole pepper

peperoncìno s. m. hot pepper, paprika

peperóne s. m. pepper

pepìta s. f. nugget

pèplo s. m. peplum, peplos

pér A prep. **1** (moto per luogo) through, (senza direzione fissa) about, around, (lungo) along, up, (sopra) over, all over (ES: **passare per Londra** to pass through London) **2** (moto a luogo) for, to (ES: **partire per Roma** to leave for Rome) **3** (stato in luogo) in, on (ES: **incontrare qc. per la città** to meet sb. in the town) **4** (estensione, misura) for (ES: **camminare per miglia e miglia** to walk for miles and miles) **5** (per un certo periodo, per una data precisa) for, (entro un termine) by, (per un intero periodo di tempo) (all) through, throughout (ES: **per due ore** for two hours, **saranno di ritorno per le cinque** they'll be back by five o'clock) **6** (mezzo) by, through (ES: **per via aerea** by air mail) **7** (modo) by, in (ES: **chiamare per nome** to call by name, **per iscritto** in writing) **8** (prezzo) for (ES: **comprare q.c. per 50 sterline** to buy st. for fifty pounds)

9 (*causa*) for, owing to, because of, on account of, out of, through (ES: **assente per malattia** absent owing to illness, **fare q.c. per amore** to do st. out of love) **10** (*termine, vantaggio, utilità, interesse*) for (ES: **fatelo per me** do it for me) **11** (*fine, scopo*) for (ES: **la lotta per la vita** the struggle for life) **12** (*limitazione*) for (ES: **è troppo difficile per me** it's too difficult for me) **13** (*colpa*) for (ES: **fu processato per furto** he was tried for theft) **14** (*distributivo*) by, at, in, per, for (ES: **il tre per cento** three per cent, **uno per uno** one by one, **due per volta** two at a time) **15** (*mat.*) by (ES: **divisione per due** division by two) **16** (*come, in qualità di*) as (ES: **avere un cane per amico** to have a dog as a friend) **17** (*scambio, sostituzione*) for (ES: **ti ho scambiata per la moglie di Mario** I'd taken you for Mario's wife) **B** *cong.* **1** (*finale*) for, (in order) to **2** (*causale*) for **3** (*concessivo*) however ♦ **stare per fare q.c.** to be about to do st.

péra *s. f.* pear

peràltro *avv.* moreover, what is more

perbàcco *inter.* by Jove!, (*certo!*) of course

perbène **A** *agg.* respectable **B** *avv.* well

perbenìsmo *s. m.* respectability

percènto *avv. e s. m. inv.* percent

percentuàle **A** *agg.* percent (*attr.*), proportional **B** *s. f.* **1** percentage, (*tasso*) rate **2** (*commissione*) commission

percepìre *v. tr.* **1** to perceive, to feel **2** (*ricevere*) to collect, to cash, to receive

percezióne *s. f.* perception

perché **A** *avv.* why, what for **B** *cong.* **1** (*esplicativo*) because, for, since, as **2** (*finale*) so (that), so as, in order that **3** (*correlativo di 'troppo'*) for, to **C** *s. m. inv.* **1** (*motivo*) reason, motive **2** (*dubbio*) question

perciò *cong.* so, for this/that reason, therefore

percórrere *v. tr.* **1** (*una distanza*) to cover, to go along **2** (*in lungo e in largo*) to travel, to scour **3** (*attraversare*) to run through, to go across

percórso *s. m.* **1** (*tratto*) way, journey **2** (*distanza*) run, distance **3** (*tracciato*) route, course

percòssa *s. f.* blow, stroke

percuòtere *v. tr.* to strike, to hit, to beat, to knock

percussióne *s. f.* percussion

pèrdere **A** *v. tr.* **1** to lose **2** (*lasciarsi sfuggire*) to miss **3** (*sprecare*) to waste **4** (*lasciar uscire*) to leak, to lose **5** (*rovinare*) to ruin **B** *v. intr.* **1** to lose **2** (*far uscire liquido*) to leak **C** *v. intr. pron.* **1** (*smarrirsi*) to get lost, to lose oneself **2** (*svanire*) to fade away, (*sparire*) to disappear **3** (*andare smarrito*) to be mislaid, to get lost **4** (*rovinarsi*) to be ruined

perdigiórno *s. m. e f.* idler

pèrdita *s. f.* **1** loss **2** (*spreco*) waste **3** (*falla*) leak

perditèmpo *s. m. e f.* timewaster

perdonàbile *agg.* excusable

perdonàre **A** *v. tr.* **1** to forgive, to pardon **2** (*scusare*) to excuse, to pardon **3** (*risparmiare*) to spare **B** *v. intr.* to forgive

perdóno *s. m.* **1** forgiveness, pardon **2** (*esclamativo*) sorry

perduràre *v. intr.* **1** to continue, to go on **2** (*persistere*) to persist

perdutaménte *avv.* desperately, hopelessly

peregrinàre *v. intr.* to wander

peregrinazióne *s. f.* wandering

perènne *agg.* perennial, perpetual, (*eterno*) everlasting

perentòrio *agg.* peremptory

perfettaménte *avv.* perfectly

perfètto *agg.* perfect

perfezionaménto *s. m.* **1** perfecting, improvement **2** (*completamento*) completion **3** (*specializzazione*) specialization

perfezionàre **A** *v. tr.* to perfect, (*migliorare*) to improve **B** *v. intr. pron. e rifl.* **1** to perfect oneself **2** (*specializzarsi*) to specialize

perfezióne *s. f.* perfection

perfezionìsta *s. m. e f.* perfectionist

pèrfido *agg.* perfidious, treacherous

perfìno *avv.* even

perforàre **A** *v. tr.* to perforate, to pierce, to punch **B** *v. intr. pron.* to be pierced

perforazióne *s. f.* perforation

pergamèna *s. f.* parchment

pergolàto *s. m.* pergola, bower

pericolànte *agg.* tumbledown, unsafe, precarious

perìcolo *s. m.* danger, peril, hazard

pericolosità *s. f.* danger, dangerousness

pericolóso *agg.* dangerous

periferìa *s. f.* **1** (*zona esterna*) periphery **2** (*di città*) outskirts *pl.*, suburbs *pl.*

perifèrico *agg.* **1** (*esterno*) peripheral **2** (*di quartiere*) suburban

perìfrasi *s. f.* periphrasis

perimetràle *agg.* perimetric(al), *(esterno)* outer

perìmetro *s. m.* perimeter

periodicaménte *avv.* periodically

periodicità *s. f.* periodicity

periòdico A *agg.* periodic(al), recurring **B** *s. m.* periodical, magazine

periodo *s. m.* period

peripezia *s. f.* vicissitudes *pl.*, adventure

perìre *v. intr.* to perish, to die

periscòpio *s. m.* periscope

perìto *s. m.* expert

peritonite *s. f.* peritonitis

perìzia *s. f.* **1** *(abilità)* skill, ability **2** *(valutazione)* appraisal, survey, examination, *(tecnica)* expert report, expertise

pèrla *s. f.* pearl

perlàceo *agg.* pearly

perloméno *avv.* at least

perlopiù *avv.* **1** *(per la maggior parte)* mainly, mostly **2** *(di solito)* usually

perlustràre *v. tr.* to search, to patrol

perlustrazióne *s. f.* **1** *(mil.)* patrol, reconnaissance **2** *(est.)* searching

permalóso *agg.* touchy

permanènte A *agg.* permanent, standing **B** *s. f.* permanent wave, perm

permanènza *s. f.* **1** permanence, persistence **2** *(soggiorno)* stay

permanére *v. intr.* to remain, *(perdurare)* to persist

permeàre *v. tr.* to permeate

permésso *s. m.* **1** permission, leave, permit **2** *(dal lavoro)* leave **3** *(licenza)* licence, permit

perméttere *v. tr.* **1** to allow, to permit, to let **2** *(rendere possibile)* to enable **3** *(autorizzare)* to authorize **4** *(concedersi)* to afford, to allow

permissivo *agg.* permissive

pèrmuta *s. f.* exchange, permutation

pernàcchia *s. f.* raspberry

pernìce *s. f.* partridge

perniciòso *agg.* pernicious, noxious

pèrno *s. m.* **1** pivot, pin **2** *(cardine)* hinge **3** *(fig.)* mainstay, support

pernottaménto *s. m.* overnight stay

pernottàre *v. intr.* to stay overnight

péro *s. m.* pear

però *cong.* **1** *(avversativo)* but, however, yet **2** *(concessivo)* nevertheless

peróne *s. m.* perone, fibula

peroràre A *v. tr.* to plead, to defend **B** *v. intr.* to perorate

perpendicolàre *agg. e s. f.* perpendicular

perpetràre *v. tr.* to perpetrate, to commit

perpetuàre A *v. tr.* to perpetuate **B** *v. intr. pron.* to last

perpètuo *agg.* perpetual

perplessità *s. f.* perplexity

perplèsso *agg.* perplexed, puzzled

perquisìre *v. tr.* to search

perquisizióne *s. f.* perquisition, search ♦ **mandato di p.** search-warrant

persecutóre *s. m.* persecutor

persecuzióne *s. f.* persecution

perseguìre *v. tr.* **1** to pursue, to follow **2** *(dir)* to prosecute

perseguitàre *v. tr.* to persecute, to pursue

perseverànte *agg.* perseverant

perseverànza *s. f.* perseverance

perseveràre *v. intr.* to persevere, to persist

persiàna *s. f.* shutter

persiàno *agg. e s. m.* Persian

pèrsico (1) *agg.* Persian

pèrsico (2) *agg. e s. m.* *(zool.)* perch, bass

persìno *avv.* → **perfino**

persistènte *agg.* persistent

persìstere *v. intr.* to persist

persóna *s. f.* **1** *(essere umano)* person (*pl.* people) **2** *(qualcuno)* someone, somebody **3** *(corpo)* body, figure **4** *(gramm., dir)* person ♦ **in/di p.** personally; **p. di servizio** servant

personàggio *s. m.* **1** personage, personality **2** *(teatro, letter)* character, person **3** *(tipo strano)* character

personàle A *agg.* personal **B** *s. m.* **1** staff **2** *(corporatura)* figure **3** *(sfera privata)* privacy

personalità *s. f.* **1** personality **2** *(persona importante)* personage, personality

personalizzàre *v. tr.* to personalize

personalménte *avv.* personally

personificàre *v. tr.* to personify

personificazióne *s. f.* personification

perspicàce *agg.* perspicacious, shrewd

perspicàcia *s. f.* perspicacity, shrewdness

persuadére A *v. tr.* to persuade, to convince **B** *v. rifl.* to persuade oneself, to convince oneself

persuasióne *s. f.* persuasion, conviction

persuasivo *agg.* persuasive, convincing

pertànto *cong.* therefore, so

pèrtica *s. f.* perch

pertinènte *agg.* pertinent

pertósse *s. f.* whooping-cough

pertùgio *s. m.* hole, opening

perturbàre A v. tr. to perturb, to upset **B** v. intr. pron. to become upset, (di tempo) to worsen

perturbazióne s. f. perturbation, disturbance

pervàdere v. tr. to pervade

pervenìre v. intr. to reach, to attain, to achieve, to arrive at

perversióne s. f. perversion

pervèrso agg. perverse

pervertìre A v. tr. to pervert **B** v. intr. pron. to become perverted

pésa s. f. **1** (pesatura) weighing **2** (pesa pubblica) weigh-house

pesànte agg. **1** heavy **2** (noioso) boring, dull, heavy **3** (faticoso) tiring **4** (di aria) close, stuffy **5** (duro) hard, rough

pesantézza s. f. heaviness, weight

pesàre A v. tr. to weigh **B** v. intr. **1** to weigh, to be heavy **2** (esser gravoso) to bother, to be a burden **3** (aver importanza) to count **C** v. rifl. to weigh oneself

pèsca (1) s. f. (frutto) peach

pésca (2) s. f. **1** (il pescare) fishing **2** (il pescato) catch, haul ♦ **p. a strascico** trawling; **p. con la lenza** angling; **p. di beneficenza** lucky dip

pescàre A v. tr. **1** to fish for, (prendere) to fish, to catch **2** (trovare) to get hold of **3** (cogliere sul fatto) to catch **4** (estrarre) to draw, to pick up **B** v. intr. (naut.) to draw

pescatóre s. m. fisherman

pésce s. m. fish

pescecàne s. m. shark

pescespàda s. m. swordfish

pescheréccio A agg. fishing **B** s. m. fishing boat

pescherìa s. f. fishmonger's, fish-shop

peschièra s. f. fishpond

pescivéndolo s. m. fishmonger

pèsco s. m. peach(-tree) ♦ **fiori di p.** peach-blossom

pescóso agg. abounding in fish

péso s. m. **1** weight **2** (importanza) weight, importance **3** (onere) burden, load ♦ **essere di peso a qc.** to be a burden for sb.; **lancio del p.** shot put

pessimismo s. m. pessimism

pessimista s. m. e f. pessimist

pèssimo agg. very bad, awful, terrible

pestàre v. tr. **1** to crush, to pound, (ridurre in polvere) to grind **2** (calpestare) to tread on, to trample on **3** (picchiare) to beat

pèste s. f. plague

pestèllo s. m. pestle

pestìfero agg. **1** pestiferous **2** (puzzolente) stinking, (disgustoso) disgusting **3** (fastidioso) pestilent

pestilènza s. f. pestilence, plague

pètalo s. m. petal

petàrdo s. m. firecracker

petizióne s. f. petition

petrolièra s. f. tanker

petrolière s. m. oilman

petrolifero agg. oil (attr) ♦ **pozzo p.** oil-well

petròlio s. m. petroleum, oil

pettegolàre v. intr. to gossip

pettegolézzo s. m. gossip

pettégolo A agg. gossipy **B** s. m. gossip

pettinàre A v. tr. to comb **B** v. rifl. to comb one's hair

pettinàta s. f. combing

pettinatùra s. f. **1** hairstyle, hair-do **2** (tess.) combing

pèttine s. m. **1** comb **2** (zool.) pecten, scallop

pettiròsso s. m. robin

pètto s. m. chest, breast

petulànza s. f. insolence, tiresomeness

pèzza s. f. **1** (di stoffa) roll, piece **2** (toppa) patch **3** (straccio) rag **4** (macchia) spot

pezzènte s. m. tramp

pèzzo s. m. piece, bit, part

phon s. m. inv. hair dryer

piacènte agg. pleasant

piacére A s. m. **1** pleasure, delight **2** (divertimento) pleasure, amusement **3** (favore) favour, kindness **4** (volontà) will **B** v. intr. to like, to be fond of ♦ **a p.** at will; **chiedere un p. a qc.** to ask a favour of sb.; **per p.** please

piacévole agg. pleasant, agreeable

piàga s. f. **1** sore **2** (flagello) plague, scourge, curse **3** (persona) pain, nuisance

piagnistèo s. m. whine, whining

piagnucolàre v. intr. to whine, to whimper

piàlla s. f. plane, planer

piallàre v. tr. to plane

piàna s. f. plain, flat

pianeggiànte agg. level, flat

pianeròttolo s. m. landing

pianéta s. m. planet

piàngere A v. intr. to cry, to weep **B** v. tr. **1** to cry, to weep **2** (lamentare) to grieve for, to mourn

pianificàre v. tr. to plan

pianificazióne s. f. planning

pianista *s. m. e f.* pianist

piàno (1) A *agg.* **1** flat, level, even **2** (*liscio*) smooth **3** (*chiaro*) clear, plain **4** (*semplice*) simple **5** (*geom.*) plane **B** *avv.* **1** (*sommessamente*) softly, quietly, (*a bassa voce*) in a low voice **2** (*lentamente*) slowly, slow **3** (*con cautela*) gently, carefully

piàno (2) *s. m.* **1** (*terreno pianeggiante*) plain, flat land, level land **2** (*superficie piana*) plane **3** (*di casa*) floor, storey, (*di nave, bus*) deck **4** (*progetto*) plan, scheme, project, programme **5** (*mus.*) piano

pianofòrte *s. m.* piano ♦ **p. a coda** grand piano

pianotèrra *s. m. inv.* ground floor, (*USA*) first floor

piànta *s. f.* **1** plant, (*albero*) tree **2** (*del piede, della scarpa*) sole **3** (*disegno di edificio*) plan, (*mappa*) map ♦ **di sana p.** completely: **in p. stabile** on the regular staff

piantagióne *s. f.* plantation

piantàre A *v. tr.* **1** to plant **2** (*conficcare*) to thrust, to drive **3** (*abbandonare*) to leave, to quit, to abandon **B** *v. intr. pron.* **1** (*conficcarsi*) to stick, to get stuck in **2** (*piazzarsi*) to plant oneself, to place oneself **C** *v. rifl. rec.* to leave each other, to part ♦ **piantarla** to stop

pianterréno *s. m.* ground floor, (*USA*) first floor

piànto *s. m.* **1** weeping, crying **2** (*lacrime*) tears *pl.* ♦ **scoppiare in p.** to burst into tears

pianùra *s. f.* plain, flat land, lowland

piàstra *s. f.* **1** (*mecc.*) plate **2** (*edil.*) slab

piastrèlla *s. f.* tile

piattafórma *s. f.* platform

piattèllo *s. m.* disk ♦ **tiro al p.** trap-shooting, clay-pigeon shooting

piattino *s. m.* saucer

piàtto A *agg.* flat **B** *s. m.* **1** (*stoviglia*) plate, (*grande*) dish **2** (*vivanda*) dish **3** (*portata*) course **4** *al pl.* (*mus.*) cymbals *pl.* **5** (*nel gioco delle carte*) kitty **6** (*di bilancia*) plan ♦ **lavare i piatti** to wash up

piàzza *s. f.* **1** square **2** (*comm.*) market **3** (*posto*) place ♦ **letto a una p.** single bed; **p. di pagamento** place of payment

piazzàle *s. m.* large square

piazzaménto *s. m.* placing

piazzàre A *v. tr.* **1** to place, to put **2** (*comm.*) to sell, to market **B** *v. rifl.* **1** (*mettersi*) to settle oneself **2** (*sport*) to be placed, to come

piazzìsta *s. m.* commercial traveller

piazzòla *s. f.* lay-by

piccànte *agg.* **1** spicy, hot **2** (*fig.*) bawdy, spicy, risqué

piccàrsi *v. rifl.* **1** to pride oneself **2** (*impermalosirsi*) to be offended

picchétto *s. m.* **1** (*paletto*) peg **2** (*mil., di scioperanti*) picket

picchiàre A *v. tr.* to beat, to hit, to strike **B** *v. intr.* **1** (*battere*) to strike, to tap **2** (*bussare*) to knock **C** *v. rifl. rec.* to fight, to come to blows

picchiàta *s. f.* (*aer*) dive

picchiettàre A *v. intr.* to patter **B** *v. tr.* to spot, to dot

picchio *s. m.* (*zool.*) woodpecker

piccìno A *agg.* **1** tiny, small, little **2** (*meschino*) mean **B** *s. m.* child

piccionàia *s. f.* pigeon-house

piccióne *s. m.* pigeon ♦ **p. viaggiatore** carrier-pigeon

pìcco *s. m.* peak ♦ **a p.** vertically

pìccolo A *agg.* **1** small, little, tiny **2** (*basso*) short **3** (*giovane*) young **4** (*di poco conto*) sligh, small, trifling **5** (*meschino*) mean, petty **6** (*breve*) short, brief **B** *s. m.* **1** child, little one **2** (*di animale*) joey, (*di cane*) pup ♦ **da p.** as a child

piccóne *s. m.* pick

piccòzza *s. f.* axe

picnic *s. m. inv.* picnic

pidòcchio *s. m.* louse

piède *s. m.* foot ♦ **a piedi** on foot; **a piedi nudi** barefoot; **in punta di piedi** on tiptoe; **p. di porco** jemmy; **prendere p.** to get a footing

piedistàllo *s. m.* pedestal

pièga *s. f.* **1** fold, wrinkle **2** (*fatta ad arte*) pleat, (*dei pantaloni*) crease **3** (*dei capelli*) set **4** (*andamento*) turn **5** (*geol.*) fold

piegàre A *v. tr.* **1** to fold (up), (*flettere*) to bend **2** (*sottomettere*) to bend, to subdue **B** *v. intr.* to bend, to turn **C** *v. rifl. e intr. pron.* **1** to bend **2** (*cedere*) to yield, to give in

pieghettàre *v. tr.* to pleat

pieghévole A *agg.* **1** (*flessibile*) pliable, pliant **2** (*atto a essere piegato*) folding **B** *s. m.* brochure

pièna *s. f.* **1** flood, spate **2** (*folla*) crowd ♦ **fiume in p.** river in flood

pièno A *agg.* **1** full, filled **2** (*non cavo*)

solid **3** (*in carne*) full, plump **4** (*sazio*) full up **B** s. m. **1** (*colmo*) height, (*mezzo*) middle **2** (*carico completo*) full load, (*di nave*) full cargo ♦ **fare il p.** (*di benzina*) to fill up

pietà s. f. **1** pity, compassion, mercy **2** (*devozione*) piety, devotion

pietànza s. f. **1** dish **2** (*portata*) course

pietóso agg. **1** (*che sente pietà*) pitiful, merciful **2** (*che muove a pietà*) pitiful, pitiable, piteous, (*miserevole*) wretched **3** (*brutto*) awful

piètra s. f. stone

pietrificàre A v. tr. to petrify **B** v. intr. pron. to become petrified, to petrify

pìffero s. m. fife, pipe

pigiàma s. m. pyjamas pl.

pigiàre v. tr. to press, to push

pigliàre →prendere

pìglio s. m. manner, look

pigmentazióne s. f. pigmentation

pigménto s. m. pigment

pigmèo s. m. pigmy

pìgna s. f. pine-cone

pignoleria s. f. pedantry, fussiness

pignòlo A agg. pedantic, fussy **B** s. m. pedant, fastidious person

pignoràre v. tr. to distrain on, to attach

pigolàre v. intr. to peep

pigrizia s. f. laziness

pìgro agg. **1** lazy **2** (*lento*) sluggish

pìla s. f. **1** (*di oggetti*) pile, heap, stack **2** (*elettr*) battery, pile **3** (*torcia*) torch

pilàstro s. m. pillar

pìllola s. f. pill

pilóne s. m. **1** (*di ponte*) pier **2** (*di linea elettrica*) pylon

pilòta agg. e s. m. pilot

pilotàre v. tr. to pilot

pinacotèca s. f. picture-gallery

pinéta s. f. pinewood

ping-pong s. m. inv. table tennis, ping-pong

pìngue agg. **1** (*grasso*) fat **2** (*fertile*) fertile, rich **3** (*grosso*) large, big

pinguìno s. m. penguin

pìnna s. f. **1** (*di pesce*) fin, (*di mammifero acquatico*) flipper **2** (*per nuotare*) flipper **3** (*naut., aer*) fin

pinnàcolo s. m. pinnacle

pìno s. m. pine

pìnolo s. m. pine-seed

pìnza s. f. pliers pl., pincers pl., tongs pl.

pinzétta s. f. tweezers pl.

pìo agg. **1** pious, devout **2** (*misericordioso*)

compassionate **3** (*benefico*) charitable

pioggerèlla s. f. drizzle

pióggia s. f. **1** rain **2** (*est.*) shower

piòlo s. m. peg

piombàre v. intr. **1** (*cadere a piombo*) to plunge, to plump, to fall **2** (*gettarsi su*) to pounce, to swoop **3** (*arrivare all'improvviso*) to rush

piómbo s. m. lead

pionière s. m. pioneer

piòppo s. m. poplar

piovàno agg. rain (*attr*)

piòvere v. intr. **1** (*impers.*) to rain **2** (*fig.*) to rain, to pour

piovigginàre v. intr. impers. to drizzle

piovosità s. f. rainfall

piovóso agg. rainy

piòvra s. f. octopus

pìpa s. f. pipe

pipì s. f. (*fam.*) pee ♦ **fare p.** to pee

pipistrèllo s. m. bat

piramidàle agg. pyramidal

piràmide s. f. pyramid

piràta s. m. pirate ♦ **p. della strada** road-hog

pirateria s. f. piracy

pirìte s. f. pyrite

piròga s. f. pirogue

piròmane s. m. e f. pyromaniac

piròscafo s. m. steamer

pirotècnico agg. pyrotechnic(al)

piscicoltùra s. f. fish breeding

piscìna s. f. swimming pool

pisèllo s. m. pea

pisolino s. m. nap, snooze, doze ♦ **fare un p.** to take a nap

pista s. f. **1** (*traccia*) track, (*di animale*) trail, scent **2** (*percorso*) track **3** (*sport*) track, race-track **4** (*aer*) strip ♦ **p. da ballo** dance floor; **p. da sci** ski run

pistacchio s. m. pistachio

pistòla s. f. **1** (*arma*) pistol **2** (*tecnol.*) pistol

pistóne s. m. piston, (*idraulico*) ram

pitóne s. m. python

pittóre s. m. painter

pittorésco agg. picturesque

pittòrico agg. pictorial

pittùra s. f. **1** painting **2** (*dipinto*) picture **3** (*vernice*) paint ♦ **p. fresca** wet paint

pitturàre v. tr. to paint

più A agg. comp. inv. **1** more (ES: **hai più amici di me** you have more friends than I have) **2** (*parecchi*) several (ES: **più volte** several times) **B** avv. comp. **1** (*in maggior* *quantità*) more, (*in frasi neg.*) no more, (*con altra negazione*) any more (ES: **dovresti dormire di più** you should sleep more, **non c'è più pane** there's no more bread, **non ne voglio più** I don't want any more) **2** (*comp. di maggioranza*) more, -er (*suffisso aggiunto ad avv. e agg.*) (ES: **più difficile** more difficult, **più facile** easier, **più alto** taller) **3** (*sup. rel.*) the most, (*tra due*) the more; the -est, (*tra due*) the -er (*suffisso aggiunto ad agg. e avv.*) (ES: **è la più bella** she is the most beautiful, **il giorno più lungo** the longest day, **sei il più felice di tutti noi** you are the happiest of us all) **4** (*in frasi neg. per indicare la cessazione di un fatto*) no longer, not any longer, not any more (ES: **non siete più studenti** you are no longer students, **non abitano più qui** they don't live here any longer) **5** (*mat.*) plus (ES: **due più due** two plus two) **C** *s. m.* **1** (*comp.*) more, (*sup.*) most (ES: **ha bevuto più del solito** he drank more than usual, **il più è fatto** most of it is done) **2** (*la maggioranza*) the majority **D** *prep.* plus

piuccheperfetto *s. m.* past perfect

piùma *s. f.* feather, plume

piumino *s. m.* **1** (*d'oca*) down **2** (*coperta*) quilt **3** (*giacca*) padded jacket **4** (*per cipria*) powder puff **5** (*per spolverare*) feather duster

piuttòsto **A** *avv.* **1** (*preferibilmente*) rather, sooner, (*o meglio*) better **2** (*alquanto*) rather, somewhat, quite **3** (*invece*) instead **B** *cong.* **p. che/di** rather than, better than

pivèllo *s. m.* greenhorn

pìzza *s. f.* **1** (*cuc.*) pizza **2** (*cin.*) film can **3** (*noia*) nuisance, bore

pizzicàre **A** *v. tr.* **1** to pinch, to nip **2** (*di insetti*) to sting, to sting **3** (*di sostanza*) to burn **4** (*cogliere di sorpresa*) to catch **5** (*mus.*) to pluck **B** *v. intr.* **1** (*prudere*) to itch **2** (*essere piccante*) to be hot **3** (*di insetti*) to bite, to sting

pìzzico *s. m.* **1** pinch, nip **2** (*piccola quantità*) bit **3** (*puntura d'insetto*) bite

pizzicòtto *s. m.* pinch, nip

pìzzo *s. m.* **1** (*merletto*) lace **2** (*barba*) pointed beard

placàre *v. tr.* **1** (*calmare*) to placate, to calm (down) **2** (*mitigare*) to soothe **B** *v. intr. pron. e rifl.* to calm down

plàcca *s. f.* **1** plate **2** (*med.*) plaque

placcàre *v. tr.* to plate

plàcido *agg.* placid, calm

plagiàre *v. tr.* to plagiarize

plàgio *s. m.* plagiarism

planàre *v. intr.* to glide, (*naut.*) to plane

planàta *s. f.* glide, (*naut.*) plane

plància *s. f.* (*naut.*) bridge

planetàrio *agg.* **1** planetary **2** (*del mondo*) worldwide

planimetrìa *s. f.* planimetry

planisfèro *s. m.* planisphere

plàsma *s. m.* plasma

plasmàre *v. tr.* to mould, to shape

plàstica *s. f.* **1** (*arte del modellare*) plastic art **2** (*med.*) plastic surgery, plastics *pl.* (*v. al sing.*) **3** (*materia*) plastic

plasticità *s. f.* plasticity

plàstico **A** *agg.* plastic **B** *s. m.* **1** (*modello*) plastic model **2** (*esplosivo*) plastic

plastificàre *v. tr.* to plasticize

plàtano *s. m.* plane

platèa *s. f.* **1** (*teatro*) stalls *pl.* **2** (*est.*) audience

plateàle *agg.* blatant

plàtino *s. m.* platinum

platònico *agg.* Platonic

plausìbile *agg.* plausible

plàuso *s. m.* approval

plebàglia *s. f.* mob

plèbe *s. f.* (*stor*) plebs, (*spreg.*) mob

plebèo *agg.* plebeian

plenàrio *agg.* plenary

plenilùnio *s. m.* full moon

pleonàstico *agg.* pleonastic, unnecessary

plèttro *s. m.* plectrum

pleurìte *s. f.* pleurisy

plìco *s. m.* (*busta*) cover

plìnto *s. m.* plinth

plotóne *s. m.* platoon, squad

plùmbeo *agg.* **1** leaden **2** (*opprimente*) oppressive

pluràle *agg. e s. m.* plural

pluralìsmo *s. m.* pluralism

pluralità *s. f.* plurality

plusvalóre *s. m.* surplus(-value)

plutocrazìa *s. f.* plutocracy

pluviàle *agg.* pluvial, rain (*attr*)

pneumàtico **A** *agg.* pneumatic, air (*attr*) **B** *s. m.* tyre

po' → **poco**

pòco **A** *agg. indef.* **1** little, not much **2** (*di tempo*) short **3** (*scarso*) scant, little **4** *al pl.* few, not many, (*alcuni*) a few **B** *pron. indef.* **1** little, not much **2** (*un poco*) a little, some, a few **3** *al pl.* few, very few, not many, (*poche persone*) few people **C** *s. m.* little **D** *avv.* **1** (*con agg. e avv. di grado positivo, con part. pres. e part. pass. in funzione di agg.*) not very **2** (*con agg. e avv. comp.*) not much, little **3** (*con verbi*) little, not ... very much **4** (*un p., un po'*) rather, quite, a little, a bit ♦ **fra p.** very soon; **per p. non ...** nearly; **p. fa** a short time ago

podére *s. m.* farm, (*proprietà terriera*) estate

poderóso *agg.* powerful, mighty

pòdio *s. m.* podium, platform

podìsmo *s. m.* walking, (*gara sportiva*) track events *pl.*

poèma *s. m.* poem

poesìa *s. f.* **1** poetry **2** (*componimento*) poem, piece of poetry

poèta *s. m.* poet

poètica *s. f.* poetics *pl.* (*v. al sing.*)

poètico *agg.* poetic

poggiàre A *v. tr.* to lean, to rest **B** *v. intr.* to rest, to be based **C** *v. rifl.* to rely, to base oneself

poggiatèsta *s. m. inv.* headrest

pòggio *s. m.* knoll, hillock

pòi A *avv.* **1** (*successivamente*) then, (*dopo*) after(wards), (*più tardi*) later on **2** (*inoltre*) and then, besides, (*in secondo luogo*) secondly **3** (*avversativo*) but **4** (*conclusivo*) finally, then, after all **B** *s. m.* future ♦ **d'ora in p.** from now on; **prima o p.** sooner or later

poiché *cong.* **1** as, since, for **2** (*dopo che*) after, when

poker *s. m. inv.* poker

polàcco A *agg.* Polish **B** *s. m.* **1** (*abitante*) Pole **2** (*lingua*) Polish

polàre *agg.* polar

polarizzàre *v. tr.* **1** to polarize **2** (*fig.*) to focus

polèmica *s. f.* **1** polemic, controversy **2** (*spreg.*) argument

polèmico *agg.* polemic

policlìnico *s. m.* polyclinic, general hospital

policromàtico *agg.* polychromatic

polièdrico *agg.* **1** polyhedric **2** (*fig.*) versatile

polièstere *s. m.* polyester

polifònico *agg.* polyphonic

polìgamo A *agg.* polygamous **B** *s. m.* polygamist

poliglòtta *agg. e s. m. e f.* polyglot

poligonàle *agg.* polygonal

polìgono *s. m.* polygon ♦ **p. di tiro** rifle-range

polimòrfo *agg.* polymorphous

poliomielite *s. f.* poliomyelitis

pòlipo *s. m.* **1** (*zool.*) polyp, (*polpo*) octopus **2** (*med.*) polypus

polistiròlo *s. m.* polystyrene

politècnico *agg. e s. m.* polytechnic

politeìsmo *s. m.* polytheism

politica *s. f.* **1** politics *pl.* (*v. al sing.*) **2** (*linea di condotta*) policy **3** (*diplomazia*) diplomacy ♦ **p. interna/estera** home/foreign politics

politicaménte *avv.* politically

politicizzàre *v. tr.* to politicize

polìtico A *agg.* **1** political **2** (*diplomatico*) diplomatic **B** *s. m.* politician

politòlogo *s. m.* political expert

polìttico *s. m.* polyptych

polivalènte *agg.* **1** (*chim.*) polyvalent **2** (*est.*) multi-purpose (*attr*)

polizìa *s. f.* police ♦ **agente di p.** policeman; **p. stradale** traffic police; **posto di p.** police station

poliziésco *agg.* **1** police (*attr*) **2** (*di libro, film*) detective (story)

poliziòtto *s. m.* policeman

pòlizza *s. f.* **1** (*assicurativa*) policy **2** (*ricevuta*) bill, receipt ♦ **p. sulla vita** life insurance policy

pollàio *s. m.* poultry-pen, hen-house

pollàme *s. m.* poultry

pòllice *s. m.* **1** thumb **2** (*unità di misura*) inch

pòlline *s. m.* pollen

pòllo *s. m.* chicken ♦ **p. arrosto** roast chicken

polmonàre *agg.* pulmonary

polmóne *s. m.* lung

polmonìte *s. f.* pneumonia

pòlo (1) *s. m.* (*fis., geogr*) pole

pòlo (2) *s. m.* (*sport*) polo

pólpa *s. f.* **1** (*di frutto*) pulp **2** (*carne*) lean meat

polpàccio *s. m.* calf

polpastrèllo *s. m.* fingertip

polpétta *s. f.* rissole, (*di carne*) meatball

polpettóne *s. m.* **1** meatloaf **2** (*fig.*) mishmash

pólpo *s. m.* octopus

polpóso *agg.* pulpy

polsìno *s. m.* cuff

pólso *s. m.* **1** (*anat.*) wrist **2** (*pulsazione*) pulse **3** (*polsino*) cuff **4** (*fig.*) energy, nerve

poltìglia *s. f.* **1** mash, mush **2** (*fango*) mud,

slush

poltrire *v. intr.* to laze (about)

poltróna *s. f.* **1** armchair **2** (*teatro*) stall **3** (*fig.*) position

poltróne *s. m.* idler, lazy-bones (*fam.*)

pólvere *s. f.* **1** dust **2** (*sostanza polverulenta*) powder ♦ **in p.** powdered; **p. da sparo** gunpowder

polverièra *s. f.* **1** powder magazine **2** (*fig.*) powder keg

polverizzàre **A** *v. tr.* to pulverize **B** *v. intr. pron.* **1** to pulverize **2** (*svanire*) to melt away

polveróne *s. m.* **1** dust cloud **2** (*fig.*) uproar

polveróso *agg.* **1** dusty **2** (*simile a polvere*) powdery

pomàta *s. f.* ointment, cream

pomèllo *s. m.* knob

pomeridiàno *agg.* **1** afternoon (*attr*) **2** (*di ore*) p.m. (*post meridiem*)

pomeriggio *s. m.* afternoon

pómice *s. f.* pumice

pómo *s. f.* **1** (*bot.*) pome, (*mela*) apple **2** (*pomello*) knob

pomodòro *s. m.* tomato ♦ **salsa di p.** tomato sauce; **succo di p.** tomato juice

pómpa (1) *s. f.* (*fasto*) pomp

pómpa (2) *s. f.* pump

pompàre *v. tr.* to pump, to draw up

pompèlmo *s. m.* grapefruit

pompière *s. m.* fireman

pompóso *agg.* pompous

ponderàre **A** *v. tr.* to ponder, to weigh up **B** *v. intr.* to reflect

ponderazióne *s. f.* reflection, consideration

ponderóso *agg.* **1** (*pesante*) heavy, ponderous **2** (*gravoso*) weighty

ponènte *s. m.* west

pónte *s. m.* **1** bridge **2** (*naut.*) deck **3** (*impalcatura*) scaffold ♦ **p. aereo** air lift; **p. levatoio** drawbridge

pontéfice *s. m.* pontiff

pontificàre *v. intr.* to pontificate

pontificàto *s. m.* pontificate

pontificio *agg.* papal ♦ **Stato Pontificio** Papal States

pontìle *s. m.* wharf

pony *s. m. inv.* pony

popolàre (1) *agg.* **1** popular **2** (*tradizionale*) folk (*attr*)

popolàre (2) **A** *v. tr.* to populate, to people **B** *v. intr.* to become populated

popolarità *s. f.* popularity

popolazióne *s. f.* **1** population **2** (*popolo*) people

pòpolo *s. m.* people

popolóso *agg.* populous, densely populated

póppa *s. f.* stern ♦ **a p.** aft

poppàre *v. tr. e intr.* to suck

populismo *s. m.* populism

porcellàna *s. f.* china, porcelain

porcellino *s. m.* little pig, piglet ♦ **p. da latte** sucking-pig; **p. d'India** guinea pig

porcheria *s. f.* **1** (*sudiciume*) filth, dirt **2** (*azione disonesta*) dirty trick **3** (*indecenza*) obscenity **4** (*cibo schifoso*) disgusting food **5** (*cosa fatta male*) rabbish, trash

porcìle *s. m.* pigsty

porcino *s. m.* pore mushroom

pòrco *s. m.* **1** pig, swine **2** (*cuc.*) pork

porcospino *s. m.* hedgehog

pòrfido *s. m.* porphyry

pòrgere *v. tr.* to hand, to pass, to give

pornografia *s. f.* pornography

pornogràfico *agg.* pornographic

pòro *s. m.* pore

poróso *agg.* porous

pórpora *s. f.* **1** purple **2** (*med.*) purpura

pórre **A** *v. tr.* **1** to put, to place, (*posare*) to lay (down) **2** (*supporre*) to suppose **3** (*imporre*) to set, to put **B** *v. rifl.* **1** to put oneself, to place oneself **2** (*accingersi*) to set to ♦ **poniamo che ...** let us suppose that ...

pòrro *s. m.* **1** (*bot.*) leek **2** (*med.*) wart

pòrta *s. f.* **1** door **2** (*di città*) gate **3** (*calcio*) goal ♦ **abitare p. a p.** to live next door to; **a porte chiuse** (*dir*) in camera

portabagàgli *s. m.* **1** (*facchino*) porter **2** (*autom.*) boot, (*USA*) trunk, (*sul tetto*) roof rack

portabandièra *s. m. e f.* standard-bearer

portàbile *agg.* portable

portacénere *s. m. inv.* ashtray

portachiàvi *s. m. inv.* key-ring

portacìpria *s. m. inv.* (powder) compact

portaèrei *s. f. inv.* aircraft-carrier

portafinèstra *s. f.* French-window

portafòglio *s. m.* **1** wallet, (*USA*) pocket-book **2** (*banca*) portfolio

portafortùna *s. m. inv.* lucky charm, mascot

portàle *s. m.* portal

portalèttere *s. m. inv.* postman

portaménto *s. m.* bearing

portamonéte *s. m. inv.* purse

portànte agg. (tecnol.) load-bearing

portantìna s. f. **1** sedan (chair) **2** (lettiga) litter

portaombrèlli s. m. inv. umbrella-stand

portapàcchi s. m. inv. carrier, rack

portàre A v. tr. **1** (verso chi parla) to bring, (andare a prendere) to fetch **2** (lontano da chi parla, accompagnare) to take **3** (portare con fatica, d'abitudine, trasportare) to carry **4** (prendere con sé) to take, to bring **5** (indossare) to wear **6** (condurre) to lead **7** (provare, nutrire sentimenti) to nourish, to bear **8** (causare) to cause, to bring about **9** (produrre) to bear, to bring forth, to produce **10** (avere) to have, to bear **11** (sopportare) to bear, to endure **12** (addurre) to adduce, to bring forward **13** (avere una portata di) to have a range of **B** v. rifl. e intr. pron. **1** (spostarsi) to move **2** (andare) to go, (venire) to come ♦ **p. avanti** to carry out, to maintain; **p. fortuna** to bring luck; **p. via** to take away

portasapóne s. m. inv. (supporto) soap-dish, (contenitore) soap-box

portascì s. m. inv. ski-rack

portasciugamàno s. m. towel-rack

portàta s. f. **1** (di pranzo) course **2** (capacità di carico) capacity, (di nave) tonnage **3** (raggio d'azione) range **4** (di corso d'acqua) flow, discharge, (di pompa) delivery capacity **5** (importanza) importance ♦ **a p. di mano** within reach, to hand

portàtile agg. portable

portatóre s. m. **1** (comm.) bearer **2** (med.) carrier

portavóce s. m. e f. inv. spokesman m., spokeswoman f.

portènto s. m. **1** portent, wonder **2** (persona) prodigy

porticàto s. m. arcade, colonnade

pòrtico s. m. porch, portico, (porticato) arcade

portièra s. f. **1** (portinaia) porter, concierge, doorkeeper **2** (autom.) door

portière s. m. **1** (portinaio) porter, concierge, doorkeeper **2** (calcio) goal-keeper

portinàio s. m. porter, concierge, doorkeeper

portinerìa s. f. porter's lodge

pòrto (1) s. m. port, harbour ♦ **capitano di p.** harbour master; **p. franco** free port; **p. militare** naval port

pòrto (2) s. m. **1** (prezzo del trasporto) carriage, freight **2** (licenza) licence ♦ **p. as-** segnato carriage forward; **p. d'armi** gun licence

portoghése agg. e s. m. e f. Portuguese

portolàno s. m. pilot-book

portóne s. m. main entrance

portuàle agg. port (attr), harbour (attr)

porzióne s. f. **1** part, portion, share **2** (di cibo) helping

pòsa s. f. **1** (il porre) laying, placing **2** (per un ritratto) sitting, pose **3** (atteggiamento affettato) pose **4** (posizione) posture **5** (fot.) exposure ♦ **teatro di p.** studio

posacénere s. m. inv. ashtray

posàre A v. tr. to put (down), to lay (down), to place **B** v. intr. **1** (essere basato) to rest, to stand **2** (per ritratto, foto) to pose, to sit **3** (atteggiarsi) to pose **C** v. rifl. e intr. pron. **1** (di uccello, cosa) to alight, to settle, (appollaiarsi) to perch **2** (aer.) to land **3** (soffermarsi) to stay

posàta s. f. (piece of) cutlery

posàto agg. composed

positivìsmo s. m. positivism

positìvo agg. positive

posizionàre v. tr. to position

posizióne s. f. position

posologìa s. f. posology, dosage

pospórre v. tr. **1** (porre dopo) to place after **2** (posticipare) to postpone

possedére v. tr. to possess, to own, to have

possediménto s. m. possession, (proprietà immobiliare) property, estate

possessìvo agg. possessive

possèsso s. m. **1** possession, ownership **2** (padronanza) mastery

possessóre s. m. possessor, owner, (detentore) holder

possìbile agg. possible

possibilìsmo s. m. possibilism

possibilità s. f. **1** possibility, opportunity, chance **2** al pl. (mezzi) means pl.

possibilménte avv. if possible

possidènte s. m. e f. property owner

pòsta s. f. **1** post, mail **2** (ufficio) post office **3** (al gioco, fig.) stake ♦ **fare la p. a qc.** to waylay sb.; **per p.** by mail; **p. aerea** air mail

postàle agg. postal, post (attr), mail (attr) ♦ **cartolina p.** postcard; **casella p.** POB (postal office box); **cassetta p.** letter box; **pacco p.** parcel

postazióne s. f. post, position

postbèllico agg. postwar (attr)

postdatàre *v. tr.* to postdate
posteggiàre *v. tr. e intr.* to park
posteggiatóre *s. m.* car park attendant
postéggio *s. m.* car park, (*USA*) parking lot
♦ **p. di taxi** rank, (*USA*) stand
poster *s. m. inv.* poster
posterióre *agg.* **1** back, rear, hind, posterior **2** (*nel tempo*) later, following
posterità *s. f.* posterity
posticcio *agg.* artificial, false
posticipàre *v. tr.* to postpone
postilla *s. f.* (marginal) note, gloss
postìno *s. m.* postman
postmodèrno *agg. e s. m.* postmodern
pósto *s. m.* **1** (*luogo*) place, spot **2** (*collocazione*) place **3** (*spazio*) space, room **4** (*posto a sedere*) seat **5** (*lavoro*) job, position **6** (*luogo con particolare funzione*) station, post ♦ **al p. di** instead of; **a p. in** order, tidy; **fuori p.** out of place, in the wrong place; **p. di blocco** roadblock
postribolo *s. m.* brothel
postulàto *s. m.* postulate
pòstumo A *agg.* posthumous B *s. m.* aftereffect
potàbile *agg.* drinkable
potàre *v. tr.* to prune, to cut down
potàssio *s. m.* potassium
potènte *agg.* **1** powerful, mighty **2** (*efficace*) potent, effective
potènza *s. f.* **1** power, might, (*forza*) strength **2** (*efficacia*) potency **3** (*stato*) power **4** (*mat.*) power **5** (*fis., tecnol.*) power, rating
potenziàle *agg.* potential
potenziàre *v. tr.* to strengthen, (*sviluppare*) to develop
potére (1) A *v. serv.* **1** (*avere la capacità, la forza, la facoltà di fare*) can (*indicativo e congiuntivo pres.*), could (*indicativo e congiuntivo pass., condiz.*), to be able (ES: **posso mangiare tutto ciò che voglio** I can eat all I like, **ieri notte non ho potuto dormire** yesterday night I could not sleep, **se parlasse italiano, potrei capirlo** if he should speak Italian, I could understand him) **2** (*avere la possibilità, il permesso di fare*) may, can (*indicativo e congiuntivo pres.*), might, could (*condiz., indicativo pass. nel discorso ind.*), to be able, to be allowed, to be permitted (ES: **posso entrare?** may I come in?, **chiese se poteva vederlo** he asked if he might (*o* could) see him) **3** (*essere probabile, possibile*) may,

might, can, could, to be possible, to be likely (ES: **potrebbe esserci un errore** there might be a mistake, **posso avere torto** I may be wrong) **4** (*augurio, esortazione*) may, might, could (ES: **potrebbe almeno rispondere!** he might at least reply!) B *v. tr.* to have an effect
potére (2) *s. m.* **1** power **2** (*influenza*) influence, sway
pòvero A *agg.* **1** poor, needy **2** (*miserabile*) poor, unfortunate, wretched **3** (*scarso*) scanty, poor **4** (*semplice*) plain, bare **5** (*defunto*) late B *s. m.* poor man
povertà *s. f.* **1** poverty, indigence **2** (*scarsezza*) shortage, scarcity, lack
pozzànghera *s. f.* puddle
pózzo *s. m.* **1** well **2** (*miner.*) shaft
pragmàtico *agg.* pragmatic
pranzàre *v. intr.* to dine, to have dinner, (*a mezzogiorno*) to lunch, to have lunch ♦ **p. in casa/fuori** to dine in/out
prànzo *s. m.* dinner, (*di mezzogiorno*) lunch ♦ **dopo p.** after lunch
pràssi *s. f.* praxis, usual procedure
pratería *s. f.* grassland, (*USA*) prairie
pràtica *s. f.* **1** practice **2** (*esperienza*) experience **3** *al pl.* (*trattative*) negotiations **4** (*incartamento*) file, dossier
praticàbile *agg.* practicable, (*fattibile*) feasible
praticaménte *avv.* practically
praticànte A *agg.* practising B *s. m. e f.* apprentice
praticàre A *v. tr.* **1** (*mettere in pratica*) to practise, to put into practice **2** (*esercitare*) to practice, to follow **3** (*frequentare*) to frequent **4** (*fare*) to make B *v. intr.* **1** to practise **2** (*frequentare*) to associate with
praticità *s. f.* practicality
pràtico *agg.* **1** practical **2** (*esperto*) experienced, skilled
pràto *s. m.* meadow, grass, (*all'inglese*) lawn
preàmbolo *s. m.* preamble
preannunciàre *v. tr.* to announce
preavvisàre *v. tr.* to inform in advance, to forewarn
preavviso *s. m.* notice, forewarning
prebèllico *agg.* prewar (*attr*)
precarietà *s. f.* precariousness
precàrio *agg.* **1** precarious **2** (*temporaneo*) temporary
precauzióne *s. f.* **1** precaution **2** (*cautela*) caution, care
precedènte A *agg.* preceding, previous,

former **B** *s. m.* **1** precedent **2** *al pl.* record

precedènza *s. f.* **1** precedence, priority **2** *(di traffico)* right of way

precèdere A *v. tr.* to precede, to come before **B** *v. intr.* to precede, to come first

precètto *s. m.* rule, precept

precettóre *s. m.* tutor

precipitàre A *v. tr.* **1** to precipitate, to throw down **2** *(affrettare)* to rush, to hasten **B** *v. intr.* **1** to fall, *(aer)* to crash **2** *(evolvere negativamente)* to come to a head **C** *v. intr. pron.* **1** to throw oneself **2** *(affrettarsi)* to rush, to dash

precipitazióne *s. f.* precipitation

precipitóso *agg.* **1** precipitous, headlong **2** *(avventato)* hasty, rash

precipìzio *s. m.* precipice ♦ **correre a p.** to run headlong

precisaménte *avv.* **1** precisely **2** *(esattamente)* exactly

precisàre *v. tr.* to specify, to tell precisely

precisazióne *s. f.* precise statement, precise information

precisióne *s. f.* **1** precision, accuracy **2** *(esattezza)* preciseness

precìso *agg.* **1** *(accurato)* careful **2** *(esatto)* precise, exact **3** *(definito)* definite, particular **4** *(identico)* identical **5** *(in punto)* sharp

preclùdere *v. tr.* to preclude, to bar

preclusióne *s. f.* preclusion

precòce *agg.* **1** precocious, *(anticipato)* early **2** *(prematuro)* premature

precocità *s. f.* precocity

precolombiàno *agg.* pre-Columbian

preconcètto A *agg.* preconceived **B** *s. m.* preconception

precórrere *v. tr.* to anticipate

precursóre *s. m.* precursor, forerunner

prèda *s. f.* **1** prey, quarry **2** *(bottino)* booty

predatóre A *agg.* predatory **B** *s. m.* *(solo animale)* predator

predecessóre *s. m.* predecessor

predèlla *s. f.* platform, dais, *(di altare)* predella

predellino *s. m.* footboard

predestinàre *v. tr.* to destine, to predestinate

predestinazióne *s. f.* predestination

predeterminàre *v. tr.* to predetermine

predétto *agg.* above-mentioned, aforesaid

prèdica *s. f.* **1** sermon **2** *(ramanzina)* telling-off, lecture

predicàre *v. tr. e intr.* to preach

predicàto *s. m.* predicate

predicatóre *s. m.* preacher

predicazióne *s. f.* preaching

predilètto *agg. e s. m.* favourite

predilezióne *s. f.* fondness, partiality

prediligere *v. tr.* to prefer

predire *v. tr.* to foretell, to predict

predispórre A *v. tr.* **1** to predispose, to induce **2** *(preparare in anticipo)* to arrange in advance, to plan **B** *v. rifl.* to prepare oneself

predisposizióne *s. f.* **1** *(med.)* predisposition **2** *(inclinazione)* bent **3** *(preparazione)* arrangement

predizióne *s. f.* prediction

predominànte *agg.* predominant, prevailing

predominàre *v. intr.* to predominate, to prevail

predominio *s. m.* predominance, *(supremazia)* supremacy

preesistènte *agg.* preexistent

preesìstere *v. intr.* to preexist

prefabbricàto *agg.* prefabricated

prefazióne *s. f.* preface, foreword

preferènza *s. f.* preference

preferenziàle *agg.* preferential

preferìbile *agg.* preferable

preferibilménte *avv.* preferably

preferìre *v. tr.* to prefer, to like better

prefètto *s. m.* prefect

prefettùra *s. f.* prefecture

prefìggere *v. tr.* to fix, to establish (in advance)

prefiguràre *v. tr.* to prefigure

prefìsso *s. m.* **1** prefix **2** *(tel.)* (area) code

pregàre *v. tr.* **1** to pray **2** *(chiedere)* to ask, to beg

pregévole *agg.* valuable

preghièra *s. f.* **1** prayer **2** *(richiesta)* request

pregiàto *agg.* valuable

prègio *s. m.* **1** *(stima)* esteem, regard **2** *(valore)* value **3** *(buona qualità)* (good) quality, *(merito)* merit

pregiudicàre *v. tr.* to prejudice, to compromise, *(danneggiare)* to harm, to damage

pregiudicàto *s. m.* previous offender

pregiudìzio *s. m.* prejudice

pregnànte *agg.* pregnant

prègno *agg.* **1** pregnant **2** *(fig.)* full, rich

prègo *inter.* **1** *(rispondendo a chi ringrazia)* don't mention it!, you're welcome **2** *(per invitare a ripetere)* pardon? **3** *(per invitare* *ad accomodarsi*) please **4** (*cedendo il passo*) after you

pregustàre *v. tr.* to foretaste, to anticipate

preistòria *s. f.* prehistory

preistòrico *agg.* prehistoric

prelàto *s. m.* prelate

prelevàre *v. tr.* to take, to draw, (*danaro*) to withdraw

prelibàto *agg.* delicious

prelièvo *s. m.* **1** (*banca*) withdrawal, drawing **2** (*med.*) sample

preliminàre *agg. e s. m.* preliminary

prelùdio *s. m.* prelude

prematrimoniàle *agg.* premarital, pre-marriage (*attr*)

prematùro *agg.* premature

premeditazióne *s. f.* premeditation

prèmere A *v. tr.* **1** to press **2** (*incalzare*) to bear down on **B** *v. intr.* **1** to press **2** (*importare*) to matter, to be of interest

preméssa *s. f.* introduction, preamble, premise

preméttere *v. tr.* **1** to state beforehand **2** (*mettere prima*) to put before, to place before ♦ **premesso che ...** granted that ...

premiàre *v. tr.* **1** to give a prize to, to award a prize to **2** (*ricompensare*) to reward, to recompense

premiazióne *s. f.* prize-giving

preminènte *agg.* pre-eminent, prominent

prèmio *s. m.* **1** prize, award **2** (*ricompensa*) reward **3** (*di assicurazione*) premium **4** (*indennità*) bonus ♦ **p. Nobel** Nobel prize

premistóppa *s. m. inv.* stuffing box

premonitóre *agg.* premonitory

premorìre *v. intr.* to die before, (*sb. else*) to predecease

premunìre A *v. tr.* **1** to fortify **2** (*fig.*) to protect, to preserve **B** *v. rifl.* to protect oneself

premùra *s. f.* **1** (*sollecitudine*) care **2** (*gentilezza*) kindness **3** (*fretta*) hurry, haste

premuróso *agg.* solicitous

prenatàle *agg.* antenatal, prenatal

prèndere A *v. tr.* **1** to take, (*acchiappare*) to catch, (*afferrare*) to seize **2** (*assumere*) to take over, to assume, (*personale*) to employ, to engage **3** (*ottenere, guadagnare*) to get, to earn **4** (*sorprendere*) to catch, to take **5** (*comprare*) to buy, (*far pagare*) to charge **6** (*occupare*) to take up **7** (*una malattia*) to catch, to

get **B** *v. intr.* **1** to take **2** (*attecchire*) to take root **3** (*far presa*) to set

prenotàre *v. tr.* to book, to reserve ♦ **p. una stanza in un albergo** to book a room at a hotel; **p. un posto in treno** to book a seat on a train

prenotazióne *s. f.* booking, reservation ♦ **annullare una p.** to cancel a booking

preoccupànte *agg.* worrying

preoccupàre A *v. tr.* to worry, to trouble **B** *v. intr. pron.* **1** to worry, to be troubled **2** (*occuparsi*) to make sure

preoccupàto *agg.* worried, troubled

preoccupazióne *s. f.* worry, care

preparàre A *v. tr.* to prepare, to make ready, (*predisporre*) to arrange **B** *v. rifl.* **1** to prepare oneself, to get ready **2** (*accingersi*) to be about to **C** *v. intr. pron.* (*essere prossimo*) to be in store

preparativo *s. m.* preparation

preparazióne *s. f.* **1** preparation **2** (*esperienza*) qualification

preponderànte *agg.* preponderant, predominant

prepórre *v. tr.* **1** to place before **2** (*mettere a capo*) to put at the head of, to put in charge

preposizióne *s. f.* preposition

prepotènte *agg.* overbearing

prepotére *s. m.* excessive power

prerogativa *s. f.* prerogative

présa *s. f.* **1** taking **2** (*cattura*) seizure, capture **3** (*stretta*) hold **4** (*pizzico*) pinch **5** (*d'acqua, d'aria*) intake **6** (*elettr*) tap, socket ♦ **far p.** (*di cemento*) to set, (*di ancora*) to hold; **macchina da p.** camera; **p. di posizione** stand; **p. in giro** joke

presàgio *s. m.* presage, omen

presagìre *v. tr.* **1** (*prevedere*) to foresee, to predict **2** (*essere presagio di*) to forebode

prèsbite *agg.* long-sighted

presbiteriàno *agg.* Presbyterian

presbitèrio *s. m.* presbytery

prescégliere *v. tr.* to select, to choose

prescìndere *v. intr.* to leave aside ♦ **a p. da ciò** apart from this

prescrìvere *v. tr.* to prescribe

prescrizióne *s. f.* **1** (*dir., med.*) prescription **2** (*precetto*) precept, regulation

presentàbile *agg.* presentable

presentàre A *v. tr.* **1** (*mostrare*) to present, to show, (*esibire*) to produce **2** (*inoltrare*) to put in, to present, (*proporre*) to propose **3** (*offrire, porgere*) to present, to offer **4**

(far conoscere) to introduce, to present **5** *(uno spettacolo)* to present **B** *v. rifl.* **1** to present oneself **2** *(farsi conoscere)* to introduce oneself **C** *v. intr. pron.* **1** *(offrirsi)* to arise, *(capitare)* to occur **2** *(sembrare)* to seem, to appear

presentatóre *s. m.* presenter

presentazióne *s. f.* **1** presentation **2** *(il far conoscere una persona a un'altra)* introduction

presènte (1) A *agg.* **1** present **2** *(attuale)* present, current **3** *(questo)* this **B** *s. m.* **1** *(tempo)* present (time), *(gramm.)* present (tense) **2** *al pl.* those present

presènte (2) *s. m. (dono)* present, gift

presentiménto *s. m.* foreboding, presentiment

presènza *s. f.* **1** presence **2** *(frequenza)* attendance

presenziàre *v. tr. e intr.* to be present (at)

presèpe *s. m.* crib

preservàre *v. tr.* to preserve, to keep

preservativo A *agg.* preservative **B** *s. m.* prophylactic, condom

prèside *s. m. e f.* head, *(di facoltà)* dean

presidènte *s. m.* president, *(di assemblea)* chairman

presidènza *s. f.* presidency, *(di assemblea)* chairmanship

presidenziàle *agg.* presidential

presidiàre *v. tr.* **1** *(mil.)* to garrison **2** *(est.)* to protect, to guard

presìdio *s. m.* **1** *(mil.)* garrison **2** *(salvaguardia)* protection, defence **3** *(ausilio)* aid

presièdere *v. tr. e intr.* to preside, to be at the head of, to act as chairman of

prèssa *s. f.* press

pressappochìsmo *s. m.* inaccuracy

pressappòco *avv.* about, more or less

pressàre *v. tr.* to press

pressióne *s. f.* pressure ♦ **p. del sangue** blood pressure; **pentola a p.** pressure cooker

prèsso A *avv.* nearby, near, close (at hand) **B** *prep.* **1** *(vicino a)* near, not far from **2** *(accanto, a fianco a)* beside, next to, by **3** *(a casa di, da)* with, in, at, *(negli indirizzi)* c/o *(care of)* **4** *(fra)* among, with **C** *s. m. al pl. (vicinanze)* neighbourhood, *(dintorni)* outskirts *pl.*

pressoché *avv.* almost, nearly, all but, practically

pressurizzàre *v. tr.* to pressurize

prestabilìre *v. tr.* to arrange beforehand, to fix

prestànte *agg.* good-looking, handsome

prestàre A *v. tr.* **1** *(dare in prestito)* to lend **2** *(dare)* to give **B** *v. rifl.* **1** *(essere disponibile)* to lend oneself, *(rendersi utile)* to help **2** *(acconsentire)* to consent **C** *v. intr. pron. (essere adatto)* to be fit

prestazióne *s. f.* performance

prestigiatóre *s. m.* conjurer

prestìgio *s. m.* **1** *(influenza)* prestige **2** *(fascino)* glamour **3** *(prestidigitazione)* sleight-of-hand ♦ **giochi di p.** conjuring tricks

prestigióso *agg.* prestigious

prèstito *s. m.* loan ♦ **dare in p.** to lend; **prendere in p.** to borrow

prèsto *avv.* **1** *(in breve tempo)* soon, in a short time, before long **2** *(di buon'ora)* early **3** *(in fretta)* quickly ♦ **p.!** quick!, hurry up!

presùmere *v. tr.* to presume, to think

presuntuóso *agg.* presumptuous, conceited

presunzióne *s. f.* **1** *(supposizione)* presumption **2** *(boria)* conceit

presuppórre *v. tr.* **1** to presuppose **2** *(supporre)* to suppose, to assume

presuppósto *s. m.* **1** *(premessa)* assumption **2** *(condizione necessaria)* presupposition, requirement

prète *s. m.* priest

pretendènte *s. m. e f.* **1** pretender **2** *(corteggiatore)* suitor

pretèndere A *v. tr.* **1** to claim, to pretend **2** *(esigere)* to expect, to require **B** *v. intr.* to pretend

pretenzióso *agg.* pretentious

pretésa *s. f.* **1** pretension, claim **2** *(richiesta)* claim, demand ♦ **senza pretese** unpretentious

pretèsto *s. m.* **1** pretext **2** *(occasione)* occasion, opportunity

prevalènte *agg.* prevalent, prevailing

prevalènza *s. f.* prevalence, priority

prevalére *v. intr.* **1** to prevail **2** *(essere in numero superiore)* to outnumber

prevaricàre *v. intr.* to abuse (one's office)

prevedére *v. tr.* **1** to foresee, to foretell, to anticipate, *(di tempo atmosferico)* to forecast **2** *(stabilire)* to provide (for)

prevedìbile *agg.* predictable

prevenìre *v. tr.* **1** *(precedere)* to precede, to arrive before, *(anticipare)* to anticipate, to forestall **2** (*cercare di evitare*) to prevent **3** (*preavvertire*) to inform, to forewarn **4** (*influenzare negativamente*) to prejudice

preventivo A *agg.* **1** preventive, **2** (*econ.*) estimated **B** *s. m.* estimate, budget

prevenùto *agg.* prejudiced

prevenzióne *s. f.* **1** prevention, (*di malattia*) prophylaxis **2** (*pregiudizio*) prejudice, bias

previdènte *agg.* provident, wise

previdènza *s. f.* providence ♦ **p. sociale** social security

previsióne *s. f.* forecast, prevision, expectation ♦ **previsioni del tempo** weather forecast

preziosismo *s. m.* preciosity

prezióso *agg.* precious

prezzémolo *s. m.* parsley

prèzzo *s. m.* price, (*costo*) cost, (*tariffa*) rate, fee

prigióne *s. f.* **1** prison, jail **2** (*pena*) imprisonment

prigionìa *s. f.* imprisonment

prigionièro A *agg.* imprisoned **B** *s. m.* prisoner

prìma (1) A *avv.* **1** (*nel tempo*) before **2** (*in anticipo*) beforehand, in advance **3** (*più presto*) earlier, sooner **4** (*un tempo*) formerly, once **5** (*per prima cosa*) first, (*in primo luogo*) first of all **6** (*nello spazio*) first, before **B** *prep.* **p. di** before, ahead of **C** *cong.* **p. che** before

prìma (2) *s. f.* **1** (*prima classe*) first class **2** (*teatro*) first night, (*cin.*) première **3** (*autom.*) first gear **4** (*sport*) basic position

primàrio A *agg.* **1** primary **2** (*principale*) main, leading **B** *s. m.* head physician

primàte *s. m.* primate

primàto *s. m.* **1** primacy, supremacy **2** (*sport*) record

primavèra *s. f.* spring

primaverile *agg.* spring (*attr*)

primeggiàre *v. intr.* to excel

primitivismo *s. m.* primitivism

primitivo *agg.* primitive **2** (*precedente*) original

primìzia *s. f.* firstling

prìmo A *agg. num. ord.* **1** first **2** (*principale*) main, principal, chief **3** (*iniziale*) early, first **4** (*prossimo*) next **B** *s. m.* **1** (the) first, (*fra due*) the former **2** (*il migliore*) (the) best, (the) top **3** (*primo piatto*) first course **4** (*minuto primo*) minute

primogènito *agg. e s. m.* first-born

primordiàle *agg.* **1** primordial **2** (*est.*) early

prìmula *s. f.* primula, primrose

principàle A *agg.* principal, chief, main **B** *s. m.* master, manager

principalménte *avv.* principally, chiefly, mainly

principàto *s. m.* principality

prìncipe *s. m.* prince

principéssa *s. f.* princess

principiànte *s. m. e f.* beginner

princìpio *s. m.* **1** (*inizio*) beginning **2** (*norma*) principle **3** *al pl.* (*rudimenti*) principles *pl.* **4** (*origine, causa*) origin, cause **5** (*chim.*) principle

prióre *s. m.* prior

priorità *s. f.* priority

prìsma *s. m.* prism

privàre A *v. tr.* to deprive **B** *v. rifl.* to deprive oneself, (*negarsi*) to deny oneself

privataménte *avv.* in private

privàto A *agg.* **1** private **2** (*privo*) deprived, bereft **B** *s. m.* private person

privazióne *s. f.* **1** (*il privare*) deprivation **2** (*perdita*) loss **3** (*disagio*) hardship, privation

privilegiàre *v. tr.* to favour

privilègio *s. m.* **1** privilege **2** (*onore*) honour

privo *agg.* deprived (of), devoid (of), (*mancante*) lacking (in)

pro (1) *prep.* for, for the benefit of

pro (2) *s. m.* advantage, benefit ♦ **il p. e il contro** the pros and cons

probàbile *agg.* probable, likely

probabilità *s. f.* probability, chance

probabilménte *avv.* probably, likely

problèma *s. m.* problem

problemàtica *s. f.* problems *pl.*

problemàtico *agg.* problematic

probòscide *s. f.* trunk

procacciàre *v. tr.* to procure, to get

procèdere *v. intr.* **1** to proceed, to go on, to advance **2** (*accingersi*) to start **3** (*comportarsi*) to behave, (*trattare*) to deal

procediménto *s. m.* **1** (*corso*) course **2** (*metodo*) process, procedure **3** (*dir*) proceedings *pl.*

procedùra *s. f.* procedure

processàre *v. tr.* to try

processióne *s. f.* procession

procèsso *s. m.* **1** (*dir*) trial, action, proceedings *pl.* **2** (*fase, metodo*) process

procióne s. m. racoon

proclàma s. m. proclamation

proclamàre v. tr. to proclaim

proclamazióne s. f. proclamation, declaration

procreàre v. tr. to procreate, to beget

procùra s. f. proxy

procuràre v. tr. 1 to procure, to get, to obtain 2 (causare) to bring about 3 (fare in modo che) to try

procuratóre s. m. 1 proxy 2 (dir) attorney

prodézza s. f. feat, exploit

prodigalità s. f. prodigality, extravagance

prodigàre A v. tr. to lavish B v. rifl. to do all one can

prodìgio s. m. prodigy, marvel, wonder

prodigióso agg. prodigious, portentous, wonderful

pròdigo agg. prodigal, extravagant

prodótto s. m. product, produce

prodùrre A v. tr. 1 (generare) to produce, to yield, to bear 2 (fabbricare) to produce, to make 3 (causare) to cause B v. rifl. to appear C v. intr. pron. to happen, to occur

produttività s. f. productivity

produttivo agg. productive

produttóre s. m. producer

produzióne s. f. production

profanàre v. tr. to profane

profanatóre A agg. profaning B s. m. profaner

profàno A agg. 1 (non sacro) profane, secular 2 (inesperto) ignorant B s. m. layman

proferire v. tr. to utter

professàre A v. tr. 1 to profess, to declare 2 (esercitare) to practise B v. rifl. to profess oneself

professionàle agg. professional, (derivante da professione) occupational

professióne s. f. profession

professionìsmo s. m. professionalism

professionista s. m. e f. professional

professóre s. m. teacher, (di università) professor

profèta s. m. prophet

profètico agg. prophetic(al)

profezìa s. f. prophecy

proficuo agg. profitable

profilàre A v. tr. 1 to profile 2 (orlare) to border, to edge B v. intr. pron. 1 to be outlined 2 (fig.) to loom up

profilàssi s. f. prophylaxis

profilàttico A agg. prophylactic B s. m. prophylactic, condom

profìlo s. m. 1 (del volto) profile 2 (linea di contorno) outline 3 (scient.) profile 4 (descrizione) sketch

profittàre v. tr. to profit, to take advantage

profìtto s. m. 1 profit, benefit, advantage 2 (econ.) profit, gain

profondìmetro s. m. depth-gauge

profondità s. f. depth

profóndo agg. deep, profound

pròfugo agg. e s. m. refugee

profumàre A v. tr. to perfume, to scent B v. intr. to smell, to be fragrant C v. rifl. to put on scent, to perfume oneself

profumataménte avv. profusely, (a caro prezzo) dearly

profumàto agg. scented, fragrant

profumerìa s. f. 1 perfumery 2 (negozio) perfume shop

profùmo s. m. perfume, scent

profusióne s. f. profusion

progenitóre s. m. progenitor, ancestor

progettàre v. tr. 1 to plan 2 (fare il progetto) to plan, to design

progettazióne s. f. design

progettìsta s. m. e f. planner, designer

progètto s. m. plan, project, design

prògnosi s. f. prognosis

progràmma s. m. 1 programme, (USA) program, plan 2 (scolastico) syllabus, programme 3 (inf.) program

programmàre v. tr. to plan, to programme, to program

programmazióne s. f. programming, planning

progredìre v. intr. 1 to advance 2 (fare progressi) to progress, to make progress, to get on 3 (migliorare) to improve

progressióne s. f. progression

progressivaménte avv. progressively

progressìvo agg. progressive

progrèsso s. m. progress, (sviluppo) development

proibìre v. tr. 1 to forbid, to prohibit 2 (impedire) to prevent

proibitìvo agg. prohibitive

proibìto agg. forbidden, prohibited

proibizióne s. f. prohibition

proiettàre v. tr. 1 to project, to cast, to throw 2 (geom.) to project 3 (film) to show

proièttile s. m. bullet, shell

proiettóre s. m. 1 (sorgente luminosa) searchlight, floodlight 2 (autom.) light 3 (fot., cin.) projector

proiezióne s. f. projection

pròle *s. f.* children *pl.*

proletàrio *agg. e s. m.* proletarian

proliferàre *v. intr.* to proliferate

prolìfico *agg.* prolific

prolìsso *agg.* prolix, verbose

pròlogo *s. m.* prologue

prolùnga *s. f.* extension

prolungaménto *s. m.* prolongation, extension

prolungàre **A** *v. tr.* **1** to prolong, to extend **2** (*prorogare*) to delay **B** *v. intr. pron.* **1** to extend, to continue **2** (*dilungarsi*) to dwell

promemòria *s. m. inv.* memorandum, memo

proméssa *s. f.* promise

prométtere *v. tr. e intr.* to promise

prominènte *agg.* prominent

promiscuità *s. f.* promiscuity

promìscuo *agg.* promiscuous, mixed

promontòrio *s. m.* promontory, headland

promotóre *s. m.* promoter

promozióne *s. f.* promotion

promulgàre *v. tr.* to promulgate

promuòvere *v. tr.* **1** to promote **2** (*uno studente*) to pass

prònao *s. m.* pronaos

pronipóte *s. m. e f.* **1** (*di bisnonno*) great grandchild, (*di prozio*) grandnephew *m.*, granddaughter *f.* **2** *al pl.* (*discendenti*) descendants

pronóme *s. m.* pronoun

pronosticàre *v. tr.* to forecast, to prognosticate

pronòstico *s. m.* forecast, prognostic

prontaménte *avv.* readily, quickly

prontézza *s. f.* readiness, quickness

prónto *agg.* **1** ready, prepared **2** (*svelto*) prompt, quick, ready **3** (*incline*) inclined ♦ **p.!** (*al telefono*) hello!; **p. soccorso** first aid

prontuàrio *s. m.* manual, handbook

pronùncia *s. f.* pronunciation

pronunciàre **A** *v. tr.* **1** to pronounce, (*proferire*) to utter **2** (*dire*) to say, (*recitare*) to deliver **B** *v. intr. pron.* to pronounce, to declare one's opinion

pronunciàto *agg.* pronounced, (*spiccato*) strong

propagànda *s. f.* propaganda, (*pubblicità*) advertising

propagàre *v. tr. e intr. pron.* to propagate, to spread

propàggine *s. f.* **1** layer **2** (*diramazione*) offshoot

propèndere *v. intr.* to incline, to be inclined, to tend

propensióne *s. f.* propensity, propension, inclination

propènso *agg.* disposed, inclined

propilèo *s. m.* propylaeum

propinàre *v. tr.* to administer, (*cibo*) to dish up

propiziàre *v. tr.* to propitiate

propìzio *agg.* propitious

proponìbile *agg.* proposable

propórre *v. tr.* **1** to propose, (*suggerire*) to suggest **2** (*decidere*) to decide, to set **3** (*offrire*) to offer

proporzionàle *agg.* proportional

proporzionàre *v. tr.* to proportion

proporzióne *s. f.* **1** proportion, (*rapporto*) ratio **2** (*dimensione*) dimension, size

propòsito *s. m.* **1** purpose, intention, design **2** (*argomento*) subject ♦ **a p. di** with regard to

proposizióne *s. f.* clause

propósta *s. f.* proposal, (*offerta*) offer

proprietà *s. f.* **1** property, ownership **2** (*possedimento*) property, estate **3** (*caratteristica*) property, characteristic **4** (*i proprietari*) owners *pl.*

proprietàrio **A** *agg.* proprietary **B** *s. m.* owner

pròprio **A** *agg.* **1** (*possessivo*) one's (own), (*di lui*) his (own), (*di lei*) her (own), (*di cosa o animale*) its (own), (*di loro*) their (own) **2** (*caratteristico*) characteristic, particular, typical **3** (*appropriato, conveniente*) appropriate, suitable **4** (*letterale*) literal, exact **5** (*gramm., mat.*) proper **B** *pron. poss.* one's (own), (*di lui*) his (own), (*di lei*) hers, her (own), (*di cosa o animale*) its (own), (*di loro*) theirs, their (own) **C** *s. m.* one's own **D** *avv.* **1** (*davvero*) really, quite **2** (*precisamente*) just, exactly **3** (*affatto, in frasi neg.*) at all

propulsióne *s. f.* propulsion

pròroga *s. f.* **1** extension, delay **2** (*rinvio*) adjournment

prorogàre *v. tr.* **1** to extend, to prolong **2** (*rinviare*) to postpone, to delay

prorómpere *v. intr.* to burst (out)

pròsa *s. f.* **1** prose **2** (*opera in prosa*) prose work **3** (*teatro*) drama

prosàico *agg.* prosaic

prosciògliere *v. tr.* to release, to absolve

prosciugàre **A** *v. tr.* **1** to dry up, to drain **2** (*fig.*) to exhaust **B** *v. intr.* to dry up

prosciùtto *s. m.* ham

prosecuzióne *s. f.* prosecution, continuation

proseguiménto *s. m.* continuation

proseguìre **A** *v. tr.* to continue, to carry on **B** *v. intr.* to continue, to go on, to pursue

prosperàre *v. intr.* to prosper, to flourish, to boom

prosperità *s. f.* prosperity, affluence

pròspero *agg.* prosperous, flourishing

prosperóso *agg.* prosperous, flourishing

prospettàre **A** *v. tr.* to show, to point out **B** *v. intr. pron.* to appear

prospèttico *agg.* perspective

prospettìva *s. f.* **1** perspective **2** (*possibilità*) prospect

prospètto *s. m.* **1** (*facciata*) front **2** (*tabella*) table, (*riassunto*) summary

prospiciènte *agg.* facing, overlooking

prossimaménte *avv.* in a short time, before long

prossimità *s. f.* closeness, proximity

pròssimo **A** *agg.* **1** (*molto vicino*) near, close, at hand (*pred.*) **2** (*successivo*) next **B** *s. m.* neighbour

pròstilo *s. m.* prostyle

prostituìre **A** *v. tr.* to prostitute **B** *v. rifl.* to prostitute oneself, to sell oneself

prostitùta *s. f.* prostitute

prostituzióne *s. f.* prostitution

prostràre **A** *v. tr.* to prostrate, to exhaust **B** *v. rifl.* to prostrate oneself

protagonìsta *s. m. e f.* **1** protagonist **2** (*attore*) leading actor

protèggere **A** *v. tr.* **1** to protect, to shield, to shelter, to take care of **2** (*favorire*) to favour, to promote **B** *v. rifl.* to protect oneself

proteìna *s. f.* protein

protèndere **A** *v. tr.* to stretch out, to hold out **B** *v. rifl. e intr. pron.* to stretch out, to lean forward

pròtesi *s. f.* prothesis ♦ **p. dentaria** dental prothesis

protèsta *s. f.* protest

protestànte *agg. e s. m.* Protestant

protestantésimo *s. m.* Protestantism

protestàre *v. tr. e intr.* to protest

protettìvo *agg.* protective

protettóre *s. m.* protector, patron

protezióne *s. f.* **1** protection **2** (*patrocinio*) patronage

protezionìsmo *s. m.* protectionism

protocollàre *agg.* protocol (*attr*)

protocòllo *s. m.* **1** protocol **2** (*registro*) record, register

protòtipo *s. m.* prototype

protràrre **A** *v. tr.* **1** to prolong, to extend **2** (*differire*) to postpone, to defer **B** *v. intr. pron.* to continue

protuberànza *s. f.* protuberance

pròva *s. f.* **1** (*esperimento, controllo*) trial, test **2** (*dimostrazione*) proof, (*elemento di prova*) evidence **3** (*tentativo*) try **4** (*risultato*) result **5** (*di abito*) fitting **6** (*teatro*) rehearsal ♦ **a prova di** proof (*attr*)

provàre **A** *v. tr.* **1** (*dimostrare*) to prove, to demonstrate, to show **2** (*tentare*) to try, (*sperimentare*) to experience **3** (*sentire*) to feel **4** (*mettere alla prova*) to try, to test **5** (*un vestito*) to try on **6** (*teatro*) to rehearse **7** (*assaggiare*) to taste **B** *v. intr. pron.* to try, to attempt

proveniènza *s. f.* **1** origin, provenance **2** (*fonte*) source

provenìre *v. intr.* **1** to come **2** (*avere origine*) to derive, to originate

provènto *s. m.* proceeds *pl.*, income

provenzàle *agg.* Provençal

proverbiàle *s. m.* **1** proverbial **2** (*notorio*) notorious

provèrbio *s. m.* proverb, saying

provétta *s. f.* test tube

provìncia *s. f.* province, district

provinciàle *agg. e s. m. e f.* provincial

provincialìsmo *s. m.* provincialism

provocànte *agg.* provocative

provocàre *v. tr.* **1** to provoke **2** (*suscitare*) to cause, to induce

provocatòrio *agg.* provocative

provocazióne *s. f.* provocation

provvedére **A** *v. tr.* **1** (*fornire*) to provide, to supply **2** (*disporre*) to prepare, to get ready **B** *v. intr.* **1** to provide (for), to arrange for **2** (*prendersi cura*) to take care of **C** *v. rifl.* to provide oneself

provvediménto *s. m.* measure, action, provision

provvidènza *s. f.* **1** providence **2** (*provvedimento*) provision

provvidenziàle *agg.* providential

provvigióne *s. f.* commission

provvisòrio *agg.* provisional, temporary

provvìsta *s. f.* provision, supply

prùa *s. f.* bow

prudènte *agg.* prudent, cautious

prudènza *s. f.* prudence, caution

prùdere *v. intr.* to itch, to be itchy

prùgna *s. f.* plum ♦ **p. secca** prune

prùno *s. m.* blackthorn
pruriginóso *agg.* 1 itchy 2 (*fig.*) exciting
prurìto *s. m.* itch
pseudònimo *s. m.* pseudonym, (*di scrittore*) pen name
psìche *s. f.* psyche
psichiàtra *s. m. e f.* psychiatrist
psichiatrìa *s. f.* psychiatry
psichiàtrico *agg.* psychiatric
psìchico *agg.* psychic(al), mental
psicoanàlisi *s. f.* psychoanalysis
psicoanalìsta *s. m. e f.* psychoanalyst
psicofàrmaco *s. m.* psychotropic drug
psicologìa *s. f.* psychology
psicologicaménte *avv.* psychologically
psicològico *agg.* psychological
psicòlogo *s. m.* psychologist
psicòsi *s. f.* psychosis
pubblicàre *v. tr.* to publish, to issue
pubblicazióne *s. f.* publication, issue ·
pubblicità *s. f.* 1 publicity 2 (*propaganda commerciale*) advertising
pubblicitàrio *agg.* advertising ♦ **annuncio p.** ad; **spazio p.** spot
pubblicizzàre *v. tr.* to publicize, to advertize
pùbblico **A** *agg.* public, (*dello stato*) state (*attr*) **B** *s. m.* 1 public 2 (*uditorio*) audience 3 (*vita pubblica*) public life
pùbe *s. m.* pubis
pubertà *s. f.* puberty
pudìco *agg.* modest
pudóre *s. m.* modesty, decency, (*vergogna*) shame
puericultùra *s. f.* puericulture
puerìle *agg.* childish
pugilàto *s. m.* boxing
pùgile *s. m.* boxer
pugnalàre *v. tr.* to stab
pugnàle *s. m.* dagger
pùgno *s. m.* 1 fist 2 (*colpo*) punch, blow 3 (*manciata*) fistful, handful
pùlce *s. f.* flea
pulcìno *s. m.* chick
pulédro *s. m.* colt
puléggia *s. f.* pulley
pulìre *v. tr.* to clean
pulìta *s. f.* clean, cleaning
pulìto *agg.* 1 clean 2 (fig.) clear, honest
pulizìa *s. f.* 1 (*il pulire*) cleaning 2 (*l'essere pulito*) cleanliness, cleanness
pùllman *s. m. inv.* coach
pullòver *s. m. inv.* pullover
pullulàre *v. intr.* 1 to spring up 2 (*essere gremito*) to swarm, to teem

pulmìno *s. m.* minibus
pùlpito *s. m.* pulpit
pulsànte **A** *agg.* pulsating **B** *s. m.* pushbutton
pulsàre *v. intr.* to pulsate, to beat
pulsazióne *s. f.* pulsation, throbbing
pulvìno *s. m.* dosseret, pulvino
pulvìscolo *s. m.* (fine) dust ♦ **p. atmosferico** motes
pùma *s. m.* puma
pungènte *agg.* 1 prickly 2 (*fig.*) biting, sharp
pùngere *v. tr.* to prick, to sting
pungiglióne *s. f.* sting
punìre *s. f.* to punish
punizióne *s. f.* 1 punishment 2 (*sport*) penalty
pùnta *s. f.* 1 point 2 (*estremità*) tip, end 3 (*cima*) top, peak 4 (*promontorio*) cape, headland 5 (*di trapano*) drill 6 (*massima intensità*) peak 7 (*piccola quantità*) touch, pinch
puntàle *s. m.* ferrule
puntàre **A** *v. tr.* 1 (*dirigere*) to point, to direct 2 (*mirare*) to point, to aim 3 (*poggiare, spingere*) to put, to push 4 (*scommettere*) to bet, to wager 5 (*di cane*) to set, to point 6 (*guardare fissamente*) to stare at **B** *v. intr.* 1 (*dirigersi*) to head 2 (*aspirare a*) to aim 3 (*fare assegnamento*) to count (on)
puntàta (1) *s. f.* 1 (*somma scommessa*) bet, stake 2 (*breve visita*) flying visit
puntàta (2) *s. f.* (*di scritto*) instalment, (*TV, radio*) episode
punteggiatùra *s. f.* punctuation
puntéggio *s. m.* score
puntellàre *v. tr.* 1 to prop (up) 2 (*fig.*) to back up, to support
puntèllo *s. m.* prop, support
puntìglio *s. m.* stubbornness ♦ **per p.** out of pique
puntiglióso *agg.* stubborn, obstinate
puntìna *s. f.* 1 (*da disegno*) drawing pin 2 (*mecc.*) point
puntìno *s. m.* dot
pùnto *s. m.* 1 point 2 (*cucito, maglia*) stitch 3 (*macchiolina*) dot 4 (*segno d'interpunzione*) full stop ♦ **due punti** colon; **mettere a p.** to set up, to adjust; **p. e virgola** semicolon
puntuàle *agg.* 1 punctual, on time (*pred.*) 2 (*accurato*) precise, careful
puntualità *s. f.* 1 punctuality 2 (*preci-*

sione) precision

puntùra *s. f.* **1** (*di ago, spina*) prick, (*di insetto*) sting, bite **2** (*iniezione*) injection, shot (*fam.*)

punzecchiàre A *v. tr.* **1** to sting, to bite **2** (*stuzzicare*) to tease **B** *v. rifl. rec.* to tease each other

pupàzzo *s. m.* puppet

pupilla *s. f.* pupil

pupillo *s. m.* **1** (*dir*) ward **2** (*favorito*) favourite

puraménte *avv.* **1** purely, merely **2** (*solamente*) just, only

purché *cong.* provided (that), on condition that, as long as

pùre A *avv.* **1** also, too, as well, (*perfino*) even **2** (*concessivo*) please, as you like, certainly **B** *cong.* **1** (*anche se*) even if, (*sebbene*) even though **2** (*tuttavia, eppure*) but, yet ♦ **entra p.!** please come in!; **pur di** just to

purè *s. m.* mash, purée ♦ **p. di patate** mashed potatoes

purézza *s. f.* purity

pùrga *s. f.* **1** laxative **2** (*fig.*) purge

purgànte *agg. e s. m.* laxative

purgàre *v. tr.* **1** to give a laxative to **2** (*puri-ficare*) to purge, to purify **3** (*espurgare*) to expurgate

purgativo *agg.* laxative

purgatòrio *s. m.* purgatory

purificàre *v. tr.* to purify

purìsmo *s. m.* purism

puritanésimo *s. m.* Puritanism

puritàno *agg. e s. m.* Puritan

pùro *agg.* **1** pure **2** (*semplice*) sheer, mere ♦ **per p. caso** by mere chance

purtròppo *avv.* unfortunately

pus *s. m. inv.* pus

pùstola *s. f.* pustule

putifèrio *s. m.* row, mess

putrefàre *v. intr. e intr. pron.* to putrefy, to go bad, to decompose

putrefazióne *s. f.* putrefaction, rot, corruption

pùtrido *agg.* rotten, putrid

puttàna *s. f.* whore

pùtto *s. m.* putto

pùzza *s. f.* stench, stink, bad smell

puzzàre *v. intr.* to stink, to smell bad

pùzzo *s. m.* stench, stink, bad smell

pùzzola *s. f.* polecat

puzzolènte *agg.* stinking, bad-smelling

Q

qua *avv.* here ♦ **al di q. di** on this side of; **eccomi q.** here I am; **q. e là** here and there; **q. fuori** out here; **q. giù** down here

quàcchero *agg. e s. m.* Quaker

quadèrno *s. m.* exercise-book, copy-book

quadrangolàre *agg.* quadrangular

quadrànte *s. m.* quadrant, *(di orologio)* dial

quadràre A *v. tr.* **1** to square **2** *(i conti)* to balance **B** *v. intr.* **1** *(essere esatto)* to balance **2** *(essere pertinente)* to fit, to suit

quadràto A *agg.* **1** square **2** *(fig.)* well-balanced, sound **B** *s. m.* **1** square **2** *(box)* ring

quadrétto *s. m.* **1** small square, small check **2** *(scenetta)* scene ♦ **a quadretti** *(di carta)* squared, *(di stoffa)* check(ed)

quadricromìa *s. f.* four-colour process

quadriennàle *agg.* **1** quadriennial, four-year *(attr)* **2** *(che si svolge ogni 4 anni)* quadriennial, four-yearly *(attr)*

quadrifòglio *s. m.* **1** four-leaved clover **2** *(arch.)* quatrefoil

quadrimestràle *agg.* **1** four-monthly *(attr)* **2** *(che si compie ogni quadrimestre)* quarterly

quadrimèstre *s. m.* period of four months

quadrimotóre *s. m.* four-engined aircraft

quàdro (1) *agg.* square

quàdro (2) *s. m.* **1** *(pittura)* picture, painting **2** *(descrizione)* picture, description, outline **3** *(vista, spettacolo)* sight, scene **4** *(quadrato)* square **5** *(tabella)* table **6** *(tecnol.)* board, panel **7** *al pl. (mil., pol.)* cadre, *(d'azienda)* management **8** *al pl. (carte da gioco)* diamonds

quadrùpede *agg. e s. m.* quadruped

quadruplicàre *v. tr. e intr. pron.* to quadruple

quàdruplo *agg. e s. m.* quadruple

quaggiù *avv.* down here

quàglia *s. f.* quail

quàlche *agg. indef.* **1** a few, some, *(in frasi interr)* any **2** *(un certo)* some, a certain amount of **3** *(quale che sia)* some, *(in frasi interr)* any ♦ **da q. parte** somewhere, anywhere; **fra q. minuto** in a few minutes; **in q. modo** somehow or other; **q. altro** some/any other, *(in più)* some/any more; **q. volta** sometimes

qualcòsa *pron. indef.* **1** *(in frasi afferm. o interr con valore positivo)* something **2** *(in frasi neg. e dubit.)* anything

qualcùno A *pron. indef.* **1** *(in frasi afferm. o interr con valore positivo)* *(persona)* somebody, someone, *(persona o cosa)* some **2** *(in frasi interr e dubit.)* *(persona)* anybody, anyone, *(persona o cosa)* any **3** *(alcuni)* *(persona)* some (people), any (people), a few (people), *(persona o cosa)* some, any **B** *s. m.* *(persona importante)* somebody ♦ **q. altro** some/any other, *(un'altra persona)* somebody/anybody else, *(uno in più)* some/any more

quàle A *agg.* **1** *(interr)* *(fra un numero limitato)* which, *(fra un numero indeterminato)* what **2** *(escl.)* what **3** *(rel.)* *(spesso correlato con 'tale')* (just) as **4** *(qualunque)* whatever **B** *pron.* **1** *(interr)* *(fra un numero limitato)* which, *(fra un numero indeterminato)* what **2** *(rel. riferito a persone)* *(sogg.)* who, that, *(compl. ogg. e ind.)* who, that, whom, *(poss.)* whose **3** *(rel. riferito a cose o animali)* which, that, *(poss.)* of which, whose **C** *avv.* *(in qualità di)* as

qualifica *s. f.* **1** qualification **2** *(giudizio)* appraisal **3** *(titolo)* title

qualificàre A *v. tr.* **1** to qualify **2** *(definire)* to describe **3** *(caratterizzare)* to characterize **B** *v. rifl.* **1** to qualify **2** *(presentarsi)* to introduce oneself

qualificatìvo *agg.* qualifying

qualificazióne *s. f.* qualification

qualità *s. f.* **1** quality, *(proprietà)* property **2** *(genere)* kind, sort **3** *(ufficio, carica)* capacity

qualóra *cong.* if, in case

qualsìasi *agg. indef.* → **qualunque**

qualùnque *agg. indef.* **1** any **2** *(mediocre)* ordinary, common **3** *(quale che sia)* whatever, *(riferito a un numero limitato)* whichever

quàndo A *avv.* when **B** *cong.* **1** when **2** *(ogni volta che)* whenever **3** *(mentre)* while **4** *(condizionale o causale)* when, since, if ♦ **da q.** since; **da q.?** since when?; **fino a q.** till, as long as

quantità *s. f.* quantity ♦ **una (grande) q. di** a lot of

quantitativo A *agg.* quantitative **B** *s. m.* quantity, amount

quànto A *agg.* **1** (*interr*) how much, *pl.* how many, (*quanto tempo?*) how long (ES: **q. pane c'è?** how much bread is there?, **q. tempo ci vuole per arrivare alla stazione?** how long does it take to get to the station?) **2** (*in frasi ellittiche*) how much, (*di tempo*) how long (o *idiom.*) (ES: **q. costa?** how much is it?, **q. c'è da Milano a Venezia?** how far is it from Milan to Venice?, **quanti ne abbiamo oggi?** what is the date today?) **3** (*escl.*) what (a lot of), how (ES: **quanti dischi hai!** what a lot of records you have!) **4** (*tutto quello che*) as ... as (ES: **avrai tanto aiuto q. te ne serve** you'll have as much help as you need) **B** *avv.* **1** (*interr*) (*con agg. e avv.*) how, (*con v.*) how much (ES: **q. è grande la casa?** how big is the house?, **q. hai studiato oggi?** how much have you studied today?) **2** (*escl.*) (*con agg.*) how, (*con v.*) how (much) (ES: **q. è bello!** how beautiful it is!, **q. mi piace!** how I love it!) **3** (*correlativo di 'tanto'*) as ... as, (*sia ... sia*) both ... and, (*quanto più ... tanto meno*) the more ... the less, the ...-er ... the less, (*quanto più, tanto più*) the more ... the more, the ...-er ... the ...-er (ES: **ne so (tanto) q. prima** I know as much as I did before, **mangerò tanto il dolce q. la macedonia** I'll have both the dessert and the fruit salad, **q. più freddo è il tempo, tanto meno mi piace** the colder the weather is, the less I like it, **q. più mangi, tanto più ingrassi** the more you eat, the fatter you become) **C** *pron.* **1** (*interr*) how much, *pl.* how many (ES: **q. ne vuoi?** how much do you want of it?, **quanti ne hai letti?** how many did you read?) **2** (*escl.*) what a lot (of) (ES: **q. ne hai consumato!** what a lot you've used!) **D** *pron. rel.* **1** (*ciò che*) what, (*tutto quello che*) all (that) (ES: **ho q. mi occorre** I have all I need) **2** *al pl.* (*tutti coloro che*) all those (who), whoever (ES: **quanti credono in Dio** all those who believe in God) **3** (*correlativo di 'tanto'*) as (ES: **ho dormito (tanto) q. ho potuto** I've slept as much as I could) **4** (*in frasi comp.*) than (ES: **meno di q. pensassimo** less than we expected) ♦ **in q.** (*poiché*) since, as, (*in qualità di*) as; **per q.** however, although; **q. a** as for

quantùnque *cong.* **1** (*benché*) (al)though

2 (*anche se*) even if

quarànta *agg. num. card. e s. m. inv.* forty

quarantèna *s. f.* quarantine

quarantésimo *agg. num. ord. e s. m.* fortieth

quarésima *s. f.* Lent

quartétto *s. m.* **1** quartet **2** (*fam.*) foursome

quartière *s. m.* **1** (*di città*) quarter, area, neighbourhood **2** (*mil.*) quarters *pl.*

quartìna *s. f.* (*letter.*) quatrain

quàrto A *agg. num. ord.* fourth **B** *s. m.* **1** quarter, fourth **2** (*di ora*) quarter

quàrzo *s. m.* quartz ♦ **orologio al q.** quartz watch

quàsi A *avv.* **1** almost, nearly, (*con significato neg.*) hardly **2** (*forse*) perhaps **3** (*per poco non*) very nearly **B** *cong.* **q. che** as if ♦ **q. mai** hardly ever; **q. sempre** almost always

quassù *avv.* up here

quattórdici *agg. num. card. e s. m. inv.* fourteen

quattrìno *s. m.* penny, *al pl.* money

quàttro *agg. num. card. e s. m. inv.* four

quattrocentésco *agg.* fifteenth-century (*attr*)

quattrocènto *agg. num. card. e s. m. inv.* four hundred

quattromìla *agg. num. card. e s. m. inv.* four thousand

quéllo A *agg. dimostr.* **1** that, those *pl.* **2** (*come art. determ.*) the **B** *pron. dimostr.* **1** that (one), those *pl.* **2** (*prima di un agg. qualif., di un'espressione attributiva o di una frase relativa*) the one (ES: **prenderò q. che mi piace di più** I'll take the one I like best) **3** (*con un poss. non si traduce*) (ES: **questa non è la mia macchina, è quella di mia moglie** this isn't my car, it's my wife's **4** (*seguito da un pron. relativo*) (*colui*) the man, the one, (*colei*) the woman, the one, (*coloro*) those, the people, (*chiunque*) whoever, anyone, (*ciò che*) what (ES: **quelli che hai incontrato sono miei amici** the people you met are friends of mine) **5** (*con valore di pron. pers.*) he, *f.* she, *pl.* they, (*con valore di 'ciò'*) that ♦ **questo ... q.** one ... one, some ... some, (*tra due già menzionati*) the former ... the latter

quèrcia *s. f.* oak

querèla *s. f.* action

querelàre *v. tr.* to bring an action against, to sue

quesìto *s. m.* question

questionàre *v. intr.* to argue, to quarrel

questionàrio *s. m.* questionnaire

questióne *s. f.* **1** (*discussione*) question, issue **2** (*faccenda*) question, matter, (*punto della questione*) point **3** (*litigio*) quarrel

quésto A *agg. dimostr.* this, *pl.* these **B** *pron. dimostr.* **1** this (one), *pl.* these **2** (*con valore di pron. pers.*) he, f. she, *pl.* they, (*con valore di 'ciò'*) that, this ♦ **q. ... quello** one ... one, some ... some, (*tra due già menzionati*) the latter ... the former

quèstua *s. f.* begging, (*in chiesa*) collection

qui *avv.* **1** here **2** (*temporale*) now ♦ **q. dentro/fuori** in/out here

quietànza *s. f.* receipt

quietàre A *v. tr.* to quiet, to calm **B** *v. intr. pron.* to quiet down, to calm down

quiète *s. f.* **1** quiet, calm **2** (*riposo*) rest

quièto *agg.* quiet, calm

quìndi A *avv.* then, afterwards **B** *cong.* so, therefore

quìndici *agg. num. ord. e s. m. inv.* fifteen

quindicinàle *agg.* **1** fortnight's (*attr*) **2** (*che ricorre ogni 15 giorni*) fortnightly

quinquènnio *s. m.* period of five years

quìnta *s. f.* **1** (*teatro*) wing, side-scene **2** (*mus.*) fifth ♦ **dietro le quinte** behind the scenes

quintàle *s. m.* quintal

quintétto *s. m.* **1** quintet **2** (*fam.*) fivesome

quìnto *agg. num. ord. e s. m.* fifth

quòta *s. f.* **1** (*somma*) share, amount, (*rata*) instalment, (*contributo*) dues *pl.* **2** (*altezza*) altitude, height **3** (*nel disegno tecnico*) dimension ♦ **a 3000 metri di q.** at 3000 metres above sea level

quotàre A *v. tr.* **1** (*valutare*) to value, to assess **2** (*Borsa*) to quote, to list **B** *v. rifl.* to subscribe

quotazióne *s. f.* **1** (*prezzo*) quotation prize, (*valutazione*) evaluation **2** (*Borsa*) quotation **3** (*di moneta*) exchange rate **4** (*reputazione*) reputation

quotidianaménte *avv.* daily

quotidiàno A *agg.* daily, everyday **B** *s. m.* daily

quoziènte *s. m.* quotient

R

rabàrbaro *s. m.* rhubarb

ràbbia *s. f.* **1** anger, rage, fury **2** (*med.*) rabies

rabbìno *s. m.* rabbi

rabbióso *agg.* **1** furious, angry **2** (*accanito*) violent, furious **3** (*med.*) rabid

rabbonire *v. tr. e intr. pron.* to calm down

rabbrividire *v. intr.* to shudder, to shiver

rabbuiàrsi *v. intr. pron.* **1** to darken, to grow dark **2** (*corrucciarsi*) to grow gloomy

raccapricciànte *agg.* horrifying

raccattàre *v. tr.* to pick up

racchétta *s. f.* **1** (*da tennis*) racket, (*da ping-pong*) bat, (*da sci*) ski-stick, ski-pole **2** (*del tergicristallo*) windscreen wiper

racchiùdere *v. tr.* to contain, to hold

raccògliere A *v. tr.* **1** to pick (up) **2** (*mettere insieme*) to gather, to collect **3** (*fare collezione*) to collect, to make a collection of **4** (*ricevere*) to receive **5** (*mietere*) to reap, to harvest **6** (*dare rifugio*) to shelter, to take in **7** (*accettare*) to accept **B** *v. intr. pron.* to gather **C** *v. rifl.* to collect one's thoughts, to concentrate

raccogliménto *s. m.* concentration

raccoglitóre *s. m.* (*per documenti*) folder

raccòlta *s. f.* **1** collection, raising **2** (*di frutti della terra*) harvesting, (*raccolto*) harvest **3** (*collezione*) collection **4** (*adunata*) gathering

raccòlto A *agg.* **1** (*colto*) picked **2** (*adunato*) gathered **3** (*assorto*) absorbed, engrossed **4** (*intimo*) cosy **B** *s. m.* crop, harvest

raccomandàre A *v. tr.* **1** to recommend **2** (*affidare*) to entrust, to commit **3** (*esortare*) to exhort **4** (*corrispondenza*) to register **B** *v. rifl.* to implore, to beg

raccomandàta *s. f.* registered letter

raccomandàto *agg.* **1** recommended **2** (*di corrispondenza*) registered

raccomandazióne *s. f.* **1** recommendation **2** exhortation, advice

raccontàre *v. tr.* to tell

raccónto *s. m.* **1** story, tale, (*novella*) short story **2** (*resoconto*) relation, account

raccòrdo *s. m.* **1** connection, link **2** (*mecc.*) connector, connection **3** (*ferr*) sidetrack ♦ **r. stradale** link road

rachìtico *agg.* **1** (*med.*) rachitic **2** (*stentato*) stunted

racimolàre *v. tr.* to scrape up, to collect

ràda *s. f.* roadstead

radar *s. m. inv.* radar

raddolcire A *v. tr.* **1** to sweeten **2** (*fig.*) to soften **B** *v. intr. pron.* to soften, to mellow

raddoppiàre *v. tr. e intr.* to double, to redouble

raddóppio *s. m.* redoubling

raddrizzàre A *v. tr.* **1** to straighten **2** (*fig.*) to correct, to settle **B** *v. rifl.* to straighten oneself

radènte *agg.* grazing

ràdere A *v. tr.* **1** to shave **2** (*abbattere*) to raze **3** (*sfiorare*) to graze **B** *v. rifl.* to shave (oneself)

radiàle *agg.* radial

radiànte *s. m.* radiant

radiàre *v. tr.* to expell, to strike off

radiatóre *s. m.* radiator

radiazióne *s. f.* radiation

ràdica *s. f.* briar-root

radicàle *agg. e s. m. e f.* radical

radicàre *v. intr. e intr. pron.* to root, to take root

radìcchio *s. m.* chicory

radìce *s. f.* root

ràdio (1) *s. m.* (*anat.*) radius

ràdio (2) *s. m.* (*chim.*) radium

ràdio (3) *s. f.* radio

radioamatóre *s. m.* radio-amateur, ham (*fam.*)

radioattività *s. f.* radioactivity

radioattìvo *agg.* radioactive

radiocrònaca *s. f.* radio commentary

radiocronìsta *s. m. e f.* radio commentator

radiofàro *s. m.* (radio) beacon

radiografìa *s. f.* **1** radiography **2** (*immagine*) X-ray

radiòlogo *s. m.* radiologist

radioscopìa *s. f.* radioscopy

radiosegnàle *s. m.* radio signal

radióso *agg.* radiant, bright

radiosvèglia *s. f.* radio alarm

radiotàxi *s. m. inv.* radiotaxi

radiotècnico *s. m.* radio engineer

radiotelèfono *s. m.* radio telephone

radiotrasmissióne *s. f.* broadcast

ràdo *agg.* **1** (*sparso*) thin, sparse **2** (*non frequente*) infrequent, occasional ♦ **di r.** rarely

radunàre A *v. tr.* **1** to gather, to assemble **2** (*raccogliere*) to amass **B** *v. intr. pron.* to gather, to assemble

radùno *s. m.* gathering, meeting

radùra *s. f.* clearing, glade

ràfano *s. m.* horseradish

raffazzonàre *v. tr.* to patch up

rafférmo *agg.* stale

ràffica *s. f.* **1** (*di vento*) gust **2** (*di proiettili*) burst **3** (*fig.*) hail

raffiguràre *v. tr.* **1** (*rappresentare*) to represent, to show **2** (*simboleggiare*) to symbolize, to be a symbol of **3** (*immaginare*) to imagine

raffigurazióne *s. f.* representation, depiction

raffinàre *v. tr. e intr. pron.* to refine

raffinatézza *s. f.* refinement

raffinàto *agg.* refined

raffinerìa *s. f.* refinery

rafforzàre A *v. tr.* to reinforce, to strengthen **B** *v. intr. pron.* to get stronger

raffreddaménto *s. m.* cooling

raffreddàre A *v. tr.* to cool, to make cold **B** *v. intr. pron.* **1** to cool down, to become cold **2** (*fig.*) to die down, to cool off **3** (*prendere un raffreddore*) to catch a cold

raffreddóre *s. m.* cold

raffrónto *s. m.* comparison

ràfia *s. f.* raffia

ragàzza *s. f.* **1** girl **2** (*fidanzata*) girlfriend

ragàzzo *s. m.* **1** boy, (*giovane*) youth **2** (*garzone*) boy **3** (*fidanzato*) boyfriend

raggiànte *agg.* radiant

raggièra *s. f.* rays *pl.*

ràggio *s. m.* **1** ray, beam **2** (*geom.*) radius **3** (*di ruota*) spoke **4** (*fis.*) ray **5** (*portata*) range

raggiràre *v. tr.* to deceive, to cheat, to swindle

raggìro *s. m.* cheat, swindle, trick

raggiùngere *v. tr.* **1** to reach, to get to, to arrive at **2** (*riunirsi con qc.*) to join, to catch up **3** (*conseguire*) to attain, to achieve

raggomitolàre A *v. tr.* to roll up **B** *v. rifl.* to curl up

raggranellàre *v. tr.* to scrape up

raggrinzìre A *v. tr.* to wrinkle (up) **B** *v. intr. pron.* to become wrinkled

raggruppàre *v. tr. e intr. pron.* to group, to assemble

ragguàglio *s. m.* information, details *pl.*

ragguardévole *agg.* **1** (*ingente*) considerable, substantial **2** (*importante*) distinguished

ragionaménto *s. m.* reasoning, argument

ragionàre *v. intr.* **1** to reason, to think **2** (*discutere*) to argue

ragióne *s. f.* **1** reason **2** (*causa*) reason, motive **3** (*diritto*) right, reason **4** (*argomentazione*) reason, justification **5** (*rapporto*) ratio, proportion, (*tasso*) rate ♦ **a maggior r.** even more so; **avere r.** to be right; **r. sociale** corporate name

ragionerìa *s. f.* accounting

ragionévole *agg.* reasonable

ragionière *s. m.* accountant

ragliàre *v. intr.* to bray

ràglio *s. m.* braying

ragnatéla *s. f.* cobweb, (spider's) web

ràgno *s. m.* spider

ragù *s. m.* meat sauce

rallegraménti *s. m. pl.* congratulations *pl.*

rallegràre A *v. tr.* to cheer up, to make glad **B** *v. intr. pron.* **1** to cheer up, to rejoice **2** (*congratularsi*) to congratulate

rallentaménto *s. m.* slowing down

rallentàre A *v. tr.* to slow down, to slacken **B** *v. intr.* **1** to slow down **2** (*ridurre*) to slacken, to die down

ramanzìna *s. f.* telling-off

ramàrro *s. m.* green lizard

ramàzza *s. f.* broom

ràme *s. m.* copper

ramificàre A *v. intr.* to branch **B** *v. intr. pron.* to branch out

ramìno *s. m.* rummy

rammaricàre A *v. tr.* to afflict **B** *v. intr. pron.* to regret, to be sorry

rammàrico *s. m.* regret

rammendàre *v. tr.* to darn, to mend

rammentàre *v. tr. e intr. pron.* to remember, to recall

rammollìre *v. tr. e intr. pron.* to soften

ràmo *s. m.* branch

ramoscèllo *s. m.* twig, sprig

ràmpa *s. f.* **1** ramp, slope **2** (*di scale*) flight ♦ **r. di lancio** launching pad

rampànte *agg.* **1** rampant **2** (*fig.*) go-getting

rampicànte A *agg.* climbing, creeping **B** *s. m.* climber, creeper

rampìno *s. m.* hook

rampòllo *s. m.* offspring

rampóne *s. m.* crampon

ràna *s. f.* frog ♦ **nuoto a r.** breast-stroke

ràncido *agg.* rancid

ràncio *s. m.* mess

rancóre *s. m.* grudge

rànda *s. f.* mainsail

randàgio *agg.* stray

randèllo *s. m.* cudgel, club

ràngo *s. m.* rank

rannicchiàre A *v. tr.* to curl up **B** *v. rifl.* to crouch

rannuvolàrsi *v. intr. pron.* **1** to become cloudy **2** (*fig.*) to darken, to become gloomy

ranòcchio *s. m.* frog

ràntolo *s. m.* wheeze

ranùncolo *s. m.* ranunculus, buttercup

ràpa *s. f.* turnip

rapàce A *agg.* **1** predaceous, predatory **2** (*fig.*) greedy **B** *s. m.* bird of prey

rapàre A *v. tr.* to crop **B** *v. rifl.* to have one's hair cropped

ràpida *s. f.* rapid

rapidità *s. f.* swiftness, rapidity

ràpido A *agg.* swift, rapid, quick **B** *s. m.* express (train)

rapiménto *s. m.* **1** kidnapping **2** (*fig.*) rapture

rapìna *s. f.* robbery

rapinàre *v. tr.* to rob

rapinatóre *s. m.* robber

rapire *v. tr.* **1** to kidnap, (*portar via*) to carry off, to steal **2** (*fig.*) to ravish

rapitóre *s. m.* kidnapper

rappacificàre A *v. tr.* to reconcile, to pacify **B** *v. rifl. rec.* to become reconciled

rapportàre *v. intr. e intr. pron.* to relate

rappòrto *s. m.* **1** (*resoconto*) report, statement **2** (*relazione, connessione*) relation, connection **3** (*sessuale*) intercourse **4** (*scient.*) ratio **5** (*confronto*) comparison ♦ **in r. a** in relation to, with reference to

rapprèndere *v. intr. e intr. pron.* to coagulate, to congeal, to set

rappresàglia *s. f.* retaliation, reprisal

rappresentànte *s. m. e f.* **1** representative **2** (*comm.*) agent

rappresentàre *v. tr.* **1** to represent, to depict **2** (*fare le veci di*) to act for, to represent, (*comm.*) to be an agent for **3** (*simboleggiare*) to symbolize, to stand for **4** (*teatro*) to perform, to stage, (*cin.*) to show **5** (*significare*) to mean

rappresentativo *agg.* representative

rappresentazióne *s. f.* **1** representation **2** (*teatro*) performance

rapsodìa *s. f.* rhapsody

raraménte *avv.* seldom, rarely

rarefàre *v. tr. e intr. pron.* to rarefy

rarità *s. f.* rarity

ràro *agg.* **1** rare **2** (*non comune*) uncommon, exceptional

rasàre A *v. tr.* **1** (*radere*) to shave **2** (*siepe*) to trim, (*prato*) to mow **B** *v. rifl.* to shave

raschiàre *v. tr.* to scrape

rasentàre *v. tr.* **1** to graze, to skim **2** (*fig.*) to border on

rasènte a *prep.* close to

ràso *s. m.* satin

rasóio *s. m.* razor ♦ **r. elettrico** electric razor

ràspa *s. f.* rasp

rasségna *s. f.* **1** (*mil.*) review, inspection **2** (*resoconto*) review, survey, (*rivista*) review **3** (*mostra*) show, exhibition

rassegnàre A *v. tr.* (*presentare*) to hand in **B** *v. intr. pron.* to resign oneself ♦ **r. le dimissioni** to hand in one's resignation

rassegnazióne *s. f.* resignation

rasserenàre *v. tr. e intr. pron.* **1** to clear up **2** (*fig.*) to cheer up

rassettàre *v. tr.* to tidy up, to put in order

rassicuràre A *v. tr.* to reassure **B** *v. intr. pron.* to be reassured

rassodàre A *v. tr.* to harden, to firm up **B** *v. intr. pron.* to harden, to set

rassomigliànte *agg.* similar, like

rassomiglìanza *s. f.* likeness, resemblance

rassomiglìare A *v. intr.* to be like, to resemble **B** *v. rifl. rec.* to be similar, to be alike

rastrellàre *v. tr.* **1** to rack **2** (*mil.*) to mop up, (*di polizia*) to comb (out) **3** (*econ.*) to rake up

rastrèllo *s. m.* rake

rastremazióne *s. f.* taper

ràta *s. f.* instalment ♦ **comprare a rate** to buy by instalments; **vendita a rate** hire purchase

rateàle *agg.* instalment (*attr*)

rateazióne *s. f.* division into instalments

ratìfica *s. f.* ratification

ratificàre *v. tr.* to ratify, to confirm

ràtto (1) *s. m.* abduction, rape

ràtto (2) *s. m.* (*zool.*) rat

rattoppàre *v. tr.* to patch, to mend

rattòppo *s. m.* **1** patching, mending **2** (*toppa*) patch

rattrappìre A *v. tr.* to make numb **B** *v. intr. pron.* **1** to become numb **2** (*contrarsi*) to contract

rattristàre A *v. tr.* to sadden **B** *v. intr. pron.* to become sad, to be sad

raucèdine *s. f.* hoarseness

ràuco *agg.* hoarse, raucous

ravanèllo *s. m.* radish

ravvedérsi *v. intr. pron.* to mend one's way

ravvisàre *v. tr.* to recognize

ravvivàre *v. tr. e intr. pron.* **1** to revive **2** (*rallegrare*) to brighten (up)

raziocìnio *s. m.* **1** reason **2** (*buon senso*) common sense

razionàle *agg.* rational

razionalìsmo *s. m.* rationalism

razionaménto *s. m.* rationing

razionàre *v. tr.* to ration

razióne *s. f.* ration, (*porzione*) portion, share

ràzza *s. f.* **1** race, (*di animali*) breed **2** (*genere*) kind, sort

razzìa *s. f.* raid, foray

razziàle *agg.* racial

razzìsmo *s. m.* racism

razzìsta *agg. e s. m. e f.* racist

ràzzo *s. m.* rocket

razzolàre *v. intr.* to scratch about

re *s. m. inv.* king

reagènte *s. m.* reagent

reagìre *v. intr.* to react

reàle (1) *agg.* real

reàle (2) *agg.* (*di re*) royal

realìsmo *s. m.* realism

realìstico *agg.* realistic

realizzàre A *v. tr.* **1** to carry out, to achieve, to fulfil, to accomplish **2** (*econ.*) to realize **3** (*sport*) to score **4** (*comprendere*) to realize **B** *v. intr. pron.* to come off, to come true **C** *v. rifl.* to fulfil oneself

realizzazióne *s. f.* **1** carrying out, achievement **2** (*econ.*) realization **3** (*produzione*) production

realménte *avv.* really, (*effettivamente*) actually, (*veramente*) truly

realtà *s. f.* reality

reàto *s. m.* offence, crime

reattività *s. f.* reactivity

reattóre *s. m.* reactor

reazionàrio *agg. e s. m.* reactionary

reazióne *s. f.* reaction

rébbio *s. m.* prong

recapitàre *v. tr.* to deliver

recàpito *s. m.* **1** (*indirizzo*) address **2** (*consegna*) delivery

recàre A *v. tr.* **1** to bring, to carry **2** (*arrecare*) to cause, to bring **B** *v. intr. pron.* to go

recèdere *v. intr.* to withdraw

recensióne *s. f.* review

recensìre *v. tr.* to review

recensóre *s. m.* reviewer

recènte *agg.* recent, late ♦ **di r.** recently

recenteménte *avv.* recently, lately

recessióne *s. f.* recession

recìdere *v. tr.* to cut (off)

recidìvo A *agg.* recidivous **B** *s. m.* recidivist

recìnto *s. m.* **1** (*per animali*) pen, corral **2** (*per bambini*) playpen **3** (*recinzione*) fence

recipiènte *s. m.* container, vessel

recìproco *agg.* reciprocal

rècita *s. f.* performance

recitàre A *v. tr.* **1** to recite, to say aloud **2** (*teatro*) to perform, to act, to play **B** *v. intr.* to act, to play

recitazióne *s. f.* **1** recitation **2** (*di attore*) acting ♦ **scuola di r.** drama(tic) school

reclamàre A *v. tr.* **1** to claim, to ask for **2** (*aver bisogno di*) to need **B** *v. intr.* to protest, to make a complaint

réclame *s. f. inv.* advertising, (*annuncio*) advertisement

reclàmo *s. m.* claim, complaint

reclinàre *v. tr.* to recline, to bend (down)

reclusióne *s. f.* **1** seclusion **2** (*dir.*) imprisonment

rècluta *s. f.* recruit

reclutàre *v. tr.* to recruit

recòndito *agg.* hidden, (*profondo*) innermost

record *s. m. inv.* record

recriminazióne *s. f.* **1** recrimination **2** (*lagnanza*) complaint

recrudescènza *s. f.* fresh outbreak

recuperàre → **ricuperare**

redarguìre *v. tr.* to scold, to reproach

redattóre *s. m.* **1** (*estensore*) compiler, drafter **2** (*di casa editrice*) editor **3** (*di giornale*) copyreader, member of the editorial staff

redazionàle *agg.* editorial

redazióne *s. f.* **1** (*stesura*) drafting **2** (*di libro, giornale*) editing **3** (*insieme dei redattori*) editorial staff

redditività *s. f.* profitability

redditìzio *agg.* profitable

rèddito *s. m.* income

redentóre *s. m.* redeemer

redenzióne *s. f.* redemption

redigere *v. tr.* **1** to draw up, to write, to compile **2** (*curare come redattore*) to edit

redimere *v. tr.* to redeem

rèdine *s. f.* rein

rèduce **A** *agg.* back, returned **B** *s. m. e f.* **1** veteran **2** (*sopravvissuto*) survivor

referèndum *s. m. inv.* referendum

referènza *s. f.* reference

refèrto *s. m.* report

refettòrio *s. m.* refectory

refezióne *s. f.* meal

refrattàrio *agg.* refractory

refrigeràre *v. tr.* to refrigerate, to cool

refrigèrio *s. m.* refreshment, relief

refurtìva *s. f.* stolen goods *pl.*

refùso *s. m.* misprint

regalàre *v. tr.* to give, to present

regale *agg.* regal, royal

regàlo *s. m.* present, gift

regàta *s. f.* regatta, race

reggènte *s. m. e f.* regent

règgere **A** *v. tr.* **1** to bear, to support, (*tenere*) to hold **2** (*sopportare*) to stand **3** (*governare*) to rule **4** (*dirigere*) to run, to manage **5** (*gramm.*) to govern, to take **B** *v. intr.* **1** (*resistere*) to hold out, to resist **2** (*sopportare*) to stand, to bear **3** (*durare*) to last, to hold out **4** (*essere plausibile*) to stand up, to be consistent **C** *v. rifl. e intr. pron.* **1** (*sostenersi*) to stand, (*aggrapparsi*) to hold on **2** (*governarsi*) to be ruled

règgia *s. f.* royal palace

reggicàlze *s. m. inv.* suspender belt

reggiménto *s. m.* regiment

reggiséno *s. m.* brassière, bra

regìa *s. f.* **1** (*di spettacolo*) direction **2** (*est.*) organization

regìme *s. m.* **1** regime, system **2** (*dieta*) diet **3** (*tecnol.*) running, condition, (*velocità*) speed

regìna *s. f.* queen

règio *agg.* royal

regionàle *agg.* regional

regióne *s. f.* region, district

regìsta *s. m. e f.* **1** (*di spettacoli*) director **2** (*est.*) organizer

registràre *v. tr.* **1** to record, to enter, to register **2** (*suoni, immagini*) to record

registratóre *s. m.* recorder

registrazióne *s. f.* **1** (*annotazione*) record, entry **2** (*di suoni, immagini*) recording

registro *s. m.* register

regnànte **A** *agg.* reigning, ruling **B** *s. m. e f.* sovereign

regnàre *v. intr.* to reign

régno *s. m.* **1** reign **2** (*paese*) kingdom

règola *s. f.* rule ♦ **a r. d'arte** duly

regolàbile *agg.* adjustable

regolaménto *s. m.* **1** rule, regulation, rules *pl.* **2** (*pagamento*) settlement

regolàre (1) *agg.* **1** regular **2** (*uniforme*) even, smooth

regolàre (2) **A** *v. tr.* **1** to regulate **2** (*ridurre*) to reduce, (*controllare*) to control **3** (*tecnol.*) to adjust, to set **4** (*definire*) to settle **B** *v. rifl.* **1** (*comportarsi*) to act **2** (*moderarsi*) to control oneself

regolarità *s. f.* regularity

regolarménte *avv.* regularly

regolazióne *s. f.* regulation

regredìre *v. intr.* **1** to go back **2** (*fig.*) to regress

regrèsso *s. m.* regress, regression

reincàrico *s. m.* reappointment

reincarnazióne *s. f.* reincarnation

reinserìre *v. tr.* to reinstate, to reinsert

reintegràre *v. tr.* to reintegrate

relativìsmo *s. m.* relativism

relatività *s. f.* relativity

relatìvo *agg.* **1** relative, related **2** (*non assoluto*) relative, comparative **3** (*attinente*) relevant, pertinent **4** (*gramm.*) relative

relatóre *s. m.* **1** (*di conferenza*) speaker, lecturer **2** (*di tesi universitaria*) supervisor

relazionàre *v. tr.* to report, to inform

relazióne *s. f.* **1** (*resoconto*) report, account **2** (*nesso*) connection, relation **3** (*conoscenza*) acquaintance **4** (*contatto*) touch **5** (*legame amoroso*) (love) affair

relegàre *v. tr.* to relegate, to exile

religióne *s. f.* religion

religióso *agg. e s. m.* religious

relìquia *s. f.* relic

reliquiàrio *s. m.* reliquary, shrine

relìtto *s. m.* **1** wreckage, wreck **2** (*fig.*) outcast

remàre *v. intr.* to row

rematóre *s. m.* rower, oar

reminiscènza *s. f.* reminiscence

remissióne *s. f.* remission

remissìvo *agg.* submissive

rèmo *s. m.* oar

remòto *agg.* distant, remote

rèndere **A** *v. tr.* **1** (*restituire*) to give back, to return, to restore **2** (*contraccambiare*) to render, to return, to repay **3** (*dare, fare*) to render, to give, to make **4** (*produrre*) to produce, to return, (*fruttare*) to yield **5** (*rappresentare*) to render, to reproduce **B** *v. rifl.* to become, to make oneself

rendicónto *s. m.* statement, report

rendiménto *s. m.* **1** (*produzione*) yield, production, output **2** (*efficienza*) efficiency **3** (*fin.*) yield, return

rèndita *s. f.* **1** (*privata*) income, (*pubblica*) revenue **2** (*dir*) annuity

rène *s. m.* kidney

réni *s. f. pl.* loins *pl.*, back

rènna *s. f.* **1** (*zool.*) reindeer **2** (*pelle conciata*) buckskin

rèo *s. m.* offender

repàrto *s. m.* **1** department, division, (*di ospedale*) ward **2** (*mil.*) detachment

repellènte *agg.* repellent, repulsive

repentino *agg.* sudden

reperìre *v. tr.* to find

repèrto *s. m.* **1** find **2** (*med.*) report

repertòrio *s. m.* **1** (*elenco*) list, inventory **2** (*teatro*) repertory, repertoire

rèplica *s. f.* **1** (*risposta*) reply, answer **2** (*teatro*) performance **3** (*copia*) copy, (*di opera d'arte*) replica **4** (*ripetizione*) repetition

replicàre *v. tr.* **1** (*rispondere*) to replay, to answer **2** (*ripetere*) to repeat

repressióne *s. f.* repression

reprìmere *v. tr.* to repress, to restrain

repùbblica *s. f.* republic

repubblicàno *agg. e s. m.* republican

reputàre *v. tr.* to consider, to deem

reputazióne *s. f.* reputation

requisìre *v. tr.* to requisition

requisìto *s. m.* requisite, requirement

requisizióne *s. f.* requisition

rèsa *s. f.* **1** (*mil.*) surrender **2** (*restituzione*) return **3** (*rendimento*) yield, return, profit

rescìndere *v. tr.* to rescind, to cancel

residènte *agg. e s. m. e f.* resident

residènza *s. f.* residence

residenziàle *agg.* residential

resìduo A *agg.* residual **B** *s. m.* remainder, remnant

rèsina *s. f.* resin

resistènte *agg.* **1** resistant, proof **2** (*forte*) strong, tough ♦ **r. al calore** heatproof; **r. al fuoco** fireproof

resistènza *s. f.* resistance

resìstere *v. intr.* **1** to resist, to withstand, to hold out **2** (*sopportare*) to endure, to stand

resocónto *s. m.* account, report, statement

respingènte *s. m.* buffer, (*USA*) bumper

respingere *v. tr.* **1** to repel, to repulse **2** (*rimandare*) to return, to send back **3** (*rifiutare*) to reject, to refuse **4** (*bocciare*) to fail

respiràre *v. tr. e intr.* to breathe

respiratòrio *s. m.* aqualung

respirazióne *s. f.* respiration, breathing

respìro *s. m.* **1** breath, breathing **2** (*fig.*) respite, rest

responsàbile A *agg.* responsible, liable **B** *s. m. e f.* person in charge

responsabilità *s. f.* responsibility

respònso *s. m.* response, answer

rèssa *s. f.* throng, crowd

restàre *v. intr.* **1** to stay, to remain **2** (*essere, diventare*) to be, to become **3** (*esser lasciato*) to be left **4** (*avanzare*) to remain, to be left **5** (*resistere*) to stay, to last

restauràre *v. tr.* to restore

restauratóre *s. m.* restorer

restaurazióne *s. f.* restoration

restàuro *s. m.* restoration, repair

restìo *agg.* unwilling, reluctant

restituìre *v. tr.* **1** to return, to give back, to restore **2** (*contraccambiare*) to return, to repay

rèsto *s. m.* **1** remainder, rest **2** (*di denaro*) change **3** (*mat.*) remainder **4** *al pl.* (*rovine*) ruins *pl.*, remains *pl.* **5** *al pl.* (*di cibo*) leftovers *pl.*

restringere A *v. tr.* **1** to tighten, to narrow, (*vestito*) to take in **2** (*limitare*) to restrict, to limit **B** *v. intr. pron. e rifl.* **1** to narrow, to get narrower, (*contrarsi*) to contract **2** (*di tessuto*) to shrink **3** (*limitarsi*) to limit oneself

restrittìvo *agg.* restrictive

restrizióne *s. f.* restriction

réte *s. f.* **1** net **2** (*complesso, sistema*) network, system **3** (*inganno*) snare, trap ♦ **r. da pesca** fishing-net

reticènte *agg.* reticent

reticènza *s. f.* reticence

reticolàto *s. m.* wire-netting, (*di filo spinato*) barbed-wire work

reticolo *s. m.* network, grid

rètina *s. f.* retina

retòrica *s. f.* rhetoric

retòrico *agg.* rhetorical

retràttile *agg.* retractile

retribuìre *v. tr.* to pay, to remunerate

retribuzióne *s. f.* pay, remuneration

rètro *s. m. inv.* back

retrocèdere A *v. tr.* **1** (*degradare*) to demote, (*mil.*) to degrade **2** (*dir*) to recede **B** *v. intr.* to retreat, to recede, to withdraw

retrògrado *agg.* retrograde

retromàrcia *s. f.* (*mecc.*) reverse gear

retroscèna A *s. f.* (*teatro*) backstage **B** *s. m.* (*fig.*) underhand work

retrospettiva *s. f.* retrospective

retrospettivo *agg.* retrospective

retrotèrra *s. m. inv.* **1** hinterland **2** (*fig.*) background

retrovisóre *s. m.* rearview mirror

rètta (1) *s. f.* (*geom.*) straight line

rètta (2) *s. f.* (*di pensione*) charge

rettangolàre *agg.* rectangular

rettàngolo *s. m.* rectangle

rettìfica *s. f.* **1** correction, adjustment **2** (*chim.*) rectification **3** (*mecc.*) grinding

rettificàre *v. tr.* **1** to correct, to adjust **2** (*chim.*) to rectify **3** (*mecc.*) to grind

rèttile *s. m.* reptile

rettilìneo A *agg.* rectilinear, straight **B** *s. m.* straight stretch

rettitùdine *s. f.* rectitude

rètto *agg.* **1** straight, right **2** (*onesto*) upright, honest

rettóre *s. m.* **1** (*relig.*) rector **2** (*di università*) chancellor, (*USA*) president

reumàtico *agg.* rheumatic

reumatismo *s. m.* rheumatism

reverèndo *agg. e s. m.* reverend

reversìbile *agg.* reversible, (*dir*) reversionary

reversibilità *s. f.* reversibility

revisionàre *v. tr.* **1** to revise, to check **2** (*comm.*) to audit **3** (*mecc.*) to overhaul

revisióne *s. f.* **1** revision, review **2** (*di conti*) audit, auditing **3** (*mecc.*) overhaul

revisionìsta *s. m. e f.* revisionist

revisóre *s. m.* **1** reviser **2** (*contabile*) auditor

rèvoca *s. f.* revocation, repeal

revocàre *v. tr.* to revoke, to repeal

revólver *s. m. inv.* revolver

riabilitàre A *v. tr.* **1** to rehabilitate **2** (*reintegrare*) to reinstate **B** *v. rifl.* to rehabilitated oneself

riabilitazióne *s. f.* rehabilitation

riabituàre A *v. tr.* to reaccustom **B** *v. rifl.* to reaccustom oneself

riaccèndere A *v. tr.* **1** to light again **2** (*motore, luce*) to switch on again

riaccompagnàre *v. tr.* to take back

riacquistàre *v. tr.* **1** to buy back **2** (*recuperare*) to recover

riadattàre *v. tr.* to readapt

riaddormentàre A *v. tr.* to put to sleep again **B** *v. intr. pron.* to fall asleep again

riaffermàre *v. tr.* **1** to reaffirm **2** (*confermare*) to confirm

rialzàre A *v. tr.* **1** to raise, to lift up **2** (*far aumentare*) to increase, to raise

riàlzo *s. m.* **1** rise, increase **2** (*di terreno*) elevation

rianimàre A *v. tr.* **1** to reanimate, to revive **2** (*rallegrare*) to cheer up **B** *v. intr. pron.* **1** to recover oneself **2** (*riprendere coraggio*) to take heart again **3** (*rallegrarsi*) to cheer up

rianimazióne *s. f.* **1** reviving **2** (*med.*) resuscitation

riannodàre A *v. tr.* **1** to knot again **2** (*fig.*) to renew **B** *v. intr. pron.* to renew

riaprìre *v. tr., intr. e intr. pron.* to reopen

riassùmere *v. tr.* **1** to re-engage, to take on again **2** (*riprendere*) to reassume **3** (*riepilogare*) to sum up

riassùnto *s. m.* summary

riavére A *v. tr.* **1** to have again **2** (*recuperare*) to get back, to recover **B** *v. intr. pron.* to recover, to get over

ribadìre *v. tr.* **1** (*mecc.*) to clinch **2** (*confermare*) to confirm, to repeat

ribàlta *s. f.* **1** (*piano ribaltabile*) flap **2** (*teatro*) front of the stage **3** (*fig.*) limelight

ribaltàbile *agg.* folding, (*di sedile*) tip-up (*attr*)

ribaltaménto *s. m.* overturning

ribaltàre *v. tr. e intr. pron.* to overturn, to capsize

ribassàre A *v. tr.* to lower, to reduce **B** *v. intr.* to fall, to drop

ribàsso *s. m.* fall, drop, decrease, (*sconto*) discount

ribàttere A *v. tr.* **1** to beat again **2** (*mecc.*) to clinch **3** (*confutare*) to refute **4** (*riscrivere a macchina*) to retype **B** *v. intr.* **1** to beat again **2** (*replicare*) to retort, to answer back

ribellàrsi *v. intr. pron.* to rebel, to revolt

ribèlle A *agg.* rebellious, rebel (*attr*) **B** *s. m. e f.* rebel

ribellióne *s. f.* rebellion

rìbes *s. m.* currant, (*nero*) blackcurrant, (*rosso*) redcurrant

ribollìre A *v. tr.* to boil again **B** *v. intr.* **1** to boil again **2** (*fig.*) to boil, to seethe

ribrézzo *s. m.* disgust

ributtànte *agg.* disgusting

ricadére *v. intr.* **1** to fall again, to fall back **2** (*avere una ricaduta*) to relapse **3** (*scendere*) to fall down, to hang (down) **4** (*gravare*) to fall, to rest

ricadùta *s. f.* **1** relapse **2** (*fis.*) fallout

ricamàre *v. tr.* to embroider

ricambiàre *v. tr.* **1** to change again **2** (*contraccambiare*) to return, to repay

ricàmbio *s. m.* **1** replacement **2** (*pezzo di ricambio*) spare part **3** (*avvicendamento*) turnover

ricàmo *s. m.* embroidery

ricapitolàre *v. tr.* to sum up, to recapitulate

ricàrica *s. f.* reloading, (*di batteria*) recharging

ricaricàre A *v. tr.* **1** to reload **2** (*orologio*) to rewind **3** (*batteria*) to recharge **B** *v. rifl.* to buck up

ricattàre *v. tr.* to blackmail

ricattatóre *s. m.* blackmailer

ricàtto *s. m.* blackmail

ricavàre *v. tr.* **1** (*dedurre*) to deduce, to come to **2** (*ottenere*) to obtain, to get **3** (*estrarre*) to extract **4** (*guadagnare*) to gain, to earn

ricàvo *s. m.* proceeds *pl.*, return

ricchézza *s. f.* **1** wealth **2** (*abbondanza*) abundance, richness

rìccio (1) A *agg.* curly **B** *s. m.* curl

rìccio (2) *s. m.* **1** (*zool.*) hedgehog **2** (*di castagna*) (chestnut) husk ♦ **r. di mare** sea urchin

rìcciolo *s. m.* curl

ricciùto *agg.* curly

rìcco A *agg.* **1** rich, wealthy **2** (*di valore*) valuable, precious **3** (*sfarzoso*) sumptuous **4** (*abbondante*) full, rich, abounding **B** *s. m.* rich person

ricérca *s. f.* **1** search, quest **2** (*il perseguire*) pursuit **3** (*scientifica*) research **4** (*indagine*) investigation, inquiry **5** (*richiesta*) demand

ricercàre *v. tr.* **1** to look for, to seek (for), to search for **2** (*perseguire*) to pursue **3** (*investigare*) to investigate, to inquire into

ricercàto *agg.* **1** (*dir.*) wanted **2** (*richiesto*) sought-after **3** (*raffinato*) refined **4** (*affettato*) affected

ricercatóre *s. m.* **1** searcher **2** (*scientifico*) researcher

ricetrasmittènte *s. f.* transceiver

ricètta *s. f.* **1** (*cuc.*) recipe **2** (*med.*) prescription **3** (*fig.*) formula

ricettàrio *s. m.* **1** (*cuc.*) recipe book, cookbook **2** (*med.*) book of prescriptions

ricettazióne *s. f.* receiving of stolen goods

ricévere *v. tr.* **1** to receive, to get **2** (*accettare*) to accept, to take **3** (*ammettere*) to admit **4** (*prendere, avere*) to take, to get, to have, to receive **5** (*accogliere*) to receive, to welcome **6** (*ammettere a visitare*) to receive, to be at home to, (*a un'udienza*) to grant audience to

riceviménto *s. m.* **1** receiving, receipt **2** (*accoglienza*) reception **3** (*festa*) reception, party

ricevitorìa *s. f.* receiving office

ricevùta *s. f.* receipt

ricezióne *s. f.* reception

richiamàre A *v. tr.* **1** to call again **2** (*far tornare*) to call back, to recall **3** (*attirare*) to attract **B** *v. intr. pron.* **1** (*far riferimento*) to refer **2** (*appellarsi*) to appeal

richiàmo *s. m.* recall, call

richièdere *v. tr.* **1** to ask for again, to ask for back **2** (*domandare*) to ask, to request **3** (*fare domanda*) to apply for **4** (*esigere*) to demand, (*necessitare*) to require

richièsta *s. f.* request, demand, (*scritta*) application

riciclàre *v. tr.* to recycle

rìcino *s. m.* castor-oil plant

ricognizióne *s. f.* reconnaissance

ricominciàre *v. tr. e intr.* to begin again, to start again

ricompènsa *s. f.* reward

ricompensàre *v. tr.* to reward, to repay

ricompràre *v. tr.* to buy back

riconciliàre A *v. tr.* to reconcile **B** *v. rifl.* to be reconciled, to make (it) up **C** *v. rifl. rec.* to make friends again, to make (it) up

riconciliazióne *s. f.* reconciliation

ricondùrre *v. tr.* to bring again, to bring back, to take back

riconférma *s. f.* reconfirmation

riconfermàre *v. tr.* to reconfirm, to confirm (again)

ricongiùngere *v. tr. e intr. pron.* to rejoin

ricongiunzióne *s. f.* rejoining

riconoscènte *agg.* thankful, grateful

riconoscènza *s. f.* thankfulness, gratitude

riconóscere A *v. tr.* **1** to recognize **2** (*ammettere ufficialmente*) to acknowledge, to recognize **3** (*ammettere*) to admit, to own **4** (*apprezzare*) to appreciate, to recognize **5** (*identificare*) to identify **B** *v. rifl.* to recognize oneself **C** *v. rifl. rec.* to recognize each other

riconoscìbile *agg.* recognizable

riconosciménto *s. m.* **1** recognition, *(ufficiale)* acknowledgement **2** *(identificazione)* identification **3** *(ammissione)* admission, avowal

riconsideràre *v. tr.* to reconsider

ricopiàre *v. tr.* to copy, to recopy

ricoprìre A *v. tr.* **1** to cover, *(di nuovo)* to cover again **2** *(tecnol.)* to plate **3** *(colmare)* to load **4** *(occupare)* to hold, to fill **B** *v. rifl. e intr. pron.* to cover oneself

ricordàre A *v. tr.* **1** to remember, to recall **2** *(richiamare alla memoria altrui)* to remind **3** *(menzionare)* to mention **B** *v. intr. pron.* to remember

ricòrdo *s. m.* **1** memory, recollection, remembrance **2** *(oggetto)* souvenir

ricorrènte *agg.* recurrent

ricorrènza *s. f.* **1** recurrence **2** *(anniversario)* anniversary

ricórrere *v. intr.* **1** *(rivolgersi)* to apply, to go to **2** *(fare appello)* to appeal **3** *(ripetersi)* to recur **4** *(accadere)* to occur, *(di anniversario)* to fall

ricórso *s. m.* **1** resort, recourse **2** *(dir.)* petition, appeal

ricostituènte *agg. e s. m.* tonic

ricostruìre *v. tr.* to reconstruct, to rebuild

ricostruzióne *s. f.* reconstruction, rebuilding

ricoveràre A *v. tr.* to shelter, to take in **B** *v. rifl.* to take shelter ♦ **r. all'ospedale** to hospitalize

ricóvero *s. m.* **1** shelter **2** *(in ospedale)* admission, hospitalization **3** *(ospizio)* poor-house, *(per anziani)* old people's home

ricreàre A *v. tr.* **1** to recreate **2** *(rinvigorire)* to revive **B** *v. rifl.* to relax

ricreatìvo *agg.* recreative, recreational

ricreazióne *s. f.* recreation

ricrédersi *v. intr. pron.* to change one's mind

ricucìre *v. tr.* **1** to resew, to sew again, to restitch, *(una ferita)* to sew up **2** *(ricomporre)* to re-establish

ricuòcere *v. tr.* to recook

ricuperàre *v. tr.* **1** to recover, to get back **2** *(riguadagnare)* to make up for **3** *(riabilitare)* to rehabilitate **4** *(riciclare)* to recycle

ricùpero *s. m.* **1** recovery **2** *(salvataggio)* rescue **3** *(riabilitazione)* rehabilitation **4** *(riutilizzo)* reutilization, *(riciclo)* recycling

5 *(rimonta)* making up

ricùrvo *agg.* bent

ridacchiàre *v. intr.* to giggle, to snigger

ridàre *v. tr.* **1** to give again **2** *(restituire)* to give back, to return

rìdere *v. intr.* to laugh (at)

ridìcolo A *agg.* **1** ridiculous, absurd **2** *(esiguo)* paltry **B** *s. m.* **1** ridicule **2** *(ridicolaggine)* ridiculousness

ridimensionàre *v. tr.* **1** *(riorganizzare)* to reorganize, *(ridurre)* to reduce **2** *(fig.)* to reconsider, to reappraise

ridipingere *v. tr.* to repaint

ridìre *v. tr.* **1** to tell again, to say again **2** *(obiettare)* to object to, to find fault (with)

ridondànte *agg.* redundant

ridòsso *s. m.* shelter ♦ **a r. di** under (the) lee of, at the back of, behind

ridùrre A *v. tr.* **1** to reduce, to cut down **2** *(trasformare)* to turn into, to reduce **3** *(spingere, portare)* to drive, to reduce **4** *(adattare)* to adapt **B** *v. intr. pron.* **1** to reduce oneself **2** *(diventare)* to be reduced, to become **3** *(diminuire)* to decrease, *(restringersi)* to shrink

riduzióne *s. f.* **1** reduction, cut **2** *(sconto)* discount **3** *(adattamento)* adaptation

riecheggiàre *v. intr.* to resound

rielaboràre *v. tr.* to revise, to work out again

rieléggere *v. tr.* to re-elect

rielezióne *s. f.* re-election

riempìre A *v. tr.* **1** to fill (up), to stuff **2** *(compilare)* to fill in **B** *v. rifl. e intr. pron.* **1** to be filled **2** *(rimpinzarsi)* to stuff oneself

rientrànza *s. f.* recess

rientràre *v. intr.* **1** to re-enter, to enter again, *(tornare)* to go back, to return **2** *(far parte)* to be included in, to be part of

riepilogàre *v. tr.* to recapitulate, to sum up

riepìlogo *s. m.* recapitulation, summary

riesumàre *v. tr.* **1** to exhume **2** *(fig.)* to unearth

rievocàre *v. tr.* **1** to recall **2** *(commemorare)* to commemorate

rievocazióne *s. f.* **1** recalling **2** *(commemorazione)* commemoration

rifaciménto *s. m.* **1** remaking, *(di film)* remake **2** *(ricostruzione)* reconstruction

rifàre A *v. tr.* **1** to do again, to make again, to remake **2** *(ripristinare)* to restore, *(ricostruire)* to rebuild **3** *(riparare)* to repair **4** *(imitare)* to imitate, to ape **5** *(ripercorrere)* to retrace **B** *v. rifl. e intr. pron.* **1** to make up **2** *(vendicarsi)* to revenge oneself

3 (*risalire*) to go back to

riferiménto *s. m.* reference

riferìre A *v. tr.* **1** to report, to tell, to relate **2** (*ascrivere*) to attribute, to connect **B** *v. intr. pron.* **1** (*alludere*) to refer, to make reference **2** (*concernere*) to concern, to refer

rifilàre *v. tr.* **1** (*tagliare*) to trim **2** (*dare*) to give, (*appioppare*) to palm off

rifinìre *v. tr.* to finish off

rifinitùra *s. f.* finishing touch

rifiorìre *v. intr.* **1** to blossom again **2** (*fig.*) to flourish again

rifiutàre A *v. tr.* **1** to refuse, (*respingere*) to reject **2** (*non concedere*) to deny, to refuse **B** *v. intr. pron.* to refuse

rifiùto *s. m.* **1** refusal, rejection **2** (*diniego*) denial **3** (*scarto*) refuse, *al pl.* waste, rubbish

riflessióne *s. f.* reflection

riflessìvo *agg.* **1** reflective, thoughtful **2** (*gramm., mat.*) reflexive

riflèsso *s. m.* **1** reflection **2** (*fig.*) influence, effect **3** (*med.*) reflex

riflèttere A *v. tr.* to reflect **B** *v. intr.* to think over, to reflect, to consider **C** *v. rifl.* to be reflected

riflettóre *s. m.* **1** reflector **2** (*proiettore*) searchlight

riflùsso *s. m.* reflux, (*di acqua*) ebb

rifocillàre A *v. tr.* to give refreshment to **B** *v. rifl.* to take refreshment

rifóndere *v. tr.* **1** to melt again **2** (*rimborsare*) to refund

rifórma *s. f.* reform, reformation

riformàre *v. tr.* **1** to re-form **2** (*sottoporre a riforma*) to reform, to amend

riformatóre A *agg.* reforming **B** *s. m.* reformer

riformatòrio *s. m.* approved school, (*USA*) reformatory

riforniménto *s. m.* **1** supplying, (*di carburante*) refuelling **2** (*scorta*) supply ♦ **fare r. di benzina** to fill up the tank

rifornìre A *v. tr.* to supply, to stock **B** *v. rifl.* to stock up

rifrazióne *s. f.* refraction

rifuggìre *v. intr.* **1** to flee again **2** (*fig.*) to shrink, to avoid **B** *v. tr.* to avoid

rifugiàrsi *v. intr. pron.* to shelter, to take refuge

rifùgio *s. m.* refuge, shelter

rìga *s. f.* **1** line **2** (*fila*) row **3** (*da disegno*) rule **4** (*striscia*) stripe **5** (*scriminatura*) parting

rigattière *s. m.* junk dealer

rigettàre *v. tr.* **1** to throw again, to throw back **2** (*respingere*) to reject

rigètto *s. m.* rejection

rigidità *s. f.* **1** rigidity **2** (*fig.*) severity, strictness

rìgido *agg.* **1** rigid, stiff **2** (*di clima*) rigorous, harsh **3** (*severo*) strict, severe, rigid

rigiràre A *v. tr.* **1** to turn again, to turn over **2** (*distorcere*) to twist, to distort **B** *v. rifl.* to turn round

rìgo *s. m.* **1** line **2** (*mus.*) stave, staff

rigoglióso *agg.* luxuriant, flourishing

rigonfiaménto *s. m.* swelling, bulge

rigóre *s. m.* **1** (*freddo*) rigours *pl.* **2** (*austerità*) uprightness **3** (*severità*) rigour, strictness, severity **4** (*precisione*) exactness ♦ **calcio di r.** penalty (kick)

rigoróso *agg.* rigorous, strict

rigovernàre *v. tr.* to wash up

riguardàre A *v. tr.* **1** to look at, to examine **2** (*considerare*) to regard, to concern **3** (*custodire*) to take care of **B** *v. rifl.* to take care of oneself

riguàrdo *s. m.* **1** (*cura*) care **2** (*rispetto*) respect, regard, consideration **3** (*relazione*) regard, respect

rilasciàre A *v. tr.* **1** to leave again **2** (*liberare*) to release, to set free **3** (*concedere*) to grant, to give **4** (*allentare*) to relax **B** *v. rifl. e intr. pron.* to relax

rilàscio *s. m.* **1** release **2** (*concessione*) granting, issue

rilassàre *v. tr. e rifl.* to relax

rilegàre *v. tr.* to bind

rilegatùra *s. f.* binding

rilèggere *v. tr.* to read again

rilevaménto *s. m.* **1** survey **2** (*naut.*) bearing

rilevànte *agg.* considerable

rilevàre *v. tr.* **1** (*notare*) to notice, to point out **2** (*ricavare*) to take **3** (*dare il cambio*) to relieve **4** (*subentrare*) to take over, (*comprare*) to buy **5** (*topografia*) to survey, (*geogr*) to map **6** (*naut.*) to take a bearing of

rilièvo *s. m.* **1** relief **2** (*importanza*) importance, stress **3** (*osservazione*) remark **4** (*rilevamento*) survey **5** (*altura*) height, high ground ♦ **mettere in r.** to point out

rilòga *s. f.* curtain rod

riluttànte *agg.* reluctant, unwilling

riluttànza *s. f.* reluctance, unwillingness

rima *s. f.* **1** rhyme **2** *al pl.* (*versi*) rhymed verses *pl.*, poetry

rimandàre *v. tr.* **1** to send again **2** (*restituire, mandare indietro*) to send back **3** (*rinviare*) to postpone, to put off **4** (*far riferimento*) to refer

rimaneggiàre *v. tr.* to (re)adapt, to revise

rimanènte A *agg.* remaining **B** *s. m.* **1** remainder, leftovers *pl.* **2** *al pl.* (*persone*) the others *pl.*, the rest

rimanènza *s. f.* remainder, rest, leftovers *pl.*

rimanère *v. intr.* **1** to remain, to stay **2** (*avanzare*) to be left, to remain **3** (*persistere*) to remain, to last **4** (*essere situato*) to be located **5** (*mantenersi*) to keep, to remain **6** (*stupirsi*) to be astonished ♦ **r. male** to be disappointed

rimarchévole *agg.* remarkable, notable

rimarginàre *v. tr. e intr. pron.* to heal

rimasùglio *s. m.* remainder, *al pl.* leftovers *pl.*

rimbalzàre *v. intr.* to rebound, to bounce back

rimbàlzo *s. m.* rebound

rimboccàre *v. tr.* to tuck up, to turn down

rimbombàre *v. intr.* to rumble, to resound

rimbómbo *s. m.* rumble

rimborsàbile *agg.* refundable, repayable

rimborsàre *v. tr.* to reimburse, to refund, to repay

rimbórso *s. m.* reimbursement, refund, repayment

rimboschiménto *s. m.* reafforestation

rimediàre A *v. tr.* **1** (*porre rimedio a*) to remedy, to put right **2** (*racimolare*) to scrape up **B** *v. intr.* to remedy, to make up for

rimèdio *s. m.* remedy, cure

rimescolàre *v. tr.* **1** to mix up, to stir up **2** (*carte da gioco*) to shuffle **3** (*rinvangare*) to rake up

rimèssa *s. f.* **1** (*di denaro*) remittance, transfert **2** (*deposito di autobus*) (bus) depot, garage **3** (*calcio*) throw-in

rimèttere A *v. tr.* **1** to put again, to replace **2** (*affidare*) to refer, to leave **3** (*mandare*) to remit, (*consegnare*) to deliver **4** (*perdonare, condonare*) to remit, to forgive **5** (*rimetterci*) to lose, to ruin **B** *v. rifl. e intr. pron.* **1** (*ristabilirsi*) to recover **2** (*affidarsi*) to rely (on) **3** (*rasserenarsi*) to clear up ♦ **r. a nuovo** to do up

rimmel *s. m. inv.* mascara

rimónta *s. f.* recovery

rimontàre A *v. tr.* **1** to go up **2** (*ricomporre*) to reassemble **B** *v. intr.* **1** to remount **2** (*risalire*) to go back, to date back **3** (*ricuperare uno svantaggio*) to move up, to catch up

rimorchiàre *v. tr.* to tow

rimorchiàtore *s. m.* tug

rimòrchio *s. m.* **1** tow **2** (*veicolo*) trailer ♦ **prendere a r.** to take in tow

rimòrso *s. m.* remorse, regret

rimozióne *s. f.* **1** removal **2** (*da un incarico*) dismissal, discharge ♦ **zona a r. forzata** towaway zone

rimpàsto *s. m.* reshuffle

rimpatriàre *v. tr. e intr.* to repatriate

rimpàtrio *s. m.* repatriation

rimpiàngere *v. tr.* to regret

rimpiànto *s. m.* regret

rimpiazzàre *v. tr.* to replace

rimpicciolìre A *v. tr.* to make smaller **B** *v. intr. pron.* to become smaller

rimpinguàre A *v. tr.* **1** to fatten (up) **2** (*arricchire*) to enrich **B** *v. rifl.* **1** to grow fat **2** (*arricchirsi*) to grow rich

rimpinzàre A *v. tr.* to fill, to stuff **B** *v. rifl.* to stuff oneself

rimproveràre *v. tr.* **1** to reproach, to rebuke, (*sgridare*) to scold **2** (*biasimare*) to blame, to reproach **3** (*rinfacciare*) to grudge

rimpròvero *s. m.* reproach, rebuke, (*sgridata*) scolding

rimuginàre *v. tr. e intr.* to turn over in one's mind

rimuneràre *v. tr.* to remunerate

rimunerazióne *s. f.* remuneration, payment

rimuòvere *v. tr.* **1** to remove **2** (*destituire*) to dismiss, to discharge **3** (*dissuadere*) to dissuade, to deter

rinàscere *v. intr.* to revive

rinascimentàle *agg.* Renaissance (*attr*)

rinasciménto *s. m.* Renaissance

rinàscita *s. f.* renaissance, revival

rincaràre *v. tr.* to raise (the price of)

rincasàre *v. intr.* to go back home

rinchiùdere A *v. tr.* to shut up **B** *v. rifl.* to shut oneself up

rincominciàre *v. tr.* to begin again, to start again

rincórrere *v. tr.* to run after

rincórsa *s. f.* run-up

rincréscere *v. intr.* **1** to be sorry, to regret **2** (*dispiacere*) to mind

rincresciménto *s. m.* regret

rinculàre *v. intr.* to recoil

rinforzàre A *v. tr.* to strengthen, to reinforce **B** *v. intr.* (*di vento*) to grow stronger **C** *v. intr. pron.* to become stronger

rinfòrzo *s. m.* strengthening, reinforcement

rinfrancàre A *v. tr.* to encourage, to hearten **B** *v. intr. pron.* to take heart again

rinfrescànte *agg.* refreshing

rinfrescàre A *v. tr.* **1** to cool **2** (*rinnovare*) to do up, to restore **B** *v. intr.* to cool, (*di vento*) to freshen **C** *v. rifl.* to cool down, to refreshen up

rinfrésco *s. m.* **1** (*festa*) party **2** (*cibi e bevande*) refreshments *pl.*

rinfùsa, àlla *loc. avv.* in confusion, higgledy-piggledy

ringhiàre *v. intr.* to growl, to snarl

ringhièra *s. f.* railing, (*di scala*) banister

ringhióso *agg.* snarling

ringiovanìre A *v. tr.* **1** to make young (again) **2** (*far sembrare più giovane*) to make look younger **B** *v. intr.* **1** to grow young again **2** (*sembrare più giovane*) to look younger

ringraziaménto *s. m.* thanks *pl.*

ringraziàre *v. tr.* to thank

rinnegàre *v. tr.* to disown, to deny

rinnovaménto *s. m.* renewal

rinnovàre A *v. tr.* **1** to renew **2** (*ripetere*) to repeat **3** (*cambiare*) to change, to renew **B** *v. intr. pron.* **1** to be renewed **2** (*ripetersi*) to happen again

rinnòvo *s. m.* renewal

rinocerónte *s. m.* rhinoceros

rinomàto *agg.* renowned, famous

rinsaldàre *v. tr.* to strengthen, to consolidate

rintoccàre *v. intr.* (*di campana*) to toll, (*di orologio*) to strike

rintócco *s. m.* (*di campana*) toll, (*di orologio*) stroke

rintracciàre *v. tr.* to trace, to track down, (*trovare*) to find

rintronàre A *v. tr.* **1** (*assordare*) to deafen **2** (*stordire*) to stun **B** *v. intr.* to resound

rinùncia *s. f.* renunciation

rinunciàre *v. intr.* to renounce, to give up

rinvenìre A *v. tr.* to find out, to discover **B** *v. intr.* **1** (*ricuperare i sensi*) to recover one's senses, to come to **2** (*ricuperare freschezza*) to revive

rinviàre *v. tr.* **1** (*mandare indietro*) to send back, to return **2** (*posporre*) to put off, to postpone

rinvìo *s. m.* **1** postponement, adjournment

2 (*restituzione*) return, sending back **3** (*riferimento*) cross-reference

rionàle *agg.* local

rióne *s. m.* district, quarter

riordinàre *v. tr.* **1** to put in order again, to tidy up **2** (*riorganizzare*) to reorganize

riorganizzàre *v. tr.* to reorganize

ripagàre *v. tr.* **1** to pay again **2** (*ricompensare*) to repay, to reward **3** (*risarcire*) to pay, to refund

riparàre A *v. tr.* **1** (*aggiustare*) to repair **2** (*proteggere*) to shelter, to protect **3** (*rimediare*) to redress, to make amends for **B** *v. intr.* to make up (for) **C** *v. rifl.* to protect oneself

riparazióne *s. f.* repair, fixing

ripàro *s. m.* shelter, cover, protection

ripartìre (1) *v. tr.* (*dividere*) to split up, to divide, (*distribuire*) to share out

ripartìre (2) *v. intr.* (*partire di nuovo*) to leave again, (*riavviarsi*) to start again

ripartizióne *s. f.* division, distribution

ripensàre *v. intr.* **1** (*tornare a pensare*) to think again **2** (*riandare col pensiero*) to recall **3** (*cambiare parere*) to change one's mind

ripercórrere *v. tr.* to run through again, to go over again

ripercuòtersi *v. intr. pron.* **1** to reverberate **2** (*fig.*) to have repercussions, to affect

ripercussióne *s. f.* repercussion

ripescàre *v. tr.* **1** (*tirare fuori dall'acqua*) to fish out **2** (*trovare*) to find (again)

ripètere A *v. tr.* to repeat **B** *v. rifl.* to repeat oneself **C** *v. intr. pron.* to recur

ripetizióne *s. f.* **1** repetition **2** (*lezione privata*) private lesson

ripiàno *s. m.* **1** (*di scaffale*) shelf **2** (*terreno*) level ground

ripìcca *s. f.* spite, pique

rìpido *agg.* steep

ripiegàre A *v. tr.* **1** to bend again, to refold **2** (*piegare*) to fold up **3** (*abbassare*) to lower **B** *v. intr.* **1** (*ritirarsi*) to withdraw, to retreat **2** (*fig.*) to fall back **C** *v. intr. pron.* to bend

ripiègo *s. m.* expedient, makeshift

ripièno A *agg.* (*pieno*) full, (*riempito, farcito*) stuffed, filled **B** *s. m.* stuffing, filling

ripopolàre *v. tr.* to repopulate

ripórre *v. tr.* **1** to put away **2** (*collocare*) to place, to put

riportàre A *v. tr.* **1** to bring again, to take again, to bring back, to take back, to carry back **2** (*riferire*) to report, (*citare*) to quote **3** (*ricevere, ottenere*) to get, to receive, to carry off **4** (*mat.*) to carry **B** *v. intr. pron.* **1** (*tornare*) to go back **2** (*riferirsi*) to refer

riposàre *v. tr., intr. e rifl.* to rest

ripòso *s. m.* rest

ripostìglio *s. m.* lumber-room, store-room, closet

riprèndere A *v. tr.* **1** to take again, (*riacchiappare*) to catch again, (*riconquistare*) to retake **2** (*prendere indietro*) to take back, to get back, (*ricuperare*) to recover **3** (*rincominciare*) to begin again, to start again, to resume **4** (*rimproverare*) to tell off, to reprove **5** (*cin.*) to shoot **B** *v. intr.* (*ricominciare*) to start again, to begin again **C** *v. intr. pron.* to recover

riprésa *s. f.* **1** restarting, resumption, renewal **2** (*rinascita*) revival **3** (*da malattia, emozioni*) recovery **4** (*teatro*) revival **5** (*cin.*) shot, take **6** (*autom.*) pick-up **7** (*di partita*) second half, (*pugilato*) round

ripristinàre *v. tr.* to restore, to re-establish

riproducìbile *agg.* reproducible

riprodùrre *v. tr., rifl. e intr. pron.* to reproduce

riproduzióne *s. f.* reproduction

riprovàre A *v. tr.* **1** to try again **2** (*sentire di nuovo*) to feel again **B** *v. intr. e intr. pron.* to try again

riprovévole *agg.* reprehensible, despicable

ripudiàre *v. tr.* to repudiate, to disown

ripugnànte *agg.* repulsive, disgusting

ripugnàre *v. intr.* to disgust, to dislike

ripulìre A *v. tr.* **1** to clean again **2** (*pulire*) to clean up **3** (*dirozzare*) to refine **4** (*svuotare*) to clean out, to ransack **B** *v. rifl.* to clean oneself up

riquàdro *s. m.* square

risàcca *s. f.* backwash

risàia *s. f.* rice-field

risalìre A *v. tr.* **1** to go up again, to climb up again **2** (*contro corrente*) to go up **B** *v. intr.* **1** to go up again, to climb up again **2** (*aumentare*) to rise again, to go up again **3** (*nel tempo*) to go back, to date back

risaltàre *v. intr.* **1** (*spiccare*) to stand out, to show up **2** (*sporgere*) to stick out

risàlto *s. m.* prominence, relief

risanàre *v. tr.* **1** (*guarire*) to cure, to restore **2** (*bonificare*) to reclaim **3** (*riequilibrare*) to balance, (*riorganizzare*) to reorganize

risapùto *agg.* well-known

risarciménto *s. m.* compensation, refund

♦ **richiesta di r.** claim for damages

risarcìre *v. tr.* to repay, to refund, to indemnify

risàta *s. f.* laughter, laugh

riscaldaménto *s. m.* **1** heating **2** (*sport*) warming up ♦ **impianto di r.** heating system; **r. centrale** central heating

riscaldàre A *v. tr.* **1** to warm, to heat **2** (*scaldare di nuovo*) to heat up, to warm up **3** (*fig.*) to stir up **B** *v. intr.* to give heat **C** *v. rifl.* **1** to warm oneself, to get warm **2** (*fig.*) to warm up, to get excited

riscattàre *v. tr.* to ransom, to redeem

riscàtto *s. m.* **1** redemption **2** (*prezzo richiesto*) ransom

rischiaràre *v. tr. e intr. pron.* to light up

rischiàre *v. tr.* to risk, to venture

rischio *s. m.* risk

rischióso *agg.* risky

risciacquàre *v. tr.* to rinse

riscontràre *v. tr.* **1** (*verificare*) to check, to verify **2** (*trovare*) to find, to notice **3** (*confrontare*) to compare

riscóntro *s. m.* **1** (*controllo*) check **2** (*confronto*) comparison **3** (*conferma*) confirmation

riscoprìre *v. tr.* to rediscover

riscossióne *s. f.* collection

riscrìvere *v. tr.* to write again, to rewrite

riscuòtere A *v. tr.* **1** to collect, to draw, to cash **2** (*conseguire*) to earn, to win **3** (*scuotere*) to shake **B** *v. intr. pron.* **1** (*trasalire*) to start **2** (*risvegliarsi*) to come to

risentiménto *s. m.* resentment

risèrbo *s. m.* reserve, discretion

risèrva *s. f.* **1** (*scorta*) reserve **2** (*restrizione*) reserve, reservation **3** (*di caccia, pesca*) reserve, preserve

riservàre A *v. tr.* **1** to reserve, to keep **2** (*prenotare*) to book **B** *v. intr. pron.* to intend, to propose

riservatézza *s. f.* **1** privacy **2** (*carattere*) reserve, discretion

riservàto *agg.* **1** (*chiuso*) reserved, restrained **2** (*prenotato*) reserved, booked **3** (*segreto*) confidential

risguàrdo *s. m.* flyleaf

risièdere *v. intr.* to reside, to live

risma *s. f.* **1** (*di carta*) ream **2** (*fig.*) kind, quality

riso (1) *s. m.* laugh, laughter

riso (2) *s. m.* (*bot.*) rice

risolutìvo *agg.* resolutive, decisive

risolùto *agg.* resolute

risoluzióne *s. f.* **1** resolution, decision **2**

(*mat.*) solution **3** (*dir*) cancellation

risòlvere A *v. tr.* **1** to solve, to work out, to resolve **2** (*definire*) to settle **3** (*rescindere*) to cancel **B** *v. intr. pron.* **1** (*decidersi*) to decide, to make up one's mind **2** (*trasformarsi*) to change, to turn into **3** (*di malattia*) to resolve, to clear up

risonànza *s. f.* resonance, echo

risórgere *v. intr.* to rise again, to revive

risorgiva *s. f.* resurgence

risórsa *s. f.* resource

risparmiàre A *v. tr.* **1** to save (up) **2** (*evitare, salvare*) to spare **B** *v. rifl.* to spare oneself

risparmiatóre *s. m.* saver

rispàrmio *s. m.* **1** saving **2** (*somma risparmiata*) savings *pl.*

rispecchiàre *v. tr.* to reflect

rispedìre *v. tr.* **1** (*spedire di nuovo*) to send again **2** (*spedire indietro*) to send back

rispettàbile *agg.* **1** respectable **2** (*considerevole*) considerable

rispettabilità *s. f.* respectability

rispettàre *v. tr.* **1** to respect, to honour **2** (*osservare*) to comply with, to observe

rispettìvo *agg.* respective

rispètto *s. m.* respect

rispettóso *agg.* respectful

risplèndere *v. intr.* to shine

rispóndere A *v. intr.* **1** to answer, to reply **2** (*ribattere*) to answer back **3** (*farsi garante*) to be responsible for, to answer for **4** (*corrispondere*) to meet **5** (*obbedire*) to respond **B** *v. tr.* **1** to answer **2** (*a carte*) to reply

rispósta *s. f.* **1** answer, reply **2** (*reazione*) response

rìssa *s. f.* brawl

rissóso *agg.* brawling, quarrelsome

ristabilìre A *v. tr.* to re-establish, to restore **B** *v. intr. pron.* **1** to settle again **2** (*rimettersi*) to recover, to get well again

ristagnàre *v. intr.* to be stagnant

ristàgno *s. m.* stagnation

ristàmpa *s. f.* reprint

ristampàre *v. tr.* to reprint

ristorànte *s. m.* restaurant

ristoràre A *v. tr.* to refresh, to restore **B** *v. rifl.* to refresh oneself

ristoratóre *s. m.* restaurateur

ristrettézza *s. f.* **1** narrowness **2** (*meschinità*) meanness **3** (*insufficienza*) lack, shortage **4** *al pl.* (*condizioni economiche disagiate*) financial straits *pl.*

ristrétto *agg.* **1** narrow **2** (*meschino*) mean **3** (*limitato*) narrow, limited **4** (*condensato*) condensed ♦ **caffè r.** strong coffee

ristrutturàre *v. tr.* to restructure, to renovate

ristrutturazióne *s. f.* restructuration, renovation

risucchiàre *v. tr.* to suck

risultàre *v. intr.* **1** to result, to come out, to follow, to ensue, to spring **2** (*essere noto, impers.*) to understand, to know ♦ **risulta chiaro che ...** it is clear that ...

risultàto *s. m.* result, outcome

risuolàre *v. tr.* to resole

risuonàre *v. intr.* to resound

risurrezióne *s. f.* resurrection

risuscitàre A *v. tr.* to resuscitate, to revive **B** *v. intr.* to rise again, to revive

risvegliàre A *v. tr.* to awake, to awaken **B** *v. intr. pron.* **1** to wake up **2** (*fig.*) to revive

risvéglio *s. m.* **1** (re)awakening, waking up **2** (*fig.*) revival

risvòlto *s. m.* **1** (*di giacca*) lapel, (*di pantaloni*) turn-up **2** (*fig.*) implication, consequence

ritagliàre *v. tr.* to cut out

ritàglio *s. m.* (*pezzetto*) scrap, (*di giornale*) cutting, clipping

ritardàre A *v. tr.* to delay, to retard, to put off **B** *v. intr.* to delay, to be late

ritardatàrio *s. m.* late-comer

ritàrdo *s. m.* delay ♦ **essere in r.** to be late

ritégno *s. m.* reserve, restraint

ritenére A *v. tr.* **1** (*trattenere*) to hold, to keep, to retain **2** (*credere*) to think, to believe **B** *v. rifl.* to consider oneself

ritiràre A *v. tr.* **1** (*tirare di nuovo*) to throw again **2** (*tirare indietro*) to withdraw, to draw back, to retract **3** (*farsi consegnare*) to collect, to pick up, (*riscuotere*) to draw **B** *v. rifl.* to retire, to withdraw **C** *v. intr. pron.* **1** (*di tessuto*) to shrink **2** (*di acque*) to subside, to recede

ritiràta *s. f.* **1** retreat, withdrawal **2** (*in caserma*) tattoo

ritìro *s. m.* **1** withdrawal, retirement **2** (*luogo appartato*) retreat

rìtmo *s. m.* **1** rhythm **2** (*tasso*) rate

rìto *s. m.* **1** rite **2** (*usanza*) custom

ritoccàre *v. tr.* **1** to retouch **2** (*prezzi*) to readjust

ritócco *s. m.* **1** touch-up, finishing touch **2** (*di prezzi*) adjustment, revision

ritornàre A *v. intr.* **1** to return, to go back,

to come back 2 (*ricorrere*) to recur 3 (*tornare a essere*) to become again **B** *v. tr.* to return, to give back

ritornèllo *s. m.* refrain

ritórno *s. m.* return

ritràrre A *v. tr.* 1 (*tirare indietro*) to withdraw, to draw back 2 (*distogliere*) to divert 3 (*rappresentare*) to represent, to portray, to depict **B** *v. rifl.* 1 to withdraw 2 (*sottrarsi*) to get out 3 (*rappresentarsi*) to portray oneself

ritrattàre *v. tr.* 1 (*trattare di nuovo*) to treat again 2 (*ritirare*) to retract, to withdraw

ritràtto *s. m.* portrait

ritróso *agg.* 1 (*riluttante*) reluctant 2 (*timido*) shy ◆ **a r.** backwards

ritrovaménto *s. m.* finding, (*scoperta*) discovery

ritrovàre A *v. tr.* 1 to find (again) 2 (*scoprire*) to find, to discover 3 (*ricuperare*) to recover 4 (*incontrare di nuovo*) to meet (again) **B** *v. intr. pron.* to find oneself **C** *v. rifl. rec.* (*incontrarsi di nuovo*) to meet again **D** *v. rifl.* 1 (*raccapezzarsi*) to see one's way 2 (*sentirsi a proprio agio*) to feel at ease

ritròvo *s. m.* meeting, (*luogo*) meeting-place

ritto *agg.* upright, erect

rituàle *s. m.* ritual

riunióne *s. f.* meeting

riunìre A *v. tr.* 1 to reunite, to put together 2 (*adunare*) to gather, to collect together 3 (*riconciliare*) to bring together again **B** *v. rifl.* 1 to come together again 2 (*adunarsi*) to gather, to meet

riuscìre *v. intr.* 1 to succeed, to manage, (*essere capace*) to be able 2 (*avere esito*) to come out, to turn out, (*avere esito positivo*) to be successful, to succeed 3 (*avere attitudine*) to be clever at, to be good at 4 (*apparire, risultare*) to be, (*dimostrarsi*) to prove 5 (*uscire di nuovo*) to go out again

riuscìta *s. f.* result, outcome, (*successo*) success

rìva *s. f.* (*di fiume*) bank, (*di lago, mare*) shore

rivàle *agg. e s. m. e f.* rival

rivalità *s. f.* rivalry

rivàlsa *s. f.* 1 (*rivincita*) revenge 2 (*risarcimento*) compensation

rivalutàre *v. tr.* to revalue

rivalutazióne *s. f.* revaluation

rivedére A *v. tr.* 1 (*vedere di nuovo*) to see again, (*incontrare di nuovo*) to meet again 2 (*correggere*) to revise, to correct, (*con-*

trollare) to check 3 (*ripassare*) to look over again **B** *v. rifl. rec.* to see each other again, to meet again

rivelàre A *v. tr.* 1 to reveal, to disclose 2 (*mostrare*) to show **B** *v. rifl.* to reveal oneself, to show oneself

rivelazióne *s. f.* revelation

rivéndere *v. tr.* 1 to resell, to sell again 2 (*vendere al dettaglio*) to retail

rivendicàre *v. tr.* to claim

rivèrbero *s. m.* reverberation

riverènza *s. f.* 1 reverence 2 (*inchino*) bow, curtsey

riverìre *v. tr.* 1 to revere, to respect 2 (*salutare*) to pay one's respects to

riverniciàre *v. tr.* to repaint

riversàre A *v. tr.* to pour (again) **B** *v. intr. pron.* to flow 2 (*fig.*) to pour (out)

rivestiménto *s. m.* covering, coating, (*interno*) lining

rivestìre A *v. tr.* 1 (*vestire di nuovo*) to dress again 2 (*provvedere di abiti*) to dress, to provide with clothes 3 (*ricoprire*) to cover, to coat, (*foderare*) to line 4 (*una carica*) to hold **B** *v. rifl.* to dress again

rivièra *s. f.* coast

rivìncita *s. f.* 1 (*sport*) return match, (*gioco*) return game 2 (*rivalsa*) revenge

rivisitàre *v. tr.* to revisit

rivìsta *s. f.* 1 (*mil.*) review 2 (*periodico*) review, (*rotocalco*) magazine 3 (*teatro*) revue, show ◆ **passare in r.** to review

rivìvere A *v. tr.* to live again **B** *v. intr.* to live again, (*tornare in vita*) to come to life again

rivòlgere A *v. tr.* 1 to turn, to direct 2 (*indirizzare*) to address **B** *v. rifl.* 1 to turn, to address 2 (*ricorrere*) to apply

rivòlta *s. f.* revolt, rebellion

rivoltàre A *v. tr.* 1 to turn (over) again 2 (*rovesciare*) to turn (over), (*con l'interno verso l'esterno*) to turn inside out, (*capovolgere*) to turn upside down **B** *v. rifl.* to turn round, to turn over **C** *v. intr. pron.* (*ribellarsi*) to revolt, to rebel

rivoltèlla *s. f.* revolver

rivoluzionàre *v. tr.* to revolutionize

rivoluzionàrio *agg. e s. m.* revolutionary

rivoluzióne *s. f.* revolution

rizzàre A *v. tr.* to raise, to erect **B** *v. intr. pron.* (*di capelli, peli*) to bristle

ròba *s. f.* stuff, things *pl.*

robùsto *agg.* strong, sturdy

ròcca *s. f.* fortress, stronghold

roccafòrte *s. f.* fortress, stronghold

rocchétto s. m. 1 reel, spool 2 (elettr) coil

ròccia s. f. rock

rocciatóre s. m. rock-climber

roccióso agg. rocky

rococò agg. e s. m. rococo

rodàggio s. m. 1 (autom.) running-in, (USA) breaking-in 2 (fig.) trial stage

rodeo s. m. inv. rodeo

ródere A v. tr. 1 to gnaw 2 (corrodere) to eat into, to corrode B v. rifl. to worry

roditóre s. m. rodent

rododèndro s. m. rhododendron

rógna s. f. 1 (med.) scabies, (bot., zool.) scab 2 (fastidio) nuisance, trouble

rognóne s. m. kidney

rògo s. m. 1 (supplizio) stake 2 (pira) (funeral) pyre 3 (incendio) fire

rollìo s. m. rolling

románico agg. Romanesque

románo agg. e s. m. Roman

romanticìsmo s. m. Romanticism

romàntico agg. e s. m. romantic

romànza s. f. romance

romanzésco agg. 1 novel (attr) 2 (fig.) fantastic

romanzière s. m. novelist

romànzo s. m. 1 novel 2 (medievale) romance 3 (novellistica) fiction 4 (fig.) fantasy, romance

rómbo (1) s. m. (geom.) rhombus

rómbo (2) s. m. (zool.) rhombus

rómbo (3) s. m. (rumore) rumble, roar

romboidàle agg. rhomboidal

roméno agg. e s. m. Rumanian

rómpere A v. tr. 1 to break, to burst, to smash 2 (interrompere) to break off B v. intr. 1 (interrompere i rapporti) to break up 2 (fam.) (seccare) to bother C v. intr. pron. to break

rompicàpo s. m. riddle, puzzle

rompighiàccio s. m. ice breaker

rompiscàtole s. m. e f. inv. nuisance, pest

rónda s. f. rounds pl., patrol

rondèlla s. f. washer

róndine s. f. swallow

rondóne s. m. swift

ronzàre v. intr. 1 to buzz, to hum 2 (girare) to hang round

ronzìno s. m. nag

ròsa (1) agg. e s. m. pink

ròsa (2) s. f. 1 (bot.) rose 2 (gruppo di persone) group ♦ r. dei venti compass card

rosàrio s. m. rosary

ròseo agg. rosy

rosicchiàre v. tr. to nibble, to gnaw

rosmarìno s. m. rosemary

rosolàre A v. tr. to brown B v. intr. pron. 1 to get brown 2 (fig.) to bask in the sun

rosolìa s. f. German measles pl., rubella

rosóne s. m. rose-window

ròspo s. m. toad

rossétto s. m. lipstick

ròsso agg. e s. m. red

rossóre s. m. flush

rotàia s. f. rail

rotatìva s. f. rotary press

rotatòria s. f. roundabout

rotazióne s. f. 1 rotation 2 (di personale, scorte) turnover

roteàre A v. tr. to swing, (occhi) to roll B v. intr. to wheel

rotèlla s. f. small wheel, (di pattino) roller

rotocàlco s. m. magazine

rotolàre v. tr. e intr. to roll

ròtolo s. m. roll, (di corda) coil

rotónda s. f. 1 (arch.) rotunda 2 (terrazza) round terrace

rotondità s. f. rotundity, roundness

rotóndo agg. round

rótta (1) s. f. (sconfitta) rout, retreat ♦ a r. di collo headless; essere in r. con qc. to be on bad terms with sb.

rótta (2) s. f. (naut., aer) course, route

rottàme s. m. scrap

rottùra s. f. break, breaking

ròtula s. f. kneecap, rotula

roulotte s. f. inv. caravan, (USA) trailer

rovènte agg. red-hot

róvere s. m. o f. durmast

rovesciàre A v. tr. 1 to upset, to knock over, to overturn 2 (rivoltare) to turn inside out 3 (versare) to pour, (accidentalmente) to spill 4 (abbattere) to overthrow B v. intr. pron. 1 to overturn, (capovolgersi) to capsize 2 (versarsi) to spill 3 (riversarsi) to pour

rovèscio A agg. (capovolto) upside down, (con l'interno all'esterno) inside out B s. m. 1 reverse, back, other side 2 (opposto) opposite 3 (lavoro a maglia) purl (stitch) 4 (tennis) backhand 5 (di pioggia) heavy shower 6 (dissesto) setback

rovìna s. f. ruin

rovinàre A v. tr. 1 to ruin, (guastare) to spoil 2 (abbattere) to demolish, to pull down B v. intr. to crash, to collapse C v. rifl. e intr. pron. to be ruined

rovinóso *agg.* ruinous, disastrous

rovistàre *v. tr. e intr.* to ransack

róvo *s. m.* bramble

rózzo *agg.* rough, coarse

rubàre *v. tr.* to steal

rubinétto *s. m.* tap, (*USA*) faucet

rubìno *s. m.* ruby

rubrìca *s. f.* **1** (*quaderno*) index-book, (*per indirizzi*) address-book **2** (*di giornale*) column, survey

rùde *agg.* rough, harsh

rùdere *s. m.* ruin

rudimentàle *agg.* rudimentary

rudiménto *s. m.* rudiment

rùga *s. f.* wrinkle

rùggine *s. f.* rust

rugginóso *agg.* rusty

ruggìre *v. intr.* to roar

ruggìto *s. m.* roar

rugiàda *s. f.* dew

rugosità *s. f.* roughness, (*di viso*) wrinkledness

rugóso *agg.* **1** (*di viso*) wrinkled **2** (*scabro*) rough

rùllo *s. m.* roll, (*di macchina per scrivere*) platen

ruminànte *agg. e s. m.* ruminant

ruminàre *v. tr. e intr.* to ruminate

rumóre *s. m.* noise

rumoróso *agg.* noisy

ruòlo *s. m.* role

ruòta *s. f.* wheel ♦ **r. di scorta** spare wheel

ruotàre **A** *v. tr.* to rotate, (*occhi*) to roll **B** *v. intr.* **1** to rotate, to revolve **2** (*roteare*) to circle (round), to wheel about

rùpe *s. f.* cliff, rock

rupèstre *agg.* rocky

ruràle *agg.* rural, country (*attr*)

ruscèllo *s. m.* brook

rùspa *s. f.* scraper, bulldozer

ruspànte *agg.* farmyard

russàre *v. intr.* to snore

rùsso *agg. e s. m.* Russian

rùstico *agg.* **1** country (*attr*), rustic, rural **2** (*rozzo*) rough

rùvido *agg.* rough, coarse

ruzzolàre *v. intr.* **1** (*cadere*) to tumble down **2** (*rotolare*) to roll

ruzzolóne *s. m.* tumble

S

sàbato s. m. Saturday
sabbàtico agg. sabbatical
sàbbia s. f. sand
sabbiatùra s. f. 1 sand-bath 2 (tecnol.) sand-blasting
sabbióso agg. sandy
sabotàggio s. m. sabotage
sabotàre v. tr. to sabotage
sàcca s. f. bag, knapsack
saccarina s. f. saccharine
saccaròsio s. m. saccharose
saccènte A agg. pedantic, (presuntuoso) conceited B s. m. e f. know-all
saccheggiàre v. tr. to sack, to pillage, to plunder, to loot
saccheggiatóre s. m. pillager, plunderer
sacchéggio s. m. sack, pillage, plunder
sacchétto s. m. bag
sàcco s. m. 1 sack, bag 2 (grande quantità) a lot, lots pl., a great deal, heaps pl. ♦ **s. a pelo** sleeping bag
sacerdòte s. m. priest
sacerdotéssa s. f. priestess
sacerdòzio s. m. priesthood
sacralgia s. f. sacralgia
sacraménto s. m. sacrament
sacràrio s. m. 1 (archeol.) sacrarium 2 (dei caduti) memorial
sacrificàre A v. tr. 1 to sacrifice 2 (sprecare) to waste B v. intr. to offer sacrifices C v. rifl. to sacrifice oneself
sacrifìcio s. m. sacrifice
sacrilègio s. m. sacrilege
sàcro agg. 1 sacred, holy 2 (consacrato) consecrated, dedicated
sàdico A agg. sadistic B s. m. sadist
sadomasochismo s. m. sadomasochism
saétta s. f. 1 (freccia) arrow 2 (fulmine) thunderbolt, flash of lightning
safàri s. m. inv. safari
sàga s. f. saga
sagàce agg. shrewd, sagacious
saggézza s. f. wisdom
saggiàre v. tr. 1 (analizzare) to assay 2 (fig.) to test, to try out
sàggio (1) A agg. wise B s. m. wise man
sàggio (2) s. m. 1 (prova) test, trial, (metall.) assay 2 (campione) sample 3 (dimostrazione) proof 4 (scritto) essay

saggìsta s. m. e f. essayist
sàgola s. f. line
sàgoma s. f. 1 (forma) shape, outline, profile 2 (tecnol.) template 3 (bersaglio) target 4 (fam.) (persona stramba) character
sàgra s. f. festival, feast
sagràto s. m. church-square
sagrestìa s. f. sacristy
sàio s. m. habit
sàla s. f. hall, room ♦ **s. da pranzo** dining room; **s. d'aspetto** waiting room; **s. operatoria** operating theatre
salàme s. m. salami
salamòia s. f. brine, pickle
salàre v. tr. to salt, (per conservare) to corn
salàrio s. m. wage, salary
salàsso s. m. 1 bleeding 2 (fig.) drain
salàto agg. 1 salt, salty 2 (sotto sale) corned, salted 3 (costoso) expensive, stiff 4 (salace) biting
saldàre A v. tr. 1 (metall.) to weld 2 (unire) to link up with, to join 3 (comm.) to settle, to pay off, to balance B v. intr. pron. 1 (metall.) to weld 2 (di ossa) to knit 3 (unirsi) to tie up, to link
saldatóre s. m. welder
saldatrice s. f. welder
saldatùra s. f. 1 (metall.) welding 2 (fig.) link, connection
saldézza s. f. firmness, strenght
sàldo s. m. 1 (importo residuo) settlement, balance 2 (resto) rest, balance 3 (svendita) sale
sàle s. m. salt ♦ **s. grosso** coarse salt; **senza s.** saltless; **sotto s.** salted
salesiàno agg. e s. m. Salesian
sàlice s. m. willow ♦ **s. piangente** weeping willow
saliènte agg. important, main
salièra s. f. saltcellar
salìna s. f. (deposito) salt pan, salina
salino agg. saline, salt (attr)
salire A v. intr. 1 to rise, to climb, to go up, to come up 2 (su un mezzo di trasporto) to get on 3 (fig.) to rise, to go up B v. tr. to climb, to go up, to ascend
salita s. f. 1 slope, ascent 2 (il salire) climbing, ascent 3 (aumento) rise, in-

crease
salìva *s. f.* saliva, spittle
sàlma *s. f.* corpse
salmì *s. m.* salmi
sàlmo *s. m.* psalm
salmóne *s. m.* salmon ♦ **s. affumicato** smoked salmon
salmonellòsi *s. f.* salmonellosis
salóne *s. m.* **1** hall **2** (*per esposizione*) showroom
salòtto *s. m.* **1** drawing room, sitting room **2** (*letterario*) salon
salpàre **A** *v. tr.* to weigh **B** *v. intr.* **1** to (set) sail, to set out **2** (*l'ancora*) to weigh (anchor)
sàlsa *s. f.* sauce
salsèdine *s. f.* saltness, (*salinità*) salinity
salsìccia *s. f.* sausage
salsièra *s. f.* sauce boat, gravy boat
saltàre **A** *v. tr.* to jump (over), to leap (over), to skip **B** *v. intr.* **1** to jump, to leap, to spring **2** (*esplodere*) to blow up, to pop out
saltatóre *s. m.* jumper
saltellàre *v. intr.* to skip, to hop
saltimbànco *s. m.* acrobat, tumbler
sàlto *s. m.* **1** jump, leap, spring **2** (*omissione*) gap
saltuariaménte *avv.* occasionally
saltuàrio *agg.* irregolar, occasional
salùbre *agg.* salubrious, wholesome, healthy
salubrità *s. f.* wholesomeness, healthiness
salumerìa *s. f.* delicatessen (shop)
salùmi *s. m. pl.* cold cuts *pl.*
salumière *s. m.* delicatessen seller
salutàre (1) **A** *v. tr.* **1** to greet, to say hallo to, (*partendo*) to say goodbye to **2** (*mil.*) to salute **3** (*fare visita*) to call (in) **B** *v. rifl. rec.* to greet each other, to say goodbye to each other
salutàre (2) *agg.* wholesome, healthy, salutary
salùte *s. f.* health
salutìsta *s. m. e f.* hygienist
salùto *s. m.* greeting, salutation
salvacondótto *s. m.* safe-conduct
salvadanàio *s. m.* money-box
salvagènte *s. m.* (*ciambella*) life buoy, (*giubbotto*) life jacket, (*cintura*) life belt
salvagócce *s. m. inv.* drip-catcher
salvaguardàre *v. tr.* to safeguard, to protect
salvàre **A** *v. tr.* **1** to save, (*trarre in salvo*) to rescue **2** (*mettere da parte*) to put aside,

to save **B** *v. rifl.* **1** to save oneself, to survive **2** (*evitare*) to be spared
salvatàggio *s. m.* rescue ♦ **battello di s.** life boat; **cintura di s.** life belt
salvatóre *s. m.* saver, rescuer, (*spirituale*) saviour
sàlve *inter.* hello!, hi!
salvézza *s. f.* **1** salvation **2** (*sicurezza*) safety **3** (*scampo*) escape
sàlvia *s. f.* sage
salviétta *s. f.* **1** (*tovagliolo*) napkin **2** (*asciugamano*) towel
sàlvo (1) *agg.* **1** safe **2** (*al sicuro*) secure ♦ **mettersi in s.** to reach safety
sàlvo (2) **A** *prep.* **1** (*tranne*) except (for), but **2** (*a parte*) apart from **B** *cong.* **s. che** except that, (*a meno che*) unless
sambùco *s. m.* elder
sanàre *v. tr.* **1** to cure **2** (*correggere*) to rectify, to correct **3** (*econ.*) to balance, to put right
sanatòrio *s. m.* sanatorium
sancìre *v. tr.* to sanction
sàndalo (1) *s. m.* (*bot.*) sandal, sandalwood
sàndalo (2) *s. m.* (*calzatura*) sandal
sàngue *s. m.* blood ♦ **al s.** (*di carne*) underdone, rare; **a s. freddo** in cold blood
sanguìgno *agg.* blood (*attr*), sanguineous
sanguinàre *v. intr.* to bleed
sanguisùga *s. f.* leech
sanità *s. f.* **1** soundness, (*salubrità*) wholesomeness **2** (*ente sanitario*) health board
sanitàrio *agg.* sanitary, health (*attr*) ♦ **certificato s.** health certificate
sàno *agg.* **1** healthy, wholesome, (*senza difetto*) sound **2** (*salubre*) healthy, healthful, wholesome **3** (*saggio*) sound ♦ **s. e salvo** safe and sound
santino *s. m.* holy picture
santità *s. f.* holiness, sanctity
sànto **A** *agg.* holy, (*seguito da nome proprio*) Saint **B** *s. m.* saint
santóne *s. m.* guru (*fig.*)
santuàrio *s. m.* sanctuary, shrine
sanzióne *s. f.* sanction
sapére (1) **A** *v. tr.* **1** to know **2** (*venire a sapere*) to hear, to learn, to know **3** (*essere capace*) can, to be able, to know how **B** *v. intr.* **1** to know **2** (*venire a conoscenza*) to hear, to learn **3** (*aver sapore*) to taste, (*aver odore*) to smell **4** (*pensare*) to think
sapére (2) *s. m.* knowledge, (*cultura*) learning
sàpido *agg.* sapid

sapiènte *agg.* **1** (*saggio*) wise **2** (*colto*) learned **3** (*abile*) skilful

sapiènza *s. f.* **1** (*saggezza*) wisdom **2** (*cultura*) learning **3** (*sapere*) knowledge

sapóne *s. m.* soap ♦ **s. da barba** shaving soap

saponétta *s. f.* cake of soap

sapóre *s. m.* **1** taste, flavour **2** (*fig.*) spice

saporito *agg.* tasty, savoury

saracinésca *s. f.* (rolling) shutter

sarcàsmo *s. m.* sarcasm

sarcàstico *agg.* sarcastic

sarcòfago *s. m.* sarcophagus

sardìna *s. f.* sardine

sàrdo *agg. e s. m.* Sardinian

sàrta *s. f.* dressmaker

sàrtia *s. f.* shroud

sartiàme *s. m.* shrouds *pl.*, rigging

sàrto *s. m.* tailor

sartorìa *s. f.* tailor's (workshop), dressmaker's

sàsso *s. m.* stone, rock, (*ciottolo*) pebble

sassofonìsta *s. m. e f.* saxophonist

sassòfono *s. m.* saxophone, sax

sàssola *s. f.* bailer

sassóso *agg.* stony

satànico *agg.* satanic

satèllite *s. m.* satellite

sàtira *s. f.* satire

satìrico *agg.* satiric(al)

saturazióne *s. f.* saturation

sàturo *agg.* **1** (*chim.*) saturated **2** (*pieno*) full, filled with

sàuna *s. f.* sauna

savàna *s. f.* savanna(h)

saziàre **A** *v. tr.* **1** to satisfy, to sate, to glut **2** (*riempire*) to fill **B** *v. rifl.* **1** to get full, to become satiated **2** (*fig.*) to get tired

sàzio *agg.* satiated, glutted, full (up) (*fam.*)

sbadatàggine *s. f.* carelessness, inadvertence

sbadàto **A** *agg.* careless **B** *s. m.* scatterbrain

sbadigliàre *v. intr.* to yawn

sbadìglio *s. m.* yawn

sbagliàre **A** *v. tr.* to mistake, to go wrong in **B** *v. intr. e intr. pron.* to make a mistake, to be wrong, to be mistaken

sbàglio *s. m.* mistake, error ♦ **per s.** by mistake

sballottàre *v. tr.* to toss (about), to push (about)

sbalordìre **A** *v. tr.* to amaze, to astonish **B** *v. intr. e intr. pron.* to be amazed, to be astonished

sbalorditìvo *agg.* amazing, astonishing

sbalzàre *v. tr.* **1** to throw, to toss, to fling **2** (*lavorare a sbalzo*) to emboss

sbàlzo *s. m.* **1** jolt, jerk **2** (*cambiamento*) sudden change, jump **3** (*sporgenza*) overhang **4** (*rilievo*) embossment

sbandaménto *s. m.* **1** (*autom.*) sliding, veering **2** (*naut.*) heeling **3** (*fig.*) leaning, disorientation

sbandàre **A** *v. intr.* **1** (*autom.*) to slide **2** (*naut.*) to heel **3** (*fig.*) to lean **B** *v. intr. pron.* to disperse, to disband

sbandieràre *v. tr.* **1** to wave **2** (*fig.*) to display, to show off

sbaragliàre *v. tr.* to rout

sbarazzàre **A** *v. tr.* to clear up **B** *v. rifl.* to get rid

sbarbàre *v. tr. e rifl.* to shave

sbarcàre **A** *v. tr.* to disembark, (*da aereo*) to land, (*da autobus*) to put down, (*merci*) to unload **B** *v. intr.* to land, to get off

sbàrco *s. m.* landing, (*di merci*) unloading

sbàrra *s. f.* bar

sbarraménto *s. m.* **1** blockage, obstruction **2** (*mil.*) barrage

sbarràre *v. tr.* **1** to bar, to block, to obstruct **2** (*gli occhi*) to open wide **3** (*segnare con barra*) to cross

sbàttere **A** *v. tr.* **1** (*battere*) to knock, to bang, to beat **2** (*sbatacchiare*) to bang, to slam **3** (*gettare*) to hurl, to fling, (*buttare fuori*) to throw out **4** (*agitare*) to shake, to toss **B** *v. intr.* **1** (*di porta, finestra*) to bang, to slam **2** (*di ali, vele*) to flap

sbattùto *agg.* **1** (*frullato*) beaten **2** (*stanco*) tired out

sbavàre *v. intr.* **1** to dribble **2** (*di inchiostro*) to smudge

sbèrla *s. f.* slap, cuff

sberlèffo *s. m.* grimace

sbiadìre *v. tr., intr. e intr. pron.* to fade

sbiadìto *agg.* **1** faded **2** (*scialbo*) dull

sbiancàre **A** *v. tr.* to whiten, (*tessuto*) to bleach **B** *v. intr. pron.* **1** to turn white **2** (*impallidire*) to go pale

sbièco *agg.* sloping, aslant, oblique

sbigottìre **A** *v. tr.* to bewilder, to astonish, (*turbare*) to dismay **B** *v. intr. e intr. pron.* to be bewildered, to be astonished, (*turbarsi*) to be dismayed

sbilanciàre **A** *v. tr.* to unbalance, to throw off the balance **B** *v. intr. pron.* to lose one's balance

sbirciàre v. tr. to peep, to glance at

sbirro s. m. (spreg.) cop

sbloccàre **A** v. tr. **1** to unblock, to free **2** (mecc.) to unlock, to release **3** (econ.) to decontrol **B** v. rifl. e intr. pron. **1** to reopen, to restart **2** (psic.) to get over

sboccàre v. intr. **1** (di corso d'acqua) to flow into **2** (di strada) to lead to, to come out

sbocciàre v. intr. to blossom, to bloom

sbócco s. m. outlet, (di fiume) mouth, (uscita) way out

sbollire v. intr. **1** to stop boiling **2** (fig.) to cool down

sbòrnia s. f. drunkenness

sborsàre v. tr. to pay out, to spend

sbottàre v. intr. to burst out

sbottonàre **A** v. tr. to unbutton **B** v. rifl. **1** to undo one's buttons **2** (fam., fig.) to open one's heart

sbraitàre v. intr. to shout

sbranàre v. tr. to tear to pieces

sbriciolàre v. tr. e intr. pron. to crumble

sbrigàre **A** v. tr. to dispatch, to get through, to finish off **B** v. intr. pron. to hurry up, to be quick

sbrigativo agg. speedy, (affrettato) hasty

sbrinaménto s. m. defrosting

sbrinàre v. tr. to defrost

sbrinatóre s. m. defroster

sbrindellàto agg. tattered

sbrodolàre **A** v. tr. to soil **B** v. rifl. to soil oneself

sbrogliàre **A** v. tr. to disentangle, to unravel **B** v. rifl. to extricate oneself, to get oneself out of

sbrónza s. f. drunkenness

sbronzàrsi v. rifl. to get drunk

sbrónzo agg. drunk (pred.)

sbruffóne s. m. boaster

sbucàre v. intr. **1** to come out of **2** (fig.) to spring

sbucciàre v. tr. **1** to peel **2** (sgranare) to shell **3** (produrre un'abrasione) to graze

sbuffàre v. intr. **1** to puff, to pant **2** (per noia) to grumble, to snort **3** (gettare sbuffi di fumo) to puff away

sbuffo s. m. puff

scàbbia s. f. scabies

scabróso agg. **1** rough **2** (fig.) scabrous, delicate

scacchièra s. f. (per scacchi) chess-board, (per dama) draught-board

scacciacàni s. m. o f. inv. blank pistol

scacciàre v. tr. to drive away, to drive out, to expel

scàcco s. m. **1** (quadratino di scacchiera) square, (disegno) check **2** al pl. (gioco) chess **3** (sconfitta) loss, setback

scaccomàtto s. m. checkmate ◆ **dare s.** to checkmate

scadènte agg. poor, second-rate

scadènza s. f. expiry, (ultima data utile) deadline ◆ **data di s.** expiry date, due date

scadenzàrio s. m. due register, bill-book

scadére v. intr. **1** to expire, to be due, to mature **2** (peggiorare) to fall off

scafàndro s. m. diving suit

scaffàle s. m. shelf, bookcase

scàfo s. m. hull

scagionàre v. tr. to exculpate

scàglia s. f. scale, (di sapone) flake

scagliàre **A** v. tr. to hurl, to throw **B** v. rifl. to hurl oneself, to throw oneself, to rush

scaglionàre v. tr. to space out, to spread

scaglióne s. m. **1** (gruppo) group, batch **2** (mil.) echelon **3** (classe) bracket

scàla s. f. **1** staircase, stairs pl., (portatile) ladder **2** (mus., geogr., mat.) scale ◆ **s. a pioli** rung ladder; **s. mobile** escalator

scalàre v. tr. **1** to scale, to climb (up) **2** (detrarre) to scale down, to take off

scalàta s. f. climbing

scalatóre s. m. climber

scaldabàgno s. m. water heater

scaldalètto s. m. warming pan

scaldàre **A** v. tr. to heat, to warm **B** v. intr. to warm, to give out heat **C** v. rifl. to warm oneself **D** v. intr. pron. **1** to heat up, to warm up **2** (eccitarsi) to get excited

scaldavivànde s. m. inv. chafing-dish

scalétta s. f. **1** list **2** (cin.) treatment

scalfire v. tr. **1** to scratch **2** (fig.) to touch, to affect

scalfittùra s. f. scratch

scalinàta s. f. flight of steps

scalino s. m. step

scàlo s. m. **1** call **2** (porto) port, (aeroporto) airport **3** (impalcatura per navi) slip ◆ **s. merci** goods yard; **volo senza s.** non-stop flight

scalógna s. f. bad luck

scalóne s. m. great staircase

scaloppina s. f. escalope

scalpèllo s. m. chisel, (med.) scalpel

scalpóre s. m. noise, sensation

scàltro agg. shrewd, sly, cunning

scalzàre v. tr. **1** to bare the roots of **2** (fig.) to undermine

scàlzo agg. barefoot

scambiàre A v. tr. **1** to exchange, to swap **2** (confondere) to mistake B v. rifl. rec. to exchange ♦ **s. una visita** to return a visit

scambiévole agg. reciprocal

scàmbio s. m. **1** exchange **2** (ferr) points pl., (USA) switch

scamosciàto agg. chamois (attr), suède

scampagnàta s. f. outing, picnic

scampanellata s. f. long loud ring

scampanìo s. m. pealing

scampàre A v. tr. **1** to save, to rescue **2** (evitare) to avoid, to escape B v. intr. **1** to escape **2** (rifugiarsi) to take refuge

scàmpo (1) s. m. escape, safety

scàmpo (2) s. m. (zool.) prawn

scàmpolo s. m. remnant

scanalatùra s. f. **1** groove **2** (arch.) flute, fluting

scandagliàre v. tr. to sound, to fathom

scandalìstico agg. scandalmongering

scandalizzàre A v. tr. to scandalize B v. intr. pron. to be scandalized

scàndalo s. m. scandal

scandalóso agg. scandalous, shocking

scandìnavo agg. e s. m. Scandinavian

scandìre v. tr. **1** (versi) to scan **2** (parole) to articulate, to pronounce **3** (mus.) to stress

scansafatiche s. m. e f. lazybones

scansàre A v. tr. **1** (spostare) to move aside **2** (evitare) to avoid, to escape B v. rifl. to step aside

scantinàto s. m. basement

scantonàre v. intr. to turn the corner, (svignarsela) to slip away

scàpito s. m. detriment

scàpola s. f. scapula, shoulder-blade

scàpolo A agg. unmarried, single B s. m. bachelor

scappaménto s. m. exhaust ♦ **tubo di s.** exhaust pipe

scappàre v. intr. **1** (fuggire) to flee, to run away, to get away, to escape **2** (andarsene in fretta) to rush **3** (sfuggire) to slip

scappàta s. f. call, short visit

scappatèlla s. f. escapade

scappatóia s. f. way out, loophole

scarabèo s. m. beetle

scarabocchiàre v. tr. to scribble, to scrawl

scarabòcchio s. m. scribble, scrawl

scarafàggio s. m. cockroach

scaramùccia s. f. skirmish

scaraventàre v. tr. to hurl, to fling

scarceràre v. tr. to release, to set free

scarcerazióne s. f. release

scardinàre v. tr. to unhinge

scàrica s. f. discharge, (di proiettili) volley

scaricàre A v. tr. **1** to unload, to discharge, to release, (deporre) to set down **2** (riversare) to discharge, to empty **3** (registrare in uscita) to write down, to cancel **4** (detrarre) to deduct B v. rifl. **1** to relieve oneself **2** (rilassarsi) to unwind C v. intr. pron. **1** (perdere la carica) to run down **2** (sfociare) to flow

scàrico A agg. unloaded, (di orologio), run-down, (di batteria) flat B s. m. **1** unloading, discharging **2** (di rifiuti) dumping **3** (registrazione in uscita) cancellation **4** (di motore) exhaust ♦ **tubo di s.** wastepipe, drainpipe

scarlattìna s. f. scarlattina, scarlet fever

scarlàtto agg. scarlet

scarmigliàto agg. ruffled

scàrno agg. **1** (magro) lean, skinny **2** (inadeguato) meagre, inadequate **3** (spoglio) bare

scàrpa s. f. shoe ♦ **lucido da scarpe** shoe polish; **scarpe basse** flat shoes; **scarpe da ginnastica** sneakers, gymshoes

scarpàta s. f. slope, escarpment

scarpièra s. f. shoe-rack

scarpinàre v. intr. to tramp, to trek

scarpinàta s. f. long walk, tramp

scarpóne s. m. boot

scarseggiàre v. intr. to be lacking, to be short, to run out

scarsézza s. f. scarceness, scarcity, shortage, (mancanza) lack

scarsità s. f. scarceness, scarcity, shortage, (mancanza) lack

scàrso agg. scarce, scanty, poor, (manchevole) lacking

scartaménto s. m. gauge

scartàre (1) v. tr. **1** to unwrap **2** (rifiutare) to discard, to reject

scartàre (2) v. intr. (deviare) to swerve

scàrto (1) s. m. **1** discard, waste, scrap **2** (al gioco delle carte) discard

scàrto (2) s. m. **1** (deviazione) swerve, (di cavallo) shy **2** (margine) spread, margin **3** (differenza) difference

scartòffie s. f. pl. (heap of) papers, (d'ufficio) paperwork

scassàre v. tr. to break, to smash

scassinàre *v. tr.* to break open

scassinatóre *s. m.* burglar, (*di banche*) bank-robber, (*di cassaforte*) safebreaker

scatenàre A *v. tr.* **1** (*suscitare*) to rouse, to set off **2** (*aizzare*) to stir up **B** *v. intr. pron.* **1** to break out, to burst out **2** (*sfrenarsi*) to run wild

scàtola *s. f.* box, case, (*di cartone*) carton, (*di latta*) tin, can

scatolàme *s. m.* tins *pl.*, cans *pl.*, (*di generi alimentari*) tinned food, canned food

scattàre A *v. intr.* **1** (*di congegno*) to go off, to be released **2** (*balzare*) to spring **3** (*adirarsi*) to lose one's temper **4** (*iniziare*) to start, to begin **B** *v. tr.* (*fot.*) to take, to snap

scattìsta *s. m. e f.* sprinter

scàtto *s. m.* **1** (*mecc.*) click, (*pezzo*) release **2** (*balzo*) spring, burst **3** (*impulso*) impulse, (*scatto d'ira*) fit **4** (*aumento*) increase **5** (*tel.*) unit

scaturìre *v. intr.* **1** to spring **2** (*derivare*) to originate, to result

scavalcàre *v. tr.* **1** to pass over, to climb over **2** (*soppiantare*) to supplant **3** (*superare*) to go ahead, to overtake

scavàre *v. tr.* to dig, to excavate

scavatrìce *s. f.* excavator, digger

scàvo *s. m.* **1** digging out, excavation **2** *al pl.* (*archeol.*) excavation, (*miner.*) workings *pl.*

scégliere *v. tr.* **1** to choose, to pick out, to select **2** (*preferire*) to choose, to prefer

sceicco *s. m.* sheik(h)

scelleràto *agg.* wicked

scellìno *s. m.* shilling

scélta *s. f.* choice, selection

scemàre *v. intr.* to diminish, to lessen

scémo *agg.* stupid, silly

scémpio *s. m.* ruin

scèna *s. f.* **1** scene **2** (*scenario*) scenery **3** (*palcoscenico*) stage, (*teatro*) theatre **4** (*finzione*) act

scenàrio *s. m.* **1** (*teatro*) scenery **2** (*ambiente*) background

scenàta *s. f.* scene, row

scéndere A *v. intr.* **1** to go down, to get down, to come down **2** (*da un mezzo*) to get off, to get out **3** (*presentare pendenza*) to descend, to slope, to run down **4** (*calare, diminuire*) to fall, to drop, to decrease **5** (*pendere*) to come down, to fall, to hang down **6** (*di astro*) to go down, to sink **7** (*fig.*) (*abbassarsi*) to lower oneself **B** *v. tr.*

to go down, to come down

scendilètto *s. m. inv.* bedside carpet

sceneggiàre *v. tr.* to dramatize

sceneggiàto *s. m.* (*TV*) serial

sceneggiatóre *s. m.* scriptwriter

sceneggiatùra *s. f.* script

scenétta *s. f.* sketch

scènico *agg.* stage (*attr*)

scenografìa *s. f.* set designing, setting

scenogràfico *agg.* **1** set (*attr*), stage (*attr*), scenographic(al) **2** (*fig.*) spectacular

scenògrafo *s. m.* set designer, scene painter

scervellàrsi *v. intr. pron.* to rack one's brains

scèttico *agg.* sceptical

scèttro *s. m.* sceptre

schèda *s. f.* **1** card **2** (*elettorale*) voting paper

schedàre *v. tr.* to record, to register, to card index

schedàrio *s. m.* card index, file

schedìna *s. f.* coupon

schéggia *s. f.* splinter

schèletro *s. m.* skeleton

schèma *s. m.* **1** scheme, pattern, outline, draft **2** (*tecnol.*) diagram

schemàtico *agg.* schematic

schérma *s. f.* fencing

schermàglia *s. f.* skirmish

schermàre *v. tr.* to screen, to shield

schermatùra *s. f.* screening, shielding

schérmo *s. m.* screen, shield

schermografìa *s. f.* x-rays *pl.*

schernìre *v. tr.* to scoff at, to mock at

schérno *s. m.* mockery, sneer

scherzàre *v. intr.* **1** to joke **2** (*prendere alla leggera*) to trifle, to joke, to make light of

schèrzo *s. m.* **1** joke, jest, (*tiro*) trick **2** (*inezia*) child's play, trifle ♦ **per s.** for fun, for a joke

scherzóso *agg.* joking, laughing

schettinàre *v. intr.* to roller-skate

schèttino *s. m.* roller-skate

schiaccianóci *s. m. inv.* nutcracker

schiacciàre *v. tr.* **1** to crush, to squeeze, to squash, (*premere*) to press **2** (*ridurre in poltiglia*) to mash **3** (*sopraffare*) to crush, to overwhelm ♦ **s. un sonnellino** to have a nap

schiaffeggiàre *v. tr.* to slap, to smack, to cuff

schiàffo *s. m.* slap, smack, cuff

schiamazzàre *v. intr.* to make a din, to kick up a row

schiamàzzo *s. m.* din, row, racket

schiantàre v. tr. e intr. pron. to break

schiànto s. m. crash

schiarire A v. tr. 1 to clear, to make clear 2 (sbiadire) to fade B v. intr. 1 to clear up, (illuminarsi) to brighten up 2 (sbiadire) to fade

schiarita s. f. clearing up

schiavitù s. f. slavery

schiàvo agg. e s. m. slave

schièna s. f. back ♦ **mal di s.** backache

schienàle s. m. back

schièra s. f. 1 (mil.) formation 2 (gruppo) group, crowd

schieraménto s. m. 1 array, formation 2 (fig.) line-up

schieràre A v. tr. 1 (mil.) to marshal, to draw up 2 (disporre in ordine) to line up B v. rifl. 1 to draw up, to line up 2 (parteggiare) to side

schiètto agg. 1 pure 2 (franco) frank, open

schifézza s. f. filth, disgusting thing

schìfo s. m. disgust

schifóso agg. 1 disgusting, revolting 2 (pessimo) awful, dreadful

schioccàre v. tr. e intr. (frusta) to crack, (le dita) to snap, (le labbra) to smack

schiodàre v. tr. to unrivet, to unnail

schiòppo s. m. gun, rifle, shotgun

schiùdere A v. tr. to open (a little) B v. intr. pron. 1 to open, (bot.) to unfold 2 (di uova) to hatch

schiùma s. f. foam, froth, (di sapone) lather

schiumóso agg. foamy, frothy, (di sapone) lathery

schivàre v. tr. to avoid, to dodge

schìvo agg. averse, reluctant, shy

schizofrenìa s. f. schizophrenia

schizofrènico agg. e s. m. schizophrenic

schizzàre A v. tr. 1 to splash, to spatter, to squirt (out), to spurt (out) 2 (abbozzare) to sketch B v. intr. 1 to spurt, to squirt 2 (saltar fuori) to jump, to spring C v. rifl. to splash oneself

schizzinóso agg. fussy

schìzzo s. m. 1 squirt, spurt 2 (macchia) splash, stain 3 (disegno) sketch 4 (abbozzo) draft

sci s. m. (attrezzo) ski, (attività) skiing ♦ **s. d'acqua** water-ski

scìa s. f. 1 wake 2 (traccia) trail, track

scià s. m. shah

sciàbola s. f. sabre

sciacàllo s. m. (zool.) jackal

sciacquàre v. tr. to rinse

sciacquóne s. m. flush, flushing device

sciagùra s. f. disaster

sciaguràto agg. 1 (sfortunato) unlucky, (miserevole) wretched 2 (malvagio) wicked

scialacquàre v. tr. to squander, to waste

scialàre v. intr. to squander money

sciàlbo agg. 1 pale, faint 2 (fig.) dull

sciàlle s. m. shawl

scialùppa s. f. tender ♦ **s. di salvataggio** lifeboat

sciàme s. m. swarm

sciaràda s. f. charade

sciàre v. intr. to ski

sciàrpa s. f. scarf

sciàtica s. f. sciatica

sciatóre s. m. skier

sciàtto agg. slovenly

scientìfico agg. scientific

sciènza s. f. science, (conoscenza) knowledge

scienziàto s. m. scientist

scìmmia s. f. monkey

scimmiottàre v. tr. to ape

scimpanzé s. m. chimpanzee

scimunìto agg. silly, stupid

scìndere A v. tr. to divide, to separate B v. intr. pron. to split

scintigrafìa s. f. scintigraphy

scintìlla s. f. spark

scintillàre v. intr. 1 (mandare scintille) to spark 2 (risplendere) to shine, to sparkle, to twinkle

scintillìo s. m. sparkling, twinkling

sciocchézza s. f. 1 foolishness, stupidity 2 (azione, parole) folly, foolish thing, nonsense 3 (inezia) trifle

sciòcco A agg. silly, stupid B s. m. fool

sciògliere A v. tr. 1 to melt, to dissolve 2 (slegare) to loose, to untie, to undo 3 (liberare) to release, to set free 4 (risolvere) to resolve, to solve 5 (porre fine a, annullare) to dissolve, to annul, to wind up B v. rifl. e intr. pron. 1 (slegarsi) to loosen 2 (terminare) to be dissolved, to break up 3 (liquefarsi) to melt, to dissolve, (di neve) to thaw

scioglilìngua s. m. inv. tongue-twister

sciolìna s. f. ski wax

scioltézza s. f. 1 nimbleness, agility 2 (nel parlare) fluency

sciòlto agg. 1 (liquefatto) melted 2 (slegato) untied, loose 3 (agile) nimble 4 (disinvolto) easy 5 (non confezionato) loose **6** (*annullato, concluso*) dissolved, closed

scioperànte *s. m. e f.* striker

scioperàre *v. intr.* to strike, to go on strike

sciòpero *s. m.* strike

sciovìa *s. f.* ski-lift

scippàre *v. tr.* to snatch, to bag-snatch

scippatóre *s. m.* bag-snatcher

scìppo *s. m.* bag-snatching

sciròcco *s. m.* sirocco

sciròppo *s. m.* syrup

scìsma *s. m.* schism

scissióne *s. f.* split, division

sciupàre **A** *v. tr.* **1** (*danneggiare*) to damage, to spoil **2** (*sprecare*) to waste, to squander **B** *v. intr. pron.* to spoil, to get damaged

scivolàre *v. intr.* **1** to slide, to glide **2** (*involontariamente*) to slip **3** (*autom.*) to skid

scìvolo *s. m.* **1** slide **2** (*naut., aer*) slipway **3** (*tecnol.*) chute

scivolóne *s. m.* slip

scivolóso *agg.* slippery

scleròsi *s. f.* sclerosis

scoccàre **A** *v. tr.* to shoot **B** *v. intr.* **1** (*scattare*) to be released **2** (*di ore*) to strike **3** (*balenare*) to flash

scocciàre **A** *v. tr.* to bother, to pester **B** *v. intr. pron.* to be annoyed, to be fed up

scocciatóre *s. m.* pest, bother, nuisance

scocciatùra *s. f.* bother, nuisance

scodèlla *s. f.* bowl, (*piatto fondo*) soup bowl

scodinzolàre *v. intr.* to wag its tail

scoglièra *s. f.* cliff, reef

scòglio *s. m.* **1** rock, reef **2** (*fig.*) difficulty

scoiàttolo *s. m.* squirrel

scolapàsta *s. m. inv.* colander

scolapiàtti *s. m. inv.* plate-rack

scolàre (1) *agg.* school (*attr*)

scolàre (2) *v. intr. e intr.* to drain

scolarésca *s. f.* pupils *pl.*

scolàro *s. m.* schoolchild, pupil

scolàstico *agg.* scholastic, school (*attr*) ♦ **tasse scolastiche** school fees

scoliòsi *s. f.* scoliosis

scollàre **A** *v. tr.* to unglue, to unstick **B** *v. intr. pron.* to get unstuck

scollatùra *s. f.* (*di abito*) neckline, neckhole

scólo *s. m.* drainage

scolorìre **A** *v. tr.* to discolour, to bleach **B** *v. intr. e intr. pron.* to fade, to lose colour

scolpìre *v. tr.* to sculpt, to engrave, to cut, to carve

scombinàre *v. tr.* to upset, to mess up

scombussolàre *v. tr.* to upset, to unsettle

scomméssa *s. f.* **1** bet, wager **2** (*somma scommessa*) stake ♦ **fare una s.** to make a bet

scomméttere *v. tr.* to bet, to wager ♦ **s. alle corse** to bet on horses

scommettitóre *s. m.* better, bettor

scomodàre **A** *v. tr.* to trouble, to disturb **B** *v. intr.* to be inconvenient **C** *v. rifl.* to trouble oneself

scomodità *s. f.* discomfort, inconvenience

scòmodo *agg.* uncomfortable, inconvenient

scompagnàto *agg.* unmatched, odd

scomparire *v. intr.* to disappear

sccompàrsa *s. f.* **1** disappearance **2** (*morte*) death

scompàrso *agg.* missing

scompartiménto *s. m.* compartment, section

scompàrto *s. m.* compartment, section

scompigliàre *v. tr.* **1** (*sconvolgere*) to upset **2** (*mettere in disordine*) to disarrange **3** (*arruffare*) to ruffle

scompìglio *s. m.* mess, confusion

scomponìbile *agg.* decomposable, dismountable

scomponibilità *s. f.* decomposability

scompórre **A** *v. tr.* **1** (*smontare*) to take to pieces **2** (*decomporre*) to decompose, to resolve **3** (*scompigliare*) to disarrange, to upset, (*arruffare*) to ruffle **B** *v. intr. pron.* to get upset

scomposizióne *s. f.* **1** decomposition, resolution **2** (*mat.*) factorization

scomùnica *s. f.* excommunication

scomunicàre *v. tr.* to excommunicate

sconcertànte *agg.* disconcerting

sconcertàre **A** *v. tr.* to disconcert, to bewilder **B** *v. intr. pron.* to be disconcerted, to be bewildered

scóncio **A** *agg.* indecent, obscene **B** *s. m.* disgrace

scondìto *agg.* plain, undressed

sconfessàre *v. tr.* to disavow, to repudiate

sconfìggere *v. tr.* **1** to defeat **2** (*eliminare*) to eliminate

sconfinàre *v. intr.* **1** to cross the frontier, (*in una proprietà*) to trespass **2** (*fig.*) to digress from

sconfìtta *s. f.* **1** defeat **2** (*eliminazione*) elimination

sconfortànte *agg.* discouraging

sconfòrto *s. m.* discouragement, dejection

scongelàre *v. tr.* **1** to defrost, to thaw out **2** (*sbloccare*) to unpeg, to unfreeze

scongiuràre *v. tr.* **1** (*supplicare*) to beseech, to implore **2** (*evitare*) to avoid, to avert

scongiùro *s. m.* incantation, spell

sconnèsso *agg.* **1** disconnected **2** (*fig.*) incoherent

sconosciùto A *agg.* unknown **B** *s. m.* stranger

sconquassàre *v. tr.* **1** to shatter, to smash **2** (*sconvolgere*) to upset

sconsacràre *v. tr.* to deconsecrate

sconsideràto *agg.* thoughtless, rash

sconsigliàre *v. tr.* to advise against

sconsolànte *agg.* discouraging

sconsolàto *agg.* disconsolate, dejected

scontàre *v. tr.* **1** (*banca*) to discount **2** (*detrarre*) to deduct (*fare uno sconto*) to reduce **4** (*espiare*) to pay for, to atone for, (*in carcere*) to serve

scontàto *agg.* **1** (*banca*) discounted **2** (*ribassato*) reduced **3** (*espiato*) paid for **4** (*previsto*) foregone, expected

scontentàre *v. tr.* to displease, to dissatisfy

scontentézza *s. f.* discontent, dissatisfaction

scontènto A *agg.* discontented, displeased **B** *s. m.* discontent

scónto *s. m.* discount, rebate

scontràrsi *v. intr. pron.* **1** to clash **2** (*urtarsi*) to collide **3** (*incontrarsi*) to run into

scontrino *s. m.* ticket, coupon, voucher

scóntro *s. m.* **1** (*combattimento*) encounter, fight **2** (*urto di veicoli*) collision, crash **3** (*contrasto*) clash

scontróso *agg.* sullen, peevish

sconveniènte *agg.* improper, unsuitable

sconvolgènte *agg.* upsetting, disturbing

sconvòlgere *v. tr.* to upset, to disturb, to throw into confusion

scópa *s. f.* broom

scopàre *v. tr.* to sweep

scopèrta *s. f.* discovery ♦ **andare alla s.** to scout

scopèrto A *agg.* **1** uncovered **2** (*non vestito*) bare **3** (*aperto*) open **4** (*di conto, assegno*) overdrawn, uncovered **B** *s. m.* (*banca*) overdraft

scòpo *s. m.* aim, end, object, purpose

scoppiàre *v. tr.* **1** to burst, to explode **2** (*manifestarsi improvvisamente*) to break out

scoppiettàre *v. intr.* to crackle

scòppio *s. m.* **1** burst, explosion **2** (*rumore*) bang, crash **3** (*manifestazione improvvisa*) outbreak

scoprire A *v. tr.* **1** (*togliere ciò che copre*) to uncover, to bare **2** (*mostrare*) to disclose, to show **3** (*arrivare a conoscere*) to discover, to find (out) **4** (*scorgere*) to sight, to descry **5** (*mil.*) to expose **B** *v. rifl.* **1** (*di abiti, coperte*) to throw off one's clothes **2** (*manifestarsi*) to show oneself

scopritóre *s. m.* discoverer

scoraggiàre A *v. tr.* to discourage **B** *v. intr. pron.* to be discouraged

scorbùtico *agg.* cantankerous, peevish

scorciàre *v. tr.* to shorten

scorciatóia *s. f.* short cut

scórcio *s. m.* **1** (*arte*) foreshortening **2** (*visuale*) (partial) view **3** (*di tempo*) end, close

scordàre *v. tr. e intr. pron.* to forget

scòrgere *v. tr.* to make out, to see, to notice

scòria *s. f.* scoria, slag ♦ **scorie radioattive** radioactive waste

scorpacciàta *s. f.* bellyful

scorpióne *s. m.* **1** scorpion **2** (*astr.*) Scorpio

scorrazzàre A *v. intr.* to run about **B** *v. tr.* to take around

scórrere A *v. tr.* **1** to run, to glide, to slide **2** (*fluire*) to flow, to stream **3** (*di tempo*) to roll by, to pass **B** *v. tr.* (*leggere in fretta*) to look through, to glance over

scorrettézza *s. f.* **1** incorrectness, (*errore*) mistake **2** (*maleducazione*) rudeness **3** (*atto sconveniente*) impropriety

scorrètto *agg.* **1** incorrect **2** (*maleducato*) improper

scorrévole *agg.* **1** flowing, fluent **2** (*mecc.*) sliding

scorrevolézza *s. f.* fluency

scórsa *s. f.* quick look

scórso *agg.* last, past

scorsóio *agg.* running

scòrta *s. f.* **1** escort **2** (*provvista*) store, supply

scortàre *v. tr.* to escort

scortése *agg.* rude, impolite

scortesìa *s. f.* **1** rudeness, impoliteness **2** (*azione scortese*) rude act

scorticàre *v. tr.* **1** to skin **2** (*produrre un'abrasione in*) to graze

scòrza *s. f.* rind, peel, skin, (*di albero*) bark ♦ **s. d'arancia** orange peel

scoscéso *agg.* steep

scòssa *s. f.* **1** shake, shock **2** (*di terremoto*) tremor, shock **3** (*strattone*) jerk **4** (*trauma*) shock ♦ **prendere la s.** to get a shock

stòsso1 shaken **2** (*sconvolto*) upset **3** (*danneggiato*) shattered, shaky

scossóne *s. m.* shake, jolt, jerk

scostànte *agg.* unfriendly, disagreeable

scostàre A *v. tr.* to move away, to push aside **B** *v. rifl.* **1** to move away, to stand aside **2** (*fig.*) to stray from

scòtta *s. f.* sheet

scottàre A *v. tr.* **1** to burn, to scorch, (*con liquido*) to scald **2** (*cuc.*) to scald, (*rosolare*) to brown **3** (*fig.*) to hurt, to sting **B** *v. intr.* to be hot, to be burning **C** *v. rifl. e intr. pron.* **1** to burn oneself, to scorch oneself, (*con liquido*) to scald oneself **2** (*fig.*) to get one's fingers burnt

scottatùra *s. f.* burn, (*da liquido*) scald, (*da sole*) sunburn

scovàre *v. tr.* to find (out)

scozzése A *agg.* Scottish, (*cose*) Scotch **B** *s. m. e f.* Scot, Scotsman *m.*, Scotswoman f. **C** *s. m.* (*lingua*) Scotch, Gaelic

screditàre A *v. tr.* to discredit **B** *v. intr. pron.* to lose credit

screpolàre A *v. tr.* to crack, (*di pelle*) to chap **B** *v. intr. pron.* to crack, (*di pelle*) to get chapped

screpolatùra *s. f.* cracking, (*di pelle*) chapping

screziàto *agg.* variegated

scrèzio *s. m.* disagreement

scricchiolàre *v. intr.* to creak

scricchiolìo *s. m.* creaking

scrìgno *s. m.* casket

scriminatùra *s. f.* parting

scrìtta *s. f.* inscription, (*cartello*) poster, (*avviso*) sign, notice, (*su muro*) graffiti

scritto A *agg.* **1** written **2** (*che reca scritte*) with writing on **3** (*destinato*) destined **B** *s. m.* **1** writing **2** (*opera letteraria*) work, writing

scrittóio *s. m.* writing-desk

scrittóre *s. m.* writer

scrittùra *s. f.* **1** writing **2** (*contabile*) entry, record **3** (*dir*) deed, document **4** (*contratto*) contract

scritturàre *v. tr.* to engage, to sign on

scrivanìa *s. f.* (writing) desk

scrìvere *v. tr.* **1** to write **2** (*registrare*) to enter, to record **3** (*redigere*) to draw up ♦ **s. a macchina** to type

scroccóne *s. m.* sponge

scròfa *s. f.* sow

scrollàre A *v. tr.* to shake **B** *v. intr. pron.* **1** to shake oneself **2** (*fig.*) to rouse oneself

scrosciànte *agg.* **1** pelting **2** (*di risa*) roaring, (*di applauso*) thundering

scrosciàre *v. intr.* to pelt, to roar

scròscio *s. m.* **1** (*di pioggia*) shower **2** (*fig.*) roar, burst

scrostàre A *v. tr.* to scrape, to peel off **B** *v. intr. pron.* to peel off, to fall off

scrostatùra *s. f.* scraping, peeling

scrùpolo *s. m.* **1** scruple **2** (*impegno*) care

scrupolóso *agg.* scrupulous

scrutàre *v. tr.* to scan, to search

scrutìnio *s. m.* **1** (*elettorale*) poll, ballot **2** (*scolastico*) assignment of (a term's) marks

scucìre A *v. tr.* to unstitch **B** *v. intr. pron.* to come unstitched

scuderìa *s. f.* stable

scudétto *s. m.* (*sport*) championship

scùdo *s. m.* shield

sculacciàre *v. tr.* to spank

scultóre *s. m.* sculptor

scultòreo *agg.* sculptural

scultùra *s. f.* sculpture

scuòcere *v. intr. e intr. pron.* to overcook

scuòla *s. f.* school ♦ **s. dell'obbligo** compulsory education

scuòtere A *v. tr.* **1** to shake, to stir **2** (*turbare*) to upset, to shake **3** (*smuovere*) to rouse **B** *v. intr. pron.* **1** to start, to jump **2** (*fig.*) to stir oneself, to rouse oneself

scùre *s. f.* axe

scurìre A *v. tr.* to darken **B** *v. intr. e intr. pron.* to grow dark

scùro *agg. e s. m.* dark

scurrìle *agg.* scurrilous, coarse

scùsa *s. f.* **1** apology **2** (*pretesto*) excuse ♦ **chiedere s. a qc.** to apologize to sb.

scusàre A *v. tr.* **1** to excuse, (*perdonare*) to pardon, to forgive **2** (*giustificare*) to justify **B** *v. rifl.* **1** to apologize, to make one's excuses **2** (*giustificarsi*) to justify oneself

sdebitàre A *v. tr.* to free from debt **B** *v. rifl.* **1** to pay off one's debt **2** (*disobbligarsi*) to repay a kindness

sdegnàre A *v. tr.* **1** to disdain, to scorn **2** (*provocare sdegno*) to irritate, to anger **B** *v. intr. pron.* to get angry

sdégno *s. m.* **1** disdain **2** (*indignazione*) indignation, anger

sdegnóso *agg.* **1** disdainful, scornful **2** (*di*

persona) haughty

sdentàto *agg.* toothless

sdoganàre *v. tr.* to clear (through the customs)

sdolcinàto *agg.* mawkish, cloying

sdoppiàre *v. tr. e intr. pron.* to divide, to split

sdraiàre *v. tr. e rifl.* to lie down

sdràio *s. f. inv.* deckchair

sdrucciolévole *agg.* slippery

se *cong.* **1** (*condizionale, causale, concessivo*) if **2** (*dubitativo*) whether, if **3** (*desiderativo*) if only ♦ **come se** as if, as though; **se mai** if (ever), (*nel caso che*) in case; **se non** (*eccetto*) but, except

sé *pron. pers. rifl. 3ª sing. e pl.* **1** (*compl. ogg. e ind.*) oneself, him(self) *m.*, her(self) *f.*, it(self) *n.*, them(selves) *pl.* **2 di sé, da sé** self- (ES: **padronanza di sé** self-control)

sebàceo *agg.* sebaceous

sebbène *cong.* (al)though, even though

sécca *s. f.* shoal, shallows *pl.* ♦ **fiume in s.** dry river

seccànte *agg.* annoying, tiresome

seccàre **A** *v. tr.* **1** to dry (up) **2** (*annoiare*) to bore, (*irritare*) to annoy **B** *v. intr. pron.* **1** (*diventare secco*) to dry (up) **2** (*annoiarsi*) to get bored, (*irritarsi*) to get annoyed

seccatóre *s. m.* bore, nuisance

seccatùra *s. f.* bother, nuisance, bore

secchièllo *s. m.* bucket

sécchio *s. m.* pail, bucket

sécco *agg.* **1** dry **2** (*seccato*) dried, (*appassito*) withered **3** (*magro*) thin **4** (*brusco*) sharp, (*freddo*) cold

secessióne *s. f.* secession

secessionìsta *s. m. e f.* secessionist

secolàre *agg.* secular

sècolo *s. m.* century

secónda *s. f.* **1** (*autom.*) second gear **2** (*seconda classe*) second class

secondariaménte *avv.* secondly

secondàrio *agg.* secondary

secondìno *s. m.* jailer

secóndo (1) **A** *agg. num. ord.* second **B** *s. m.* **1** (*minuto secondo*) second **2** (*secondo piatto*) second course

secóndo (2) *prep.* in accordance with, according to

secondogènito *agg.* second-born

secrezióne *s. f.* secretion

sèdano *s. m.* celery

sedatìvo *agg. e s. m.* sedative

sède *s. f.* **1** seat **2** (*comm.*) office, (*sede*

centrale) head office ♦ **la Santa S.** the Holy See

sedentàrio *agg.* sedentary

sedére (1) **A** *v. intr.* **1** to sit, to be seated **2** (*mettersi a sedere*) to sit down, to take a seat **B** *v. intr. pron.* to sit, to sit down

sedére (2) *s. m.* bottom

sèdia *s. f.* chair

sedicènte *agg.* self-styled

sédici *agg. num. card. e s. m. inv.* sixteen

sedìle *s. m.* seat

sedizióne *s. f.* sedition, rebellion

seducènte *agg.* seductive, fascinating

sedùrre *v. tr.* **1** to seduce, to allure **2** (*affascinare*) to charm

sedùta *s. f.* sitting, session

seduttóre **A** *agg.* seductive **B** *s. m.* seducer

seduzióne *s. f.* seduction

séga *s. f.* saw

ségale *s. f.* rye

segàre *v. tr.* to saw

segatùra *s. f.* sawdust

sèggio *s. m.* **1** seat, chair **2** (*stallo*) stall **3** (*elettorale*) poll, polling station

sèggiola *s. f.* chair

seggiolìno *s. m.* **1** (*per bambini*) baby's chair **2** (*ferr., aer*) seat

seggiolóne *s. m.* high chair

seggiovìa *s. f.* chair-lift

segherìa *s. f.* sawmill

segménto *s. m.* segment

segnalàre **A** *v. tr.* **1** to signal **2** (*annunciare*) to announce, to report **3** (*far conoscere*) to point out **B** *v. rifl.* to distinguish oneself

segnalazióne *s. f.* signalling, (*segnale*) signal

segnàle *s. m.* signal ♦ **s. d'allarme** warning signal; **s. orario** time signal; **s. stradale** road sign

segnalètica *s. f.* signs *pl.*, signals *pl.*

segnalìbro *s. m.* bookmark

segnalìnee *s. m. inv.* linesman

segnapósto *s. m.* place card

segnapùnti *s. m. e f. inv.* **1** (*persona*) scorekeeper **2** (*tabellone*) scoreboard

segnàre *v. tr.* **1** to mark **2** (*prendere nota di*) to write down, to register **3** (*indicare*) to show, to mark, to read **4** (*sport*) to score

ségno *s. m.* **1** sign, mark **2** (*cenno*) sign, gesture, (*con il capo*) nod **3** (*indizio*) indication, sign, (*sintomo*) symptom **4** (*prova*) mark, token, (*simbolo*) symbol **5** (*bersaglio*) target **6** (*limite*) limit, (*grado*)

degree ♦ **tiro a s.** target-shooting
segregàre *v. tr.* to segregate, to isolate
segregazióne *s. f.* segregation, isolation
segréta *s. f.* dungeon
segretariàto *s. m.* secretariat(e)
segretàrio *s. m.* secretary
segreterìa *s. f.* **1** secretariat **2** (*ufficio*) secretary's office ♦ **s. telefonica** answering machine
segretézza *s. f.* secrecy
segréto *agg. e s. m.* secret
seguàce *s. m. e f.* follower
seguènte *agg.* following, next
segùgio *s. m.* (*zool.*) bloodhound
seguire A *v. tr.* **1** to follow **2** (*sorvegliare*) to supervise **3** (*frequentare*) to attend **B** *v. intr.* **1** to follow **2** (*continuare*) to continue **3** (*accadere*) to occur, to happen
seguitàre *v. tr. e intr.* to continue
séguito *s. m.* **1** (*scorta*) retinue, train, suite **2** (*insieme di seguaci*) followers *pl.* **3** (*sequela*) succession, series **4** (*continuazione*) continuation **5** (*effetto*) sequel, consequence **6** (*consenso*) following ♦ **in s.** later on; **in s. a** in consequence of
sèi *agg. num. card. e s. m. inv.* six
seicentésco *agg.* seventeenth-century (*attr*)
seicènto *agg. num. card. e s. m. inv.* six hundred
sélce *s. f.* flint
selciàto *s. m.* pavement
selettìvo *agg.* selective
selezionàre *v. tr.* to select, to pick out
selezióne *s. f.* selection
sèlla *s. f.* saddle
sellàre *v. tr.* to saddle
sellìno *s. m.* saddle
sélva *s. f.* wood
selvaggìna *s. f.* game
selvàggio *agg.* wild, savage
selvàtico *agg.* wild
semàforo *s. m.* traffic-lights *pl.*, (*ferr*) semaphore
sembiànza *s. f.* **1** (*fattezze*) countenance, face **2** (*apparenza*) appearance
sembràre *v. intr.* **1** to seem, to appear, to look (like) **2** (*impers.*) to seem, (*credere*) to think
séme *s. m.* **1** seed, (*di frutto*) pip **2** (*fig.*) seed, cause **3** (*delle carte da gioco*) suit
semènza *s. f.* seed
semestràle *agg.* **1** (*che dura un semestre*) six-month (*attr*) **2** (*che avviene ogni sei mesi*) six-monthly, half-yearly

semèstre *s. m.* semester, half-year
semiàsse *s. m.* axle-shaft
semiautomàtico *agg.* semiautomatic
semicérchio *s. m.* semicircle
semicircolàre *agg.* semicircular
semiconduttóre *s. m.* semiconductor
semifinàle *s. f.* semifinal
semilavoràto *agg.* semifinished
sémina *s. f.* sowing
seminàre *v. tr.* **1** to sow **2** (*spargere*) to scatter, to spread **3** (*lasciare indietro*) to leave behind
seminàrio *s. m.* **1** (*relig.*) seminary **2** (*università*) seminar
seminarìsta *s. m.* seminarist
seminfermità *s. f.* partial infirmity, (*mentale*) partial insanity
seminterràto *s. m.* basement
semioscurità *s. f.* half-darkness
semmài *cong.* if (ever), (*nel caso che*) in case
sémola *s. f.* bran
semolìno *s. m.* semolina
sémplice *agg.* **1** (*di un solo elemento*) simple, single **2** (*solo*) simple, mere **3** (*non ricercato*) simple, plain **4** (*facile*) easy, simple **5** (*di basso grado*) common, ordinary
semplicemènte *avv.* simply
semplicità *s. f.* simplicity
semplificàre *v. tr.* to simplify
sèmpre A *avv.* **1** always, all the time **2** (*senza interruzione*) always, throughout, ever **3** (*ancora*) still **B** *cong.* **s. che** provided (that), as long as ♦ **per s.** for ever; **s. meglio** better and better
sempervérde *agg.* evergreen
sènape *s. f.* mustard
senàto *s. m.* senate
senatóre *s. m.* senator
senilità *s. f.* senility
sénno *s. m.* sense, judgment
séno *s. m.* **1** breast, bosom **2** (*mat.*) sine **3** (*anat.*) sinus
sensàto *agg.* sensible
sensazionàle *agg.* sensational, thrilling
sensazióne *s. f.* **1** sensation, feeling **2** (*scalpore*) sensation
sensìbile *agg.* **1** (*che ha sensibilità*) sensitive **2** (*che si percepisce coi sensi*) sensible **3** (*rilevante*) notable, considerable
sensibilità *s. f.* **1** sensitiveness **2** (*scient.*) sensibility
sènso *s. m.* **1** sense **2** (*sensazione*) sensa-

tion, feeling **3** (*significato*) sense, meaning **4** (*direzione*) direction, way ♦ **buon s.** common sense; **s. unico** one-way only

sensuàle *agg.* sensual

sensualità *s. f.* sensuality

sentènza *s. f.* **1** (*dir*) sentence **2** (*massima*) saying

sentièro *s. m.* path, track

sentimentàle *agg.* sentimental

sentiménto *s. m.* sentiment, feeling

sentìna *s. f.* bilge

sentinèlla *s. f.* sentry

sentìre **A** *v. tr.* **1** to feel **2** (*gustare*) to taste **3** (*odorare*) to smell **4** (*udire*) to hear, (*ascoltare*) to listen to **B** *v. intr.* (*udire*) to heart **C** *v. rifl.* to feel ♦ **sentirsi bene/male/stanco** to feel well/ill/tired when eating)

sènza **A** *prep.* **1** (*mancanza*) without **2** (*negazione*) un-, in-, -less (*con agg. e avv.*) **3** (*esclusione*) excluding **B** *cong.* **s. (che)** without (*col gerundio*) (ES: **s. mangiare** without eating)

separàre **A** *v. tr.* to separate, to divide, to part **B** *v. rifl. e rifl. rec.* to separate, to part

separàto *agg.* separate

separatóre *s. m.* separator

separazióne *s. f.* separation

sepolcràle *agg.* sepulchral

sepólcro *s. m.* grave, sepulchre

sepólto *agg.* buried

sepoltùra *s. f.* **1** burial **2** (*sepolcro*) grave

seppellìre *v. tr.* to bury

séppia *s. f.* cuttlefish ♦ **nero di s.** sepia; **osso di s.** cuttlebone

sequènza *s. f.* sequence

sequestràbile *agg.* sequestrable, seizable

sequestràre *v. tr.* **1** (*dir*) to seize, to sequestrate, to confiscate **2** (*portar via*) to take away **3** (*rapire una persona*) to kidnap

sequèstro *s. m.* **1** sequestration, seizure **2** (*di persona*) kidnapping

sequòia *s. f.* redwood, sequoia

séra *s. f.* evening, night

seràle *agg.* evening (*attr*), night (*attr*)

seràta *s. f.* evening, night

serbàre **A** *v. tr.* **1** (*mettere da parte*) to lay aside **2** (*conservare*) to keep **B** *v. rifl.* to keep, to remain

serbatóio *s. m.* tank, reservoir

sèrbo *agg. e s. m.* Serbian

serenità *s. f.* serenity

seréno **A** *agg.* **1** clear, serene **2** (*fig.*) calm, tranquil **B** *s. m.* clear sky

sergènte *s. m.* sergeant

seriàle *agg.* serial

sèrie *s. f.* **1** series **2** (*assortimento*) set **3** (*fila*) row, line **4** (*sport*) division ♦ **di s.** **B** (*fig.*) second-rate; **numero di s.** serial number; **produzione in s.** mass production

serietà *s. f.* **1** seriousness **2** (*gravità*) gravity

serigrafìa *s. f.* silk-screen printing, serigraphy

sèrio *agg.* **1** serious, earnest **2** (*grave*) serious, grave

sermóne *s. m.* sermon

serpeggiàre *v. intr.* **1** to wind, to meander **2** (*insinuarsi*) to spread

serpènte *s. m.* snake

sèrra *s. f.* greenhouse

serrànda *s. f.* shutter

serràre **A** *v. tr.* **1** to shut, to close, (*a chiave*) to lock **2** (*stringere*) to tighten, to clasp **3** (*incalzare*) to press hard upon **B** *v. rifl.* to lock oneself **C** *v. intr. pron.* to tighten

serràta *s. f.* lock-out

serratùra *s. f.* lock

servìle *agg.* **1** servile, slavish **2** (*gramm.*) auxiliary

servìre **A** *v. tr.* **1** to serve, to attend **2** (*di persona di servizio*) to wait on **3** (*offrire cibi*) to serve, to help **4** (*dare le carte*) to deal **B** *v. intr.* **1** (*prestare servizio*) to serve **2** (*a tavola*) to serve, to wait **3** (*giovare*) to serve, to be of use **4** (*fare l'ufficio di*) to serve, to act as **5** (*tennis*) to serve **6** (*occorrere*) to need **C** *v. intr. pron.* **1** (*usare*) to use, to make use **2** (*a tavola*) to help oneself **3** (*fornirsi*) to buy, to get, (*abitualmente*) to be a steady customer

servitù *s. f.* **1** servitude, slavery **2** (*personale di servizio*) servants *pl.*

serviziévole *agg.* helpful

servìzio *s. m.* **1** service **2** (*mil.*) service, duty **3** (*favore*) favour **4** (*serie di oggetti*) set, service **5** (*giornalistico*) report **6** *al pl.* services *pl.* ♦ **donna di s.** maid; **fuori s.** out of order; **servizi igienici** bathroom

sèrvo *s. m.* servant

servocomàndo *s. m.* servocontrol

servofréno *s. m.* servobrake

servomeccanìsmo *s. m.* servomechanism

servomotóre *s. m.* servomotor

servostèrzo *s. m.* power steering

sessànta *agg. num. card. e s. m. inv.* sixty

sessantésimo *agg. num. ord. e s. m.* sixtieth

sessióne *s. f.* session

sèsso *s. m.* sex

sessuàle *agg.* sexual, sex *(attr)*

sessualità *s. f.* sexuality

sestànte *s. m.* sextant

sèsto *agg. num. ord. e s. m.* sixth

séta *s. f.* silk

setàccio *s. m.* sieve

séte *s. f.* thirst ♦ **avere s.** to be thirsty

setifìcio *s. m.* silk mill

sétola *s. f.* bristle

sètta *s. f.* sect

settànta *agg. num. card. e s. m. inv.* seventy

settantèsimo *agg. num. ord. e s. m.* seventieth

settàrio *s. m.* sectarian, *(fazioso)* factious

sètte *agg. num. card. e s. m. inv.* seven

settecènto *agg. num. card. e s. m. inv.* seven hundred

settèmbre *s. m.* September

settentrionàle *agg.* northern, north *(attr)*

settentrióne *s. m.* north

sèttico *agg.* septic

settimàna *s. f.* week ♦ **la prossima s.** next week; **la scorsa s.** last week

settimanàle **A** *agg.* weekly, week *(attr)* **B** *s. m.* weekly (magazine)

settimanalménte *avv.* weekly

sèttimo *agg. num. ord. e s. m.* seventh

sètto *s. m.* septum

settóre *s. m.* **1** sector **2** *(fig.)* field, area, sector

severità *s. f.* severity, strictness, rigour

sevèro *agg.* **1** severe, strict **2** *(sobrio)* austere

sevìzia *s. f.* torture

seviziàre *v. tr.* to torture

sezionàre *v. tr.* to dissect

sezióne *s. f.* **1** section **2** *(reparto)* division, department

sfaccendàto *s. m.* idler

sfacciatàggine *s. f.* impudence, cheekiness

sfacciàto *agg.* **1** impudent, cheeky **2** *(di colore)* gaudy

sfacèlo *s. m.* breakup, ruin

sfaldàre **A** *v. tr.* to flake **B** *v. intr. pron.* **1** to flake off, to scale off **2** *(fig.)* to break up

sfamàre **A** *v. tr.* to feed **B** *v. rifl.* to appease one's hunger, to feed oneself

sfàrzo *s. m.* pomp, magnificence

sfasaménto *s. m.* **1** *(elettr)* phase displacement **2** *(stordimento)* bewilderment, confusion

sfasciàre (1) *v. tr. (sbendare)* to unbandage

sfasciàre (2) **A** *v. tr.* **1** *(rompere)* to shatter, to smash **2** *(fig.)* to break upon **B** *v. intr. pron.* to fall to pieces

sfatàre *v. tr.* to discredit

sfavillàre *v. intr.* to shine, to sparkle

sfavorévole *agg.* unfavourable

sfèra *s. f.* **1** sphere **2** *(mecc.)* ball ♦ **cuscinetto a sfere** ball bearing

sfèrico *agg.* spheric(al)

sferragliàre *v. intr.* to clang

sferràre *v. tr.* to land, to deliver

sferzàre *v. tr.* **1** to whip **2** *(fig.)* to lash out at, *(incitare)* to drive

sfìda *s. f.* challenge

sfidàre **A** *v. tr.* **1** to challenge, to defy **2** *(affrontare)* to face, to brave **B** *v. rifl. rec.* to challenge each other

sfidùcia *s. f.* mistrust, distrust, *(politica)* no confidence

sfiguràre **A** *v. tr.* to disfigure, to spoil **B** *v. intr.* to cut a poor figure

sfilàre **A** *v. tr.* **1** to unthread **2** *(togliere di dosso)* to slip off **B** *v. intr. pron.* to get unthreaded

sfilàta *s. f.* **1** parade **2** *(serie)* string

sfìnge *s. f.* sphinx

sfinìre **A** *v. tr.* to exhaust, to wear out **B** *v. intr. pron.* to wear oneself out

sfioràre *v. tr.* **1** to graze, to skim **2** *(fig.)* to touch on **3** *(stare per raggiungere)* to be on the verge of

sfiorìre *v. intr.* to fade, to wither

sfocàto *agg.* **1** *(fot.)* out of focus, blurred **2** *(fig.)* hazy, vague

sfociàre *v. intr.* **1** to flow (into) **2** *(fig.)* to result (in)

sfoderàre *v. tr.* **1** *(togliere la fodera)* to remove the lining **2** *(sguainare)* to unsheathe **3** *(ostentare)* to make a display (of)

sfoderàto *agg.* unlined

sfogàre **A** *v. tr.* to give vent to, to let out **B** *v. intr.* to come out **C** *v. intr. pron.* **1** to relieve one's feelings **2** *(prendersela)* to take it out **3** *(levarsi la voglia)* to take one's fill

sfoggiàre *v. tr.* to show off

sfòglia *s. f.* **1** *(lamina)* foil **2** *(pasta sfoglia)* puff pastry

sfogliàre (1) **A** *v. tr. (togliere le foglie)* to strip the leaves of, *(un fiore)* to pluck the petals off **B** *v. intr. pron.* to lose leaves, *(di fiore)* to shed petals

sfogliàre (2) **A** *v. tr. (scorrere frettolo-*

samente) to leaf through, to turn over the pages of **B** *v. rifl.* (*sfaldarsi*) to flake

sfógo *s. m.* **1** vent, outlet **2** (*eruzione cutanea*) rash

sfolgorànte *agg.* blazing, shining

sfollagènte *s. m. inv.* truncheon, baton

sfollàre **A** *v. tr.* to disperse, to clear, to evacuate **B** *v. intr.* to disperse, to evacuate

sfoltire *v. tr.* **1** to thin (out) **2** (*fig.*) to cut, to reduce

sfondàre **A** *v. tr.* **1** (*rompere il fondo di*) to knock the bottom out of, to break the bottom of **2** (*rompere passando*) to break through, to break down **3** (*mil.*) to break through **B** *v. intr.* to make a name for oneself, to have success **C** *v. intr. pron.* to break at the bottom

sfóndo *s. m.* background

sformàre **A** *v. tr.* **1** (*togliere la forma*) to put out of shape **2** (*togliere dalla forma*) to remove from the mould, to turn out **B** *v. intr. pron.* to lose one's shape

sfornàre *v. tr.* **1** to take out of the oven **2** (*produrre*) to bring out

sfornito *agg.* deprived, (*di merci*) unstocked

sfortùna *s. f.* bad luck, ill luck, (*disgrazia*) misfortune

sfortunataménte *avv.* unfortunately, unluckily

sfortunàto *agg.* **1** unlucky, unfortunate **2** (*con esito negativo*) unsuccessful

sforzàre **A** *v. tr.* to force, to strain **B** *v. intr. pron.* to strive

sfòrzo *s. m.* **1** effort, strain **2** (*mecc.*) stress, strain

sfrattàre *v. tr.* to turn out, to evict

sfràtto *s. m.* turning out, eviction

sfrecciàre *v. intr.* to speed

sfregàre *v. tr.* **1** to rub, (*per pulire*) to polish **2** (*graffiare*) to scratch

sfregiàre *v. tr.* to slash, to disfigure

sfrégio *s. m.* slash, cut

sfrenàto *agg.* unbridled, unrestrained

sfrontàto *agg.* impudent

sfruttaménto *s. m.* exploitation

sfruttàre *v. tr.* **1** to exploit, to overwork, to utilize **2** (*approfittare di*) to exploit, to take advantage of, to profit by **3** (*utilizzare al meglio*) to make the most of

sfruttatóre *s. m.* exploiter

sfuggìre **A** *v. intr.* to escape **B** *v. tr.* to avoid

sfumàre **A** *v. intr.* **1** to vanish, to disappear, to fade away **2** (*andare in fumo*) to come in nothing **3** (*di colore*) to shade **B** *v. tr.* to shade

sfumatùra *s. f.* **1** shade, nuance **2** (*tocco*) touch, hint **3** (*di capelli*) tapering

sfuocàto *agg.* →**sfocato**

sfuriàta *s. f.* **1** fit of anger **2** (*rimprovero*) tirade

sgabèllo *s. m.* stool

sgabuzzìno *s. m.* closet, store-room

sganciàre **A** *v. tr.* **1** to unhook, (*staccare*) to disconnect **2** (*fam.*) (*denaro*) to stump up **B** *v. rifl. e intr. pron.* **1** to be unhooked **2** (*liberarsi*) to get away

sgangheràto *agg.* ramshackle

sgarbàto *agg.* rude

sgàrbo *s. m.* rudeness

sgargiànte *agg.* showy, gaudy

sgattaiolàre *v. intr.* to slip away

sgelàre *v. tr. e intr.* to thaw, to defrost

sghémbo *agg.* oblique

sghignazzàre *v. intr.* to laugh scornfully

sgobbàre *v. intr.* to work hard, to grind away

sgocciolàre **A** *v. intr.* to drip, to trickle **B** *v. tr.* **1** to drip **2** (*svuotare*) to drain, to empty

sgocciolatóio *s. m.* drip

sgolàrsi *v. intr. pron.* to shout oneself hoarse

sgombràre **A** *v. tr.* **1** to clear, to clear away **2** (*un alloggio*) to vacate, to move out of **B** *v. intr.* to clear out

sgómbro *s. m.* mackerel

sgomentàre **A** *v. tr.* to dismay, to frighten **B** *v. intr. pron.* to be frightened

sgoménto *s. m.* dismay, fright

sgonfiàre *v. tr. e intr. pron.* to deflate

sgónfio *agg.* deflated, flat

sgòrbio *s. m.* scrawl, scribble

sgorgàre **A** *v. intr.* to gush out, to flow **B** *v. tr.* to unclog

sgozzàre *v. tr.* to cut the throat of

sgradévole *agg.* disagreeable, unpleasant

sgradìto *agg.* unpleasant, unwelcome

sgranàre *v. tr.* to shell, to hull

sgranchìre *v. tr. e rifl.* to stretch

sgranocchiàre *v. tr.* to munch

sgrassàre *v. tr.* to degrease

sgraziàto *agg.* awkward, clumsy

sgretolàre *v. tr. e intr. pron.* to crumble

sgridàre *v. tr.* to scold, to rebuke

sgridàta *s. f.* scolding, telling-off

sguaiàto *agg.* coarse

sgualcìre *v. tr. e intr. pron.* to crease

sguàrdo *s. m.* look, glance ♦ **dare uno s. a q.c.** to have a look at st.

sguazzàre *v. intr.* to wallow

sguinzagliàre v. tr. to let loose, (dietro a qc.) to set on

sgusciàre (1) v. tr. (togliere il guscio) to shell, to hull

sgusciàre (2) v. intr. (sfuggire) to slip away

shampoo s. m. inv. shampoo

shock s. m. inv. shock

si A pron. rifl. 3ª 1 (con i v. rifl.) himself m., herself f., itself n., themselves pl., (con sogg. impers.) oneself (ES: **vestirsi** to dress oneself, **egli si vestì** he dressed himself, **essi si vestirono** they dressed themselves) 2 (con i v. rifl. impropri, in funzione di compl. di termine) si rende con l'agg. poss. (ES: **si è fatto male a un ginocchio** he hurt his knee) 3 (con i v. intr pron.) idiom. (ES: **si dimentica sempre di chiudere la finestra** he always forgets to close the window) B pron. rec. one another, (tra due) each other (ES: **i miei genitori si amano** my parents love each other) C pron. indef. 1 one, they, people, we, you, man (ES: **si vede che ...** one can see ..., **si dice che ...** people say that ..., **in Inghilterra si beve molta birra** in England they drink a lot of beer) 2 (con valore passivo) (ES: **si parla inglese** English is spoken here) 3 (con valore pleonastico) idiom. (ES: **si è mangiato un dolce intero** he ate a whole cake)

sì A avv. yes B s. m. inv. 1 yes 2 (voto favorevole) ay

sia ... sia cong. 1 (tanto ... quanto) both ... and 2 (o ... o) whether ... or, either ... or

sibilàre v. intr. to whistle

sìbilo s. m. whistle

sicàrio s. m. hired killer

sicché cong. 1 (perciò) so 2 (così che) so that

siccità s. f. drought

siccóme cong. as, since, because

siciliàno agg. e s. m. Sicilian

sicuraménte avv. certainly, of course

sicurézza s. f. 1 security, safety 2 (l'esser sicuro) assurance, (self-)confidence 3 (certezza) certainty ♦ **uscita di s.** emergency exit

sicùro A agg. 1 safe, secure 2 (certo) sure, certain 3 (saldo) steady 4 (esperto) skilful, expert, confident 5 (affidabile) reliable, trusty B s. m. safety, safety place ♦ **di s.** certainly

siderurgìa s. f. iron metallurgy

sìdro s. m. cider

sièpe s. f. hedge

sièro s. m. serum, (del latte) whey

sieroterapìa s. f. serotherapy

sièsta s. f. siesta, nap

sifóne s. m. siphon

sigarétta s. f. cigarette

sìgaro s. m. cigar

sigillàre v. tr. to seal

sigillo s. m. seal

sìgla s. f. 1 initials pl., abbreviation 2 (mus.) signature tune

siglàre v. tr. to initial, to sign

significàre v. tr. 1 to mean, to signify 2 (valere) to mean, to matter, (simboleggiare) to stand for

significativo agg. 1 significant, expressive 2 (importante) important

significàto s. m. 1 meaning, sense 2 (importanza) importance, significance

signóra s. f. 1 lady, woman 2 (davanti al nome) Mrs, (vocativo, senza nome) madam

signóre s. m. 1 gentleman, man 2 (davanti al nome) Mr, (vocat. senza nome) sir

signorìa s. f. rule, dominion

signorile agg. elegant, luxury

signorìna s. f. 1 young lady, girl 2 (davanti al nome) Miss, (vocativo, senza nome) madam, miss

silenziatóre s. m. silencer

silènzio s. m. silence

silenzióso agg. 1 silent 2 (senza rumori) quiet

silìcio s. m. silicon

sìllaba s. f. syllable

siluràre v. tr. 1 to torpedo 2 (licenziare) to oust

silùro s. m. torpedo

silvèstre agg. silvan

simbiòsi s. f. symbiosis

simboleggiàre v. tr. to symbolize

simbòlico agg. symbolic(al)

simbolìsta s. m. e f. symbolist

simbolo s. m. symbol

simile A agg. 1 similar, like, alike (pred.) 2 (tale) such B s. m. (prossimo) fellow

similitùdine s. f. 1 (letter.) simile 2 (mat.) similitude 3 (rassomiglianza) likeness

simmetrìa s. f. symmetry

simmètrico agg. symmetric(al)

simpatìa s. f. liking, attraction

simpàtico agg. 1 nice, pleasant 2 (anat.) sympathetic

simpatizzànte s. m. sympathizer

simpatizzàre v. intr. 1 to take a liking to

each other **2** (*sostenere*) to sympathize with

simpòsio *s. m.* symposium

simulàre **A** *v. tr.* to simulate, to sham **B** *v. intr.* to pretend

simulazióne *s. f.* simulation

simultàneo *agg.* simultaneous

sinagòga *s. f.* synagogue

sincerità *s. f.* sincerity

sincèro *agg.* sincere, true

sìncope *s. f.* syncope

sincronìa *s. f.* synchrony

sindacàle *agg.* union (*attr*)

sindacalìsta *s. m. e f.* trade unionist

sindacàto *s. m.* **1** trade union, (*USA*) labour union **2** (*fin.*) syndicate, pool

sìndaco *s. m.* **1** mayor **2** (*di società*) auditor

sìndrome *s. f.* syndrome

sinfonìa *s. f.* symphony

sinfònico *agg.* symphonic

singhiozzàre *v. intr.* **1** (*avere il singhiozzo*) to hiccup **2** (*piangere*) to sob

singhiòzzo *s. m.* **1** hiccup **2** (*di pianto*) sob

singolàre **A** *agg.* **1** (*gramm.*) singular **2** (*strano*) singular, unusual, strange **3** (*raro*) rare **B** *s. m.* **1** (*gramm.*) **2** (*tennis*) singles

sìngolo **A** *agg.* **1** single, individual, separate **2** (*unico*) single, sole **B** *s. m.* individual

sinìstra *s. f.* left

sinìstro **A** *agg.* **1** left **2** (*minaccioso*) sinister, grim **B** *s. m.* accident

sìno → **fino (2)**

sinònimo *s. m.* synonym

sintàssi *s. f.* syntax

sìntesi *s. f.* synthesis

sintètico *agg.* **1** synthetic(al) **2** (*conciso*) concise ♦ **fibre sintetiche** synthetic fibres

sintetizzàre *v. tr.* **1** to synthetize **2** (*riassumere*) to summarize

sintomàtico *agg.* **1** symptomatic(al) **2** (*significativo*) significant, indicative

sintomatologìa *s. f.* symptomatology

sìntomo *s. m.* symptom

sinuóso *agg.* winding

sinusìte *s. f.* sinusitis

sipàrio *s. m.* curtain

sirèna *s. f.* siren

sirìnga *s. f.* syringe

sìsma *s. m.* seism, earthquake

sìsmico *agg.* seismic(al)

sismògrafo *s. m.* seismograph

sismòlogo *s. m.* seismologist

sistèma *s. m.* system

sistemàre **A** *v. tr.* **1** (*ordinare*) to arrange, to put in order **2** (*definire*) to settle, to resolve **3** (*collocare*) to place, (*in un alloggio*) to accomodate, to put up **4** (*procurare lavoro, far sposare*) to fix up **B** *v. rifl.* **1** (*trovare alloggio*) to settle **2** (*trovare lavoro*) to find a job **3** (*mettersi a posto*) to settle down

sistemàtico *agg.* systematic

sistemazióne *s. f.* **1** organization, arrangement, (*collocazione*) placing, layout **2** (*definizione*) settlement **3** (*in alloggio*) accomodation **4** (*impiego*) job

sìto *s. m.* place, site

situàre **A** *v. tr.* to site, to place **B** *v. intr. pron.* to be situated

situazióne *s. f.* situation

skipper *s. m. e f. inv.* skipper

slacciàre *v. tr.* to unlace, to loosen

slàncio *s. m.* **1** rush, run **2** (*fig.*) impulse, fit

slavàto *agg.* **1** washed out, (*pallido*) pale **2** (*fig.*) dull

slavìna *s. f.* snowslide

slàvo *agg. e s. m.* Slav

sleàle *agg.* disloyal, (*non corretto*) unfair

slegàre **A** *v. tr.* to untie, to unfasten **B** *v. rifl.* to untie oneself, to loosen

slip *s. m. inv.* panties *pl.*, briefs *pl.*

slìtta *s. f.* **1** sleigh, sledge, (*USA*) sled **2** (*mecc.*) slide

slittàre *v. intr.* **1** (*scivolare*) to skid, (*mecc.*) to slip **2** (*perdere valore*) to slide, to fall **3** (*essere rinviato*) to be postponed

slogàre *v. tr. e intr. pron.* to dislocate

slogatùra *s. f.* dislocation

sloggiàre **A** *v. tr.* to drive out, (*sfrattare*) to evict **B** *v. intr.* to clear out

smacchiàre *v. tr.* to clean

smacchiatóre *s. m.* stain remover

smàcco *s. m.* blow

smagliànte *agg.* dazzling

smagliatùra *s. f.* **1** (*di calza*) ladder **2** (*di pelle*) stretch mark **3** (*fig.*) gap

smaliziàto *agg.* knowing

smaltàre *v. tr.* to enamel, (*ceramica*) to glaze

smaltatùra *s. f.* enamelling, (*di ceramica*) glazing

smaltìre *v. tr.* **1** (*digerire*) to digest, (*fig.*) to swallow **2** (*vendere*) to sell off, to clear **3**

(*eliminare*) to take off, (*acque*) to drain, (*rifiuti*) to dispose of **4** (*sbrigare*) to finish off

smàlto s. m. **1** enamel **2** (*per unghie*) nail varnish **3** (*fig.*) shine

smània s. f. **1** (*desiderio*) longing, craving **2** (*frenesia*) agitation, frenzy

smantellàre v. tr. to dismantle

smarrimént o s. m. **1** loss, (*di lettera, pacco*) miscarriage **2** (*confusione*) confusion, bewilderment

smarrìre A v. tr. to lose, to mislay **B** v. intr. pron. **1** (*perdere la strada*) to lose one's way **2** (*andare perduto*) to get lost **3** (*confondersi*) to get confused

smarrìto agg. **1** lost, mislaid **2** (*fig.*) bewildered

smascheràre v. tr. to unmask

smentìre A v. tr. **1** to belie, to deny **2** (*ritrattare*) to withdraw **B** v. rifl. to contradict oneself

smentìta s. f. denial

smeràldo s. m. emerald

smerciàre v. tr. to sell

smèrlo s. m. scallop

smétter e v. intr. to stop, to leave off, to give up

smilzo agg. thin

sminuìre v. tr. to belittle, to play down

sminuzzàre v. tr. to mince, to crumble

smistaménto s. m. **1** sorting, clearing **2** (*ferr*) shunting, switching

smistàre v. tr. **1** to sort **2** (*ferr*) to shunt, to switch

smisuràto agg. immeasurable, immense

smodàto agg. immoderate

smoking s. m. inv. dinner jacket

smontàggio s. m. disassembly

smontàre A v. tr. **1** to disassemble, to take in pieces **2** (*scoraggiare*) to discourage **3** (*demolire*) to demolish **B** v. intr. **1** (*da un mezzo*) to get off, (*da cavallo*) to dismount **2** (*finire il turno*) to go off duty, to stop work

smòrfia s. f. grimace

smorfióso agg. simpering

smòrto agg. pale, faded, dull

smorzàre A v. tr. **1** (*luce*) to shade, to dim, (*suono*) to deaden, (*colore*) to tone down **2** (*estinguere*) to slake, (*fig.*) to appease **B** v. intr. pron. **1** to grow fainter, to fade **2** (*fig.*) to be appeased

smottaménto s. m. landslip

smùnto agg. (*pallido*) pale, (*emaciato*) lean, emaciated

smuòver e v. tr. **1** to move, to shift **2** (*dissuadere*) to dissuade, to budge **3** (*commuovere*) to move, to touch

smussàre v. tr. **1** to round off **2** (*fig.*) to soften, to smooth

snaturàto agg. heartless

snèllo agg. slender, slim

snervànte agg. enervating

snidàre v. tr. to flush, to dislodge

snobbàre v. tr. to snob

snobìsmo s. m. snobbery

snocciolàre v. tr. **1** to stone **2** (*spiattellare*) to tell

snodàre A v. tr. **1** (*sciogliere*) to loosen **2** (*rendere agile*) to make supple **B** v. intr. pron. **1** to come loose **2** (*di strada*) to wind

snòdo s. m. **1** articulated joint **2** (*svincolo*) junction

soàve agg. sweet

sobbalzàre v. intr. **1** to jerk, to jolt **2** (*trasalire*) to start

sobbàlzo s. m. jerk, jolt

sobbarcàrsi v. rifl. to take upon oneself

sobbórgo s. m. suburb

sobillàre v. tr. to stir up

sòbrio agg. **1** sober, moderate **2** (*semplice*) simple, plain

socchiùdere v. tr. **1** (*chiudere*) to half-close, to close a little **2** (*aprire*) to half-open, to leave ajar

soccórrere v. tr. to help, to aid, to assist

soccorritóre s. m. helper, rescuer

soccórso s. m. **1** help, aid, (*salvataggio*) rescue **2** (*med.*) aid ♦ **pronto s.** first aid; **s. stradale** breakdown service

socialdemocràtico agg. Social Democratic

sociàle agg. **1** social **2** (*di società*) corporate, company (*attr*) **3** (*di associazione*) club (*attr*) ♦ **assistente s.** social worker; **previdenza s.** social security

socialìsmo s. m. Socialism

socialìsta agg. e s. m. e f. Socialist

società s. f. **1** society **2** (*dir., econ.*) company, partnership, firm, (*USA*) corporation

sociévole agg. sociable

sòcio s. m. **1** member **2** (*di accademia, società scientifica*) fellow **3** (*dir., econ.*) partner, associate

sociologìa s. f. sociology

sociòlogo s. m. sociologist

sòda s. f. soda

sodalìzio s. m. 1 association 2 (legame amichevole) fellowship

soddisfacènte agg. satisfactory

soddisfàre A v. tr. 1 to satisfy, to please, to gratify 2 (adempiere) to fulfil, to meet, to discharge, (pagare) to pay off B v. intr. to fulfil, to discharge

soddisfazióne s. f. 1 satisfaction, pleasure 2 (adempimento) fulfilment

sòdio s. m. sodium

sòdo agg. solid, firm, hard ◆ **uovo s.** hard-boiled egg

sofà s. m. sofa

sofferènte agg. 1 suffering 2 (che mostra sofferenza) painstricken

sofferènza s. f. suffering, pain

soffiàre A v. intr. to blow B v. tr. 1 to blow, to puff 2 (fam.) (portar via) to steal

sòffice agg. soft

sóffio s. m. 1 puff, whiff, breath 2 (med.) murmur

soffitta s. f. attic

soffitto s. m. ceiling

soffocaménto s. m. choking, suffocation

soffocànte agg. choking, stifling

soffocàre v. tr. e intr. to choke, to suffocate, to stifle

soffrìggere v. tr. e intr. to fry slightly

soffrire A v. tr. 1 to suffer, to endure 2 (sopportare) to stand, to bear B v. intr. to suffer

sofisticàto agg. 1 sophisticated 2 (adulterato) adulterated

software s. m. inv. software

soggettìvo agg. subjective

soggètto (1) agg. 1 (sottoposto) subject 2 (incline) subject, prone 3 (dipendente) dependent

soggètto (2) s. m. 1 (argomento) subject, (subject) matter, topic 2 (individuo) subject, person, (spreg.) character 3 (gramm.) subject

soggezióne s. f. 1 subjection 2 (timore) awe, (imbarazzo) uneasiness

sogghignàre v. intr. to sneer

soggiornàre v. intr. to stay

soggiórno s. m. 1 stay 2 (stanza) living-room ◆ **permesso di s.** residence permit

soggiùngere v. tr. e intr. to add

sòglia s. f. threshold

sògliola s. f. sole

sognànte agg. dreamy

sognàre v. tr. e intr. to dream

sognatóre s. m. dreamer

sógno s. m. dream

sòia s. f. soya-bean

solàio s. m. attic

solaménte avv. only, just

solàre agg. solar, sun (attr)

sólco s. m. furrow, (traccia) track

soldàto s. m. soldier

sòldo s. m. 1 (moneta) coin, penny 2 al pl. money

sóle s. m. sun, (luce, calore) sunshine

soleggiàto agg. sunny

solènne agg. solemn

solennità s. f. 1 solemnity 2 (festività) holiday

solfàto s. m. sulphate

solféggio s. m. solfeggio

solidàle agg. 1 united, solidly behind (pred.) 2 (dir) jointly liable 3 (mecc.) integral

solidarietà s. f. solidarity

solidità s. f. solidity

sòlido A agg. 1 (fis., geom.) solid 2 (stabile) solid, stable, (di colore) fast 3 (saldo) sound B s. m. solid

solilòquio s. m. soliloquy

solìsta A agg. solo B s. m. e f. soloist

solitaménte avv. usually

solitàrio A agg. 1 (di persona) solitary, lone (attr) 2 (di luogo) lonely B s. m. 1 (brillante) solitaire 2 (con le carte) patience

sòlito agg. usual, customary

solitùdine s. f. solitude

sollecitàre v. tr. 1 to urge, to press for, to solicit 2 (mecc.) to stress

sollecitazióne s. f. 1 solicitation 2 (comm.) request 3 (mecc.) stress

sollécito A agg. prompt, ready B s. m. request, reminder

sollecitùdine s. f. 1 promptness, speed 2 (interessamento) concern, care 3 (attenzione) kindness

solleticàre v. tr. to tickle

sollético s. m. tickle, tickling

sollevàre A v. tr. 1 to raise, to lift 2 (fig.) to relieve, to comfort 3 (far sorgere) to raise 4 (far insorgere) to stir up B v. rifl. e intr. pron. 1 to rise, to arise 2 (riprendersi) to get over 3 (insorgere) to rise

sollièvo s. m. relief

sólo A agg. 1 alone (pred.) 2 (unico) only 3 (esclusivo) sole B s. m. only one C avv. only, just ◆ **da s.** by oneself

soltànto *avv.* only, just

solùbile *agg.* **1** soluble **2** (*risolvibile*) solvable ♦ **caffè s.** instant coffee

soluzióne *s. f.* **1** (*chim.*) solution **2** (*spiegazione*) solution, solving

solvènte *agg. e s. m.* solvent

sòma *s. f.* load

somàro *s. m.* ass, donkey

somiglianza *s. f.* resemblance, likeness

somigliàre A *v. tr. e intr.* to resemble, to be like, to look like **B** *v. rifl. rec.* to be like each other, to be alike

sómma *s. f.* **1** (*mat.*) sum, total, amount, (*operazione*) addition **2** (*di denaro*) sum (of money), amount

sommàre A *v. tr.* to add, to sum **B** *v. intr.* (*ammontare*) to amount ♦ **tutto sommato** all things considered, all in all

sommàrio A *agg.* **1** summary, brief **2** (*dir*) summary **3** (*approssimativo*) perfunctory **B** *s. m.* summary

sommèrgere *v. tr.* **1** to submerge, (*inondare*) to flood **2** (*colmare*) to overwhelm

sommergìbile *s. m.* submarine

sommésso *agg.* **1** humble **2** (*di suono*) low, soft

somministràre *v. tr.* to give (out), to administer

sommità *s. f.* top, summit, peak

sómmo A *agg.* **1** highest **2** (*fig.*) supreme, (*grande*) great **3** *s. m.* summit, top, peak ♦ **per sommi capi** briefly

sommòssa *s. f.* rising, revolt

sommozzatóre *s. m.* scuba diver, frogman

sonàglio *s. m.* rattle

sonàre → **suonare**

sónda *s. f.* **1** (*med.*) probe **2** (*meteor*) sonde **3** (*miner.*) drill

sondàggio *s. m.* **1** sounding **2** (*med.*) probing **3** (*indagine*) poll, survey

sondàre *v. tr.* to sound, to probe

sonétto *s. m.* sonnet

sonnàmbulo *agg.* sleepwalker

sonnecchiàre *v. intr.* to doze

sonnìfero *s. m.* sleeping pill, sleeping draught

sónno *s. m.* sleep

sonnolènza *s. f.* sleepiness, drowsiness

sonorità *s. f.* sonority, acoustics *pl.*

sonòro A *agg.* **1** sonorous, resonant **2** (*rumoroso*) loud **3** (*cin.*) sound (*attr*) **4** (*fon.*) voiced **B** *s. m.* **1** (*cin.*) talkie **2** (*audio*) sound

sontuóso *agg.* sumptuous

soporìfero *agg.* soporific

soppesàre *v. tr.* **1** to weigh in one's hand **2** (*fig.*) to consider carefully, to weigh

soppiàtto, di *loc. avv.* stealthily

sopportàbile *agg.* bearable, endurable

sopportàre A *v. tr.* to support, to bear, to endure, to stand, to put up with **B** *v. rifl. rec.* to stand each other

sopprìmere *v. tr.* **1** to suppress, to abolish, to cancel **2** (*uccidere*) to kill, to put down

sópra A *avv.* **1** up, on, above **2** (*al piano superiore*) upstairs **3** (*precedentemente*) above **B** *prep.* **1** (*sovrapposizione con contatto*) on, upon, up, on to, (*in cima a*) on top of **2** (*sovrapposizione senza contatto, rivestimento*) over **3** (*più in alto di*) above **4** (*oltre*) over **5** (*di seguito*) after **6** (*riguardo*) on

sopràbito *s. m.* overcoat

sopracciglio *s. m.* eyebrow

sopraddétto *agg.* above-mentioned, aforesaid (*attr*)

sopraffàre *v. tr.* to overcome, to overwhelm

sopraffìno *agg.* first-rate, excellent

sopraggiùngere *v. intr.* **1** to arrive, to come **2** (*accadere*) to happen, to turn up

sopralluògo *s. m.* on-the-spot investigation, inspection

soprammòbile *s. m.* knick-knack

soprannóme *s. m.* nickname

sopràno *s. m. e f.* soprano

soprassedére *v. intr.* to put off, to wait

soprattùtto *avv.* above all

sopravvalutàre *v. tr.* to overestimate, to overvalue

sopravvènto *s. m.* upper hand

sopravvissùto *s. m.* survivor

sopravvivènza *s. f.* survival

sopravvìvere *v. intr.* to survive

soprùso *s. m.* abuse of power

soqquàdro *s. m.* confusion

sorbétto *s. m.* water ice, sorbet

sorbìre *v. tr.* **1** to sip **2** (*sopportare*) to put up with

sòrdido *agg.* sordid, dirty

sordìna *s. f.* mute ♦ **in s.** on the sly

sordità *s. f.* deafness

sórdo A *agg.* **1** deaf **2** (*di suono*) dull, muffled **B** *s. m.* deaf person

sordomùto *agg.* deaf and dumb

sorèlla *s. f.* sister

sorellàstra *s. f.* half-sister, stepsister

sorgènte A *agg.* rising **B** *s. f.* spring, source

sórgere v. intr. **1** (*levarsi*) to rise **2** (*scaturire*) to rise, to arise, to spring out **3** (*elevarsi*) to stand, to rise

soriàno s. m. tabby (cat)

sormontàre v. tr. to surmount

sorniòne agg. sly, crafty

sorpassàre v. tr. **1** to go beyond, to exceed to surpass **2** (*autom.*) to overtake

sorpàsso s. m. overtaking ♦ **divieto di s.** no overtaking

sorprendènte agg. surprising

sorprèndere A v. tr. **1** (*cogliere di sorpresa*) to catch **2** (*meravigliare*) to surprise **B** v. intr. pron. to be surprised

sorprésa s. f. surprise

sorpréso agg. surprised

sorrèggere v. tr. to support, to hold up

sorridènte agg. **1** smiling **2** (*benevolo*) good-natured

sorridere v. intr. **1** to smile **2** (*attrarre*) to make happy

sorrìso s. m. smile

sorseggiàre v. tr. to sip

sórso s. m. **1** sip, gulp, draught **2** (*goccio*) drop

sòrta s. f. kind, sort

sòrte s. f. **1** fate, destiny, fortune **2** (*caso*) chance

sorteggiàre v. tr. to draw

sortéggio s. m. draw

sortilègio s. m. sorcery, witchcraft

sorvegliànza s. f. watch, surveillance, supervision

sorvegliàre v. tr. **1** to guard, to watch, (*sovrintendere*) to supervise **2** (*tenere d'occhio*) to look after, to watch

sorvolàre v. tr. e intr. **1** to fly over, to overfly **2** (*fig.*) to pass over, to skip

sòsia s. m. e f. inv. double

sospèndere v. tr. **1** (*attaccare*) to suspend, to hang **2** (*interrompere*) to suspend, to stop, to interrupt **3** (*da una carica, da scuola*) to suspend

sospensióne s. f. **1** suspension **2** (*interruzione*) suspension, interruption, stoppage

sospéso A agg. **1** hanging, suspended **2** (*interrotto*) suspended, interrupted **3** (*trepidante*) in suspence **B** s. m. (*pagamento*) outstanding payment ♦ **in s.** pending, in abeyance

sospettàre v. tr. e intr. to suspect

sospètto A agg. **1** suspicious **2** (*discutibile*) suspect, questionable **3** (*di cui si teme l'esistenza*) suspected **B** s. m. suspicion

sospettóso agg. suspicious

sospingere to drive, to push

sospiràre A v. intr. to sigh **B** v. tr. to sigh for, to long for

sospiro s. m. sigh

sòsta s. f. **1** (*fermata*) halt, stop **2** (*pausa*) pause **3** (*interruzione*) interruption, break ♦ **divieto di s.** no parking

sostantìvo s. m. substantive

sostànza s. f. **1** substance, essence **2** (*materia*) substance, matter, material, stuff **3** (*nutrimento*) nourishment **4** al pl. (*ricchezze*) property, possessions pl.

sostanzióso agg. substantial

sostàre v. intr. **1** to stop, to stay **2** (*fare una pausa*) to have a break

sostégno s. m. support, prop

sostenére A v. tr. **1** (*tenere su*) to support, to sustain, to hold up **2** (*portare su di sé*) to carry, to take **3** (*sopportare*) to bear, to stand, (*reggere*) to stand up to **4** (*resistere a*) to withstand **5** (*appoggiare*) to support, to uphold, (*difendere*) to defend **6** (*affermare*) to maintain, to assert **7** (*mantenere*) to keep up, to support **B** v. rifl. e intr. pron. **1** (*reggersi in piedi*) to stand up, (*appoggiarsi*) to support oneself **2** (*sostentarsi*) to sustain oneself

sostenitóre s. m. supporter

sostentaménto s. m. sustenance, maintenance

sostenùto agg. **1** (*riservato*) reserved, distant **2** (*solenne*) elevated **3** (*elevato*) fast

sostituìbile agg. replaceable

sostituìre A v. tr. **1** (*rimpiazzare*) to replace, to substitute **2** (*prendere il posto di*) to take the place of, to substitute for, to replace **B** v. rifl. to take sb.'s place

sostitùto s. m. substitute

sostituzióne s. f. replacement, substitution

sottacéto A agg. pickled **B** s. m. pickle

sottàna s. f. skirt

sotterfùgio s. m. trick, expedient

sotterràneo A agg. underground **B** s. m. basement, cellar

sotterràre v. tr. to bury

sottigliézza s. f. **1** thinness **2** (*acutezza*) sharpness **3** (*cavillo*) quibble

sottile agg. **1** thin **2** (*acuto*) sharp, subtle

sottilizzàre v. intr. to subtilize, to split hairs

sottintèndere v. tr. to understand, to imply

sottintéso A agg. understood, implied **B**

s. m. implicit meaning, allusion

sótto A *avv.* **1** down, under, below, beneath, underneath **2** (*al piano sotto*) downstairs **3** (*più avanti*) below **4** (*in perdita*) short **B** *prep.* **1** (*in posizione inferiore*) under, beneath, underneath **2** (*più in basso*) below **3** (*meno di*) under **C** *s. m.* bottom, underside

sottobicchière *s. m.* coaster, (*piattino*) saucer

sottobòsco *s. m.* undergrowth

sottobràccio *avv.* arm in arm

sottocòsto *avv.* below cost ♦ **vendere s.** to sell off

sottocutàneo *agg.* subcutaneous

sottofóndo *s. m.* **1** (*edil.*) foundation **2** (*fig.*) substratum **3** (*di suoni*) background

sottolineàre *v. tr.* **1** to underline, to underscore **2** (*fig.*) to underline, to stress

sottomarino *agg. e s. m.* submarine

sottomésso *agg.* **1** (*soggiogato*) subdued, subject **2** (*remissivo*) submissive, respectful

sottométtere A *v. tr.* **1** (*assoggettare*) to subdue, to subject **2** (*subordinare*) to subordinate **3** (*presentare*) to submit **B** *v. rifl.* to submit

sottopassàggio *s. m.* underpass, subway

sottopórre A *v. tr.* **1** (*assoggettare*) to subdue, to subject **2** (*presentare*) to submit, to present **3** (*costringere a subire*) to subject, to put through **B** *v. rifl.* **1** to submit **2** (*subire*) to undergo

sottoprodótto *s. m.* by-product

sottoscàla *s. m. inv.* understairs

sottoscritto *agg. e s. m.* undersigned

sottoscrivere *v. tr.* **1** (*firmare*) to sign, to undersign, (*aderire a*) to subscribe **2** (*approvare*) to support, to subscribe to

sottoscrizióne *s. f.* subscription

sottosópra *avv.* upside down

sottostànte *agg.* below

sottosvilùppo *s. m.* underdevelopment

sottotèrra *avv.* underground

sottotitolo *s. m.* subtitle

sottovèste *s. f.* petticoat

sottovóce *avv.* in a low voice

sottovuòto *agg. e avv.* vacuum-packed

sottràrre A *v. tr.* **1** (*portare via*) to take away, to remove, (*rubare*) to steal **2** (*liberare*) to save, to rescue **3** (*mat.*) to subtract **4** (*dedurre*) to deduct **B** *v. rifl.* to get out, to evade, to shirk

sottrazióne *s. f.* **1** (*mat.*) subtraction **2** (*il*

portar via) taking away, (*furto*) abstraction

soviètico *agg. e s. m.* Soviet

sovraccaricàre *v. tr.* to overload, to overburden

sovraespórre *v. tr.* to overexpose

sovraffollàto *agg.* overcrowded

sovràno *agg. e s. m.* sovereign

sovrapponìbile *agg.* superimposable

sovrappórre A *v. tr.* to put on, to place on, to superimpose **B** *v. intr. pron.* **1** to be superimposed, to overlap **2** (*aggiungersi*) to arise in addition

sovrastànte *agg.* overhanging

sovrastàre *v. tr. e intr.* **1** to stand above, to overlook, to overhang **2** (*essere imminente*) to be imminent, to hang over **3** (*essere superiore*) to surpass

sovrumàno *agg.* superhuman

sovvenzionàre *v. tr.* to finance

sovvenzióne *s. f.* subvention, aid

sovversivo *agg. e s. m.* subversive

sózzo *agg.* dirty

spaccàre *v. tr. e intr. pron.* to break, to split

spaccatùra *s. f.* split

spacciàre A *v. tr.* **1** (*vendere*) to sell (off), **2** (*mettere in circolazione*) to circulate, (*clandestinamente*) to peddle, to utter, (*droga*) to push **3** (*divulgare*) to spread **B** *v. rifl.* to pretend (to be)

spacciatóre *s. m.* dealer, utterer, (*di droga*) pusher

spàccio *s. m.* **1** (*negozio*) shop **2** (*vendita*) sale **3** (*traffico illegale*) traffic

spàcco *s. m.* **1** slit, cleft, (*taglio*) tear **2** (*di vestito*) vent

spaccóne *s. m.* boaster

spàda *s. f.* sword

spaesàto *agg.* lost

spagnòlo A *agg.* Spanish **B** *s. m.* **1** (*abitante*) Spaniard **2** (*lingua*) Spanish

spàgo *s. m.* string, twine

spaiàto *agg.* odd

spalancàre A *v. tr.* to open wide **B** *v. intr. pron.* to be throw open

spalàre *v. tr.* to shovel away

spàlla *s. f.* **1** shoulder **2** *al pl.* (*schiena*) back

spalleggiàre *v. tr.* to back, to support

spallièra *s. f.* **1** (*di sedia*) back **2** (*di letto*) head (of the bed) **3** (*di piante*) espalier **4** (*attrezzo ginnico*) wall bar

spalmàre *v. tr.* to spread, to smear ♦ **s. di burro** to butter

spanàre *v. tr. e intr. pron.* to strip

spàndere *v. tr. e intr. pron.* to spread

spànna *s. f.* span

sparàre *v. tr. e intr.* to shoot, to fire

sparatòria *s. f.* shooting

sparecchiàre *v. tr.* to clear

sparéggio *s. m.* **1** (*sport*) play-off **2** (*squilibrio*) unbalance

spàrgere **A** *v. tr.* **1** to scatter, to strew **2** (*divulgare*) to spread **3** (*versare*) to shed **B** *v. intr. pron.* **1** to scatter, to disperse **2** (*diffondersi*) to spread

sparire *v. intr.* to disappear, to vanish

sparizióne *s. f.* disappearance

sparlàre *v. intr.* to run down, to talk behind sb.'s back

spàro *s. m.* shot

sparpagliàre *v. tr. e intr. pron.* to scatter

spartiàcque *s. m. inv.* watershed

spartire *v. tr.* **1** (*separare*) to separate **2** (*distribuire*) to share out, to divide

spartito *s. m.* score

spartitràffico *s. m. inv.* traffic divider

sparùto *agg.* **1** (*emaciato*) lean **2** (*esiguo*) small

sparvièro *s. m.* sparrow-hawk

spàsimo *s. m.* pang

spàsmo *s. m.* spasm

spasmòdico *agg.* **1** (*med.*) spasmodic(al) **2** (*angoscioso*) agonizing

spassionàto *agg.* impartial, unbiased

spàsso *s. m.* amusement, fun ◆ **andare a s.** to go for a walk

spassóso *agg.* funny

spàstico *agg. e s. m.* spastic

spauràcchio *s. m.* bugbear

spavàldo *agg.* bold, arrogant

spaventapàsseri *s. m.* scarecrow

spaventàre **A** *v. tr.* to frighten, to scare **B** *v. intr. pron.* to be frightened, to get scared

spavènto *s. m.* fright, fear

spaventóso *agg.* frightful, frightening, deadful

spaziàle *agg.* spatial, space (*attr*)

spazientire **A** *v. tr.* to try the patience of **B** *v. intr. pron.* to lose one's patience

spàzio *s. m.* space

spazióso *agg.* spacious

spazzacamino *s. m.* chimney-sweep

spazzanéve *s. m. inv.* snowplough

spazzàre *v. tr.* **1** to sweep **2** (*portar via*) to sweep away, to wipe out

spazzatùra *s. f.* garbage, rubbish, (*USA*) trash

spazzino *s. m.* street-sweeper

spàzzola *s. f.* brush ◆ **s. per capelli** hair-brush

spazzolàre *v. tr.* to brush

spazzolino *s. m.* brush, (*da denti*) tooth-brush

spazzolóne *s. m.* mop

specchiàrsi *v. rifl. e intr. pron.* **1** to look at oneself (in a mirror) **2** (*riflettersi*) to be reflected

specchiétto *s. m.* **1** hand-mirror **2** (*autom.*) rear-view mirror **3** (*tabella*) table

spècchio *s. m.* mirror

speciàle *agg.* **1** special **2** (*particolare*) peculiar **3** (*di qualità*) first-class

specialista *s. m. e f.* specialist

specialistico *agg.* specialized

specialità *s. f.* speciality

specializzàre *v. tr., rifl. e intr. pron.* to specialize

specializzàto *agg.* specialized, skilled ◆ **non s.** unskilled

specialménte *avv.* especially

spècie *s. f. inv.* **1** kind, sort **2** (*scient.*) species

specificàre *v. tr.* to specify

specifico *agg.* specific

speculàre (1) *agg.* specular

speculàre (2) *v. intr.* **1** (*indagare*) to speculate **2** (*approfittare*) to trade on

speculazióne *s. f.* speculation

spedire *v. tr.* to send, to mail, to dispatch, (*via mare*) to ship

spedito *agg.* **1** quick, prompt **2** (*sciolto*) fluent

spedizióne *s. f.* **1** (*invio*) sending, forwarding, dispatch **2** (*scientifica, mil.*) expedition

spedizionière *s. m.* carrier, forwarder, (*marittimo*) shipping agent

spègnere **A** *v. tr.* to extinguish, (*fuoco*) to put out, (*luce, radio*) to turn off, to switch off **B** *v. intr. pron.* **1** to be extinguished, to go out, (*di fuoco*) to burn out **2** (*scomparire*) to die down, to fade **3** (*morire*) to pass away

speleologia *s. f.* spel(a)eology

speleòlogo *s. m.* spel(a)eologist

spellàre **A** *v. tr.* to skin **B** *v. intr. pron.* to peel, to get skinned

spellatùra *s. f.* graze, excoriation, (*da sole*) peeling

spèndere *v. tr.* **1** to spend **2** (*impiegare*) to spend, to put in

spennàre *v. tr.* **1** to pluck **2** (*fig.*) to rip off

spensieràto *agg.* thoughtless

spènto *agg.* **1** extinguished, out (*pred.*), (*di apparecchi*) turned off (*pred.*), switched off (*pred.*) **2** (*scialbo*) dull

sperànza *s. f.* hope

speràre **A** *v. tr.* **1** to hope **2** (*aspettarsi*) to expect **B** *v. intr.* to hope, to trust in

sperdùto *agg.* **1** dispersed **2** (*isolato*) secluded, lonely **3** (*smarrito*) lost

spergiuràre *v. intr.* to perjure oneself

spergiùro *s. m.* **1** (*chi spergiura*) perjurer **2** (*falso giuramento*) perjury

spericolàto *agg.* reckless

sperimentàle *agg.* experimental

sperimentàre *v. tr.* **1** to experiment with, to test, to try **2** (*fare esperienza di*) to experience

spèrma *s. m.* sperm

speronàre *v. tr.* to ram

speróne *s. m.* **1** spur **2** (*naut.*) ram

sperperàre *v. tr.* to squander, to waste

spésa *s. f.* **1** expense, (*costo*) charge, cost **2** (*acquisto*) buy, purchase **3** (*compera*) shopping ♦ **fare la s.** to do the shopping; **fare spese** to go shopping

spésso **A** *agg.* thick **B** *avv.* often

spessóre *s. m.* **1** thickness **2** (*fig.*) depth

spettacolàre *agg.* spectacular

spettàcolo *s. m.* **1** show, spectacle, sight **2** (*teatro*) performance, (*cin.*) showing

spettacolóso *agg.* spectacular

spettàre *v. intr.* **1** to be for, to be up to **2** (*competere*) to be due

spettatóre *s. m.* **1** spectator, *al pl.* audience **2** (*testimone*) bystander, witness

spettinàre **A** *v. tr.* to mess up hair **B** *v. rifl. e intr. pron.* to ruffle one's hair

spèttro *s. m.* **1** ghost **2** (*scient.*) spectrum

spèzie *s. f. pl.* spices *pl.*

spezzàre *v. tr. e intr. pron.* to break

spezzatìno *s. m.* stew

spezzettàre *v. tr.* to break into pieces

spìa *s. f.* **1** spy, informer, (*riferito a bambini*) sneak **2** (*indizio*) indication, sign **3** (*luminosa*) light

spiacènte *agg.* sorry

spiacére **A** *v. intr.* **1** to be sorry **2** (*nelle frasi di cortesia*) to mind **B** *v. intr. pron.* to be sorry

spiacévole *agg.* **1** unpleasant **2** (*increscioso*) regrettable

spiàggia *s. f.* beach, shore

spianàre *v. tr.* **1** to level, to make level **2** (*radere al suolo*) to raze **3** (*appianare*) to smooth

spiantàto *s. m.* penniless person

spiàre *v. tr.* **1** to spy on **2** (*aspettare ansiosamente*) to wait for

spiàta *s. f.* tip-off

spiazzàre *v. tr.* to wrongfoot

spiàzzo *s. m.* open space

spiccàre **A** *v. tr.* **1** (*staccare*) to pick, to pluck **2** (*emettere*) to issue **B** *v. intr.* to stand out, to show up ♦ **s. un salto** to jump

spiccàto *agg.* **1** marked, strong **2** (*nitido*) distinct, clear

spicchio *s. m.* slice, (*di agrume*) segment, (*di aglio*) clove

spicciàre **A** *v. tr.* to finish off **B** *v. intr. v. intr. pron.* to hurry up

spicciolo *s. m.* change

spiedìno *s. m.* skewer

spièdo *s. m.* spit ♦ **allo s.** on the spit

spiegàre **A** *v. tr.* **1** (*svolgere*) to unfold, to spread out **2** (*far capire*) to explain **B** *v. rifl.* to explain oneself **C** *v. intr. pron.* to spread out, to open out

spiegazióne *s. f.* explanation

spiegazzàre *v. tr.* to crumple **B** *v. intr. pron.* to get crumpled

spietàto *agg.* pitiless, cruel

spifferàre *v. tr.* to blurt out, to blab

spìffero *s. m.* draught

spìga *s. f.* ear, spike

spigliàto *agg.* easy

spìgola *s. f.* bass

spìgolo *s. m.* edge, corner

spìlla *s. f.* **1** pin **2** (*gioiello*) brooch

spillàre *v. tr.* **1** to tap, to draw off **2** (*fig.*) to worm, to get out

spìllo *s. m.* pin ♦ **tacchi a s.** stiletto heels

spilòrcio *s. m.* miser

spìna *s. f.* **1** thorn **2** (*di pesce*) fishbone **3** (*elettr*) plug ♦ **s. dorsale** backbone

spinàcio *s. m.* spinach

spinàle *agg.* spinal

spinètta *s. f.* spinet

spingere **A** *v. tr.* **1** to push, to shove, (*ficcare*) to drive, to thrust **2** (*condurre*) to drive, (*indurre*) to induce, (*stimolare*) to urge **B** *v. intr.* to push **C** *v. intr. pron.* **1** to push **2** (*arrivare*) to go

spinóso *agg.* thorny

spìnta *s. f.* **1** push, shove, thrust **2** (*aiuto*) helping hand, (*stimolo*) incentive, spur **3** (*fis. tecnol.*) thrust

spinterògeno *s. m.* distributor

spìnto *agg.* **1** pushed, driven **2** (*audace*)

risqué
spintóne *s. m.* shove
spionàggio *s. m.* espionage, spying
spiovènte **A** *agg.* sloping **B** *s. m.* slope
spiòvere **A** *v. intr.* (*ricadere*) to come down **B** *v. intr. impers.* (*cessare di piovere*) to stop raining
spìra *s. f.* coil
spiràglio *s. m.* **1** (small) opening, crack, vent **2** (*di luce*) glimmer
spiràle *s. f.* spiral
spiràre (1) **A** *v. intr.* (*soffiare*) to blow **B** *v. tr.* **1** (*emanare*) to give off **2** (*fig.*) to express
spiràre (2) *v. intr.* (*morire*) to pass away
spiritìsmo *s. m.* spiritualism
spìrito *s. m.* **1** spirit **2** (*fantasma*) spirit, ghost **3** (*mente, intelligenza*) mind **4** (*disposizione d'animo*) spirit, attitude **5** (*significato essenziale*) spirit, sense **6** (*arguzia*) wit, (*umorismo*) humour **7** (*vivacità*) life, liveliness **8** (*chim.*) spirit, alchool
spiritosàggine *s. f.* **1** wittiness **2** (*detto spiritoso*) witticism
spiritóso *agg.* witty
spirituàle *agg.* spiritual
splendènte *agg.* bright, shining
splèndere *v. intr.* to shine
splèndido *agg.* splendid, wonderful
splendóre *s. m.* **1** (*luce*) brilliance, brightness **2** (*fig.*) splendour
spodestàre *v. tr.* to deprive of power, (*un re*) to dethrone
spogliàre **A** *v. tr.* **1** to undress, to strip **2** (*privare*) to deprive, to strip **B** *v. rifl. e intr. pron.* **1** (*svestirsi*) to undress, to strip **2** (*privarsi*) to deprive oneself, to strip oneself **3** (*di albero*) to shed
spogliarèllo *s. m.* striptease
spogliatóio *s. m.* changing room, dressing room
spòglie *s. f. pl.* **1** (*vesti*) dress **2** (*preda di guerra*) spoils *pl.*, booty
spòglio **A** *agg.* **1** (*nudo*) bare **2** (*libero*) free **B** *s. m.* **1** (*conto*) counting **2** (*esame*) examination
spòla *s. f.* shuttle
spolpàre *v. tr.* to strip the flesh off
spolveràre *v. tr.* to dust
spónda *s. f.* **1** (*bordo*) edge **2** (*riva*) bank, side, (*di mare, lago*) shore **3** (*parapetto*) parapet
sponsor *s. m. inv.* sponsor
sponsorizzàre *v. tr.* to sponsor

spontaneità *s. f.* spontaneity
spontàneo *agg.* spontaneous, natural
spopolàre **A** *v. tr.* to depopulate **B** *v. intr.* (*avere successo*) to be a big hit **C** *v. intr. pron.* to become depopulated
sporadicità *s. f.* sporadicity
sporàdico *agg.* sporadic
sporcàre **A** *v. tr.* to dirty, to soil, to stain **B** *v. rifl. e intr. pron.* to dirty oneself, to get dirty
sporcìzia *s. f.* **1** (*l'essere sporco*) dirtiness, filthiness **2** (*cosa sporca*) dirt, filth
spòrco *agg.* dirty, filthy
sporgènte *agg.* projecting, protruding, protuberant
sporgènza *s. f.* projection
spòrgere **A** *v. tr.* to put out, to stretch out **B** *v. intr.* to jut out, to stick out **C** *v. rifl.* to lean out
sport *s. m. inv.* sport
spòrta *s. f.* shopping bag
sportèllo *s. m.* **1** door **2** (*di ufficio*) counter, window
sportìvo **A** *agg.* sporting, sport (*attr*) **B** *s. m.* sportsman, (*appassionato*) (sports) fan
spòsa *s. f.* bride ♦ **abito da s.** wedding dress
sposalìzio *s. m.* wedding
sposàre **A** *v. tr.* **1** to marry, to get married to **2** (*dare in matrimonio*) to marry (off) **3** (*abbracciare, sostenere*) to embrace **B** *v. rifl. e rifl. rec.* **1** to marry, to get married **2** (*armonizzarsi*) to go well
spòso *s. m.* **1** bridegroom **2** *al pl.* (*marito e moglie*) newlyweds *pl.*
spossànte *agg.* exhausting
spostàre **A** *v. tr.* **1** to move, to shift **2** (*cambiare*) to change **3** (*differire*) to postpone **B** *v. rifl. e intr. pron.* to move, to shift
sprànga *s. f.* bar, (*catenaccio*) bolt
spràzzo *s. m.* flash
sprecàre **A** *v. tr.* to waste, to squander **B** *v. intr. pron.* **1** to waste one's energy **2** (*ironicamente*) to put oneself out
sprèco *s. m.* waste
spregévole *agg.* despicable
spregiatìvo *agg.* pejorative
spregiudicàto *agg.* unprejudiced, unconventional
sprèmere *v. tr.* to squeeze
spremiagrùmi *s. m. inv.* citrus-fruit squeezer
spremùta *s. f.* juice
sprezzànte *agg.* scornful
sprigionàre **A** *v. tr.* to emit, to give off **B**

v. intr. pron. to emanate, to burst out

sprizzàre *v. tr. e intr.* to squirt, to spray, to spurt

sprofondàre A *v. intr.* 1 (*di terreno*) to subside, to give away 2 (*affondare*) to sink **B** *v. intr. pron.* to sink

spronàre *v. tr.* to spur

spróne *s. m.* spur

sproporzionàto *agg.* disproportionate

sproporzióne *s. f.* disproportion

spropositàto *agg.* enormous

spropòsito *s. m.* 1 (*errore*) mistake, blunder 2 (*eccesso*) enormous quantity

sprovvedùto *agg.* unprepared, inexperienced

sprovvìsto *agg.* devoid, unprovided ♦ **alla sprovvista** unawares

spruzzàre *v. tr.* 1 to spray, to sprinkle 2 (*inzaccherare*) to splash

sprùzzo *s. m.* spray, sprinkling, (*di fango*) splash

spùgna *s. f.* 1 sponge 2 (*tessuto*) sponge-cloth, terry-cloth

spùma *s. f.* foam, froth

spumànte *s. m.* sparkling wine

spumeggiàre *v. intr.* to foam, to froth

spuntàre A *v. tr.* 1 (*rompere la punta di*) to blunt, to break the point of 2 (*tagliare la punta di*) to cut the tip of, to trim 3 (*controllare*) to check (off) 4 (*ottenere*) to obtain, to get **B** *v. intr.* 1 (*di astro*) to rise, (*di pianta*) to sprout, (*di capelli, ecc.*) to begin to grow, (*di lacrime*) to well up 2 (*apparire*) to appear, to come out 3 (*sporgere*) to stick out **C** *v. intr. pron.* to get blunt

spuntìno *s. m.* snack

spùnto *s. m.* 1 (*suggerimento*) cue, hint 2 (*punto di partenza*) starting point

spurgàre *v. tr.* to purge, to clean

sputàre *v. tr. e intr.* to spit

spùto *s. m.* spit

squàdra *s. f.* 1 (*sport*) team 2 (*mil.*) squad 3 (*gruppo*) team, (*di operai*) gang 4 (*mecc., da disegno*) square

squadràre *v. tr.* 1 to square 2 (*guardare*) to look up and down

squadrìglia *s. f.* squadron

squagliàre A *v. tr.* to melt, to liquefy **B** *v. intr. pron.* 1 to melt, to liquefy 2 (*svignarsela*) to make off, to clear off

squalìfica *s. f.* disqualification

squalificàre A *v. tr.* to disqualify **B** *v. rifl.* to bring discredit

squàllido *agg.* 1 bleak, dreary 2 (*triste*) dismal 3 (*abietto*) wretched

squallóre *s. m.* dreariness, squalor

squàlo *s. m.* shark

squàma *s. f.* scale

squamàre *v. tr. e intr. pron.* to scale

squarciagóla, a *loc. avv.* at the top of one's voice

squattrinàto *agg.* penniless

squilibràre A *v. tr.* to unbalance, to put out of balance **B** *v. intr. pron.* to lose one's balance

squilibràto A *agg.* 1 unbalanced 2 (*pazzo*) insane, mad **B** *s. m.* madman, lunatic

squilìbrio *s. m.* 1 imbalance 2 (*mentale*) derangement, insanity

squillànte *agg.* shrill, (*di colore*) bright

squillàre *v. intr.* to ring

squìllo *s. m.* ring, (*di tromba*) blare

squisìto *agg.* exquisite, delicious

squittìre *v. intr.* to squeak

sradicàre *v. tr.* to uproot

srotolàre *v. tr.* to unroll

stàbile A *agg.* 1 stable, steady 2 (*permanente*) permanent, durable **B** *s. m.* house, building

stabiliménto *s. m.* 1 factory, plant, works 2 (*edificio pubblico*) establishment ♦ **s. balneare** bathing establishment

stabilìre A *v. tr.* 1 to establish, to fix, to set 2 (*accertare*) to estabilish, to ascertain 3 (*decidere*) to decide, to arrange **B** *v. rifl.* to settle, to estabilish oneself

stabilità *s. f.* stability, steadiness

staccàre A *v. tr.* 1 to take off, to detach, to cut off, (*strappare*) to tear off, to pull off, (*tirare giù*) to take down 2 (*slegare*) to loosen, (*sganciare*) to unhook 3 (*scostare*) to move away 4 (*separare*) to separate 5 (*togliere*) to disconnect 6 (*lasciare indietro*) to leave behind **B** *v. intr.* 1 (*spiccare*) to stand out 2 (*smettere di lavorare*) to knock off **C** *v. intr. pron.* 1 to come off, to come out, to get detached 2 (*slegarsi*) to break away, (*sganciarsi*) to get unhooked 3 (*scostarsi*) to move away 4 (*separarsi*) to leave 5 (*abbandonare*) to detach oneself, to give up 6 (*distanziarsi*) to pull ahead 7 (*essere differente*) to be different

staccionàta *s. f.* fence

stàdio *s. m.* 1 (*sport*) stadium, ground 2 (*fase*) stage

stàffa *s. f.* stirrup

staffétta *s. f.* **1** courier **2** (*sport*) relay
stagionàle *agg.* seasonal
stagionàre **A** *v. tr.* to season, to let age **B** *v. intr. pron.* to age
stagionatùra *s. f.* seasoning
stagióne *s. f.* season
stagliàrsi *v. intr. pron.* to stand out
stàgno (1) *s. m.* (*chim.*) tin
stàgno (2) *agg.* watertight
stàgno (3) *s. m.* pond, pool
stagnòla *s. f.* tinfoil
stalagmite *s. f.* stalagmite
stalattìte *s. f.* stalactite
stàlla *s. f.* shed, (*per cavalli*) stable, (*per bovini*) cowshed
stallière *s. m.* stableman, groom
stallóne *s. m.* stallion
stamattìna *avv.* this morning
stambécco *s. m.* rock-goat
stàmpa *s. f.* **1** print, printing **2** (*giornali, giornalisti*) press **3** (*riproduzione*) print **4** *al pl.* (*nelle spedizioni postali*) printed matter
stampànte *s. f.* printer
stampàre *v. tr.* **1** to print **2** (*pubblicare*) to publish **3** (*imprimere*) to imprint
stampatèllo *s. m.* block letters *pl.*
stampatóre *s. m.* printer
stampèlla *s. f.* crutch
stàmpo *s. m.* **1** die, mould **2** (*genere*) kind, sort
stanàre *v. tr.* to drive out
stancàre **A** *v. tr.* **1** to tire, to weary **2** (*infastidire*) to bore, to annoy **B** *v. rifl.* to get tired
stanchézza *s. f.* tiredness
stànco *agg.* tired
standard *agg. e s. m. inv.* standard
standardizzàre *v. tr.* to standardize
stànga *s. f.* bar, shaft
stangàta *s. f.* blow, squeeze
stanòtte *avv.* tonight, (*appena trascorsa*) last night
stantìo *agg.* stale
stantùffo *s. m.* piston
stànza *s. f.* room
stanziàre **A** *v. tr.* to allocate, to appropriate **B** *v. intr. pron.* to settle, to establish oneself
stappàre *v. tr.* to uncork
stàre *v. intr.* **1** to stay, (*rimanere*) to remain **2** (*essere*) to be **3** (*abitare*) to live **4** (*andare*) to go, to be **5** (*dipendere*) to depend **6** (*spettare*) to be up ♦ **come stai?** how are you?; **starci** (*essere d'accordo*) to

count in, (*esserci spazio*) to have room for; **s. per fare q.c.** to be going to do st.
starnutìre *v. intr.* to sneeze
starnùto *s. m.* sneeze
staséra *avv.* this evening, tonight
statàle *agg.* state (*attr*), government (*attr*)
statista *s. m.* statesman
statìstica *s. f.* statistics *pl.* (*v. al sing.*)
stàto *s. m.* **1** state, condition **2** (*posizione sociale*) position, standing **3** (*politico*) state **4** (*dir*) status **5** (*fis.*) state ♦ **s. civile** civil status; **s. d'assedio** state of siege
stàtua *s. f.* statue
statuniténse **A** *agg.* United States (*attr*) **B** *s. m. e f.* United States citizen
statùra *s. f.* height
statùto *s. m.* statute, charter
stavòlta *avv.* this time
stazionàrio *agg.* stationary
stazióne *s. f.* station ♦ **s. balneare** seaside resort
stécca *s. f.* **1** stick, rod, (*da biliardo*) cue, (*di ombrello*) rib **2** (*mus.*) false note **3** (*confezione di sigarette*) carton **4** (*tangente*) bribe
steccàto *s. m.* fence
stèle *s. f.* stele
stélla *s. f.* star ♦ **s. di mare** starfish; **s. filante** streamer
stellàto *agg.* starry
stèlo *s. m.* **1** (*bot.*) stalk, stem **2** (*sostegno*) stand
stèmma *s. m.* coat of arms
stemperàre *v. tr. e intr. pron.* to dissolve, to melt
stendàrdo *s. m.* standard, banner
stèndere **A** *v. tr.* **1** (*distendere, allungare*) to stretch (out) **2** (*spiegare*) to spread (out), to lay out **3** (*mettere a giacere*) to lay **4** (*spalmare*) to spread **5** (*mettere per iscritto*) to draw up, to draft **B** *v. intr. pron.* (*estendersi*) to stretch **C** *v. rifl.* (*sdraiarsi*) to lie down
stenografàre *v. tr.* to take down in shorthand
stenografìa *s. f.* shorthand
stentàre *v. intr.* to find it hard, to have difficulty
stèppa *s. f.* steppe
stèrco *s. m.* dung
stèreo *agg. e s. m. inv.* stereo
stèrile *agg.* **1** sterile, barren **2** (*inutile*) vain, fruitless **3** (*med.*) sterile, sterilized

sterilità *s. f.* **1** barrenness, sterility **2** (*med.*) sterility

sterilizzàre *v. tr.* to sterilize

sterilizzatóre *s. m.* sterilizer

sterilizzazióne *s. f.* sterilization

sterlìna *s. f.* pound, sterling

sterminàre *v. tr.* to exterminate, to wipe out

sterminàto *agg.* (*smisurato*) endless

sterminio *s. m.* extermination

stèrno *s. m.* breast-bone

sterzàre *v. intr.* to steer

stèrzo *s. m.* steering (gear), (*volante*) steering wheel

stésso A *agg.* **1** (*identico*) same **2** (*dopo un pron. pers. o un s.*) (*io s.*) I myself, (*tu s.*) you yourself, (*egli s.*) he himself, (*ella stessa*) she herself, (*esso s.*) it itself, (*noi stessi/stesse*) we ourselves, (*voi stessi/stesse*) you yourselves, (*essi stessi/esse stesse*) they themselves (ES: **lo farò io s.** I'll do it myself, **l'artista s. presenziò all'inaugurazione** the artist himself presided over the opening) **3** (*rifl.*) -self, -selves *pl.* **4** (*proprio, esattamente*) very (ES: **oggi s.** this very day) **5** (*uguale*) same, like **B** *pron. dimostr.* **1** (*la stessa persona*) same **2** (*la stessa cosa*) the same **C** *avv.* the same

stesùra *s. f.* drawing up

stilàre *v. tr.* to draw up, to draft

stìle *s. m.* style

stilìsta *s. m. e f.* stylist

stillàre *v. tr. e intr.* to drip

stillicidio *s. m.* dripping

stilòbate *s. m.* stylobate

stilogràfica *s. f.* fountain pen

stìma *s. f.* **1** (*valutazione*) estimate, evaluation, appraisal **2** (*prezzo stimato*) valuation **3** (*buona opinione*) esteem

stimàre *v. tr.* **1** (*valutare*) to estimate, to appraise, to value **2** (*tenere in considerazione*) to esteem **3** (*giudicare*) to consider, to think

stimolàre *v. tr.* to stimulate, to spur

stìmolo *s. m.* stimulus

stìnco *s. m.* shin, (*cuc.*) shank

stìngere *v. tr. e intr.* to fade

stipàre *v. tr. e intr. pron.* to cram, to pack

stipèndio *s. m.* salary, pay

stìpite *s. m.* jamb

stipulàre *v. tr.* to stipulate, (*redigere*) to draw up

stiràre A *v. tr.* **1** to stretch **2** (*col ferro*) to iron **3** (*i capelli*) to straighten **B** *v. rifl.* **1** to stretch (oneself) **2** (*procurarsi uno stiramento*) to strain a muscle

stiratùra *s. f.* ironing

stìrpe *s. f.* **1** birth, family, descent **2** (*prole*) offspring

stitichézza *s. f.* constipation

stìtico *agg.* constipated

stìva *s. f.* hold

stivàle *s. m.* boot

stivalétto *s. m.* ankle-boot

stìzza *s. f.* anger

stizzìre A *v. tr.* to irritate **B** *v. intr. pron.* to get angry

stoccafìsso *s. m.* stockfish

stoccàta *s. f.* **1** thrust **2** (*fig.*) gibe

stòffa *s. f.* **1** cloth, material, fabric **2** (*fig.*) stuff

stoìno *s. m.* (door)mat

stòla *s. f.* stole

stólto *agg.* foolish

stòmaco *s. m.* stomach

stonàre *v. intr.* **1** (*mus.*) to be out of tune **2** (*fig.*) to be out of place, (*di colori*) to clash

stop *s. m. inv.* **1** (*segnale*) stop signal **2** (*luci*) stop-light

stóppa *s. f.* tow

stoppìno *s. m.* wick

stórcere A *v. tr.* to twist, to wrench **B** *v. rifl. e intr. pron.* to twist, to writhe

stordìre A *v. tr.* **1** to stun, to daze **2** (*assordare*) to deafen **3** (*sbalordire*) to stun, to stupefy **B** *v. rifl.* to dull one's senses

stòria *s. f.* **1** history **2** (*racconto*) story, tale **3** (*faccenda*) affair, business **4** (*bugia*) story, fib **5** (*pretesto*) pretext, excuse **6** (*smanceria*) fuss

stòrico A *agg.* historic(al) **B** *s. m.* historian

storièlla *s. f.* funny story, joke

storiografìa *s. f.* historiography

storióne *s. m.* sturgeon

stormìre *v. intr.* to rustle

stórmo *s. m.* flight

stornàre *v. tr.* **1** to avert, to divert, to turn aside **2** (*fin.*) to transfer **3** (*cancellare*) to cancel, to write off

stórno *s. m.* **1** (*trasferimento*) transfer, diversion **2** (*cancellazione*) reversal, cancellation

storpiàre *v. tr.* **1** to cripple **2** (*deformare*) to mangle

stòrpio A *agg.* crippled **B** *s. m.* cripple

stòrta *s. f.* sprain, twist

stòrto *agg.* crooked, twisted

stovìglie *s. f. pl.* dishes *pl.*

stràbico A *agg.* squinting B *s. m.* squinter

strabiliànte *agg.* amazing

strabismo *s. m.* squint

stracciàre *v. tr.* to tear, to rip

stràccio *s. m.* rag, cloth, (*per la polvere*) duster

stracòtto *s. m.* stew

stràda *s. f.* 1 road, (*di città*) street 2 (*tragitto, cammino*) way ♦ **s. a senso unico** one-way street; **s. dissestata** uneven road

stradàle *agg.* road (*attr*)

strafalcióne *s. m.* blunder

strafàre *v. intr.* to overdo it

strafottènte *agg.* arrogant

stràge *s. f.* 1 (*massacro*) slaughter, carnage 2 (*distruzione*) destruction

stràllo *s. m.* stay

stralunàto *agg.* 1 (*di occhi*) rolling 2 (*sconvolto*) bewildered

stramazzàre *v. intr.* to fall heavily

stràmbo *agg.* strange, odd, eccentric

strampalàto *agg.* odd, eccentric

stranézza *s. f.* 1 strangeness 2 (*atto, parola strana*) eccentricity

strangolàre *v. tr.* to strangle, (*soffocare*) to choke

stranièro A *agg.* foreign B *s. m.* foreigner

stràno *agg.* strange, odd, queer

straordinàrio A *agg.* 1 extraordinary, special 2 (*enorme*) immense, enormous 3 (*di lavoro*) overtime B *s. m.* 1 (*cosa straordinaria*) extraordinary thing 2 (*lavoro straordinario*) overtime

strapazzàre A *v. tr.* 1 to ill-treat, to mistreat 2 (*trattare senza cura*) to take no care of B *v. rifl.* to tire oneself out

strapiómbo *s. m.* cliff, overhang ♦ **a s.** sheer

strapotére *s. m.* excessive power

strappàre A *v. tr.* 1 to tear 2 (*togliere tirando*) to pull up, to pull away, to rip B *v. intr. pron.* to tear, to get torn

stràppo *s. m.* 1 tear, rent, rip 2 (*tirata, strattone*) pull, snatch, jerk 3 (*infrazione*) infringement 4 (*muscolare*) sprain 5 (*fig.*) split 6 (*passaggio in auto*) lift

strapuntìno *s. m.* folding seat

straripaménto *s. m.* overflowing

straripàre *v. intr.* to overflow

strascicàre A *v. tr.* to trail, to drag, (*i piedi*) to shuffle B *v. intr.* to trail C *v. rifl.* to drag oneself

stràscico *s. m.* 1 train 2 (*conseguenza*) after-effect ♦ **pesca a s.** trawling; **rete a s.** trawl-net

stratagèmma *s. m.* stratagem, trick

stratèga *s. m.* strategist

strategìa *s. f.* strategy

stratègico *agg.* strategic(al)

stràto *s. m.* layer, stratum, (*di rivestimento*) coat

stratosfèra *s. f.* stratosphere

stravagànte *agg.* queer, odd, eccentric

stravagànza *s. f.* oddness, strangeness

stravècchio *agg.* very old

stravìzio *s. m.* excess, intemperance

stravòlgere *v. tr.* 1 (*torcere*) to twist 2 (*fig.*) to distort, (*snaturare*) to change radically 3 (*turbare*) to upset

straziàre *v. tr.* 1 to lacerate, to torture 2 (*fig.*) to murder

stràzio *s. m.* torment, torture

strèga *s. f.* witch, hag

stregàre *v. tr.* to bewitch

stregóne *s. m.* wizard

stregonerìa *s. f.* witchcraft, sorcery

strègua *s. f.* standard, rate

stremàre *v. tr.* to exhaust

strèmo *s. m.* extreme limit

strènna *s. f.* gift, present

strènuo *agg.* 1 brave, courageous 2 (*infaticabile*) tireless

strepitóso *agg.* uproarious, resounding, clamorous

stress *s. m. inv.* stress

stressànte *agg.* stressful

strétta *s. f.* 1 grasp, hold, grip 2 (*dolore*) pang 3 (*situazione difficile*) dire straits *pl.* 4 (*momento culminante*) climax 5 (*econ.*) squeeze ♦ **mettere qc. alle strette** to put sb. with his back against the wall; **s. di mano** handshake

strétto A *agg.* 1 narrow 2 (*di abito*) tight 3 (*serrato*) tight, fast, (*di denti*) clenched 4 (*rigoroso*) strict, firm, close 5 (*intimo*) close 6 (*preciso*) exact, precise 7 (*chiuso*) close 8 (*pigiato*) packed B *s. m.* straits *pl.*

strettóia *s. f.* narrow passage, bottleneck

striàto *agg.* striped, striated

strìdere *v. intr.* 1 to creak, to squeak 2 (*contrastare*) to clash

strìdulo *agg.* shrill

strillàre *v. tr. e intr.* to scream, to shout

strìllo *s. m.* scream, cry, shout

strillóne *s. m.* newspaper seller

striminzìto *agg.* stunted

strimpellàre *v. tr.* to strum, to bang away

strìnga *s. f.* **1** lace **2** (*inf.*) string

stringàto *agg.* **1** (*di scarpa*) laced-up **2** (*di stile*) concise

strìngere A *v. tr.* **1** to grip, to clasp, to grasp, to clench **2** (*rendere più stretto*) to tighten, (*un abito*) to take in **3** (*concludere, stipulare*) to make, to draw up **4** (*accelerare*) to quicken **B** *v. intr.* **1** (*incalzare*) to press **2** (*essere stretto*) to be tight **3** (*condensare*) to make it brief

strìscia *s. f.* **1** strip, stripe **2** (*scia*) streak, trail **3** (*di fumetti*) (comic) strip ♦ **strisce pedonali** zebra crossing

strisciàre A *v. tr.* to drag **B** *v. intr.* **1** to crawl, to creep **2** (*sfregare*) to scrape **3** (*fig.*) to grovel **C** *v. rifl.* to rub oneself

striscìo *s. m.* **1** graze **2** (*segno*) scrape **3** (*med.*) smear ♦ **colpire di s.** to graze

striscióne *s. m.* banner

stritolàre *v. tr.* to grind, to crush, to smash

strizzàre *v. tr.* to squeeze, (*panni*) to wring (out) ♦ **s. l'occhio** to wink

stròfa *s. f.* strophe

strofinàccio *s. m.* cloth, (*per spolverare*) duster, (*per asciugare piatti*) tea cloth, (*per pavimenti*) floor cloth

strofinàre A *v. tr.* **1** to rub **2** (*pulire*) to clean, (*lucidare*) to polish **B** *v. rifl.* to rub oneself

strombatùra *s. f.* splay

strombazzàre A *v. tr.* to trumpet **B** *v. intr.* (*suonare il clacson*) to toot

stroncàre *v. tr.* **1** to break off, to cut off **2** (*reprimere*) to put down, to crush **3** (*criticare*) to slash, to pan, to tear apart

stroncatùra *s. f.* harsh criticism, slating

stropicciàre A *v. tr.* **1** to rub **2** (*sgualcire*) to crumple, to crease **B** *v. intr. pron.* to get creased

strozzàre A *v. tr.* **1** to strangle, (*soffocare*) to choke **2** (*occludere*) to block **B** *v. intr. pron.* **1** to choke **2** (*restringersi*) to narrow

strozzatùra *s. f.* narrowing, bottleneck

strumentàle *agg.* **1** instrumental **2** (*che serve da strumento*) exploitable

strumentalizzàre *v. tr.* to exploit, to manipulate

strumentìsta *s. m. e f.* instrumentalist

struménto *s. m.* **1** tool, instrument, implement **2** (*mus.*) instrument

strùtto *s. m.* lard

struttùra *s. f.* structure, frame

strutturalìsmo *s. m.* structuralism

strutturàre A *v. tr.* to structure **B** *v. intr. pron.*

to be structured

strùzzo *s. m.* ostrich

stuccàre A *v. tr.* **1** (*decorare con stucco*) to stucco **2** (*riempire di stucco*) to plaster, to putty **3** (*nauseare*) to sicken **4** (*annoiare*) to bore **B** *v. intr. pron.* to get fed up

stucchévole *agg.* sickening, nauseating

stùcco *s. m.* (*per decorazioni*) stucco, (*riempitivo*) plaster, putty, filler

studènte *s. m.* student

studentésco *agg.* student (*attr*), students' (*attr*)

studiàre A *v. tr.* **1** to study, (*all'università*) to read **2** (*esaminare*) to study, to examine **B** *v. intr. pron.* to try

stùdio *s. m.* **1** study, studying **2** (*indagine*) study, analysis **3** (*progetto*) plan **4** (*stanza*) study **5** (*ufficio di professionista*) office, (*di artista*) studio **6** (*cin., TV*) studio

studióso A *agg.* studious **B** *s. m.* scholar

stùfa *s. f.* stove, (*elettrica*) heater

stufàre A *v. tr.* **1** (*cuc.*) to stew **2** (*annoiare*) to bore **B** *v. intr. pron.* to get tired

stufàto *s. m.* stew

stùfo *agg.* bored, fed up

stuòia *s. f.* mat

stupefacènte A *agg.* **1** stupefying, amazing **2** (*med.*) stupefacient **B** *s. m.* drug

stupèndo *agg.* stupendous, marvellous, wonderful

stupidàggine *s. f.* **1** stupidity **2** (*cosa, azione stupida*) stupid thing, piece of nonsense **3** (*inezia*) trifle

stupidità *s. f.* stupidity

stùpido A *agg.* stupid, foolish **B** *s. m.* idiot, fool

stupìre A *v. tr.* to astonish, to amaze **B** *v. intr. pron.* to be astonished, to be amazed

stupóre *s. m.* astonishment, amazement

stupràre *v. tr.* to rape

stupratóre *s. m.* rapist

stùpro *s. m.* rape

sturàre *v. tr.* **1** to unblock, to unplug **2** (*bottiglie*) to uncork

stuzzicadènti *s. m. inv.* toothpick

stuzzicàre *v. tr.* **1** to prod, to poke, to pick **2** (*molestare*) to tease **3** (*eccitare*) to excite, to whet

su A *avv.* **1** up **2** (*al piano superiore*) upstairs **3** (*indosso*) on **B** *prep.* **1** (*sovrapposizione con contatto*) on, upon, up, on to, (*in cima a*) on top of **2** (*sovrapposizione senza contatto, rive-*

*stimento, protezione, dominio, supe-
riorità)* over **3** *(più in alto di)* above **4**
(lungo) on, *(affacciato su)* on to **5** *(verso,
intorno a)* about, at **6** *(in direzione di)*
to(wards), *(contro)* on, at **7** *(riguardo a)*
on, about ◆ **due su tre** two out of three;
in su upwards, *(in avanti)* onwards
subàcqueo A *agg.* subaqueous, underwater *(attr)* **B** *s. m.* skin diver
subaffittàre *v. tr.* to sublet
subbùglio *s. m.* confusion, mess
subcosciènte *agg. e s. m.* subconscious
sùbdolo *s. m.* sly, devious
subentràre *v. intr.* to take the place of, to
replace
subìre *v. tr.* to undergo, to suffer
subissàre *v. tr.* to overwhelm
subitàneo *agg.* sudden
sùbito *avv.* **1** at once, immediately **2** *(in
breve tempo)* soon ◆ **s. prima** just before
sublìme *agg.* sublime
subodoràre *v. tr.* to suspect
subordinàto *agg. e s. m.* subordinate
suburbàno *agg.* suburban
subùrbio *s. m.* suburb
succedàneo *agg. e s. m.* substitute
succèdere A *v. intr.* **1** *(subentrare)* to succeed **2** *(seguire)* to follow **3** *(accadere)*
to happen, to occur **B** *v. rifl. rec.* to follow
one another
successióne *s. f.* **1** succession **2** *(serie)*
succession, series, sequence ◆ **imposta
di s.** inheritance tax
successivaménte *avv.* subsequently
successìvo *agg.* following
succèsso *s. m.* **1** success, *(esito)* outcome
2 *(opera di successo)* hit
successóre *s. m.* successor
succhiàre *v. tr.* to suck
succìnto *agg.* **1** *(di vestito)* scanty **2** *(conciso)* concise
sùcco *s. m.* **1** juice **2** *(fig.)* essence, point
succóso *agg.* juicy
succursàle *s. f.* branch
sud *s. m.* south
sudafricàno *agg. e s. m.* South African
sudamericàno *agg. e s. m.* South American
sudàre *v. tr. e intr.* to sweat
sudàta *s. f.* sweat
sudàto *agg.* sweaty
suddétto *agg.* above-mentioned, aforesaid
sùddito *agg. e s. m.* subject
suddivìdere *v. tr.* to subdivide, to split up
sùdicio *agg.* dirty, filthy

sudóre *s. m.* sweat, perspiration
sufficiènte A *agg.* **1** sufficient, enough **2**
(altezzoso) arrogant, haughty **B** *s. m.* sufficient, enough
sufficiènza *s. f.* **1** sufficiency **2** *(alterigia)*
arrogance, conceit **3** *(voto scolastico)*
pass mark ◆ **a s.** enough
suffisso *s. m.* suffix
suffràgio *s. m.* suffrage
suggellàre *v. tr.* to seal
suggeriménto *s. m.* suggestion, hint
suggerìre *v. tr.* **1** to suggest **2** *(teatro,
scuola)* to prompt
suggeritóre *s. m.* prompter
suggestionàbile *agg.* suggestible
suggestionàre A *v. tr.* to influence **B** *v.
intr. pron.* to persuade oneself
suggestióne *s. f.* **1** suggestion **2** *(fascino)*
awesomeness
suggestìvo *agg.* suggestive, striking
sùghero *s. m.* cork
sùgo *s. m.* **1** juice **2** *(cuc.)* sauce **3** *(fig.)*
essence
suicìda A *agg.* suicidal **B** *s. m. e f.* suicide
suicidàrsi *v. rifl.* to commit suicide
suicidio *s. m.* suicide
suìno *s. m.* swine
sulfamidico *s. m.* sulphamide
sultanàto *s. m.* sultanate
sultàno *s. m.* sultan
sùo A *agg. poss. 3ª sing.* **1** *(di lui)* his, *(di
lei)* her, *(di cosa o animale)* its, *(s. proprio)*
his own, her own, its own **2** *(nella forma
di cortesia)* your **3** *(con sogg. indef.)*
one's, *(s. proprio)* one's own **B** *pron. poss.*
(di lui) his, *(di lei)* hers, *(nella forma di
cortesia)* yours **C** *s. m.* **1** *(denaro, averi)*
his/her own money **2** *al pl.* *(familiari)*
his/her family, *(i suoi seguaci)* his/her supporters
suòcera *s. f.* mother-in-law
suòcero *s. m.* father-in-law
suòla *s. f.* sole
suòlo *s. m.* soil, ground, land
suonàre A *v. tr.* **1** to sound, *(campanello,
campane)* to ring **2** *(strumenti musicali)*
to play **3** *(di orologio)* to strike **B** *v. intr.*
1 to sound, *(di campanello, campane)* to
ring **2** *(eseguire musica)* to play **3** *(scoc-
care)* to strike **4** *(risuonare)* to ring, to
resound
suonatóre *s. m.* player
suòno *s. m.* sound
suòra *s. f.* nun, sister

superàre v. tr. **1** to exceed, to go over, to be over, (di persona) to surpass, to outdo **2** (passare al di là di) to get over, (di veicolo) to overtake **3** (vincere, sormontare) to overcome, to get over, to get through

superàto agg. outdated, old-fashioned

supèrbia s. f. arrogance, pride, conceit

supèrbo agg. **1** proud, arrogant, haughty **2** (magnifico) superb, magnificent

superconduttività s. f. superconductivity

superficiàle agg. **1** superficial, surface (attr) **2** (fig.) superficial, shallow

superficie s. f. surface

supèrfluo agg. superfluous

superióre A agg. **1** superior **2** (più alto) higher **3** (sovrastante) upper **4** (al di sopra) above **5** (di grado) senior **6** (avanzato) advanced B s. m. superior

superiorità s. f. superiority

superlativo agg. e s. m. superlative

supermercàto s. m. supermarket

supèrstite A agg. surviving B s. m. e f. survivor

superstizióne s. f. superstition

superstizióso agg. superstitious

superstràda s. f. highway, motorway

supino agg. supine

suppellèttile s. f. furnishings pl.

suppergiù avv. about, nearly, roughly

supplementàre agg. supplementary, additional, extra

suppleménto s. m. supplement, (di spesa) extra (charge)

supplènte A agg. temporary, substitute B s. m. e f. substitute, (insegnante) supply teacher

sùpplica s. f. petition

supplicàre v. tr. to beg, to implore

supplire A v. tr. to replace, to stand in for B v. intr. to make up, to compensate

supplizio s. m. torture, torment

suppórre v. tr. to suppose

suppòrto s. m. support, stand, bearing

supposizióne s. f. supposition, assumption

suppósta s. f. suppository

suprèmo agg. **1** supreme **2** (principale) prime, chief, (straordinario) extraordinary **3** (massimo) great(est), highest **4** (estremo) last

surgelàre v. tr. to (deep-)freeze

surgelàto s. m. frozen food

surrealismo s. m. surrealism

surrealista s. m. e f. surrealist

surriscaldàre v. tr. e intr. pron. to overheat

surrogàto s. m. surrogate, substitute

suscettibile agg. **1** susceptible **2** (permaloso) touchy

suscitàre v. tr. to stir up, to excite, to arouse

susina s. f. plum

susseguìrsi v. intr. pron. to follow one another

sussidiàrio agg. subsidiary

sussidio s. m. subsidy, grant, (aiuto) aid

sussistènza s. f. **1** (esistenza) existence **2** (sostentamento) subsistence

sussistere v. intr. **1** to exist, to subsist **2** (esser valido) to be valid

sussultàre v. intr. **1** to start **2** (di cose) to shake

sussurràre v. tr. to whisper, to murmur

sussurrio s. m. whispering

sussùrro s. m. whisper, murmur

sutùra s. f. suture

suturàre v. tr. to suture

svagàre A v. tr. **1** to divert, to distract attention **2** (divertire) to amuse, to entertain B v. rifl. **1** to distract one's mind **2** (divertirsi) to amuse oneself

svàgo s. m. **1** relaxation, (passatempo) hobby **2** (divertimento) amusement

svaligiàre v. tr. to rob, (una casa) to burgle

svalutàre A v. tr. **1** to devalue, to depreciate **2** (sminuire) to undervalue B v. intr. pron. to be devalued, to depreciate

svalutazióne s. f. devaluation

svanìre v. intr. **1** (sparire) to disappear, to vanish **2** (venir meno) to be lost, to fade

svantaggio s. m. **1** disadvantage, drawback **2** (danno) detriment

svantaggióso agg. **1** disadvantageous **2** (dannoso) detrimental

svaporàre v. intr. **1** to lose scent **2** (fig.) to fade

svariàto agg. **1** (vario) varied **2** al pl. various, different

svasatùra s. f. flare

svàstica s. f. swastika

svedése A agg. Swedish B s. m. e f. Swede C s. m. (lingua) Swedish

svéglia s. f. **1** call **2** (orologio) alarm-clock

svegliàre A v. tr. **1** to wake (up), to awake **2** (fig.) to stir, to arouse B v. rifl. to wake (up), to awake C v. intr. pron. to reawaken, to be roused

svéglio agg. **1** awake (pred.) **2** (fig.) wide-awake, quick

svelàre v. tr. to reveal, to disclose

sveltézza *s. f.* quickness, speed

svèlto *agg.* **1** quick, fast, rapid **2** (*fig.*) quick-witted, smart

svéndere *v. tr.* to sell off

svéndita *s. f.* (clearance) sale

sveniménto *s. m.* faint

svenìre *v. intr.* to faint

sventàre *v. tr.* to foil

sventolàre *v. tr. e intr.* to wave, to flutter

sventùra *s. f.* misfortune

sventuràto *agg.* unfortunate

svergognàto *agg.* shameless

svernàre *v. intr.* to winter

svestire *v. tr. e rifl.* to undress

svettàre *v. intr.* to stand out

svezzaménto *s. m.* weaning

svezzàre *v. tr.* to wean

sviàre A *v. tr.* **1** to divert, to turn aside **2** (*distrarre*) to distract **3** (*traviare*) to lead astray **B** *v. intr. pron.* to go astray, to deviate

svignàrsela *v. intr. pron.* to slink off

sviluppàre A *v. tr.* **1** (*far crescere*) to develop, to expand **2** (*rinvigorire*) to strengthen **3** (*elaborare*) to develop, to work out **4** (*produrre*) to generate, to pro-

duce **5** (*fot., mat.*) to develop **B** *v. rifl. e intr. pron.* **1** to develop **2** (*crescere*) to grow, (*rinvigorirsi*) to strengthen **3** (*espandersi*) to expand, to develop

svilùppo *s. m.* development

sviscceràto *agg.* passionate

svìsta *s. f.* oversight

svitàre A *v. tr.* to unscrew **B** *v. intr. pron.* to come unscrewed

svìzzero *agg. e s. m.* Swiss

svogliàto *agg.* unwilling, indolent

svolazzàre *v. intr.* to flutter, to fly about

svòlgere A *v. tr.* **1** to unwind, to unroll **2** (*sviluppare*) to develop **3** (*eseguire*) to carry out, to do **B** *v. rifl.* **1** to unwind, to unroll **2** (*svilupparsi*) to develop **C** *v. intr. pron.* (*accadere*) to happen, to occur

svolgiménto *s. m.* **1** unwinding, unrolling **2** (*esecuzione*) execution **3** (*sviluppo*) development, progress

svòlta *s. f.* **1** (*lo svoltare*) turning **2** (*di strada*) turn, bend

svoltàre *v. intr.* to turn

svuotàre *v. tr.* to empty

T

tabaccàio *s. m.* tobacconist
tabaccheria *s. f.* tobacconist's (shop)
tabàcco *s. m.* tobacco, *(da fiuto)* snuff
tabèlla *s. f.* table, schedule
tabellóne *s. m.* notice-board
tabernàcolo *s. m.* tabernacle
tabù *s. m.* taboo
tabulàto *s. m.* printout
tàcca *s. f.* notch
taccàgno A *agg.* miserly, stingy **B** *s. m.* miser
taccheggiàre *v. tr. e intr.* to shoplift
taccheggiatóre *s. m.* shoplifter
tacchéggio *s. m.* shoplifting
tacchìno *s. m.* turkey
tacciàre *v. tr.* to accuse
tàcco *s. m.* heel
taccuìno *s. m.* notebook
tacére A *v. intr.* **1** to be silent, to keep silent **2** *(non far rumore)* to be still **B** *v. tr.* to pass over in silence, to leave out
tachicardìa *s. f.* tachycardia
tachìmetro *s. m.* speedometer
tàcito *agg.* **1** tacit, implicit **2** *(quieto)* still
taciturno *agg.* taciturn
tàfano *s. m.* horse-fly
tafferùglio *s. m.* brawl, scuffle
tàglia *s. f.* **1** *(misura)* size **2** *(ricompensa)* reward
tagliacàrte *s. m. inv.* paper knife
tagliàndo *s. m.* coupon, slip
tagliàre A *v. tr.* **1** to cut **2** *(attraversare)* to cut across, *(intersecare)* to intersect **3** *(interrompere, staccare)* to cut off, to interrupt **4** *(escludere)* to cut out **5** *(ridurre)* to cut down **6** *(mescolare)* to blend **B** *v. intr. e intr. pron.* to cut **C** *v. rifl.* to cut oneself, to get cut
tagliàto *agg.* **1** cut **2** *(portato)* cut out **3** *(di vino)* blended
tagliènte *agg.* cutting, sharp
taglière *s. m.* chopping-board
tàglio *s. m.* **1** cut, cutting **2** *(ferita)* cut **3** *(parte tagliente)* edge **4** *(tono)* tone **5** *(pezzo)* cut, *(di stoffa)* length, *(di banconota)* denomination **6** *(dimensione)* size **7** *(di vite)* slot
tagliòla *s. f.* trap
tàlco *s. m.* talc ♦ **t. in polvere** talcum powder

tàle A *agg.* **1** *(simile)* such, like that *(pred.)* (ES: **tali sono i suoi problemi** such are his problems, **tali fatti accadono ogni giorno** things like that happen every day) **2** *(intensivo)* so, such (ES: **c'era una t. confusione!** there was such a caos!) **3** *(un certo)* a, certain (ES: **un t. signor Smith** a Mr Smith) **4** *(preceduto dall'art. determ.)* such and such (ES: **il t. giorno alla t. ora** on such and such day, at such and such time) **5** *(dimostr)* this, that (ES: **in t. caso** in that case) **B** *pron.* **1** *(dimostr)* he m., she f., the/that person, the/that fellow (ES: **è lui il t. che cercavi** that's the fellow you were looking for) **2** *(indef.)* *(preceduto dall'art. indeterm.)* someone, *(preceduto da 'quel', 'quella')* the man, the woman (ES: **c'è un t. che ti aspetta** there's someone waiting for you, **c'è quel t. dell'assicurazione** the insurance man is here)
talènto *s. m.* talent
talismàno *s. m.* talisman
talloncìno *s. m.* coupon, slip
tallóne *s. m.* heel
talménte *avv.* **1** *(con agg. e avv.)* so **2** *(con v.)* so much. in such a way
talóra → **talvolta**
tàlpa *s. f.* mole
talvòlta *avv.* sometimes, at times
tamarìndo *s. m.* tamarind
tamburellàre *v. intr.* to drum
tamburèllo *s. m.* tambourine
tambùro *s. m.* **1** drum **2** *(arch.)* tambour
tamponaménto *s. m.* **1** *(il tamponare)* plugging **2** *(autom.)* collision, *(a catena)* pile-up **3** *(med.)* tamponage
tamponàre *v. tr.* **1** to stop up, to plug **2** *(med.)* to tampon **3** *(autom.)* to collide with, to crash into
tampóne *s. m.* **1** plug, stopper **2** *(med., assorbente)* tampon **3** *(per timbri)* pad **4** *(chim., inf., elettr)* buffer
tàna *s. f.* den
tandem *s. m. inv.* tandem
tànfo *s. m.* stench
tangènte A *agg.* tangent **B** *s. f.* **1** tangent **2** *(quota)* share, percentage, *(illegale)* rake-off, cut

tangenziàle A *agg.* tangential **B** *s. f.* (*strada*) bypass, ring road

tàngo *s. m.* tango

tànica *s. f.* can, tank

tànto A *agg. indef.* **1** (*intensivo*) so much, such, so many *pl.*, (*così grande*) so great (ES: **te l'ho detto tante volte** I've told you so many times) **2** (*molto*) much, many *pl.*, a lot of, lots of (ES: **hanno t. denaro** they have lots of money) **3** (*comp., spesso in correlazione con 'quanto'*) as much, as many *pl.*, (*in frasi neg.*) so much, so many *pl.* (ES: **ho tanti soldi quanto te** I have as much money as you, **non hai tanti giocattoli quanti ne ho io** you have not so many toys as I have) **4** (*altrettanto*) as much, as many *pl.* **B** *avv.* **1** (*così, talmente*) (*con agg. e avv.*) so, (*con v.*) such a lot, so (much) (ES: **sono t. felice che non riesco a stare fermo** I am so happy that I cannot keep still, **l'amava t.!** he loved her so much!) **2** (*in correlazione con 'quanto'*) (*con agg. e avv.*) as, so, (*con v.*) as much, so much (ES: **lavoro t. quanto mi basta** I work as hard as I need) **3** (*molto*) (*con agg. e avv.*) so, (*con v.*) so much (ES: **gli era t. affezionato** he was so fond of him) **4** (*temporale*) (for) a long time, long, so long (ES: **l'ho aspettato t.** I waited for him a long time) **5** (*moltiplicativo*) as much (ES: **due volte t.** twice as much) **6** (*soltanto*) just (ES: **t. per cambiare** just for a change) **7** (*comunque*) in any case (ES: **parla pure, t. faccio come voglio** you can go on talking, I'll do as I please in any case) **C** *pron. indef.* **1** (*molto*) much, many *pl.*, a lot, (*molte persone*) many people, a lot of people (ES: **tanti guidano in modo pericoloso** many people drive dangerously) **2** (*comparativo in correlaz. con 'quanto'*) as much, as many *pl.*, so much, so many *pl.* (ES: **prendine t. quanto basta** take as much as is necessary) **D** *s. m.* so much (ES: **un t. per cento** so much per cent) ♦ **ogni t.** every now and then; **t. più che ...** all the more that ...; **t. ... quanto** (*sia ... sia*) both ... and; **una volta ogni t.** once in a while

tàppa *s. f.* **1** (*luogo di sosta*) stopping place **2** (*fermata*) halt, stop, stay **3** (*parte di percorso*) stage, leg, (*di gara sportiva*) lap **4** (*momento fondamentale*) stage

tappàre A *v. tr.* to plug, to cork, to stop (up) **B** *v. rifl.* to shut oneself up

tapparèlla *s. f.* roll-up shutter

tappéto *s. m.* **1** carpet **2** (*sport*) mat, (*boxe*) canvas

tappezzàre *v. tr.* **1** to paper **2** (*coprire*) to cover **3** (*foderare*) to upholster

tappezzerìa *s. f.* **1** (*arte, professione*) upholstery **2** (*di tessuto*) tapestry, (*di carta*) wall-paper, (*per mobili, auto*) upholstery

tappezzière *s. m.* **1** (*di mobili*) upholsterer **2** (*di pareti*) paperhanger, decorator

tàppo *s. m.* plug, stopper, (*di bottiglia*) cap, (*di sughero*) cork

tàra *s. f.* **1** (*comm.*) tare **2** (*difetto*) defect, blemish

tarchiàto *agg.* stocky

tardàre A *v. tr.* to delay, to put off **B** *v. intr.* to be late, to be long, to delay

tàrdi *avv.* late

tardìvo *agg.* **1** late **2** (*che arriva tardi*) tardy, belated

tàrdo *agg.* **1** (*lento*) slow **2** (*ottuso*) dull **3** (*di tempo*) late

tàrga *s. f.* **1** plate **2** (*autom.*) numberplate, (*USA*) license plate

targhétta *s. f.* plate

tariffa *s. f.* tariff, rate, price, (*di biglietto*) fare

tariffàrio *s. m.* tariff, price list, rate table

tàrlo *s. m.* woodworm

tàrma *s. f.* moth

tarmicìda *s. m.* moth-killer

taròcco *s. m.* tarot, tarok

tarsìa *s. f.* marquetry, tarsia

tartagliàre *v. intr.* to stutter, to stammer

tàrtaro *s. m.* tartar

tartarùga *s. f.* tortoise, (*di mare*) turtle

tartìna *s. f.* canapé

tartùfo *s. m.* truffle

tàsca *s. f.* pocket

tascàbile A *agg.* pocket (*attr*) **B** *s. m.* (*libro*) paperback

taschìno *s. m.* breast-pocket

tàssa *s. f.* tax, duty, dues *pl.*, (*per iscrizione*) fee

tassàbile *agg.* taxable

tassàmetro *s. m.* meter

tassàre *v. tr.* to tax, to assess

tassatìvo *agg.* peremptory

tassazióne *s. f.* taxation

tassèllo *s. m.* plug

tassì → **taxi**

tassìsta *s. m. e f.* taxi driver, cabdriver

tàsso (1) *s. m.* (*zool.*) badger

tàsso (2) *s. m.* (*bot.*) yew

tàsso (3) *s. m.* rate ♦ **t. di natalità** birthrate
tastàre *v. tr.* **1** to touch, to feel **2** (*fig.*) to sound out
tastièra *s. f.* keyboard
tastierìsta *s. m. e f.* keyboard operator, (*mus.*) keyboard player
tàsto *s. m.* key
tastóni, a *loc. avv.* gropingly
tàttica *s. f.* tactics *pl.* (*v. al sing.*)
tàttico *agg.* tactical
tàtto *s. m.* **1** touch **2** (*fig.*) tact
tatuàggio *s. m.* tattoo
tatuàre *v. tr.* to tattoo
tauromachìa *s. f.* bullfight
tavèrna *s. f.* tavern, inn
tàvola *s. f.* **1** (*asse*) board, plank **2** (*tavolo*) table **3** (*illustrazione*) plate **4** (*tabella*) table ♦ **t. a vela** windsurfer; **t. calda** snack bar
tavolàta *s. f.* table, tableful
tavolàto *s. m.* **1** (*pavimento*) wood(en) floor **2** (*geogr.*) plateau
tavolétta *s. f.* tablet, bar
tavolìno *s. m.* small table
tàvolo *s. m.* table
tavolòzza *s. f.* palette
tàxi *s. m. inv.* taxi, cab
tàzza *s. f.* cup
tazzìna *s. f.* (small) cup
te *pron. pers. 2ª sing.* you ♦ **fai da te** do it yourself; **se fossi in te** if I were you; **tocca a te** it's your turn
tè *s. m.* tea
teatràle *agg.* theatrical
teàtro *s. m.* theatre, (*USA*) theater
tèca *s. f.* reliquary
tècnica *s. f.* **1** technique **2** (*tecnologia*) technics *pl.* (*v. al sing.*)
tècnico A *agg.* technical **B** *s. m.* technician, engineer, (*esperto*) expert
tecnologìa *s. f.* technology
tedésco *agg. e s. m.* German
tèdio *s. m.* tedium, boredom
tegàme *s. m.* pan
tèglia *s. f.* baking-tin
tègola *s. f.* tile
teièra *s. f.* tea-pot
téla *s. f.* cloth, canvas
telàio *s. m.* **1** loom, (*da ricamo*) tambour **2** (*ossatura*) frame
telecàmera *s. f.* telecamera
telecomàndo *s. m.* remote control
telecomunicazióne *s. f.* telecommunication

telecrònaca *s. f.* television report
telecronìsta *s. m. e f.* commentator
telefèrica *s. f.* cableway
telefonàre *v. tr. e intr.* to telephone, to phone, to ring up, to call
telefonàta *s. f.* (phone) call
telefònico *agg.* telephone (*attr*)
telefonìsta *s. m. e f.* (telephone) operator
telèfono *s. m.* telephone, phone ♦ **colpo di t.** call; **elenco del t.** telephone directory
telegiornàle *s. m.* news
telègrafo *s. m.* telegraph
telegràmma *s. m.* telegram, (*USA*) wire
telemàtica *s. f.* telematics *pl.* (*v. al sing.*)
telepatìa *s. f.* telepathy
teleschérmo *s. m.* telescreen
telescòpio *s. m.* telescope
teleselezióne *s. f.* direct dialling
telespettatóre *s. m.* televiewer
televisióne *s. f.* television, (*apparecchio*) television set
televisìvo *agg.* television (*attr*)
televisóre *s. m.* television set
telex *s. m. inv.* telex
tellìna *s. f.* clam
télo *s. m.* length of cloth
telóne *s. m.* tarpaulin
tèma *s. m.* **1** subject, topic, theme **2** (*scolastico*) composition **3** (*mus.*) theme
temeràrio *agg.* temerarious
temére *v. tr.* to fear, to be afraid of ♦ **temo di no/sì** I fear not/so
tèmpera *s. f.* tempera, distemper
temperamatite *s. m. inv.* pencil sharpener
temperaménto *s. m.* temperament, disposition
temperàre *v. tr.* **1** (*mitigare*) to temper, to mitigate **2** (*fare la punta*) to sharpen
temperàto *agg.* **1** temperate, moderate **2** (*mus.*) tempered
temperatùra *s. f.* temperature
temperìno *s. m.* **1** (*coltellino*) penknife **2** (*temperamatite*) pencil sharpener
tempèsta *s. f.* storm, tempest
tempestàre *v. tr.* **1** (*colpire*) to batter, to pound **2** (*subissare*) to annoy, to pester **3** (*ornare*) to stud
tempestività *s. f.* opportuneness, timeliness
tempestìvo *agg.* opportune, timely
tempestóso *agg.* stormy
tèmpia *s. f.* temple
tèmpio *s. m.* temple
tempìsmo *s. m.* sense of timing

templàre *s. m.* Templar

tèmpo *s. m.* **1** time **2** (*atmosferico*) weather **3** (*mus.*) tempo, time **4** (*gramm.*) tense **5** (*fase*) stage, phase ♦ **t. fa** some time ago; **t. libero** spare time; **t. morto** idle time; **t. pieno** full time; **un t.** (*nel passato*) once

temporàle *s. m.* storm

temporàneo *agg.* temporary

temporeggiàre *v. intr.* to play for time

tempràre A *v. tr.* **1** (*metall.*) to temper, to harden **2** (*fortificare*) to strengthen **B** *v. rifl. e intr. pron.* to be strengthened

tenàce *agg.* tenacious

tenàglie *s. f. pl.* tongs *pl.*, pincers *pl.*, pliers *pl.*

tènda *s. f.* **1** tent **2** (*di finestra*) curtain

tendènza *s. f.* **1** trend, tendency **2** (*attitudine*) disposition, bent

tendenziàle *agg.* tendential

tendenzióso *agg.* tendentious

tèndere A *v. tr.* **1** (*porgere*) to stretch (out), to hold out **2** (*mettere in tensione*) to stretch, to tighten **3** (*predisporre*) to lay, to set **B** *v. intr.* **1** to tend, to be inclined **2** (*mirare*) to aim, to intend

tendìna *s. f.* curtain

tèndine *s. m.* tendon, sinew

tendóne *s. m.* awning, (*impermeabile*) tarpaulin, (*da circo*) tent, big top

tènebre *s. f. pl.* dark, darkness

tenebróso *agg.* dark, gloomy

tenènte *s. m.* lieutenant

tenére A *v. tr.* **1** to hold, to keep **2** (*prendere*) to take **3** (*occupare*) to take up **4** (*contenere*) to contain **5** (*considerare, ritenere*) to consider, to regard **6** (*organizzare*) to hold, to deliver **B** *v. intr.* **1** (*resistere*) to hold **2** (*essere a tenuta stagna*) to be watertight **3** (*dare importanza*) to care, (*avere caro*) to value, (*volere*) to like, to want **4** (*parteggiare*) to support **C** *v. rifl.* **1** to keep oneself, to hold oneself **2** (*trattenersi*) to help (*col gerundio*) **3** (*attenersi*) to stick, to follow

tenerézza *s. f.* tenderness

tènero *agg.* **1** tender, soft **2** (*fig.*) tender, loving, (*di parole*) fond

tènia *s. f.* tapeworm, taenia

tènnis *s. m. inv.* tennis

tennìsta *s. m. e f.* tennis player

tenóre *s. m.* **1** (*modo*) tenor, way **2** (*contenuto*) tenor, contents *pl.* **3** (*mus.*) tenor

tensióne *s. f.* **1** tension **2** (*elettr.*) voltage

tentàre *v. tr.* **1** to try, to attempt **2** (*indurre in tentazione*) to tempt

tentatìvo *s. m.* attempt, try

tentazióne *s. f.* temptation

tentennàre A *v. intr.* **1** to stagger, to totter, (*oscillare*) to swing **2** (*fig.*) to waver, to hesitate **B** *v. tr.* to shake

tènue *agg.* **1** slender, slight **2** (*delicato*) soft

tenùta *s. f.* **1** (*proprietà agricola*) estate, farm **2** (*capacità*) capacity **3** (*abbigliamento*) clothes *pl.*, (*uniforme*) uniform **4** (*tecnol.*) seal ♦ **a t. d'acqua** watertight; **t. di strada** roadholding

teologìa *s. f.* theology

teòlogo *s. m.* theologian

teorèma *s. m.* theorem

teorìa *s. f.* theory

teòrico A *agg.* theoretic(al) **B** *s. m.* theorist, theorician

tepóre *s. m.* warmth

tèppa *s. f.* mob

teppìsmo *s. m.* hooliganism

teppìsta *s. m. e f.* hooligan

terapèutico *agg.* therapeutic(al)

terapìa *s. f.* therapy

tergicristàllo *s. m.* windscreen wiper

tergiversàre *v. intr.* to prevaricate

tèrgo *s. m.* back ♦ **a t.** overleaf

termàle *agg.* thermal ♦ **sorgenti termali** hot springs; **stabilimento t.** spa

tèrme *s. f. pl.* **1** thermal baths *pl.*, hot springs *pl.*, spa **2** (*archeol.*) thermae *pl.*

tèrmico *agg.* thermic, thermal

terminàle *agg. e s. m.* terminal

terminàre *v. tr. e intr.* to end, to finish

tèrmine *s. m.* **1** (*fine*) end, close **2** (*limite*) limit **3** (*confine*) boundary **4** (*scadenza*) expiry, date, time **5** (*condizione, rapporto*) term **6** (*parola*) term, word **7** (*mat.*) term

terminologìa *s. f.* terminology

tèrmite *s. f.* termite

termodinàmica *s. f.* thermodynamics *pl.* (*v. al sing.*)

termòmetro *s. m.* thermometer

termosifóne *s. m.* radiator

termòstato *s. m.* thermostat

tèrra *s. f.* **1** (*pianeta*) earth, (*mondo*) world **2** (*opposto ad acqua*) land **3** (*terreno*) ground, (*materiale terroso*) earth, (*suolo coltivabile*) soil, (*pavimento*) floor **4** (*paese, regione*) land, country **5** (*proprietà*) land, estate, property

terracòtta s. f. terracotta ♦ **vasellame di t.** earthenware

terraférma s. f. dry land, (*continente*) mainland

terràglia s. f. earthenware

terrapièno s. m. bank, (*mil.*) rampart

terràzza s. f. terrace

terrazzaménto s. m. terracing

terràzzo s. m. terrace

terremòto s. m. 1 earthquake 2 (*fig.*) upheaval

terréno A *agg.* earthly B s. m. 1 ground, (*suolo*) soil 2 (*proprietà, porzione di terra*) land 3 (*campo*) field ♦ **piano t.** ground floor, first floor

terrèstre *agg.* terrestrial, earthly, land (*attr*)

terrìbile *agg.* terrible, awful, dreadful

terrificànte *agg.* terrifying, appalling

territoriàle *agg.* territorial

territòrio s. m. territory, region

terróre s. m. terror, dread

terrorìsmo s. m. terrorism

terrorìsta s. m. e f. terrorist

tèrso *agg.* clear

terziàrio s. m. tertiary

terzìno s. m. back

tèrzo *agg. num. ord. e* s. m. third

terzùltimo *agg.* last but two

tésa s. f. brim

tèschio s. m. skull

tèsi s. f. thesis

téso *agg.* 1 tigh, stretched, tense 2 (*mirante*) aimed

tesorerìa s. f. treasury

tesorière s. m. treasurer

tesòro s. m. treasure

tèssera s. f. 1 card, ticket, pass 2 (*di mosaico*) tessera

tèssere v. tr. to weave

tèssile *agg.* textile

tessitóre s. m. weaver

tessitùra s. f. weaving, (*disposizione dei fili*) texture

tessùto s. m. 1 fabric, material, cloth 2 (*biol.*) tissue ♦ **t. di lana** woollen fabric; **t. di seta** silk material

test s. m. inv. test

tèsta s. f. head ♦ **a t.** per head, each; **essere in t.** to be in the lead; **mal di t.** headache

tèsta-códa loc. sost. m. inv. spin, about-face

testaménto s. m. will, testament

testàrdo *agg.* stubborn

testàta s. f. 1 head 2 (*di giornale*) heading, (*giornale*) newspaper 3 (*mil.*) warhead 4 (*colpo*) butt

testatóre s. m. testator

tèste s. m. e f. witness

testìcolo s. m. testicle

testimòne s. m. e f. witness

testimoniànza s. f. 1 testimony, witness 2 (*prova*) evidence, proof

testimoniàre v. tr. e intr. to testify

testìna s. f. head

tèsto s. m. text

testuàle *agg.* 1 textual 2 (*preciso*) exact, precise

testùggine s. f. tortoise, (*di mare*) turtle

tètano s. m. tetanus

tètro *agg.* gloomy

tétto s. m. 1 roof 2 (*livello massimo*) ceiling

tettòia s. f. roofing, canopy

tettùccio s. m. roof, (*apribile*) sunroof

ti pron. pers. 2ª sing. m. e f. 1 (*compl. ogg.*) you, (*compl. ind.*) (to) you, (for) you 2 (*rifl.*) yourself

tiàra s. f. tiara

tìbia s. f. tibia, shin-bone

tibùrio s. m. lantern

tic s. m. inv. tic

ticchettìo s. m. ticking

tièpido *agg.* tepid, lukewarm

tifàre v. intr. to be a fan of

tifo s. m. 1 (*med.*) typhus 2 (*sport*) support, fanaticism ♦ **fare il t. per** to be a fan of

tifóne s. m. typhoon

tifóso s. m. fan, supporter

tìglio s. m. linden

tignòla s. f. moth

tìgre s. f. tiger

timbàllo s. m. timbale, pie

timbràre v. tr. to stamp, (*lettera*) to postmark ♦ **t. il cartellino** to clock in/out

tìmbro s. m. 1 stamp, (*postale*) postmark 2 (*mus.*) timbre

timidézza s. f. shyness

tìmido *agg.* shy, timid

timo (1) s. m. (*bot.*) thyme

timo (2) s. m. (*anat.*) thymus

timóne s. m. rudder, helm ♦ **ruota del t.** steering wheel

timonière s. m. helmsman, steersman

timóre s. m. fear, dread

timoróso *agg.* fearful, afraid (*pred.*)

tìmpano s. m. 1 (*anat.*) tympanum, eardrum 2 (*mus.*) kettledrum 3 (*arch.*) tympanum, gable

tìnca s. f. tench

tìngere v. tr. 1 to dye 2 (colorare) to colour, to stain, (lievemente) to tinge

tìno s. m. tub, vat

tinòzza s. f. tub

tìnta s. f. 1 (sostanza colorante) dye, (pittura) paint 2 (colore) colour

tintarella s. f. (sun-)tan

tinteggiàre v. tr. to paint

tintinnàre v. intr. to tinkle

tintoria s. f. dry cleaner's

tintùra s. f. dyeing, dye, (per capelli) hair dye

tìpico agg. typical

tìpo s. m. 1 type, model, pattern 2 (varietà) kind, sort 3 (individuo) fellow, chap, character, (USA) guy

tipografìa s. f. 1 (procedimento) typography 2 (stamperia) printing works pl.

tipogràfico agg. typographic(al)

tipògrafo s. m. printer, typographer

tipologìa s. f. typology

tiràggio s. m. draught

tirànno s. m. tyrant

tirànte s. m. 1 tie-rod 2 (edil.) tie-beam

tiràre A v. tr. 1 to pull, to draw, (trascinare) to drag 2 (lanciare) to throw 3 (tendere) to draw 4 (stampare) to print B v. intr. 1 (avere tiraggio) to draw 2 (soffiare) to blow 3 (sparare) to shoot 4 (tendere) to tend 5 (di vestito) to be tight 6 (essere teso) to feel tight C v. rifl. to draw, to drag ♦ **t. a lucido** to polish; **t. di boxe** to box; **t. fuori** to draw out; **t. giù** to pull down, (abbassare) to lower; **t. su** to pull up, (raccogliere) to pick up; **t. sul prezzo** to bargain

tiratóre s. m. shooter, shot

tiratùra s. f. 1 printing, edition 2 (numero di copie) circulation

tìrchio A agg. mean, stingy B s. m. miser

tìro s. m. 1 (trazione) draught 2 (lancio) throw, cast 3 (di arma) shot, fire, (lo sparare) shooting 4 (muta) team 5 (scherzo) trick 6 (di sigaretta) puff ♦ **t. alla fune** tug-of-war; **t. a segno** target-shooting; **t. con l'arco** archery

tirocìnio s. m. apprenticeship, training

tiròide s. f. thyroid

tisàna s. f. infusion, (herb) tea

titolàre A agg. regular, (che ha solo il titolo) titular B s. m. e f. (proprietario) owner, (detentore) holder

tìtolo s. m. 1 title, (di giornale) headline 2 (onorifico, accademico) title, (qualifica)

qualification 3 (ragione) reason, (diritto) title, right 4 (fin.) bond, security

titubànte agg. hesitant

tìzio s. m. person, someone

tizzóne s. m. brand

toccànte agg. touching, moving

toccàre A v. tr. 1 to touch, (sfiorare) to touch in, (tastare) to feel, (maneggiare) to handle 2 (raggiungere) to reach 3 (commuovere) to touch, to move 4 (riguardare) to concern, to affect 5 (colpire) to hurt B v. intr. 1 (capitare) to happen, to fall 2 (spettare) to fall, to be up to, (essere di turno) to be turn 3 (dovere) to have C v. rifl. rec. to touch each other

toccasàna s. m. inv. cure-all

tócco s. m. touch, (di pennello) stroke

tòga s. f. robe, gown

tògliere A v. tr. 1 to take away, to take out, (vestiti) to take off 2 (rimuovere) to remove 3 (sottrarre) to take 4 (liberare) to relieve, to free 5 (interrompere l'erogazione di) to cut off B v. rifl. to go away, to get out

toilette s. f. 1 (bagno) toilet, lavatory 2 (mobile) dressing table

tollerànte agg. 1 tolerant 2 (che sopporta) enduring

tollerànza s. f. 1 tolerance 2 (capacità di sopportazione) endurance, tolerance 3 (scarto) allowance

tolleràre v. tr. 1 to tolerate, to bear, to stand 2 (concedere) to allow

tomàia s. f. upper

tómba s. f. tomb, grave

tombàle agg. tomb (attr), grave (attr)

tombìno s. m. manhole

tómbola s. f. 1 tombola 2 (ruzzolone) tumble

tòmo s. m. tome, volume

tomografìa s. f. tomography

tònaca s. f. (di frate) cowl, frock, (di prete) soutane

tonalità s. f. 1 tonality 2 (sfumatura) tone, shade

tóndo A agg. round B s. m. 1 round, (cerchio) circle, ring 2 (arte) tondo

tónfo s. m. 1 thud, (in acqua) splash 2 (fig.) fall, crash

tònico A agg. tonic B s. m. 1 tonic 2 (cosmetico) toner

tonificànte agg. tonic, bracing

tonificàre v. tr. to tone (up), to brace

tonnellàggio s. m. tonnage

tonnellàta s. f. ton

tónno s. m. tuna, tunny, (in scatola) tuna fish

tòno s. m. **1** tone **2** (mus.) tone, key, (intonazione) tune **3** (accordo) tune

tonsilla s. f. tonsil

tonsillite s. f. tonsillitis

tónto **A** agg. stupid, dull **B** s. m. foolish, dunce

top s. m. inv. top

topàzio s. m. topaz

topicìda s. m. rat-poison

topless s. m. inv. topless

tòpo s. m. mouse

topografia s. f. topography

topònimo s. m. toponym

tòppa s. f. **1** (pezza) patch **2** (della serratura) keyhole

toràce s. m. chest, thorax

tórba s. f. peat

tórbido agg. **1** (di liquido) turbid, cloudy **2** (fosco) gloomy **3** (inquieto) troubled

tòrcere **A** v. tr. **1** to twist, to wring **2** (curvare) to bend **B** v. rifl. to twist, to writhe

torchiàre v. tr. **1** to press **2** (fig.) to grill

tórchio s. m. press

tòrcia s. f. torch

torcicòllo s. m. stiff neck

tórdo s. m. thrush

torménta s. f. snow storm

tormentàre **A** v. tr. to torture, to torment, (annoiare) to pester **B** v. rifl. to be tormented, to worry

torménto s. m. torment, agony, (seccatura) nuisance

tornacónto s. m. advantage, profit

tornàdo s. m. inv. tornado

tornànte s. m. hairpin bend

tornàre v. intr. **1** to return, (andare di nuovo) to go back, (venire di nuovo) to come back, (essere di ritorno) to be back **2** (ridiventare) to become again **3** (quadrare) to balance, to square

tornasóle s. m. litmus

tornèo s. m. tournament

tórnio s. m. lathe

tòro s. m. **1** bull **2** (astr.) Taurus

torpèdine s. f. torpedo

torpedinièra s. f. torpedo boat

torpóre s. m. torpor, numbness

tórre s. f. **1** tower **2** (scacchi) castle, rook

torrefazióne s. f. torrefaction, (di caffè) roasting

torrènte s. m. stream, torrent

torrenziàle agg. torrential

torrétta s. f. turret

torrióne s. m. keep, tower

torsióne s. f. torsion

tórso s. m. trunk, torso ♦ **a t. nudo** barechested

tórsolo s. m. core

tórta s. f. cake, pie, tart ♦ **t. di mele** apple-pie

tortièra s. f. baking-tin

tortìno s. m. pie

tòrto s. m. **1** wrong **2** (colpa) fault ♦ **a t.** wrongly

tórtora s. f. turtledove

tortuóso agg. **1** winding, tortuous **2** (fig.) tortuous, devious

tortùra s. f. **1** torture **2** (fig.) agony, torment

torturàre **A** v. tr. to torture **B** v. rifl. to torment oneself, to worry

tórvo agg. grim

tosaèrba s. m. inv. lawn mower

tosàre v. tr. to shear, to clip

toscàno agg. e s. m. Tuscan

tósse s. f. cough

tòssico agg. toxic

tossicodipendènte s. m. e f. (drug) addict

tossicodipendènza s. f. drug addiction

tossicòmane s. m. e f. (drug) addict

tossìna s. f. toxin

tossìre v. intr. to cough

tostapàne s. m. inv. toaster

tostàre v. tr. to toast, (caffè) to roast

totàle **A** agg. total, complete, whole, utter **B** s. m. total

totalità s. f. **1** totality **2** (numero complessivo) mass, whole

totalizzàre v. tr. to total, (punteggio) to score

tòtano s. m. tattler

tournée s. f. inv. tour

tovàglia s. f. tablecloth

tovagliòlo s. m. napkin

tòzzo **A** agg. squat **B** s. m. piece

tra prep. → **fra**

traballàre v. intr. to stagger, to totter

traboccàre v. intr. to overflow

trabocchétto s. m. trap

tracannàre v. tr. to gulp down

tràccia s. f. **1** trace, sign, (impronta) track, trail, (di uomo) footprint **2** (schema) outline

tracciàre v. tr. **1** to trace (out), to mark out, to draw, to plot **2** (delineare) to outline

tracciàto s. m. plan, route

trachèa s. f. trachea, windpipe

tracòlla *s. f.* shoulder-belt, baldric ♦ **borsa a t.** shoulder-bag
tracòllo *s. m.* collapse, ruin, crash
tracotànte *agg.* overbearing
tradiménto *s. m.* 1 treason, (*inganno*) betrayal 2 (*slealtà*) treachery
tradìre A *v. tr.* 1 to betray 2 (*essere infedele a*) to be unfaithful to 3 (*ingannare*) to deceive 4 (*venir meno a*) to fail B *v. rifl.* to betray oneself
traditóre A *agg.* treacherous B *s. m.* traitor, betrayer
tradizionàle *agg.* traditional
tradizióne *s. f.* tradition
tradùrre *v. tr.* 1 to translate 2 (*esprimere*) to express 3 (*dir*) to transfer
traduttóre *s. m.* translator
traduzióne *s. f.* 1 translation 2 (*dir*) transfer
trafelàto *agg.* out of breath
trafficànte *s. m. e f.* dealer, trafficker
trafficàre *v. intr.* 1 to trade, to deal 2 (*fare traffici illeciti*) to traffic, (*spacciare*) to push 3 (*affaccendarsi*) to bustle about
tràffico *s. m.* 1 traffic 2 (*commercio*) trade, (*illecito*) traffic
trafìggere *v. tr.* to stab, to pierce through
trafìla *s. f.* procedure
trafilétto *s. m.* paragraph
traforàre *v. tr.* to bore, to drill
trafóro *s. m.* 1 perforation, boring, tunneling 2 (*galleria*) tunnel
trafugàre *v. tr.* to purloin, to steal
tragèdia *s. f.* tragedy
traghettàre *v. tr.* to ferry
traghétto *s. m.* ferry(boat)
tràgico *agg.* tragic(al)
tragicòmico *agg.* tragicomic(al)
tragìtto *s. m.* 1 (*percorso*) way 2 (*viaggio*) journey, (*per mare*) passage, crossing
traguàrdo *s. m.* 1 finishing line 2 (*fig.*) goal, aim
traiettòria *s. f.* trajectory
tràina *s. f.* towrope ♦ **pescare alla t.** to troll
trainàre *v. tr.* to tow, to draw
tràino *s. m.* haulage, drawing
tralasciàre *v. tr.* 1 to leave out, to omit 2 (*desistere da*) to give up
tràlcio *s. m.* shoot
tralìccio *s. m.* trellis, pylon
tram *s. m.* tram, (*USA*) streetcar
tràma *s. f.* 1 (*di tessuto*) weft 2 (*intreccio*) plot, plan 3 (*macchinazione*) plot, conspiracy

tramandàre *v. tr.* to hand down
tramàre *v. tr.* to plot, to intrigue
trambùsto *s. m.* confusion, bustle
tramestìo *s. m.* rummaging
tramezzìno *s. m.* sandwich
tramèzzo *s. m.* partition wall
tramontàna *s. f.* north wind
tramontàre *v. intr.* 1 to set 2 (*fig.*) to fade, to wane
tramónto *s. m.* 1 (*del sole*) sunset, (*di astri*) setting 2 (*fig.*) decline, fading
tramortìre *v. tr.* to stun
trampolière *s. m.* wading-bird, wader
trampolìno *s. m.* spring board, diving board, (*per sci*) ski-jumping board
tràmpolo *s. m.* stilt
tramutàre A *v. tr.* to change, to convert B *v. intr. pron.* to change into, to turn into
tràncio *s. m.* slice
tranèllo *s. m.* trap, snare
trangugiàre *v. tr.* to gulp down
trànne *prep.* except, save, but
tranquillànte A *agg.* tranquillizing B *s. m.* tranquillizer
tranquillità *s. f.* quiet, calm, (*di spirito*) tranquillity
tranquillizzàre A *v. tr.* to tranquillize, to calm down B *v. intr. pron.* to calm down
tranquillo *agg.* peaceful, calm, quiet, (*di spirito*) tranquil
transatlàntico *s. m.* (trasatlantic) liner
transazióne *s. f.* 1 arrangement 2 (*dir, comm.*) transaction
transènna *s. f.* 1 barrier 2 (*arch.*) transenna
transessuàle *s. m. e f.* transsexual
transètto *s. m.* transept
transìgere *v. intr.* 1 to come to an agreement, to come to terms 2 (*dir*) to come to a transaction
transistor *s. m. inv.* transistor
transitàbile *agg.* practicable
transitàre *v. intr.* to travel, to pass
transitìvo *agg.* transitive
trànsito *s. m.* transit ♦ **divieto di t.** no thoroughfare; **t. interrotto** road up
transitòrio *agg.* temporary
tranvìa *s. f.* tramway, (*USA*) streetcar line
tranvière *s. m.* tram driver, (*USA*) streetcar operator
trapanàre *v. tr.* to drill, to bore
tràpano *s. m.* drill
trapassàre A *v. tr.* to pierce, to run through

B v. intr. **1** (passare) to pass **2** (morire) to pass away

trapàsso s. m. **1** transition **2** (dir.) transfer

trapelàre v. intr. to leak out

trapèzio s. m. **1** (geom.) trapezium **2** (anat.) trapezius **3** (ginnastica, vela) trapeze

trapezista s. m. e f. trapezist

trapiantàre A v. tr. to transplant **B** v. rifl. to settle

trapiànto s. m. transplant, transplantation

tràppola s. f. trap

trapùnta s. f. quilt

tràrre A v. tr. **1** to draw, to pull **2** (derivare) to derive, to get **3** (condurre) to lead **B** v. rifl. to draw

trasalìre v. intr. to start, to jump

trasandàto agg. careless, shabby

trasbordàre A v. tr. (naut.) to tranship, (ferr.) to transfer **B** v. intr. to change

trascéndere A v. tr. to transcend, to go beyond **B** v. intr. to let oneself go, to lose control

trascinàre A v. tr. **1** to drag, to trail **2** (avvincere) to fascinate **B** v. rifl. to draw oneself along **C** v. intr. pron. to drag on

trascórrere A v. tr. to spend, to pass **B** v. intr. to pass, to elapse

trascrìvere v. tr. **1** to transcribe **2** (registrare) to register

trascrizióne s. f. **1** transcription **2** (registrazione) registration

trascuràbile agg. negligible

trascuràre A v. tr. **1** to neglect **2** (tenere in poco conto) to disregard, to ignore **B** v. rifl. to let oneself go

trascuratézza s. f. **1** carelessness **2** (svista) oversight

trascuràto agg. **1** careless, negligent **2** (non curato) neglected

trasecolàre v. intr. to be astounded

trasferiménto s. m. transfer

trasferìre A v. tr. to move, to transfer **B** v. intr. pron. e rifl. to move

trasfèrta s. f. **1** transfer **2** (indennità) travelling allowance ◆ **partita in t.** away game

trasfiguràre A v. tr. to transfigure **B** v. intr. pron. to become transfigured

trasformàre A v. tr. to transform, to change **B** v. intr. pron. to transform oneself, to turn into

trasformatóre s. m. transformer

trasfusióne s. f. transfusion

trasgredìre v. tr. e intr. to infringe, to transgress

trasgressióne s. f. transgression, infringement

traslàto agg. metaphorical

traslitterazióne s. f. transliteration

traslocàre v. tr. e intr. to move

traslòco s. m. removal, move

trasméttere A v. tr. **1** to pass, to transfer, to convey **2** (mandare) to send, to pass on **3** (TV, radio) to broadcast, to transmit **B** v. intr. pron. to be transmitted

trasmettitóre s. m. transmitter

trasmissióne s. f. transmission

trasmittènte s. f. transmitter

trasognàto agg. dreamy

trasparènte agg. transparent

trasparènza s. f. transparency

trasparìre v. intr. to shine through ◆ **lasciar t.** to betray

traspiràre A v. tr. to transpire **B** v. intr. **1** to perspire **2** (bot., fig.) to transpire

traspirazióne s. f. perspiration, transpiration

trasportàbile agg. transportable

trasportàre A v. tr. **1** to transport, to carry, to convey **2** (spostare) to move, (trasferire) to transfer

trasportatóre s. m. carrier, conveyor

traspòrto s. m. **1** transport, conveyance, carriage, (di merce) freight **2** al pl. transport **3** (fig.) transport

trastullàre A v. tr. to amuse **B** v. rifl. e intr. pron. **1** to play **2** (perdere tempo) to waste time

trasudàre A v. tr. to ooze with **B** v. intr. to trasude, (sudare) to perspire, (umidità) to ooze

trasversàle A agg. **1** transversal, cross (attr.) **2** (indiretto) indirect **B** s. f. **1** transversal **2** (via) cross street

trasvolàre v. tr. to fly across

trasvolàta s. f. flight, (air) crossing

tràtta s. f. **1** (traffico) trade **2** (banca) draft, bill **3** (tratto) distance, (ferr.) section

trattàbile agg. tractable **2** (di prezzo) negotiable

trattaménto s. m. **1** treatment, service **2** (med., tecnol.) treatment **3** (economico) pay, wages pl.

trattàre A v. tr. **1** to treat, to deal with **2** (maneggiare) to handle **3** (discutere) to deal with, to discuss **4** (contrattare) to handle, to transact, to negotiate **5** (com-

merciare) to deal in, to handle **6** (*chim., med.*) to treat **B** *v. intr.* **1** (*di un argomento*) to deal with, to be about **2** (*avere a che fare*) to deal **3** (*condurre trattative*) to negotiate **4** (*essere*) to be (about), (*essere questione*) to be a question **C** *v. rifl.* to treat oneself ♦ **di che si tratta?** what is it about?

trattativa *s. f.* negotiation, talks *pl.*

trattàto *s. m.* **1** (*libro*) treatise **2** (*accordo*) treaty

trattazióne *s. f.* treatment

tratteggiàre *v. tr.* **1** to outline **2** (*disegnare a tratti*) to dash **3** (*descrivere*) to describe

trattenére A *v. tr.* **1** (*far rimanere*) to keep, to retain **2** (*frenare*) to hold back, to keep, to restrain **3** (*intrattenere*) to entertain **4** (*fare una trattenuta*) to deduct **B** *v. rifl.* **1** (*rimanere*) to stop, to stay, to remain **2** (*frenarsi*) to restrain oneself, to keep oneself

trattenimento *s. m.* entertainment, party

trattenùta *s. f.* deduction

trattino *s. m.* dash, (*nelle parole*) hyphen

tràtto *s. m.* **1** (*di penna, matita*) stroke **2** (*frazione di spazio*) part, tract, stretch, (*di tempo*) period, while **3** (*caratteristica*) trait, feature **4** *al pl.* feature ♦ **d'un t.** suddenly

trattóre *s. m.* tractor

trattoria *s. f.* restaurant

tràuma *s. m.* trauma ♦ **t. psichico** mental shock

traumàtico *agg.* traumatic

traumatòlogo *s. m.* traumatologist

travàglio *s. m.* **1** trouble, pain, suffering **2** (*del parto*) labour

travasàre *v. tr.* to pour off

tràve *s. f.* beam

travèrsa *s. f.* **1** crossbar **2** (*via*) side road, cross road

traversàre *v. tr.* to cross

traversàta *s. f.* crossing, passage

traversìa *s. f.* misfortune

travèrso A *agg.* **1** transverse, cross **2** (*obliquo*) oblique **B** *s. m.* width ♦ **andare di t.** (*di cibo*) to go the wrong way

travertino *s. m.* travertin(e)

travestimento *s. m.* disguise

travestìre A *v. tr.* to disguise **B** *v. rifl.* to disguise oneself

traviàre A *v. tr.* to mislead, to lead astray **B** *v. intr. pron.* to go astray

travisàre *v. tr.* to distort, to alter, to misin-

terpret

travolgènte *agg.* overwhelming

travòlgere *v. tr.* **1** to sweep away, to carry away **2** (*sopraffare*) to overwhelm **3** (*investire*) to run over

trazióne *s. f.* **1** traction **2** (*autom.*) drive

tre *agg. num. card. e s. m. inv.* three

trebbiàre *v. tr.* to tresh

tréccia *s. f.* plait, braid

trecènto *agg. num. card. e s. m. inv.* three hundred

trédici *agg. num. card. e s. m. inv.* thirteen

trégua *s. f.* **1** truce **2** (*riposo*) respite, rest

tremàre *v. intr.* to tremble, to shake, to quiver, (*di freddo*) to shiver, (*di paura*) to quake

tremèndo *agg.* frightful, awful, terrible

tremìla *agg. num. card. e s. m. inv.* three thousand

trèmito *s. m.* tremble, shake, quiver

tremolàre *v. intr.* to tremble, (*di luce*) to flicker

tremóre *s. m.* **1** trembling, shaking **2** (*med.*) tremor

trèno *s. m. train* ♦ **t. accelerato** slow train; **t. diretto** through train; **t. espresso** fast train; **t. rapido** express train

trénta *agg. num. card. e s. m. inv.* thirty

trentésimo *agg. num. ord. e s. m.* thirtieth

trepidàre *v. intr.* to be anxious

trésca *s. f.* intrigue

tréspolo *s. m.* trestle, (*per pappagallo*) perch

triangolàre *agg.* triangular

triangolazióne *s. f.* triangulation

triàngolo *s. m.* triangle

tribù *s. f.* tribe

tribùna *s. f.* **1** (*per oratori*) tribune, platform **2** (*per uditori*) gallery **3** (*sport*) stand **4** (*arch.*) apse

tribunàle *s. m.* court, tribunal

tributàre *v. tr.* to bestow, to grant

tribùto *s. m.* tribute

trichèco *s. m.* walrus

triciclo *s. m.* tricycle

triclìnio *s. m.* triclinium

tricòlogo *s. m.* trichologist

tricolóre *agg.* tricolo(u)r

tricuspidàle *agg.* tricuspid(al)

tridènte *s. m.* trident

tridimensionàle *agg.* tridimensional, three-dimensional

trielìna *s. f.* trichloroethylene

trifòglio *s. m.* clover

trìglia *s. f.* mullet

trìglifo *s. m.* triglyph
trillàre *v. intr.* to trill
trilobàto *agg.* trilobal
trimestràle *agg.* quarterly, three-monthly
trimèstre *s. m.* quarter, three-month period
trimotóre *s. m.* three-engined aircraft
trìna *s. f.* lace
trincèa *s. f.* trench
trinceràre A *v. tr.* to entrench **B** *v. intr. pron.* to entrench oneself
trinciàre *v. tr.* to cut (up)
trinità *s. f.* trinity
trìo *s. m.* trio
trionfàle *agg.* triumphal
trionfàre *v. intr.* to triumph
triónfo *s. m.* triumph
triplicàre *v. tr. e intr. pron.* to triple, to treble
trìplice *agg.* triple, treble
trìplo *agg. e s. m.* triple, treble
trìppa *s. f.* tripe
trìste *agg.* **1** sad, unhappy **2** *(cupo)* gloomy, bleak
tristézza *s. f.* **1** sadness, unhappiness **2** *(cupezza)* gloominess
tritacàrne *s. m. inv.* mincer
tritaghiàccio *s. m. inv.* ice-crusher
tritàre *v. tr.* to mince, to chop up, to grind
tritatùtto *s. m. inv.* mincer, food-grinder
trìto *agg.* **1** *(tritato)* minced, chopped **2** *(comune, stranoto)* trite, worn-out
trìttico *s. m.* triptych
trivellàre *v. tr.* to bore, to drill
triviàle *agg.* coarse, vulgar
trofèo *s. m.* trophy
troglòdita *s. m.* troglodyte
trómba *s. f.* **1** trumpet **2** *(delle scale)* well ♦ **t. d'aria** tornado
trombettìsta *s. m. e f.* trumpet (player)
trombóne *s. m.* **1** trombone **2** *(fanfarone)* braggart
trombòsi *s. f.* thrombosis
troncàre *v. tr.* to cut off, to break off
tronchése *s. m. o f.* (cutting) nippers *pl.*
trónco *s. m.* **1** trunk, *(d'albero abbattuto)* log **2** *(ceppo)* stock **3** *(tratto)* section **4** *(geom.)* frustum
troneggiàre *v. intr.* to tower, to stand out
tròno *s. m.* throne
tropicàle *agg.* tropical
tròpico *s. m.* tropic
tròppo A *agg. indef. (quantità)* too much, too many *pl.*, *(durata)* too long, *(estensione)* too far **B** *pron. indef.* too much, too many *pl.* **C** *avv.* **1** *(con avv. e agg.)* too,

(con v.) too much **2** *(molto)* too, so (very)
tròta *s. f.* trout
trottàre *v. intr.* to trot
trottatóre *s. m.* trotter
trotterellàre *v. intr.* to trot along
tròtto *s. m.* trot
tròttola *s. f.* spinning-top
trovàre A *v. tr.* **1** to find **2** *(scoprire)* to find out, to discover **3** *(incontrare)* to meet **4** *(sorprendere)* to catch **5** *(far visita a)* to see **B** *v. intr. pron.* **1** to find oneself **2** *(essere)* to be **3** *(sentirsi)* to feel **C** *v. rifl. rec.* to meet
trovàta *s. f.* trick
truccàre A *v. tr.* **1** to make up **2** *(mascherare)* to disguise **3** *(falsificare)* to fix, to rig, to falsify **B** *v. rifl.* **1** to make oneself up **2** *(travestirsi)* to disguise oneself
truccatóre *s. m.* make-up man, visagiste
trùcco *s. m.* **1** trick **2** *(con cosmetici)* make-up
trùce *agg.* grim
trucidàre *v. tr.* to slaughter
trùciolo *s. m.* chip, shaving
trùffa *s. f.* fraud, swindle, cheat
truffàre *v. tr.* to defraud, to cheat, to swindle
trùppa *s. f.* troop
tu *pron. pers. 2ª sing.* you ♦ **tu stesso** you yourself
tùba *s. f.* tuba
tubàre *v. intr.* to coo
tubatùra *s. f.* piping, pipes *pl.*
tubazióne *s. f.* piping, pipes *pl.*
tubétto *s. m.* tube
tùbo *s. m.* tube, pipe ♦ **t. digerente** alimentary canal; **t. di scappamento** exhaust-pipe
tuffàre A *v. tr.* to plunge, to dip **B** *v. rifl.* to dive, to plunge
tuffatóre *s. m.* diver
tùffo *s. m.* dive, plunge
tùfo *s. m.* tuff
tùga *s. f.* deckhouse
tugùrio *s. m.* hovel
tulipàno *s. m.* tulip
tumefàre *v. tr. e intr. pron.* to tumefy
tumefazióne *s. f.* tumefaction
tumóre *s. m.* tumour, *(USA)* tumor
tùmulo *s. m.* **1** *(archeol.)* tumulus **2** *(cumulo di terra)* mound
tumùlto *s. m.* **1** tumult, uproar **2** *(sommossa)* riot
tumultuóso *agg.* tumultuous, riotous
tùndra *s. f.* tundra

tùnica *s. f.* tunic
tunnel *s. m. inv.* tunnel
tùo A *agg. poss.* 2ª *sing* your **B** *pron. poss.* yours **C** *s. m.* **1** (*ciò che è tuo*) your property, what you own **2** *al pl.* (*i tuoi familiari*) your family, (*i tuoi sostenitori*) your supporters
tuonàre *v. intr.* to thunder
tuòno *s. m.* thunder
tuòrlo *s. m.* yolk
turàcciolo *s. m.* cork
turàre *v. tr.* to plug, to stop
turbaménto *s. m.* **1** disturbing **2** (*agitazione*) perturbation
turbànte *s. m.* turban
turbàre A *v. tr.* to upset, to trouble **B** *v. intr. pron.* to get upset, to become agitated
turbìna *s. f.* turbine
turbinàre *v. intr.* to whirl
tùrbine *s. m.* whirl
turbolènto *agg.* **1** turbulent, stormy **2** (*di bambino*) boisterous
turchése *agg. e s. m.* turquoise
turchìno *agg. e s. m.* deep blue
tùrco A *agg.* Turkish **B** *s. m.* **1** (*abitante*) Turk **2** (*lingua*) Turkish
turìsmo *s. m.* tourism
turìsta *s. m. e f.* tourist
turìstico *agg.* tourist (*attr*)
tùrno *s. m.* **1** turn **2** (*di lavoro*) shift, (*di servizio*) duty
tùrpe *agg.* **1** base, vile, shameful **2** (*osceno*) obscene, filthy
turpilòquio *s. m.* foul language

tùta *s. f.* overalls *pl.*, (*sportiva*) tracksuit ♦ **t. mimetica** camouflage
tutèla *s. f.* **1** (*dir*) guardianship, tutelage **2** (*protezione*) protection, (*difesa*) defence, safeguard
tutelàre *v. tr.* to protect, to defend
tutóre *s. m.* **1** (*dir*) guardian **2** (*bot.*) stake
tutt'al più *loc. avv.* **1** (*al massimo*) at (the) most **2** (*alla peggio*) at (the) worst
tuttavìa *cong.* but, yet, nevertheless, however
tùtto A *agg. indef.* **1** all, (*intero*) (the) whole (of) (ES: **t. l'anno** all the year, the whole year) **2** *al pl.* all, (*ogni*) every, (*ciascuno*) each, (*qualsiasi*) any (ES: **tutti gli uomini sono uguali** all men are equal, **ci vediamo tutti i giorni** we see each other every day) **3** (*completamente*) all, quite (ES: **sei t. bagnato** you're all wet) **B** *pron. indef.* **1** all, (*ogni cosa*) everything, (*qualsiasi cosa*) anything (ES: **t. dipende da te** everything is up to you) **2** *al pl.* all, (*ognuno*) everybody, everyone, (*ciascuno*) each one (ES: **lo sanno tutti** everybody knows) **C** *s. m.* whole, total, (*ogni cosa*) everything (ES: **mescolate il t.** mix everything) ♦ **a tutta velocità** at full speed; **a t. spiano** all out; **di t. punto** completely; **prima di t.** first of all; **tutt'altro!** not at all!; **t. intorno** all around
tuttofàre *agg.* general
tuttóra *avv.* still
tutù *s. m.* tutu

U

ubbidiènte *agg.* obedient

ubbidìre *v. intr. e tr.* to obey

ubicazióne *s. f.* location, site

ubiquità *s. f.* ubiquity

ubriacàre A *v. tr.* to make drunk **B** *v. rifl. e intr. pron.* to get drunk

ubriachézza *s. f.* drunkenness ♦ **in stato di u.** in a drunken state

ubriàco *agg. e s. m.* drunk

uccellièra *s. f.* aviary

uccèllo *s. m.* bird

uccìdere A *v. tr.* to kill **B** *v. rifl.* **1** (*rimanere ucciso*) to get killed **2** (*suicidarsi*) to kill oneself

uccisióne *s. f.* killing, (*assassinio*) murder

uccisóre *s. m.* killer, (*assassino*) murderer

udìbile *agg.* audible

udiènza *s. f.* **1** audience, hearing, (*colloquio*) interview **2** (*dir*) hearing, sitting ♦ **u. a porte chiuse** sitting in camera

udìre *v. tr.* to hear

uditìvo *agg.* auditory

udìto *s. m.* hearing

uditòrio *s. m.* audience

uffa *inter.* ooh, phew

ufficiàle A *agg.* official, formal **B** *s. m.* officer

ufficio *s. m.* **1** office, bureau, (*reparto*) department, (*edificio*) premises *pl.* **2** (*carica*) office, task, function **3** (*dovere*) duty ♦ **orario d'u.** office hours; **u. postale** post office; **u. turistico** tourist office ›

ufficióso *agg.* unofficial

ugèllo *s. m.* nozzle, jet

ùggia *s. f.* boredom, nuisance

uggióso *agg.* boring, tiresome, (*di tempo*) gloomy

uguaglianza *s. f.* equality

uguagliàre *v. tr.* **1** (*rendere uguale*) to equalize, to make equal, (*livellare*) to level **2** (*essere uguale a*) to equal, to be equal **3** (*sport*) to equal **4** (*paragonare*) to compare

uguàle A *agg.* **1** equal, (*identico*) same, like, identical **2** (*uniforme*) even, regular, uniform **B** *s. m.* **1** equal **2** (*la stessa cosa*) the same

ugualménte *avv.* **1** equally **2** (*malgrado tutto*) all the same

ùlcera *s. f.* ulcer ♦ **u. duodenale** duodenal ulcer; **u. gastrica** gastric ulcer

ùlna *s. f.* ulna

ulterióre *agg.* further

ultimaménte *avv.* lately

ultimàre *v. tr.* to complete, to finish

ùltimo A *agg.* **1** last, final **2** (*il più recente*) latest, last **3** (*estremo*) farthest, utmost **4** (*principale*) ultimate **B** *s. m.* **1** last **2** (*momento finale*) end

ultrasuòno *s. m.* ultrasound

ultraviolétto *agg. e s. m.* ultraviolet

ululàre *v. intr.* to howl, (*di sirena*) to hoot

ululàto *s. m.* howl, (*di sirena*) hoot

umanésimo *s. m.* humanism

umanista *s. m. e f.* humanist

umanità *s. f.* **1** humanity, (*genere umano*) mankind **2** (*bontà*) humanity

umanitàrio *agg.* humanitarian

umàno *agg.* **1** human **2** (*gentile*) humane

umidificàre *v. tr.* to humidify

umidificatóre *s. m.* humidifier

umidità *s. f.* dampness, moisture, humidity

ùmido *agg.* damp, moist, humid

ùmile *agg.* humble, modest

umiliànte *agg.* humiliating

umiliàre A *v. tr.* to humiliate, to humble **B** *v. rifl.* to humble oneself

umiliazióne *s. f.* humiliation

umiltà *s. f.* **1** (*virtù*) humility **2** (*l'essere di modesta condizione*) humbleness

umóre *s. m.* **1** humour **2** (*stato d'animo*) mood, temper ♦ **essere di cattivo/buon u.** to be in a bad/good mood

umorismo *s. m.* humour

umorista *s. m. e f.* humorist

umorìstico *agg.* humorous, comic, (*divertente*) funny

un → uno

unànime *agg.* unanimous

unanimità *s. f.* unanimity

uncinétto *s. m.* crochet

uncìno *s. m.* hook

ùngere A *v. tr.* **1** to grease, to oil **2** (*sporcare di grasso*) to make greasy **3** (*fig.*) to flatter, to butter up **B** *v. rifl. e intr. pron.* to grease oneself

ungherése *agg. e s. m. e f.* Hungarian

ùnghia *s. f.* **1** nail **2** (*artiglio*) claw

unghiàta *s. f.* scratch
unguènto *s. m.* ointment
unicamente *avv.* only, solely
ùnico **A** *agg.* **1** only, one **2** (*esclusivo*) sole **3** (*singolo*) single **4** (*senza pari*) unique **B** *s. m.* only, one
unifamiliàre *agg.* one-family (*attr*)
unificàre **A** *v. tr.* **1** to unify **2** (*uniformare*) to standardize **B** *v. rifl. rec.* to join (together)
unificazióne *s. f.* **1** unification, union **2** (*uniformazione*) standardization
uniformàre **A** *v. tr.* **1** (*conformare*) to conform, to adapt, to fit **2** (*rendere uniforme*) to standardize, to make uniform **B** *v. rifl.* to conform, to comply
unifórme **A** *agg.* uniform, even **B** *s. f.* uniform
uniformità *s. f.* uniformity
unilateràle *agg.* unilateral, one-sided
unióne *s. f.* **1** union **2** (*accordo, armonia*) unity, agreement **3** (*associazione*) union, association
unìre **A** *v. tr.* **1** to unite, to join (together), to put together **2** (*collegare*) to connect, to link **3** (*aggiungere*) to add **B** *v. rifl. e rifl. rec.* **1** (*mettersi insieme*) to join, (*fondersi*) to merge **2** (*legarsi*) to unite, to join up, to come together
unità *s. f.* **1** unity **2** (*misura, valore, mil., inf.*) unit **3** (*mat.*) unity, unit
unitàrio *agg.* unitary, unit (*attr*)
unìto *agg.* **1** united **2** (*accluso*) enclosed **3** (*uniforme*) uniform, even
universàle *agg.* **1** universal, general **2** (*multiuso*) multipurpose
università *s. f.* university
universitàrio *agg.* university (*attr*)
univèrso *s. m.* universe
unìvoco *agg.* univocal, unambiguous
ùno **A** *agg. num. card. e s. m.* one **B** *art. indeterm.* **1** a an **2** (*circa*) some, about **C** *pron. indef.* **1** (*qualcuno*) someone, (*un tale*) a man, a fellow, (*con partitivo*) one **2** (*ciascuno*) each **3** (*impersonale*) one, you ♦ **l'u. e l'altro** both; **l'un l'altro** one another, each other; **né l'u. né l'altro** neither; **(l')u. ... l'altro** one ... the other
ùnto **A** *agg.* greasy, oily **B** *s. m.* grease
untuóso *agg.* greasy, oily
uòmo *s. m.* man
uòvo *s. m.* egg
ùpupa *s. f.* hoopoe
uragàno *s. m.* hurricane
urànio *s. m.* uranium

urbanìsta *s. m. e f.* city-planner, town-planner
urbanìstica *s. f.* city-planning, town-planning
urbanizzazióne *s. f.* urbanization
urbàno *agg.* **1** urban, city (*attr*), town (*attr*) **2** (*cortese*) urbane, polite
urèa *s. f.* urea
urètra *s. f.* urethra
urgènte *agg.* urgent, pressing
urgènza *s. f.* **1** urgency, (*fretta*) hurry **2** (*emergenza*) emergency
ùrgere *v. intr.* to be urgent
urìna *s. f.* urine
urlàre *v. tr. e intr.* to shout, to yell
ùrlo *s. m.* cry, shout, yell
ùrna *s. f.* **1** urn **2** (*elettorale*) ballot-box ♦ **andare alle urne** to go to the polls
urografìa *s. f.* urography
urologìa *s. f.* urology
uròlogo *s. m.* urologist
urtàre **A** *v. tr.* **1** to bump (into), to knock (against), to crash (into), to collide with **2** (*infastidire*) to irritate, to annoy, (*offendere*) to hurt, to offend **B** *v. intr.* to knock, to strike **C** *v. rifl. rec.* **1** to collide, to bump into one another **2** (*fig.*) to quarrell
urticànte *agg.* urticant
ùrto *s. m.* **1** (*spinta*) push, shove **2** (*collisione*) bump, knock, collision **3** (*attacco*) attack **4** (*contrasto*) clash, collision
usànza *s. f.* **1** custom, usage **2** (*abitudine*) habit
usàre **A** *v. tr.* **1** to use, to make use of **2** (*essere solito*) to be accustomed (to), to be used (to) **B** *v. intr.* **1** (*servirsi*) to make use of **2** (*essere di moda*) to be in fashion, to be fashionable
usàto **A** *agg.* **1** (*non nuovo*) second-hand (*attr*) **2** (*in uso*) in use (*pred.*) **B** *s. m.* (*cose usate*) second-hand goods *pl.*
uscière *s. m.* usher
ùscio *s. m.* door
uscìre *v. intr.* **1** to get out, (*andare fuori*) to go out, (*venire fuori*) to come out **2** (*di pubblicazione*) to come out, to be issued **3** (*lasciare*) to leave **4** (*essere prodotto*) to be turned out **5** (*essere estratto*) to be drawn **6** (*provenire*) to come **7** (*cavarsela*) to get out ♦ **u. di strada** to go off the road
uscìta *s. f.* **1** going out, coming out **2** (*passaggio*) exit, way out **3** (*sbocco*) outlet **4** (*spesa*) expense, outlay **5** (*motto di*

spirito) witty remark **6** (*desinenza*) ending ♦ **u. di sicurezza** emergency exit

usignòlo *s. m.* nightingale

ùso *s. m.* **1** use **2** (*usanza*) usage, custom, (*abitudine*) habit ♦ **fuori u.** out of order

ustionàre A *v. tr.* to burn, to scald **B** *v. rifl.* to burn oneself, to scald oneself

ustióne *s. f.* burn, scald

usuàle *agg.* usual, customary

usufruire *v. intr.* to take advantage, to benefit

usufrùtto *s. m.* usufruct

usùra (1) *s. f.* usury

usùra (2) *s. f.* (*logorio*) wear and tear

utensìle *s. m.* tool, (*domestico*) utensil

utènte *s. m. e f.* user, (*consumatore*) consumer

utènza *s. f.* **1** use, consumption **2** (*insieme degli utenti*) users *pl.*, consumers *pl.*

ùtero *s. m.* uterus

ùtile A *agg.* **1** useful, helpful **2** (*utilizzabile*) usable **B** *s. m.* **1** (*econ.*) profit, benefit, (*interesse*) interest, (*guadagno*) gains *pl.* **2** (*fig.*) profit

utilità *s. f.* **1** utility, usefulness **2** (*vantaggio*) profit, benefit

utilitària *s. f.* runabout, compact car

utilitàrio *agg.* utilitarian

utilizzàre *v. tr.* to use, to make use of, to utilize

utilizzatóre *s. m.* user, utilizer

utilìzzo *s. m.* use, utilization

utopìa *s. f.* utopia

utopìsta *s. m. e f.* utopian

utopìstico *agg.* utopian

ùva *s. f.* grapes *pl.* ♦ **u. passa** raisin; **u. spina** gooseberry

uxoricìda *s. m.* uxoricide

uxoricìdio *s. m.* uxoricide

V

vacànte *agg.* vacant, empty

vacànza *s. f.* **1** holiday, vacation **2** (*assenza*) vacuum ♦ **vacanze estive** summer holidays

vàcca *s. f.* cow

vaccinàre *v. tr.* to vaccinate

vaccinazióne *s. f.* vaccination

vaccìno *s. m.* vaccine

vacillàre *v. intr.* **1** to totter, to stagger, to wobble **2** (*di luce*) to flicker **3** (*essere incerto*) to waver, to vacillate

vàcuo *agg.* vacuous, inane

vagabondàre *v. intr.* to wander about

vagabóndo *s. m.* **1** vagrant, tramp **2** (*fannullone*) loafer

vagàre *v. intr.* to wander, to roam

vagheggiàre *v. tr.* to long for, to dream of

vagìna *s. f.* vagina

vaginite *s. f.* vaginitis

vagìre *v. intr.* to cry, to whimper

vàglia *s. m. inv.* money order ♦ **v. postale** postal order; **v. telegrafico** telegraphic money order

vagliàre *v. tr.* **1** to riddle, to screen **2** (*considerare*) to examine, to weigh

vàglio *s. m.* **1** riddle, screen **2** (*fig.*) sifting, examination

vàgo **A** *agg.* vague, faint **B** *s. m.* vagueness

vagóne *s. m.* wagon, car, van, coach ♦ **v. letto** sleeping car

vaiólo *s. m.* smallpox

valànga *s. f.* avalanche

valènte *agg.* clever, skilful

valére **A** *v. intr.* **1** (*avere valore*) to be worth **2** (*esser valido*) to be valid, (*essere in vigore*) to be in force **3** (*aver peso*) to count, to be of account, to have weight **4** (*servire, giovare*) to be of use, to be of avail **5** (*equivalere*) to be worth, to be equal to **B** *v. tr.* to win **C** *v. intr. pron.* to make use, to take advantage, to avail oneself

valeriàna *s. f.* valerian

valévole *agg.* valid

valicàre *v. tr.* to cross

vàlico *s. m.* (mountain) pass

validità *s. f.* **1** validity **2** (*valore*) value **3** (*efficacia*) effectiveness

vàlido *agg.* **1** valid **2** (*fondato*) sound,

well-grounded **3** (*di pregio*) valid, good **4** (*efficace*) efficient, effective

valigeria *s. f.* leather-goods shop

valìgia *s. f.* suitcase ♦ **fare/disfare le valigie** to pack/to unpack

vallàta *s. f.* valley

vàlle *s. f.* valley

vallétto *s. m.* page

vallóne *s. m.* deep valley

valóre *s. m.* **1** value, worth **2** (*econ., mat., mus.*) value **3** (*coraggio*) valour, bravery, courage **4** (*validità*) value, validity **5** *al pl.* (*oggetti preziosi*) valuables *pl.*, (*titoli*) securities *pl.*

valorizzàre *v. tr.* **1** (*aumentare il valore di*) to increase the value of, to appreciate, (*migliorare*) to improve **2** (*sfruttare*) to exploit **3** (*mettere in risalto*) to set off

valoróso *agg.* valiant, brave

valùta *s. f.* currency

valutàre *v. tr.* **1** (*giudicare il valore di*) to value, to estimate, to appraise **2** (*considerare*) to consider, to weigh **3** (*calcolare*) to calculate, to reckon **4** (*stimare*) to value, to esteem

valutazióne *s. f.* **1** valuation, estimation **2** (*valore attribuito*) estimate **3** (*giudizio, considerazione*) judgement, consideration

vàlvola *s. f.* valve

vàlzer *s. m. inv.* waltz

vàmpa *s. f.* **1** blaze, flame **2** (*al viso*) flush, blush

vampàta *s. f.* **1** blaze, burst of flame **2** (*folata*) blast **3** (*al viso*) flush, blush

vampiro *s. m.* vampire

vandàlico *agg.* vandalic

vandalìsmo *s. m.* vandalism

vàndalo *s. m.* vandal

vaneggiàre *v. intr.* to rave

vanèsio **A** *agg.* foppish **B** *s. m.* fop

vànga *s. f.* spade

vangàre *v. tr.* to spade

vangèlo *s. m.* Gospel

vanìglia *s. f.* vanilla

vanità *s. f.* **1** vanity **2** (*inutilità*) vainness, uselessness

vanitóso *agg.* vain

vàno **A** *agg.* **1** (*inutile*) vain, useless **2** (*privo di fondamento*) vain, empty **3**

(*vanitoso*) vain B *s. m.* 1 (*parte vuota*) space, hollow, (*apertura*) opening 2 (*stanza*) room

vantàggio *s. m.* 1 advantage, benefit 2 (*sport*) lead, (*tennis*) advantage

vantaggióso *agg.* advantageous, favourable

vantàre A *v. tr.* 1 to boast 2 (*esaltare*) to extol, to praise 3 (*millantare*) to boast of 4 (*pretendere*) to claim B *v. rifl. e intr. pron.* to boast, to show off

vanterìa *s. f.* boasting

vànto *s. m.* 1 boast(ing) 2 (*motivo d'orgoglio*) pride, merit

vànvera, a *loc. avv.* haphazardly ♦ **parlare a v.** to talk nonsense

vapóre *s. m.* 1 vapour, (*acqueo*) steam 2 *al pl.* (*fumi*) fumes *pl.* 3 (*nave a vapore*) steamer ♦ **ferro a v.** steam iron

vaporétto *s. m.* ferry, water bus

vaporizzàre A *v. tr.* to vaporize B *v. intr. pron.* to evaporate

vaporizzatóre *s. m.* vaporizer, atomizer

vaporóso *agg.* gauzy, (*di capelli*) fluffy

varàre *v. tr.* to launch

varcàre *v. tr.* to cross, to pass

vàrco *s. m.* opening, passage

variàbile *agg.* variable, changeable, (*volubile*) fickle B *s. f.* variable

variàre A *v. tr.* to vary, to change B *v. intr.* 1 to vary, to change 2 (*fluttuare*) to fluctuate

variatóre *s. m.* variator, (*elettr.*) converter

variazióne *s. f.* variation, (*cambiamento*) change, (*fluttuazione*) fluctuation

varìce *s. f.* varix, varicose vein

varicèlla *s. f.* chicken-pox, varicella

varicóso *agg.* varicose

variegàto *agg.* 1 variegated, multi-coloured, (*screziato*) streaked 2 (*fig.*) diversified

varietà (1) *s. f.* 1 (*diversità*) variety, (*differenziazione*) variedness 2 (*gamma*) assortment, variety 3 (*specie*) kind, type

varietà (2) *s. m.* (*teatro*) variety (show), vaudeville

vàrio *agg.* 1 (*variato*) varied 2 (*differente*) various, different 3 *al pl.* (*parecchi*) several

variopìnto *agg.* multi-coloured

vàro *s. m.* 1 (*naut.*) launch, launching 2 (*di legge*) passing

vasàio *s. m.* potter

vàsca *s. f.* 1 basin, tank 2 (*da bagno*) bath, (*USA*) bathtub, tub

vascèllo *s. m.* vessel, ship

vaselìna *s. f.* vaseline

vasellàme *s. m.* earthenware

vàso *s. m.* 1 pot, jar, (*ornamentale*) vase 2 (*bot., anat.*) vessel 3 (*tecnol.*) bowl, tank

vassóio *s. m.* tray

vàsto *agg.* wide, large, vast

vecchiàia *s. f.* old age

vècchio *agg.* 1 old 2 (*maggiore*) (*comp.*) older, (*sup.*) oldest 3 (*antico*) ancient, old 4 (*stantio*) stale 5 (*stagionato*) seasoned B *s. m.* 1 old man 2 (*ciò che è vecchio*) the old

véce *s. f.* place, stead ♦ **fare le veci di qc.** to take sb.'s place

vedére A *v. tr.* 1 to see 2 (*incontrare*) to meet, to see 3 (*esaminare*) to examine, to have a look at 4 (*capire*) to see, to understand 5 (*fare in modo che*) to see, to try, to take care 6 (*decidere*) to decide B *v. intr.* to see C *v. rifl.* 1 to see oneself 2 (*sentirsi*) to feel D *v. rifl. rec.* to meet

vedétta *s. f.* look-out, vedette

védova *s. f.* widow

védovo *s. m.* widower

vedùta *s. f.* 1 (*panorama*) view, sight 2 (*quadro, fot.*) picture 3 *al pl.* (*opinioni*) view, idea

veemènte *agg.* vehement

veemènza *s. f.* vehemence

vegetàle *agg. e s. m.* vegetable

vegetàre *v. intr.* 1 to grow 2 (*fig.*) to vegetate

vegetariàno *agg. e s. m.* vegetarian

vegetazióne *s. f.* vegetation

vègeto *agg.* 1 thriving 2 (*di persona*) vigorous, strong

veggènte *s. m. e f.* seer, clairvoyant

véglia *s. f.* watch, vigil

vegliàre A *v. tr.* to watch over B *v. intr.* 1 to stay awake 2 (*fare la veglia*) to keep watch

veglióne *s. m.* party, dance ♦ **v. di fine d'anno** New Year's Eve dance

veìcolo *s. m.* 1 vehicle 2 (*mezzo*) carrier, vehicle, medium

véla *s. f.* sail, (*il fare vela*) sailing ♦ **barca a v.** sailing boat

velàre A *v. tr.* 1 to veil 2 (*offuscare*) to dim. to cover 3 (*nascondere*) to conceal B *v. intr. pron.* to mist

velàto *agg.* veiled

veleggiàre *v. intr.* to sail

veléno *s. m.* poison

velenóso *agg.* 1 poisonous, venomous 2 *(fig.)* venemous

velièro *s. m.* sailing ship

velina *s. f.* tissue paper

velista *s. m. e f.* sailor

velìvolo *s. m.* aircraft

velleità *s. f.* foolish aspiration

vèllo *s. m.* fleece

vellùto *s. m.* velvet

vélo *s. m.* 1 veil 2 *(strato sottile)* film

velóce *agg.* fast, quick, swift

velocìsta *s. m. e f.* sprinter

velocità *s. f.* speed, velocity ♦ **eccesso di v.** speeding; **limite di v.** speed limit

velòdromo *s. m.* velodrome, cycle-track

véna *s. f.* 1 vein 2 *(filone)* vein, lode, stringer 3 *(d'acqua)* spring 4 *(ispirazione)* inspiration 5 *(umore)* mood

venàle *agg.* 1 sale (attr.), saleable 2 *(fig.)* venal, mercenary

venatùra *s. f.* vein

vendémmia *s. f.* vintage, grape harvest

vendemmiàre *v. tr. e intr.* to harvest grapes

véndere *v. tr.* 1 to sell 2 *(esercitare il commercio di)* to deal in

vendétta *s. f.* revenge, vengeance

vendìbile *agg.* saleable, marketable

vendicàre A *v. tr.* to revenge B *v. rifl.* to revenge oneself

vendicatìvo *agg.* revengeful, vindictive

véndita *s. f.* 1 selling, sale 2 *(negozio)* shop ♦ **in v.** on sale, for sale; **v. all'asta** auction; **v. per corrispondenza** mail-order selling

venditóre *s. m.* seller, vendor

venèfico *agg.* poisonous, venomous

veneràbile *agg.* venerable

veneràndo *agg.* venerable

veneràre *v. tr.* to revere, to venerate

venerdì *s. m.* Friday

venèreo *agg.* venereal

vèneto *agg. e s. m.* Venetian

veneziàno *agg. e s. m.* Venetian

veniàle *agg.* venial

venìre *v. intr.* 1 to come 2 *(derivare)* to derive 3 *(manifestarsi)* to have got 4 *(risultare, riuscire)* to come out, to turn out 5 *(costare)* to cost 6 *(spettare)* to be due, to be owed 7 *(aus. nella forma passiva)* to be ♦ **mi viene da ridere** I feel like laughing; **v. a conoscenza** to hear; **v. avanti** to come on; **v. in mente** to occur; **v. meno** *(svenire)* to faint, *(svanire)* to fail; **v. via** to come away, *(staccarsi)* to come off

venóso *agg.* venous

ventàglio *s. m.* 1 fan 2 *(gamma)* range, spread

ventàta *s. f.* 1 gust of wind 2 *(fig.)* wave

ventèsimo *agg. num. ord. e s. m.* twentieth

vénti *agg. num. card. e s. m. inv.* twenty

ventilàre *v. tr.* to air, to ventilate

ventilàto *agg.* airy, windy

ventilatóre *s. m.* fan

vènto *s. m.* wind

ventola *s. f.* 1 *(per fuoco)* fire-fan 2 *(mecc.)* fan

ventósa *s. f.* sucker

ventóso *agg.* windy

vèntre *s. m.* stomach, belly, tummy *(fam.)*

ventùra *s. f.* chance, luck

venùta *s. f.* coming, arrival

véra *s. f.* 1 *(di pozzo)* well-curb 2 *(anello)* wedding ring

veraménte *avv.* 1 really, truly, indeed 2 *(a dire il vero)* actually

verànda *s. f.* veranda, *(USA)* porch

verbàle A *agg.* 1 spoken, oral 2 *(gramm.)* verbal B *s. m.* minutes *pl.*, record

verbalizzàre *v. tr.* to record, to minute

verbèna *s. f.* vervain, verbena

vèrbo *s. m.* verb

vérde *agg. e s. m.* green ♦ **v. pubblico** parks and gardens, green

verdeggiànte *agg.* verdant

verdétto *s. m.* verdict

verdùra *s. f.* greens *pl.*, vegetables *pl.*

vérga *s. f.* rod, staff

vérgine *agg. e s. f.* virgin

verginità *s. f.* virginity

vergógna *s. f.* 1 shame, *(disonore)* disgrace 2 *(imbarazzo)* embarrassment, *(timidezza)* shyness

vergognàrsi *v. intr. pron.* 1 to be ashamed, to feel ashamed 2 *(per timidezza)* to be shy, to feel embarrassed

vergognóso *agg.* 1 shameful, disgraceful 2 *(timido)* shy

verìfica *s. f.* 1 verification, control, check 2 *(contabile)* audit

verificàbile *agg.* verifiable

verificàre A *v. tr.* to verify, to check, to control B *v. intr. pron.* 1 *(accadere)* to happen 2 *(avverarsi)* to come true

verìsmo *s. m.* verism, realism

verìsta *s. m. e f.* verist

verità *s. f.* truth

veritièro *agg.* truthful

vèrme *s. m.* worm

vermìglio *agg. e s. m.* vermilion

vernàcolo *s. m.* vernacular

vernice *s. f.* **1** paint, (*trasparente*) varnish **2** (*apparenza*) veneer **3** (*pelle lucida*) patent leather

verniciàre *v. tr.* to paint, (*con vernice trasparente*) to varnish ♦ **v. a spruzzo** to spray

vernissage *s. f. inv.* varnishing day

véro A *agg.* **1** true, real **2** (*completo, perfetto*) perfect, absolute **B** *s. m.* truth

verosimigliànte *agg.* likely, probable

verosìmile *agg.* likely, probable

verricèllo *s. m.* winch

verrùca *s. f.* verruca, wart

versaménto *s. m.* **1** pouring, spilling **2** (*deposito*) deposit, (*pagamento*) payment **3** (*med.*) effusion

versànte *s. m.* side

versàre A *v. tr.* **1** to pour **2** (*rovesciare*) to spill **3** (*spargere*) to shed **4** (*depositare*) to deposit, (*pagare*) to pay **B** *v. intr.* (*trovarsi*) to be **C** *v. intr. pron.* (*sfociare*) to flow

versàtile *agg.* versatile

versétto *s. m.* verse

versióne *s. f.* version

vèrso (1) *prep.* **1** (*direzione*) toward(s), -ward(s) (*suffisso*) **2** (*in prossimità*) near **3** (*tempo*) about, toward(s) **4** (*nei confronti di*) to, towards, (*contro*) against

vèrso (2) *s. m.* **1** (*riga di poesia*) line **2** (*poesia*) verse, poetry **3** (*suono*) sound, (*di animali*) call, cry **4** (*direzione*) direction, way **5** (*modo, maniera*) way **6** (*smorfia*) grimace, face

vèrso (3) *s. m.* (*retro*) verso, reverse, back

vèrtebra *s. f.* vertebra

vertebràle *agg.* vertebral, spinal

vertebràto *agg. e s. m.* vertebrate

vertènza *s. f.* controversy, dispute ♦ **v. sindacale** grievance

verticàle *agg. e s. f.* vertical

verticalménte *avv.* vertically

vèrtice *s. m.* **1** top, summit **2** (*geom.*) vertex **3** (*direzione*) top management **4** (*incontro*) summit

vertìgine *s. f.* dizziness, giddiness

vertiginóso *agg.* dizzy, giddy

vérza *s. f.* savoy cabbage

vescìca *s. f.* **1** (*anat.*) bladder **2** (*della pelle*) blister

vescovìle *agg.* episcopal, bishop's (*attr*)

véscovo *s. m.* bishop

vèspa *s. f.* wasp

vespàio *s. m.* wasps' nest

vèspro *s. m.* vespers *pl.*

vessìllo *s. m.* standard, banner

vestàglia *s. f.* dressing gown

vèste *s. f.* **1** garment, clothes *pl.* **2** (*apparenza*) guise, appearance, (*aspetto*) format **3** (*funzione*) capacity ♦ **in v. di** as

vestiàrio *s. m.* clothes *pl.*, clothing

vestìbolo *s. m.* **1** (*atrio*) hall **2** (*anat., archeol.*) vestibule

vestìre *v. tr.* **1** to dress, (*provvedere di vestiti*) to clothe **2** (*fare vestiti a*) to make sb.'s clothes **3** (*indossare*) to wear **B** *v. intr.* to dress, to be dressed **C** *v. rifl.* to dress (oneself), to get dressed

vestìto *s. m.* (*da uomo*) suit, (*da donna*) dress

veteràno *s. m.* veteran

veterinària *s. f.* veterinary science

veterinàrio *s. m.* veterinarian

vèto *s. m.* veto

vetràio *s. m.* glass-worker

vetràta *s. f.* **1** (*finestra*) glass-window **2** (*porta*) glass-door

vetrerìa *s. f.* glassworks

vetrìna *s. f.* (shop) window

vetrinìsta *s. m. e f.* window dresser

vetriòlo *s. m.* vitriol

vétro *s. m.* glass, (*di finestra*) window-pane

vétta *s. f.* top, summit, peak

vettóre *s. m.* **1** (*geom., fis., biol.*) vector **2** (*corriere*) carrier

vettovàglie *s. f. pl.* provisions *pl.*, supply

vettùra *s. f.* **1** (*carrozza*) coach, (*automobile*) car **2** (*ferr.*) carriage, coach

vetustà *s. f.* ancientness

vezzeggiàre *v. tr.* to fondle, to pamper

vezzeggiatìvo *s. m.* **1** term of endearment **2** (*nomignolo*) pet name

vèzzo *s. m.* **1** (*abitudine*) habit **2** *al pl.* (*moine*) mincing ways *pl.*

vezzóso *agg.* **1** (*grazioso*) charming **2** (*lezioso*) mincing

vi (1) *pron. pers. 2ª pl.* **1** (*compl. ogg.*) you, (*compl. di termine*) (to) you (ES: **vi aiuterò volentieri** I'll help you with pleasure) **2** (*rifl.*) yourselves (ES: **vi siete vestiti?** have you dressed yourselves?) **3** (*rec.*) one another, each other (ES: **vi amate davvero?** do you really love each other?)

vi (2) *avv.* → **ci (2)**

vìa (1) *s. f.* **1** (*strada*) road, street **2** (*percorso, cammino*) way, path **3** (*modo*) way, (*mezzo*) means **4** (*anat.*) duct, tract

vìa (2) *s. m.* (*segnale di partenza*) start, starting signal

vìa (3) A *avv.* away, off **B** *inter.* go!, (*scacciando*) go away!, off with you!, (*coraggio!*) come on! ♦ **e così v.** and so on

viadótto *s. m.* viaduct

viaggiàre *v. intr.* to travel, to make a trip, to journey ♦ **v. per lavoro** to travel on business

viaggiatóre A *agg.* travelling **B** *s. m.* **1** traveller **2** (*passeggero*) passenger

viàggio *s. m.* journey, trip (*per mare*) voyage, (*giro turistico*) tour ♦ **agenzia di viaggi** travel agency; **buon v.!** have a nice journey!; **v. organizzato** package tour

viàle *s. m.* avenue, boulevard, (*di giardino*) path

viandànte *s. m. e f.* wayfarer

viavài *s. m. inv.* coming and going

vibràre A *v. tr.* **1** (*agitare*) to brandish **2** (*colpi*) to strike **3** (*lanciare*) to hurl **B** *v. intr.* to vibrate, (*mecc.*) to chatter

vibrazióne *s. f.* vibration

vicàrio A *agg.* vicarious **B** *s. m.* **1** (*sostituto*) deputy, substitute **2** (*relig.*) vicar

vice *s. m. e f.* deputy, assistant

vicènda *s. f.* event, vicissitude ♦ **a v.** each other, one another, (*alternatamente*) in turn

vicendévole *agg.* mutual, reciprocal

vicepresidènte *s. m.* vice-president

viceré *s. m.* viceroy

vicevèrsa *avv.* vice versa **2** (*invece*) but

vicinànza *s. f.* **1** closeness, nearness, proximity **2** *al pl.* neighbourhood, (*dintorni*) outskirts *pl.*

vicinàto *s. m.* **1** neighbourhood **2** (*insieme dei vicini*) neighbours *pl.*

vicìno A *agg.* **1** near, nearby, close, near at hand (*pred.*) **2** (*adiacente*) adjoining, adiacent, next, (*limitrofo*) neighbouring (*attr*) **3** (*affine*) close **B** *s. m.* neighbour **C** *avv.* near (by), nearby, close (by) **D** *prep.* near (to), close to

vìcolo *s. m.* alley

video *s. m. inv.* video

videocassétta *s. f.* videocassette

videocitòfono *s. m.* videointercom

videoregistratóre *s. m.* video recorder

vietàre *v. tr.* to forbid, to prohibit, to prevent

vietàto *agg.* forbidden ♦ **senso v.** no entry

vigènte *agg.* current, effective, in force

vigilànte *s. m. e f.* guard

vigilànza *s. f.* supervision, vigilance, surveillance

vigilàre A *v. tr.* to watch over, to supervise **B** *v. intr.* to keep watch

vìgile A *agg.* vigilant, watchful **B** *s. m.* **1** (*urbano*) policeman **2** (*del fuoco*) fireman

vigìlia *s. f.* eve

vigliàcco A *agg.* cowardly **B** *s. m.* coward

vìgna *s. f.* vineyard

vignéto *s. m.* vineyard

vignétta *s. f.* cartoon

vignettìsta *s. m. e f.* cartoonist

vigógna *s. f.* vicugna

vigóre *s. m.* **1** vigour, strength **2** (*validità*) force, effectiveness ♦ **in v.** in force, effective

vigoróso *agg.* vigorous, strong

vìle *agg.* **1** cowardly **2** (*meschino*) base, vile **3** (*senza valore*) worthless, filthy

vilipèndio *s. m.* scorn, contempt, (*dir*) public insult

vìlla *s. f.* villa

villàggio *s. m.* village

villanìa *s. f.* **1** rudeness **2** (*azione da villano*) rude action

villàno A *agg.* rude, impolite **B** *s. m.* lout

villeggiànte *s. m. e f.* holiday-maker, (*USA*) vacationer

villeggiatùra *s. f.* holiday, (*USA*) vacation ♦ **luogo di v.** holiday resort

villóso *agg.* hairy

viltà *s. f.* **1** cowardice **2** (*azione meschina*) mean action

vìmine *s. m.* wicker

vincènte A *agg.* winning **B** *s. m. e f.* winner

vìncere A *v. tr.* **1** to win **2** (*sconfiggere*) to beat, to defeat **3** (*sopraffare*) to overcome **B** *v. intr.* to win **C** *v. rifl.* to control oneself

vìncita *s. f.* **1** win **2** (*ciò che si vince*) winnings *pl.*

vincitóre A *agg.* winning, victorious **B** *s. m.* winner

vincolàre *v. tr.* **1** to bind **2** (*fin.*) to tie up **3** (*mecc.*) to constrain

vìncolo *s. m.* bond, tie

vinìcolo *agg.* wine (*attr*)

vìno *s. m.* wine ♦ **v. spumante** sparkling wine

vìola (1) A *s. f.* (*bot.*) viola, violet **B** *agg. e s. m.* (*colore*) violet, purple

vìola (2) *s. f.* (*mus.*) viola

violàre *v. tr.* **1** (*trasgredire*) to break, to infringe, to violate **2** (*profanare*) to profane **3** (*violentare*) to rape

violazióne *s. f.* **1** violation, infringement **2** (*profanazione*) profanation ♦ **v. di domicilio** housebreaking

violentàre *v. tr.* **1** to rape **2** (*fig.*) to do violence to

violènto *agg.* violent

violènza *s. f.* violence ♦ **non v.** non-violence; **v. carnale** rape

violétta *s. f.* violet

violinìsta *s. m. e f.* violinist

violìno *s. m.* violin, fiddle (*fam.*)

violoncellìsta *s. m. e f.* (violon)cellist

violoncèllo *s. m.* (violon)cello

viòttolo *s. m.* path, lane

vìpera *s. f.* viper

viràle *agg.* viral

viràre *v. intr.* **1** (*naut.*) to veer **2** (*aer.*) to turn **3** (*chim.*) to change colour

viràta *s. f.* veer

virgola *s. f.* comma ♦ **v. decimale** point

virgolétte *s. f. pl.* inverted commas *pl.*, quotation marks *pl.*

virìle *agg.* manly, masculine, virile

virilità *s. f.* manliness, virility

virtù *s. f.* **1** virtue **2** (*potere*) power, property ♦ **in v. di** by virtue of

virtuàle *agg.* virtual ♦ **realtà v.** virtual reality

virtuóso A *agg.* virtuous **B** *s. m.* **1** virtuous man **2** (*mus.*) virtuoso

vìrus *s. m. inv.* virus

visagìsta *s. m. e f.* beautician

visceràle *agg.* visceral

vìscere *s. m.* **1** internal organ **2** *al pl.* viscera *pl.*, (*intestino*) bowels *pl.*, (*di animale*) entrails *pl.* **3** *al pl.* (*fig.*) bowels *pl.*

vìschio *s. m.* mistletoe

vischióso *agg.* viscous

vìscido *agg.* **1** viscid, slimy **2** (*scivoloso*) slippery **3** (*fig.*) slimy, oily

viscónte *s. m.* viscount

viscontéssa *s. f.* viscountess

visìbile *agg.* visible

visibilità *s. f.* visibility ♦ **scarsa v.** poor visibility

visièra *s. f.* peak

visionàrio *agg. e s. m.* visionary

visióne *s. f.* **1** vision **2** (*vista*) sight

vìsita *s. f.* **1** visit, (*breve*) call **2** (*ispezione*) inspection, control **3** (*med.*) examination **4** (*persona che visita*) visitor ♦ **biglietto da v.** visiting card; **v. medica** medical examination

visitàre *v. tr.* **1** to visit **2** (*andare a trovare*) to visit, to call on, to see **3** (*med.*) to examine

visitatóre *s. m.* visitor

visìvo *agg.* visual

vìso *s. m.* face

visóne *s. m.* mink

vìspo *agg.* lively, sprightly

vissùto *agg.* lived

vìsta *s. f.* **1** sight **2** (*veduta*) sight, view **3** (*campo visivo*) view

vistàre *v. tr.* to endorse, (*passaporto*) to visa

vìsto *s. m.* approval, endorsement, (*su passaporto*) visa

vistóso *agg.* **1** showy **2** (*grande*) big, large

visuàle A *agg.* visual **B** *s. f.* **1** (*vista*) sight, view **2** (*campo visivo*) view

vìta (1) *s. f.* **1** life, (*durata*) lifetime **2** (*modo di vivere*) life, living **3** (*necessario per vivere*) living **4** (*animazione*) animation, (*vitalità*) vitality

vìta (2) *s. f.* (*parte del corpo*) waist

vitàle *agg.* vital

vitalità *s. f.* vitality

vitalìzio A *agg.* for life, life (*attr*) **B** *s. m.* life annuity

vitamìna *s. f.* vitamin

vìte (1) *s. f.* (*bot.*) vine

vìte (2) *s. f.* (*mecc.*) screw

vitèllo *s. m.* **1** calf **2** (*cuc.*) veal **3** (*pelle*) calf(skin)

vitìccio *s. m.* tendril

viticoltóre *s. m.* vine-grower

vitìgno *s. m.* vine

vìtreo *agg.* vitreous

vìttima *s. f.* victim

vìtto *s. m.* **1** (*cibo*) food **2** (*pasti*) board ♦ **v. e alloggio** board and lodging

vittòria *s. f.* **1** victory **2** (*sport*) win

vittorióso *agg.* victorious, winning

vìva *inter.* hurrah, up with

vivàce *agg.* **1** lively, vivacious **2** (*sveglio*) quick **3** (*di colore*) bright

vivacità *s. f.* **1** liveliness **2** (*prontezza*) quickness **3** (*di colore*) brightness

vivàio *s. m.* (*di piante*) nursery, (*di pesci*) fish farm

vivànda *s. f.* **1** food **2** (*pietanza*) dish

vivandière *s. m.* sutler

vivènte A *agg.* living **B** *s. m. e f.* living being

vìvere (1) *v. tr. e intr.* to live

vìvere (2) *s. m.* life, living

vìveri *s. m. pl.* food, supplies *pl*, victuals *pl.*, provisions *pl.*

vìvido *agg.* vivid
vivisezióne *s. f.* vivisection
vìvo A *agg.* **1** living, alive (*pred.*), live (*attr.*) **2** (*vivace*) lively **3** (*profondo*) deep, sharp **4** (*vivido*) vivid **5** (*di colore*) bright **B** *s. m.* **1** living person **2** (*parte viva*) living part, heart
viziàre *v. tr.* **1** to spoil **2** (*dir.*) to vitiate
viziàto *agg.* **1** spoilt **2** (*guasto*) faulty **3** (*dir.*) vitiated ♦ **aria viziata** foul air
vìzio *s. m.* **1** vice **2** (*cattiva abitudine*) bad habit **3** (*difetto*) fault, defect
vizióso *agg.* vicious, corrupt
vocabolàrio *s. m.* **1** (*insieme di termini*) vocabulary **2** (*dizionario*) dictionary
vocàbolo *s. m.* word, term
vocàle A *agg.* vocal **B** *s. f.* vowel
vocalìzzo *s. m.* vocalism
vocazióne *s. f.* vocation, calling
vóce *s. f.* **1** voice **2** (*diceria*) rumour **3** (*parola*) word, (*di dizionario*) entry **4** (*gramm.*) voice, part **5** (*mus.*) voice, part **6** (*contabile*) item, entry ♦ **a v. alta/bassa** in a loud/low voice
vociàre *v. intr.* to shout
vóga *s. f.* **1** (*il vogare*) rowing **2** (*moda*) fashion ♦ **essere in v.** to be in fashion
vogàre *v. intr.* to row
vogatóre *s. m.* **1** rower, oarsman **2** (*attrezzo*) rowing machine
vòglia *s. f.* **1** (*desiderio*) wish, longing, fancy, desire **2** (*volontà*) will **3** (*macchia della pelle*) birthmark **4** (*di gestante*) craving
vói *pron. pers.* 2ª *pl. m. e f.* you ♦ **v. stessi** you ... yourselves
volàno *s. m.* **1** (*gioco*) badminton **2** (*mecc.*) flywheel
volànte (1) A *agg.* **1** flying **2** (*movibile*) movable **B** *s. f.* (*polizia*) flying squad
volànte (2) *s. m.* (*autom.*) wheel
volantìno *s. m.* leaflet
volàre *v. intr.* **1** to fly **2** (*librarsi*) to blow **3** (*passare velocemente*) to fly by, to pass quickly **4** (*precipitare*) to fall off
volàtile *s. m.* bird
volenteróso *agg.* willing, keen
volentièri *avv.* willingly, with pleasure
volére (1) *v. tr.* **1** to want (ES: **voglio restare qui** I want to stay here) **2** (*gradire*) to like (*spec. al condiz.*) (ES: **fai come vuoi** do as you like, **volete andare al cinema sta-sera?** would you like to go to the movies tonight?) **3** (*desiderare*) to wish (ES: **vor-**

rei saper risolvere questo problema I wish I could solve this problem) **4** (*nelle richieste*) will, can, would, (*nelle offerte*) will have, would like (ES: **vorresti chiudere la porta?** would you close the door?, **vuoi un po' di zucchero?** will you have some sugar?) **5** (*essere intenzionato a*) to intend, to be going (to), (*essere disposto*) to be willing (to) (ES: **cosa volete fare adesso?** what are you going to do now?) **6** (*disporre, stabilire*) to will (ES: **il destino ha voluto così** fate has willed it so) **7** (*permettere*) to let, to allow (ES: **mio padre non vuole che ti veda** my father doesn't allow me to meet you) **8** (*pretendere, aspettarsi*) to expect, to want, to demand (ES: **tu vuoi troppo da lei** you're expecting too much of her) **9** (*richiedere, aver bisogno di*) to need, to require, to want (ES: **è un animale che vuole molte attenzioni** it's an animal that requires much care) **10** (*seguito da v. impers.*) to be going (to), to look (like) (ES: **secondo me vuole piovere** I think it's going to rain) **11** (*volerci, impers.*) to take, to be required, to need (ES: **quanto ci vuole da qui a casa di Mary?** how long does it take from here to Mary's?) ♦ **v. dire** to mean; **vuoi ... vuoi** both ... and
volére (2) *s. m.* will
volgàre A *agg.* **1** vulgar, common, coarse **2** (*bot., zool.*) trivial **B** *s. m.* vernacular
volgarizzàre *v. tr.* **1** (*tradurre in volgare*) to translate into the vernacular **2** (*divulgare*) to popularize
vòlgere *v. tr., intr. e rifl.* to turn
vólgo *s. m.* common people
volièra *s. f.* aviary
volitìvo *agg.* volitive
vólo *s. m.* flight ♦ **v. acrobatico** stunt flying; **v. a vela** soaring, gliding
volontà *s. f.* will, wishes *pl.*
volontariaménte *avv.* voluntarily
volontàrio A *agg.* voluntary **B** *s. m.* volunteer
volovelìsta *s. m. e f.* glider
vólpe *s. f.* fox
vòlta (1) *s. f.* **1** time **2** (*turno*) turn ♦ **a mia v.** in my turn; **C'era una v. ...** Once upon a time there was ...; **una v. o due** once or twice
vòlta (2) *s. f.* (*arch.*) vault
voltafàccia *s. m. inv.* about-turn
voltàggio *s. m.* voltage

voltàre *v. tr., intr. e rifl.* to turn

volteggiàre *v. intr.* to circle, to twirl

voltéggio *s. m.* vaulting

vólto *s. m.* **1** face **2** (*aspetto*) aspect, appearance

volùbile *agg.* fickle, inconstant

volùme *s. m.* volume

voluminóso *agg.* voluminous, bulky

volùta *s. f.* **1** (*arch.*) volute **2** (*spira*) spiral

voluttà *s. f.* voluptuousness, (*piacere*) delight

voluttuàrio *agg.* unnecessary

voluttuóso *agg.* voluptuous, sensual

vomitàre *v. tr.* to vomit, to retch, to throw up

vòmito *s. m.* vomit ♦ **conato di v.** retching

vóngola *s. f.* clam

voràce *agg.* voracious

voràgine *s. f.* chasm

vòrtice *s. m.* **1** whirl **2** (*fis.*) vortex ♦ **v. d'acqua** whirlpool, eddy; **v. d'aria** whirlwind

vòstro **A** *agg. poss. 2ª pl.* your **B** *pron. poss.* yours **C** *s. m.* **1** (*ciò che è vostro*) what is yours, your property **2** *al pl.* (*i vostri parenti*) your relatives *pl.*, (*i vostri seguaci*) your supporters *pl.*

votànte **A** *agg.* voting **B** *s. m. e f.* voter

votàre **A** *v. tr.* **1** to vote, (*approvare*) to pass **2** (*dedicare*) to offer, to dedicate **B** *v. intr.* to vote **C** *v. rifl.* to devote oneself

votazióne *s. f.* **1** voting, poll **2** (*scolastica*) marks *pl.*

votivo *agg.* votive

vóto *s. m.* **1** (*promessa*) vow **2** (*per elezione*) vote **3** (*scolastico*) mark

vulcàno *s. m.* volcano

vulcanòlogo *s. m.* volcanologist

vulneràbile *agg.* vulnerable

vuotàre *v. tr. e intr. pron.* to empty

vuòto **A** *agg.* empty **B** *s. m.* **1** empty space, gap **2** (*bottiglia*) empty **3** (*fis.*) vacuum ♦ **a v.** in vain

W

wafer *s. m. inv.* wafer
water *s. m. inv.* toilet bowl
watt *s. m. inv.* watt
western *agg. e s. m. inv.* western
whisky *s. m. inv.* whisky, (*USA, Irlanda*) whiskey
windsurf *s. m. inv.* **1** (*tavola*) (windsurf) board **2** (*sport*) windsurfing
würstel *s. m. inv.* frankfurter

X

xenofobìa *s. f.* xenophobia
xenòfobo *s. m.* xenophobe
xerocòpia *s. f.* xerographic copy
xerografìa *s. f.* xerography
xilofonista *s. m. e f.* xylophone player
xilòfono *s. m.* xilophone
xilografìa *s. f.* xylography, (*stampa*) xilograph

Y

yacht *s. m.* yacht ♦ **y. a motore** motor yacht; **y. a vela** sailing yacht
yarda *s. f.* yard
yoga *s. m. inv.* yoga
yògurt *s. m.* yoghurt
yùcca *s. f.* yucca

Z

zabaióne *s. m.* egg-flip

zaffàta *s. f.* whiff, (*tanfo*) stench

zafferàno *s. m.* saffron

zaffiro *s. m.* sapphire

zàino *s. m.* backpack, knapsack, rucksack

zàmpa *s. f.* (*arto di animale*) leg, (*parte terminale*) paw, hoof, (*di uccello*) claw ♦ **a quattro zampe** four-footed

zampettàre *v. intr.* **1** to trot **2** (*di bambino*) to toddle

zampillànte *agg.* gushing

zampillàre *v. intr.* to gush

zampìllo *s. m.* gush, spurt

zampiróne *s. m.* fumigator

zampógna *s. f.* bagpipes *pl.*

zampognàro *s. m.* piper

zànna *s. f.* tusk, (*di carnivori*) fang

zanzàra *s. f.* mosquito

zanzarièra *s. f.* mosquito-net

zàppa *s. f.* mattock, hoe

zappàre *v. tr.* to hoe, to dig

zar *s. m. inv.* czar

zarìna *s. f.* czarina

zarista *agg. e s. m.* czarist

zàttera *s. f.* raft ♦ **z. di salvataggio** life raft

zavòrra *s. f.* ballast

zàzzera *s. f.* long hair, mop

zèbra *s. f.* **1** zebra **2** *al pl.* (*passaggio pedonale*) zebra crossing

zécca (1) *s. f.* mint

zécca (2) *s. f.* (*zool.*) tick

zèlo *s. m.* zeal

zènit *s. m.* zenith

zénzero *s. m.* ginger

zéppa *s. f.* wedge

zéppo *agg.* packed, crammed

zerbino *s. m.* doormat

zèro *s. m.* zero, nought ♦ **vincere due a z.** to win two-nil

zìa *s. f.* aunt

zibellìno *s. m.* sable

zigàno *agg. e s. m.* tzigane

zìgomo *s. m.* cheekbone

zigzag *s. m. inv.* zigzag ♦ **andare a z.** to zigzag

zimbèllo *s. m.* laughing-stock

zìnco *s. m.* zinc

zingarésco *agg.* gipsy (*attr*)

zìngaro *s. m.* gipsy

zìo *s. m.* uncle

zircóne *s. m.* zircon

zitèlla *s. f.* spinster

zittire **A** *v. tr.* to hiss, to boo **B** *v. intr.* to fall silent

zìtto *agg.* silent ♦ **sta' z.!** be quiet!

zizzània *s. f.* **1** (*bot.*) darnel **2** (*fig.*) discord

zòccolo *s. m.* **1** (*calzatura*) clog, sabot **2** (*di equino*) hoof **3** (*piedistallo*) base, plinth **4** (*battiscopa*) skirting (board)

zodiacàle *agg.* zodiacal

zodìaco *s. m.* zodiac

zolfanèllo *s. m.* (*sulphur*) match

zólfo *s. m.* sulphur

zòlla *s. f.* sod, turf

zollétta *s. f.* lump ♦ **zucchero in zollette** lump sugar

zòna *s. f.* zone

zòo *s. m. inv.* zoo

zoologìa *s. f.* zoology

zoòlogo *s. m.* zoologist

zootecnìa *s. f.* zootechny

zoppicàre *v. intr.* **1** to limp **2** (*essere instabile*) to be shaky **3** (*mancare di rigore*) to be weak

zòppo **A** *agg.* lame, limping **B** *s. m.* lame person

zoticóne *s. m.* boor, lout

zùcca *s. f.* **1** (*bot.*) pumpkin **2** (*testa*) head, pate (*fam.*)

zuccàta *s. f.* blow with the head

zuccheràre *v. tr.* to sugar, to sweeten

zuccheràto *agg.* sugared, sweetened

zuccherièra *s. f.* sugar-bowl

zuccherìno **A** *agg.* sugary, sweet **B** *s. m.* **1** sweet **2** (*contentino*) sop

zùcchero *s. m.* sugar ♦ **z. a velo** icing sugar; **z. filato** candyfloss

zucchìno *s. m.* courgette, (*USA*) zucchini

zuccóne *s. m.* (*testardo*) stubborn person, (*ottuso*) blockhead

zùffa *s. f.* scuffle, fight

zùfolo *s. m.* flageolet

zùppa *s. f.* soup ♦ **z. di pesce** fish soup; **z. di verdura** vegetable soup

zuppièra *s. f.* soup-tureen

zùppo *agg.* wet (through)

FRASEOLOGIA

IN VIAGGIO

AEREO

Devo andare a... Può darmi orari e tariffe dei voli?
I must go to... Can you give me the flight times and prices?

Ci sono quattro posti disponibili sul volo... per... del giorno...?
Are there four seats available on flight... for... on...?

Vorrei un biglietto per...
I'd like a ticket for...

Vorrei prenotare un posto per... sul volo... del...
I'd like to book a seat for... on flight... on...

Vorrei spostare/annullare/confermare la mia prenotazione
I'd like to change/to cancel/to confirm my booking

A che ora dobbiamo trovarci all'aeroporto?
What time must we be at the airport?

Come si può raggiungere l'aeroporto?
What's the best way to get to the airport?

Quanto dista l'aeroporto dal centro della città?
How far is the airport from the city center (downtown)?

A che ora e da dove parte il bus per l'aeroporto?
What time and where does the bus leave for the airport?

A che ora parte il volo numero... per...?
What time does flight number... for... leave?

Vorrei un posto...	I'd like...
al finestrino	a window seat
corridoio	an aisle seat
non fumatori	a no smoking seat
fumatori	a smoker's seat

Ho smarrito la carta d'imbarco
I've lost my boarding card

Mi può dare una coperta/un cuscino, per favore?
Can you give me a blanket/a pillow, please?

I miei bagagli non sono arrivati; a quale ufficio devo rivolgermi?
My luggage (baggage) hasn't arrived; which office must I go to?

Recapitatemi i bagagli a questo indirizzo
Send my luggage (baggage) to this address

Dov'è il deposito bagagli?
Where is the left-luggage office?

Dove posso trovare un taxi/un autobus?
Where can I get a taxi/a bus?

Arrivals	Arrivi
Baggage claim	Ritiro bagagli
Boarding now	Imbarco immediato
Cancelled flight	Volo cancellato
Check-in	Check-in
Customs	Dogana
Delayed flight	Volo ritardato
Departures	Partenze
Destination	Destinazione
Domestic flights	Nazionali
Gate	Uscita
International flights	Internazionali
Left-luggage office	Deposito bagagli

TRENO E TRASPORTI URBANI

Dove è la fermata del bus numero... per...?
Where does bus number... for... stop?

Dov'è la stazione della metropolitana?
Where's the underground/tube (subway) station?

Dove posso acquistare un biglietto per il bus?
Where can I buy a bus ticket?

Quale bus/metro devo prendere per...?
Which bus/underground must I take for...?

Questo bus/treno passa per...?
Does this bus/train go past...?

Dove devo scendere per andare a...?
Where must I get off to go to...?

È questa la direzione giusta per andare a...?
Is this the right direction to go to...?

Dove posso trovare un taxi?
Where can I get a taxi?

Quanto costa un taxi fino a...?
How much does a taxi to... cost?

Può aspettarmi qualche minuto?
Can you wait for me for a few minutes, please?

Quanto le devo?
How much do I owe you?

Dove si trova la stazione ferroviaria?
Where's the railway station?

Mi porti alla stazione. Ho molta fretta!
Can you take me to the station? I'm in a great hurry!

Vorrei un biglietto di prima/seconda classe per...
I'd like a first/second class ticket to...

Vorrei un biglietto di andata e ritorno per...
I'd like a return ticket to...

Posso fare il biglietto sul treno?
Can I buy the ticket on the train?

Vorrei fare una prenotazione sul treno per... delle... del...
I'd like to book a seat on the... train to... on...

Vorrei prenotare una cuccetta per... sul treno delle... del...
I'd like to book a couchette to... on the... train on...

C'è una coincidenza per...? A che ora parte?
Is there a connection for...? What time does it leave?

AUTOMOBILE

Il pieno, per favore
Fill up, please

Può controllare...?	Can you check...?
l'acqua	the water level
l'olio	the oil level
l'acqua della batteria	the battery water
il liquido dei freni	the brake fluid
la pressione dei pneumatici	the tyre pressures

Può sostituire...?	Can you change...?
l'olio	the oil
il filtro dell'olio	the oil filter
il filtro dell'aria	the air filter
i pneumatici	the tyres
le spazzole del tergicristallo	the windscreen wiper blades
un fusibile	a fuse

Può dare una pulita al parabrezza?
Could you clean the windscreen?

Può darmi un recipiente vuoto?
Could you give me an empty container?

Può mettere un po' di benzina in un recipiente? Sono rimasto a secco
Could you put a little petrol in a container? I've run out

Può indicarmi la strada giusta per...?
Can you tell me which is the right way for...?

Qual è la strada più breve per...?
Which is the shortest road to...?

Può dirmi dove mi trovo?
Can you tell me where I am?

Può accompagnarmi a..., per favore?
Could you take me to..., please?

È asfaltata/percorribile la strada per?
Has the road for... got a hard surface?/Is the road to... passable?

Quanti chilometri ci sono per arrivare...?
How far is it to...?

a un distributore	a petrol station/a service station
al prossimo paese	the nearest town
a un telefono	a telephone
alla prossima uscita	the next exit

Posso parcheggiare qui?
Can I park here?

Quanto tempo posso lasciare la macchina?
How long can I leave my car here?

Quanto costa il parcheggio?
How much does the car park cost?

Può indicarmi un meccanico/gommista?
Can you tell me where I can find a mechanic/tyre repairer?

Può indicarmi un'officina per far controllare la mia auto?
Can you tell me where I can find a garage to check my car?

La mia macchina è guasta: può darmi una mano?
My car has broken down: could you give me a hand?

Può mandare un carro attrezzi?
Can you send a breakdown lorry?

Può trainare la macchina fino a...?
Can you tow my car to...?

La macchina... — The car...
non parte — won't start
fa un fumo nero/blu/bianco — gives off black/blue/white smoke
Il motore... — The engine...
non si avvia — won't start
si avvia ma si spegne subito — starts but stops at once
non tiene il minimo — won't tick over
consuma/perde olio/acqua — uses too much/leaks oil/water
perde colpi — misfires
fa uno strano rumore — makes a funny noise

Si sente odore di benzina
I can smell petrol

Non entrano le marce
The gears won't engage

La frizione strappa/slitta
The clutch engages suddenly/slips

Non si accendono le luci
The lights don't come on

I freni non funzionano
The brakes don't work

Ho perso le chiavi
I've lost the keys

Si è rotta la chiave nella serratura
The key has broken off in the lock

Non funziona/è rotto il...
The.... doesn't work/is broken

Riesce a ripararlo subito?
Can you mend it at once?

Quanto tempo ci vuole per la riparazione?
How long will it take to mend it?

Ha scoperto il guasto?
Have you found out what's wrong?

Quanto pensa possa venire a costare la riparazione?
How much do you think the repair will cost?

Molte grazie per il suo aiuto!
Thank you very much for your help!

Dove posso noleggiare una macchina?
Where can I rent a car?

Vorrei noleggiare una macchina per... giorni/settimane
I'd like to rent a car for... days/weeks

Vorrei una macchina di piccola/media/grande cilindrata
I'd like a car with a small/medium/large engine

C'è un extra per il chilometraggio?
Must I pay extra for mileage?

È possibile lasciare la macchina a....?
Can I leave the car at...?

Entro che ora devo riportare la macchina?
What time must I return the car by?

Avete una macchina più grande/piccola?
Have you got a larger/smaller car?

IN ALBERGO

Potete raccomandarmi un albergo...?
Could you recommend a...?
economico — cheap hotel
centrale — central hotel
non distante da... — hotel not far from....
con garage — hotel with a garage

Ho prenotato una camera... a nome...
I have a room booked under the name of...

Posso vedere la camera?
Can I see the room?

Vorrei una camera...
I'd like a...
singola — single room
doppia — double room
a tre letti — room with three beds
con bagno — room with a bathroom
con doccia — room with a shower

Quanto cosa...?
How much does... cost?
la camera e la prima colazione — the room with breakfast/bed and breakfast
la mezza pensione/ — half board
la pensione completa — full board

La prima colazione è compresa nel prezzo?
Is breakfast included in the price?

Il prezzo è per la camera o per persona?
Is the price for the room or per person?

C'è l'ascensore?
Is there a lift?

A che piano si trova?
Which floor is it on?

La camera non mi piace; vorrei cambiarla
I don't like the room; I'd like to change it

Va bene, la prendo
OK, I'll take it

Intendo fermarmi...
I mean to stay for...

una notte	one night
una settimana	one week
quindici giorni	fifteen days

Le devo lasciare un acconto?
Must I leave you an advance payment?

Posso riavere il mio passaporto/la mia carta d'identità?
Could I have my passport/identity card back?

È possibile aggiungere un letto?
Is it possible to put another bed in?

Può portarmi la colazione in camera?
Could you bring my breakfast to my room?

Dove posso parcheggiare la macchina?
Where can I park my car?

C'è il servizio lavanderia?
Is there a laundry service?

La camera è ancora in disordine!
The room hasn't been made up!

Mi mandi la cameriera!
Could you send me the chambermaid?

Mi faccia parlare con il direttore!
I'd like to speak to the manager!

A che ora viene servito/a...?
What time is... served?

la prima colazione	breakfast
il pranzo	lunch
la cena	dinner

Vorrei essere svegliato alle..., per favore
I'd like to be woken at..., please

Per favore, mi può portare i bagagli in camera?
Could you carry my luggage (baggage) to my room, please?

Posso depositare dei documenti/dei valori?
Can I leave my documents/some valuables with you?

Può cambiarmi questa banconota?
Can you change this note for me?

Ci sono messaggi per me?
Are there any messages for me?

Attendo una telefonata. Me la può passare in camera?
I'm waiting for a telephone call. Can you put it through to my room?

Mi ha cercato qualcuno?
Has anyone called for me/telephoned me?

Mi dia la chiave numero..., per favore
Could you give me the key number..., please?

Rientrerò tardi: posso avere la chiave del portone?
I'll be coming back late: can I have the front door key?

Vorrei fare una telefonata
I'd like to make a telephone call

Può chiamare questo numero a mio nome?
Can you telephone this number for me?

Ho lasciato i bagagli in camera
I've left my luggage (baggage) in my room

Ho deciso di partire domani
I've decided to leave tomorrow

Può prepararmi il conto?
Can you prepare my bill for me?

Accettate carte di credito?
Do you accept credit cards?

Posso pagare con traveller's cheque?
Can I pay by traveller's cheques?

Posso lasciare i bagagli fino a stasera?
Can I leave my luggage (baggage) here until this evening?

Può chiamarmi un taxi?
Can you call a taxi for me?

BANCA, POSTA E TELEFONO

Può indicarmi una banca?
Can you tell me where I can find a bank?

Qual è l'orario di apertura delle banche?
When are the banks open?/What are the banking hours?

Vorrei cambiare questa somma di denaro
I'd like to change this sum of money

Vorrei cambiare un traveller's cheque
I'd like to change a traveller's cheque

Ho perso i traveller's cheque: cosa devo fare?
I've lost my traveller's cheques: what should I do?

Mi hanno rubato i traveller's cheque e la ricevuta d'acquisto!
My traveller's cheques and the receipt have been stolen!

È possibile avere del contante con la mia carta di credito?
Is it possible to have cash with my credit card?

Dov'è l'ufficio postale?
Where's the Post Office?

Qual è l'orario di apertura degli uffici postali?
What time are the Post Office's open?

Dove posso comprare dei francobolli?
Where can I buy some stamps?

Qual è l'affrancatura per una lettera/cartolina?
What's the postage for a letter/postcard?

Devo spedire questo pacco
I must post this parcel

A quale sportello devo rivolgermi?
Which window should I go to?

Vorrei incassare questo vaglia
I'd like to cash this money order (postal order)

Vorrei fare un versamento
I'd like to make a payment

Dov'è il fermo posta?
Where is the poste restante (general delivery)?

Desidero fare una telefonata a carico del destinatario
I'd like to make a collect call

Non ho moneta per telefonare: può aiutarmi?
I'd haven't got any change for the telephone: can you help me?

Vorrei una scheda per telefonare
I'd like a card for the telephone

C'è un posto telefonico pubblico?
Is there a public telephone?

Vorrei chiamare questo numero
I'd like to call this number

Qual è il prefisso per...?
What's the code number (area code) for...?

Può riprovare?
Can you try again?

Riprovo più tardi
I'll try again later

Può richiamarmi a questo numero?
Can you call me back at this number?

Non capisco, può parlare più lentamente?
I don't understand, could you speak more slowly?

La linea è occupata
The line is engaged

La linea è disturbata. Parli più forte
The line is bad. Could you speak louder?

È caduta la linea
I've lost the line

Il telefono è guasto
The telephone is broken

BAR E RISTORANTE

C'è un bar/ristorante qui vicino?
Is there a bar/restaurant near here?

Vorrei fare colazione (prima colazione)
I'd like breakfast

Può farmi un panino?
Can you make me a sandwich/a roll?

Vorrei prenotare un tavolo per... persone per le ore...
I'd like to book a table for... people for...

È libero questo tavolo?
Is this table free?

C'è molto da aspettare?
Will I (we) have to wait long?

Abbiamo molta fretta
We're in a great hurry

Aspetto degli amici
I'm waiting for some friends

Dov'è il guardaroba?
Where's the cloakroom (coatroom)?

Dov'è la toilette?
Where's the toilet/bathroom?

Mi porti un aperitivo
Could you bring me an aperitif?

Può portarmi il menù/la carta dei vini?
Can you bring me the menu/the wine list?

Potete consigliarmi qualcosa di speciale?
Could you suggest something special?

Qual è il vostro piatto caratteristico?
What is your local dish?

Qual è il piatto del giorno?
What is the dish of the day?

Vorrei bere...   I'd like to drink...
acqua minerale   sparkling/still mineral
  gasata/non gasata   water
acqua naturale   tap water
...ghiacciata   iced...
...non fredda   not too cold

Cameriere!
Waiter!

Può aggiungere un altro coperto?
Could you lay another place?

Questo... è sporco! Me lo può cambiare, per favore?
This... is dirty! Could you bring me another, please?

Quali sono gli ingredienti?
What are the ingredients of this dish?

Cosa vuol dire...?
What does.... mean?

Mi porti un altro...
Could you bring me another...?

Vorrei solo una mezza porzione
I'd like just a half portion

Questa pietanza è fredda/poco cotta
This dish is cold/underdone

Me la può scaldare?
Could you heat it for me?

Me la può cuocere di più?
Could you cook it a little more?

Vorrei della carne...   I'd like some...
al sangue   rare meat
ben cotta   well-cooked meat
molto cotta   very well-cooked meat

Che contorni/dessert avete?
What vegetables/desserts have you got?

Mi porti della frutta fresca
Could you bring me some fresh fruit?

Mi faccia il conto, per favore
Could you bring me the bill (check), please?

Quanto pago?
How much do I owe you?

Accettate carte di credito?
Do you accept credit cards?

Ho bisogno della ricevuta
I need the receipt

Tenga il resto
Keep the change

Questo è per lei
This is for you

Mi può chiamare un taxi?
Can you call a taxi for me?

C'è un telefono?
Have you got a telephone?

CULTURA

Dov'è...?   Where is...?
il museo   the museum
la galleria d'arte   the gallery of
  moderna   modern art
la pinacoteca   the art gallery

A che ora apre/chiude il museo?
What time does the museum open/close?

Qual è il giorno di chiusura?
Which day is it closed?

Il museo è sempre aperto?
Is the museum always open?

Vorrei un catalogo del museo in italiano
I'd like an Italian catalogue of the museum

C'è una guida che parla italiano?
Is there a guide who speaks Italian?

Quanto costa l'ingresso?
How much does it cost to get in?

L'ingresso è libero?
Is it free to get in?

C'è uno sconto per studenti?
Is there a student reduction?

È possibile visitare...?
Is it possible to visit...?
la chiesa   the church
il palazzo   the palace
la sacrestia   the sacrity
il chiostro   the cloister
la cripta   the crypt

A che ora inizia lo spettacolo?
What time does the show/play/film start?

SALUTE

Può consigliarmi un...?
Can you recommend a/an?

cardiologo	cardiologist
dentista	dentist
ginecologo	gynaecologist
oculista	oculist
ortopedico	orthopaedist
pediatra	paediatrician
traumatologo	traumatologist

Conosce un medico che parla italiano?
Do you know a doctor who speaks Italian?

Posso parlare col dottore?
Can I speak to the doctor?

Vorrei fissare un appuntamento col dottore...
I'd like to make an appointment with Doctor...

Posso venire subito? È urgente!
Can I come at once? It's urgent!

Dov'è l'ambulatorio del dottor...?
Where is Doctor...'s surgery?

A che ora arriva il dottore?
What time does the doctor arrive?

Il dottore può venire a visitarmi?
Can the doctor come and visit me?

Può chiamare un medico?
Can you call a doctor?

Dov'è l'ospedale più vicino?
Where's the nearest hospital?

Mi porti al pronto soccorso
Can you take me to the First Aid Centre?

Non mi sento bene
I dont't feel well

Mi sento...	I feel...
male	ill
meglio	better
peggio	worse

Mi fa male qui   It hurts here

Mi/gli fa male...   My/his/her... hurts

Ho...	I ....
l'influenza	have got flu
voglia di vomitare	want to be sick
la febbre	have got a temperature
la diarrea	have got diarrhoea
mal di denti	have got toothache
una ferita	am injured/ wounded
un'infezione	have got an infection

le vertigini	am suffering from dizzy spells
una scottatura	have burnt myself

Non riesco a dormire
I can't sleep

Soffro di diabete
I've got diabetes

Porto lenti corneali
I wear contact lenses

Aspetto un bambino
I'm expecting a baby

Sono alla... settimana di gravidanza
I'm in my... week of pregnancy

Sono allergico a...
I'm allergic to...

Può prescrivermi un...?
Could you prescribe me a...?

Credo di essermi rotto...
I think I've broken my...

Non posso muovere...
I can't move my...

Posso continuare il viaggio?
Can I continue my journey?

Quando potrò riprendere il viaggio?
When will I be able to continue my journey?

Devo prendere delle precauzioni?
Are there any precautions I should take?

Quant'è il suo onorario?
How much is your fee?

Può farmi la ricetta?
Can you make me out a prescription?

Dov'è la farmacia più vicina?
Where's the nearest chemist (drugstore)?

Vorrei qualcosa contro...
I'd like something for...

il raffreddore	a cold
la febbre	a temperature
la tosse	a cough
il mal di denti	toothache
il mal di testa	a headache
una scottatura	a burn
la diarrea	diarrhoea
la stitichezza	constipation
l'insonnia	insomnia

Vorrei... ma non ho la ricetta
I'd like..., but I haven't got a prescription

NUMERI

	Cardinali	Ordinali		Cardinali	Ordinali
0	nought; zero		40	forty	fortieth
1	one	first	50	fifty	fiftieth
2	two	second	60	sixty	sixtieth
3	three	third	70	seventy	seventieth
4	four	fourth	80	eighty	eightieth
5	five	fifth	90	ninety	ninetieth
6	six	sixth	100	one hundred	hundredth
7	seven	seventh	101	one hundred	hundred
8	eight	eighth		and one	and first
9	nine	ninth	200	two hundred	two hundredth
10	ten	tenth	1000	one thousand	thousandth
11	eleven	eleventh	1001	one thousand	thousand
12	twelve	twelfth		and one	and first
13	thirteen	thirteenth	1100	one thousand	
14	fourteen	fourteenth		and one hundred;	
15	fifteen	fifteenth		eleven hundred	
20	twenty	twentieth	2000	two thousand	
21	twenty-one	twenty-first	100000	one hundred	
22	twenty-two	twenty-second		thousand	
30	thirty	thirtieth	1000000	one million	millionth

UNITÀ DI MISURA

inch	in	2,54	cm		pollice
foot	ft	30,48	cm		piede
yard	yd	0,914	m		yarda
fathom	fm	1,829	m		braccio
statute mile	mi	1609,34	m		miglio terrestre
nautical mile	n.mi	1852	m		miglio marino
square inch	sq in	6,45	cm^2		pollice quadrato
square foot	sq ft	929,03	cm^2		piede quadrato
square yard	sq yd	0,836	m^2		yarda quadrata
acre	a	4046,86	m^2		acro
square mile	sq mi	2,59	km^2		miglio quadrato
cubic inch	cu in	16,39	cm^3		pollice cubo
cubic foot	cu ft	28,32	dm^3		piede cubo
cubic yard	cu yd	0,765	m^3		yarda cuba
fluid ounce	fl oz	0,284	dl		oncia fluida
fluid ounce (USA)	fl oz	0,296	dl		oncia fluida USA
pint	pt	0,568	l		pinta
liquid pint (USA)	pt	0,473	l		pinta USA
gallon	gal	4,55	l		gallone
gallon (USA)	gal	3,79	l		gallone USA
ounce	oz	28,35	g		oncia
pound	lb	0,454	kg		libbra
degree Fahrenheit	°F	32 + (9/5)	°C		grado Fahrenheit

NOTE GRAMMATICALI

ARTICOLO

Determinativo: the
Senza distinzioni di genere o di numero.

ES: *The* boy that I met   Il ragazzo che incontrai
    The North pole   Il polo Nord

Non si usa davanti ad aggettivi e pronomi possessivi, nomi di nazioni, luoghi e lingue, nomi astratti.

ES: My book and yours   Il mio libro e il tuo
    Life is very hard   La vita è molto dura

Indeterminativo: a, an (davanti a vocale o 'h' muta)
Solo al singolare, senza distinzione di genere.

ES: *An* apple   Una mela
    There is *a* man here   C'è un uomo qui
    A child needs love   Un (ogni) bambino ha bisogno di amore

GENITIVO SASSONE

Il caso possessivo (genitivo) del nome si usa soprattutto con nomi di persona, paese, animale, navi e in espressioni di tempo. Esso si forma:
– aggiungendo **'s** ai nomi singolari e ai nomi plurali che non terminano per **s**

ES: The boy'*s* book   Il libro del ragazzo
    Carlo'*s* house   La casa di Carlo
    Today'*s* paper   Il giornale di oggi
    The children'*s* voices   Le voci dei ragazzi

– aggiungendo solo l'apostrofo (') ai nomi plurali che terminano per **s**

ES: The boys' house   La casa dei ragazzi

La coppia sostantivo + genitivo sassone viene retta da un unico articolo.

ES: The son of the artist $\rightarrow$ The artist's son (Il figlio dell'artista)

GENERE

I nomi di cose inanimate e di animali hanno genere neutro; altrimenti, il genere coincide con il sesso. Le navi sono considerate al femminile.

PLURALE

Solitamente si costruisce aggiungendo una **s** al singolare.

ES: dog (cane)   dog*s*
    house (casa)   house*s*

Ai nomi che terminano in **o, s, ss, ch, sh, x, z** si aggiunge **es**.

ES: potato (patata)   potato*es*
    kiss (bacio)   kiss*es*

Ai nomi di origine straniera che terminano in **o** si aggiunge solo la **s**.

ES: photo (foto)   photo*s*

Nei nomi che terminano per **y** preceduta da consonante si sostituisce **ies** alla **y**.

ES: lady (signora) lad*ies*

In alcuni nomi che terminano per **f, fe** si sostituisce **ves** alla terminazione.

ES: wife (moglie) wi*ves*
life (vita) li*ves*
half (metà) hal*ves*
leaf (foglia) lea*ves*

Alcuni nomi formano il plurale con un cambiamento vocalico:

ES: man (uomo) men
woman (donna) women
tooth (dente) teeth
foot (piede) feet
goose (oca) geese
mouse (topo) mice

Attenzione: child (bambino) → children
ox (bue) → oxen

PRONOMI PERSONALI

	sogg.	*compl.*	*rifl.*
io	I	me	myself
tu	you	you	yourself
egli	he	him	himself
ella	she	her	herself
esso, essa	it	it	itself
noi	we	us	ourselves
voi	you	you	yourselves
loro	they	them	theirselves

It si usa in espressioni di tempo, distanza, temperatura, ecc., in frasi in cui il soggetto è un infinito e nella forma impersonale.

ES: *It* is raining Sta piovendo
It is half past six Sono le sei e mezza
It is easy to criticize È facile criticare

PRONOMI RELATIVI

Traducono **che, il quale, la quale, i quali, le quali**.

	sogg.	*compl.*	*possess.*
Persone:	who	who, whom	whose
	that	that	
Cose:	which	which	whose, of which
	that	that	

What (soggetto e oggetto) traduce 'ciò che'.

ES: The man *whom* I saw ⎤
The man *who* I saw ⎥ L'uomo che ho visto
The man I saw ⎦
The man to *whom* I spoke ⎤ L'uomo al quale ho parlato
The man I spoke to ⎦
I shall do *what* you want Farò ciò che vuoi

AGGETTIVI

In inglese gli aggettivi non variano con genere e numero e generalmente precedono il nome cui si riferiscono.

ES: A big town   Una grande città
     A good boy   Un buon ragazzo
     Good girls   Delle ragazze buone

Comparativo di maggioranza e superlativo

Negli aggettivi monosillabi e nei bisillabi che terminano in **y, le, er, ow** si formano aggiungendo rispettivamente **er** ed **est**. Se l'aggettivo monosillabo termina con una consonante preceduta da un'unica vocale, la consonante raddoppia. La **y** finale diventa **i**.

ES: big (grande)   bigger   the biggest
     fine (bello)   finer   the finest
     simple (semplice)   simpler   the simplest
     tender (tenero)   tenderer   the tenderest
     happy (felice)   happier   the happiest

Negli altri casi si premette **more** e **the most**.

ES: beautiful (bello)   more beautiful   the most beautiful

Attenzione:
     good (buono)   better   the best
     bad (cattivo)   worse   the worst
     little (poco)   less   the least
     many/much (molto)   more   the most
     far (lontano)   farther/further   the farthest/the furthest

Il secondo termine di paragone è preceduto da **than**.

ES: My book is better *than* yours   Il mio libro è migliore del tuo

Comparativo di uguaglianza e minoranza

Il primo si traduce con **as ... as**. Il secondo con **less ... than**.

ES: He is *as* tall *as* his father   È alto come suo padre
     He is *less* intelligent *than* you   È meno intelligente di te

AGGETTIVI E PRONOMI DIMOSTRATIVI

Sono gli unici a concordare con il numero del nome cui si riferiscono.
questo, questa   this
questi, queste   these
quello, quella   that
quelli, quelle   those

ES: *This* is my hat; *that* is yours   Questo è il mio cappello; quello è il tuo

AGGETTIVI E PRONOMI INTERROGATIVI

	sogg.	*oggetto*	*possess.*
chi	who	who, whom	whose
che cosa, quale, che	what, which	what, which	

Which si usa quando la scelta è limitata.

ES: *Who* pays the bill?   Chi paga il conto?
     Which of you is coming?   Chi di voi viene?
     Whose car won?   Di chi è la macchina che ha vinto?

AGGETTIVI E PRONOMI INDEFINITI

	agg.	pron.
qualche, del, dei		some, any
qualsiasi, qualunque	any, every	
qualcuno		somebody, someone, anybody, anyone
qualcosa		something, anything
niente		nothing
nessuno	no	no one, nobody, none

Some si usa nelle frasi affermative e nelle interrogative quando ci si aspetta una risposta affermativa. **Any** si usa nelle frasi negative, nelle altre frasi interrogative e nelle frasi affermative esprimenti un dubbio (dopo un 'se').
I pronomi seguono le stesse regole degli aggettivi corrispondenti.

ES: Can I have *some* coffee? Potrei avere del caffè?
    Do you have *any* money? Hai del denaro?
    I have *no* money · Non ho denaro
    I took *no* photos ⎫
    I didn't take *any* photo ⎭ Non ho fatto alcuna foto
    Something good Qualcosa di buono

AGGETTIVI E PRONOMI DISTRIBUTIVI

ciascuno, ciascuna	each	
ogni	every	(solo *agg.*)
ognuno	everyone, everybody	(solo *pron.*)
ogni cosa	everything	(solo *pron.*)
ambedue, entrambi	both, either	
l'uno o l'altro	either ... or	
né l'uno né l'altro	neither, neither ... nor	

Both regge il verbo alla terza persona plurale; tutti gli altri, invece, reggono la terza persona singolare.

AGGETTIVI E PRONOMI POSSESSIVI

	agg.	pron.
mio	my	mine
tuo	your	yours
suo	his/her/its	his/hers
nostro	our	ours
vostro	your	yours
loro	their	theirs

Gli aggettivi possessivi concordano nel genere con il possessore e non con la cosa posseduta. Le due espressioni seguenti sono equivalenti:
      One of my friends   A friend of mine (un mio amico)

MOLTO E POCO

Much (molto) si usa davanti a sostantivi non numerabili, mentre **many** si usa con sostantivi plurali numerabili, soprattutto nelle frasi negative o interrogative; entrambi possono essere usati come pronomi. **A lot of** e **plenty of** si usano nel significato di 'un mucchio di', 'una grande quantità', soprattutto nelle frasi affermative.

ES: We don't have *much* milk   Non abbiamo molto latte
      Carlo has *a lot of* toys, I don't   Carlo ha un mucchio di giocattoli,
      have *many*   io non ne ho molti
      You have *plenty of* time, I don't   Tu hai un sacco di tempo, io non ne
      have *much*   ho molto

A little (un po') e **little** (poco) si usano con sostantivi non numerabili. **A few** (alcuni) e
few (pochi) si usano con sostantivi plurali numerabili.

ES: *A few* friends   Alcuni amici
      Few friends   Pochi amici
      A little time   Un po' di tempo
      Little time   Poco tempo

VERBI

In inglese il soggetto di un verbo deve sempre essere espresso.
I verbi possono essere suddivisi in regolari e irregolari; nei verbi *regolari* è sufficiente
conoscere l'infinito per poter costruire qualsiasi forma, tempo o persona.

FORMA NEGATIVA

Per i verbi comuni si forma nel seguente modo:
    presente: soggetto + **do not** + infinito del verbo (senza 'to')
    passato: soggetto + **did not** + infinito del verbo (senza 'to')

Per i verbi ausiliari, invece, si forma nel seguente modo:
    soggetto + verbo ausiliare + **not** + participio passato del verbo

ES: He does not work   Non lavora
      He did not work   Non lavorava
      They have not worked   Non hanno lavorato

Avverbi e pronomi negativi, come **never** (mai), si sostituiscono alla forma negativa:

ES: He never works   Non lavora mai
      I have never worked   Non ho mai lavorato

FORMA INTERROGATIVA

Per i verbi comuni si forma nel seguente modo:
    presente: **do** + soggetto + infinito del verbo (senza 'to')
    passato: **did** + soggetto + infinito del verbo (senza 'to')

Per i verbi ausiliari, invece, si forma nel seguente modo:
    verbo ausiliare + soggetto + participio passato del verbo

ES: Do you study English?   Studi l'inglese?
      How much does it cost?   Quanto costa?
      Have you finished?   Hai finito?

VERBI AUSILIARI

To be (essere)

infinito	*presente*	*passato*	*part. pass*
be	I *am*	I *was*	been
	you *are*	you *were*	
	he/she/it *is*	he/she/it *was*	
	we/you/they *are*	we/you/they *were*	

Viene usato nelle forme progressive e nelle forme passive.

A sua volta, necessita come ausiliare del verbo *to have*.

ES: He is working   Sta lavorando
     He was followed   Era seguito
     We have been beaten   Siamo stati battuti

To have (avere, possedere)

infinito/presente	*passato*	*part. pass.*
have (3ª pers. sing.: *has*)	had	had

Viene usato come ausiliare in tutte le forme attive.

ES: I have worked   Ho lavorato
     I had worked   Avevo lavorato

To have to viene usato per indicare un obbligo.

ES: We have to work   Dobbiamo lavorare

To do (fare)

infinito/presente	*passato*	*part. pass.*
do (3ª pers. sing.: *does*)	did	done

Viene usato come ausiliare per costruire la forma negativa e interrogativa del presente e del passato semplice dei verbi comuni.

ES: He does not work   Non lavora
     He did not work   Non lavorava
     Does he work?   Lavora?
     Did he work?   Lavorava?

May (presente) e **might** (passato e condizionale)
vengono usati per esprimere permesso (formale), probabilità o dubbio. Non esistono gli altri tempi.

ES: May I get in?   Posso entrare?
     We might go to Rome   Potremmo andare (forse andremo) a Roma
     I may not succeed   Potrei non farcela

Can (presente) e **could** (passato e condizionale)
vengono usati per esprimere permesso (meno formale), probabilità in senso positivo e capacità. Non esistono gli altri tempi.

ES: Could you show me the way?   Potresti indicarmi la via?
     I can swim   So (sono capace di) nuotare
     I cannot go to Carlo's   Non posso andare da Carlo

Must (solo al presente) implica un obbligo.

ES: I must go   Devo proprio andare

Need viene usato come ausiliare nel significato di 'occorrere' (senza obbligo), specialmente in frasi negative o interrogative. Quando regge un complemento oggetto si costruisce normalmente col significato di 'aver bisogno'.

ES: You need not go to Rome   Non occorre che tu vada a Roma
     Do you need any help?   Hai bisogno di aiuto?

Will e **shall** vengono usati per costruire il futuro dei verbi, nel seguente modo:
     sogg. + will/shall + infinito del verbo (senza 'to')
Shall viene usato solo nella prima persona singolare e plurale: in queste persone, will esprime intenzionalità.

ES: I will wait for you   Ti aspetterò (ho intenzione di aspettarti)
     They will arrive at ten   Arriveranno alle dieci

Would e **should** vengono usati per costruire il condizionale, nel seguente modo:
  sogg. + would/should + infinito del verbo (senza 'to')
Should esprime dovere. La frase condizionale viene usata spesso nel discorso indiretto.
In forma interrogativa con il verbo *to like* è utilizzata come forma di cortesia.

ES: You should pay your debts   Dovresti pagare i tuoi debiti
      He said that he would be here   Disse che sarebbe stato qui
      Would you like some sugar?   Gradisci un po' di zucchero?

VERBI COMUNI

Presente semplice
Ha la stessa forma dell'infinito senza il 'to' e si usa per esprimere un'azione abituale che
non necessariamente si verifica nel momento in cui si parla.
La terza persona singolare del presente si costruisce aggiungendo una **s** (o **es**, secondo le
stesse regole della formazione del plurale dei nomi).

ES: to work (lavorare)   I work, he works

Presente progressivo
Si forma con il presente di *to be* e il participio presente del verbo. Si usa per descrivere
un'azione che si sta compiendo nel momento presente.

Participio presente
Si forma dall'infinito aggiungendo **ing**.
– Quando l'infinito termina per **e** muta, questa si elide.
– Quando l'infinito termina per consonante preceduta da un'unica vocale accentata,
  la consonante si raddoppia.
– Quando l'infinito termina per **ie**, tale terminazione diviene **y** prima di **ing**.

ES: to love (amare)   I am loving
      to refer (riferirsi)   I am referring
      to lie (giacere)   I am lying

La forma in **ing** viene usata come soggetto di una frase, dopo alcuni verbi (e
obbligatoriamente subito dopo una preposizione.

ES: Learning English is easy   Imparare l'inglese è facile
      Do you mind closing the door? Ti dispiace chiudere la porta?
      He insisted on seeing her   Insisteva per vederla

Passato semplice
Nei verbi *regolari*, il passato si forma dall'infinito aggiungendo **ed**.
– Quando l'infinito termina per **e** si aggiunge solo **d**.
– Quando l'infinito termina per **y** preceduta da consonante, la **y** diventa **i** prima
  di **ed**.
– Quando l'infinito termina per consonante preceduta da un'unica vocale accentata,
  la consonante si raddoppia.
In inglese corrisponde a tre tempi: il passato prossimo, il passato remoto e l'imperfetto.

ES: to work (lavorare)   I worked (lavoravo, lavorai, ho lavorato)
      to carry (portare)   I carried

Passato progressivo
Si forma con il passato di *to be* e il participio presente del verbo.
Si usa per descrivere un'azione che era in corso nel momento in cui accadeva
qualcos'altro, o che è durata un certo tempo nel passato.

ES: The wind was rising   Si stava levando il vento
      I was running when   Stavo correndo quando ho incontrato
        I met Carlo   Carlo

Passato prossimo
Si costruisce con il presente di *to have* (anche per i verbi intransitivi) e il participio passato. Descrive un'azione appena conclusa, che continua tuttora, o iniziata in un tempo indeterminato nel passato ma con un esito o una conseguenza nel presente.

Participio passato
Nei verbi *regolari* è sempre uguale al passato.

ES: I have lost my pen and   Ho perso la penna e non riesco a trovarla
     I can't find it
     I have seen this film before   Ho già visto questo film

Futuro
Si forma con gli ausiliari *will* e *shall* (vedi sopra)
La forma **to be going to** viene usata per esprimere intenzione, forte probabilità o un futuro immediato.

ES: I know what you *are going to* say So cosa stai per dire
     I think it *is going to* rain   Penso che stia per piovere

Condizionale
Si forma con gli ausiliari *would* e *should* (vedi sopra).

Congiuntivo
Il congiuntivo presente ha esattamente la stessa forma dell'infinito. Il passato ha la stessa forma dell'indicativo passato, a eccezione di *to be*, che fa *were* in tutte le persone.

Imperativo
Esiste solo nella seconda persona singolare e plurale ed è uguale all'infinito.
Nelle altre persone si ricorre al verbo *to let*.

ES: Vai via!   Go away!
     Andiamo!   Let us go!

FORME PASSIVE

Il passivo di un verbo si forma coniugando *to be* seguito dal participio passato del verbo.

ES: *attivo* → We keep the butter here   ] Il burro lo teniamo qui
    passivo → The butter is kept here

L'agente in una frase passiva deve essere retto da **by**.

VERBI IRREGOLARI

Alcuni verbi non formano il passato e il participio passato aggiungendo **ed** all'infinito, bensì tramite una modificazione vocalica.
Non esiste una regola fissa: il paradigma è indicato in corrispondenza di ogni verbo, nella sezione inglese-italiano del dizionario.